올쏘

고등 **사회·문화**

BOOK ❶ 개념편

Structure

올쏘 사회·문화의 단계별 활용법

BOOK① 개념편

1단계

개념 확 뜯어보기
자세하고 친절한 개념 정리를 통해
내신과 수능 핵심 개념 학습!

2단계

개념 쏙 정리하기
꼭 알아야 하는 내신과 수능 핵심 개념을
간략하게 복습!

3단계

개념 팍팍 트레이닝
내신과 수능 핵심 개념을 확실하게 이해하였는지
문제로 점검!

BOOK① 개념편의 특별 코너

도표 분석 특강
등급을 가르는 고난도 도표 분석 문제의
심층 분석!

BOOK② 실전편

1단계

기출 자료 & 선지 분석
수능 출제 자료와 선지로 수능 출제 패턴 파악!

2단계

실전 기출 문제
기출 문제로 수능 출제 경향과 난이도를 파악하여
실력 향상!

3단계

킬러 예상 문제
킬러 예상 문제로 수능 문제 풀이의
노하우 향상!

BOOK② 실전편의 특별 부록

실전 모의고사
수능 최종 점검을 위한 필수 아이템!

BOOK① 개념편의 구성과 활용법

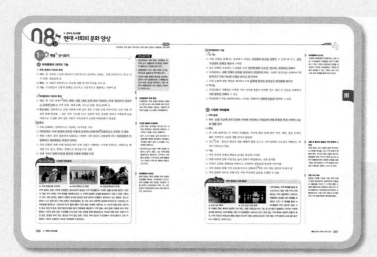

1단계 개념 확 뜯어보기

사회 · 문화 4종 교과서에서 다루고 있는 주요 개념과 내용을 학생들의 눈높이에 맞추어 줄글 형태로 자세하게 정리하였습니다. 특히 내신과 수능에 자주 나오는 빈출 개념과 중요 내용에는 별표와 밑줄로 표시하였습니다.

또한, 빈출 개념을 이해하는 데 도움이 되는 자료와 보충 설명을 **올쏘 자료 Plus**와 본문 날개에 정리하였습니다.

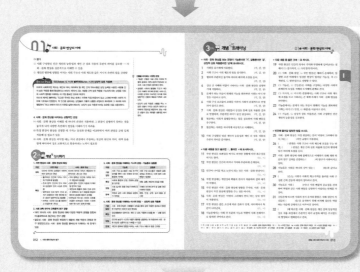

2단계 개념 쏙 정리하기

①단계 개념 확 뜯어보기를 학습한 후 꼭 알아야 하는 중요한 핵심 개념만 추려서 간략하게 정리하였습니다. 자신이 학습한 내용을 머릿속에 떠올려 보면서 복습한다는 마음으로 정리해 보세요!

3단계 개념 팍팍 트레이닝

학습한 내용을 ○× 문제, 괄호 넣기 문제, 선택형 문제 등의 다양한 형태로 테스트해 볼 수 있도록 구성하였습니다. 강별로 중요한 핵심 개념을 다시 한 번 트레이닝하면서 완벽하게 자신의 것으로 소화하도록 하세요!

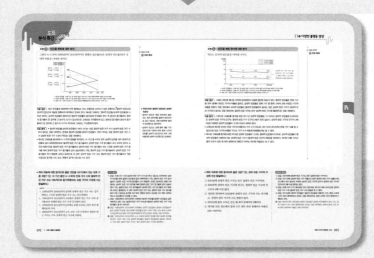

도표 분석 특강

최근 수능에서 계속 난이도가 높아지고 있는 고난도 도표 분석 문제 때문에 고민이 많지요? 수능에 빠지지 않고 출제되는 고난도 도표 분석 문제에 대한 접근 방법과 자료 분석 방법 등을 학생들이 이해하기 쉽게 풀어서 설명하였습니다. **도표 분석 특강**을 통해 자료의 분석 및 해석 능력을 높이도록 하세요!

Contents

BOOK① 개념편의 차례

Comparison Table

올쏘 사회·문화와 내 교과서 단원 찾기

Advice

수험생을 위한 선배의 조언 (개념편)

진시형
서울대 독어교육과 입학
서울 덕성여고 졸업

수능을 준비하면서 교과서와 문제집을 통해 기초 개념을 튼튼하게 다졌습니다. 중요한 용어를 중심으로 개념을 학습하고 외워야 할 개념들은 암기하면서 전 범위를 공부했습니다. 어느 정도 **개념 학습을 한 이후에는 개념을 이용한 용어 퀴즈나 개념 확인 문제를 통해 개념을 복습**했는데, 쉬운 개념 확인 문제에서 여러 가지 개념의 활용과 적용을 요하는 난이도 높은 유형의 문제를 풀기 시작했습니다. 이렇게 기초를 탄탄히 다지기 시작하여 점차 난이도를 높였을 때 훨씬 안정감을 가지고 공부를 할 수 있었습니다.

전우석
서울대 지리교육과 입학
강릉고 졸업

사회탐구 공부는 '개념 정리'와 '실전 기출 문제 풀이'의 싸움입니다. 수능날이 가까워질수록 자습 시간이 많아지면서 문제 풀이의 양이 늘어나는데, 올바른 복습과 오답 체크를 위해서 '개념 정리'와 '실전 기출 문제 풀이'는 필수입니다. 저는 **먼저 개념 정리 노트를 만들어 교과서와 참고서의 개념 설명에 나온 텍스트를 모두 옮겨 적었고, 문제를 풀다가 발견한 새로운 정보를 추가**하면서 노트 분량을 늘려 갔습니다. 그리고 문제 풀이에 지쳤을 때나 자투리 시간에 노트를 보며 기초를 다지는 학습을 꾸준히 했습니다. 덕분에 개념을 헷갈려서 오답을 체크하는 비중이 현저하게 줄어들었습니다.

김지후
서울대 사회교육과 입학
경기 고양외고 졸업

사회탐구 과목의 수능 공부는 크게 '개념 학습'과 기출 문제를 이용한 '실전 문제 풀이'로 나눌 수 있습니다. 먼저 **개념 학습**은 처음부터 모든 것을 다 외우려고 하지 말고 **일단 전체적인 흐름을 보는 게 중요**합니다. 그런 다음 다시 처음으로 돌아와서 세부적인 내용을 학습하는 게 좋습니다. 공부를 하면서 **정리 노트에는 내용을 꼼꼼하게 필기**하고 공부한 뒤, 필기한 표나 내용의 가장 커다란 표지나 뼈대만 작성해 놓고, 나머지 내용을 채워 가면서 자신이 제대로 알고 있는지를 확인해 보는 것이 좋습니다.

최지혜
서울대 지리교육과 입학
서산 서일고 졸업

수능 공부를 시작하며 어떻게 공부를 시작해야 할지 고민을 하는 분이 많을 것이라고 생각합니다. 저는 **개념 정리에 있어서 가장 중요한 점은 기출 문제를 풀어 보고 그동안 학습한 개념이 문제에서 어떻게 적용되는지 익히는 것**이라고 생각했습니다. 아무리 개념 공부가 완벽하더라도 문제에 어떻게 적용되는지를 모르면 그동안 학습한 개념들이 무용지물이기 때문입니다. 그래서 문제를 풀고 채점하고 끝내는 것이 아니라 **문제에 나오는 비슷한 선지들을 모아서 정리한 '선지 노트'를 만들었고, 틀린 문제를 모아 노트에 정리하면서 옆 여백에 해당 문제에 적용된 개념을 적은 '오답 노트'**도 만들었습니다. '선지 노트'는 수능에서 매번 나오는 같은 개념이 어떻게 다른 말로 변형되는지를 확인하는 데 큰 도움이 되었습니다. '오답 노트'는 저에게 부족한 부분이 무엇인지 한눈에 볼 수 있었습니다. 이렇게 만든 노트를 틈날 때마다 보고 시험 볼 때에도 다시 한 번 훑어보면서 내용들을 상기시켰습니다. 이러한 노력 끝에 1등급을 받을 수 있었습니다.

I

사회 · 문화 현상의 탐구

이 단원의 수능 출제 분석

이 단원은 사회·문화에서 출제 빈도가 가장 높은 단원이다. 사회·문화 현상과 자연 현상의 특징을 비교하는 문항은 매년 1번 문항으로 출제되며, 자료 수집 방법의 특징을 묻는 문항, 양적 연구와 질적 연구의 특징을 묻는 문항의 출제 빈도는 상당히 높다. 사회·문화 현상을 바라보는 관점을 비교하는 문항, 사회·문화 현상의 연구 윤리를 묻는 문항, 사회·문화 현상의 탐구 태도를 묻는 문항도 자주 출제된다.

이 단원의 수능 빈출 주제

1순위 사회 · 문화 현상과 자연 현상의 특징 비교
출제빈도 ★★★★★　　난이도 하

2순위 자료 수집 방법의 특징
출제빈도 ★★★★　　난이도 중

3순위 양적 연구 방법과 질적 연구 방법
출제빈도 ★★★★　　난이도 상

4순위 사회 · 문화 현상을 바라보는 관점
출제빈도 ★★★　　난이도 중

5순위 사회 · 문화 현상의 연구 윤리
출제빈도 ★★　　난이도 중

6순위 사회 · 문화 현상의 탐구 태도
출제빈도 ★★　　난이도 하

01강 사회·문화 현상의 이해

1단계 개념 콕 뜯어보기

01 사회·문화 현상의 의미와 특성

1. 자연 현상과 사회·문화 현상

(1) 자연 현상

① 의미 : 인간의 의지와 관계없이 자기 스스로의 원리에 따라 나타나는 현상

② 사례 : 가뭄이 드는 것, 비가 오는 것, 태풍이 오는 것, 기온이 내려가거나 올라가는 것 등

(2) 사회·문화 현상

① 의미 : 인간이 사회를 이루고 생활하면서 인위적으로 만들어 내는 현상으로, 인간에 의해 나타나는 현상일지라도 유전적인 특성에 의해 나타나는 현상이나 개인적인 차원에서 나타나는 현상은 사회·문화 현상에 해당하지 않음

② 사례 : 가뭄에 대비하여 댐을 만드는 것, 태풍의 피해를 줄이기 위해 대책을 세우는 것 등

올쏘 자료 Plus⁺ 자연 현상과 사회·문화 현상의 상호 작용

▲ 겨울철 한파

▲ 난방용품의 수요 급증

자연 현상과 사회·문화 현상은 밀접하게 연관되어 있으며 서로 영향을 주고받는다. 예를 들어 겨울철 한파로 난방용품의 수요가 증가하는 것은 자연 현상이 사회·문화 현상에 영향을 주는 경우이다. 한편 화석 연료의 사용 증가로 지구 온난화가 발생하는 것은 사회·문화 현상이 자연 현상에 영향을 주는 경우이다.

---

2. 자연 현상과 사회·문화 현상의 특성

(1) 자연 현상의 특성

① 몰가치성 : 자연 현상은 인간의 의지나 가치와 무관하게 나타나므로 '옳다, 그르다.'와 같은 가치 판단의 대상이 될 수 없음

② 존재 법칙

• 자연 현상은 인간의 인식 여부와 상관없이 단지 자기 스스로의 원리에 의해 발생함

• 여름에 곡식이 익는다는 사실은 인간의 인식 여부와 무관하게 단지 사실로 존재하는 현상임

③ 필연성과 확실성의 원리

• 자연 현상은 일정한 원인이 있으면 그에 따른 특정 결과가 필연적으로 발생하므로 명확한 인과 관계에 따른 일반화, 즉 법칙 발견이 가능하며 법칙을 통해 자연 현상에 대한 비교적 정확한 예측이 가능함

• 자연 현상은 '물은 100℃가 되면 끓는다.'와 같이 원인과 결과의 관계가 엄격하며 어떤 원인에 따른 결과가 필연적으로 나타남

④ 보편성

• 자연 현상은 조건이 같으면 항상 같은 현상이 나타난다는 점에서 보편성을 지님

• 중력이 작용할 때 물이 위에서 아래로 흐르는 것과 같은 자연 현상은 언제 어디서나 똑같이 나타남

만점 공부 비법

• 사회·문화 현상의 특징과 자연 현상의 특징을 비교·구분하는 문항은 매년 출제된다. 따라서 어떤 현상의 발생 원인이 인간의 의지에 따른 것인지, 자연 원리에 따른 것인지 구분하는 연습을 충분히 해야 한다.

• 사회·문화 현상을 이해하는 관점은 교과서 각 단원에서 여러 번 등장하는 중요한 관점이므로 꼼꼼하게 비교 정리하고, 기출 문제를 통해 어떤 유형으로 출제되는지 파악해야 한다.

존재 법칙

물이 위에서 아래로 흐르는 것은 인간의 인식 여부와 상관없이 자기 스스로의 원리에 의해 나타나는 현상이다.

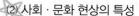

(2) 사회 · 문화 현상의 특성

① 가치 함축성

• 사회 · 문화 현상은 인간의 의지나 가치가 반영되어 발생함
• 지진으로 무너진 건물의 잔해를 치우고 구조 활동을 하는 것, 가뭄을 대비하기 위하여 댐 건설을 논의하는 것 등은 인간의 의지나 가치가 반영된 사회 · 문화 현상임

② 당위 법칙

• 사회 · 문화 현상은 '마땅히 ~해야 한다.'와 같은 인간의 규범적 요구, 즉 당위 법칙이 반영되어 나타남
• 어른에게 높임말을 하거나 공경하는 행위 등은 인간의 의도가 담긴 가치 함축적인 현상인 동시에 인간이 마땅히 따라야 한다는 당위 법칙을 인식하고 행동한 결과임

③ 개연성과 확률의 원리

• 사회 · 문화 현상은 원인과 결과가 어느 정도 관련되어 있지만 결과가 발생할 가능성이 확률적으로 높을 뿐이고 그 인과 관계가 필연적인 것은 아님
• 일정한 조건에서 예외적인 현상이 나타날 수 있으므로 결과를 정확하게 예측하기 어려움

④ 보편성과 특수성의 공존

• 사회 · 문화 현상은 보편성을 띠기도 하지만, 시대나 사회적 상황에 따라서 특수성을 띠기도 함
• 모든 시대나 사회에서 결혼이라는 사회 · 문화 현상이 보편적으로 나타나지만 그 형태나 방식 등은 시대나 사회에 따라 다를 수 있다는 점에서 특수성을 가짐

02 사회 · 문화 현상 연구의 특징과 사회 과학의 최근 연구 경향

1. 사회 · 문화 현상 연구의 특징

(1) 자연 현상과 달리 사회 · 문화 현상은 하나의 원인에 하나의 결과가 대응하지 않을 수 있으며, 현상 간에 쌍방향으로 영향을 주고받는 경우도 존재함
(2) 사회 · 문화 현상 연구는 인간이 인간을 연구 대상으로 한다는 점에서 객관적으로 연구하는 것이 쉽지 않음

2. 사회 과학의 최근 연구 경향

(1) 학문의 세분화와 전문화 경향

① 사회 구조가 더욱 분화되고 사회 · 문화 현상이 복잡해지면서 사회 과학 연구는 정치학, 경제학, 사회학, 문화 인류학 등으로 분화되어 더욱 체계적 · 과학적으로 이루어지고 있음
② 특정 현상을 관심 주제나 연구 관점에 따라 더욱 세밀하고 전문적으로 연구하는 경향이 나타나고 있음
③ 사례 : 사회학을 도시 사회학, 농촌 사회학, 노인 사회학 등으로 세분화하여 연구하고 있음

(2) 간학문적 연구 경향의 확산

① 실제 사회 · 문화 현상은 다양한 분야가 상호 밀접한 관계를 맺고 있어 개별 학문의 탐구 결과만으로는 사회 · 문화 현상을 제대로 이해하기 어려움
② 사회 · 문화 현상을 총체적으로 이해하기 위해 개별 학문의 연구 성과를 종합하는 간학문적 탐구가 이루어지고 있음
③ 간학문적 연구는 복잡한 사회 · 문화 현상에 대한 종합적인 이해를 도모하는 데 기여하고 있음

개연성

'아마 ~그럴 것이다.'와 같이 일정한 조건 아래에서 어떤 현상이 일어날 가능성이 있다는 의미이다. 사회 · 문화 현상은 복합적인 요인에 따라 발생하며, 인간의 의도와 가치 판단이 개입되어 나타나기 때문에 예상과 달리 예외적인 현상이 나타날 수 있다. 이는 자연 현상의 필연성과 대비된다.

간학문적 연구

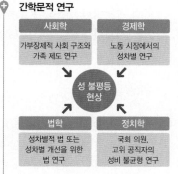

성 불평등 현상을 정치학, 경제학, 사회학, 법학의 관점에서 접근하고 있다. 이처럼 사회 · 문화 현상을 올바르게 이해하기 위해서는 개별 학문의 경계를 뛰어넘어 종합적 · 총체적으로 연구할 필요성이 있다.

03 사회 · 문화 현상을 이해하는 관점

1. 거시적 관점과 미시적 관점

(1) 거시적 관점

① 사회 전체의 특성을 바탕으로 사회 · 문화 현상을 이해하려는 입장으로, 개개인의 행위를 초월하여 존재하는 사회 구조나 제도 등의 특성에 대한 이해를 중시함

② 거시적 관점을 취하는 대표적인 입장에는 기능론과 갈등론이 있음

(2) 미시적 관점

① 특정 사회 · 문화 현상이 발생하는 상황 맥락 속에서 그 현상이 갖는 의미를 이해하려는 입장으로, 개개인이 처한 상황과 행위 동기, 특정 상황에서 나타나는 사람들 간의 상호 작용 등에 대한 이해를 중시함

② 미시적 관점을 취하는 대표적인 입장에는 상징적 상호 작용론이 있음

2. 기능론

(1) 전제

① 사회와 유기체가 많은 공통점을 갖고 있다고 보는 사회 유기체설을 바탕으로 사회 · 문화 현상을 이해함

② 사회도 유기체처럼 상호 의존적인 다양한 부분으로 구성되어 있고, 각 부분은 사회 전체가 합의한 규범에 따라 사회의 안정과 질서 유지에 필요한 기능을 수행한다고 봄

(2) 기본 입장

① 사회를 구성하는 수많은 요소들은 사회 전체의 존속과 통합에 필요한 고유의 기능을 수행하며, 이러한 기능들이 상호 의존적으로 작용하여 사회가 질서와 안정을 유지하는 데 이바지함 → 사회는 본질적으로 조화와 균형 상태에 있음

② 사회 구성원들이 공유하는 가치나 규범을 구성원 간 합의의 산물로 보고, 사회 질서 유지와 사회 안정을 위해 이러한 규범을 지킬 것을 강조함

③ 사회 문제나 갈등은 각 구성 요소가 주어진 역할을 제대로 수행하지 못했기 때문에 발생하는 것이며 문제가 되는 부분이 원래의 기능을 회복하면 사회는 다시 안정을 이룬다고 봄

(3) 평가

① 사회 질서와 통합이 나타나는 사회 · 문화 현상을 설명하기에 유용함

② 사회 갈등이나 변동의 중요성을 간과하여 혁명과 같은 사회 변동을 설명하기 어려움

③ 기존 질서나 기득권을 유지하려는 집단의 논리로 이용될 우려가 있음

올쏘자료 Plus⁺ 스펜서(Spencer. H.)의 사회 유기체설

영국의 사회학자인 스펜서는 사회가 여러 가지 면에서 살아 있는 유기체와 매우 유사하므로 사회를 더욱 잘 이해하려면 생물 유기체에서 볼 수 있는 질서와 발전의 논리를 사회의 발전에 적용하는 것이 바람직하다고 주장하였다. 그에 따르면 뇌, 심장, 폐 등과 같은 각 기관은 각각의 기능을 가지며, 모든 부분이 서로 의존하고 있어 한 부분에 변화가 생기면 다른 부분에 영향을 미친다. 또한 각 부분은 유기체의 생존을 위해 존재하고 생물 유기체의 소멸은 각 부분의 소멸을 의미한다. 이에 비추어 볼 때 개인은 사회 전체의 질서와 통합을 위해 존재하며 사회를 떠나서는 의미 없는 존재이며 가족, 종교, 정부, 산업은 모두 하나의 유기체인 사회의 일부분으로 간주된다.

거시적 관점과 미시적 관점

숲 전체에 초점을 두고 연구하는 관점이 거시적 관점이라면 미시적 관점은 숲에서 자라는 나무를 중심으로 연구하는 관점이라고 할 수 있다.

유기체

각 부분이 일정한 목적을 지향하면서 통일적으로 조직되어 전체의 생존과 유지를 위해 일정한 기능을 담당하고 있는 조직체를 말한다.

사회 구성 요소의 기능

사회 내에 존재하는 각종 제도나 조직은 사회의 유지와 존속을 위해 각기 주어진 기능을 수행한다. 우선 경제 제도는 사회 구성원들이 환경에 적응해 살아남는 방법을 제공하고, 정치 제도는 사회의 목표를 달성하기 위해 자원을 배분하고 관리하는 데 필요하다. 또한 법 제도는 일탈을 규제하고, 교육 제도나 종교 제도는 규범을 내면화하는 데 이바지한다.

3. 갈등론

(1) 전제

① 사회는 사회적 희소가치를 둘러싼 사회 구성원 간의 갈등과 대립의 장임

② 사회적 희소가치를 획득한 지배 집단은 부와 권력을 이용하여 기존의 지배 관계를 유지하려고 하지만, 피지배 집단은 이에 도전하므로 갈등과 대립은 항상 존재할 수밖에 없음

(2) 기본 입장

① 사회 질서 유지나 사회 통합은 구성원의 합의에 따른 것이 아니라 지배 집단이 자신들의 기득권을 유지하기 위해 피지배 집단을 억압하는 가운데 강제적으로 이루어진 것임

② 사회 각 부분의 기능과 역할도 지배 집단이 자신들의 이익을 위해 정당한 것으로 규정해 놓은 것이며 불평등을 재생산하는 도구에 불과함

③ 갈등은 비정상적인 현상이 아니라 사회의 본질적인 속성이며, 오히려 사회 변화와 사회 발전의 원동력이 됨

④ 사회 운동은 사회 집단 간의 지배와 억압을 해결하는 데 중요한 역할을 함

(3) 평가

① 사회 구조 속에 존재하는 지배와 피지배의 관계와 갈등의 측면을 이해하는 데 유용함

② 사회 각 부분 간의 복잡한 관계를 지배와 피지배의 관계로 단순화하고, 사회에서 협동과 통합이 이루어지는 현상을 설명하기는 어렵다는 한계가 있음

③ 혁명과 같은 급진적인 사회 변동을 강조하여 사회 혼란을 유발하기도 함

올쏘 자료 Plus⁺ 마르크스(Marx. k.)의 계급 투쟁론

독일의 사회학자인 마르크스에 따르면 자본주의 사회에서는 자본을 소유한 자본가가 지배 계급을 형성하고 인구 대부분이 노동자 계급을 형성한다. 또한 자본가와 노동자 계급 간의 관계는 착취적 관계이다. 노동자는 자신의 노동에 통제력을 거의 갖지 못하고 노동자가 생산한 상품은 자본가가 독차지하며, 자본가는 노동자에게 간신히 살아갈 만큼의 임금만 주고 이윤을 창출하기 때문이다. 마르크스는 계급 갈등이 시간이 갈수록 첨예해지고 노동자의 계급 의식이 성장함에 따라 노동자들은 필연적으로 혁명을 일으킬 것이라고 주장하였다.

---

4. 상징적 상호 작용론

(1) 전제 : 인간은 자율성을 지닌 능동적인 존재이며, 사물이나 행위에 주관적인 의미를 부여하는 행위의 주체임

(2) 기본 입장

① 사회 제도나 사회 구조보다는 일상생활 속에서 나타나는 인간의 행위에 초점을 둠

② 인간은 각자의 상황 정의를 바탕으로 행위를 선택하고, 의미 전달의 수단으로 언어, 신호, 손짓 등과 같은 상징을 활용하여 타인과 상호 작용을 함

③ 사람들이 행위의 의미를 공유하면 사회적 상호 작용이 원활하게 이루어지지만 그렇지 못하면 사회적 상호 작용에 문제가 발생함

④ 사회·문화 현상은 사람들이 상징을 통해 상호 작용한 결과로서 발생한 주관적인 의미가 담긴 현상임

⑤ 인간의 행동을 어디까지나 상호 작용의 과정과 그 과정이 일어나는 사회적 맥락 속에서 이해해야 함

사회적 희소가치

부, 명예, 권력처럼 누구나 갖고 싶어 하지만 모두를 충족할 만큼 충분하지 않은 사회적 자원을 말한다. 기능론에서는 사회적 합의에 따라 사회적 희소가치가 분배된다고 보지만, 갈등론에서는 지배 집단의 강압에 의해 사회적 희소가치가 분배된다고 본다.

기득권

특정한 개인이나 집단이 이미 차지한 권리를 말한다.

상황 정의

행위 주체가 특정 상황에 대해 그것이 발생하게 된 시간적·맥락적 조건에 따라 의미를 부여하는 것으로, 상호 작용의 바탕이 된다. 예를 들어 어두운 골목길에서 계속 쫓아오며 인상을 쓰고 주먹을 쥐면 대부분의 사람은 그 사람의 표정과 몸짓을 통해 주먹이 폭력을 상징한다는 것으로 받아들여 도망칠 것이다. 반면 축구 경기에서 선수가 주먹을 굳게 쥐어 보인다면 팬들은 그 모습을 보고 응원할 것이다. 이처럼 사람들은 구성원 간에 공유한 상징을 통해 상황을 규정하고 해석하는데 이를 상황 정의라고 하며, 그에 따라 행동하게 된다.

(3) 평가

① 사회 구성원인 인간 개인의 능동성과 개인 간 상호 작용의 주관적 의미를 강조함 → 사회 · 문화 현상을 심층적으로 이해할 수 있음

② 개인의 행위에 영향을 미치는 사회 구조나 사회 제도와 같은 거시적 측면의 힘을 간과함

올쏘자료 Plus⁺ 미드(Mead, G. H.)와 블루머(Blumer, H.)의 상징적 상호 작용론

미국의 사회학자인 미드는 개인의 자아, 자아의식 및 개인 간의 의사소통은 상징 능력을 사용한 사람들 간의 상호 작용을 통해 형성된다고 보았다. 따라서 그는 사람들 간의 상호 작용을 가능하게 하는 상징을 사회와 사회적 행위를 이해하는 데 가장 중요한 것으로 여겼다.

미드의 제자인 블루머는 "인간은 주어진 현실 세계나 자극에 직접 반응하지 않고 그것에 부여한 사회적 의미에 기초해서 반응한다. 즉 인간은 공유하는 상징들로 그들의 상황을 규정하고 해석하며 그 해석에 따라 행동한다."라고 하면서 미드의 이론을 발전시켰으며, '상징적 상호 작용론'이라는 표현을 처음 사용하였다.

♦ 선물을 바라보는 다양한 관점

• 기능론 : 선물은 서로 간의 지위와 역할의 분화와 자연스럽게 연관되어 있으며, 사회 안정의 접착제가 된다.

• 갈등론 : 사회의 불평등 구조가 개인 간의 지배와 피지배 관계로 나타나고, 이러한 관계의 지속적인 유지를 위해 일방적인 선물의 제공과 착취로 나타난다.

• 상징적 상호 작용론 : 선물을 주는 사람은 선물이 가지는 상징적 의미가 상대에게 전달되길 희망하며, 받는 사람은 선물이 갖는 의미를 나름대로 해석한다.

4. 사회 · 문화 현상을 바라보는 균형적인 관점

(1) 사회 · 문화 현상을 이해할 때 하나의 관점만 적용하면 그 관점이 설명하지 못하는 것을 놓치게 되어 다양한 측면에서 현상을 이해하기가 어려움

(2) 특정 관점이 현상을 설명할 때 가지는 장점과 한계를 비교하면서 여러 관점을 균형 있게 적용해 볼 필요가 있음

(3) 사회 · 문화 현상을 파악할 때는 여러 관점에서 주장하는 현상의 원인과 의미, 대책 등을 함께 파악하여 상호 보완적으로 활용하려는 노력이 필요함

2단계 개념 정리하기

1. 자연 현상과 사회 · 문화 현상의 특징

구분	자연 현상	사회 · 문화 현상
의미	인간의 의지와 상관없이 자연계에서 일어나는 현상	인간의 의지와 가치가 개입되어 인위적으로 나타나는 현상
특징	• 몰가치성 : 인간의 가치나 의지와 무관하게 발생함 • 존재 법칙 : 인간의 인식 여부와 상관없이 단지 사실로 존재함 • 필연성과 인과 법칙 : 인과 관계가 분명하여 어떤 원인에 따른 결과가 필연적으로 발생함 • 보편성 : 시간과 장소를 불문하고 동일하게 나타남	• 가치 함축성 : 인간의 가치와 의지가 개입되어 발생함 • 당위 법칙 : 인간이 마땅히 지켜야 할 법칙이 있음 • 개연성과 확률의 원리 : 인과 관계가 명확하지 않기 때문에 현상의 원인과 결과에 예외가 존재함 • 보편성과 특수성 : 시대와 사회를 초월한 보편성과 시대와 사회에 따른 특수성이 함께 존재함

2. 사회 과학 연구의 간학문적 연구 경향

• 의미 : 하나의 사회 · 문화 현상에 대해 다양한 학문적 관점을 종합하여 총체적으로 접근하는 연구 경향

• 필요성 : 사회 · 문화 현상은 복잡하기 때문에 개별 학문의 관점과 연구 방법만으로는 사회 · 문화 현상을 올바르게 이해하는 데 한계가 있음

3. 사회 · 문화 현상을 이해하는 거시적 관점 – 기능론과 갈등론

구분	기능론	갈등론
기본 입장	사회 구성 요소들은 서로 유기적 관계를 맺어 사회 전체의 유지와 통합에 기여함	사회 구성 요소들은 대립과 갈등 상태로 존재하고, 이에 따라 사회 변동이 발생함
특징	사회의 통합과 안정, 조화와 균형을 강조함	대립, 갈등, 변동에 초점을 맞춤
장점	사회 질서와 통합 현상 이해에 유용함	지배와 피지배 관계 및 갈등 현상 이해에 유용함
한계	혁명과 같은 사회 변동을 설명하기 어려움	협동, 안정, 균형, 질서 등을 경시함

4. 사회 · 문화 현상을 이해하는 미시적 관점 – 상징적 상호 작용론

기본 입장	사회 · 문화 현상은 사람들이 상징을 통해 상호 작용한 결과로서 발생한 주관적인 의미가 담긴 현상임
특징	일상생활에서 일어나는 개인 간 상호 작용에 초점을 둠 → 상황 정의 강조
장점	인간의 능동적 사고와 자율적 행위를 설명하는 데 유용하며 사회 · 문화 현상을 심층적으로 이해할 수 있음
한계	개인의 행위에 영향을 미치는 사회 구조나 제도의 힘을 간과함

● 사회·문화 현상을 보는 관점이 기능론이면 '기', 갈등론이면 '갈', 상징적 상호 작용론이면 '상'에 표시하시오.

1 사회를 유기체에 비유한다. (기, 갈, 상)

2 사회 구조나 사회 제도의 힘을 경시한다. (기, 갈, 상)

3 행위의 주관적인 동기와 의미의 해석에 초점을 둔다. (기, 갈, 상)

4 집단 간 지배와 억압이 나타나는 사회·문화 현상을 설명하기에 적합하다. (기, 갈, 상)

5 문제가 되는 부분이 원래의 기능을 회복하면 사회는 다시 안정을 이룬다고 본다. (기, 갈, 상)

6 사회 구성 요소들이 조화를 이루어 사회가 본질적으로 안정되어 있다고 본다. (기, 갈, 상)

7 사회·문화 현상은 사람들이 상징을 통해 상호 작용한 결과로 발생하며, 주관적인 의미가 담긴 현상이다. (기, 갈, 상)

8 현존하는 사회가 불평등하다는 점을 강조하며 사회 변동을 추구한다. (기, 갈, 상)

9 현존하는 사회를 지나치게 이상적으로 이해한다. (기, 갈, 상)

10 사회 구성원인 인간 개인의 능동성과 개인 간 상호 작용의 주관적 의미를 중시한다. (기, 갈, 상)

● 다음 내용을 읽고 옳으면 ○, 틀리면 ×에 표시하시오.

11 자연 현상은 보편성을 띠기도 하지만 상황에 따라 특수성을 띠기도 한다. (○, ×)

12 자연 현상은 인간의 의지나 가치와 무관하게 존재한다. (○, ×)

13 인간이 나이를 먹고 노인이 되는 것은 사회·문화 현상이다. (○, ×)

14 자연 현상에는 개연성과 확률의 원리가 작용하여 결과 예측이 어렵다. (○, ×)

15 자연 현상은 사회·문화 현상에 영향을 주지만, 사회·문화 현상이 자연 현상에 영향을 주는 것은 아니다. (○, ×)

16 사회·문화 현상은 '마땅히 그러해야 한다.'라는 당위 법칙이 적용된다. (○, ×)

17 자연 현상은 같은 조건에 따른 결과가 언제, 어디에서나 똑같이 나타난다. (○, ×)

18 기능론에서는 사회 각 부분의 기능과 역할이 사회 전체적으로 합의된 것이라고 본다. (○, ×)

● 다음 내용 중 옳은 것에 ○표 하시오.

19 자연 현상은 인간의 의지나 가치와 무관하게 일어난다는 점에서 (⊙ 몰가치적, ⓒ 가치 함축적)이다.

20 (⊙ 사회·문화 현상, ⓒ 자연 현상)은 예외가 존재하며, 일정한 조건 아래에서 일정한 현상이 일어날 가능성, 즉 (⊙ 개연성, ⓒ 필연성)으로 설명할 수 있다.

21 (⊙ 기능론, ⓒ 갈등론)은 사회를 구성하는 다양한 사회적 관계들의 속성을 지배와 피지배의 관계로 본다.

22 (⊙ 거시적, ⓒ 미시적) 관점에서는 사회 구조나 사회 제도에 초점을 두고 사회라는 큰 체계 속에서 사회·문화 현상을 파악한다.

23 기능론에서는 문제가 되는 부분이 원래의 기능을 회복하면 사회는 다시 (⊙ 안정, ⓒ 대립)을 이룬다고 본다.

24 (⊙ 기능론, ⓒ 상징적 상호 작용론)은 사회 구성원인 인간 개인의 능동성을 강조한다.

● 빈칸에 들어갈 알맞은 말을 쓰시오.

25 사회·문화 현상은 자연 현상과는 달리 '마땅히 그러해야 한다.'라는 (   )적인 규범이 작용한다.

26 (   ) 관점은 사회 구조나 사회 제도에 초점을 두는 반면, (   ) 관점은 개인 간의 상호 작용과 인간의 행위에 담긴 의미에 초점을 둔다.

27 사회·문화 현상에 대해 총체적으로 이해하기 위해 개별 학문의 연구 성과를 종합하는 (   )적 탐구가 이루어지고 있다.

28 기능론은 사회를 하나의 살아 있는 (   )와/과 같다고 본다.

29 (   )은/는 사회가 사회적 희소가치를 둘러싼 사회 구성원 간의 갈등과 대립의 장이라고 본다.

30 기능론은 사회 (   )(이)나 사회 변동의 중요성을 간과하여 혁명과 같은 사회 변동을 설명하기 어렵다는 한계를 가진다.

31 갈등론에 따르면 사회의 질서 유지와 통합은 지배 집단이 자신들의 (   )을/를 유지하기 위해 피지배 집단을 억압하는 가운데 강제적으로 이루어진 것이다.

32 (   )에 따르면 사회·문화 현상은 개인 간의 일상적인 상호 작용 과정에서 주관적인 의미 규정과 해석을 주고받으며 형성되고 변화한다.

---

1 기 2 상 3 상 4 갈 5 기 6 기 7 상 8 갈 9 기 10 상 11 ×(사회·문화 현상의 특징) 12 ○ 13 ×(자연 현상) 14 ×(사회·문화 현상의 특징) 15 ×(상호 영향을 미침) 16 ○
17 ○ 18 ○ 19 ⊙ 20 ⊙, ⊙ 21 ⓒ 22 ⊙ 23 ⊙ 24 ⓒ 25 당위 26 거시적, 미시적 27 간학문 28 유기체 29 갈등론 30 갈등 31 기득권 32 상징적 상호 작용론

사회 · 문화 현상의 탐구 방법

1단계 개념 확 뜯어보기

01 사회 · 문화 현상의 연구 방법

1. 사회 · 문화 현상의 과학적 탐구

(1) 필요성

① 사회 · 문화 현상을 설명할 때 많이 사용하는 개인적인 믿음이나 사회적 상식은 주관이나 편견이 개입되어 있을 가능성이 큼

② 과학적 지식은 개인적인 믿음이나 사회적 상식과 달리 엄격한 절차와 방법에 따른 체계적인 연구를 통해 얻은 결과물이므로 누구나 신뢰할 만하고 타당한 지식임

③ 과학적 지식은 경험적 자료를 통해 객관적으로 증명한 것이기에 신뢰할 만하고 타당하다고 인정할 수 있음

(2) 방법

① 양적 연구 방법 : 경험적 자료를 계량화하고 통계적으로 분석하여 사회 · 문화 현상을 연구하는 방법

② 질적 연구 방법 : 연구자의 직관적 통찰로 사회 · 문화 현상의 의미를 해석하고 이해하려는 연구 방법

2. 양적 연구 방법

(1) 전제 : 사회 · 문화 현상에도 자연 현상과 같이 일정한 원리나 규칙성이 나타나므로 실험이나 측정과 같은 자연 과학의 연구 방법을 사회 · 문화 현상의 연구에도 그대로 적용할 수 있음(방법론적 일원론)

(2) 목적 : 사회 · 문화 현상에 대한 일반적 · 보편적 법칙 발견

(3) 특징

① 계량화된 경험적 자료를 통계적으로 분석하여 사회 · 문화 현상에 존재하는 일반적인 법칙을 찾아내고자 함

② 계량화된 자료를 통해 객관적으로 증명할 수 있는 과학적 지식의 발견을 중시한다는 점에서 실증적 연구 방법이라고도 함

③ 사회 · 문화 현상을 객관적으로 관찰하고 측정할 수 있도록 추상적인 개념이나 용어를 구체화하는 과정인 개념의 조작적 정의를 거침

(4) 장점

① 주로 통계 분석 기법을 활용하여 사회 · 문화 현상을 분석하기 때문에 연구자의 주관적 가치 개입을 통제할 수 있으며 정확하고 정밀한 연구가 가능함

② 일반화된 법칙을 찾아냄으로써 사회 · 문화 현상을 설명하거나 예측할 수 있음

(5) 단점

① 계량화가 어려운 인간의 주관적 영역을 탐구하기 어려움

② 사회 · 문화 현상을 인간의 동기나 가치로부터 분리하여 연구하기 때문에 심층적인 이해가 어려움

③ 인간의 자율적이고 역동적인 상호 관계를 계량화함으로써 사회 · 문화 현상을 지나치게 단순화하며 기계적으로 인식함

만점 공부 비법

- 양적 연구 방법과 질적 연구 방법에 관한 문항에 대비하려면 제시된 연구의 방법을 구분할 수 있어야 한다. 따라서 두 연구 방법의 차이점을 반드시 숙지해야 한다.

- 자료 수집 방법을 특정 기준으로 분류하여 구분하는 문제가 자주 출제되므로 여러 자료 수집 방법의 공통점과 차이점을 확실하게 파악해야 한다.

- 최근에는 제시된 연구 사례에서 사용된 연구 방법과 자료 수집 방법을 찾아내고 그 특징을 묻는 문제도 출제되고 있다. 각 연구 방법에서 주로 사용하는 자료 수집 방법들도 꼭 기억해 두어야 한다.

경험적 자료
연구자가 어떤 현상에 대하여 직접적인 관찰이나 조사를 통해 습득한 자료를 말한다.

개념의 조작적 정의
사회 · 문화 현상을 객관적으로 관찰하고 측정할 수 있도록 추상적인 개념이나 용어를 측정 가능한 지표로 바꾸어 구체화하는 과정을 말한다. 예를 들어 '학업 성취도'라는 개념을 '중간고사와 기말고사 성적'으로 정의한다거나 '부모와 자녀 간의 애정 정도'를 '하루 평균 부모와 자녀 간의 대화 시간'으로 정의하는 것을 말할 수 있다.

3. 질적 연구 방법

(1) **전제** : 사회·문화 현상은 자연 현상과 달리 인간의 동기나 가치 등과 같은 주관적 요인의 영향을 받으므로 자연 과학과는 다른 방법으로 사회·문화 현상을 탐구해야 함(방법론적 이원론)

(2) **목적** : 사회·문화 현상의 의미 해석과 심층적 이해, 인간 행동의 의미 파악

(3) **특징**

① 사회·문화 현상에 담긴 인간 행위의 주관적 동기와 의미를 해석하며, 연구자의 직관적 통찰을 통해 인간의 내면을 심층적으로 이해하고자 하므로 해석적 연구 방법이라고도 함

② 개인이 처한 상황이나 사회적 맥락 등을 고려하고 연구 대상의 관점에서 현상을 이해하기 위해 감정 이입적 이해를 추구함

③ 인간 행위의 의미를 깊이 탐구할 수 있는 일기, 편지, 대화록, 관찰 일지 등의 자료를 중요하게 여김

(4) **장점**

① 계량화하기 어려운 영역을 연구할 수 있음

② 연구 대상을 심층적으로 이해할 수 있음

(5) **단점**

① 연구 과정에서 연구자의 주관이 개입될 가능성이 큼

② 개별 사례에 집중하기 때문에 일반화된 지식을 얻거나 법칙을 발견하기 어려움

③ 개인의 행위에 영향을 미치는 사회 구조나 사회 제도적 측면을 소홀히 할 수 있음

> **직관적 통찰**
> 현상 전체에 담겨 있는 의미를 꿰뚫어 보는 것으로, 연구자의 지식과 판단 능력에 의존하여 감각적으로 현상의 의미를 파악하는 것을 말한다.

> **감정 이입적 이해**
> 연구자가 연구 대상자의 처지가 되어 연구 대상자가 가질 수 있는 느낌이나 의도 등의 공감대를 형성하여 대상을 이해하는 것을 말한다.

> **일반화**
> 자료 분석을 통해 얻은 연구 결과를 연구 대상과 유사한 다른 대상에게 적용하는 것을 말한다.

올쏘자료 Plus⁺ 청소년의 가출과 관련한 양적 연구 방법과 질적 연구 방법의 사례

양적 연구 방법	본 연구는 부모의 양육 태도가 부정적일수록 청소년의 가출 충동이 높아질 것이라는 가설을 검증하고자 하였다. 이를 위해 고등학생 남녀 1,000명을 대상으로 가정에서의 양육 태도 검사와 가출 충동에 대해 설문 조사를 하였으며 이를 통해 수집된 자료를 통계적으로 분석하였다. 이때 부모의 양육 태도 점수가 권위, 통제, 비합리성 항목에서 더 높은 결과를 보인 청소년일수록 가출 충동이 더 높음을 확인할 수 있었다.
질적 연구 방법	본 연구는 가출 청소년의 심리 상태를 심층적으로 이해하고자 하였다. 이를 위해 가출 경험이 있는 고등학생 남녀 20명을 심층 면접하고 그들의 그림이나 일기 등을 수집하여 해석하였다. 그 결과 가출 후 부모의 반응, 가출 청소년을 복귀시키기 위한 부모와 지인의 노력, 복귀 후 부모의 태도 등이 가출 청소년의 심리 상태를 안정되게 만들어 주고 재가출을 방지하는 중요한 해결 요소임을 확인할 수 있었다.

양적 연구 방법은 계량화가 가능한 변수 간의 상관관계를 측정한다. 청소년의 가출 충동성, 부모의 양육 태도 점수는 모두 계량화가 가능한 변수이다. 반면 질적 연구 방법은 가출 청소년의 심리 상태와 같이 계량화하기 어려운 분야에 대해 감정 이입이나 직관적 통찰 등을 통해 연구한다.

4. 양적 연구와 질적 연구의 상호 보완적 활용

(1) **필요성**

① 양적 연구 방법과 질적 연구 방법은 사회·문화 현상을 탐구하는 데 각각의 한계가 있음

② 사회·문화 현상에 대한 올바른 지식을 갖추려면 일반화된 법칙과 사회적 행위의 의미에 대한 이해가 모두 필요함

(2) **방안** : 양적 연구 방법을 통해서 인과 법칙을 발견한 후에 질적 연구 방법을 통해 심층적인 이해를 보완하거나 그 반대의 순서로 탐구를 진행할 수 있음

> **양적 연구와 질적 연구의 조화**
>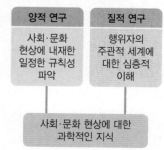
> 사회·문화 현상에 대한 올바른 지식을 갖추기 위해서는 사회·문화 현상의 규칙성과 행위자의 주관적 세계에 대한 심층적인 이해가 모두 필요하다.

02 다양한 자료 수집 방법

1. 질문지법

(1) 의미 : 조사 대상자가 조사 내용에 관한 질문지에 답변을 하게 하는 방법

(2) 특징

① 일반적으로 양적 자료를 수집하여 통계 분석을 수행할 목적으로 활용됨

② 다수의 사람에게 같은 내용의 질문과 응답 항목을 제시하는 구조화된 도구를 사용함

③ 대규모의 모집단에서 표본을 선정하고 자료를 수집하여 분석한 후 그 결과를 일반화함

(3) 장점

① 비교적 짧은 시간에 다수를 대상으로 자료를 얻을 수 있어 시간과 비용을 줄일 수 있음

② 구조화된 질문지를 사용하기 때문에 자료를 수집할 때 연구자의 가치 개입을 줄일 수 있음

③ 분석 기준이 명확하고 통계 처리가 용이하여 비교 분석 연구에 적합함

(4) 단점

① 질문 구성이 잘못된 경우 또는 질문지 회수율이 낮거나 불성실한 응답이 많은 경우 결과가 왜곡될 수 있음

② 문맹자에게 활용하기 어렵고, 조사 대상자가 질문지의 항목에 국한하여 응답하므로 깊이 있는 정보를 얻기 어려움

③ 표본의 대표성이 낮을 경우 조사 결과를 일반화하기 어려움

올쏘 자료 Plus⁺ 질문지 작성 시 유의 사항과 문항의 문제점

• 용어나 표현을 명확히 하여 질문이 명료해야 한다. • 특정 답변을 유도하거나 조사자의 가치를 개입한 내용을 넣어 질문하지 않는다. • 질문의 응답 항목을 상호 배타적으로 제시하여 중복이 발생하지 않도록 한다. • 질문의 응답 항목은 조사 대상자가 하나를 선택할 수 있도록 모든 경우의 수를 포괄하는 포괄성을 갖추어야 한다. • 하나의 질문에서는 한 가지 내용만 묻는다.	1. 귀하의 연령은? 　① 20대　② 30대　③ 40대 2. 귀하는 인터넷을 자주 이용합니까? 　① 예　② 아니요 3. 귀하가 하루에 인터넷을 접하는 시간은 어느 정도입니까? 　① 1시간 이하　② 1~3시간　③ 3시간 이상 4. 인터넷 중독이 심각한 사회 문제가 되고 있습니다. 인터넷 사용 시간을 늘릴 의향이 있습니까? 　① 있다.　② 없다. 5. 가장 정보가 풍부하고 편의성이 높은 포털 사이트는 어디입니까? 　① A 포털　② B 포털　③ C 포털

질문지에서 1번 문항은 10대나 50대 이상이 선택할 항목이 없으므로 포괄성을 갖추지 못하였다. 2번 문항은 '자주'라는 표현이 명확하지 않다. 3번 문항은 1시간 이하에 1시간이 포함되고 3시간 이상에 3시간에 포함되므로 항목 간의 배타성이 없다. 4번 문항은 특정 답변을 유도하고 있으며, 5번 문항은 정보력, 편의성에 대한 두 가지 질문을 모두 담고 있다.

2. 실험법

(1) 의미 : 독립 변인(독립 변수) 외의 다른 변인을 통제한 후 연구 대상자에게 독립 변인을 처치하고 그로 인해 나타나는 종속 변인(종속 변수)의 변화를 파악하는 자료 수집 방법

(2) 특징

① 일반적으로 양적 자료를 수집할 목적으로 활용되며, 자연 과학에서 널리 활용하는 방법임

② 연구 대상자와 연구 상황을 연구자의 의도에 따라 설계한다는 점에서 가장 엄격한 통제가 가해지는 자료 수집 방법에 해당함

양적 자료와 질적 자료
- 양적 자료 : 수치화된 자료로, 질문지법과 실험법 등으로 수집함
- 질적 자료 : 수치화되지 않은 문자나 영상, 음성으로 기록된 자료로, 참여 관찰법이나 면접법 등으로 수집함

모집단과 표본 집단

모집단은 연구 대상이 되는 전체 집단이고, 표본 집단은 모집단 중에서 실제 조사를 위해 선택한 집단을 말한다. 표본으로 추출한 집단이 모집단의 특성을 제대로 대표할 수 있어야 조사 결과를 일반화할 수 있다.

독립 변인과 종속 변인
독립 변인은 인과 관계에서 원인으로 작용하는 변인을 말하고, 종속 변인은 독립 변인의 영향을 받아 변화하는 변인을 말한다.

실험법에서 통제의 중요성
실험법을 사용할 때는 독립 변인 이외의 변인들이 종속 변인에 영향을 미치지 못하도록 통제해야 한다. 이와 같은 통제가 제대로 이루어지지 않은 실험의 결과는 타당성을 갖기 어렵다.

(3) 장점

① 독립 변인과 종속 변인 간의 인과 관계를 보여 주는 자료를 얻을 수 있어서 가설 검증을 통해 법칙을 찾아내는 데 유용함

② 조건을 엄격히 통제하기에 인과 관계를 명확히 파악할 수 있으며, 실증적이고 객관화된 자료를 구하는 데 활용할 수 있음

(4) 단점

① 실험 과정에서 독립 변인 외에 다른 변인의 개입을 철저히 통제하기 어려움

② 통제된 상황에서의 실험 결과가 현실에 그대로 적용된다고 단정할 수 없음

③ 인간을 실험 대상으로 한다는 점에서 연구 윤리에 위배될 우려가 존재하고 법적인 문제가 발생할 수 있음

올쏘 자료 Plus⁺ 실험법의 절차

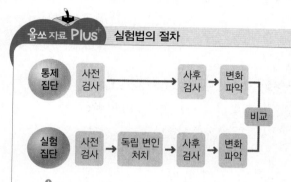

실험을 할 때는 원칙적으로 실험 집단과 통제 집단을 구성하는데, 두 집단 간에는 독립 변인 처치 여부를 제외한 다른 모든 조건이 동일하도록 통제해야 종속 변인에 대한 독립 변인의 영향을 정확하게 파악할 수 있다.

실험 과정에서는 원칙적으로 종속 변인에 대한 사전 검사와 사후 검사를 실시한다. 두 차례 검사를 통해 통제 집단과 달리 실험 집단에서 의미 있는 변화가 나타났다면 독립 변인이 종속 변인에 영향을 미쳤다고 판단할 수 있다.

실험 집단과 통제 집단
실험 집단은 실험 처치(독립 변인 처치)가 가해지는 집단을 말하고, 통제 집단은 실험 처치가 가해지지 않는 집단을 말한다.

사전 검사와 사후 검사
사전 검사는 실험 처치가 가해지기 이전의 종속 변인 값을 측정하는 검사를 말하고, 사후 검사는 실험 처치가 가해진 이후의 종속 변인 값을 측정하는 검사를 말한다.

3. 면접법

(1) 의미 : 연구자가 연구 대상자와의 대화를 통해 자료를 수집하는 방법

(2) 특징

① 내면적이고 깊이 있는 질적 자료를 얻고자 할 때 사용됨

② 심층적인 조사를 위해 주로 소수를 대상으로 수행함

③ 연구자는 연구 대상자에게 질문할 때 대부분 미리 정해진 질문을 하지만, 연구 대상자의 반응에 따라 보충 설명을 하거나 추가적인 질문을 하는 등 질문의 구성이나 순서는 달라지기도 함

(3) 장점

① 문맹자에게도 실시할 수 있고, 신뢰 관계 형성을 통해 응답 거부나 회피, 무성의한 응답과 악의적인 응답을 줄일 수 있음

② 소수의 사람을 상대로 주관적인 세계에 대한 깊이 있는 자료를 수집하는 데 적합함

③ 자료 수집 과정에서 연구자가 유연성이나 융통성을 발휘할 수 있음

(4) 단점

① 다수 대상자를 면접할 때에는 시간과 비용이 많이 듦

② 연구 주제에 부합하는 소수의 전형적인 연구 대상자를 선정하는 데 어려움이 따름

③ 자료 수집 및 해석 과정에서 연구자의 주관적 가치나 편견이 개입할 수 있음

④ 유연하게 접근함으로써 분석 기준이 불명확하여 통계 처리나 비교 분석에 부적합함

다수의 면접 조사자를 활용할 때의 유의 사항
심층적인 정보를 수집하기 위한 면접법은 일반적으로 연구 주제와 관련하여 자유롭게 대화를 나누는 형식으로 실시된다. 따라서 같은 조사 주제에 대하여 다수의 면접 조사자가 동원될 경우 조사자의 개인적 특성, 진행 능력 등에 따라 수집된 정보의 양과 질에 큰 차이가 발생할 우려가 있다. 이러한 문제를 예방하기 위해서는 실제 면접 조사를 수행하기 전에 조사 주제와 목적, 필요한 정보의 양이나 질, 면접 진행 요령 등에 대하여 철저하게 사전 교육을 실시할 필요가 있다.

4. 참여 관찰법

(1) 의미 : 연구자가 연구 대상자와 함께 생활하거나 그들의 활동에 참여하면서 현상을 직접 관찰함으로써 필요한 자료를 수집하는 방법

(2) 특징

① 일반적으로 질적 자료를 수집할 목적으로 활용됨

② 연구 대상자의 생활에 조작을 가하지 않고 있는 그대로의 모습을 관찰하는 방식으로 이루어지기 때문에 가장 전형적인 비구조화된 자료 수집 방법에 해당함

③ 심층적인 연구를 위해 장기간에 걸쳐 수행하는 경우가 많아서 시간과 비용이 비교적 많이 소요됨

(3) 장점

① 연구자가 직접 관찰하고 정보를 수집하기 때문에 자료의 실제성을 확보할 수 있음

② 언어나 문자로 표현할 수 없는 현상도 조사할 수 있어 생동감 있고 깊이 있는 자료를 수집할 수 있음

③ 언어가 다른 사회의 사람이나 유아처럼 언어적 의사소통이 곤란한 집단을 대상으로도 자료를 수집할 수 있음

(4) 단점

① 관찰하고자 하는 현상이 나타날 때까지 기다려야 하므로 시간과 비용이 많이 소요됨

② 조사 대상자가 연구자를 의식하여 평소와 다르게 행동할 경우 정확한 자료를 수집하기 어려움

③ 연구자의 편견이나 주관적 가치가 개입될 우려가 큼

④ 예상하지 못한 상황이 발생할 경우 유연하게 대처하기 곤란함

5. 문헌 연구법

(1) 의미 : 역사적 문헌, 보고서, 신문이나 잡지, 일상에 대한 기록, 통계 자료 등 기존 문헌에서 자료를 수집하는 방법

(2) 특징

① 양적 연구와 질적 연구에서 모두 활용되며, 1차 자료를 수집하기 어려울 때 2차 자료를 수집하기 위해 활용되는 경우가 많음

② 문헌 연구법에 따라 수집 가능한 자료에는 법률 자료나 국가 공식 통계 등의 공식적 자료만이 아니라 개인 일기와 같은 비공식적 자료도 포함됨

③ 관련 연구 동향을 파악하여 연구 문제나 가설을 설정할 때 많이 사용한다는 점에서 다른 자료 수집 방법과 같이 사용하는 경우가 많음

④ 문헌 내용 자체를 자료로 삼고 이를 분석하여 결론을 도출하는 연구에도 사용함

(3) 장점

① 시 · 공간적으로 접근이 어려운 사회 · 문화 현상에 대한 자료를 수집할 때 용이함

② 직접 조사하는 것에 비해 시간과 비용을 절약할 수 있음

(4) 단점

① 문헌의 정확성과 신뢰성이 떨어지면 연구의 신뢰도에 문제가 발생할 수 있음

② 자신의 연구 주제에 정확하게 부합하는 자료를 구하기 어려움

③ 문헌을 해석하는 과정에서 연구자의 주관적 판단이나 가치가 개입할 우려가 있음

참여 관찰법에서 연구자의 태도
참여 관찰을 통해 적합한 자료를 수집하기 위해서는 연구자가 연구 대상과 동화된 행동을 하는 것이 중요하다. 예를 들어 연구 대상이 농촌 지역의 사람들이라면 연구자가 전형적인 도시인이라도 농촌 사람과 유사한 사고와 행동을 보여야 한다.

문헌 연구법의 사례
• 조선 후기 신분제 사회의 변화 양상 연구
• 고등학교 경제 교과서에 나타난 개념 및 법칙 학습에 관한 분석적 연구
• 우리나라 헌법 개정의 역사와 정부 형태에 관한 연구

1차 자료와 2차 자료
1차 자료는 현재의 연구를 위해 연구자가 직접 수집 · 작성한 자료이고, 2차 자료는 기존의 자료를 연구자가 현재의 연구에 이용하는 자료이다.

6. 자료 수집 방법의 활용 시 유의할 점

(1) 질문지법

① 질문은 가급적 간결하고 명료해야 하며, 조사자의 주관적 가치나 이해관계를 질문에 개입시키면 안 됨

② 표본 조사 방식을 활용하는 경우 모집단에 대하여 대표성을 갖춘 표본을 추출하도록 해야 함

(2) 실험법

① 인간을 대상으로 실험을 해도 되는 연구 주제인지 판단할 필요가 있음

② 실험 과정이나 결과가 연구 대상자들에게 미치는 영향을 예측하여 연구 대상자들에게 피해가 발생하지 않도록 주의해야 함

(3) 면접법

① 연구 대상자와의 라포르(rapport) 형성을 위해 노력해야 하며, 이를 위해 연구 대상자의 인격을 존중하고 그의 말과 행동을 수용하며 공감하는 자세를 가져야 함

② 질문을 사전에 계획하되 실제 면접에서는 상황에 맞게 유연하고 융통성 있게 진행할 필요가 있음

(4) 참여 관찰법

① 관찰을 시작하기 전에 연구 대상자들이 관찰자를 경계하지 않도록 신뢰감을 주어야 함

② 관찰 과정에서는 비록 선의라고 하더라도 연구 대상자를 변화시키기 위해 연구자가 그들의 생활에 개입해서는 안 됨

(5) 문헌 연구법 : 신뢰할 수 있는 문헌을 활용해야 함

> ♥ **라포르(rapport)**
> 상호 간에 신뢰하며, 감정적으로 안정감을 느끼는 관계를 가리키는 말이다. 면접이나 상담, 심리 치료 등에 있어서 진솔한 답변을 끌어내기 위해 중요한 요건이 된다.

2단계 개념 쏙 정리하기

1. 사회 · 문화 현상의 연구 방법

구분	양적 연구 방법	질적 연구 방법
의미	경험적 자료를 계량화하여 사회 · 문화 현상을 분석하는 연구 방법	연구자의 직관적 통찰을 통해 사회 · 문화 현상의 의미를 해석하고 이해하려는 연구 방법
목적	사회 · 문화 현상에 대한 일반화나 보편적 법칙을 정립하고자 함	사회 · 문화 현상을 심층적으로 이해하고자 함
특징	• 사회 · 문화 현상을 객관적으로 관찰할 수 있도록 개념의 조작적 정의를 거침 • 수집된 자료를 수치화하고 통계적으로 분석함으로써 가설을 검증함 → 실증적 연구 방법	• 연구자의 직관적 통찰을 강조하고, 감정 이입과 상황 정의를 중시함 • 일기, 대화록, 편지, 관찰 일지, 면접 기록과 같은 비공식적인 자료를 중시함
장점	• 통계적 분석으로 정확하고 정밀한 연구 가능 • 일반화나 법칙 발견에 유리	• 계량화하기 어려운 분야의 심층적인 이해 가능 • 연구 대상에 대한 심층적 이해 가능
단점	• 계량화하기 어려운 주관적 영역에 대한 탐구가 어려움 • 현상을 지나치게 단순화하고 기계적으로 봄	• 연구 결과에 대한 일반화나 법칙 발견이 어려움 • 연구자의 주관적 가치가 개입할 가능성이 큼

2. 자료 수집 방법

구분	장점	단점
질문지법	• 시간과 비용의 절약 • 대량의 자료 수집 가능 • 통계적 분석과 비교 분석에 용이함	• 문맹자에게 실시 곤란 • 회수율 저조로 신뢰도 문제가 발생할 수 있음 • 무성의한 응답 가능성
실험법	• 인과 관계 파악에 용이함 • 효과적인 가설 검증을 통해 과학적 연구 가능	• 연구 윤리 문제가 발생할 수 있음 • 다른 변인의 개입 가능성
면접법	• 문맹자에게 실시 가능 • 심층적 자료 수집 가능 • 응답의 정확성 높음	• 많은 시간과 비용의 소요 • 연구 대상자 선정의 어려움 • 연구자의 주관이 개입될 우려가 있음
참여 관찰법	• 의사소통이 곤란한 대상에게 실시 가능 • 심층적 자료 수집 가능 • 자료의 실제성 확보 가능	• 많은 시간과 비용의 소요 • 예상치 못한 변수 통제 곤란 • 원하는 현상을 기다려야 함 • 연구자의 편견 개입 가능성
문헌 연구법	• 시간과 비용의 절약 • 시 · 공간적 제약 극복 가능	• 문헌의 정확성과 신뢰성 확보 문제 발생 • 문헌 해석 시 연구자의 주관적 가치가 개입될 가능성

3단계 개념 콕콕 트레이닝

● 사회 · 문화 현상을 연구하는 방법 중 양적 연구 방법이면 '양', 질적 연구 방법이면 '질'에 표시하시오.

1 방법론적 일원론을 토대로 한다. (양, 질)

2 감정 이입적 이해를 중시한다. (양, 질)

3 실증적 연구 방법이라고도 한다. (양, 질)

4 개념의 조작적 정의 과정을 거친다. (양, 질)

5 일반화된 법칙을 찾아냄으로써 사회 · 문화 현상을 설명하거나 예측할 수 있다. (양, 질)

6 연구자의 직관적 통찰을 통해 인간 행위의 이면을 이해한다. (양, 질)

7 일기, 편지 등의 비공식적 자료를 주로 활용한다. (양, 질)

8 주로 통계 분석 기법을 활용한다. (양, 질)

9 계량화가 어려운 인간의 주관적 영역은 탐구하기 곤란하다. (양, 질)

10 연구자의 주관적 가치가 개입될 가능성이 크고, 객관적인 법칙을 발견하기가 어렵다. (양, 질)

● 다음 내용을 읽고 옳으면 ○, 틀리면 ×에 표시하시오.

11 과학적 지식은 사회 · 문화 현상을 엄격한 연구 절차와 방법에 따라 체계적으로 분석하여 발견한 지식을 말한다. (○, ×)

12 사회 과학적 지식의 발견에는 질적 연구 방법은 제외하고 주로 양적 연구 방법을 사용한다. (○, ×)

13 사회 · 문화 현상도 자연 현상 연구와 동일한 방법으로 연구할 수 있다는 방법론적 일원론에 기초한 것이 질적 연구 방법이다. (○, ×)

14 양적 연구 방법에서는 추상적인 사회 · 문화 현상을 계량화하고자 개념의 조작적 정의 과정을 거친다. (○, ×)

15 질적 연구 방법은 일반화나 인과 법칙 발견을 통해 사회 · 문화 현상을 설명하거나 예측할 수 있다. (○, ×)

16 질적 연구 방법은 연구 과정에서 직관적 통찰을 통한 해석적 이해가 필요하다고 보기에 해석적 연구 방법이라고도 한다. (○, ×)

17 양적 연구 방법은 겉으로 드러난 행위 이면에 담긴 의미를 심층적으로 이해하는 데 유용하다. (○, ×)

18 양적 연구 방법을 통해 인과 법칙을 발견한 후에 질적 연구 방법을 통해 심층적인 이해를 보완할 수도 있으며, 반대의 순서로 탐구를 진행할 수도 있다. (○, ×)

● 다음 내용 중 옳은 것에 ○표 하시오.

19 (㉠ 양적, ㉡ 질적) 연구 방법은 자연 과학과 같은 방법을 통해 사회 · 문화 현상의 일반적인 법칙을 발견하고자 한다.

20 개념의 (㉠ 조작적, ㉡ 구체적) 정의란 추상적인 개념을 측정 가능한 구체적인 지표로 바꾸는 것을 의미한다.

21 양적 연구 방법은 (㉠ 계량화된, ㉡ 심층적인) 자료를 이용하므로 정확하고 정밀한 연구가 가능하다.

22 (㉠ 양적, ㉡ 질적) 연구 방법은 인간의 주관적이고 정신적인 영역을 연구하는 데 유용하다.

23 질적 연구 방법은 연구자의 (㉠ 직관적 통찰, ㉡ 통계 분석)을 통해 인간의 내면을 심층적으로 이해하고자 한다.

24 (㉠ 양적, ㉡ 질적) 연구 방법은 연구 결과를 일반화하기 어렵다.

● 빈칸에 들어갈 알맞은 말을 쓰시오.

25 양적 연구 방법은 자연 과학의 연구 방법을 사회 과학에 적용할 수 있다고 보는 (   )을/를 토대로 한다.

26 (   ) 방법은 사회 · 문화 현상에 대한 연구를 통해 독립 변인과 종속 변인 간의 관계를 파악하여 일반화나 법칙을 정립하고자 한다.

27 양적 연구 방법은 계량화된 자료를 수집하고 (   )을/를 통해 결론을 도출하기 때문에 연구자의 가치나 이해관계가 개입될 가능성이 적다.

28 질적 연구 방법은 연구 대상자의 생활 세계에 대한 관찰이나 면담 등으로 자료를 수집하여 연구자의 (   )을/를 통해 결론을 도출하는 방법이다

29 (   ) 방법은 연구자가 주관적으로 해석할 우려가 있으며, 연구 결과를 일반화하는 데 한계가 있다는 비판을 받는다. 이는 결론을 도출하는 데 연구자의 해석에 의존하고, (   )의 사례를 대상으로 연구를 수행하기 때문이다.

30 (   )은/는 개인적인 믿음이나 상식과 달리 엄격한 절차와 방법에 따른 체계적인 연구를 통해 얻은 결과물로 누구나 신뢰할 만하고 타당한 지식이다.

31 질적 연구에서 연구자는 탐구 대상인 행위자의 관점에서 왜 그러한 행동을 하였는가를 이해하는 (   )을/를 통해 행위자의 행동을 이해하고자 한다.

32 가치 함축적인 사회 · 문화 현상은 자연 현상과 본질적으로 다르기 때문에 다른 방법으로 연구해야 한다는 (   )에 기초한 것이 질적 연구 방법이다.

---

1 양 2 질 3 양 4 양 5 양 6 질 7 질 8 양 9 양 10 질 11 ○ 12 ×(양적 연구 방법, 질적 연구 방법 모두 사용) 13 ×(양적 연구 방법) 14 ○ 15 ×(양적 연구 방법) 16 ○ 17 ×(질적 연구 방법) 18 ○ 19 ㉠ 20 ㉠ 21 ㉠ 22 ㉡ 23 ㉠ 24 ㉡ 25 방법론적 일원론 26 양적 연구 27 통계 분석 28 해석 29 질적 연구, 소수 30 과학적 지식 31 감정 이입 32 방법론적 이원론

● 자료 수집 방법 중에서 질문지법이면 '질', 면접법이면 '면', 참여 관찰법이면 '참'에 표시하시오.

33 대규모의 모집단에서 표본을 선정하여 자료를 수집할 때 활용되는 경우가 많다. (질, 면, 참)

34 비교적 적은 수의 인원을 대상으로 깊이 있는 대화를 통해 정보를 얻는다. (질, 면, 참)

35 문화 인류학자들이 원시 부족 사회의 문화를 연구할 때 흔히 사용된다. (질, 면, 참)

36 비교적 짧은 시간에 다수의 대상에게서 자료를 얻을 수 있기에 시간과 비용을 줄일 수 있다. (질, 면, 참)

37 글을 모르는 사람에게서도 자료를 수집할 수 있으며, 특히 당사자만이 알고 있는 심층적인 정보를 얻을 수 있다.
(질, 면, 참)

● 다음 내용을 읽고 옳으면 ○, 틀리면 ×에 표시하시오.

38 문헌 연구법은 연구자가 현장의 생생한 자료를 얻을 수 있다는 장점이 있다. (○, ×)

39 면접법은 연구자가 미리 정해진 질문을 하며 이외의 추가 질문은 허용되지 않는다. (○, ×)

40 실험법은 가상의 상황을 설정하여 인위적인 자극을 가한 다음 그 효과를 측정하여 자료를 수집하는 방법이다. (○, ×)

41 실험법에서 독립 변인을 처치한 연구 대상을 통제 집단이라고 한다. (○, ×)

42 참여 관찰법은 인과 관계를 가장 정확하게 파악할 수 있어 법칙 발견에 유리하다. (○, ×)

43 면접법은 문맹자에게도 실시할 수 있고, 무성의한 응답이나 악의적인 응답을 줄일 수 있다. (○, ×)

44 질문지법은 회수율이나 응답률이 낮을 수 있고, 불성실한 응답이나 악의적인 응답의 문제가 발생할 수 있다. (○, ×)

45 면접법은 조사 대상자가 연구자를 의식해 평소와 다르게 행동하면 정확한 자료를 수집하기 어렵다. (○, ×)

46 질문지법에서 조사 자료는 대부분 수치화하여 분석하며, 표본 집단이 대표성을 확보했을 때 분석 결과는 모집단으로 일반화할 수 있다. (○, ×)

47 질문지법은 관련 연구 동향을 파악하거나 현재까지의 연구 성과를 살펴볼 수 있다는 점에서 모든 연구의 기초가 된다. (○, ×)

48 면접법은 조사 결과의 통계적인 분석과 집단 간 비교 분석이 용이하다. (○, ×)

● 다음 내용 중 옳은 것에 ○표 하시오.

49 (㉠ 면접법, ㉡ 문헌 연구법)은 기존 연구의 동향성을 파악하는 데 유용하고, 자료 수집에 있어 시간과 공간의 제약을 극복할 수 있다.

50 (㉠ 질문지법, ㉡ 면접법)은 특정 사안에 대한 여러 사람의 생각이나 태도를 수치화하여 양적으로 파악하고자 할 때 흔히 쓰인다.

51 (㉠ 질문지법, ㉡ 면접법)은 글을 모르는 사람에게도 실시할 수 있으며, 연구에 필요한 깊이 있는 정보를 연구 대상자에게 자세히 들을 수 있어 심층적인 자료를 얻을 수 있다

52 토의 수업이 학생들의 성적 향상에 효과가 있는지 알아보기 위해 실험법으로 자료를 수집한다고 할 때 토의 수업을 실시한 것이 (㉠ 독립 변수, ㉡ 종속 변수), 성적 향상 정도가 (㉠ 독립 변수, ㉡ 종속 변수)가 된다.

53 우리 사회의 청년 실업 문제를 연구할 때 (㉠ 문헌 연구법, ㉡ 면접법)으로 청년층 실업률 변화를 파악하고, (㉠ 질문지법, ㉡ 면접법)을 통해 청년 실업자가 겪는 고통을 심층적으로 알아봄으로써 연구의 깊이와 폭을 확장할 수 있다.

54 면접법에서는 신뢰 관계를 기반으로 (㉠ 긴장된, ㉡ 허용적인) 분위기를 조성하는 것이 중요한 역할을 한다.

● 빈칸에 들어갈 알맞은 말을 쓰시오.

55 사회·문화 현상을 연구할 때 수집하는 자료는 연구자가 현재 수행 중인 연구를 위해 직접 수집하며 최초로 분석한 ( ) 자료와 다른 연구에서 수집되거나 작성된 기존의 자료를 연구자가 자신의 연구에 활용한 ( ) 자료로 구분할 수 있다.

56 ( )은/는 양적 연구 방법과 질적 연구 방법에서 모두 활용되며, 2차 자료를 수집하기 위해 활용되는 경우가 많다.

57 질문지법에서는 연구 대상인 모집단 중에서 실제로 조사할 ( )을/를 추출한다.

58 ( )은/는 언어나 문자로 표현할 수 없는 현상도 조사할 수 있어 생동감 있고 깊이 있는 자료를 수집할 수 있다.

59 ( )은/는 조건을 엄격히 통제하기에 ( )을/를 명확히 파악할 수 있으며, 실증적이고 객관화된 자료를 구하는 데 활용할 수 있다.

60 실험법에서는 독립 변수와 종속 변수 간의 관계를 명확히 확인하기 위해서는 독립 변수 이외의 다른 변수가 ( )에 영향을 미치지 않도록 해야 한다.

---

33 질 34 면 35 참 36 질 37 면 38 ×(참여 관찰법) 39 ×(면접 과정에서 추가적으로 질문하여 더 상세한 자료를 얻을 수도 있음) 40 ○ 41 ×(실험 집단) 42 ×(실험법) 43 ○
44 ○ 45 ×(참여 관찰법) 46 ○ 47 ×(문헌 연구법) 48 ×(질문지법) 49 ㉡ 50 ㉠ 51 ㉡ 52 ㉠, ㉡ 53 ㉠, ㉡ 54 ㉡ 55 1차, 2차 56 문헌 연구법 57 표본 58 참여 관찰법
59 실험법, 인과 관계 60 종속 변수

03강 사회·문화 현상의 탐구 절차와 윤리

키워드
가설 설정, 가설 검증, 객관적 태도, 개방적 태도, 상대주의적 태도, 성찰적 태도, 가치 개입, 가치 중립

1단계 개념 뜯어보기

01 사회·문화 현상의 탐구 절차

1. 양적 연구 방법의 탐구 절차

(1) **문제 인식 및 연구 주제 선정** : 기존의 이론이나 가설, 새롭게 나타난 사회·문화 현상 등에 대한 연구자의 관심으로부터 연구 주제가 선정됨

(2) **가설 설정** : 가설은 연구 주제와 연관된 기존 연구 결과를 참조하여 주로 인과 법칙의 형태로 서술함

(3) **연구 설계**

① 개념의 조작적 정의 : 추상적 개념을 측정 가능하도록 구체화하는 것으로, 추상적 개념의 속성을 보여 주는 대표적인 지표를 선정함

② 세부 실행 계획 구상 : 연구 대상, 자료 수집 방법, 자료 분석 방법, 연구 기간 등을 결정하여 연구 진행에 필요한 구체적인 계획을 세움

(4) **자료 수집 및 분석**

① 자료 수집 : 경험적인 자료를 수집하는 과정으로, 주로 질문지법이나 실험법 등을 활용함

② 자료 분석 : 수집한 자료를 정리하여 분석하는 과정으로, 주로 통계적인 기법을 활용하여 변인 간의 관계를 분석함

(5) **가설 검증** : 자료 분석 결과가 가설과 일치하면 가설을 수용하고, 그렇지 않으면 기각하여 다시 가설 설정 단계로 돌아가야 함

(6) **결론 도출 및 일반화**

① 가설이 수용될 경우 연구자는 그 가설을 모집단 전체에 적용하는 일반화의 과정을 거침

② 검증을 통해 수용된 가설은 새로운 이론이나 지식이 되며 또 다른 새로운 이론이나 지식을 만드는 데 이바지함

올쏘 자료 Plus⁺ 양적 연구 방법의 사례

연구 주제 선정	고령 은퇴자들의 은퇴 이후의 삶에 영향을 미치는 사회적 관계망과 자녀와의 관계가 은퇴자의 삶의 만족도에 어떤 영향을 주는지 궁금해졌다.
가설 설정	• 가설1 : 사회적 관계망이 다양할수록 고령 은퇴자의 삶의 만족도가 높을 것이다. • 가설2 : 자녀와의 관계 수준이 높을수록 고령 은퇴자의 삶의 만족도가 높을 것이다.
연구 설계	• 사회적 관계망을 친구, 과거 직장 동료, 배우자, 자녀로 특정하고, 자녀와의 관계 수준은 월간 기준으로 소통 횟수(통화 횟수, 상호 방문 횟수 등) 및 상대방에 관한 호의 정도로 계량화한다. • 직업을 가졌던 65세 이상의 은퇴 노인을 대상으로 설문지를 통해 조사한다. • 삶의 만족도는 현재의 삶에 대한 만족 여부를 묻는 설문 문항을 통해 10점 만점의 척도 지표로 파악한다.
자료 수집 및 분석	• 500명의 고령 은퇴자들에게 설문지를 나누어 주었고, 이 중에서 성실하게 응답한 450명의 설문지를 회수하였다. • 삶의 만족도 측정값이 평균 이상인 고령 은퇴자의 사회적 관계망이 그렇지 않은 사람들보다 많았으며, 자녀와의 소통 횟수와 호의 정도가 높을수록 삶의 만족도 측정값이 높았다.
가설 검증 및 결론 도출	고령 은퇴자가 다양한 사회적 관계망을 형성할수록 은퇴 이후의 삶의 만족도가 높으며, 자녀와 은퇴자와의 관계 수준이 높을수록 은퇴 이후의 삶의 만족도가 증가한다.

만점 공부 비법

• 사회·문화 현상의 탐구 절차를 묻는 문항은 사례를 제시하면서 단계별 특징을 묻는 방식으로 출제된다. 따라서 기출 문제를 풀어보면서 사례와 단계별 특징을 파악하도록 한다.

• 연구 윤리와 관련된 문제가 최근 자주 출제되고 있다. 제시문에서 연구 윤리상의 문제점을 찾아내는 유형이므로 제시문을 꼼꼼하게 읽는 연습을 많이 해야 한다.

양적 연구 방법의 탐구 절차

> 문제 인식 및 연구 주제 선정
> ↓
> 가설 설정
> ↓
> 연구 설계
> ↓
> 자료 수집 및 분석
> ↓
> 가설 검증
> ↓
> 결론 도출 및 일반화

가설의 조건

• 독립 변인과 종속 변인 간의 인과 관계가 명확하게 드러나도록 서술해야 한다.

• 과학적인 연구 방법을 통해 경험적으로 검증 가능한 진술이어야 한다.

• 가치 중립적이어야 한다. 가치가 개입된 당위적 진술은 객관적 관찰이 불가능하므로 가설은 사실과 관련된 진술이어야 한다.

• 검증할 필요성이 있어야 한다. 누구나 알 수 있는 당연한 진술을 굳이 연구를 통해 검증할 필요는 없으므로, 양적 연구를 통한 검증이 필요한 진술이어야 한다.

2. 질적 연구 방법의 탐구 절차

(1) 문제 인식 및 연구 주제 선정

① 표면적으로 드러나 있지 않은 주관적 세계에 대한 심층적인 이해의 필요성을 느끼는 사회·문화 현상을 연구 주제로 선정하는 단계임

② 질적 연구는 가설을 설정하지 않는 것이 일반적이며, 대신 연구 주제와 관련한 대략적인 가정을 세우기도 함

(2) 연구 설계

① 연구 주제가 정해지면 연구 대상, 자료 수집 방법, 자료 해석 방법, 연구 기간 등 연구의 진행에 필요한 세부적인 계획을 설계하는 과정임

② 질적 연구는 주로 면접법이나 참여 관찰법을 통해 자료를 수집하는데, 면접법이나 참여 관찰법을 적용할 수 있는 조건이나 대상을 이때 설정함

(3) 자료 수집 및 해석

① 질적 연구에서는 현상의 이해와 해석에 도움이 되는 심층적인 자료가 필요하므로 주로 면접법이나 참여 관찰법을 통해 자료를 수집하고, 비공식적 자료의 수집도 중시함

② 자료를 수집한 후에는 직관적 통찰과 감정 이입적 이해를 통해 자료 해석이 이루어짐

③ 자료 수집과 분석 과정에서 연구 문제와 관련한 여러 가정들을 계속 형성하고 수정하며 재해석함

(4) 결론 도출

① 자료를 바탕으로 해석한 행위자의 주관적 세계가 가지는 의미를 종합하여 결론을 도출함

② 연구 대상을 이해하는 새로운 관점을 제시하거나 대안적 이론을 제안하기도 함

올쏘자료 Plus⁺ 질적 연구 방법의 사례

연구 주제 선정	고령 은퇴자들에게 은퇴 이후의 자녀와 친구, 배우자 등 다양한 사회적 관계망이 어떤 의미로 작용하는지 궁금해졌다.
연구 설계	직업을 가졌던 65세 이상 고령 은퇴자 15명을 대상으로 이들이 사회적 관계망에 어떤 의미를 부여하는지 심층적으로 알아보기 위해 주 1회 6주간 면접 조사를 한다.
자료 수집	○○시 노인 문화 센터에 등록한 고령 은퇴자 중에서 면접 조사에 응한 15명을 대상으로 주 1회 2시간씩 6주간 전문 연구원이 심층 면접을 진행하였다.
자료 해석	• 사회적 관계망이 넓은 고령 은퇴자들은 자신들이 행복한 노후를 보내고 있다고 생각하는 경우가 많았는데, 이들은 자녀나 친구, 배우자 등을 자신의 인생에서 매우 비중 있는 존재로 여기고 있었다. • 특히 자녀들과 친밀한 소통을 유지하고 있는 은퇴자들은 그렇지 않은 은퇴자들에 비해 삶의 질이 높다고 응답한 사람들이 많았으며, 자녀들을 자신의 삶에서 가장 중요한 존재로 여기는 은퇴자도 있었다.
결론 도출	고령 은퇴자에게 다양한 사회적 관계망의 존재는 긍정적인 사고와 자신감을 심어 주며 삶에 활력을 주고 있었다. 특히 고령 은퇴자들은 경제적 요인보다 자녀들과의 깊이 있는 소통을 더 중요하게 여기고 있었다.

3. 연역적 연구와 귀납적 연구

(1) 연역적 연구 : 기존 이론에서 새로운 가설을 설정하고 경험적인 자료 수집을 통해 가설을 검증하는 것

(2) 귀납적 연구 : 구체적이고 특수한 개별적 사례에 대한 관찰을 통해 공통된 요소를 추려 내고 결론을 도출하는 것

질적 연구 방법의 탐구 절차

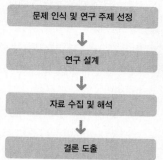

문제 인식 및 연구 주제 선정
↓
연구 설계
↓
자료 수집 및 해석
↓
결론 도출

자료 수집과 자료 분석 시기

양적 연구에서는 자료가 수집된 이후 분석을 하는 것이 일반적이지만 질적 연구에서는 자료 수집과 해석이 완전히 분리되지 않고 거의 동시에 이루어진다. 왜냐하면 질적 연구는 일반적으로 연구 대상자와 함께 생활하며 관찰하거나 심층 면접을 하면서 자연스럽게 직관적 통찰과 감정 이입이 이루어지기 때문이다.

연역적 연구와 귀납적 연구의 순환

사회 과학 연구의 과정은 하나의 순환 과정을 거친다. 기존 이론을 토대로 가설을 설정하고 경험적 자료를 수집하여 가설을 검증하며, 검증된 이론은 다시 새로운 가설을 설정하고 검증하려는 다른 연구의 기초가 된다. 이와 같은 순환 과정에서 가설을 설정하고 자료를 수집하여 검증하는 과정을 '연역적 방법'이라고 하며, 자료를 수집하여 결론을 도출하고 일반화를 이끌어 내는 과정을 '귀납적 방법'이라고 한다.

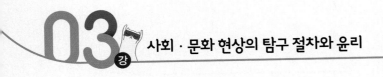

02 사회 · 문화 현상의 연구 태도와 연구 윤리

1. 사회 · 문화 현상의 연구 태도

(1) 객관적 태도

① 의미 : 연구자가 자신의 주관적 가치나 편견, 이해관계 등을 배제하고 중립적인 제삼자의 입장에서 사실을 있는 그대로 관찰하고 인식하는 태도

② 필요성

• 탐구 과정에서 객관적 태도가 지켜지지 않는다면 사회 · 문화 현상을 정확히 인식할 수 없으며 연구 결과가 왜곡될 수밖에 없음

• 연구자도 인간으로서 주관적 가치를 갖기 때문에 주관적 가치가 연구에 개입되는 것을 방지해야 함

• 연구자가 속한 사회나 시대의 지배적인 가치가 연구자도 모르는 사이에 연구에 개입될 수 있음을 고려해야 함

(2) 개방적 태도

① 의미 : 자신의 주장과 다른 주장이 존재할 수 있음을 인정하고 자신의 주장에 대한 비판을 허용하며, 타당성이 있는 다른 주장을 받아들이는 태도

② 필요성

• 사회 · 문화 현상은 다양한 측면이 존재하고 상황에 따라 달라질 수 있기 때문에 보는 사람의 시각에 따라 서로 다르게 인식될 수 있으며, 참이라고 믿었던 주장이 거짓으로 판명될 수도 있으므로 새로운 주장의 가능성을 허용해야 함

• 논리적으로 완벽해 보이는 주장이라도 이것이 경험적으로 실증될 때까지는 하나의 가설로서만 받아들이며, 다른 사람의 비판적인 주장과 새로운 입장에 대해 수용적인 태도를 지녀야 함

(3) 상대주의적 태도

① 의미 : 사회 · 문화 현상의 다양성과 각각의 고유한 가치를 인정하고 해당 사회의 맥락이나 배경 속에서 이해하고 탐구하려는 태도

② 필요성

• 사회 · 문화 현상은 그 사회의 사회적 상황이나 자연환경을 반영하므로 이러한 특성을 무시하고 한 사회에서만 타당한 연구 결과를 다른 사회에 무조건 적용하여 해석하려는 태도는 지양해야 함

• 연구자는 사회 · 문화 현상이 지닌 특수성을 고려하여 그 현상이 발생한 특정 맥락이나 배경 속에서 사회 · 문화 현상을 인식하고 탐구해야 함

(4) 성찰적 태도

① 의미 : 사회 · 문화 현상을 보이는 그대로 받아들이기보다 현상의 이면에 담겨 있는 의미를 이해하고, 그것의 발생 원인이나 원리, 그것이 초래할 결과 등에 관하여 적극적이고 능동적으로 살펴보려는 태도

② 필요성

• 사회 · 문화 현상의 발생 과정과 원인은 단순하지 않고 복잡하기 때문에 성찰적으로 접근하지 않으면 겉으로 드러나는 현상만을 보게 됨

• 자신이 연구 절차나 방법, 연구 윤리 등을 제대로 지키며 탐구하고 있는지 되짚어 보게 한다는 점에서 연구 과정에서도 요구됨

개방적 태도와 객관적 태도의 관계
객관적 태도는 연구 대상에 대해, 개방적 태도는 다른 사람들에 대해 가져야 할 태도이다. 개방적 태도는 주관성이 개입될 우려가 있는 사회 과학에서 상호 비판을 허용함으로써 연구 결과의 객관성을 높이는 데 이바지할 수 있다.

문화 연구와 상대주의적 태도
세계 여러 민족의 문화를 연구하는 데 상대주의적 태도는 필수적이다. 문화는 그것이 존재하는 사회의 자연환경이나 역사적 배경을 떠나서는 의미를 가질 수 없기 때문이다.

성찰적 태도
흔히 '행간(行間)을 읽는다.'라는 말을 쓴다. 이 말은 글을 읽을 때 문자로 표현된 내용만을 읽는 것이 아니라 그 속에 들어 있는 숨은 의미까지도 파악한다는 뜻이다. 사회 · 문화 현상을 탐구할 때에도 그 현상이나 사물의 배후에 숨어 있는 구조나 원리를 파악하기 위해서는 성찰적 태도가 필요하다.

2. 사회 · 문화 현상 탐구에서의 가치 중립과 가치 개입

(1) 가치 중립과 가치 개입의 의미

① 가치 중립

- 사회 · 문화 현상을 탐구할 때 연구자가 주관적 가치와 이해관계를 배제하는 것
- 연구자가 아무런 가치를 가져서는 안 된다는 의미가 아니라 자신의 가치 때문에 연구 과정이나 결과가 왜곡되어서는 안 된다는 것을 의미함

② 가치 개입 : 연구자가 자신의 주관적 가치를 연구 과정에 개입시키는 것

(2) 연구 절차에서의 가치 중립과 가치 개입

연구 단계	가치 개입 여부	내용
문제 인식 및 연구 주제 선정	가치 개입	연구자가 자신이 관심 있고 중요하다고 생각하는 문제를 연구 주제로 선정하게 되므로 가치가 개입됨
가설 설정	가치 개입	연구자의 연구 의도가 반영될 수밖에 없는 과정으로, 가치 중립적인 자료 수집 및 분석 과정을 통해 그 적절성이 평가되어야 함
연구 방법 선택 및 연구 설계	가치 개입	연구 주제에 적합하다고 판단되는 연구 대상을 상대로 어떤 자료 수집 방법을 사용할지 결정하는 과정에서 연구자의 가치가 개입됨
자료 수집 및 분석 · 해석	가치 중립	연구자의 가치가 개입되어 자료를 왜곡하여 수집하거나 분석 · 해석하지 않도록 철저한 가치 중립이 요구됨
가설 검증 및 결론 도출	가치 중립	연구의 결론을 내리는 과정에서 연구자의 이해관계나 주관적 가치를 배제하지 않으면 사회 · 문화 현상이 지닌 의미가 왜곡될 수 있어 연구 결과를 신뢰하기 어려움
연구 결과의 활용	가치 개입	연구 결과를 토대로 사회 문제의 해결 방안을 모색하거나 정책을 제안하는 등 연구 결론을 활용하는 과정에서는 사회적 가치나 인류 보편적 가치를 존중하는 가치 판단이 요구됨

3. 사회 · 문화 현상의 탐구와 연구 윤리

(1) 연구 윤리의 필요성

① 사회 · 문화 현상 탐구의 특성 : 사회 · 문화 현상의 탐구는 인간을 대상으로 하기 때문에 연구를 할 때 많은 제약이 따르며, 자연 과학보다 연구 윤리가 엄격히 지켜져야 함

② 인간의 존엄성 문제 : 사회 · 문화 현상의 탐구 결과가 사회에 유익할지라도 연구 과정에서 연구 대상자들에 대한 인권 침해가 발생한다면 연구 결과를 정당화하기 어려움

(2) 연구 대상자와 관련한 윤리 원칙

① 자발적 참여 보장

- 연구자는 연구 대상자에게 사전에 연구 목적과 과정에 관하여 알리고 연구 대상자로부터 연구에 참여하겠다는 동의를 얻어야 함
- 연구자는 연구에 참여하는 것이 연구 대상자에게 어떤 영향을 미치는지, 예상되는 피해가 무엇인지 정확하고 자세하게 설명해 주어야 함
- 사전에 연구 대상자가 연구 목적이나 내용을 알게 되면 이들의 행동에 영향을 주어 정확한 자료 수집이 어려울 수 있으므로 이럴 때에는 자료 수집 이후라도 그 사실을 연구 대상자에게 알려 동의를 얻어야 함

② 익명성 보장

- 연구자는 연구 대상자의 개인 정보 및 사생활을 보호해야 함
- 불가피한 경우가 아니라면 익명성을 보장해야 하며, 수집한 자료를 연구 목적 이외의 용도로 활용해서는 안 됨

연구 절차에서의 가치 중립과 가치 개입

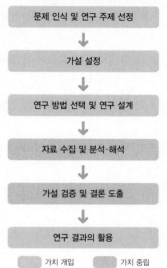

```
문제 인식 및 연구 주제 선정
    ↓
가설 설정
    ↓
연구 방법 선택 및 연구 설계
    ↓
자료 수집 및 분석·해석
    ↓
가설 검증 및 결론 도출
    ↓
연구 결과의 활용
```

가치 개입   가치 중립

연구 윤리
연구자가 자신의 연구와 관련하여 지켜야 할 법이나 도덕 및 윤리와 같은 규범을 말한다.

연구 윤리와 사전 동의
연구 윤리에 있어 가장 기본이 되는 원칙은 연구에 참여하는 사람들에게 충분한 정보를 제공하고 동의를 구하는 과정이 공식적으로 이루어져야 한다는 것이다. 연구 대상자들로부터 동의를 얻을 때 고지되어야 할 주요 내용은 다음과 같다.

- 연구의 목적, 절차, 예상 참여 시간
- 연구 참여를 통해 얻을 수 있는 인센티브
- 연구 참여를 통해 나타날 수 있는 잠재적 위험, 부정적 효과
- 연구 참여 거부 권한과 중도 포기 권한
- 연구 절차와 관련된 연구 대상자의 모든 질문에 성실히 응답하겠다는 내용

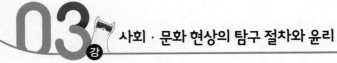
③ 인권 보호

- 연구 과정에서 연구 대상자에게 해로운 영향을 미치거나 수치심을 주는 등의 인권 침해를 하지 말아야 함
- 연구자는 연구를 진행하면서 예상하지 못한 문제가 발생할 경우 연구 대상자의 안전과 이익을 우선적으로 고려해야 함

⑶ 연구 과정 및 연구 결과 활용에서의 윤리 원칙

① 연구 과정에서의 윤리 원칙

- 연구 과정에서나 연구 결과를 보고할 때 다른 사람의 연구물을 도용 또는 표절해서는 안 되며 이는 저작권을 침해하는 행위임
- 자료 수집 과정에서 자료를 편파적으로 수집하거나 의도적으로 조작하는 행위, 연구 결과를 확대하거나 축소하여 결과를 왜곡하는 행위를 하면 안 됨

② 연구 결과 활용에서의 윤리 원칙

- 연구자는 자신의 연구 결과가 비윤리적으로 활용될 소지가 있는지를 반드시 점검해 보아야 함
- 연구 결과가 사회적 소수자에게 불이익을 주거나 특정 집단의 명예를 훼손하는 측면이 없는지 등도 살펴보아야 함

> **표절**
> 다른 논문의 자료나 내용을 인용할 때 출처를 명시하지 않고 그대로 자신의 논문에 가져다 쓰는 것과 같은 행위를 말한다.

2단계 개념 쏙 정리하기

1. 양적 연구 방법의 탐구 절차

문제 인식 및 연구 주제 선정	문제를 인식하고 연구 주제를 선정함
가설 설정	가설(연구 주제의 잠정적 결론)을 설정함
연구 설계	• 개념의 조작적 정의가 이루어짐 • 연구 대상, 자료 수집 및 분석 방법, 연구 기간 등 구체적인 계획을 수립함
자료 수집 및 분석	• 주로 질문지법, 실험법 등을 활용하여 자료를 수집함 • 주로 통계 기법을 활용하여 자료를 분석함
가설 검증 및 일반화	가설 수용 여부를 결정하고 가설이 입증된 경우 일반화를 시도함

2. 질적 연구 방법의 탐구 절차

문제 인식 및 연구 주제 선정	문제를 인식하고 연구 주제를 선정함
연구 설계	연구 대상, 자료 수집 및 해석 방법, 연구 기간 등 구체적인 계획을 수립함
자료 수집 및 해석	• 주로 면접법, 참여 관찰법 등을 활용함 • 연구자의 직관적 통찰과 감정 이입적 이해를 통해 자료를 해석함
결론 도출	결론을 도출함 → 특정 상황에 대한 것이므로 일반화하기 어려움

3. 사회 · 문화 현상의 연구 태도

객관적 태도	연구자가 자신의 주관적 가치나 편견, 이해관계 등을 배제하고 사회 · 문화 현상이 가진 사실로서의 특성만을 파악하는 태도
개방적 태도	자신의 주장과 다른 주장이 존재할 수 있음을 인정하고 자신의 주장에 대한 비판을 허용하는 태도
상대주의적 태도	사회 · 문화 현상을 탐구할 때 그 현상이 발생한 맥락이나 배경 속에서 연구하려는 태도
성찰적 태도	사회 · 문화 현상 현상의 이면에 담긴 발생 원인이나 원리, 그것이 초래할 결과 등에 대해 적극적 · 능동적으로 살펴보려는 태도

4. 연구 절차에서의 가치 중립과 가치 개입

- 가치 중립 : 자료 수집 및 분석 · 해석, 가설 검증 및 결론 도출 단계
- 가치 개입 : 연구 주제 선정, 가설 설정, 연구 설계, 연구 결과 활용 단계

5. 사회 · 문화 현상의 연구 윤리

연구 대상자와 관련한 윤리	연구 목적과 과정에 대한 사전 고지와 동의 획득, 개인 정보 및 사생활 보호, 인권 보호
연구 과정에서의 윤리	연구 과정에서나 연구 결과 보고 시 다른 사람의 연구물 도용 또는 표절 금지, 자료 수집 시 조작 금지, 연구 결과 왜곡 금지
연구 결과 활용에서의 윤리	연구 결과의 비윤리적 활용 소지 점검

● 다음 내용이 사회·문화 현상의 탐구 태도 중 개방적 태도이면 '개', 객관적 태도이면 '객', 상대주의적 태도이면 '상', 성찰적 태도이면 '성'에 표시하시오.

1 연구자의 주관적 가치를 배제한다. (개, 객, 상, 성)

2 자신의 주장과 다른 주장이 존재할 수 있음을 인정한다. (개, 객, 상, 성)

3 사회·문화 현상이 지닌 특수성을 고려하여 탐구한다. (개, 객, 상, 성)

4 연구자는 당연하게 여겨지는 현상이라도 그 원인과 전개 과정을 하나하나 살펴 따져 보아야 한다. (개, 객, 상, 성)

5 사회·문화 현상은 그 사회의 사회적 상황과 자연환경 등을 고려하여 탐구해야 한다. (개, 객, 상, 성)

6 어떤 주장이라도 이것이 경험적으로 실증될 때까지는 이를 가설로서만 받아들인다. (개, 객, 상, 성)

7 자신의 주장에 대한 비판을 허용하며 타당성이 있는 주장을 받아들인다. (개, 객, 상, 성)

8 중립적인 제삼자의 관점에서 사회·문화 현상을 연구한다. (개, 객, 상, 성)

9 타인의 비판적인 주장과 새로운 입장에 대해 수용적인 태도를 지녀야 한다. (개, 객, 상, 성)

10 특정 현상이 해당 집단이나 사회의 고유한 맥락 속에서 형성된 것임을 인정하는 태도이다. (개, 객, 상, 성)

● 다음 내용을 읽고 옳으면 ○, 틀리면 ×에 표시하시오.

11 가설의 설정과 검증 단계는 양적 연구 방법의 탐구 절차에 해당한다. (○, ×)

12 질적 연구 방법에서는 연구 설계가 생략된다. (○, ×)

13 주제 선정 단계에서는 연구자의 주관적 가치나 이해관계가 배제되어야 한다. (○, ×)

14 개념의 조작적 정의는 양적 연구 방법에 적용된다. (○, ×)

15 직관적 통찰은 질적 연구 방법에 적용된다. (○, ×)

16 양적 연구에서는 일반적으로 자료 수집과 해석이 거의 동시에 이루어진다. (○, ×)

17 질적 연구에서는 연구 결과를 다른 상황에 그대로 적용하기는 어렵다. (○, ×)

18 가치 중립을 지킨다는 것은 연구자가 아무런 가치를 가져서는 안 된다는 의미이다. (○, ×)

● 다음 내용 중 옳은 것에 ○표 하시오.

19 (㉠ 가치 개입, ㉡ 가치 중립)은 연구 과정에서 연구자의 가치나 이해관계를 배제하는 것을 말한다.

20 (㉠ 가설 설정, ㉡ 자료 분석) 단계에서는 연구자의 가치를 개입해서는 안 된다.

21 (㉠ 개방적, ㉡ 객관적) 태도는 제삼자의 입장에서 사실을 있는 그대로 관찰하는 것을 말한다.

22 (㉠ 성찰적, ㉡ 상대주의적) 태도란 사회·문화 현상을 보이는 그대로 받아들이기보다 현상의 이면에 담겨 있는 의미를 이해하고, 그것의 발생 원인이나 결과 등에 관하여 적극적이고 능동적으로 살펴보려는 태도를 말한다.

23 연구자는 연구 대상자에게 연구의 목적과 과정 등에 관한 정보를 (㉠ 사전, ㉡ 사후)에 제공하고, 연구 대상자의 동의를 얻어 연구해야 한다.

24 연구자는 수집한 자료를 연구 목적 이외의 용도로 (㉠ 활용할 수 있다, ㉡ 활용해서는 안 된다).

● 빈칸에 들어갈 알맞은 말을 쓰시오.

25 ( )(이)란 두 개 이상의 변인 간의 관계를 검증 가능한 형태로 서술하는 것이다.

26 ( ) 방법에서는 자료 수집 방법으로 주로 질문지법이나 실험법을 선택한다.

27 연구 주제를 선정하거나 연구 결과를 활용하는 단계, 연구 방법 선택 및 설계 단계에서는 연구자의 가치 ( )이/가 허용된다.

28 ( )은/는 사회·문화 현상을 연구할 때 연구자가 주관적 가치나 이해관계를 배제하는 것이다.

29 연구자는 결과를 발표하는 과정에서 연구 결과를 확대하거나 축소하여 결과를 ( )해서는 안 된다.

30 연구자는 자신의 연구 결과에 관한 비판과 새로운 주장이 나타날 가능성을 항상 허용해야 하는데, 이를 ( ) 태도라고 한다.

31 연구자는 자신의 연구 결과가 ( )(으)로 활용될 소지가 있는지를 반드시 점검해 보아야 한다.

32 ( ) 태도는 연구자 자신이 연구 절차나 연구 방법, 연구 윤리 등을 제대로 지키며 탐구하고 있는지를 되짚어 보게 한다.

---

1 객 2 개 3 상 4 성 5 상 6 개 7 개 8 객 9 개 10 상 11 ○ 12 ×(연구 설계 필요) 13 ×(가치나 이해관계가 개입함) 14 ○ 15 ○ 16 ×(질적 연구) 17 ○ 18 ×(자신의 가치 때문에 연구 과정이나 결과가 왜곡되어서는 안 된다는 것을 의미) 19 ㉡ 20 ㉡ 21 ㉡ 22 ㉠ 23 ㉠ 24 ㉡ 25 가설 26 양적 연구 27 개입 28 가치 중립 29 왜곡 30 개방적 31 비윤리적 32 성찰적

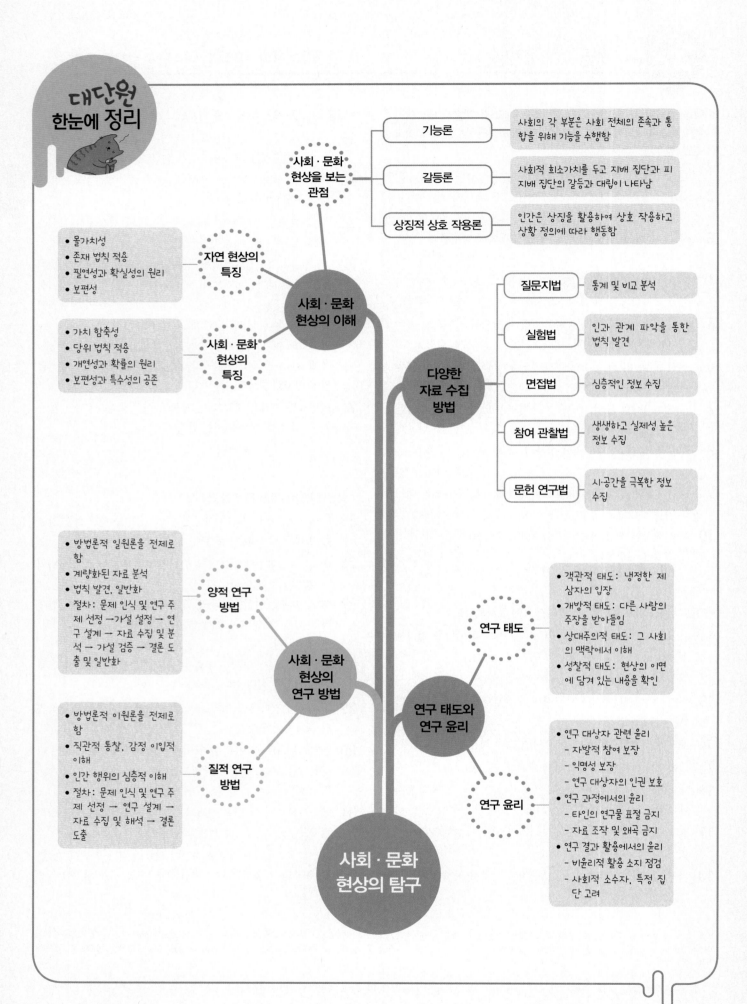

대단원 한눈에 정리

사회·문화 현상을 보는 관점
- 기능론 — 사회의 각 부분은 사회 전체의 존속과 통합을 위해 기능을 수행함
- 갈등론 — 사회적 희소가치를 두고 지배 집단과 피지배 집단의 갈등과 대립이 나타남
- 상징적 상호 작용론 — 인간은 상징을 활용하여 상호 작용하고 상황 정의에 따라 행동함

사회·문화 현상의 이해

자연 현상의 특징
- 몰가치성
- 존재 법칙 적용
- 필연성과 확실성의 원리
- 보편성

사회·문화 현상의 특징
- 가치 함축성
- 당위 법칙 적용
- 개연성과 확률의 원리
- 보편성과 특수성의 공존

다양한 자료 수집 방법
- 질문지법 — 통계 및 비교 분석
- 실험법 — 인과 관계 파악을 통한 법칙 발견
- 면접법 — 심층적인 정보 수집
- 참여 관찰법 — 생생하고 실제성 높은 정보 수집
- 문헌 연구법 — 시·공간을 극복한 정보 수집

사회·문화 현상의 연구 방법

양적 연구 방법
- 방법론적 일원론을 전제로 함
- 계량화된 자료 분석
- 법칙 발견, 일반화
- 절차: 문제 인식 및 연구 주제 선정 → 가설 설정 → 연구 설계 → 자료 수집 및 분석 → 가설 검증 → 결론 도출 및 일반화

질적 연구 방법
- 방법론적 이원론을 전제로 함
- 직관적 통찰, 감정 이입적 이해
- 인간 행위의 심층적 이해
- 절차: 문제 인식 및 연구 주제 선정 → 연구 설계 → 자료 수집 및 해석 → 결론 도출

연구 태도와 연구 윤리

연구 태도
- 객관적 태도: 냉정한 제삼자의 입장
- 개방적 태도: 다른 사람의 주장을 받아들임
- 상대주의적 태도: 그 사회의 맥락에서 이해
- 성찰적 태도: 현상의 이면에 담겨 있는 내용을 확인

연구 윤리
- 연구 대상자 관련 윤리
  - 자발적 참여 보장
  - 익명성 보장
  - 연구 대상자의 인권 보호
- 연구 과정에서의 윤리
  - 타인의 연구물 표절 금지
  - 자료 조작 및 왜곡 금지
- 연구 결과 활용에서의 윤리
  - 비윤리적 활용 소지 점검
  - 사회적 소수자, 특정 집단 고려

사회·문화 현상의 탐구

Ⅲ 개인과 사회 구조

이 단원의 수능 출제 분석

이 단원에서는 사회 실재론과 사회 명목론의 기본 개념과 장단점 등을 비교하는 문항, 사회화·지위와 역할·사회 집단과 사회 조직 등에 관한 사회학적 개념을 종합적으로 묻는 문항의 출제 비중이 가장 높다. 일탈 행동에 대한 이론들을 비교하는 문항, 다양한 사회 집단과 사회 조직의 유형과 특징을 묻는 문항도 자주 출제되었다. 그리고 관료제와 탈관료제의 특징을 비교하는 문제도 언제든지 출제될 수 있는 문항이다.

이 단원의 수능 빈출 주제

1순위 개인과 사회의 관계를 바라보는 관점
출제빈도 ★★★★★　　　난이도 중

2순위 사회화, 지위와 역할, 사회 집단의 개념 이해
출제빈도 ★★★★★　　　난이도 하

3순위 일탈 행동을 바라보는 이론적 관점
출제빈도 ★★★★★　　　난이도 상

4순위 사회 집단과 사회 조직의 유형과 특징
출제빈도 ★★★　　　난이도 중

5순위 관료제와 탈관료제의 특징
출제빈도 ★★　　　난이도 중

6순위 사회화를 바라보는 관점
출제빈도 ★★　　　난이도 중

04강 사회적 존재로서의 인간

1단계 개념 뜯어보기

01 사회 구조와 개인의 관계

1. 사회 구조의 의미와 특징

(1) 의미 : 한 사회의 개인과 집단이 사회적 관계를 맺는 방식이 정형화되어 안정된 틀을 갖추고 있는 상태를 말함

(2) 형성 과정

① 사회에서 사람들이 사회적 상호 작용을 지속하면 사회적 관계가 형성됨 ⓔ 학생과 교사의 관계, 사용자와 근로자의 관계, 직장 상사와 부하 직원의 관계 등

② 사회적 관계가 오랫동안 유지되는 과정에서 유형화되고 정형화되어 일정한 틀을 이루면 사회 구조가 형성됨

(3) 특징

① 지속성 : 사회 구조는 구성원들이 바뀌더라도 크게 달라지지 않고 오랫동안 지속됨

② 안정성 : 사회 구성원들은 구조화된 행동을 함으로써 안정된 사회적 관계를 유지할 수 있게 됨

③ 변동 가능성 : 장기적으로는 구성원들의 행동 양식, 가치, 규범 등의 변화에 따라 그 성격이 달라질 수 있음

④ 강제성 : 사회 구조는 구성원들의 의지와는 상관없이 특정 행위를 하도록 구속할 수 있음

2. 사회 구조의 기능

(1) 안정적인 사회생활 영위 : 개인은 사회적으로 구조화된 행동을 함으로써 안정적인 사회생활을 영위할 수 있으며, 사회는 질서와 안정을 유지할 수 있음

(2) 예측 가능 : 사회 구조를 통해 다른 개인의 사회생활을 쉽게 예측할 수 있음

(3) 개인의 행동 제한 : 사회 구조는 개인의 자유로운 행동을 제한하기도 하며, 사회적으로 구조화된 행동을 하지 않는 사람은 비난을 받기도 함

02 개인과 사회의 관계를 바라보는 관점

1. 사회 실재론

(1) 기본 입장

① 사회는 개인의 외부에 실제로 존재하며, 독자적인 특성을 지니고 있음

② 사회는 개인들의 합 이상이며, 개인은 사회를 구성하는 요소에 불과함

(2) 주요 내용

① 사회는 안정적인 구조를 이루고 있고, 개인으로 환원될 수 없는 고유한 성격을 지니고 있음

② 개인의 행동과 의식은 실재하는 사회에 의해 구속됨

③ 사회 현상을 연구할 때 사회 구조나 사회 제도 등에 초점을 둠

④ 사회 문제의 원인은 잘못된 사회 구조나 제도에 있다고 봄 → 사회 문제를 해결하려면 사회 구조나 제도를 개선해야 함

만점 공부 비법

• 사회 실재론과 사회 명목론은 개인과 사회의 관계를 바라보는 관점으로서 매년 출제되는 주제이다. 따라서 각 관점의 기본 특징 및 장점과 한계점을 비교하여 파악하도록 한다.

• 사회화, 지위와 역할, 사회 집단의 관련 개념을 종합적으로 묻는 문제가 자주 출제된다. 그러므로, 관련 기출 문제를 통해 해당 개념을 익히도록 한다.

사회 구조의 형성 과정

> 사회적 상호 작용
> ↓
> 사회적 관계
> ↓
> 사회 구조

사회적 관계
사회적 상호 작용이 지속적으로 반복되어 형성된 일정한 행위의 방식을 말한다.

구조화된 행동
정형화되어 사회 구성원 대부분이 당연한 것으로 받아들이고 따르는 행동을 말한다. 이런 행동은 유형화되어 있어 예측이 가능하다.

사회 실재론

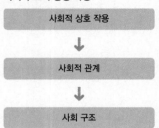

그림에서 A, B, C, D는 개인을 나타낸다. 그림을 보면 개인 A, B, C, D가 모였는데, 빈 공간이 많으며 이러한 여분의 힘들이 모여 실선으로 된 둥근 원이라는 사회가 형성되었다. 즉, 사회는 개인 이상의 힘을 발휘하는 실체라는 의미를 담고 있다.

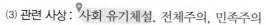

(3) 관련 사상 : 사회 유기체설, 전체주의, 민족주의

(4) 장점 : 사회·문화 현상을 이해할 때 사회 제도나 집단 등 사회 구조적 요인에 주목하기 때문에 사회가 개인의 행동과 의식에 어떤 영향을 미치는지 잘 설명할 수 있음

(5) 단점 : 인간의 주체적이고 능동적인 행위를 설명하기 곤란하며, 전체를 위한 개인의 희생을 정당화할 우려가 있음

2. 사회 명목론

(1) 기본 입장

① 사회는 단지 개인들이 모여 있는 것으로 실제로 존재하지 않음

② 사회는 개인들의 집합체에 붙여진 이름에 불과함

③ 사회는 개인의 목표를 실현시켜 주는 수단에 불과함

(2) 주요 내용

① 사회와 관계없이 개인의 행동은 자신의 자율적인 의지에 따라 이루어짐

② 사회·문화 현상의 분석 단위로서 개인의 의식, 정서, 심리 상태를 중시함

③ 사회 문제의 원인은 개인의 잘못된 의식에 있음 → 사회 문제의 해결책으로 개인의 의식 개혁을 강조함

④ 사회보다 개인의 우월성을 강조함 → 공익보다 개인의 이익이나 권리 보장을 중시

(3) 관련 사상 : 사회 계약설, 개인주의, 자유주의

(4) 장점 : 개인은 자유 의지를 가진 능동적인 존재이며 사회를 변화시키는 원동력이 될 수 있다는 점을 잘 설명할 수 있음

(5) 단점 : 사회 제도나 사회 구조가 개인의 행위에 미치는 영향력을 간과할 수 있으며, 개인의 이익만이 강조되어 극단적 개인주의를 초래할 우려가 있음

올쏘자료 Plus⁺ 사회 유기체설과 사회 계약설

(가) 사회는 개인을 세포로 하는 생물 유기체와 같다. 생물 유기체의 각 기관은 생존을 위해 존재하며 생물 유기체의 소멸은 필연적으로 각 기관 또는 부분의 소멸을 의미한다. 개인도 이러한 유기체의 각 기관과 같은 존재이다. 즉 개인은 사회를 위해 존재하며, 사회를 떠나서는 의미 없는 존재가 된다.

– 스펜서(Spencer, H.) –

(나) 국가는 개인의 자유를 보장하기 위해 형성된 인위적인 산물에 불과하다. 국가가 형성되어 있지 않았던 자연 상태에서는 자신의 '생명과 자유와 재산'의 보장이 불안정했다. 이 때문에 개인의 자연권을 안전하게 지키고 향유하기 위해서, 각자가 스스로 동의하여 자신의 권리를 일부 위탁하는 계약을 맺고 국가라는 정치 공동체를 결성한 것이다.

– 로크(Locke, J.) –

(가)는 스펜서의 사회 유기체설, (나)는 로크의 사회 계약설이다. 사회 유기체설은 사회를 하나의 생명체로 여기고 개인을 생명체를 유지하는 각각의 기관으로 보는 학설로, 사회가 개인의 속성과 구분되는 독립적인 실체로 존재한다고 보는 사회 실재론과 맥락을 같이한다. 사회 계약설은 개인들이 자신의 권리를 보장하기 위해 국가를 만들었다고 보는 학설로, 개인만이 실재하며 사회를 개인들의 집합체에 붙여진 이름에 불과하다고 보는 사회 명목론과 맥락을 같이한다.

사회 유기체설
사회를 생물 유기체에 비유하여 유기체의 각 기관이 하나의 생명체를 이루듯이, 개인이 유기체의 기관처럼 사회의 존속을 위해 각자의 역할을 수행한다고 보는 학설이다. 뒤르켐이나 스펜서가 대표적인 학자이다.

사회 명목론

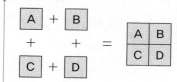

그림에서 A, B, C, D는 개인을 나타낸다. 그림을 보면 개인 A, B, C, D가 모인 것 그대로가 사회가 되어 있다. 즉, 사회는 개인의 합과 동일하다. 따라서 개인이 존재하지 않으면 사회도 존재하지 않는 것이다.

사회 계약설
국가는 개인 간의 계약에 따라 성립되었으므로 국가의 의무는 개인의 자유와 권리를 보장하는 것이라고 보는 사회관을 말한다. 로크나 루소 등이 대표적인 학자이며 이 사상은 근대 시민 혁명에 큰 영향을 주었다.

개인과 사회의 관계를 바라보는 조화로운 관점
사회 실재론이나 사회 명목론 중 한 가지 관점만 적용할 경우 사회 현상을 바르게 이해할 수 없다. 따라서 사회 현상을 제대로 이해하기 위해서는 사회 실재론과 사회 명목론을 상호 보완적으로 적용하여 균형 잡힌 시각으로 사회를 바라보아야 한다.

03 사회화

1. 사회화의 의미와 기능

(1) 의미

① 인간이 한 사회의 구성원으로 살아가기 위해서는 사회생활에 필요한 행동 양식이나 규범 등을 배우고 익혀야 함 → 개인은 인간다운 자질과 품성을 획득해야만 사회적 존재로 살아갈 수 있음

② 인간이 사회 구성원과의 사회적 상호 작용을 통해 사회생활에 필요한 언어, 지식, 기술 등을 습득하고, 한 사회의 규범, 가치 등을 내면화하는 과정

(2) 특징

① 평생에 걸쳐 진행되며, 시대나 사회에 따라 사회화의 내용과 방식은 다양하게 나타남 → 사회화의 차이는 문화의 차이에서 비롯된다고 볼 수 있음

② 주로 언어적 상호 작용, 보상과 처벌의 경험, 모방과 동일시 등의 방법을 통해 이루어짐

(3) 기능

① 개인적 측면 : 개인은 사회화를 통해 행동 양식을 습득하고, 사회의 기본적 가치와 규범을 내면화하며, 자아 정체성을 형성하면서 사회 구성원으로서의 소속감을 지니게 됨

② 사회적 측면 : 사회 구성원에게 그 사회의 문화를 전달함으로써 사회의 유지와 존속 및 발전에 기여함

2. 사회화의 유형

(1) 1차적 사회화와 2차적 사회화

① 1차적 사회화(원초적 사회화) : 영·유아기에 이루어지는 사회화로서 개인이 자아 정체성과 인성을 형성하는 데 큰 영향을 줄 뿐만 아니라, 개인이 사회적 존재로 성장하고 생활하는 데 필요한 가장 기초적이고 중요한 것을 습득하게 함

② 2차적 사회화 : 청소년기와 성년기에 들어선 후 영·유아기에 익힌 사회화의 내용을 심화하거나 전문화하여 새로운 규범과 문화를 습득하는데, 이 과정에서 이루어지는 사회화를 2차적 사회화라고 함 → 인지적 측면의 발달에 큰 영향을 미침

(2) 재사회화와 예기 사회화

① 재사회화

• 의미 : 사회 변동에 따라 새로운 규범이나 가치관, 행동 양식 등을 습득하기도 하는데, 이를 재사회화라고 함 예 직장에서의 재교육, 노인을 대상으로 한 정보화 교육 등

• 필요성 : 변화의 속도가 빠른 현대 사회에서 한 개인이 기존에 습득한 지식이나 생활 양식만으로는 적응하기 어려워졌고, 이에 새로운 지식과 기술 등을 습득하는 재사회화의 중요성이 더욱 커짐

② 예기 사회화 : 사람들은 미래에 속하게 되거나 속하기를 기대하는 집단에서 요구하는 행동 양식을 미리 학습하기도 하는데, 이를 예기 사회화라고 함 예 신입생 예비 교육, 신입 사원 연수 등

(3) 탈사회화 : 새로운 가치나 규범 등을 수용하기 위해 기존에 자신이 갖고 있던 가치나 규범 등을 버리는 과정을 말함 예 북한 이탈 주민이 남한 사회에서 적응하기 위해 기존에 북한 사회에서 습득한 생활 방식을 버리는 과정

사회화의 중요성

러시아에서 여섯 살짜리 소녀인 베로니카가 발견되었다. 베로니카는 발견 당시 말을 전혀 하지 못했고 음식도 사람이 아닌 개처럼 핥아 먹는 등의 행동을 하였다. 베로니카는 사회화 과정을 거치지 못했기 때문에 인간이 아닌 동물에 가까운 행동을 한 것이다.

모방과 동일시

• 모방 : 주변에서 관찰한 타인의 행동을 따라 하는 것을 말한다.

• 동일시 : 자신이 존경하거나 닮고 싶어 하는 사람의 말이나 행동, 가치관 등을 자신의 것으로 내면화하는 과정을 말한다.

자아 정체성

자신의 성격, 취향, 가치관, 능력 등에 대해 비교적 명료하게 이해하고 있으며, 그러한 이해가 지속성과 통합성을 지니고 있는 상태이다.

재사회화와 예기 사회화

재사회화와 예기 사회화가 혼동될 수 있다. 어떤 지위에 오르기 전에 미리 습득하면 예기 사회화이고, 이미 지위가 달라져 변화된 부분에 대해 습득하면 재사회화이다. 은퇴한 노인들이 복지관에서 춤을 배우고 있다면 이미 은퇴하여 노인이라는 지위의 변화를 겪고 있으므로 이들이 새로운 지위에 맞는 역할을 습득하기 위해 춤을 배우는 것이다. 따라서 노인들의 춤 연습은 재사회화의 사례이다. 그러나 이민을 가기 위해 그 나라의 언어를 배우는 것은 아직 이민 가기 전의 상황이므로 예기 사회화에 해당한다.

3. 사회화의 과정

구분	주요 사회화의 내용	대표적인 사회화 기관
유아기	기본적인 욕구 충족 및 정서적 반응 방식 습득	가족
아동기	언어, 규칙, 가치관 습득	가족, 또래 집단
청소년기	지식과 기술 습득, 진로 및 직업 선택	학교, 또래 집단, 대중 매체
성년기	새로운 지식과 기술, 생활 양식 습득	직장, 대중 매체

★ 4. 사회화 기관

(1) 사회화 기관의 유형

분류 기준	사회화 기관	내용
사회화의 내용	1차적 사회화 기관	개인의 자아 정체성과 정서적 안정이 형성되며 언어나 기초적인 생활 방식을 습득하는 초기 사회화가 이루어짐 예 가족, 또래 집단 등
	2차적 사회화 기관	체계적인 교육이나 훈련 등을 통해 전문적인 지식이나 가치, 규범 등을 사회화함 예 학교, 직장, 대중 매체 등
형성 목적	공식적 사회화 기관	사회화를 목적으로 설립되어 공식적이고 체계적으로 사회화를 수행하는 기관 예 학교, 직업 훈련소 등
	비공식적 사회화 기관	사회화 이외의 목적으로 설립되었으나 부수적으로 사회화 기능을 수행하는 기관 예 가족, 또래 집단, 직장, 대중 매체 등

(2) 주요 사회화 기관의 특징과 기능

가족	• 개인은 가족 구성원과의 상호 작용을 바탕으로 언어, 예절, 기본적 규범, 가치관 등을 습득 • 가장 중요하고 기초적인 사회화 기관 → 가족을 통해 이루어지는 사회화는 그 결과가 평생에 걸쳐 지속하는 경우가 많음
또래 집단	• 또래 집단과의 상호 작용을 통해 집단생활에 필요한 규칙, 질서 의식 등을 습득 • 청소년기의 또래 집단은 독특한 언어나 행동 양식, 그들만의 문화가 있어 청소년기의 자아 정체성을 형성하는 데 중요한 역할을 함 → 청소년기에 어떤 또래 집단에 속하느냐에 따라 개인의 인성이나 습관이 크게 달라질 수 있음
학교	• 아동기 이후 지속적이고 체계적으로 사회화를 담당하는 기관 → 대표적인 공식적 사회화 기관 • 전문화된 지식과 기술을 학습하며 그 내용과 형식은 사회적 요구를 반영함 • 친구와 교사 등 다양한 사회적 관계를 통해 집단생활에서 필요한 규칙, 질서 등을 배움
직장	• 소득의 원천이 되는 생산 활동의 공간이자 자아를 실현하는 중요한 장 • 개인이 자신의 임무를 수행하는 데 필요한 지식과 기술을 익힘 • 급격한 사회 변화에 적응하기 위해 다양한 재사회화가 이루어지기도 함
대중 매체	• 현대 사회에서는 개인이 신문, 라디오, 텔레비전, 인터넷 등의 대중 매체에 노출되는 시간이 길어지고 정보 통신 기술이 발달하면서 대중 매체가 개인의 사회화에 큰 영향을 미치고 있음 • 사회 구성원들에게 새로운 정보를 제공하고 변화된 삶의 방식을 소개함

5. 사회화를 보는 관점

기능론	• 사회 구성원은 사회화를 통해 사회가 합의한 사회적 규범과 가치, 행동 양식 등을 습득함 • 사회화의 내용과 과정은 사회적 필요에 따라 사회 구성원이 합의한 것이고, 사회화는 사회의 질서 유지와 기능 통합에 이바지함 • 사회화가 제대로 이루어지지 않은 개인이 늘어나면 사회는 혼란에 빠질 가능성이 커지고, 사회 통합도 어려워짐
갈등론	• 사회화는 한 사회의 지배 집단이 그들에게 유리한 가치나 행동 양식을 사회 구성원에게 습득시키는 과정임 • 사회화는 사회 집단 간의 이해관계를 반영하고, 지배 집단의 이익 증진에 이바지하는 사람들을 양성해 가는 사회적 작용임
상징적 상호 작용론	• 사회화는 개인이 타인과의 상호 작용을 통해 자아를 형성하는 과정임 • 개인은 일상의 다양한 상황에서 접하는 다른 사람의 반응이 어떤지를 보면서 바람직한 행동과 가치가 무엇인지 고민함

사회화 기관의 유형

구분	공식적 사회화 기관	비공식적 사회화 기관
1차적 사회화 기관	유치원	가족, 친족, 또래 집단
2차적 사회화 기관	학교, 학원, 훈련소	직장, 대중 매체

사회화를 보는 기능론적 관점

파슨스에 따르면 사회화는 개인이 사회의 공통적인 가치 기준을 내면화함으로써 사회 체계의 요구에 맞게 행동하게 하는 과정이다. 그는 이러한 사회화를 통해 사회 통합이 이루어진다고 강조하였다.

사회화를 보는 갈등론적 관점

알튀세르에 따르면 사회화는 지배 계급의 이익을 대변하는 국가가 학교, 언론 등을 통해 지배 이데올로기를 학습시키는 과정이다. 그는 지배 계급이 이러한 사회화를 통해 기존의 사회적 관계를 안정적으로 재생산한다고 보았다.

쿨리와 미드의 상징적 상호 작용론

쿨리는 '거울에 비친 자아'라는 개념을 통해 사회화 과정에서 자아가 형성되는 과정을 설명하였다. 개인은 사회 속에서 자신의 모습이 타인에게 어떻게 비추어지고 있는지 상상하고 평가하며, 이를 바탕으로 자신의 이미지, 감정, 태도 등을 이끌어 낸다는 것이다. 한편 미드는 한 개인이 어렸을 때는 부모와 같은 특정인의 기대를 내면화하지만, 성장해 가면서 사회의 일반적인 가치나 규범을 반영하고 있는 타인의 모습인 '일반화된 타자'의 기대를 내면화한다고 보았다.

04 사회적 지위와 역할

1. 지위

(1) 의미 : 사회 속에서 다른 사람과 관계를 맺고 살아가는 개인이 사회적 관계 내에서 차지하는 위치

(2) 특징

① 개인은 여러 개의 지위를 동시에 가지며, 시간이 흐르면서 지위는 변함

② 현대 사회로 접어들면서 귀속 지위보다 성취 지위의 중요성이 더욱 커짐

(3) 종류

귀속 지위	개인의 의지나 노력과 관계없이 선천적, 자연적으로 갖게 되는 지위 → 전통 사회에서 강조 예 딸, 아들, 장남 등
성취 지위	개인의 의지나 노력에 의해 후천적으로 얻게 되는 지위 → 현대 사회에서 강조 예 아빠, 엄마, 남편, 아내, 부장 등

2. 역할

(1) 의미 : 지위에 따라 사회적으로 기대하는 행동 양식

(2) 특징

① 한 사람이 가지는 지위가 여럿이기 때문에 기대되는 역할도 다양함

② 개인은 사회화를 통해 각 지위에 상응하는 역할을 학습하게 됨

③ 사회가 변화함에 따라 사회적 지위에 대한 평가가 달라지기도 하며, 동일한 사회적 지위에 대한 역할이 변화하기도 함 예 전통 사회에서는 가사 노동을 여성의 역할로 여겼으나, 현대 사회에서는 양성평등 의식의 확산으로 남녀 모두의 역할로 생각함

3. 역할 행동

(1) 의미 : 개인마다 역할을 수행하는 구체적인 방식 → 같은 지위를 가지고 있어도 개인마다 역할을 수행하는 방식이 다름

(2) 역할 행동이 다양한 이유 : 동일한 지위에 대한 역할 기대가 다양할 뿐만 아니라 각자의 생각대로 자신의 지위에 대한 역할을 판단하기 때문

(3) 보상과 제재 : 역할 행동이 사회적 기대에 부합하면 보상을 받게 되어 특정한 역할 행동이 강화되는 반면, 사회적 기대에 어긋나면 제재를 받음

올쏘 자료 Plus⁺ 역할 행동에 따른 보상과 제재

(가) ○○ 소방서는 경찰관 갑에게 표창장을 수여하였다. 갑은 순찰 근무 중 대형 할인마트 앞을 지나다 연기를 발견하고 즉시 상가 내 주민들을 대피시켰다. 또한 인근에 비치되어 있던 소화기로 화재를 초기에 진압하여 인명 및 재산 피해를 최소화하였다.

(나) 근무 시간에 음주 운전을 하다 교통사고를 낸 경찰관 을이 결국 파면 조치되었다. △△ 지방 경찰청은 징계 위원회를 열고 도로 교통법 위반 혐의로 구속된 을에 대해 파면 결정을 내렸다.

(가)와 (나)는 경찰관의 역할 행동과 그에 따른 보상 및 제재 사례이다. 갑은 경찰관 본연의 역할을 충실히 수행하여 보상을 받았지만, 을은 경찰관으로서 기대되는 역할에 어긋나는 행위를 하였기 때문에 제재를 받았다.

귀속 지위와 성취 지위의 구분

청소년, 노인, 어머니, 아버지, 남편, 아내는 귀속 지위일까? 성취 지위일까? 자신의 노력과는 상관없이 저절로 주어지는 지위는 귀속 지위, 후천적 노력에 의해 얻어진 지위는 성취 지위이다. 청소년이나 노인은 가만히 있어도 그 시기가 되면 저절로 그 지위를 획득하므로 귀속 지위이다. 그런데 어머니, 아버지, 남편, 아내는 저절로 얻어지는 것이 아니다. 결혼과 자녀 출산이라는 노력에 의해 얻어지는 것이므로 성취 지위이다.

보상과 제재

보상은 지위에 따른 역할을 잘 수행하였을 때 주어지는 상이나 칭찬, 상여금 등이며, 제재는 지위에 따른 역할을 잘 수행하지 못하였을 때 가해지는 비난이나 처벌을 의미한다. 역할 행동에 따른 보상과 제재는 사회 구성원이 사회적으로 바람직한 행동을 하도록 유도하고, 바람직하지 않은 행동을 하지 않도록 억제하는 기능을 한다.

4. 역할 갈등

(1) 의미 : 한 개인이 여러 가지 역할을 수행하면서 역할들이 충돌하는 현상 → 개인이 여러 집단에 속해 다양한 역할을 수행하다 보면 역할이 서로 조화를 이룰 때도 있지만, 역할들 간에 갈등이 일어날 수 있기 때문에 발생함

(2) 발생 원인

① 현대 사회에서는 개인에게 여러 가지 역할이 동시에 요구됨

② 급변하는 사회에서 요구되는 역할의 내용도 빠르게 변화하면서 역할 갈등이 발생함

(3) 발생 양상

① 역할 긴장 : 하나의 지위에 서로 상반되는 역할이 요구될 때 발생 예 담임 교사에게 친구처럼 다정한 관계를 원하는 요구와 엄격한 교사가 되어 주길 원하는 요구가 충돌하는 상황

② 역할 모순 : 한 개인이 두 가지 이상의 지위를 가지고 있어 상반된 역할이 동시에 요구될 때 발생 예 직장인이 자녀의 학교 행사에 참석해야 할 경우, 직장인으로서의 역할과 부모로서의 역할 간에 충돌이 발생하는 상황

(4) 역할 갈등의 해결

개인적 차원	• 충돌하는 여러 가지 역할 중에서 우선순위를 정해 중요한 역할부터 수행함 • 역할 갈등을 겪는 사람의 상대방은 관용 정신을 발휘해야 함
사회적 차원	• 사회 구성원 다수에게 반복적으로 나타나는 역할 갈등의 경우에는 역할 간 중요성에 대한 사회적 합의가 필요함 • 갈등을 일으키는 역할 중 어느 하나도 포기할 수 없는 상황이 나타날 수 있는데, 이러한 경우 여러 역할을 동시에 수행할 수 있도록 사회 제도적인 장치와 지원이 마련되어야 함

역할 갈등의 발생 배경

현대 사회가 과거에 비해 분화되고 복잡해지면서 한 개인이 여러 집단에 동시에 속해 있는 경우가 많아졌다. 이로 인해 한 개인은 동시에 여러 지위를 가지게 되었고 각각의 지위에 따른 역할들을 수행해야 하는 상황이 발생하였다. 이 과정에서 서로 다른 역할들이 충돌함으로써 심리적 갈등을 겪는 경우가 늘어났다.

역할 갈등의 해결 수단

• 합리적 의사 결정 능력 : 갈등을 일으키는 지위와 역할을 분석하여 타협점을 찾는다.

• 관용 정신 : 다른 사람들의 역할 행동을 폭넓은 관점으로 이해해 주어야 한다.

• 사회적 합의 : 사회적으로 빈번히 나타나는 역할 갈등에 대하여 어떤 역할을 우선하는 것이 바람직한지에 대하여 합의한다.

2단계 개념 쏙 정리하기

1. 사회 실재론과 사회 명목론

구분	사회 실재론	사회 명목론
기본 입장	사회는 개인의 외부에 실제로 존재하며 독자적인 특성을 지니고 있음	사회는 단지 개인들이 모여 있는 것으로 실제로는 존재하지 않음
주요 내용	• 사회는 개인으로 환원될 수 없는 고유한 성격을 지니고 있음 • 개인의 행동과 의식은 실재하는 사회에 의해 구속됨 • 사회 현상을 파악할 때 사회 구조나 제도를 탐구해야 함	• 개인의 행동은 사회와 관계없이 자신의 자율적인 의지에 따라 이루어짐 • 사회 현상의 분석 단위로서 개인의 의식, 정서, 심리 상태를 중시함
관련 사상	사회 유기체설	사회 계약설
장점	사회가 개인의 행동과 의식에 미치는 영향을 설명할 수 있음	개인을 사회를 구성하고 변화시키는 능동적인 존재로 인정함
한계	• 인간의 주체적이고 능동적인 행위를 설명하기 어려움 • 전체를 위한 개인의 희생을 정당화할 우려가 있음	• 사회 구조나 사회 제도가 개인의 행위에 미치는 영향력을 간과함 • 극단적 개인주의를 초래할 우려가 있음

2. 사회화 기관

분류 기준	사회화 기관	내용
사회화 내용	1차적 사회화 기관	기초적인 수준의 사회화를 담당 → 기본적 인성과 자아 정체성 형성에 영향(가족, 또래 집단 등)
	2차적 사회화 기관	전문적인 지식과 기능의 사회화를 담당(학교, 직장, 대중 매체 등)
설립 목적	공식적 사회화 기관	사회화를 목적으로 설립된 기관(학교, 직업 훈련소 등)
	비공식적 사회화 기관	사회화 이외의 목적으로 형성되었으나 부수적으로 사회화 기능을 수행(가족, 또래 집단, 직장, 대중 매체 등)

3. 역할, 역할 행동, 역할 갈등

역할	일정한 지위에 사회적으로 기대되는 행동 양식
역할 행동	개인이 자신에게 주어진 역할을 수행하는 구체적인 행동 방식 → 동일한 지위에서도 다양하게 나타나며, 역할 행동이 사회적 기대에 충족되면 보상을, 어긋나면 제재를 받음
역할 갈등	한 개인에게 요구되는 역할들이 충돌하여 나타나는 심리적 갈등 → 역할의 우선순위 선정이나 제도적 장치 마련으로 해결

● 개인과 사회의 관계를 바라보는 관점이 사회 실재론이면 '실', 사회 명목론이면 '명'에 표시하시오.

1 사회보다 개인을 중시하는 입장이다. (실, 명)

2 사회를 위한 개인의 희생을 정당화한다. (실, 명)

3 사회는 개인의 합 이상으로 개인의 외부에 존재한다. (실, 명)

4 사회 문제의 해결책으로 개인의 의식 개혁을 강조한다. (실, 명)

5 사회 제도나 사회 구조가 개인의 행위에 미치는 영향력을 간과할 수 있다. (실, 명)

6 사회를 생물 유기체에 비유하여 이해하는 사회 유기체설에 바탕을 둔다. (실, 명)

7 사회가 개인의 행동에 어떤 영향을 미치는지 잘 설명할 수 있다. (실, 명)

8 개인의 의식과 행위 양식으로 사회를 이해하고자 한다. (실, 명)

9 합리적인 구성원들로 이루어진 사회가 반드시 합리적인 사회가 되는 것은 아니다. (실, 명)

10 사회는 개인의 행복과 자유를 추구하기 위한 단순한 수단일 뿐이다. (실, 명)

● 다음 내용을 읽고 옳으면 ○, 틀리면 ×에 표시하시오.

11 사회적 상호 작용이 반복되면 사회적 관계가 되고, 이 사회적 관계가 정형화되면 사회 구조가 된다. (○, ×)

12 사회 구조는 한번 형성되면 변하지 않는다. (○, ×)

13 사회 구조는 개인의 의지와 관계없이 개인의 행동을 규제하는 경우도 있다. (○, ×)

14 사회 명목론은 사회의 속성이 개별 구성원의 속성을 모아 놓은 총합이라고 주장한다. (○, ×)

15 사회 실재론은 개인의 사고와 행동에 미치는 사회 구조의 영향력을 강조한다. (○, ×)

16 사회 실재론만을 중시하면 사회 구조의 문제를 개인의 탓으로 돌리기 쉽다. (○, ×)

17 사회 실재론을 지지하는 사람들은 배우자의 자격 조건으로 배우자의 집안보다 인품을 우선한다. (○, ×)

18 사회 명목론자들은 인간 개개인은 도덕적일 수 있지만, 집단은 비도덕적일 수 있다고 주장한다. (○, ×)

● 다음 내용 중 옳은 것에 ○표 하시오.

19 (㉠ 사회 실재론, ㉡ 사회 명목론)은 사회를 개인의 단순한 합 이상이며, 구성원 개개인의 특성만으로 설명할 수 없는 고유한 특성을 지니는 독립적 실체라고 본다.

20 한 사회의 개인과 집단이 사회적 관계를 맺는 방식이 상대적으로 정형화되어 안정된 틀을 이룬 상태를 (㉠ 사회적 관계, ㉡ 사회 구조)라고 한다.

21 (㉠ 사회 실재론, ㉡ 사회 명목론)은 개인이 사회의 영향을 받아 사고하고 행동한다는 점을 잘 설명할 수 있다.

22 사회 명목론은 (㉠ 사회 유기체설, ㉡ 사회 계약설)에 근거하여 설명할 수 있다.

23 (㉠ 사회 실재론, ㉡ 사회 명목론)은 개인의 자율성을 경시하며, 지나치면 전체주의를 정당화할 우려가 있다.

24 (㉠ 사회 실재론, ㉡ 사회 명목론)은 사회를 구성하는 개인의 특성과 행동 양식에 초점을 맞추어 사회·문화 현상을 이해한다.

● 빈칸에 들어갈 알맞은 말을 쓰시오.

25 한 사회 내에서 사람들 간에 상호 작용이 지속적으로 반복되면 일정한 (　　　)이/가 형성된다. 이것이 유형화되어 하나의 안정된 틀을 이룬 상태를 (　　　)(이)라고 한다.

26 사회 구조는 사회 구성원이 바뀌어도 쉽게 바뀌지 않고 유지되는 (　　　)이/가 있다.

27 사회 구조는 사회 구성원의 의지와는 상관없이 어떤 특정한 행동을 하도록 구속할 수 있는 (　　　)이/가 있다.

28 (　　　)은/는 사회가 개인의 단순한 합 이상이며, 구성원 개개인의 특성만으로는 설명할 수 없는 고유한 특성을 지닌 독립적인 실체라고 보는 관점이다.

29 (　　　)은/는 사회가 독립적인 실체가 아니라 개인들의 집합체에 붙여진 단순한 이름에 불과하며, 실제로 존재하는 것은 개인뿐이라고 보는 관점이다.

30 (　　　)은/는 개인에 대한 사회의 영향력을 간과하는 한계가 있으며, 지나치면 극단적 (　　　)(으)로 흐를 우려가 있다.

31 정형화되어 사회 구성원 대부분이 당연한 것으로 받아들이고 따르는 행동을 (　　　)된 행동이라고 한다.

32 시민 혁명은 (　　　)을/를 바꾸기 위한 집단적인 행동으로, 신분 사회가 근대 시민 사회로 변화하는 계기가 되었다.

---

1 명 2 실 3 실 4 명 5 명 6 실 7 실 8 명 9 실 10 명 11 ○ 12 ×(변화 가능) 13 ○ 14 ○ 15 ○ 16 ×(사회 명목론의 단점) 17 ×(사회 명목론의 입장) 18 ×(사회 실재론의 입장) 19 ㉠ 20 ㉡ 21 ㉠ 22 ㉡ 23 ㉠ 24 ㉡ 25 사회적 관계, 사회 구조 26 지속성 27 강제성 28 사회 실재론 29 사회 명목론 30 사회 명목론, 개인주의 31 구조화 32 사회 구조

● 사회화를 바라보는 관점이 기능론이면 '기', 갈등론이면 '갈', 상징적 상호 작용론이면 '상'에 표시하시오.

33 사회 구성원은 사회화를 통해 사회가 합의한 사회적 규범과 가치, 행동 양식 등을 습득한다. (기, 갈, 상)

34 사회화는 한 사회의 지배 집단이 그들에게 유리한 가치나 행동 양식을 사회 구성원에게 습득시키는 과정이다. (기, 갈, 상)

35 개인은 일상의 다양한 상황에서 접하는 다른 사람의 반응이 어떤지를 보면서 바람직한 행동과 가치가 무엇인지 고민한다. (기, 갈, 상)

36 사회화는 사회 집단 간의 이해관계를 반영하고, 지배 집단의 이익 증진에 이바지하는 사람들을 양성해 가는 사회적 작용이다. (기, 갈, 상)

37 사회화에 실패한 개인은 재사회화를 통해 다시 사회의 안정에 이바지하는 구성원이 될 수 있다. (기, 갈, 상)

● 다음 내용을 읽고 옳으면 ○, 틀리면 ×에 표시하시오.

38 2남 1녀 중 장남은 성취 지위이다. (○, ×)

39 남편은 후천적 노력으로 획득한 지위이다. (○, ×)

40 사회가 급변할수록 재사회화의 중요성이 커진다. (○, ×)

41 또래 집단과 성격이 같은 1차적 사회화 기관으로는 학교가 있다. (○, ×)

42 하나의 지위에 따른 역할 행동은 모든 사람이 동일하다. (○, ×)

43 직장 내 왕따 현상은 역할 갈등의 대표적인 사례이다. (○, ×)

44 직장은 지식과 태도를 학습하는 공식적인 사회화 기관이다. (○, ×)

45 사회가 분업화·전문화됨에 따라 성취 지위가 증가하고 있다. (○, ×)

46 장래 아나운서를 희망하는 학생이 학교 방송국 아나운서로 활동하는 것은 재사회화의 사례이다. (○, ×)

47 아동기와 청소년기에 들어서면 사회화에 대한 또래 집단의 영향력이 커진다. (○, ×)

48 갑이 회사를 그만두고 음식점을 차릴지 고민하는 것은 역할 갈등에 해당한다. (○, ×)

● 다음 내용 중 옳은 것에 ○표 하시오.

49 (㉠ 유아기, ㉡ 청소년기)에는 많은 시간을 학교에서 보내고 또래 친구들과 어울리는데, 이 과정에서 지식과 기술, 규범, 가치 등을 습득하고 진로와 직업을 탐색한다.

50 사람이 살다 보면 사회 변화나 새로운 환경에 적응하기 위해 이전과는 다른 규범이나 가치, 기능 등을 학습하기도 하는데, 이를 (㉠ 재사회화, ㉡ 예기 사회화)라고 한다.

51 가족이나 대중 매체 등은 사회화 자체를 목적으로 하지는 않지만 사회화에 영향을 미치는 (㉠ 공식적, ㉡ 비공식적)사회화 기관이다.

52 학생, 학급 회장, 아내나 남편 등은 (㉠ 귀속 지위, ㉡ 성취 지위)에 해당한다.

53 사회는 각각의 지위에 대해 일정한 행동 양식을 기대하는데, 이를 (㉠ 역할, ㉡ 역할 행동)이라고 한다.

54 둘 이상의 지위에 대해 각각의 역할이 동시에 요구되어 역할들 사이에 충돌이 발생하는 경우 어떤 역할을 우선해야 할지를 두고 심리적 갈등을 겪게 되는데, 이를 (㉠ 역할 긴장, ㉡ 역할 갈등)이라고 한다.

● 빈칸에 들어갈 알맞은 말을 쓰시오.

55 사회 속에서 성장하면서 자신이 속한 사회의 행동 양식과 사고방식을 학습하는 과정을 ( )(이)라고 한다.

56 사회적 지위는 개인의 의지나 노력과 상관없이 선천적으로 주어진 ( )와/과 개인의 노력을 통해 후천적으로 획득한 ( )(으)로 나눌 수 있다.

57 ( )적 사회화 기관은 전문적인 지식이나 정보 등을 전수함으로써 사회화를 담당하는 기관으로, 학교나 직장이 이에 속한다.

58 개인은 자신의 가치관을 분명히 하고 역할 갈등이 발생하면 역할의 ( )을/를 정하여 중요한 것부터 처리하거나 여러 역할 중 하나를 선택하는 것과 같이 합리적인 타협점을 찾아야 한다.

59 지위에 기대되는 행동 양식을 ( )(이)라고 하며, 이를 실제로 행하는 것을 ( )(이)라고 한다.

60 사람들은 미래에 자신이 속하게 될 집단에서 요구되는 행동 양식을 미리 학습하는 경우가 있는데, 이를 ( )(이)라고 한다.

---

33 기 34 갈 35 상 36 갈 37 기 38 ×(귀속 지위) 39 ○ 40 ○ 41 ×(가족) 42 ×(역할 행동은 개인마다 다름) 43 ×(역할 갈등이 아님) 44 ×(비공식적 사회화 기관) 45 ○ 46 ×(예기 사회화) 47 ○ 48 ×(역할 갈등이 아님) 49 ㉡ 50 ㉠ 51 ㉡ 52 ㉡ 53 ㉠ 54 ㉡ 55 사회화 56 귀속 지위, 성취 지위 57 2차 58 우선순위 59 역할, 역할 행동 60 예기 사회화

05강 사회 집단과 사회 조직

1단계 개념 뜯어보기

01 사회 집단

1. 사회 집단의 의미와 성립 요건

(1) 의미 : 가족, 또래 집단, 학교, 직장, 동호회처럼 둘 이상의 사람들이 소속감이나 공동체 의식을 가지고 지속적인 상호 작용을 하는 모임

(2) 성립 요건

① 둘 이상의 사람으로 구성됨 → 개개인은 사회 집단으로 볼 수 없음

② 구성원 간의 상호 작용이 지속적으로 이루어짐

③ 구성원들이 집단에 대한 소속감과 공동체 의식을 지니고 있음

(3) 기능

① 구성원들은 자신이 속한 집단이 지향하는 가치와 규범을 습득하고 내면화함

② 집단 내에서 다른 구성원과 사회적 관계를 맺으면서 사회적 존재로 성장함

2. 사회 집단의 종류

(1) 1차 집단과 2차 집단 : 구성원 간의 접촉 방식에 따른 분류(쿨리)

1차 집단	• 구성원 간의 친밀한 대면 접촉을 바탕으로 전인격적인 인간관계가 나타나는 집단 ⓔ 가족, 또래 집단 등 • 구성원 간의 인간관계 자체가 목적으로 관계 지향적이며, 구성원끼리 강한 연대감과 친밀감을 형성 • 도덕, 관습 등 비공식적인 제재 방식을 통해 구성원들을 통제함 • 개인의 인성 형성과 정서적 안정에 큰 영향을 미치기 때문에 원초 집단이라고도 함
2차 집단	• 특정한 목적을 달성하기 위해 의도적으로 만들어진 집단 ⓔ 회사, 군대 등 • 구성원 간의 인간관계가 도구적이고 형식적이며, 수단적 만남과 간접적 접촉이 이루어짐 • 규칙과 법률 등에 따른 공식적 통제가 일반적임 • 현대 사회가 전문화되고 복잡해지면서 2차 집단의 수가 증가하고 있으며, 개인 생활에 미치는 영향력도 커지고 있음

올쏘자료 Plus⁺ 1차 집단의 성격을 가진 2차 집단

▲ 낚시 동호회

회사 내에서 낚시를 좋아하는 사람들끼리 낚시 동호회를 만들어 활동한다고 할 경우 이 동호회는 낚시라는 특정한 목적을 위해 수단적 관계를 바탕으로 형성되었기 때문에 2차 집단에 해당한다. 그러나 동호회 회원들 간에 매우 친밀한 인간관계를 맺고 정서적 유대가 깊어진다면 낚시 동호회는 그 구성원들에게 1차 집단의 기능을 수행할 수 있다. 즉 낚시 동호회는 2차 집단이지만 동시에 1차 집단으로서의 성격도 지닌다.

(2) 공동 사회와 이익 사회 : 구성원의 결합 의지에 따른 분류(퇴니에스)

공동 사회	• 구성원의 본질 의지에 의해 자연 발생적으로 형성된 집단 ⓔ 가족, 친족, 촌락 공동체 등 • 결합 자체가 목적이며, 구성원 간 관계에서 친밀하고 정서적인 상호 신뢰와 협동심이 강하게 나타남
이익 사회	• 특정한 목적을 달성하기 위하여 선택 의지에 의해 형성된 집단 ⓔ 회사, 정당, 학교 등 • 구성원 간의 관계는 이해타산적이고 목적 지향적이며, 구성원 사이에 경쟁심이 나타남 • 오늘날에는 산업화와 도시화로 공동 사회보다 이익 사회의 비중이나 역할이 증대되고 있음

만점 공부 비법

• 사회 집단과 사회 조직의 유형을 실제 사례에 적용하여 구분하는 문제가 자주 출제되므로 각각의 공통점과 차이점을 구분할 수 있어야 한다.

• 사회 집단과 사회 조직은 사회화, 지위와 역할 등과 관련하여 출제될 수 있으므로 사회학적 관련 개념을 함께 정리해 두어야 한다.

• 최근 관료제에 대한 출제가 줄고 있지만, 관료제와 탈관료제의 특징을 비교하는 문제는 출제 가능성이 높기 때문에 모두 공식 조직의 운영 원리라는 점을 기억해 두어야 한다.

지속적인 상호 작용
축구장이나 공연장에 일시적으로 모인 관중을 사회 집단이라고 하지는 않는다. 하지만 축구팀을 응원하기 위해 자발적으로 결성된 응원 단체나 특정 가수의 팬클럽은 구성원 간에 지속적인 상호 작용이 이루어진다는 점에서 사회 집단이라고 할 수 있다.

쿨리(Cooley, C. H.)
미국의 사회학자로 전체로서의 개인과 사회를 강조하였으며, 사회 집단을 1차 집단과 2차 집단으로 구분하였다.

전인격적인 인간관계
집단 구성원의 부분적 특성이 아닌 모든 측면에 관심을 가지며 형성하는 인간적인 관계이다.

퇴니에스(Tönnies, F. J.)
독일의 사회학자로서 인간 의지를 자연적인 본질 의지와 인위적인 선택 의지로 구별하였으며, 이에 대응하는 공동 사회(Gemeinschaft)와 이익 사회(Gesellschaft)의 개념을 제시하였다.

본질 의지와 선택 의지
• 본질 의지 : 자신이 선택할 수 없는 자연적·본능적 의지
• 선택 의지 : 자신이 선택할 수 있는 의지

(3) 내집단과 외집단 : 소속감의 유무에 따른 분류(섬너)

내집단	• 개인이 소속감을 느끼고 있는 집단으로 공동체 의식이 강하여 '우리 집단'이라고도 함 • 개인은 내집단을 통해 자아 정체성을 형성하며, 사회생활과 관련된 판단과 행동의 기준을 학습함 • 내집단에 대한 강한 정체감은 내집단 구성원의 결속력을 강화하여 위기를 극복하는 원천이 되기도 함 • 강한 내집단 의식이 외집단에 대해 부정적이고 배타적인 태도로 이어질 경우, 사회 통합을 저해할 수도 있음
외집단	• 개인이 소속감을 갖지 않으면서 이질감과 적대감까지도 가질 수 있는 집단으로 '타인 집단'이라고 도 함 • 내집단과 외집단의 경계와 범위는 상황에 따라 달라질 수 있음 → 학급별 축구 대회가 열릴 때는 다른 학급이 외집단이지만 학교별 축구 대회가 열릴 때는 다른 학급도 내집단이 됨 • 외집단과의 갈등은 내집단 의식을 강화하는 요인으로 작용하기도 함

(4) 준거 집단

① 의미 : 한 개인이 자신의 신념, 태도, 가치 등을 정하는 기준으로 삼거나 행동이나 판단의 근거로 여기는 집단

② 특징 : 개인이 자신이 처한 상황을 평가하거나 행동할 때 비교나 판단의 기준을 제공함으로써 개인의 인생관과 행복감 형성에 매우 커다란 영향을 미침 → 한 개인을 이해하는 중요한 길잡이가 됨

③ 소속 집단과의 관계

• 소속 집단이 준거 집단과 일치할 경우 : 소속 집단에 만족하면서 안정적인 생활을 영위할 수 있음

• 소속 집단과 준거 집단이 일치하지 않을 경우 : 상대적 박탈감을 느끼거나 준거 집단을 동경한 나머지 소속 집단에 불만을 가져 집단 구성원과 갈등을 겪을 수 있음

02 사회 조직

1. 사회 조직의 의미와 특징

(1) 의미 : 사회 집단 중에서 그 목표와 경계가 뚜렷하고, 구성원의 지위와 역할이 명확하며, 목적 달성을 위한 공식적인 규범과 절차가 체계적으로 규정되어 있는 조직화된 집단

(2) 특징

① 구성원의 지위와 역할이 명확하게 구분됨

② 형식적이고 수단적인 인간관계가 주로 나타남

③ 조직의 공식적 목표와 과업 달성을 기준으로 구성원을 평가함

④ 공식적인 규범과 절차를 통해 구성원들의 행동을 통제함

올쏘자료 Plus⁺ 사회 조직의 형성

```
            회장
             │
           부회장
    ┌────┬────┼────┬────┐
 정보 통신부  행사 기획부  학술 연구부  학생 인권부
    │        │        │        │
   부장      부장      부장      부장
   차장      차장      차장      차장
   부원      부원      부원      부원
```

▲ 고등학교 학생회의 조직도

왼쪽에 제시된 고등학교 학생회는 사회 집단이면서 사회 조직이다. 사회 집단은 느슨한 형태 또는 복잡하고 정교한 사회 조직을 가질 수 있다. 사회 조직은 사회 집단이 좀 더 발전된 형태로 '조직화된 집단'이라고도 한다. 사회 조직은 사회 집단을 토대로 형성되며, 뚜렷한 목표를 중심으로 지위와 역할이 구분된다. 또한 사회 집단과는 달리 공식적인 규범이 확립되어 있어 구성원의 행동이 엄격히 제한된다.

내집단의 결속 의식

내집단과 외집단이 구분되면, 각각의 내집단은 내부 결속을 강화하고 집단의 경계를 분명하게 하기 위해 상징을 활용하기도 한다. 회사의 제복, 배지 등이 그 예이다.

준거 집단과 만족감

올림픽이나 세계 대회에서 동메달을 딴 사람이 은메달을 딴 사람보다 행복감이 높은 경우도 있다고 한다. 동메달을 딴 사람은 메달 획득에 실패한 사람들과 자신을 비교하고, 은메달을 딴 사람은 금메달을 딴 사람과 자신을 비교하기 때문이라는 것이다. 이것은 준거 집단이 다르기 때문에 발생하는 일이다.

사회 집단과 사회 조직

사회 집단과 사회 조직을 엄밀히 구분하기는 쉽지 않지만, 사회 조직은 짜임새와 경계를 좀 더 중시한다는 점에서 사회 집단 내에 포함되는 개념으로 볼 수 있다.

2. 공식 조직과 비공식 조직

(1) 공식 조직 : 구성원의 지위와 책임이 명확하게 규정되고, 정해진 절차에 따라 특정 목적을 달성하기 위한 조직 → 일반적으로 사회 조직이라고 할 때는 공식 조직을 의미함

(2) 비공식 조직

① 의미 : 공식 조직에 속한 구성원들이 조직 내에서 구성원 간의 친밀한 인간관계에 바탕을 두고 자발적으로 형성한 조직 ⓓ 사내 동호회, 대학 내 동아리 등

② 순기능 : 구성원의 만족감과 사기를 증진하고, 공식 조직 내에서의 긴장감과 소외감 해소에 기여하며, 공식적인 과업의 능률과 조직의 효율성을 높이는 데 기여할 수 있음

③ 역기능 : 공식 조직과 비공식 조직의 목표가 다를 때 공식 조직의 효율성을 저해할 수 있으며, 개인적 친분 관계가 공식 조직의 업무나 인사에 부정적인 영향을 미칠 수 있음

★ 3. 자발적 결사체

(1) 의미 : 공동의 관심사나 이해관계를 가진 사람들이 공동의 목표를 달성하기 위하여 자발적으로 형성한 조직

(2) 등장 배경

① 현대 사회에서 구성원들의 직업이나 관심사 등이 다원화함에 따라 이해관계가 복잡해지고 사회에 참여하려는 욕구가 늘어남

② 형식적인 인간관계가 확대되고 소외감이 심화하면서 시민들이 스스로 만든 자발적 결사체가 등장함

(3) 종류

친목 집단	구성원의 취미나 친목에 관심을 두는 결사체 ⓓ 동호회, 향우회 등
이익 집단	특정 집단의 이익을 증진하고자 하는 결사체 ⓓ 노동조합, 각종 직능 단체 등
시민 단체	사회 문제 해결이나 사회 정의 실현에 관심을 두는 결사체 ⓓ 환경 단체, 소비자 단체 등

(4) 특징

① 조직의 목표에 대한 뚜렷한 신념을 지닌 구성원이 자발적으로 참여하여 조직을 운영하며, 가입과 탈퇴가 자유로움

② 조직 내 의사 결정이 구성원의 토의와 합의를 거쳐 민주적으로 이루어지며, 1차 집단과 2차 집단의 성격이 공존하는 경우가 많음

(5) 순기능 : 구성원에게 정서적으로 만족감을 주고, 자아실현의 기회를 제공하며, 사회의 다원화와 민주화를 촉진하는 데 기여함

(6) 역기능 : 타 집단을 지나치게 배격하고, 자기 집단만의 이익을 추구할 경우 사회 통합을 저해하는 요인이 되기도 함

올쏘자료 Plus⁺ 자발적 결사체와 비공식 조직

▲ 배드민턴 동호회

자발적 결사체는 공통의 관심이나 목표를 가진 사람들이 자발적으로 결성한 집단으로 가입과 탈퇴가 자유로운 조직이다. 자발적 결사체 중 공식 조직 내에서 만들어진 것을 비공식 조직이라고 한다. 따라서 자발적 결사체는 비공식 조직을 포함한다. 예를 들어 배드민턴 동호회는 모두 자발적 결사체이다. 그중 학교나 직장 내에서 만들어진 배드민턴 동호회는 자발적 결사체이면서 비공식 조직에 해당한다.

공식 조직과 비공식 조직

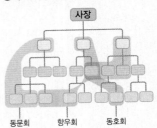

그림에서 사장을 중심으로 각 부서와 부원으로 구성된 공식 조직이 있고, 그 내부에 동문회, 향우회, 동호회와 같은 비공식 조직이 있다. 비공식 조직은 공식 조직의 구성원으로 이루어지며, 공식 조직과 상호 보완적 관계에 있다.

비공식 조직의 중요성

오늘날 현대 사회에서는 치열한 경쟁이 이루어지고 창의적인 역량이 강조되면서 조직의 문제 해결을 위한 비공식 조직의 중요성이 커지고 있다. 공식 조직은 이성적 조직이지만 비공식 조직은 감성적 측면에 초점을 둔다. 회사 내의 비공식 조직이 직원들에게 동기를 부여하고, 의사소통을 원활하게 하며, 좋은 문화나 가치를 형성하여 조직 구성원의 행동 변화를 유도하기도 한다.

이익 집단

이해관계를 같이하는 사람들이 자신들의 특수 이익을 실현하기 위해 결성한 집단이다. 대표적인 이익 집단으로 노동조합을 들 수 있다.

시민 단체

사회의 공익 증진을 목표로 시민들이 자발적으로 만든 사회 집단이다. 비정부 기구(NGO)라고도 한다.

4. 관료제

(1) 의미 : 특정 목표를 달성하기 위해 구성원의 역할을 명확하게 구분하고 공식적인 규칙과 규정에 따라 운영하는 대규모 위계 조직

(2) 등장 배경 : 근대 산업화 이후 조직 규모가 커지면서 대규모 조직을 효율적으로 관리할 수 있는 조직 운영 방식의 필요성이 증대하면서 나타남

(3) 특징

① 업무의 세분화와 전문화 : 업무에 따라 부서를 나누고 하는 일을 뚜렷하게 구분하여 전문적인 업무 수행이 가능함 → 복잡한 업무를 효율적으로 처리할 수 있음

② 엄격한 위계질서 : 권한과 책임의 정도에 따라 조직 내 지위가 서열화되어 있음 → 구성원들의 권한과 책임 소재가 분명함

③ 규칙과 절차에 따른 업무 수행 : 업무 처리가 표준화되어 있고, 정해진 규칙과 절차에 따라 업무가 이루어짐 → 구성원이 바뀌어도 안정적이고 지속적인 과업 수행이 가능함

④ 연공서열에 따른 보상 : 구성원들의 경력에 따라 보상이 이루어짐 → 구성원들이 안정적으로 일할 수 있음

⑤ 지위 획득의 공평한 기회 : 전문적인 자격이나 능력을 기준으로 경쟁하여 지위를 획득할 수 있음 → 공개경쟁을 통해 지위를 획득할 수 있어 구성원들에게 공평한 기회가 주어짐

(4) 순기능

① 효율성 : 과업을 세분화·전문화함으로써 신속하고 효율적인 업무 수행이 가능해짐

② 안정성 : 문서화된 규약과 절차에 따르며, 연공서열에 따라 구성원들의 신분이 보장되므로 안정적인 조직 운영이 이루어짐

③ 지속성과 예측 가능성 : 구성원이 바뀌더라도 정해진 절차에 따라 지속적인 과업 수행이 가능하며, 과업 수행에 대한 예측 가능성이 높음

④ 권한과 책임 소재의 명확화 : 과업 수행에 있어 책임 소재가 분명하며, 불필요한 갈등 발생을 막을 수 있음

(5) 역기능

① 경직성 : 규칙과 절차만을 강조하는 경직된 조직 운영으로 인해 외부의 환경 변화에 유연하게 대처하지 못하고, 구성원의 자율성과 창의성을 저해할 수 있음

② 목적 전치 현상 : 규칙과 절차를 따르는 데 집착하여 규칙을 지키는 것 자체가 목적이 되어 버리는 목적 전치 현상이 발생할 수 있음

③ 인간 소외 현상 : 구성원들은 각자 분담한 업무만을 획일적이고 반복적으로 수행함으로써 창의성이나 자율성을 발휘하지 못하고 조직의 부속품으로 전락할 수 있음

④ 권력의 독점과 남용 : 위계 서열화로 소수에게 권한이 집중되어 구성원 사이의 의사소통이 왜곡되고, 권력을 독점한 소수가 자기 이익의 실현을 위해 조직을 이용할 위험이 있음

★ 5. 탈관료제

(1) 의미 : 관료제에서 벗어나 구성원의 자율성과 창의성을 보장하는 새로운 조직 형태

(2) 등장 배경

① 정보와 지식이 중요해지면서 엄격한 위계질서와 경직성을 지닌 관료제의 한계가 드러남 → 유연하고 창의적인 조직 형태가 필요해짐

② 과학 기술의 발달로 인해 새로운 조직 형태의 출현이 가능해짐

관료제 조직의 구성

관료제는 수직적으로는 계층화, 수평적으로는 기능상 분업 체계를 이루고 있는 조직 운영 방식이다.

연공서열
근속 연수나 나이가 늘어감에 따라 지위나 임금이 올라가는 체계를 말한다.

관료제의 병폐
• 레드 테이프 현상 : 영국에서 관리들이 서류를 묶던 붉은색 끈에서 유래한 말로, 관리들이 형식과 절차만을 중시하여 서류를 복잡하게 갖추도록 하면서 일처리가 지연되는 비능률적 현상을 말한다.

• 피터의 원리 : 능력보다는 경력에 따라 조직 내 지위가 결정되기 때문에 지위가 올라갈수록 무능함이 드러나는 현상을 말한다.

• 파킨슨 법칙 : 관료 조직은 스스로 확장하려는 경향이 있어 시간이 갈수록 불필요한 인력이 늘어나 조직의 효율성이 낮아지는 현상을 말한다.

인간 소외 현상
인간이 만든 제도나 도구에 의해 도리어 인간이 지배당하거나 수단으로 전락하여 인간다운 삶이 파괴되는 것을 말한다.

(3) 특징

① 조직의 유연성 강화 : 규칙과 절차에 얽매이지 않고, 상황이나 목적에 따라 자유롭게 구성되고 해체되기 때문에 환경 변화에 대한 유연한 대처와 신속한 의사 결정이 가능함

② 수평적 조직 체계 : 구성원 간 자유로운 의사소통이 가능하고 개인의 자율성과 창의성을 최대한 존중함

③ 능력에 따른 보상 : 연공서열주의에서 벗어나 목표 달성을 중심으로 능력과 성과를 평가하여 승진과 임금 수준을 결정하므로 개인의 성취동기와 사기를 높일 수 있음

관료제에서 탈관료제로의 변화
- 근무 경력 우대 → 능력 우대, 직급 파괴
- 근무 연수에 따른 임금 → 능력에 따른 임금(연봉제)
- 내부 승진 중시 → 외부 전문가 영입
- 엄격한 조직 체계 → 연성화된 조직(팀제), 가변 근무제, 자율 복장 등
- 하향식 지시와 복종 → 상향식 의사 결정 보장
- 업무 수행만 강조 → 여가 활용 및 복지에 대한 관심 증가, 남녀 평등적 기업 문화 등

올쏘 자료 Plus⁺ 탈관료제 조직의 유형

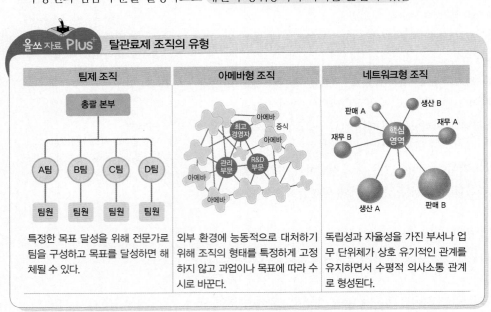

팀제 조직	아메바형 조직	네트워크형 조직
특정한 목표 달성을 위해 전문가로 팀을 구성하고 목표를 달성하면 해체될 수 있다.	외부 환경에 능동적으로 대처하기 위해 조직의 형태를 특정하게 고정하지 않고 과업이나 목표에 따라 수시로 바꾼다.	독립성과 자율성을 가진 부서나 업무 단위체가 상호 유기적인 관계를 유지하면서 수평적 의사소통 관계로 형성된다.

2단계 개념 쏙 정리하기

1. 사회 집단의 분류

기준	종류	내용
구성원의 접촉 방식	1차 집단	구성원 간의 친밀한 대면 접촉을 바탕으로 전인격적인 인간관계가 나타나는 집단 예 가족, 또래 집단 등
	2차 집단	구성원 간에 간접적 접촉과 수단적 만남이 이루어지는 집단 예 학교, 회사, 군대 등
구성원의 결합 의지	공동 사회	결합 자체가 목적이며, 구성원 간의 관계는 친밀하고 정서적인 상호 신뢰와 협동심이 강하게 나타남 예 가족, 친족 등
	이익 사회	특정한 목적을 달성하기 위하여 선택적 의지에 따라 형성된 집단 → 회사, 정당, 학교 등
소속감의 유무	내집단	개인이 소속감을 느끼고 있는 집단으로 공동체 의식이 강하여 '우리 집단'이라고도 함
	외집단	개인이 소속감을 갖지 않으면서 이질감과 적대감까지도 가질 수 있는 집단으로 '타인 집단'이라고도 함

2. 사회 조직

종류	내용
비공식 조직	공식 조직 내에서 구성원들이 친밀한 인간관계를 바탕으로 서로 상호 작용을 하며 형성된 것 예 회사 내의 동호회 등
자발적 결사체	공동의 관심사나 이해관계를 가진 사람들이 공동의 목표를 달성하기 위하여 자발적으로 형성한 조직 예 친목 집단, 이익 집단, 시민 단체 등
관료제	• 특정 목표를 달성하기 위해 구성원의 역할을 명확하게 구분하고 공식적인 규칙과 규정에 따라 운영하는 대규모 위계 조직 • 특징 : 업무의 세분화와 전문화, 엄격한 위계질서, 규칙과 절차에 따른 업무 수행, 경력에 따른 보상 • 문제점 : 경직성, 목적 전치 현상, 인간 소외 현상, 권력의 독점과 남용
탈관료제	• 관료제에서 벗어나 구성원의 자율성과 창의성을 보장하는 새로운 조직 형태 • 특징 : 유연성, 수평적 조직 체계, 능력에 따른 보상 등

● 다음 내용을 읽고 옳으면 ○, 틀리면 ×에 표시하시오.

1 축구 경기를 보기 위해 축구장에 모인 관중이나 가수의 공연을 보기 위해 공연장을 찾은 사람들은 사회 집단이다.
(○, ×)

2 사회 집단은 구성원 간의 접촉 방식에 따라 내집단과 외집단으로 분류할 수 있다. (○, ×)

3 1차 집단은 개인의 인성 형성과 정서적 안정에 큰 영향을 미치기 때문에 원초 집단이라고도 한다. (○, ×)

4 공동 사회는 결합 자체가 목적이며, 구성원 간의 관계는 친밀하고 정서적이다. (○, ×)

5 모든 자발적 결사체는 비공식 조직에 해당한다. (○, ×)

6 학교와 군대는 공동 사회, 회사는 이익 사회이다. (○, ×)

7 내집단과 외집단의 경계와 범위는 상황에 따라 달라질 수 있다. (○, ×)

8 자발적 결사체는 구성원에게 정서적으로 만족감을 주고, 사회의 다원화와 민주화를 촉진하는 데 기여한다. (○, ×)

● 다음 내용이 관료제의 특징이면 '관', 탈관료제의 특징이면 '탈'에 표시하시오.

9 업무가 세분화·전문화되어 있다. (관, 탈)

10 다품종 소량 생산 체제에 적합하다. (관, 탈)

11 중간 관리층의 역할과 권한이 강화된다. (관, 탈)

12 외부 환경 변화에 신축적으로 대응한다. (관, 탈)

13 표준화된 업무 처리로 인해 조직 구성원이 창의성을 발휘하지 못할 수 있다. (관, 탈)

14 구성원이 교체되더라도 안정적인 조직 운영이 가능하다. (관, 탈)

15 능력과 성과를 평가하여 승진과 임금 수준을 결정한다. (관, 탈)

16 조직 내의 지위가 권한과 책임의 정도에 따라 서열화되어 있다. (관, 탈)

17 무사안일주의를 유발하여 조직의 경쟁력을 약화시키는 요인이 되기도 한다. (관, 탈)

18 의사 결정 구조가 수평적이고 구성원의 업무 재량권이 높다. (관, 탈)

● 다음 내용 중 옳은 것에 ○표 하시오.

19 (㉠ 1차 집단, ㉡ 2차 집단)은 구성원의 직접적인 대면 접촉으로 전인격적인 만남이 이루어진다.

20 이익 사회는 구성원이 필요할 때 (㉠ 본능적 의지, ㉡ 선택적 의지)에 따라 인위적으로 형성한 집단으로 회사나 학교, 정당 등이 이에 해당한다.

21 사회 집단은 구성원의 (㉠ 접촉 방식, ㉡ 소속감)을 기준으로 내집단과 외집단으로 구분할 수 있다.

22 회사나 학교 내에 존재하는 동호회는 (㉠ 공식 조직, ㉡ 비공식 조직)이면서 자발적 결사체에 해당한다.

23 (㉠ 준거 집단, ㉡ 2차 집단)은 개인이 자신이 처한 상황을 평가하거나 행동할 때 비교나 판단의 기준을 제공함으로써 개인의 인생관과 행복감 형성에 매우 커다란 영향을 미친다.

24 2차 집단은 규칙과 법률 등에 따른 (㉠ 공식적, ㉡ 비공식적) 통제가 일반적이다.

● 빈칸에 들어갈 알맞은 말을 쓰시오.

25 둘 이상의 사람들이 소속감을 가지고 지속적인 상호 작용을 하는 모임을 (　　　)(이)라고 한다.

26 (　　　)은/는 개인이 소속감을 갖지 않으면서 이질감과 적대감까지도 가질 수 있는 집단으로 '타인 집단'이라고도 한다.

27 (　　　)은/는 한 개인이 자신의 신념, 태도, 가치 등을 규정하고 행동의 지침으로 삼는 집단을 말한다.

28 (　　　) 중에서 뚜렷한 목표를 중심으로 구성원의 지위와 역할이 명확하게 구분되고, 목적 달성을 위한 공식적인 규범과 절차가 체계적으로 규정되어 있는 집단을 (　　　)(이)라고 한다.

29 (　　　) 내에는 공동의 관심이나 취미를 가진 사람들로 구성된 비공식 조직이 존재하기도 한다.

30 사회가 다원화되면서 공통의 관심사나 목표를 가진 사람들이 자발적으로 결성한 집단인 (　　　)이/가 증가하고 있다.

31 관료제 조직은 목적 달성을 위해 만든 규칙과 절차에 지나치게 집착하여 본래의 목적을 소홀히 하는 (　　　) 현상이 나타나기도 한다.

32 탈관료제 조직은 규칙과 절차에 얽매이지 않고, 상황이나 목적에 따라 자유롭게 구성되고 해체되는 (　　　)을/를 특징으로 한다.

---

1 ×(지속적인 상호 작용이 없음) 2 ×(소속감) 3 ○ 4 ○ 5 ×(공식 조직에도 존재함) 6 ×(학교, 군대, 회사 모두 이익 사회) 7 ○ 8 ○ 9 관 10 탈 11 관 12 탈 13 관 14 관 15 탈 16 관 17 관 18 탈 19 ㉠ 20 ㉡ 21 ㉠ 22 ㉡ 23 ㉠ 24 ㉠ 25 사회 집단 26 외집단 27 준거 집단 28 사회 집단, 사회 조직 29 공식 조직 30 자발적 결사체 31 목적 전치 32 유연성

06강 일탈 행동의 이해

1단계 개념 뜯어보기

01 일탈 행동의 의미와 영향

1. 일탈 행동의 의미와 특징

(1) 의미

① 사회 구성원의 행위가 정상적인가 아닌가를 판단하는 기준이 되는 법이나 도덕 등과 같은 사회 규범에 어긋나는 행위

② 일탈 행동은 친구와의 약속을 어기는 행위나 거짓말을 하는 것부터 절도나 살인 등과 같은 범죄에 이르기까지 다양함

(2) 특징 : 상대성

① 시대와 장소에 따라, 가치관의 변화에 따라 일탈 행동에 대한 판단 기준은 다르게 나타남

② 같은 행동이라도 상황에 따라 일탈 행동으로 판단될 수도 있고, 정상적인 행동으로 판단될 수도 있음

올쏘 자료 Plus+ 일탈 행동의 상대성

- 1970년대 우리 사회에서는 장발을 금지하였지만, 오늘날에는 문제 삼는 사람이 거의 없다. 스코틀랜드에서는 남자들이 킬트라는 치마를 입고 다니는데 이를 이상하게 보지 않지만, 우리나라에서는 남자가 치마 입는 것을 자연스러운 행동으로 보지 않는다.
- 사람들은 길거리에서 수영복을 입는 것에 대해서 정상적인 행동으로 보지 않지만, 수영장에서 수영복을 입는 것은 정상적인 행동으로 여긴다. 야간에 무서운 속도로 굉음을 내며 자동차가 달린다면 일탈 행동으로 볼 수 있지만, 자동차 경주장에서 똑같은 행위를 하는 것은 일탈 행동이 아니다.

제시된 사례는 일탈 행동의 상대성을 보여 준다. 즉 특정 행위가 일탈 행동인가 아닌가 하는 것은 시대나 장소 등에 따라 다르다. 이는 사회적 행동을 평가하는 가치관이나 규정이 사회적 조건이나 상황에 따라 달라지고, 일탈 행동을 규정하는 기준도 시간에 따라 변화하기 때문이다. 따라서 어떤 행위가 일탈 행동인지의 여부는 어떤 상황에서 어떤 행동이 발생하고 그 사회 구성원들이 그 행동을 어떻게 보는가에 따라 판단된다.

2. 일탈 행동의 영향

(1) 부정적 영향

① 범죄와 같은 일탈 행동이 증가하면 사회는 그만큼 불안정해지고 혼란을 겪을 가능성이 커지기 때문에 일탈 행동은 대부분 현존하는 사회 질서의 유지에 부정적 영향을 미침

② 일탈 행동을 하는 사람들이 증가하면 사회적 가치와 규범이 무너져 사회가 무질서 상태에 빠져들 수도 있음

(2) 긍정적 영향

① 사회에 큰 충격을 주는 일탈 행동이 발생하면 많은 사회 구성원은 사회 규범에 관해 다시 한 번 생각함

② 사회 제도의 문제점은 무엇이며 그 문제점을 어떻게 보완할지 고민하고 논의하기도 함

③ 개인이나 집단의 일탈적 사고와 행동이 사회의 다양성을 증진하고 사회 질서나 규범이 변화하는 계기가 될 수도 있음

만점 공부 비법

- 일탈 행동의 상대성을 사례를 통해 이해하고 설명할 수 있어야 한다.
- 일탈 행동의 원인에 관한 이론을 비교하는 문제는 매년 빠지지 않고 출제되고 있다. 각 이론을 사례와 연계하여 이해하고, 공통점과 차이점을 정리해 두어야 한다.

일탈 행동과 범죄

범죄는 법을 위반하는 행위로, 일탈 행동에 해당한다. 하지만 모든 일탈 행동이 범죄는 아니다. 음주 운전은 법을 위반하는 범죄이면서 동시에 일탈 행동에 해당한다. 반면 학교에 무단결석하는 것은 범죄는 아니지만 일탈 행동이다.

일탈 행동에 대한 통제 수단

개인이 일탈을 할 경우 사회의 결속과 질서를 유지하기 위해 통제를 가한다. 일탈 행동에 대한 통제는 대부분 비공식적이다. 일탈 행동에 대해 흉을 보거나 비웃고 훈계나 위협을 하기도 한다. 공식적 통제는 대체로 법규나 규칙에 따른 처벌의 형태를 띠며, 공식 기관인 경찰, 검찰, 교도소 등에서 이루어진다.

일탈 행동으로 인한 사회 규범의 정립

학교에서 친구 간의 다툼이나 왕따 현상은 과거에도 존재했다. 최근 개인의 자유와 권리가 강조되고, 일부 학교에서 큰 사고가 발생하면서 대책 마련이 요구되었다. 그 결과 학교 폭력과 관련된 다양한 법률이 생겼고, 이를 다루는 기구도 학교와 사회에 생기면서 사회 규범의 변화를 가져왔다.

02 일탈 행동의 원인에 관한 이론

1. 아노미 이론

(1) 뒤르켐(Durkheim, E.)의 아노미 이론

① 아노미(anomie) : 급격한 사회 변동으로 기존의 지배적인 사회 규범이나 가치관이 무너지고, 이를 대체할 새로운 가치관이 정립하지 않은 혼란한 '무규범 상태'

② 사람들은 규범이 급격히 변화하거나 보편적인 규범의 통제력이 약해질 때 규범적 혼란을 겪기 쉽고, 이에 따라 정서적 불안정에 빠지거나 규범적 일관성을 가지기 어려워져 비행이나 범죄와 같은 일탈 행동을 저지르게 됨 **예** 구소련이 붕괴된 이후 극심한 이데올로기적 혼란 상황에서 러시아에서는 절도와 강도 등의 범죄가 크게 증가하였음

(2) 머튼(Merton, R. K.)의 아노미 이론

① 아노미 : '문화적 목표'와 '제도적 수단' 간의 괴리에 따른 가치관의 혼란 상태

② 사회 구성원은 사회적으로 달성하고자 하는 문화적 목표가 있는데 그 목표를 달성하기 위한 수단이 제대로 갖추어지지 않을 때, 개인은 아노미 상태에 빠지고 그에 따라 일탈 행동을 저지르게 됨 **예** 선거에서 당선되기 위하여 금품을 제공하는 행위나 시험 성적을 올리기 위하여 부정행위를 하는 것

③ 욕구나 목표가 있는 사람들이 그것을 달성할 수 있는 합법적 수단을 가지지 못할 때 일탈 행동이 발생할 가능성이 커짐

올쓰자료 Plus⁺　머튼의 아노미 개념에 따른 개인의 적응 양식

적응 양식	문화적 목표	제도적 수단	예
A(동조형)	+	+	일탈 행동 아님
B(의례형)	−	+	절차와 규정에 집착하는 관료들
C(혁신형)	+	−	돈을 벌기 위해 범죄를 저지르는 사람들
D(도피형)	−	−	은둔자, 방랑자 등
E(반역형)	±	±	급진적 사회 운동가, 혁명가 등

* +는 수용, −는 거부, ±는 현존의 가치를 거부하고 새로운 가치로 대치하려는 태도를 의미함

머튼의 아노미 이론에 따르면 문화적 목표와 제도적 수단 간의 괴리가 생길 때 개인이 일탈을 선택할 확률이 높다. 머튼은 문화적 목표와 제도적 수단을 수용하느냐 거부하느냐를 기준으로 적응 방식을 다섯 가지 유형으로 구분하였다.

• A(동조형) : 문화적 목표와 제도적 수단을 모두 수용하므로 일탈 행동이 아니다.
• B(의례형) : 문화적 목표보다는 그것을 달성하기 위한 제도적 수단에 집착하는 유형이다.
• C(혁신형) : 문화적 목표는 수용하지만 이를 달성하기 위한 제도적 수단은 거부하는 유형이다.
• D(도피형) : 문화적 목표와 제도적 수단을 모두 거부하는 것으로서 현실 참여를 거부하고 은둔 생활을 자처하는 유형이다.
• E(반역형) : 문화적 목표와 제도적 수단을 깨뜨리고 새로운 목표와 수단을 만드는 유형이다.

---

(3) 아노미 이론에 대한 평가

① 의의 : 사회 규범의 부재나 혼재 상태, 개인과 집단의 욕구를 충족시킬 수단의 부족 등 사회 구조적 관점에서 일탈 행동의 원인을 찾음

② 한계 : 중상류층의 범죄나 문화적 목표와 상관없이 발생하는 일시적 범죄를 설명하기 어려움

아노미

'아노미'는 프랑스의 사회학자 뒤르켐이 그의 저서 『자살론』에서 처음 사용한 개념이다. 문자적 의미는 "규범이 없다."라는 뜻을 지닌다. 뒤르켐은 아노미 상태가 심화된 사회에서는 사회 내의 결속력이 약화되고 심하면 사회 조직이 와해될 수 있다고 보았다.

뒤르켐의 아노미 이론

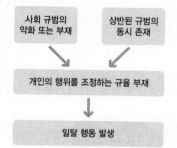

머튼의 아노미 이론

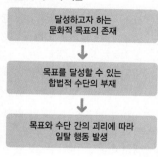

2. 차별 교제 이론

(1) 의미

① 일탈 행동은 개인이 일탈에 우호적인 일탈 행위자와 접촉하면서 그들의 문화와 행동을 학습하여 사회화한 결과라는 이론

② 사회적으로 인정되지 않는 일탈 행동도 다른 행동과 마찬가지로 타인과의 상호 작용으로 학습됨

(2) 특징

① 일탈 행동에 대한 사회화 과정은 대개 개인과 친밀한 집단 내에서 이루어짐

② 개인이 일탈 행위자가 되는지 안 되는지 여부는 일탈 행동을 하는 집단과 얼마나 긴밀한 접촉을 하고 있는지에 달려 있음

③ 일탈 문화가 지배적인 집단에 속한 사람들은 일탈 행동을 하는 친구를 쉽게 사귈 수 있고, 이들과 접촉하는 과정에서 일탈적 가치관과 행동 양식을 쉽게 수용할 수 있음

(3) 평가

① 의의 : 사회적 상호 작용과 사회적 학습 과정에 주목함으로써 일탈 연구에 큰 기여를 함

② 한계 : 일탈 행위자와 장기간 접촉해도 일탈자가 되지 않은 경우에 대해 충분한 대답을 주지 못하며, 우연적이고 충동적인 범죄를 설명하지 못함

올쏘자료 Plus⁺ 일탈 행동의 학습

> 금지 약물을 판매하는 일탈자를 연구한 자료에 따르면, 금지 약물을 처음 접하는 사람 대부분이 숙련된 경험을 가진 판매업자에게 지도를 받는다고 한다. 금지 약물 판매업자 A 씨는 처음에는 금지 약물을 사용만 하다가 금지 약물을 팔아서 돈을 벌 수 있다는 친구 이야기를 듣고 이 일에 전념하게 되었다고 한다. 이처럼 금지 약물 사용자들은 약물 남용을 지지하고 그 세계에서 살아가는 방법을 가르치는 일탈 행위자와 친밀한 네트워크를 형성하고 있다.
>
> – 래리 시겔, 「범죄학 : 이론과 유형」 –

차별 교제 이론은 개인이 일탈 행위자나 일탈 문화 등과 지속적으로 교류함으로써 일탈 행위자가 되어간다고 설명한다. 차별 교제 이론에 따라 일탈을 저지르는 과정을 도식화하면 '일탈자와의 교류 증가 → 상호 작용을 통한 일탈의 학습 → 일탈에 대한 호의적인 가치나 태도 습득'으로 이해할 수 있다. 결국 일탈 행위는 사회적 상호 작용을 통해 학습된다고 보았다. 따라서 일탈을 방조하거나 동조하는 하위문화가 많은 사회일수록 일탈 행위나 범죄에 노출될 위험도 높아진다는 것이다.

---

3. 낙인 이론

(1) 의미

① 특정 행동을 일탈 행동으로 규정한 후, 그러한 행동을 한 사람들을 일탈 행위자로 낙인찍었기 때문에 일탈 행동이 발생한다는 이론

② 일탈은 사회적으로 힘 있는 집단이 자신들과 다른 행동 양식이나 태도를 보인 집단 또는 사람들을 일탈 행위자로 규정한 결과임

(2) 일탈의 과정

① 1차적 일탈의 발생 : 많은 사람들은 일상생활 속에서 가벼운 일탈 행동을 하는데, 대부분 일시적으로 발생하여 다른 사람의 눈에 띄지 않고 문제가 되지 않음

② 2차적 일탈로 발전 : 1차적 일탈이 발각되어 주위 사람들이 일탈 행위자로 낙인을 찍으면 그 사람은 스스로 일탈 행위자라는 정체성을 형성하여 계속 일탈 행동을 하게 됨

서덜랜드의 차별 교제 이론

서덜랜드(Sutherland, E.)는 범죄 행위를 연구하여 차별 교제 이론을 정립하였다. 서덜랜드는 범죄자가 선천적 범죄 행위 유형을 가지고 있는 것이 아니라 다른 범죄자들로부터 범죄 방법을 배우는 학습 과정을 통하여 범죄 행위를 실행하게 된다고 주장하였다. 즉, 일탈 행위 자체보다 일탈을 하는 과정에 초점을 두었다.

학생의 언어폭력에 영향을 미치는 요인

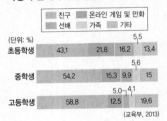

(단위: %)	친구	온라인 게임 및 만화	선배	가족	기타
초등학생	43.1	21.8	16.2	13.4	5.5
중학생	54.2	15.3	9.9	15	5.6
고등학생	58.8	12.5	19.6	5.0	4.1

(교육부, 2013)

교육부 조사에 따르면 학생의 언어폭력에 영향을 준 요인으로 절반 이상이 친구라고 답했다. 이는 언어폭력을 자주 사용하는 친구와 접촉할수록 자신도 언어폭력이라는 일탈 행동을 학습하게 된다는 것을 보여 주는 사례이다.

2차적 일탈

청소년들이 처음 가출을 할 때에는 가정불화나 학업 스트레스 등을 회피하는 수단으로 충동적인 상태에서 이루어지지만, 일단 가출을 경험하고 가정이나 학교에서 문제아로 낙인찍힐 경우 재가출로 이어지기 쉽다. 이 과정에서 절도, 폭력, 알코올 섭취 등과 같은 2차적 일탈로 이어질 가능성이 크다.

(3) 특징

① 일탈 행동의 상대성을 강조함 → 일탈은 특정 행위 자체가 가지는 본질적인 특성이 아니라, 그 행위가 발생하는 상황과 여건에 따라 규정되는 것이라고 봄

② 일탈을 규정하는 객관적 기준이 존재하지 않는다고 봄 → 일탈 행동의 본질을 그 자체의 특별한 속성에서 찾지 않고 일탈 행위자와 상호 작용하는 주변 사람들에 의한 낙인에서 찾는다는 점에 그 의의가 있음

③ 사회적으로 영향력 있는 집단이나 개인의 낙인찍기가 일탈자를 만들어 낸다는 점에 주목함

(4) 한계

① 낙인 이론은 일탈을 범한 사람에 대한 사회적 반응에만 지나치게 초점을 맞춘 나머지 최초의 일탈이나 범죄의 원인을 설명하지 못함

② 두 사람이 일탈 행위자라는 낙인을 동일하게 받았음에도 한 사람은 일탈을 계속하고 다른 사람은 일탈을 하지 않은 경우를 설명하지 못함

③ 사회적으로 낙인찍히지 않은 상태에서도 계속 일탈 행동을 저지르는 사람의 행동을 설명하지 못함

올쏘자료 Plus⁺ 낙인 이론에서 보는 낙인찍기

명문대 재학생이 주말에 술을 마시다가 자동차 유리를 깬 것과 막노동을 하는 같은 연령대의 젊은이가 술을 마시다가 자동차 유리를 깬 것의 사회적 반응은 다르게 나타날 수 있다. 명문대 재학생에게는 흥을 이기지 못하고 실수하였다고 생각해 가볍게 넘어갈 수도 있지만, 똑같은 행동을 한 막노동을 하는 젊은이에게는 범죄자라는 꼬리표가 붙을 수도 있다.

낙인 이론에서는 특정 행동 그 자체보다는 특정 행동을 바라보는 사회 구성원의 반응에 따라 그 행동이 일탈 행동인지 아닌지가 결정된다고 보았다. 같은 행동을 하더라도 누구는 일탈자로 낙인찍힐 수도 있고, 누구는 그렇지 않을 수도 있다는 것이다.

03 일탈 행동에 대한 대책

1 원인별 대책

(1) 아노미 이론

① 급격한 사회 변동에 따른 가치관과 규범의 혼란으로 일탈 행동이 발생하면 지배적인 사회 규범을 확립하여 사회 통제 기능을 강화해야 함

② 목표를 달성할 수 있는 적절한 수단이 없어 아노미가 발생한 때는 사회 구성원에게 적절한 기회를 제공하여 목표와 수단 간의 괴리를 줄여야 함

(2) 차별 교제 이론

① 일탈 행동을 하는 사람들과의 접촉을 차단하여 일탈 행동을 사회적으로 학습하지 못하도록 해야 함

② 정상적인 사회 집단과의 교류를 강화하여 올바른 가치관과 생활 양식을 학습하게 함

(3) 낙인 이론

① 특정 행위를 일탈 행동으로 규정할 때 신중하게 접근해야 함

② 재사회화를 통해 구성원이 올바른 정체성을 회복할 수 있도록 도와주어야 함

사회 통제

사회가 질서를 유지하고 존속하도록 구성원에게 강제력을 가하는 것을 의미한다.

낙인 이론에서 본 일탈 행동의 대책

갑 : 어렸을 때 가게에서 2달러를 훔치다가 들켜 매를 맞았고, 동네 사람들은 그 이후로도 저를 범죄자 취급하더군요. 어느새 저는 다시 도둑질을 하고 있었어요.

을 : 저도 어릴 때 가게에서 2달러를 훔친 적이 있답니다. 그러나 그 가게 주인은 '어릴 때는 그럴 수도 있지.' 하면서 이해해 줬어요. 그때 당신도 저처럼 넘어 갔다면 평범한 삶을 살 수 있었을 텐데. 주변 사람들의 반응이 당신을 범죄자로 만들었군요.

갑과 을은 어릴 때 2달러를 훔친 일이 있었다는 점에서는 동일하다. 그런데 갑은 후에 범죄자가 되었고, 을은 그렇지 않았다. 이는 주변의 반응 때문이다. 갑의 행위에 대해 주변 사람들은 지나치게 범죄자로 낙인찍었고, 을은 그렇지 않았기 때문이다. 결국 특정 행위를 일탈 행동으로 규정할 때 신중해야 함을 교훈으로 얻을 수 있다.

2. 종합 대책

(1) 필요성

① 일탈 행동을 설명하는 각각의 이론은 일탈 행동을 이해하는 데 유용성과 한계를 모두 지니고 있음

② 사회적으로 발생하는 일탈 행동은 그 발생 원인이 복합적이기 때문에 하나의 이론적 관점만으로 그 원인을 설명하는 것이 불가능함

③ 다양한 이론적 관점에서 일탈 행동의 원인을 분석하고, 그 결과를 바탕으로 일탈 행동에 대한 종합적인 대책을 모색할 필요가 있음

(2) 노력 방안

① 개인과 집단의 부정적인 일탈 행동에 대한 사회 통제와 규제 방안을 마련하여 처벌을 강화해야 함

② 일탈 행동 발생의 원인을 제공하는 사회 구조 및 환경을 개선하여 일탈 행동을 사전에 예방해야 함

③ 일탈 행위자의 의식과 행동에서 변화가 필요함

④ 일탈 행동 규정을 검토하여 부적절하고 불필요한 규정을 수정해야 함

엘 시스테마(티 Sistema)
베네수엘라의 청소년 예술 교육 시스템인 '엘 시스테마(티 Sistema)'는 거리를 떠돌던 아이들에게 소속감을 주고, 단체 생활을 통해 질서와 규율, 책임과 의무, 배려와 헌신 등의 가치를 익히게 해 건강한 사회 구성원으로 살아갈 수 있는 바탕을 마련해 주었다.

2단계 개념 쏙 정리하기

1. 일탈 행동의 의미와 특징

• 의미 : 사회가 정상적인 것으로 인정하는 사회적 규범에 어긋나는 행위
• 특징 : 시대와 장소, 가치관의 변화에 따라 일탈 행동을 판단하는 기준은 달라짐(일탈 행동의 상대성)

2. 아노미 이론

의미	뒤르켐	급격한 사회 변동으로 기존의 지배적인 규범이나 가치관이 무너지고, 이를 대체할 새로운 가치관이 정립하지 않은 혼란한 무규범 상태를 아노미(anomie)라고 함 → 규범적 혼란 상태에서 정서적 불안정에 빠지거나 규범적 일관성을 가지기 어려워져 일탈 행동을 저지름
	머튼	문화적 목표와 제도적 수단 간의 괴리에 따른 가치관의 혼란 상태를 아노미라고 함 → 문화적 목표를 달성할 수 있는 제도적 수단이 부족한 아노미 상태에서 일탈 행동을 저지름
대책		• 지배적인 사회 규범을 확립하여 사회 통제 기능을 강화해야 함 • 사회 구성원에게 적절한 기회를 제공하여 목표와 수단 간의 괴리를 줄여야 함
평가		• 사회 규범의 부재나 혼재 상태, 개인과 집단의 욕구를 충족시킬 수단의 부족 등 사회 구조적 관점에서 일탈 행동의 원인을 찾음 • 중상류층의 범죄를 설명하는 데는 한계가 있으며, 문화적 목표에 상관없이 발생하는 일시적 범죄를 설명하기 어려움

3. 차별 교제 이론

의미	일탈 행동은 일탈에 우호적인 일탈 행위자와 접촉하면서 그들의 문화와 행동을 학습하여 사회화한 결과
특징	• 일탈 행동에 대한 사회화 과정은 대개 개인과 친밀한 집단 내에서 이루어짐 • 개인이 일탈 행위자가 되는지의 여부는 일탈 행동을 하는 집단과 얼마나 긴밀한 접촉을 하고 있는가에 달려 있음
대책	• 일탈 행동을 하는 사람들과의 접촉을 차단 • 정상적인 사회 집단과 교류 강화 → 올바른 가치관과 생활 양식 학습
평가	• 사회적 상호 작용과 사회적 학습 과정에 주목 • 일탈 행위자와 장기간 접촉해도 일탈자가 되지 않은 경우와 우연적이고 충동적인 범죄를 설명하지 못함

4. 낙인 이론

의미	특정 행동을 일탈 행동으로 규정한 후, 그러한 행동을 한 사람들을 일탈 행위자로 낙인찍었기 때문에 일탈 행동이 발생함
특징	• 일탈 행동의 상대성을 강조함 • 일탈을 규정하는 객관적 기준이 존재하지 않는다고 봄
대책	사회적 낙인에 대한 신중한 접근, 재사회화
평가	• 일탈 행동의 본질을 일탈 행위자와 상호 작용하는 주변 사람들에 의한 낙인에서 찾음 • 사회적으로 낙인찍히지 않은 상태에서도 계속 일탈 행동을 저지르는 사람의 행동을 설명하지 못함

● 일탈 행동의 원인에 대한 이론적 관점이 아노미 이론이면 '아', 차별 교제 이론이면 '차', 낙인 이론이면 '낙'에 표시하시오.

1 문화적 목표와 제도적 수단과의 괴리에서 일탈 행동이 발생한다. (아, 차, 낙)

2 일탈을 규정하는 객관적 기준이 존재하지 않는다. (아, 차, 낙)

3 일탈 행위자와의 상호 작용을 통한 일탈 행동의 학습성을 강조한다. (아, 차, 낙)

4 1차적인 일탈에서 2차적인 일탈로 넘어가는 과정을 중시한다. (아, 차, 낙)

5 일탈 행위자에 대한 사회적 냉대는 또 다른 일탈 행동을 유도한다. (아, 차, 낙)

6 급격한 사회 변동에 따른 가치관의 혼란으로 인해 일탈 행동이 발생한다. (아, 차, 낙)

7 문화적 목표 달성을 위한 제도적 수단의 제한으로 인해 일탈 행동이 발생한다. (아, 차, 낙)

8 일탈 행위자와 장기간 접촉해도 일탈자가 되지 않은 경우에 대해 충분한 대답을 주지 못한다. (아, 차, 낙)

9 개인들 간의 상호 작용이 일탈 행동의 발생에 미치는 영향력을 소홀히 한다. (아, 차, 낙)

10 중상류층의 범죄를 설명하지 못한다. (아, 차, 낙)

● 다음 내용을 읽고 옳으면 ○, 틀리면 ×에 표시하시오.

11 일탈 행동은 법 규범을 어기는 행위만을 의미한다. (○, ×)

12 일탈 행동을 판단하는 기준은 시대나 상황, 사회에 따라 다를 수 있다. (○, ×)

13 일탈 행동은 그 사회의 문제를 표출함으로써 사회 변화를 이끌어 내는 요인이 되기도 한다. (○, ×)

14 머튼은 급격한 사회 변동으로 인한 규범의 부재나 혼재 상태를 아노미로 규정하였다. (○, ×)

15 아노미 이론은 일탈의 원인을 사회 구조 속에서 파악하는 데 중점을 둔다. (○, ×)

16 "친구를 잘못 사귀어서 나쁜 물이 들었다."라는 말은 낙인 이론에서 자주 인용된다. (○, ×)

17 차별 교제 이론은 사회적 상호 작용에 주목한다. (○, ×)

18 낙인 이론에서는 일탈을 규정하는 객관적 기준이 존재하지 않는다고 본다. (○, ×)

● 다음 내용 중 옳은 것에 ○표 하시오.

19 일탈 행동은 상황에 따라 다르게 규정되는 (㉠ 상대성, ㉡ 절대성)을 지닌다.

20 (㉠ 뒤르켐, ㉡ 머튼)은 급격한 사회 변동으로 기존의 지배적인 규범이나 가치관이 무너지고, 이를 대체할 새로운 가치관이 정립하지 않은 혼란한 '무규범 상태'를 아노미(anomie)라고 하였다.

21 (㉠ 뒤르켐, ㉡ 머튼)에 의하면 사회 구성원은 사회적으로 달성하고자 하는 문화적 목표가 있다.

22 (㉠ 차별 교제, ㉡ 낙인) 이론은 일탈 행동을 하는 집단이나 개인과 접촉함으로써 일탈 행동을 저지르는 방법을 자연스럽게 배워 일탈자가 된다는 이론이다.

23 낙인 이론은 사회적으로 낙인찍히지 않은 상태에서도 계속 일탈 행동을 저지르는 사람의 행동을 설명하기에 (㉠ 유리하다, ㉡ 곤란하다).

24 (㉠ 차별 교제, ㉡ 낙인) 이론은 일탈 행동이 발생하는 과정을 설명하는 데 용이하지만, 일탈 행동을 하는 집단과 교류하는 사람이 모두 일탈자가 되는 것은 아니라는 점에서 한계가 있다.

● 빈칸에 들어갈 알맞은 말을 쓰시오.

25 ( )은/는 사회적으로 허용된 행동 범위를 벗어난 행위로서 비난이나 처벌 등 사회적 제재의 대상이 된다.

26 일탈 행동은 사회적 상황에 따라 ( )(으)로 규정된다.

27 ( ) 이론은 일탈 행동을 해결하기 위해 문화적 목표를 달성할 수 있는 적합한 제도적 수단의 제공 등이 필요하다고 본다.

28 ( ) 이론에서는 일탈 행동에 대한 학습 기회를 줄이는 것을 중시한다.

29 낙인 이론에 따르면, 특정 행동이 일탈 행동으로 규정되는 것은 그 행동에 대한 사람들의 ( )에 달려 있다

30 개인이 우범자들과 지속적으로 교류함으로써 일탈자가 되는 것은 ( ) 이론으로 잘 설명할 수 있다.

31 절도와 같은 비합법적 수단을 이용하여 경제적 풍요를 누리고 싶은 욕망이 일탈 행동의 원인이 된다고 본 것은 ( )의 아노미 이론으로 설명할 수 있다.

32 낙인 이론에서는 특정 행위를 일탈 행동으로 규정할 때 ( )하게 해야 한다고 주장한다.

---

1 아 2 낙 3 차 4 낙 5 낙 6 아 7 아 8 차 9 아 10 아 11 × (사회 규범) 12 ○ 13 ○ 14 ×(뒤르켐) 15 ○ 16 ×(차별 교제 이론) 17 ○ 18 ○ 19 ㉠ 20 ㉠ 21 ㉡ 22 ㉠ 23 ㉡ 24 ㉠ 25 일탈 행동 26 상대적 27 아노미 28 차별 교제 29 반응 30 차별 교제 31 머튼 32 신중

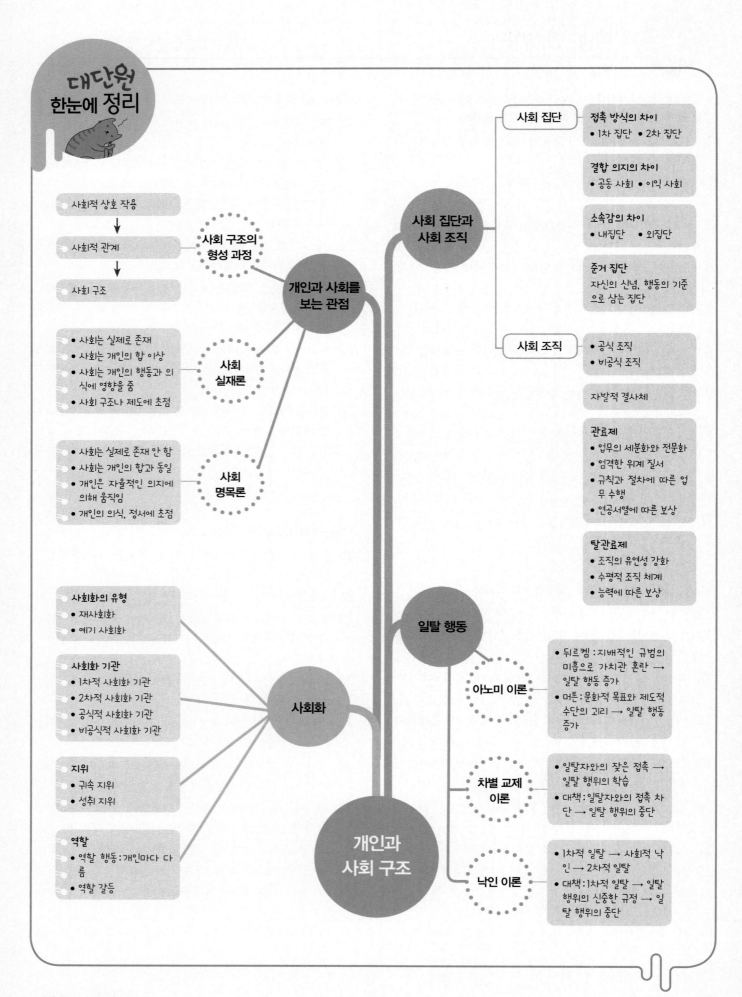

대단원
한눈에 정리

사회적 상호 작용 → 사회적 관계 → 사회 구조

사회 구조의 형성 과정

사회 실재론
- 사회는 실제로 존재
- 사회는 개인의 합 이상
- 사회는 개인의 행동과 의식에 영향을 줌
- 사회 구조나 제도에 초점

사회 명목론
- 사회는 실제로 존재 안 함
- 사회는 개인의 합과 동일
- 개인은 자율적인 의지에 의해 움직임
- 개인의 의식, 정서에 초점

개인과 사회를 보는 관점

사회화의 유형
- 재사회화
- 예기 사회화

사회화 기관
- 1차적 사회화 기관
- 2차적 사회화 기관
- 공식적 사회화 기관
- 비공식적 사회화 기관

지위
- 귀속 지위
- 성취 지위

역할
- 역할 행동 : 개인마다 다름
- 역할 갈등

사회화

개인과 사회 구조

사회 집단과 사회 조직

사회 집단

접촉 방식의 차이
- 1차 집단 • 2차 집단

결합 의지의 차이
- 공동 사회 • 이익 사회

소속감의 차이
- 내집단 • 외집단

준거 집단
자신의 신념, 행동의 기준으로 삼는 집단

사회 조직
- 공식 조직
- 비공식 조직

자발적 결사체

관료제
- 업무의 세분화와 전문화
- 엄격한 위계 질서
- 규칙과 절차에 따른 업무 수행
- 연공서열에 따른 보상

탈관료제
- 조직의 유연성 강화
- 수평적 조직 체계
- 능력에 따른 보상

일탈 행동

아노미 이론
- 뒤르켐 : 지배적인 규범의 미흡으로 가치관 혼란 → 일탈 행동 증가
- 머튼 : 문화적 목표와 제도적 수단의 괴리 → 일탈 행동 증가

차별 교제 이론
- 일탈자와의 잦은 접촉 → 일탈 행위의 학습
- 대책 : 일탈자와의 접촉 차단 → 일탈 행위의 중단

낙인 이론
- 1차적 일탈 → 사회적 낙인 → 2차적 일탈
- 대책 : 1차적 일탈 → 일탈 행위의 신중한 규정 → 일탈 행위의 중단

III 문화와 일상생활

이 단원의 수능 출제 분석

이 단원은 특정 빈출 주제에 집중되지 않고 각 빈출 주제들이 매년 고르게 출제되는 단원이다. 문화의 속성을 파악하는 문항과 문화 이해의 태도를 비교하는 문항, 하위문화의 특징을 주류 문화나 반문화와 비교하는 문항, 문화 변동의 요인과 양상을 묻는 문항이 매년 자주 출제되는 주제이다. 대중 매체의 유형별 특징을 비교하는 문항과 문화 접변의 결과를 묻는 문항도 자주 출제되고 있다. 문화를 이해하는 관점을 묻는 문항도 종종 출제되고 있으니 이에 대비해야 한다.

이 단원의 수능 빈출 주제

1순위 문화의 속성
출제빈도 ★★★★ 　　　난이도 중

2순위 문화 변동의 요인과 양상
출제빈도 ★★★★ 　　　난이도 상

3순위 하위문화의 특징 비교
출제빈도 ★★★★ 　　　난이도 중

4순위 대중 매체의 유형별 특징 비교
출제빈도 ★★★★ 　　　난이도 하

5순위 문화 이해의 태도
출제빈도 ★★★ 　　　난이도 중

6순위 문화 접변의 결과
출제빈도 ★★★ 　　　난이도 중

07강 문화의 이해

키워드

문화의 속성, 문화 상대주의, 자문화 중심주의, 문화 사대주의

1단계 개념 뜯어보기

01 문화의 의미와 속성

1. 인간의 문화 창조 능력

(1) 인간과 동물의 차이

① 인간은 동물에 비해 선천적인 조건만으로 자연의 제약을 극복하거나 적응하는 데 불리함

② 인간은 문화를 창조하여 동물에 비해 신체적으로 불리한 조건을 극복하고 적응해 왔음

(2) 인간의 문화 창조 능력 : 동물이 본능과 선천적 조건에 따라 자연환경에 적응해 살아가는 반면, 인간은 후천적인 노력을 통해 자연환경을 극복하고 적응함 → 그 과정에서 문화를 창조함 ⓐ 불이나 집을 이용하여 추위를 견디고, 농작물 재배를 통해 풍요로운 생활을 함

2. 문화의 의미

(1) 좁은 의미의 문화 : 한정적인 의미의 문화로서 고급스러운 것, 교양 있는 것, 현대적인 것, 기술적으로 진보한 것, 세련된 것, 예술의 특정 분야 등을 말함 → 제국주의 시절에는 '미개'와 대비되는 의미로 사용되기도 함 ⓐ 문화 행사, 문화 시민, 문화인, 문화생활, 문화 인물, 문화 산업 등

(2) 넓은 의미의 문화

① 생활 양식의 총체를 의미하는 문화로서 의식주, 사고방식, 가치관 등 인간이 주어진 환경에 적응하면서 살아가는 모든 방식을 말함 ⓐ 한국 문화, 청소년 문화, 다문화 사회, 음식 문화, 주거 문화, 전통 문화 등

② 생활 양식으로서의 문화는 해당 사회 구성원의 문화적 목표, 삶의 태도에 결정적인 영향을 미치므로, 넓은 의미의 문화를 이해하는 것은 문화가 사회 구성원의 삶에 미치는 영향력을 파악하는 데 유리함

(3) 문화가 아닌 것 : 선천적인 행위나 본능에 의한 행위, 유전적 요인에 따른 행위, 혼자만의 독특한 버릇은 문화로 보지 않음

올쏘 자료 Plus⁺ 문화의 의미

(가)	(나)

오랜만에 문화 생활 좀 즐겨야겠어	한국 전통문화를 체험해 보고 싶었어요

일상생활에서 '문화'라는 용어는 다양한 의미로 사용된다. (가)의 경우와 같이 세련되고 교양 있는 태도 등을 지칭하거나 예술을 의미하는 경우(좁은 의미의 문화)가 있는가 하면, (나)의 경우와 같이 한 사회 구성원의 생활 양식 전반을 의미하는 경우(넓은 의미의 문화)가 있다. '문화재', '문화 공연' 등은 (가)의 문화와 같은 의미로 사용된 말이고, '청소년 문화', '민족 문화', '현대 문화' 등은 (나)의 문화와 같은 의미로 사용된 말이다.

만점 공부 비법

• 문화를 좁은 의미와 넓은 의미로 구분하여 이해하고, 문화의 특성 및 속성을 사례와 함께 알아둔다.

• 문화를 바라보는 관점이 각각 무엇을 전제로 하고 있으며, 어떤 이점을 가지고 있는지 알아둔다.

• 제시된 자료와 관련된 문화 이해 태도를 찾는 문제가 자주 출제되므로 문화 이해 태도의 특징, 장점 및 단점을 종합적으로 파악한다.

인간의 문화 창조 능력

문화 창조 능력은 인간 고유의 영역으로 인정된다. 동물도 인간처럼 서로 상징을 주고받거나 학습을 하는 모습들이 발견되지만, 인간과의 차이점은 그것이 의도적이고 체계적으로 이루어지는 것이 아니라 우연에 의해 이루어지거나 본능에 따라 이루어진다는 점이다.

문화의 어원

문화(culture)는 라틴어 'cultura'에서 온 말로, '밭을 경작하다'라는 의미를 담고 있다. 문화의 어원을 통해 자연환경에 인위적인 힘을 가해 필요한 자원을 확보하려는 행위로부터 문화가 발달하였음을 알 수 있다.

문화와 문화가 아닌 것

인간의 모든 행위가 문화는 아니다. 선천적 행위, 본능에 따른 행위, 유전적 요인에 따른 행위, 혼자만의 독특한 버릇 등은 문화라고 하지 않는다. 예를 들어, 화장실에서 배설을 하고 화장지로 뒤처리를 하는 것은 문화의 한 부분이지만 배설을 하는 것 자체는 문화라고 하지 않는다.

3. 문화의 특성

(1) 보편성 : 언어, 종교, 결혼, 의복 등의 생활 양식처럼 어느 사회에서나 공통으로 존재하는 특성이 나타남 ⓔ 어느 사회에나 가족 제도가 보편적으로 존재함

(2) 특수성 : 각 사회의 문화는 각각의 자연환경이나 역사적 배경에 따라 다른 사회와는 구분되는 고유한 특성이 나타남 ⓔ 문화권에 따라 일부일처제, 일처다부제, 일부다처제 등의 고유한 가족 제도가 존재함

올쏘자료 Plus⁺ 문화의 보편성과 특수성

▲ 한대 기후 지역의 이글루

▲ 열대 기후 지역의 수상 가옥

▲ 건조 기후 지역의 흙벽돌집

어느 지역을 막론하고 사람들은 비바람을 피해 편안하게 휴식을 취하며 생활하는 공간으로서 가옥을 만들어 왔다. 이처럼 모든 사회에 공통적으로 존재하는 생활 양식이 있으며, 이를 문화의 보편성이라고 한다. 그런데 주거 공간으로서의 가옥 형태는 지역에 따라 서로 다른 모습으로 나타날 수 있다. 즉 해당 지역에서 쉽게 구할 수 있는 재료를 활용하여 얼음집, 흙벽돌집 등을 만들기도 하고, 해당 지역의 자연적 어려움을 극복하기 위해 호수나 강이 많은 지역에서는 수상 가옥이 세워지기도 한다. 이처럼 각 사회의 독특한 자연환경과 역사적 배경 속에서 각기 고유한 문화를 발전시켜 나가는데, 이를 문화의 특수성이라고 한다.

4. 문화의 속성

(1) 학습성

① 의미 : 문화는 본능에 따르거나 타고나는 것이 아닌 다른 사회 구성원과의 상호 작용과 후천적 학습에 의해 내면화되는 속성을 지님

② 특징 : 개인은 학습을 통해 그 사회의 문화를 익히고 다음 세대로 전달함

③ 사례 : 쌍둥이라도 서로 다른 사회에서 자라면 다른 문화적 특성을 지니게 됨

(2) 공유성

① 의미 : 문화는 한 사회의 구성원들이 공통으로 가지고 있는 생활 양식을 말하며, 이는 사회 구성원들이 원만한 사회생활을 할 수 있도록 도와줌

② 특징 : 같은 문화권 내의 사람들은 구체적 상황에서 무엇을 기대하고 어떻게 행동할지 예측하고 판단할 수 있으며, 이러한 예측과 판단을 기초로 사회 질서가 유지됨

③ 사례 : 우리나라에서 '언제 국수 먹게 해 줄 거야?'라는 말을 '언제 결혼할 거야?'라는 의미로 이해하는 것은 결혼식에서 국수를 대접하는 문화를 공유하고 있기에 가능함

(3) 변동성

① 의미 : 문화는 시간이 흐르면서 기존의 문화 요소가 소멸하기도 하고 새로운 문화 요소가 추가되기도 하면서 변화하는 속성을 지님

② 특징 : 현대 사회에서 더욱 활발하게 나타나고 있으며, 사람들은 다양한 문화를 누리면서 문화 향유 수준을 높여 감

③ 사례 : 과거에는 공중전화로 연락을 주고받다가 지금은 스마트폰을 통해 연락을 주고받음

문화의 학습성과 인간의 상징 능력
문화의 학습성은 인간의 상징 능력을 전제로 하는데, 상징 능력이란 상징체계를 활용할 수 있는 능력을 말한다. 인간이 언어, 문자, 숫자, 기호 등을 활용할 수 있는 능력이 있기에 문화의 학습이 가능하다.

문화의 공유성
사회 구성원들은 유사한 사고방식이나 행동 양식을 공유하고 있기에 다른 사회 구성원들의 상황을 예측할 수 있고, 그에 맞게 행동하거나 상대를 배려할 수도 있다. 만약 서로 공유하고 있는 문화 요소가 없다면 우리는 타인의 생각이나 행동을 이해하기 어렵고 서로 갈등을 겪기 쉬울 것이다. 즉, 문화의 공유성으로 인해 사회 구성원들은 서로를 배려하며 원만하게 사회생활을 할 수 있다.

문화의 변동성
문화는 내부적 요인(발명이나 발견)과 외부적 요인(다른 문화와의 접촉)에 의해 새로운 내용이 추가되기도 하고, 기존 내용이 소멸하기도 하면서 점차 변화해 나간다.

(4) 축적성

① 의미 : 문화는 인간의 학습 능력과 상징체계를 바탕으로 한 세대에서 다음 세대로 전승되면서 기존 문화에 새로운 문화 요소가 더해져 풍부하고 다양해지는 속성을 지님

② 특징 : 기존의 것에 새로운 문화 요소가 추가되면서 문화가 발전함

③ 사례 : 우리나라의 전통 온돌에서 사용하는 온수 순환 방식에 새로운 기술이 가미되면서 원격 제어 및 화재 방지 기능이 추가되는 등 과거의 문화 요소에 새로운 것이 더해짐

(5) 총체성

① 의미 : 문화는 다양한 문화 요소들로 구성되어 있으며 그 문화 요소들은 상호 유기적으로 연결되는 속성을 지님

② 특징 : 현대 사회가 복합적인 모습을 띠는 이유이며, 한 부분의 변화는 전체에 영향을 줌

③ 사례 : 양성평등 의식의 발달로 여성의 교육 수준이 높아지고 이는 여성의 사회 진출 증가로 이어짐

올쏘 자료 Plus+ 윷놀이로 본 문화의 속성

> 갑 : 우리나라 사람들은 명절에 가족들이 모이면 자연스레 윷놀이하며 즐겁게 지내지. 윷놀이는 어른이나 아이 할 것 없이 모두가 즐기는 놀이야.
> 을 : 맞아. 윷놀이는 놀이 규칙이 쉬워서 어린아이도 몇 번만 설명해 주면 쉽게 이해할 수 있어.
> 병 : 윷놀이 같은 전통 놀이는 세대를 이어 계속해서 전해지지. 놀이법도 새로운 방식이 추가되곤 해. 애초에는 '도 · 개 · 걸 · 윷' 네 끗수밖에 없었는데 '모'가 나중에 추가되었고, 요즈음에는 '백도'가 추가되어 끗수가 여섯 가지로 늘어났지.
> 정 : 윷의 재료도 달라졌어. 예전에는 나무토막을 다듬어서 만들었는데 요즘에는 공장에서 플라스틱으로 만들기도 하지.
> 무 : 윷놀이는 원래 정월에 즐기는 마을 축제의 일부였대. 윷판은 농토를, 윷말이 윷판을 돌아 나오는 것은 계절의 변화를 상징해서 풍년을 기원하는 소망이 담겨 있다고도 해.

윷놀이에 대해 학생들이 나눈 대화에서 갑은 윷놀이라는 문화를 한 사회의 구성원이 공통으로 향유한다고 봄으로써 문화의 공유성을 말하고 있다. 을은 윷놀이 규칙을 어린아이 때 학습을 통해 습득한다고 함으로써 문화의 학습성을 말하고 있다. 병은 윷놀이의 놀이법에 새로운 방식이 추가되어 다음 세대로 전승된다고 보았으므로 이것은 문화의 축적성에 해당한다. 정은 윷의 재료가 시간이 흐르면서 나무토막에서 플라스틱으로 변화했다고 함으로써 문화의 변동성을 말하고 있다. 무는 윷놀이가 우리의 전통 농경 문화 및 마을 축제와 서로 긴밀한 유기적 연관성을 가지고 있다고 봄으로써 문화의 총체성을 말하고 있다.

---

02 문화를 바라보는 관점과 문화 이해 태도

1 문화를 바라보는 관점

(1) 총체론적 관점

① 전제 : 여러 문화 요소가 상호 유기적인 관계를 맺으면서 전체로서 하나의 문화를 이루고 있음

② 의미 : 특정 문화를 이해하기 위해서 그 문화를 둘러싼 다른 문화 요소나 전체와의 관계 속에서 문화의 의미를 파악하려는 관점

③ 의의 : 개별 문화 요소만 분리해서 보면 편협하고 왜곡된 이해가 초래되기 쉬운데, 이와 달리 총체론적 관점은 문화가 지닌 의미를 제대로 이해할 수 있게 해 줌

문화의 총체성과 문화의 연쇄 변동

모든 문화 요소가 서로 유기적으로 연결되어 있기에 하나의 문화 요소에 변화가 나타나면 연쇄적으로 다른 문화 요소에도 변화가 나타나기 쉽다. 스마트폰이 일상적인 소통 수단이 되면서 대인 관계의 양상도 변화하고, 상거래 방식도 변화하며, 스마트폰 관련 시장이 다원화되고 확대된 것을 사례로 들 수 있다.

문화 이해의 관점

세계의 다양한 문화를 올바르게 이해하기 위해서는 총체론적 관점, 비교론적 관점, 상대론적 관점의 세 가지 관점이 필요하다. 이들 관점은 자신이 속해 있는 문화와 다른 문화와의 관계를 객관적이고 조화롭게 인식할 수 있는 능력과 태도를 길러 준다.

III

(2) 비교론적 관점

① 전제 : 모든 문화는 보편성과 특수성을 함께 지니고 있음

② 의미 : 서로 다른 민족이나 문화 간 유사성과 차이점을 비교하여 보편성과 특수성을 이해하려는 관점

③ 의의 : 자기 문화의 특징을 더 명료하게 이해할 수 있으며, 다른 문화도 보다 객관적인 시각에서 바라볼 수 있음

(3) 상대론적 관점

① 전제 : 문화는 각 사회의 역사적 · 문화적 배경과 사회적 맥락 속에서 그 의미와 가치를 지니며, 우열을 판단할 수 없음

② 의미 : 다른 사회의 문화를 그 사회의 역사적 · 문화적 배경과 사회적 맥락에서 이해하려는 관점

③ 의의 : 자신의 문화와 다른 사회의 문화를 선입견이나 편견 없이 올바르게 이해할 수 있음

2. 문화를 이해하는 태도

(1) 자문화 중심주의 : 문화 간에는 우열이 존재한다고 보는 문화 절대주의의 입장

① 의미 : 자기 문화를 가장 우수한 것으로 여기고 다른 문화를 부정적으로 평가하는 태도

② 순기능 : 자기 문화에 대한 자긍심을 고양하고 문화적 주체성을 확립하게 하며, 집단 내의 일체감과 자부심을 강화하여 사회 통합에 기여함

③ 역기능 : 문화 교류를 거부하여 국제적 고립을 초래하고 자기 문화의 발전을 저해할 수 있으며, 국수주의나 문화 제국주의로 이어질 경우 주변국과의 갈등을 야기할 수 있음

(2) 문화 사대주의 : 문화 간에는 우열이 존재한다고 보는 문화 절대주의의 입장

① 의미 : 다른 사회의 문화를 우월한 것으로 여기고 추종하면서 자신의 문화를 열등하다고 생각하는 태도

② 순기능 : 다른 문화의 좋은 점을 수용하여 자기 문화의 발전을 도모할 수 있음

③ 역기능 : 다른 문화에 대한 맹목적인 추종으로 민족 문화의 가치를 과소평가할 수 있으며, 자기 문화의 주체성과 정체성을 상실할 수 있음

올쏘자료 Plus⁺ 자문화 중심주의와 문화 사대주의

(가) 20세기 초까지만 하더라도 몽골의 초원에 사는 유목민들은 일생에 목욕을 세 번만 하는 문화가 있었다. 태어날 때 한 번, 결혼할 때 한 번, 죽을 때 한 번 이렇게 세 번 한다. 이러한 문화에 대하여 목욕을 자주 하는 일본 사람들은 매우 불결하고 미개하다고 생각하였다. 그런데 몽골의 유목민에게 씻는 문화가 없었던 것은 아니다. 그들이 사는 건조 기후 지역에는 물 대신 모래와 바람을 이용하여 사욕(沙浴)과 풍욕(風浴)을 하는 문화가 있었다.

(나) 우리 조선은 조종 때부터 내려오면서 지성스럽게 대국(大國)을 섬기어 한결같이 중화(中華)의 제도를 준행(遵行)하였는데, 이제 글을 같이하고 법도를 같이하는 때를 당하여 언문을 창작하신 것은 보고 듣기에 놀라움이 있습니다. …(중략)… 만일 중국에라도 흘러 들어가서 혹시라도 비난하여 말하는 자가 있사오면, 어찌 대국을 섬기고 중화를 사모하는 데에 부끄러움이 없사오리까.

(가)는 자문화 중심주의의 사례로, 이러한 문화 이해 태도는 다양한 문화와의 교류를 가로막아 세계화 시대에 국제적 고립을 초래할 우려가 있다. (나)는 훈민정음 창제에 반대하는 최만리의 상소문으로 문화 사대주의의 사례이다. 이와 같은 문화 이해 태도는 자문화의 정체성을 상실할 위험성이 있다.

마가렛 미드의 성 역할 비교 연구
마가렛 미드는 파푸아 뉴기니 섬의 세 부족, 아라페쉬, 문두구머, 챔불리 부족의 성 역할에 대한 비교 연구를 통해 성 역할이 어느 사회에나 존재한다는 점에서 보편성을 띠면서도 사회에 따라 그 양상은 다르다는 점에서 특수성을 띤다는 것을 밝혀냈다. 이처럼 비교론적 관점은 문화의 보편성과 특수성을 토대로 문화 간 유사성과 차이점을 비교함으로써 객관적 이해를 가능하게 한다.

문화 절대주의
문화에는 우열이 있어 우월한 것과 열등한 것을 평가할 수 있다고 보는 태도를 문화 절대주의라고 한다. 문화 절대주의는 어떤 문화를 우월한 문화로 인정하는가에 따라 자문화 중심주의와 문화 사대주의로 다시 나눌 수 있다.

국수주의
국수주의는 자기 나라의 역사나 문화에 대한 우월감을 바탕으로 다른 나라의 역사, 문화 등을 배척하는 태도를 가리킨다. 지금도 일부 국가들이 정치, 종교 등의 이유로 특정 국가의 상품이나 문화의 유입을 거부하는 경우가 있다.

문화 제국주의
문화 제국주의는 정치, 경제 등에서 지배적 위치에 있는 나라가 문화적으로도 다른 나라를 지배하는 것을 가리킨다. 오늘날에도 자본, 기술과 결합한 일부 강대국의 문화가 영화, 드라마, 음악 등을 통해 공격적으로 전파되면서 다른 나라의 문화를 잠식하고 지배하는 경우가 많다.

(3) 문화 상대주의

① 전제 : 문화의 특수성과 상대성을 인정하여 문화 간에는 우열을 가릴 수 없다고 봄

② 의미 : 각 사회의 문화는 서로 다른 자연환경과 역사적·사회적 맥락 속에서 형성된 것으로, 나름의 고유한 의미와 가치를 갖는다고 보는 태도

③ 순기능 : 다른 문화를 편견 없이 이해할 수 있고, 문화의 다양성 보존에 이바지할 수 있음

④ 역기능 : 지나칠 경우 극단적 문화 상대주의로 이어질 수 있음

(4) 극단적 문화 상대주의 : 문화의 특수성과 상대성을 지나치게 강조하여 인간의 존엄성, 자유와 평등과 같은 인류의 보편적 가치를 부정하는 문화까지 이해하려는 태도

올쏘자료 Plus⁺ 문화 상대주의와 극단적 문화 상대주의

(가) 티베트에서는 사람이 죽으면 시신을 들판에 두어 독수리가 먹게 하는 '조장(鳥葬)'이라는 장례 문화가 있다. 매장이나 화장을 선호하는 우리나라 사람들 입장에서 보면 몹시 불경스러운 일로 보일지 모른다. 그러나 티베트 지역은 화장을 하기에는 나무가 부족하고, 기온이 낮고 건조하여 매장을 해도 시체가 잘 썩지 않는 특징이 있다. 조장은 그러한 티베트 지역 환경의 산물이다.

(나) 일부 이슬람 국가에서는 집안의 명예를 더럽혔다는 이유로 가족 구성원을 죽이는 '명예 살인'이라는 관습이 있다. 생매장, 돌팔매질, 처형 등의 방법으로 실행되며 명예 살인의 대상은 가족 구성원 중 오직 여성에게만 해당된다. 그런데 이슬람 국가의 일부 여성들조차 죽음으로써 가족의 명예를 지키는 관습이 중시되어야 한다는 생각을 하고 있다.

(가)에서와 같이 한 사회의 문화를 그 사회가 처한 문화적 배경과 사회적 맥락 속에서 이해하고자 하는 태도를 문화 상대주의라고 한다. 즉 문화는 열등하거나 우월한 것으로 평가할 수 없으며, 문화에 대한 평가는 그 문화 자체의 기준에 따라 이루어져야 한다는 것이다. 하지만 (나)에서와 같이 생명 존중이나 인간의 존엄성을 부정하는 문화까지 나름의 의미나 가치를 인정해야 한다고 주장하는 극단적 문화 상대주의는 바람직한 문화 이해의 태도라고 할 수 없다.

문화 상대주의와 문화 다양성
문화 상대주의는 문화의 특수성을 존중하는 문화 이해의 태도로 문화는 인간이 생존하는 과정에서 고유하게 만들어진 삶의 방식이라고 여긴다. 따라서 문화 상대주의는 다양한 삶의 방식을 존중하는 태도로 이어지고, 이는 문화 다양성을 보존하는 데 이바지할 수 있다.

인류의 보편적 가치
인간의 존엄성, 자유와 평등, 생명 존중, 평화 등과 같이 모든 인류 사회에서 바람직한 것으로 인정하는 가치를 의미한다.

2단계 개념 쏙 정리하기

1. 문화의 의미
- 좁은 의미 : 교양 있는 것, 예술의 특정 분야 등을 한정적으로 지칭
- 넓은 의미 : 인간이 주어진 환경에 적응하면서 살아가는 모든 방식, 즉 생활 양식의 총체를 포괄적으로 지칭

2. 문화의 속성

학습성	문화는 타고나는 것이 아니라 사회화 과정을 거치면서 후천적인 학습을 통해 습득됨
공유성	문화는 한 사회의 구성원이 공통적으로 가지는 생활 양식임
축적성	문화는 언어·문자 등을 통해 한 세대에서 다음 세대로 전승되어 축적됨
변동성	문화는 고정불변하는 것이 아니라 문화 요소가 추가·소멸하면서 변화함
총체성	문화는 여러 문화 요소로 구성되어 있고 모든 문화 요소는 상호 유기적으로 연결되는 속성을 지님

3. 문화를 바라보는 관점

총체론적 관점	특정 문화를 둘러싼 다른 문화 요소나 전체와의 관계 속에서 문화의 의미를 파악하려는 관점
비교론적 관점	서로 다른 문화 간 유사성과 차이점을 비교하여 보편성과 특수성을 이해하려는 관점
상대론적 관점	다른 사회의 문화를 그 사회의 역사적·문화적 배경과 사회적 맥락에서 이해하려는 관점

4. 문화를 이해하는 태도

자문화 중심주의	자기 문화를 가장 우수한 것으로 여기고 다른 문화를 부정적으로 평가하는 태도
문화 사대주의	다른 사회의 문화를 우월한 것으로 여기고 추종하면서 자신의 문화를 열등하다고 생각하는 태도
문화 상대주의	각 사회의 문화는 서로 다른 자연환경과 역사적·사회적 맥락 속에서 이해하고 판단하는 태도

● 다음 내용을 읽고 옳으면 ○, 틀리면 ×에 표시하시오.

1 문화 창조 능력은 인간 고유의 능력이다. (○, ×)

2 인간과 동물이 자연환경에 대응하는 방식은 동일하다.
  (○, ×)

3 문화는 인간이 자연환경을 극복한 수단과도 같다. (○, ×)

4 '문화비 지출'에서 '문화'는 넓은 의미로 사용되었다. (○, ×)

5 한국 문화, 청소년 문화, 음식 문화에서 '문화'는 모두 같은 의미로 사용되었다. (○, ×)

6 넓은 의미로서의 문화는 생활 양식의 총체를 지칭한다.
  (○, ×)

7 선천적인 행위, 본능적인 행위는 유전적인 행위와 달리 문화로 보지 않는다. (○, ×)

8 졸려서 잠을 자는 행위는 문화에 해당한다. (○, ×)

9 잠을 잘 때 침대 위에서 베개를 베고 자는 행위는 문화에 해당한다. (○, ×)

10 문화에는 보편성과 특수성이 동시에 나타난다. (○, ×)

● 문화의 속성에 대한 진술 중 공유성이면 '공', 학습성이면 '학', 축적성이면 '축', 변동성이면 '변', 총체성이면 '총'에 표시하시오.

11 문화는 언어, 문자와 같은 상징체계를 통해 다음 세대로 전달된다. (공, 학, 축, 변, 총)

12 모든 문화 요소는 상호 유기적으로 연결되어 있다.
   (공, 학, 축, 변, 총)

13 다른 사회 구성원의 사고와 행위를 예측할 수 있게 해 준다.
   (공, 학, 축, 변, 총)

14 문화는 본능적·선천적이기보다는 후천적으로 습득된다.
   (공, 학, 축, 변, 총)

15 문화는 시간의 흐름에 따라 기존 요소가 소멸되고, 새로운 요소가 추가된다. (공, 학, 축, 변, 총)

16 사회 구성원들의 원활한 사회생활을 가능하게 하는 전제가 된다. (공, 학, 축, 변, 총)

17 서로 다른 문화 체계를 구분하는 기준이 된다.
   (공, 학, 축, 변, 총)

18 한 문화 요소의 변동이 다른 문화 요소의 변동을 연쇄적으로 야기한다. (공, 학, 축, 변, 총)

● 다음 내용 중 옳은 것에 ○표 하시오.

19 모든 문화 요소 간의 유기적 연관성을 전제로 하는 것은 (㉠ 비교, ㉡ 총체, ㉢ 상대)론적 관점이다.

20 문화에는 우열이 없음을 전제로 하는 것은 (㉠ 비교, ㉡ 총체, ㉢ 상대)론적 관점이다.

21 모든 문화에는 보편성과 특수성이 존재함을 전제로 하는 것은 (㉠ 비교, ㉡ 총체, ㉢ 상대)론적 관점이다.

22 모든 문화가 고유한 가치를 지닌다고 보는 것은 (㉠ 비교, ㉡ 총체, ㉢ 상대)론적 관점이다.

23 자문화에 대한 객관적 이해를 가능하게 하는 것은 (㉠ 비교, ㉡ 총체, ㉢ 상대)론적 관점이다.

24 다양한 문화 요소를 다른 문화 요소와의 연관성 속에서 이해하려는 것은 (㉠ 비교, ㉡ 총체, ㉢ 상대)론적 관점이다.

● 빈칸에 들어갈 알맞은 말을 쓰시오.

25 문화는 한 사회 구성원이 공유하는 행동 양식이나 사고방식 등 (   )의 총체를 의미한다.

26 '문화가 있는 날'에서의 '문화'는 (   ) 의미로서의 문화에 해당한다.

27 언어, 결혼, 종교, 의복 제도 등과 같이 어느 사회에나 공통으로 존재하는 문화적 특성을 (   )(이)라고 한다.

28 다른 사회와 구분되는 고유한 문화적 특성을 (   )(이)라고 한다.

29 타고나는 것이 아니라 후천적으로 습득되는 문화의 속성을 (   )(이)라고 한다.

30 문화의 (   )은/는 사회 구성원 간의 상호 작용을 원활하게 한다.

31 기존의 문화 요소가 소멸되고, 새로운 문화 요소가 추가되어 시간의 흐름에 따라 변화하는 문화의 속성을 (   )(이)라고 한다.

32 문화를 바라볼 때 다른 문화 요소와의 유기적 연관성 속에서 바라보는 관점을 (   )(이)라고 한다.

33 비교론적 관점은 문화의 (   )와/과 (   )을/를 전제로 하는 관점이다.

34 (   )은/는 자문화의 우월성만을 강조하는 태도이며,
   (   )은/는 타 문화를 맹목적으로 숭상하는 태도이다.

35 문화 상대주의는 문화의 (   ) 보존에 기여하는 문화 이해의 태도이다.

---

1 ○ 2 ×(서로 다름) 3 ○ 4 ×(좁은 의미) 5 ○ 6 ○ 7 ×(모두 문화가 아님) 8 ×(문화가 아님) 9 ○ 10 ○ 11 축 12 총 13 공 14 학 15 변 16 공 17 공 18 총 19 ㉡ 20 ㉢ 21 ㉠ 22 ㉢ 23 ㉠ 24 ㉡ 25 생활 양식 26 좁은 27 보편성 28 특수성 29 학습성 30 공유성 31 변동성 32 총체론적 관점 33 보편성, 특수성 34 자문화 중심주의, 문화 사대주의 35 다양성

08강 현대 사회의 문화 양상

키워드

하위문화, 주류 문화, 지역 문화, 세대 문화, 반문화, 대중문화, 대중 매체

1단계 개념 확 뜯어보기

01 하위문화의 의미와 기능

1. 주류 문화의 의미와 특징

(1) 의미 : 한 사회의 구성원 대부분이 전반적으로 공유하는 문화로, 전체 문화라고도 함 예 민족 문화, 대중문화 등

(2) 특징 : 각 사회의 일반적이고 주요한 생활 양식의 특징을 보여 줌

(3) 기능 : 구성원들이 공통의 문화를 공유하고 안정적으로 생활하는 기반이 됨

2. 하위문화의 의미와 특징

(1) 의미 : 한 사회 내에서 지역, 세대, 성별, 계층 등에 따라 구분되는 특정 집단만이 공유하는 독특한 문화 예 지역 문화, 세대 문화, 청소년 문화, 반(反)문화 등

(2) 형성 배경 : 일반적으로 전체 사회에 속한 일부 집단 구성원 간에 이루어지는 상호 작용 과정을 통해 형성됨 → 같은 지역, 비슷한 나이, 동종의 직업, 동일한 취미나 이해관계 등을 바탕으로 구성원 간의 상호 작용이 지속되면서 고유한 하위문화가 형성됨

(3) 특징

① 주류 문화와는 상대적으로 구분되는 독자성을 지님

② 하위문화는 주류 문화의 범주를 어떻게 규정하느냐에 따라 상대적으로 규정될 수 있음

③ 현대 사회가 점차 복잡하게 분화되고 다양한 사회 집단이 출현함에 따라 하위문화가 다양화되고 세분화되는 특징이 나타남

④ 주류 문화의 영향 아래 형성되지만 전체 사회가 지향하는 가치에 부합되는 방향으로 형성될 수도 있고, 반하는 방향으로 형성될 수도 있음

⑤ 전체 사회의 문화 다양성 형성에 지대한 영향을 미침

올쏘 자료 Plus⁺ 다양한 하위문화

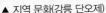

▲ 지역 문화(강릉 단오제)

▲ 세대 문화(노인 문화)

▲ 반(反)문화(히피 문화)

지역 문화는 일정 지역에 오랫동안 살아오면서 형성된 지역 주민들만의 고유한 생활 양식을 말한다. 최근 각 지방 자치 단체는 지역 축제를 개최함으로써 그 지역의 문화와 경제를 활성화하기 위한 노력을 기울이고 있다. 세대 문화는 공통의 경험을 토대로 형성된 일정 범위의 연령층이 공유하고 있는 문화로, 청소년 문화나 노인 문화 등이 이에 속한다. 반(反)문화는 한 사회 내의 지배적인 문화에 반대하거나 대립하는 하위문화를 말하는데, 1960년대 미국 젊은이들의 히피 문화, 독재에 저항하는 각 나라의 민중 문화, 급진적인 종교 집단의 문화, 범죄 집단의 문화 등이 반문화에 해당한다. 지역 문화, 세대 문화, 반문화 등의 하위문화는 사회의 일부 집단 구성원들 간의 상호 작용 과정을 통해 형성되는데, 비슷한 연령 집단, 동종의 직업 집단, 동일한 취미 집단, 동일한 이익 집단 등을 기초로 하여 집단의 구성원들이 의사소통하고 상호 작용하는 가운데 그들만의 고유한 하위문화가 형성된다.

만점 공부 비법

- 제시문에서 주류 문화, 하위문화, 반문화 등의 공통점과 차이점을 정확하게 골라내는 연습을 해야 한다.

- 대중문화의 의미, 형성 배경, 순기능, 역기능을 꼼꼼하게 파악해야 한다.

- 다양한 대중 매체의 특징을 비교하는 문제가 자주 출제되므로 각 매체별 특징과 변화 과정을 파악하고, 대중 매체가 대중문화에 미친 영향도 이해하고 있어야 한다.

하위문화와 주류 문화

하위문화는 주류 문화와 별개로 존재하는 것은 아니다. 주류 문화에 속해 있으면서도 주류 문화와 구분되는 그들만의 독특한 속성을 지닌 문화가 하위문화이다.

다양한 형태의 하위문화

- 군대 문화 : 군대라는 특수한 조직 내에서 위계질서, 계급으로 대변되는 수직적인 구조를 가지는 문화이다.

- 성적 소수자 문화 : 성적 다수자인 이성애자를 제외한 동성애자, 양성애자, 성전환자 등의 성적 소수자들이 지닌 독특한 문화이다.

- 매니아(mania) 문화 : 어떤 특정한 인물이나 음악, 영화, 소설, 만화 등을 열광적으로 좋아하고 지지하는 사람들의 문화로, 적극적으로 관련 물품을 사고 인터넷 커뮤니티 등에서 활동하기도 한다.

하위문화의 상대성

한국 문화는 세계 문화를 주류 문화로 규정했을 때에는 하위문화가 되지만, 한국 문화를 주류 문화로 규정하면 서울 문화가 하위문화가 된다. 즉, 어떤 문화가 하위문화에 속하는가에 대한 판단은 상대적이다.

3. 하위문화의 기능

(1) 순기능

① 주류 문화를 통해서는 충족하기 어려운 구성원의 욕구를 실현할 수 있게 해 주고, 집단 구성원의 정체성 형성에 기여함

② 같은 문화를 공유하는 구성원들 간의 집단에 대한 소속감, 결속력, 유대감을 강화함

③ 하위문화는 사회 전체의 문화를 풍부하고 다양하게 하며, 사회의 유연성을 증대하여 역동적이고 지속 가능한 사회를 만드는 데 기여함

④ 주류 문화에 대한 대안을 제시함으로써 문화에 활력을 불어넣고 획일화를 방지함

(2) 역기능

① 하위문화가 지향하는 다양한 가치 사이에 충돌이 발생할 경우 집단 간 갈등을 초래하여 사회 통합을 저해할 수 있음

② 하위문화가 주류 문화에 반하는 가치를 지향하면 사회에 혼란을 야기할 수 있음

02 다양한 하위문화

1. 지역 문화

(1) 의미 : 오랜 기간에 걸쳐 일정한 지역에 거주하는 사람들에 의해 형성된 특정 지역의 고유한 생활 양식

(2) 특징

① 한 사회 내에서도 각 지역의 자연환경, 역사적 배경 등에 따라 언어, 예절, 풍습 등에서 해당 지역만의 고유한 생활 양식이 발달함

② 최근 교통·통신의 발달과 대중 매체의 발달 등으로 지역 문화의 고유성이 약화되는 양상이 나타나고 있음

(3) 기능

① 지역 주민의 정체성 확립과 유대감 형성에 기여함

② 전체 사회의 문화 다양성을 높여 문화가 획일화되는 것을 방지함

③ 지역의 고유한 정체성을 바탕으로 지역만의 전통문화 발전에 이바지함

④ 지역 문화를 통해 지역 공동체 의식이 강화되어 지방 자치 제도 발전의 토대가 됨

⑤ 지역 문화의 차이로 인해 다른 지역 주민과의 갈등을 초래할 수 있음

올쏘자료 Plus⁺ 지역 문화와 지역 축제

▲ 보령 머드 축제

▲ 진주 남강 유등 축제

지역 문화는 지역 축제를 통해 잘 드러나는데, 많은 지방 자치 단체에서는 지역 공동체의 고유하고 차별화된 특성을 살려 축제를 개최하고 있다. 이 축제를 통해 사회 통합과 주민 결속력 강화, 지역 차별화 전략, 축제의 경제적 가치 제고, 관광 자원으로서의 기능 등 순기능이 발생한다. 하지만 우후죽순처럼 생겨나는 지역 축제는 여러 가지 문제점도 나타나고 있다. 특징 없는 지역 축제나 문화적 전통의 왜곡, 지역 주민의 무관심과 행정 관청의 독자적 진행, 상업화 등으로 인해 해당 지역 문화의 고유성을 발견하기 어렵다는 지적이 있다.

하위문화의 순기능
다양한 하위문화가 존재한다는 것은 사회 구성원들의 다원화된 욕구가 충족될 수 있는 수단이 마련되어 있음을 의미한다. 이러한 하위문화는 다양한 문화가 존재할 수 있는 기반이 되어 주고 사회 주류 문화를 풍부하게 해 준다.

교통 및 통신의 발달과 지역 문화의 고유성
우리나라는 산지 지형이 많아 역사적으로 다양한 특성을 지닌 지역 문화가 발달해 왔다. 하지만 최근 교통과 통신이 발달함에 따라 지역 간 문화 요소의 교류가 활발해지면서 다양한 문화를 접할 기회는 증가하였으나 지역 문화의 고유성은 약화되는 양상이 나타나고 있다.

지방 자치 제도
일정한 지역을 기초로 지방 자치 단체가 중앙 정부로부터 상대적으로 독립성과 자율성을 가지고 그 지역의 행정 사무를 자율적으로 처리하는 제도이다. 우리나라에서는 1995년에 본격적으로 시행되었으며, 지방 자치 제도의 본격화 이후 지역 문화 축제가 활성화되었다.

2. 세대 문화

(1) 의미 : 공통의 역사적·사회적 경험을 토대로 사고방식이나 생활 양식이 비슷한 일정 범위의 연령층이 공유하는 문화 ⓔ 청소년 문화,✚ 노인 문화,✚ 7080 문화와 8090 문화 등

(2) 특징 : 현대 사회의 급격한 사회 변동으로 세대를 구분하는 연령의 범위가 좁아지고 세대 문화가 다양해짐 → 세대 간 문화 차이가 극심해져 세대 갈등으로 이어지고 있음

(3) 기능

① 순기능 : 같은 세대에 속하는 사람들 간의 정체성과 일체감 형성에 기여함

② 역기능 : 동일한 사회 현상에 대하여 세대 간 인식의 차이를 초래함으로써 세대 갈등을 유발함

(4) 세대 갈등 해소를 위한 노력 : 다른 세대 문화의 창조적 가치를 적극 수용, 지속적인 의사소통을 통한 공감대 형성 등

(5) 청소년 문화

① 의미 : 한 사회의 청소년에 해당하는 연령층이 공유하는 문화로 세대 문화의 한 유형임

② 특징

• 기존의 틀에 얽매이지 않고 새로운 것을 추구하는 미래 지향적이고 변화 지향적인 경향

• 기성세대의 문화에 비판적이고 새로운 문화 요소를 빠르게 수용하므로 현대 사회의 문화 변동을 주도하기도 함

• 대중 매체나 대중문화의 영향을 받아 충동적이고 소비 지향적인 성격을 띠기도 함

3. 반(反)문화

(1) 의미 : 한 사회의 구성원 전체가 지향하는 지배적인 문화에 저항하고 대립하는 문화

(2) 특징

① 특정 집단의 문화라는 점에서 하위문화에 속하지만, 주류 문화를 거부한다는 특징을 지님

② 조선 시대의 천주교는 반문화로 규정되었으나 오늘날에는 그렇지 않은 것처럼 반문화를 규정하는 기준은 시대나 사회에 따라 상대성을 띰

(3) 기능

① 주류 문화의 변화를 유도하고 사회 변동을 가져오기도 함

② 주류 문화의 가치관을 거부하고 동조하지 않음으로서 사회 갈등과 혼란을 야기할 수 있음

③ 반문화를 통해 사회 구조의 모순이 표면화되어 사회 문제 해결의 실마리를 제공하기도 함

올쏘 자료 Plus⁺ 주류 사회의 질서를 거부한 히피 문화

히피(hippy)는 1960년대 미국에서 기존의 사회 통념, 제도, 가치관 등에 저항하면서 전쟁과 폭력 반대, 인간성의 회복, 자연으로의 복귀 등을 주장했던 사람들을 말한다. 히피들은 폭동, 전쟁, 암살 등으로 많은 사람들이 죽고 다치는 모습을 보면서 사회에 대한 절망과 분노를 느꼈다. 그리고 이를 계기로 당시 사회에서 통용되던 규범과 가치 등 주류 문화를 비판하였다. 히피들은 긴 머리에 샌들을 신거나 맨발로 다니고, 다양한 색깔의 천으로 옷을 직접 만들어 입으면서 자신들의 저항 의식과 개성을 표현하였다.

1960년대에 전쟁에 반대하면서 자유를 지향했던 미국의 히피 문화는 반문화의 대표적 사례이다. 히피는 군인의 짧은 머리에 대비되는 긴 머리카락을 상징처럼 지녔다. 히피는 전쟁, 물질주의 등에 반대하고 자유와 평화를 추구했으며 이는 세계 곳곳에 전파되었다.

노인 문화

최근 급속한 고령화 현상이 진행되고 노인의 정치적·사회적 영향력이 커지면서 노인 문화에 대한 인식과 관심이 높아지고 있으며, 새롭게 세대 문화로 부각되고 있다.

7080 문화와 8090 문화

현재의 40, 50대들은 1970년대와 1980년대의 경제 성장과 민주화 과정에서 청바지와 통기타 등으로 상징되는 낭만적인 '7080 문화'를 만들었던 주역들이다. 이제 그들은 그 시대를 추억하는 문화를 소비하는 구매층이 되어 새로운 장년 문화를 만들어 내고 있다. 또한 7080에 이어 '8090' 향수 바람이 거세게 불고 있다. 1980년대와 1990년대에 유행했던 음악들이 다시 인기를 끌면서 30, 40대의 감성과 추억을 자극하고 있다.

반문화의 특징

반문화는 크게 두 가지 성격을 가지는데, 하나는 전체 사회의 지배적인 가치를 따르지 않는 문화로서 일탈 문화 또는 범죄 문화로 나타난다. 다른 하나는 전체 사회의 지배적인 가치를 거부하면서 새로운 가치를 추구하는 문화로서 대항 문화 또는 대안 문화로 나타난다. 전자의 예로는 KKK로 대표되는 백인 우월주의 집단이 있으며, 후자의 예로는 히피 문화가 있다.

반문화의 양면성

반문화는 주류 문화의 가치관을 거부한다는 점에서 일탈 집단으로 취급될 수 있다. 그러나 반문화를 통해 사회 내에서 해결되지 않는 문제들이 표면화되고, 그것이 해결될 수 있는 계기로 작용하기도 한다는 점에서 긍정적 측면도 존재한다.

03 대중문화의 이해와 비판적 수용

1. 대중문화와 대중 매체

(1) 대중문화의 의미 : 한 사회 내에 존재하는 다양한 집단을 초월하여 불특정 다수가 즐기고 누리는 문화

(2) 대중문화의 형성 배경

① 근대 시민 혁명으로 신분제 사회가 붕괴되고, 대중이 중심이 되는 대중 사회가 등장함

② 산업화로 인한 대량 생산 체제의 형성으로 대중 매체가 대량 보급되고, 경제 수준이 향상되면서 여가에 대한 관심이 증대됨

③ 의무 교육이 확대되고 보통 선거가 확립됨에 따라 대중의 지적 수준이 향상되고 지위가 상승하면서 대중의 문화적 욕구가 커짐

(3) 대중 매체의 의미와 유형

① 대중 매체의 의미 : 불특정 다수인 대중을 상대로 대량의 지식이나 정보를 전달하는 매체나 수단

② 대중 매체의 유형

일방향 매체	인쇄 매체	• 의미 : 문자 언어나 그림 등 인간의 시각에 의존하는 정보를 조직화한 후 종이 등에 인쇄하여 전달하는 매체 ⑩ 신문, 잡지, 서적 등 • 장점 : 복잡하고 깊이 있는 정보를 전달하는 데 유용함 • 단점 : 정보 전달의 속도가 상대적으로 느리고, 시각 장애인이나 문맹자의 정보 접근 가능성이 가장 낮은 편이며, 생동감 있는 정보 전달에 한계가 있음
	음성 매체	• 의미 : 음성 언어나 음악 등 인간의 청각에 의존하는 정보를 조직화하여 전달하는 매체 ⑩ 라디오, 음반, 녹음기 등 • 장점 : 인쇄 매체에 비해 광범위하고 신속한 정보 전달이 가능하며 시각 장애인이나 문맹자의 정보 접근 가능성이 높음 • 단점 : 시각 정보의 전달이 어렵고 인쇄 매체에 비해 깊이 있는 정보의 전달이 어려움
	영상 매체	• 의미 : 문자 언어와 음성 언어, 그림이나 음악, 영상 등의 수단을 종합적으로 활용하여 조직화한 시청각 정보를 전달하는 매체 ⑩ 텔레비전, 영화 등 • 장점 : 인쇄 매체에 비해 광범위하고 신속한 정보 전달이 가능하며, 인쇄 매체 및 음성 매체에 비해 생동감 있는 정보를 제공할 수 있음 • 단점 : 감각적인 정보의 전달로 인해 인쇄 매체에 비해 깊이 있는 정보의 전달이 어려움
쌍방향 매체	뉴 미디어	• 의미 : 인터넷이나 위성 통신 등 정보 통신 기술을 바탕으로 정보 생산자와 소비자 간 쌍방향 의사소통이 가능하고 시청각적인 정보를 종합적으로 전달할 수 있는 정보 사회의 새로운 매체 ⑩ 인터넷, 누리 소통망(SNS), 스마트폰 등 • 장점 : 쌍방향 의사소통이 가능하고 기존 매체보다 신속한 정보 전달이 가능함 • 단점 : 무책임하고 왜곡된 정보를 양산하고 전파할 수 있어 정보의 객관성과 신뢰성이 취약함

올쏘 자료 Plus⁺ 대중 매체의 발달 과정

대중 매체의 발달 과정

인쇄 매체 문자와 사진을 이용하여 정보 전달

음성 매체 소리로 정보 전달

영상 매체 소리와 영상으로 정보 전달

뉴 미디어 문자, 사진, 소리, 동영상 등 다양한 수단으로 정보 전달

책, 잡지, 신문 등 인쇄 매체를 시작으로 발달한 대중 매체는 라디오, 음반 등의 음성 매체를 거쳐 텔레비전, 영화 등의 영상 매체로 발달하였다. 오늘날에는 디지털 기술을 이용한 뉴 미디어가 등장하였고, 인터넷에 기반을 둔 쌍방향 텔레비전이 등장하는 등 전통적인 매체들이 뉴 미디어와 융합하는 경향을 보인다.

대중문화의 특징

• 일방성 : 개인의 요구나 특성과 관계없이 일방적으로 대중에게 전달되는 경향이 있다.

• 획일성 : 모든 사람이 동시에 동일한 문화 요소를 접하게 됨으로써 획일화, 표준화, 규격화, 몰개성화 현상이 나타난다.

• 상업성 : 대중 매체를 소유한 기업들이 이윤을 추구하는 과정에서 대중이 원하는 문화 상품을 생산하고 판매하기 때문에 상업성을 띠게 된다.

대중문화와 대중 매체의 관계

• 사회화 기관의 하나인 대중 매체는 대중문화를 학습하고 공유할 수 있게 하는 기능을 수행한다.

• 대중 매체는 대중문화의 전파, 소비, 변화 등에 영향을 준다. 대중 매체를 통해 전파된 대중문화는 기존 문화를 대체하기도 하고, 기존의 것과 결합하여 새로운 모습의 대중문화로 탄생하기도 한다.

• 대중문화는 새로운 대중 매체의 등장과 변화를 촉진하기도 한다. 즉, 대중의 필요와 대중문화의 변화에 따라 새로운 대중 매체가 나타나기도 한다는 것이다. 최근에 뉴 미디어가 등장한 것 역시 이러한 것이 반영된 결과라고 할 수 있다.

대중 매체의 사회적 기능

• 정치적 측면 : 정치인은 대중 매체를 이용하여 자신을 알리고, 대중은 정치인에 대한 정보를 얻어 자신의 투표권을 행사한다.

• 경제적 측면 : 기업은 대중 매체를 이용하여 상품을 홍보하고, 소비자는 정보를 수집하여 합리적 소비를 한다.

• 문화적 측면 : 대중은 비싼 비용을 지불하지 않고서도 대중 매체를 이용하여 다양하고 질 높은 문화를 접할 수 있다.

08강 현대 사회의 문화 양상

2. 대중문화의 기능

순기능	• 대중들에게 다양한 오락과 휴식을 제공함으로써 정신적 위안과 활력을 줌 • 기존의 상류층만이 누릴 수 있었던 문화적 혜택을 일반 대중에게 확산시켜 문화의 민주화에 기여함 • 사람들이 지식과 정보를 쉽게 접하고 사회 문제에 관심을 가질 수 있게 하여 사회의 민주화에 기여함
역기능	• 획일화된 문화 요소가 대량 유통되어 문화 다양성이 약화될 수 있음 • 자본과 결합하여 상업적 성격을 띠기 쉽기 때문에 문화의 질을 저하시킬 우려가 있음 • 오락성에 치우쳐 대중의 현실 비판 능력을 약화시키고 정치적 무관심을 야기할 수 있음 • 정치권력이나 자본의 필요에 의해 정보를 은폐하거나 왜곡하여 대중 조작의 수단으로 악용될 수 있음

대중 조작
국가 권력이나 기업 자본 등 권력자가 대중 매체를 이용하여 대중의 여론이나 관심사 등을 자신이 원하는 방향으로 형성해 가는 것을 말한다. 대중의 정치적 무관심을 조장하거나 비판적 태도를 우호적 태도로 변화시키기 위한 목적으로 이루어진다.

올쏘 자료 Plus⁺ 대중문화의 순기능과 역기능

갑 : 여러 방송사에서 요리와 여행을 예능 프로그램 소재로 삼고 있어. 1박 2일 여행을 소재로 한 프로그램은 다양한 국내 여행지를 알려 주었고, 자녀와 함께 캠핑을 가는 프로그램은 캠핑 문화의 대중화를 이끌었지. 그리고 냉장고 속 재료만으로 요리하는 프로그램과 집밥 요리법을 알려 준 프로그램을 보고 시청자들이 이를 따라 했어.

을 : 여행 예능 프로그램에서 출연자들이 자연스럽게 먹고 쓰고 마시는 것들은 대부분 광고를 위한 협찬이야. 그리고 요즈음 넘쳐 나는 음식 프로그램은 당면한 현실의 어려움과 문제점은 외면한 채 먹는 즐거움과 같은 순간적인 만족을 줌으로써 현실 도피를 유도하기도 해.

갑은 텔레비전 예능 프로그램을 통해 대중문화의 순기능을, 을은 역기능을 말하고 있다. 사람들은 대중문화를 통해 휴식과 오락을 즐기고, 여러 가지 지식과 정보를 쉽게 접할 수 있게 되었다. 반면에 대중 매체를 소유한 기업은 이윤을 추구하기 때문에 대중문화는 지나치게 상업성을 띨 수밖에 없다. 그리고 오락 및 여가에 집중하게 하여 사람들의 현실 비판 능력을 약화시킴으로써 정치적 무관심을 야기할 수 있다.

3. 대중문화의 비판적 수용

(1) 비판적 수용 : 대중문화의 다양한 기능을 이해하되 비판적으로 인식하고 수용해야 함
(2) 상업성 경계 : 지나친 상업성, 선정성을 경계하고 적극적으로 감시하고 비판해야 함
(3) 대중문화 생산자의 역할 수행 : 과거에는 대중이 문화의 일방적인 소비자 역할만 했지만, 이제는 적극적으로 문화의 생산에 참여하여 대중문화의 창조자로서의 역할을 해야 함

대중문화의 생산자와 소비자
책, 라디오, 텔레비전은 생산자의 전문성이 높아야 하고 생산자와 소비자 간 경계가 뚜렷한 매체들이라면, 인터넷이나 누리 소통망(SNS)과 같은 뉴 미디어는 전문성이 높지 않은 개인도 문화를 생산하는 주체가 될 수 있어 문화 생산자와 소비자 간의 경계가 모호해지고 있다. 최근 인터넷 개인 방송의 등장과 활성화가 그 대표적인 사례라고 할 수 있다.

2단계 개념 쏙 정리하기

1. 하위문화의 의미와 기능

의미	한 사회 내에서 특정 집단만이 공유하는 독특한 문화
기능	• 집단 구성원에게 소속감을 부여하고 욕구 충족을 가능하게 함 • 문화의 획일화를 방지하여 주류 문화에 역동성과 다양성을 제공 • 집단 간 갈등을 초래하여 사회 통합을 저해할 수 있음

2. 다양한 하위문화

지역 문화	오랜 기간에 걸쳐 일정한 지역에 거주하는 사람들에 의해 형성된 특정 지역의 고유한 생활 양식
세대 문화	공통의 역사적·사회적 경험을 토대로 사고방식이나 생활 양식이 비슷한 일정 범위의 연령층이 공유하는 문화
반문화	한 사회의 구성원 전체가 지향하는 지배적인 문화에 저항하고 대립하는 문화

3. 대중문화의 형성 배경과 기능

의미	한 사회 내에 존재하는 다양한 집단을 초월하여 불특정 다수가 즐기고 누리는 문화
형성 배경	대중 사회 등장, 대중 매체의 보급과 여가에 대한 관심 증대, 대중의 지위 향상에 따른 문화적 욕구 증대
순기능	오락과 휴식 제공, 다양한 지식과 정보 제공, 고급문화의 대중화, 사회 문제에 대한 관심 유발
역기능	과도한 상업성에 따른 문화의 질 저하, 문화의 획일화 조장, 대중의 정치적 무관심 야기, 대중 조작의 수단으로 악용될 가능성

4. 대중 매체의 유형

인쇄 매체	음성 매체	영상 매체	뉴 미디어
신문, 잡지, 서적 등	라디오, 음반, 녹음기 등	텔레비전, 영화 등	인터넷, 누리 소통망(SNS), 스마트폰 등

● 다음 내용을 읽고 옳으면 ○, 틀리면 ×에 표시하시오.

1 청소년 문화는 하위문화에 포함된다. (○, ×)

2 구성원의 수가 많은 문화는 주류 문화, 적은 문화는 하위문화이다. (○, ×)

3 사회 계층이 분화될수록 하위문화는 증가한다. (○, ×)

4 하위문화는 주류 문화의 안정에 기여한다. (○, ×)

5 하위문화는 사회 구성원들의 욕구 충족 기회를 다양하게 제공한다. (○, ×)

6 하위문화는 집단 간의 대립과 갈등의 원인으로 작용할 수 있다. (○, ×)

7 하위문화를 모두 합한다고 해서 주류 문화가 되는 것은 아니다. (○, ×)

8 하위문화는 주류 문화에 속해 있으면서도 고유한 성격을 지닌다. (○, ×)

9 주류 문화가 지향하는 가치관에 부합하지 않는 하위문화는 존재하지 않는다. (○, ×)

10 하위문화는 전체 사회의 범주를 어떻게 규정하느냐에 따라 상대적으로 규정된다. (○, ×)

● 다음 내용 중 옳은 것에 ○표 하시오.

11 서로 다른 자연환경과 역사적 배경 속에서 형성되는 문화는 (㉠ 지역, ㉡ 세대, ㉢ 반) 문화이다.

12 한 사회의 지배적 문화에 대해 저항하거나 대립하는 문화는 (㉠ 지역, ㉡ 세대, ㉢ 반) 문화이다.

13 일정 범위의 연령층이 공유하는 생활 양식은 (㉠ 지역, ㉡ 세대, ㉢ 반) 문화이다.

14 반문화를 규정하는 기준은 시대나 사회에 따라 (㉠ 절대, ㉡ 상대)적이다.

15 청소년 문화는 (㉠ 미래 지향적, ㉡ 현재 지향적) 성격을 지닌다.

16 청소년 문화는 (㉠ 기성 세대, ㉡ 또래 집단)에 대한 강한 동질감을 토대로 형성된다.

17 청소년 문화는 (㉠ 기성 세대, ㉡ 또래 집단)의 문화에 비판적이고 새로운 문화 요소를 빠르게 수용하므로 현대 사회의 문화 변동을 주도하기도 한다.

18 청소년 문화는 대중 매체나 대중문화의 영향을 받아 충동적이고 (㉠ 소비, ㉡ 생산) 지향적인 성격을 띠기도 한다.

● 다음 내용을 읽고 옳으면 ○, 틀리면 ×에 표시하시오.

19 근대 시민 혁명으로 신분제 사회가 붕괴되고, 대중이 중심이 되는 대중 사회가 등장하였다. (○, ×)

20 불특정 다수가 공유하는 문화를 대중문화라고 한다. (○, ×)

21 대중문화의 발달은 근대 산업화로 인한 대량 생산 체제와 밀접한 연관성이 있다. (○, ×)

22 의무 교육 제도는 대중문화의 발달을 지연시켰다. (○, ×)

23 대중문화는 대중의 정치적·사회적 지위가 향상되면서 발달하였다. (○, ×)

24 대중문화는 대중 매체 없이도 발달할 수 있다. (○, ×)

25 보통 선거 제도의 정착은 대중문화 형성에 기여하였다. (○, ×)

● 빈칸에 들어갈 알맞은 말을 쓰시오.

26 대중문화는 (   )의 대중화에 기여하여 문화 향유 수준을 향상시켜 주었다.

27 대중문화는 적은 (   )(으)로 다양한 오락과 휴식을 제공하여 대중의 삶을 풍요롭게 한다.

28 대중문화는 대량으로 유통되기 때문에 문화가 (   )되기 쉽다.

29 대중문화는 자본과 결합하여 (   ) 성격을 띠기도 한다.

30 대중문화는 오락성에 치우쳐 대중의 정치적 (   )을/를 조장할 수 있다.

31 특정 세력이 의도적으로 대중 매체를 독점하면 정보 왜곡이나 (   )에 악용될 수 있다.

32 최근 쌍방향 매체의 증가로 대중이 문화 소비자와 (   )의 역할을 동시에 수행하고 있다.

33 대중문화를 무조건적으로 수용하기보다는 (   )(으)로 수용하기 위해 노력해야 한다.

34 대중문화는 확산 및 변화 속도가 (   ).

35 대중문화는 대량으로 (   )되고 소비된다.

36 (   )은/는 쌍방향 의사소통을 가능하게 하고 정보를 신속하게 주고받을 수 있게 해 준다.

37 뉴미디어의 등장으로 대중문화의 생산자와 소비자의 경계가 (   )해지고 있다.

1 ○ 2 ×(구성원의 범주에 따라 달라짐) 3 ○ 4 ×(주류 문화에 역동성과 다양성을 제공) 5 ○ 6 ○ 7 ○ 8 ○ 9 ×(반문화가 있음) 10 ○ 11 ㉠ 12 ㉢ 13 ㉡ 14 ㉡ 15 ㉠ 16 ㉡ 17 ㉠ 18 ㉠ 19 ○ 20 ○ 21 ○ 22 ×(대중문화 발달에 기여) 23 ○ 24 ×(대중 매체가 필수적임) 25 ○ 26 고급문화 27 비용 28 획일화 29 상업적 30 무관심 31 대중 조작 (여론 조작) 32 생산자 33 비판적 34 빠르다 35 생산 36 뉴미디어 37 모호

문화 변동의 이해

발명, 발견, 문화 전파, 문화 동화, 문화 공존, 문화 융합, 문화 지체 현상

1단계 개념 뜯어보기

01 문화 변동의 의미와 요인

1. 문화 변동의 의미 : 문화가 새로운 문화 요소의 등장이나 다른 문화와의 접촉을 통해 변화하는 현상

2. 문화 변동의 요인

(1) **내재적 요인** : 한 사회 내부에서 새롭게 등장하여 그 사회의 문화 체계에 변동을 초래하는 요인 → 발명과 발견은 문화의 틀과 기반을 다지게 되었으며, 새로운 문화를 만들어 내는 시작점이 되었음

① 발명 : 이전에는 존재하지 않았던 새로운 문화 요소를 만들어 내는 것 ⑩ 바퀴가 발명됨에 따라 운송 수단과 교통수단에 변화가 나타났으며, 이는 인류의 생활 양식을 크게 바꾸어 놓았음

1차적 발명	이전에 전혀 존재하지 않았던 문화 요소를 처음으로 만들어 내는 것 ⑩ 바퀴의 발명, 활의 발명
2차적 발명	이미 발명된 문화 요소들을 조합하거나 응용하여 새로운 문화 요소를 만들어 내는 것 ⑩ 바퀴를 이용한 수레나 자동차의 발명, 활을 이용한 현악기의 발명

② 발견 : 이미 존재하는 사물이나 사실, 원리 등을 찾아내는 것 ⑩ 혈액형이나 페니실린 등의 의학적 발견은 인류의 평균 수명을 연장하고 그에 따라 교육, 경제, 연금 제도 등을 변동시키는 요인으로 작용하였음

올쏘 자료 Plus⁺ 지퍼의 발명

▲ 일상복에 많이 사용되는 지퍼

바지, 점퍼, 부츠, 필통 등에는 물건의 입구를 여닫아 주는 '지퍼'가 달린 것이 많다. 지퍼는 120년 전 미국의 발명가인 휘트컴 저드슨이 발명하였다. 그는 외출할 때마다 몸을 숙여 일일이 구두끈을 매는 게 번거로워 이보다 편리한 잠금장치가 없을지 생각하다 지퍼를 만들었다. 이 지퍼는 제1차 세계 대전 때 미군의 낙하복과 구명조끼에 사용되었고, 지갑에도 사용되었다. 미국의 한 회사에서는 자사의 장화에 지퍼를 달아 폭발적인 인기를 얻게 되었고 이후 지퍼의 사용이 점차 일반화되었다. 그러다가 이전까지 옷을 여미는 방식으로 사용되었던 단추를 지퍼가 대신하게 되었다.

(2) **외재적 요인(문화 전파)** : 한 사회의 외부에서 유입되어 문화 요소를 수용한 사회의 문화 체계에 변동을 초래하는 요인

① 직접 전파
- 서로 다른 사회 구성원 간의 직접적인 접촉으로 인해 문화 요소가 전파되는 현상
- 주로 교역, 전쟁, 정복, 국가 간의 사신 교류, 외국인의 유입 등과 같은 직접적 접촉에 의해 이루어짐
- ⑩ 중국에 사신으로 갔던 문익점이 중국에서 목화씨를 가져와 우리나라에서 목화를 재배한 것은 직접 전파의 대표적 사례임

만점 공부 비법

- 그림이나 표를 활용하여 문화 변동 요인, 문화 변동 과정, 문화 접변 양상을 한 문항 속에 연관시켜 출제하는 경향이 강해지고 있다. 문화 변동과 관련된 다양한 내용을 하나의 틀 속에서 이해하고, 문화 변동과 관련된 각 유형을 정확하게 구분하는 훈련을 한다.
- 문화 변동 과정에서의 문제점과 그에 따른 대처 방안은 무엇인지 알아둔다.

내재적 요인과 문화 변동
발명이나 발견은 새로운 문화를 만들어 내는 시작점으로써 문화 변동의 중요한 요인이지만, 새로운 문화 요소의 등장으로 문화가 필연적으로 변동하는 것은 아니다. 한 사회 내부에서 새로 등장한 문화 요소를 그 사회 내에서 수용할 때만 문화 변동이 나타날 수 있다.

1차적 발명과 2차적 발명
발명된 문화 요소들을 응용하여 새로운 문화 요소를 만들어 내는 2차적 발명이 있기 때문에 발명은 계속해서 이루어질 수밖에 없는 특성을 보인다.

오늘날의 문화 변동 요인
오늘날에는 세계화와 개방화에 따라 내부적 요인보다는 외부로부터의 문화 전파에 의한 문화 변동이 훨씬 많다. 또한 정보 통신 기술의 발달로 직접 전파보다 간접 전파가 문화 전파의 대부분을 차지하고 있다.

② 간접 전파
- 사회 구성원 간의 직접적인 접촉이 아닌 매개체를 통해 간접적으로 문화 요소가 전파되는 현상
- 서적, 텔레비전, 인터넷, 라디오 등의 대중 매체를 통해 간접적으로 문화 요소가 전파됨
- 예 다른 나라 사람들이 우리나라 드라마나 영화를 통해 우리 문화를 접하게 되는 것은 간접 전파의 대표적 사례임

③ 자극 전파
- 외부 사회의 문화 요소로부터 추상적인 개념이나 아이디어를 얻어 새로운 문화 요소의 등장을 자극하는 현상
- 다른 문화 체계의 문화 요소가 그대로 수용되는 것이 아니라 다른 문화 요소에 착안하여 새로운 문화 요소의 발명을 자극한다는 점에서 직접 전파나 간접 전파와는 다름
- 예 신라 시대 설총에 의해 완성된 이두는 한자의 음과 뜻을 빌려 우리말을 표기한 자극 전파의 대표적 사례임

과거의 문화 전파 방식

근대 이전의 동서 교역은 육상의 비단길, 초원길과 해상 교역로를 통해 활발히 이루어졌다. 대표적인 동서 교역로인 비단길은 중국에서 로마 제국으로 비단을 운반하였던 길이라고 해서 오래 전부터 '실크 로드(Silk Road)'라고 불렸다. 비단길을 비롯한 동서 교역로는 비단뿐만 아니라 다양한 교역 물품들이 전달되는 통로이자 문화가 교류되는 통로였다. 대표적으로 종이, 화약, 나침반 등이 중국에서 유럽으로 전해졌으며, 불교, 이슬람교와 같은 종교도 이 길을 따라 세계 곳곳으로 퍼져 나갔다.

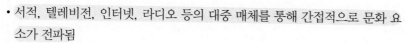

올쏘자료 Plus⁺ 문화 전파의 사례

(가) 751년 7월, 고구려 출신 당나라 장군 고선지는 군사를 이끌고 현재의 카자흐스탄 탈라스강 근처에서 이슬람군과 전투를 벌였고, 크게 패하였다. 이때 수만 명의 당나라 병사가 포로로 붙잡히게 되었는데, 그들 중에는 종이를 만드는 제지 기술자가 포함되어 있었다. 이렇게 탈라스 전투는 중국의 제지술이 이슬람 세계에 퍼지는 직접적인 계기가 되었다. 당시 양가죽을 말려 두드린 양피지를 주로 사용하던 중동 지역에는 굉장한 신상품이 나타난 셈이었다. 제지술의 전래로 이슬람 제국의 문학과 학문은 크게 발달하였다. 제지술은 훗날 이집트를 거쳐 유럽에 전파되었다.

(나) 이란에서 한국인이라고 하면 많은 시민은 하나같이 "주몽(드라마 「주몽」)!", "양금(드라마 「대장금」)!"을 외친다고 한다. 이란에서 방영되었던 한국의 인기 드라마 제목들이다. 「대장금」이나 「주몽」의 시청률은 각각 90%와 85%라는 경이적인 기록을 세웠다. 이와 같은 한국 드라마의 높은 인기는 이란인들의 한국에 관한 호감도를 높이는 데 큰 역할을 하였고, 나아가 한글을 배우려는 학생들이 증가하는 데 영향을 끼쳤다. 또한 한국과 이란 간의 경제 교류를 넓히는 요인으로도 작용하였다. 최근 이란에서 열린 행사에서는 한식·한복·한지·한방 의료·현대 미술·도자기·드라마·시 등 다양한 한국 문화가 이란 국민의 높은 관심 속에 소개되었는데, 그 바탕에는 「주몽」과 「대장금」의 역할이 매우 컸다.

(다) 체로키 인디언들은 백인들과 접촉하기 전까지는 고유의 문자가 없었다. 그런데 이 부족의 한 인디언이 백인들과 접촉하면서 영어에서 아이디어를 얻어 체로키 문자를 고안해 내었다. 그는 영어에서 극히 일부의 알파벳을 따 왔고, 다른 것들은 변형시켰다. 그는 심지어 영어를 쓸 줄도 몰랐지만, 이것들로 체로키의 알파벳을 만들었고, 체로키족은 문자를 가지게 되었다.

(가)는 당나라와 이슬람 제국 간의 탈라스 전투에서 포로로 잡힌 당나라 병사를 통해 중국의 제지술이 이슬람 제국에 전래된 직접 전파의 사례이다. 제지술은 훗날 이집트를 거쳐 유럽에 전파되었고 인류 문화의 발전에 크나큰 역할을 하였다. (나)는 한국의 인기 드라마가 이란에 전파되어 큰 인기를 얻으며 이란 사회에 한국 문화 열풍을 불러온 사례로, 대중 매체를 통해 간접적으로 문화 요소가 전파된 간접 전파의 사례이다. 한국 드라마에 대한 열풍은 한국어와 한국 문화에 대한 관심을 불러일으켰고, 양국 간의 경제 교류 확대에 큰 영향을 미쳤다. (다)는 체로키족이 백인의 알파벳으로부터 아이디어를 얻어 세퀘야 문자를 발명한 것으로, 자극 전파의 사례에 해당한다.

02 문화 변동의 양상과 문화 접변의 결과

1. 문화 변동의 양상

(1) 문화 변동 요인의 소재에 따른 분류

① 내재적 변동 : 발명이나 발견 등으로 새로운 문화 요소가 사회 내부에서 생겨나고 그것을 수용함에 따라 발생하는 문화 변동 → 발명이나 발견이 이루어지더라도 해당 문화 요소가 구성원들에 의해 수용되지 않으면 문화 변동으로 이어지지 않음

② 외재적 변동(문화 접변) : 서로 다른 문화 체계가 비교적 장기간에 걸쳐 접촉하는 과정에서 문화 전파 등에 의해 발생하는 문화 변동 → 문화 체계 간의 접촉에 따른 변동이므로 문화 접변이라고 하며, 주로 전쟁, 교역, 선교, 대규모 이민 등이 문화 접변의 계기가 되었음

> **올쏘 자료 Plus⁺ 문화 접변의 다양한 계기**
>
>
> ▲ 십자군 전쟁
>
>
> ▲ 동서양을 오가며 무역을 하는 상인들
>
> 인류 역사에서 가장 보편적으로 나타나는 문화 간 접촉의 계기는 전쟁과 교역 그리고 종교적 포교라고 할 수 있다. 우선 전쟁은 상대국의 조직과 기술, 종교 등을 접할 수 있을 뿐만 아니라, 전쟁을 통하여 자신이 속한 집단의 능력이나 사회적인 관계, 기술 등을 성찰하게 함으로써 문화 변동의 중요한 계기가 된다. 임진왜란 후 조선의 변화는 물론이고 일본과 중국이 큰 변화를 겪게 된 것도 바로 전쟁에 의한 충격 때문이었다.
>
> 교역 또한 단순한 물건의 교환에만 그치는 것이 아니라 교환하는 물건에 담겨져 있는 문화적 의미는 물론이고 그 물건 자체가 기존의 문화에 커다란 충격을 주기도 한다. 한편 전통 사회에서 인간 행위에 결정적인 영향을 미쳤던 것은 종교적인 이념이었다고 할 수 있다. 종교적인 이념은 신앙생활에 한정되지 않고 인간의 일상생활을 지배해 왔으므로 새로운 종교의 전파는 기존의 종교적 이념에 의해 형성된 문화에 커다란 충격을 주었다. 인류 역사에서 종교적인 접촉이 문화 변동을 야기한 사례는 서구의 크리스트교 전파 과정이나 우리 나라의 불교·유교 전파 과정 등에서 찾아볼 수 있다.

(2) 자발성의 유무에 따른 분류

① 강제적 문화 접변

- 물리적 강제력을 통해 지배 사회의 문화 요소를 피지배 사회의 문화 체계 속에 강제 이식함으로써 나타나는 문화 변동
- 무력에 의한 정복이나 식민 통치와 같은 상황에서 나타남
- 자문화에 대한 정체성이 강한 문화권에 시도될 경우 문화적 저항 및 복고 운동이 나타날 수 있음

⑩ 로마의 지중해 지역과 서부 유럽 정복, 백인의 북아메리카 인디언 정복, 유럽의 아프리카 지배 등 수많은 정치적 팽창 과정에서 나타난 문화 변동

② 자발적 문화 접변

- 사회 구성원들이 바람직하거나 필요하다고 느껴 스스로 다른 사회의 문화 요소를 수용함으로써 나타나는 문화 변동

문화 접변과 문화 정체성

자문화에 대한 정체성이 강한지 약한지에 따라 문화 접변이 전혀 다른 결과를 낳을 수 있다. 자문화에 대한 정체성이 강한 경우, 자발적 문화 접변이 이루어지면 선별적 문화 수용이 가능하지만 강제적 문화 접변이 이루어지면 강한 저항이나 복고 운동을 야기할 수 있다. 반면, 자문화에 대한 정체성이 약한 경우, 자발적 문화 접변이 이루어지면 무분별한 문화 수용으로 혼란이 야기될 수 있고 강제적 문화 접변이 이루어지면 자문화의 정체성 상실로 이어질 수 있다.

신사 참배

신사 참배는 일본이 우리나라 사람들에게 그들의 종교를 강요한 대표적인 강제적 문화 접변의 사례이다.

- 이민이나 유학, 물적 교류 등의 과정에서 빈번하게 나타남
- 문화 수용자의 필요와 의지에 따라 이루어진다는 특징이 있으며, 한 사회의 문화 발전에 긍정적인 영향을 끼치는 경우가 많음
  예 이민자가 스스로 새로운 사회의 문화를 수용하는 경우

올쏘자료 Plus⁺ 강제적 문화 접변과 자발적 문화 접변

> (가) 1939년 11월 조선민사령 개정으로 창씨개명 실시가 결정되었다. 6개월 시한으로 받은 창씨 신청은 조선인 호수의 80%에 달했다. 지금도 일본 우익은 창씨개명에 관해 "다소 무리는 있었지만 법적으로 강제한 것은 아니었다."라는 논리를 편다. 창씨하지 않은 20%의 존재를 그 근거로 내세운다. 하지만 초기에 신고가 부진하자 법원이 "전 호수의 씨(氏) 신고를 완료하라."라고 읍·면장 등에게 명령한 공문이나 지역 간 경쟁을 부추겼다는 증거가 속속 나오고 있다.
>
> (나) 영화 「아바타」에 나오는 나비족의 모티브(motive)라고 알려진 '나바호족'은, 미국 남서부 지역에 거주하는 미국 내 가장 큰 원주민 부족이다. 현재 보호 구역에 사는 이들의 경제적 기반은 양과 소, 모직물과 양탄자, 은세공품이다. 다른 경제적 기반과 달리 은세공 기술은 이들이 19세기에 이웃한 지역으로 이주해 온 에스파냐인과 친밀하게 접촉하면서 직접 배웠다고 알려져 있다. '나바호'라는 부족의 이름도 영어가 아니라 에스파냐어 'Navajo'로 표기한다.

(가)는 강제적 문화 접변, (나)는 자발적 문화 접변의 사례이다. 강제적 문화 접변은 문화 요소 제공자의 필요와 의지로부터 시작되는 데 반해, 자발적 문화 접변은 문화 요소 수용자의 필요와 의지로부터 시작된다.

2 문화 접변의 결과

(1) **문화 동화** : 전통문화 요소가 외래문화 요소로 대체되어 고유한 문화적 정체성을 상실하는 현상 예 아메리카 인디언이 백인 문화와 접촉하면서 자기 문화를 상실한 사례

(2) **문화 공존(문화 병존)** : 서로 다른 사회의 문화가 접촉하면서 한 사회의 문화 체계 속에 외래문화 요소와 전통문화 요소가 각자의 고유성을 유지한 채 나란히 존재하는 현상 예 우리나라에 기독교, 천주교, 불교 등 다양한 종교 문화가 고유의 특성을 유지한 채 나란히 존재하는 사례

(3) **문화 융합** : 전통문화 요소와 외래문화 요소가 결합하여 두 문화 요소의 성격을 지니면서도 새로운 성격을 지닌 제3의 문화가 형성되는 현상 예 미국에서 아프리카 흑인 음악과 유럽 백인 음악의 요소가 어우러져 재즈가 탄생한 사례

올쏘자료 Plus⁺ 문화 접변의 결과 이해

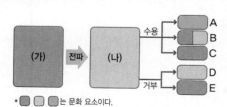

* ▨ ▨ ▨는 문화 요소이다.

왼쪽 그림은 (가) 문화가 (나) 문화로 전파되면서 나타나는 문화 변동 양상을 도식화한 것이다. A는 (가) 문화와 (나) 문화가 만나 새로운 문화가 발생하였으므로 문화 융합에 해당한다. B는 (가) 문화와 (나) 문화가 함께 존재하므로 문화 공존에 해당한다. C는 (가) 문화가 전파된 결과로 (나) 문화는 사라지고 (가) 문화만 존재하므로 문화 동화에 해당한다. D는 (가) 문화의 전파를 (나) 문화권에서 거부하면서 저항이나 복고의 움직임이 발생할 경우, (가) 문화는 전파되지 못하고 (나) 문화만 존재한 것이다. E는 (가) 문화의 전파를 (나) 문화에서 거부하는 경우에 (가) 문화는 강제로 전파될 수도 있다. 이 경우 (나) 문화는 (가) 문화에 잠식당할 수 있다.

문화 동화와 문화 정체성
문화 동화는 문화 공존이나 문화 융합이 고유문화의 정체성을 유지하고 있는 것과 달리 외래문화와 교류하는 과정에서 고유문화의 정체성을 상실하는 것이다. 이러한 현상은 대체로 자기 문화에 대한 문화적 정체성이 약하거나 보존 노력이 미흡한 경우, 또는 다른 나라의 군사적·정치적 지배로 문화가 강제로 규제될 때 나타나기 쉽다. 이로 인해 특정한 문화가 다른 문화를 흡수할 때에는 한 사회의 고유한 문화를 소멸시키기도 한다.

문화 공존의 순기능과 역기능
문화 공존이 나타나면 한 사회의 문화적 정체성이 보존되면서 문화적 다양성이 실현되는 장점이 있다. 하지만 새로운 문화가 창조되지 않고, 병존하는 두 문화 중 하나의 문화만을 중시하는 사람들에 의해 갈등이 발생할 수도 있다.

문화 융합과 문화 정체성
문화 융합은 문화 접변의 결과로 등장한 새로운 문화 요소에 기존 문화 요소가 녹아 있기 때문에 기존 문화의 정체성도 남아 있는 것으로 보아야 한다.

03 문화 변동에 따른 문제와 대처 방안

1. 문화 변동에 따른 문제점

(1) **문화 충격 및 정체성 상실**: 급속한 문화 변동 과정에서 사회 구성원들은 적응에 어려움을 겪고 자문화의 정체성에 대해 혼란을 겪거나 정체성을 상실할 우려가 있음

(2) **아노미 현상**: 급속한 문화 변동 과정에서 전통 규범의 통제력이 약화하고 새로운 규범이 정립되지 않아 가치관 혼란이 발생할 수 있음

(3) **문화 지체 현상**: 비물질문화의 변동 속도에 비해 물질문화의 변동 속도가 빨라 문화 요소 간 부조화가 발생하고 사회 문제를 야기할 수 있음

> **아노미 현상**
> 아노미 현상은 규범 부재 현상을 말한다. 문화가 급격하게 변동하면 변화 이전 문화 체계의 규범은 붕괴되어 버리고 새로운 문화 체계에 어울리는 체계는 아직 확립되지 않아 마치 규범이 부재하는 상황처럼 비춰질 수 있다.

올쏘 자료 Plus⁺ 문화 지체 현상

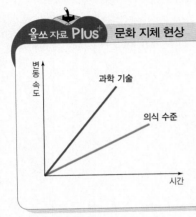

'문화 지체(Cultural lag)'는 원래 미국의 사회학자 오그번(Ogburn, W. F.)이 그의 저서에서 현대 문명을 진단하며 사용한 용어이다. 일반적으로 의식주나 기술과 같은 물질문화는 변동 속도가 빠르지만, 제도나 규범 및 가치관 등의 비물질문화는 상대적으로 변동 속도가 느리다. 이 같은 물질문화와 비물질문화 간의 부조화 현상은 사회 문제를 야기하기도 한다. 일례로, 자동차 보급률이 증가하고 관련 기술도 혁신을 이루었으나 불법 주정차, 난폭 운전, 음주 운전 등의 문제는 변함없이 존재하는 것을 들 수 있다.

> **물질문화와 비물질문화**
> 문화에는 가시적 요소들로 구성된 물질문화와 비가시적 요소들로 구성된 비물질문화가 있다. 물질문화의 대표적 사례로는 집, 교통수단, 음식 등을 들 수 있다. 한편, 비물질문화의 대표적 사례로는 철학, 종교, 제도 등이 있다.

2. 문화 변동에 따른 문제점에 대한 대처 방안

(1) 문화 변동에 주체적으로 대응하고, 자문화의 정체성을 토대로 필요한 문화 요소만을 선별적으로 수용하기 위한 노력을 기울여야 함

(2) 물질문화의 변동에 적응할 수 있도록 새로운 가치나 규범을 확립하기 위해 노력해야 함

(3) 사회가 급격하게 변할 때에는 사회 구성원의 합의를 도출하여 새로운 규범을 확립함으로써 아노미 현상에 대처해야 함

2단계 개념 쏙 정리하기

1. 문화 변동의 요인

내재적 요인	발명	기존에 없던 것을 새롭게 만들어 내는 것
	발견	존재하지만 알려지지 않았던 것을 찾아내는 것
외재적 요인	직접 전파	사람에 의해 문화 요소가 직접 전해지는 것
	간접 전파	매개체에 의해 문화 요소가 간접적으로 전해지는 것
	자극 전파	다른 문화 요소로부터 아이디어를 얻어 새로운 문화의 등장을 자극하는 것

2. 문화 변동의 양상

변동 요인의 소재	내재적 변동	발명, 발견 등에 따른 문화 변동
	외재적 변동	문화 전파에 따른 문화 변동
자발성 유무	강제적 문화 접변	물리적 강제에 의한 문화 수용
	자발적 문화 접변	스스로의 필요에 따른 문화 수용

3. 문화 접변의 결과

문화 동화	한 사회의 문화가 다른 사회의 문화에 의해 완전히 대체되어 정체성을 상실하는 현상
문화 공존 (문화 병존)	서로 다른 여러 문화가 각각의 고유성을 유지한 채 나란히 존재하는 현상
문화 융합	서로 다른 두 문화가 결합하여 새로운 성격을 가진 제3의 문화가 나타나는 현상

4. 문화 변동에 따른 문제점 및 대응책

문화 충격 및 정체성 상실	주체적인 태도로 외래문화 수용
아노미 현상	변화한 문화에 맞는 새로운 규범 확립
문화 지체 현상	물질문화와 비물질문화 간의 불균형 해소 → 변화된 물질문화에 맞는 제도 및 가치관 확립

● **다음 내용을 읽고 옳으면 ○, 틀리면 ×에 표시하시오.**

1 존재하지만 알려지지 않은 사물이나 원리 등을 찾아내는 것을 발명이라고 한다. (○, ×)

2 발견은 문화 변동의 내재적 요인에 해당한다. (○, ×)

3 문화 변동은 다른 문화 체계와의 직접적인 접촉을 통해서만 이루어진다. (○, ×)

4 새로운 문화 요소가 발명되어도 사회 구성원들에 의해 수용되어야 문화 변동이 나타날 수 있다. (○, ×)

5 매개체를 통해 전달된 문화 요소만으로도 문화 변동이 가능하다. (○, ×)

6 자극 전파는 다른 문화 요소로부터 아이디어를 얻어 새로운 문화 요소가 형성되는 것을 말한다. (○, ×)

7 발명, 발견, 전파는 동시적으로 발생 가능하다. (○, ×)

8 모든 문화 접변은 자발적으로 이루어진다. (○, ×)

9 자동차, 컴퓨터, 인터넷은 발명의 산물이다. (○, ×)

10 2차적 발명은 문화 변동의 내재적 요인이다. (○, ×)

● **문화 변동의 요인이 발명이면 '명', 발견이면 '견', 직접 전파이면 '직', 간접 전파이면 '간', 자극 전파이면 '자'에 표시하시오.**

11 조선 시대에 미국 선교사들이 조선 청년들에게 처음으로 배구를 가르쳤다. (명, 견, 직, 간, 자)

12 한국 드라마와 영화가 인기를 끌면서 한국어와 한국 문화가 세계 곳곳에 전파되었다. (명, 견, 직, 간, 자)

13 다른 나라에 이미 존재하던 종교의 교리로부터 아이디어를 얻어 새로운 종교를 창시하였다. (명, 견, 직, 간, 자)

14 불을 사용하게 되면서 인간은 다양한 질병에서 해방되었고 짐승들로부터 자신을 지킬 수 있게 되었다. (명, 견, 직, 간, 자)

15 바퀴가 만들어지자 인간의 생활 반경이 확대되고 지역 간 교류가 활발해졌다. (명, 견, 직, 간, 자)

16 세쿼야 문자(체로키 문자)는 알파벳의 영향을 받아 새롭게 만들어졌다. (명, 견, 직, 간, 자)

17 프라이드 치킨은 6·25 전쟁 이후 미군들에 의해 우리나라에 전해졌다. (명, 견, 직, 간, 자)

18 독일의 구텐베르크는 인쇄술을 만들어 자국 내 지식 보급에 크게 기여하였다. (명, 견, 직, 간, 자)

● **다음 내용 중 옳은 것에 ○표 하시오.**

19 (㉠ 내재적 변동, ㉡ 외재적 변동)은 발명, 발견 등에 의해 새로운 문화 요소가 문화 체계 속에 확산되면서 문화 변동이 나타나는 것을 말한다.

20 대부분의 문화 접변은 (㉠ 자발적 문화 접변, ㉡ 강제적 문화 접변)이다.

21 (㉠ 자발적 문화 접변, ㉡ 강제적 문화 접변)은 수용자의 의사에 반하여 이루어지는 문화 접변이다.

22 (㉠ 자발적 문화 접변, ㉡ 강제적 문화 접변)은 외부 사회의 필요와 의지에 따라 이루어지는 문화 접변이다.

23 문화 접변이란 (㉠ 단기간, ㉡ 장기간)에 걸쳐 두 문화 체계가 접촉함에 따라 한쪽 또는 양쪽 사회 모두의 문화 체계에 변화가 나타나는 현상을 말한다.

● **빈칸에 들어갈 알맞은 말을 쓰시오.**

24 전통적인 온돌 문화와 서양식 가옥 구조가 만나 온돌식 아파트가 생겨난 것은 ( )의 사례이다.

25 우리나라에 다양한 종교가 그 고유한 특성을 보존한 채로 함께 존재하는 것은 ( )의 사례이다.

26 우리나라의 전통 의복인 한복 대신 서양식 의복이 일상복으로 자리매김한 것은 ( )의 사례이다.

27 간접 전파와 직접 전파의 공통점은 모두 ( ) 요인에 따른 문화 접변에 해당한다는 점이다.

28 김치 버거, 불고기 피자, 고추장 파스타는 ( )의 사례에 해당한다.

29 자문화의 정체성이 강한 문화 체계에 강제적 문화 접변이 이루어지면 ( ) 운동이 발생할 수 있다.

30 새롭고 이질적인 문화에 적응하지 못하여 혼란이 발생하면 문화 ( )을/를 상실할 우려가 있다.

31 급격한 문화 변동으로 인해 전통적인 규범의 통제력이 약화되고 새로운 규범이 확립되지 않아 ( )이/가 발생할 수 있다.

32 물질문화의 변동 속도에 비해 비물질문화의 변동 속도가 느려 ( ) 현상이 발생할 수 있다.

33 문화 충격이나 아노미를 해결하기 위해서는 변화된 문화 체계에 맞는 새로운 가치나 ( )을/를 확립해야 한다.

34 문화 지체 현상을 해결하기 위해서는 물질문화의 수준에 맞게 ( )을/를 발전시켜야 한다.

---

1 ×(발견) 2 ○ 3 ×(간접 전파와 자극 전파도 있음) 4 ○ 5 ○ 6 ○ 7 ○ 8 ×(강제적 접변도 있음) 9 ○ 10 ○ 11 직 12 간 13 자 14 견 15 명 16 자 17 직 18 명 19 ㉠ 20 ㉠ 21 ㉡ 22 ㉡ 23 ㉡ 24 문화 융합 25 문화 공존 26 문화 동화 27 외재적 28 문화 융합 29 저항 또는 복고 30 정체성 31 아노미 32 문화 지체 33 규범 34 비물질문화

유형 ① 대중 매체의 유형에 대한 분석

그림은 대중 매체의 유형 A, B의 특징을 비교한 것이고, A, B는 각각 인쇄 매체, 뉴 미디어 중 하나이다.

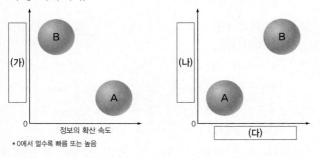

*0에서 멀수록 빠름 또는 높음

◇ 본문 61쪽
03 대중문화의 이해와 비판적 수용

자료 접근 대중 매체의 유형을 분석하는 문제는 인쇄 매체, 영상 매체, 뉴 미디어의 매체적 특징에 기초하여 출제된다. 가장 기본적인 유형에 해당하는 문제는 위와 같이 몇 가지 특징을 제시한 뒤 매체별로 그 특징이 강하게 나타나는지, 약하게 나타나는지를 파악하게 하는 것이며, 최근에는 여기에 통계 자료를 분석하는 능력까지 복합적으로 묻는 문제도 출제되어 난이도가 높아지고 있다.

자료 분석
• 우선, A, B가 인쇄 매체 또는 뉴 미디어 중 하나에 해당한다고 특정하고 있다. 첫 번째 그래프에서 '정보의 확산 속도'와 관련하여 A와 B 매체가 무엇인지 단서를 제시하고 있다. A는 정보의 확산 속도가 빠르고, B는 정보의 확산 속도가 상대적으로 느리므로, A가 뉴 미디어, B가 인쇄 매체임을 파악할 수 있다.
• A, B를 각각 특정한 매체로 파악하고 난 뒤에는 (가)에 어떤 매체의 특성이 들어갈 수 있는지 분석할 수 있다. (가)의 특성은 뉴 미디어에서는 낮은 수준으로 나타나고, 인쇄 매체에서는 높은 수준으로 나타나는 특성이어야 한다. 정보 생산자와 정보 소비자 간 경계의 명확성이 대표적인 경우이다.
• 우측 그래프를 보면, (나), (다) 모두 A(뉴 미디어)보다는 B(인쇄 매체)에서 강하게 나타나는 특성이다. 결론적으로 (가), (나), (다) 모두 뉴 미디어가 아닌 인쇄 매체에서 강하게 나타나는 특성이어야 그래프가 성립된다. 정보 생산자와 정보 소비자 간 경계의 명확성 말고도 심층 정보 전달의 용이성 또한 인쇄 매체에서 더 높게 나타난다. 정보 확산의 시·공간적 제약 또한 인쇄 매체에서 더 높게 나타나는 특성이라고 할 수 있다.

🔖 일방향 매체와 쌍방향 매체
• 일방향 매체 : 정보 생산자와 정보 수용자가 뚜렷하게 구별됨(신문, 서적, 라디오, 텔레비전 등의 전통적 매체)
• 쌍방향 매체 : 정보 수용자가 정보 생산자의 역할을 하기도 함(인터넷, 스마트폰 등의 뉴 미디어)

• 위의 자료에 대한 설명으로 옳은 것은? (단, A, B는 각각 인쇄 매체, 뉴 미디어 중 하나이다.)

① A는 B에 비해 정보 확산의 시·공간적 제약이 크다.
② B는 A와 달리 정보의 동시적 전달이 가능하다.
③ (가)에는 '정보 재가공의 용이성'이 들어갈 수 있다.
④ (나)에는 '시청각 정보 제공의 용이성'이 들어갈 수 있다.
⑤ (다)에는 '정보 생산자와 정보 소비자 간 경계의 명확성'이 들어갈 수 있다.

선택지 풀이
① 오답 : 뉴 미디어는 인쇄 매체에 비해 정보 확산의 시·공간적 제약이 적다.
② 오답 : 인쇄 매체는 정보를 동시적으로 전달할 수 없다.
③ 오답 : 정보 재가공의 용이성은 뉴 미디어에서 더 높다.
④ 오답 : 시청각 정보 제공의 용이성은 인쇄 매체보다 뉴 미디어에서 더 높게 나타난다. 인쇄 매체는 시각적 정보만을 제공한다.
❺ 정답 : 인쇄 매체나 영상 매체의 경우 정보 생산자의 높은 전문성이 요구된다. 따라서 일반인이 정보 생산에 참여하는 것이 쉽지 않으므로 정보 생산자와 정보 소비자 간 경계가 명확하다고 할 수 있다. 반면, 뉴 미디어의 경우 누구나 정보 생산에 참여할 수 있어 정보 생산자와 정보 소비자 간 경계가 모호해진다.

유형 ❷ 대중 매체 이용 실태에 대한 분석

자료는 어떤 세대의 매체 이용 실태를 조사한 결과이고, A, B는 각각 전통적 영상 매체와 뉴 미디어 중 하나이다.

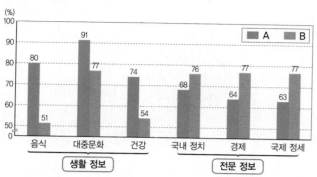

* 정보의 생산자와 소비자 간 경계의 명확성은 A<B임
**각각의 수치는 전체 응답자 중 해당 정보를 획득하기 위해 각 매체를 이용한 비율이며, 무응답은 없음 ── 정보의 생산자와 소비자 간 경계의 명확성은 전통적 영상 매체가 높다.

본문 61쪽
❽ 대중문화의 이해와 비판적 수용

자료 접근 대중 매체의 이용 실태를 자료로 제시하고 텔레비전과 뉴 미디어의 특징을 묻는 문제이다. 이러한 유형의 문제는 제시된 자료 속의 조건들이 힌트이자 문제 해결의 실마리이다. 따라서 자료에 제시된 두 가지 조건을 염두에 두고 문제를 풀어야 한다.

자료 분석 A, B는 각각 전통적 영상 매체(텔레비전)와 뉴미디어 중 하나라고 하였고, 제시된 조건 중 '정보의 생산자와 소비자 간 경계의 명확성은 A<B'라고 하였으므로, 정보의 생산자와 소비자 간 경계의 명확성은 전통적 영상 매체인 텔레비전이 높다. 따라서 A는 뉴 미디어, B는 전통적 영상 매체이다.

• 이를 바탕으로 자료를 살펴보면, 음식, 대중문화, 건강과 같은 생활 정보는 뉴미디어의 이용 비율이 더 높고, 국내 정치, 경제, 국제 정세와 같은 전문 정보는 전통적 영상 매체의 이용 비율이 더 높다.

• 일반적으로 뉴 미디어를 이용하는 사람은 자신이 원하는 시간에 해당 정보에 접근할 수 있지만, 전통적 영상 매체를 이용하는 사람은 정해진 시간에 맞추어 모든 이용자들이 해당 정보에 접근해야 한다. 이러한 특성에 비추어 보면, 현실적으로 생활 정보를 획득하는 데 있어서, 각각의 정보를 얻기 위해 선별적으로 매체를 이용하는 경우는 전통적 영상 매체보다 뉴 미디어가 더 많을 것이다.

🔖 비율과 건수
기본적으로 비율(%)을 통해 건수를 파악하기는 어렵다. 하지만 전체 건수가 제시되어 있거나, 전체 100% 안에서 건수의 크기 비교는 가능하다. 제시된 자료에는 각각 100%에 해당하는 부분의 전체 건수가 제시되어 있지 않기 때문에 비율(%)만으로 건수를 파악하기는 어렵다.

• **위의 자료에 대한 분석으로 옳은 것은? (단, A, B는 각각 전통적 영상 매체와 뉴 미디어 중 하나이다.)**

① 생활 정보 획득에서 일방향 매체를 이용한 응답자보다 쌍방향 매체를 이용한 응답자가 많다.

② 전문 정보 획득에서 정보 재가공이 용이한 매체를 이용한 응답자보다 그렇지 않은 매체를 이용한 응답자가 적다.

③ A를 이용하여 생활 정보를 획득한 건수가 전문 정보를 획득한 건수보다 많다.

④ B를 이용하여 '경제' 정보를 획득한 사람은 모두 '국제 정세' 정보도 획득하였다.

⑤ A의 이용 비율과 B의 이용 비율 간의 차이는 생활 정보 획득에서보다 전문 정보 획득에서 더 크다.

선택지 풀이

❶ 정답 : 생활 정보(음식, 대중문화, 건강)의 비율을 각각 살펴보면 A가 B보다 크다. 따라서 생활 정보 획득에서 일방향 매체(TV)를 이용한 응답자보다 쌍방향 매체(뉴 미디어)를 이용한 응답자가 많다.

❷ 오답 : 전문 정보(국내 정치, 경제, 국제 정세)의 비율을 각각 살펴보면 B가 A보다 크다. 따라서 정보 재가공이 용이한 매체(뉴 미디어)를 이용한 응답자보다 그렇지 않은 매체(TV)를 이용한 응답자가 많다.

❸ 오답 : 뉴 미디어를 이용하여 생활 정보나 전문 정보를 획득한 건수는 제시된 자료(비율)만으로 파악하기 어렵다.

❹ 오답 : 전통적 영상 매체(TV)를 이용하여 '경제' 정보와 '국제 정세' 정보를 획득한 비율은 77%로 같지만 모든 응답자가 중복되었다고 단정하기 어렵다.

❺ 오답 : 뉴 미디어의 이용 비율과 전통적 영상 매체(TV)의 이용 비율 간의 차이는 생활 정보 획득에서보다 전문 정보 획득에서 더 작다. 전체적으로 A와 B의 높이 차이를 보면 생활 정보 획득에서의 이용 비율 차이가 전문 정보 획득에서의 이용 비율 차이보다 더 크다는 것을 알 수 있다.

대단원 한눈에 정리

문화를 바라보는 관점
- 총체론적 관점
- 비교론적 관점
- 상대론적 관점

문화 이해의 태도
- 자문화 중심주의
- 문화 사대주의
- 문화 상대주의
- 극단적 문화 상대주의

문화를 바라보는 관점과 문화 이해 태도

문화의 의미
- 좁은 의미 : 현대적인 것, 세련된 것, 예술의 특정 분야 등
- 넓은 의미 : 생활 양식의 총체

문화의 의미와 속성

문화의 속성
- 학습성
- 공유성
- 변동성
- 축적성
- 총체성

내재적 요인
- 발명 : 없던 것을 만들어 냄
- 발견 : 있던 것을 찾아냄

문화 변동의 요인

외재적 요인
- 직접 전파 : 사람에 의해 전파
- 간접 전파 : 매개체에 의해 전파
- 자극 전파 : 아이디어를 얻어 새로운 문화 요소 발명

하위문화
- 한 사회 내에서 특정 집단만이 공유하는 문화
- 상대성을 지님
- 소속감을 부여하고 주류 문화의 다양성에 기여함
- 세대 문화, 지역 문화, 반문화 등

변동 요인의 소재에 따라
- 내재적 변동 : 발명, 발견
- 외재적 변동 : 문화 접변

하위문화와 대중문화

대중문화
- 대중 매체를 통해 형성되고 확산됨
- 오락 제공
- 문화의 획일화, 상업화, 정치적 무관심을 야기할 수 있음
- 비판적 수용 능력이 요구됨

문화 변동의 양상

자발성의 유무에 따라
- 강제적 문화 접변 : 외부 문화 체계 중심
- 자발적 문화 접변 : 수용자 중심

문화 접변의 결과
- 문화 동화 : A+B=A 또는 B
- 문화 공존(병존) : A+B=A 그리고 B
- 문화 융합 : A+B=C

문화와 일상생활

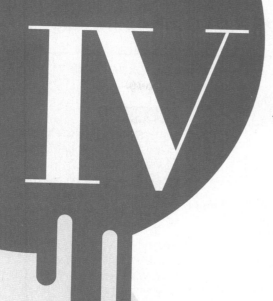

IV 사회 계층과 불평등

이 단원의 수능 출제 분석

이 단원은 매년 고난도 도표 분석 문항이 많이 출제되는 단원으로, 특히 사회 이동과 계층 구조를 분석하는 문항의 출제 빈도와 난이도가 상당히 높다. 이 문항은 수능 시험에서 거의 매년 20번 문항으로 출제되고 있다. 사회 보장 제도를 비교하는 문항과 사회 불평등 현상을 바라보는 관점을 비교하는 문항도 자주 출제되었다. 절대적 빈곤과 상대적 빈곤을 분석하는 문항, 계급 이론과 계층 이론을 비교하는 문항, 사회적 소수자 문제를 이해하는 문항도 출제되고 있다.

이 단원의 수능 빈출 주제

1순위 사회 이동과 계층 구조 분석
출제빈도 ★★★★★ 난이도 상

2순위 사회 보장 제도의 유형과 특징 비교
출제빈도 ★★★★★ 난이도 중

3순위 사회 불평등 현상을 바라보는 관점 비교
출제빈도 ★★★ 난이도 중

4순위 절대적 빈곤과 상대적 빈곤에 대한 분석
출제빈도 ★★★ 난이도 상

5순위 계급 이론과 계층 이론의 비교
출제빈도 ★★ 난이도 중

6순위 사회적 소수자 문제의 이해
출제빈도 ★★ 난이도 중

10강 사회 불평등 현상과 사회 계층의 이해

키워드

사회 불평등 현상, 사회 계층화 현상, 계급, 계층, 사회 계층 구조, 사회 이동

1단계 개념 確 뜯어보기

01 사회 불평등 현상의 의미와 유형

1. 사회 불평등 현상의 의미

(1) 의미 : 부, 권력, 명예, 지식 등 사회 구성원들이 보다 가치 있다고 여겨 소유하기를 바라는 사회적 자원이 불평등하게 분배되어 개인 및 집단이 서열화되어 있는 현상

(2) 원인

① 개인적 요인 : 사회가 요구하는 능력이나 조건을 갖춘 정도의 차이

② 사회적 요인 : 사회 구조적으로 존재하는 사회 구성원 간 사회적 희소가치에 대한 획득 기회의 차이

(3) 특징 : 사회 불평등은 어느 사회에나 존재하는 현상이며 개인뿐만 아니라 집단 간에 나타나기도 하는데, 사회 불평등이 심화될 경우 갈등이 발생하기도 함

(4) 유형

① 경제적 불평등 : 소득이나 재산 등의 경제적 가치가 차등 분배됨으로써 나타나는 불평등으로 가장 일반적이고 전형적인 사회 불평등의 모습임 → 부유층, 중산층, 빈곤층 간의 불평등은 생활 수준의 격차로 이어짐

② 정치적 불평등 : 권력이라는 사회적 자원을 놓고 권력의 소유와 행사 정도가 개인 또는 집단마다 다르게 나타나는 현상 → 정치 참여 기회가 특정 계층에게만 주어질 경우 심화될 수 있음

③ 사회 · 문화적 불평등 : 사회적 지위, 교육 기회와 수준, 지식과 정보의 소유, 그 밖의 여러 가지 사회 · 문화적 생활의 기회와 수준에서 나타나는 불평등

④ 정보 불평등(정보 격차) : 정보 기기에 대한 접근 기회, 고급 정보의 소유와 접근 기회에서의 불평등

⑤ 기타 : 성 불평등, 지역 간 불평등, 건강 불평등 등

(5) 영향 : 사회 구성원 간 생활 양식, 가치관, 사고방식의 차이를 초래할 수 있으며, 사회 구성원 간에 경쟁을 촉진하여 사회적 효율성을 높여 주기도 하지만 갈등을 유발하여 사회 통합을 저해하기도 함

2. 사회 계층화 현상

(1) 의미 : 사회 구성원 간 불평등이 일정한 요인에 따라 범주화되고, 범주화된 사람들 간에 구조적 서열이 존재하는 현상으로서, 사회 불평등 현상이 일정한 틀이나 체계를 갖추어 나타나는 현상

(2) 발생 원인

① 사회적 가치의 희소성 : 사회에는 구성원들이 갖고자 하는 재산, 권력, 지위 등과 같은 사회적 가치가 존재하는데, 이 사회적 가치들은 사회 구성원들이 공평하게 나눌 수 있을 만큼 그 양이 충분하지가 않음

② 개인적 차이 : 개인마다 능력과 학력, 출신 배경 등에 차이가 있음

③ 분배 구조와 사회 제도 : 기존의 기득권층이 자신들의 특권을 유지하기 위해 불평등한 분배 구조나 사회 제도를 만들기도 함

만점 공부 비법

- 사회 불평등 현상의 의미와 특징을 이해하고, 다양한 사회 불평등 현상을 사례와 함께 알아둔다.

- 사회 불평등 현상을 보는 관점으로서의 기능론과 갈등론의 특징을 비교하고, 이를 계급 · 계층 개념과 연결지어 알아둔다.

- 사회 계층 구조와 세대 간 이동에 관한 문제는 고난도 문제로 출제되고 있다. 제시된 정보를 하나도 놓치지 말아야 하고, 기출 문제를 통해 다양한 유형을 반복해서 훈련해야 한다.

사회적 희소가치
사회 구성원 다수가 소유하기를 원하지만 모든 사람의 욕구를 충족시켜 줄 정도로 존재량이 충분하지 않은 부, 권력, 지위나 명예 등을 의미한다.

사회 불평등 현상의 보편성과 특수성
사회 구성원 간 불평등한 정도에는 차이가 있으나 인류 역사에서 완전히 평등한 사회는 존재한 적이 없으며 앞으로도 그런 사회가 등장할 가능성은 없다고 해도 과언이 아니다. 따라서 사회 불평등 현상은 모든 시대와 사회에 존재하는 보편적인 현상이다. 하지만 어떤 희소가치로 인해 사회 불평등 현상이 나타나는지는 시대와 사회에 따라 특수성을 보인다.

자연적 불평등과 사회적 불평등
- 자연적 불평등 : 성별, 나이 등 선천적인 차이에 따른 불평등을 말한다.
- 사회적 불평등 : 재산, 권력, 지위와 같이 사회적 관계 속에서 형성되는 불평등을 말한다.

구분	자연적	사회적
수평적	종류의 차이 (외모, 성별)	사회적 분화 (분업)
수직적	서열의 차이 (체력, 지능)	사회 계층(카스트제)

(3) 양상 : 사회 계층화 현상은 시대와 사회를 초월하여 일반적으로 나타나는 현상이지만, 그 요인과 범주화되는 양상은 시대와 사회에 따라 다양하게 나타남

(4) 변화 양상

근대 이전의 사회	근대 이후의 사회
• 가문, 혈통, 성별 등 출신 배경이나 선천적 요인에 의해 결정된 개인의 신분이 사회 계층화 현상의 주요 요인이 됨 → 귀속 지위 중심의 사회 계층화 현상 • 서로 다른 신분 간의 혼인이 제한되는 등 관습이나 법에 의해 신분 질서가 엄격하게 유지됨 • 개인의 능력이나 업적에 의한 사회 이동이 매우 어려운 폐쇄적 계층 구조를 이룸 • 중세 유럽의 봉건 제도, 인도의 카스트 제도 등	• 신분 제도의 폐지로 인하여 개인의 능력과 업적, 성취 등과 같은 후천적인 요인이 사회 계층화 현상의 주요 요인이 됨 → 성취 지위 중심의 사회 계층화 현상 • 서로 다른 계층 간의 혼인이나 교류를 제한하는 법이 존재하지 않음 • 개인의 능력이나 업적에 의한 사회 이동이 가능한 개방적 계층 구조를 이룸 • 근대 유럽의 산업 사회, 현대 자유 민주주의 사회 등

02 사회 불평등 현상을 바라보는 관점

1. 기능론과 갈등론

(1) 기능론과 갈등론의 비교

구분	기능론적 관점	갈등론적 관점
기본 입장	사회의 각 요소가 사회 전체를 유지하는 데 필요한 기능을 유기적으로 수행 → 사회 불평등 현상도 하나의 사회 구성 요소로서 사회 유지와 존속을 위해 존재하는 필연적 현상	기본적으로 사회는 불평등한 구조로 이루어짐 → 사회의 지배 집단이 자신들의 기득권을 유지하기 위해 사회적 자원을 불공정하게 배분함으로써 사회 불평등 현상이 고착화됨
발생 원인	개인의 능력과 노력에 따른 차등적 보상 체계가 작동하여 계층이 형성됨 → 계층은 사회적 필요성에 의해 발생함 → 사회 계층화는 사회 유지를 위해 불가피함	지배 집단이 자신들의 기득권 유지를 위해 사회적 자원을 강제로 차등 분배한 결과 계층이 형성됨 → 계층은 집단 간 갈등의 결과물임 → 사회 계층화는 극복해야 할 현상임
핵심 개념	상호 의존, 합의, 통합, 균형	지배, 억압, 갈등, 강제
가치 배분의 기준과 수단	• 사회적 자원의 배분에 대한 구성원들 간의 사회적 합의 기준이 존재함 • 개인의 능력, 노력, 업적 등에 따라 사회적 자원이 공정하게 배분됨	• 지배 집단에게 유리한 기준에 따라 사회적 자원이 강제적으로 배분됨 • 가정 배경, 권력 등에 따라 사회적 자원이 차별적이고 불공정하게 배분됨
사회적 기능	• 사회 구성원에게 성취동기를 부여하고 구성원 간에 경쟁을 유발함으로써 사회가 효율적으로 작동하는 데 기여함 • 각 지위나 직업을 담당하는 데 필요한 능력을 갖춘 인재들이 적재적소에 배치됨으로써 사회 전체의 효율성이 향상될 수 있음 → 개인과 사회가 최선의 기능을 하도록 함	• 사회적 자원이 개인 능력과 무관하게 분배됨으로써 피지배 집단 구성원의 계층 상승을 억압함 • 불평등한 계층 구조를 재생산하거나 고착화함으로써 사회 구성원에게 상대적 박탈감을 느끼게 하고, 집단 간 갈등과 사회 혼란을 유발함 → 개인과 사회가 최선의 기능을 하는 데 장애 요소로 작용함
직업관	• 직업별로 중요도가 다름 • 사회적으로 중요한 기능을 하는 직업에 높은 사회적 지위와 많은 보수가 주어지는 것은 당연함	• 직업별로 중요도 차이는 없음 • 직업 간 사회적 지위와 보수의 차이는 지배 집단이 특정 직업에 더 높은 가치를 부여한 결과임
한계	• 가정적 배경이나 사회적 계급에 의한 현실적인 영향력을 간과함 • 보상에 대한 사회적 합의나 공정성이 보장되기 어렵다는 점을 간과함	• 다원주의 사회에서 다양한 사회 계층의 형성 과정을 설명하는 데 한계가 있음 • 가정적인 배경과 무관하게 개인적인 능력이나 노력이 지위 변동에 미치는 영향력을 간과함
사례	의사라는 직업은 환경 미화원이 하는 일보다 더 중요하고 어려운 기능을 요구하는 일이므로 더 많은 보상을 받는 것은 당연함	환경 미화원이 하는 일도 의사가 하는 일 못지않게 중요한데 의사에게 더 많은 보상을 주는 것은 기득권층의 이해관계가 반영된 것에 불과함

(2) 사회 불평등 현상의 균형적 이해 : 사회 불평등 현상을 이해하기 위해서는 어느 한 가지 관점보다는 기능론적 관점과 갈등론적 관점을 절충하고 조화시키려는 태도가 필요함

카스트 제도

카스트 제도는 수천 년간 지속해 온 인도의 신분 제도이다. 인도인들은 저마다의 운명에 따라 카스트가 정해져서 태어난다고 믿는다. 개인이 학자가 될 것인지, 거리의 청소부가 될 것인지도 카스트로 결정되는데, 타고난 카스트는 평생 바꿀 수가 없다. 인도의 헌법상 카스트 제도는 1947년 폐지되었지만 현실에서는 여전히 존재하여 인도의 정치적·사회적 통합을 방해하고 있다.

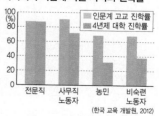

아버지의 직업에 따른 자녀의 진학률

(한국 교육 개발원, 2012)

자료를 보면 아버지의 직업에 따라 자녀의 진학률, 특히 4년제 대학 진학률에 큰 차이가 나타나고 있다. 이는 가정 배경에 따라 개인의 사회적 위치가 크게 영향을 받는다는 갈등론적 관점을 뒷받침하는 자료이다.

2. 사회 불평등 현상을 설명하는 이론(계급과 계층)

구분	계급	계층
의미	계급은 사회 불평등의 근본 원인을 경제적 측면에서 파악한 것으로, 생산 수단(자본, 토지 등)의 소유 여부에 따라 서열화된 위치 또는 집단을 말함	계층은 경제적 요인인 계급, 정치적 요인인 권력, 사회적 요인인 지위 등 다양한 요인에 따라 서열화된 위치 또는 집단을 말함
서열화의 기준	생산 수단의 소유 여부에 따라 자본가 계급(부르주아)과 노동자 계급(프롤레타리아)으로 구분함 → 일원론적 관점	경제적 계급, 정치적 권력, 사회적 지위 등 다양한 요인에 따라 상류층, 중류층, 하류층 등으로 구분함 → 다원론적 관점
특징	• 계급 간의 지배와 피지배 관계로 인해 갈등과 대립이 불가피하다고 전제함 • 이분법적, 불연속적으로 계층을 지배 계급과 피지배 계급으로 구분함 → 두 계급은 서로 단절적이며 지배와 피지배 관계에 있음 • 같은 계급에 속한 사람들 간에는 계급 의식이 강하게 나타나고 다른 계급에 대한 적대감이 강함 • 계급 간 사회 이동의 가능성이 매우 제한되어 있음을 강조함 • 사회 변혁 운동의 이론적 토대가 됨 • 중산층의 존재를 부정함	• 계층 간의 관계적 의미를 포함하지 않으며, 각 계층의 구분은 단순한 분류의 의미만을 지님 • 서열적, 연속적으로 계층을 상류층, 중류층, 하류층으로 구분함 → 계층들을 하나의 연속선상에 배열한 것임 • 동일 계층에 속한 사람들 간의 계층 의식이 미약하고 다른 계층에 대한 적대감이 약함 • 계층 간 사회 이동의 가능성이 자유로움을 강조함 • 지위 불일치 현상이 나타나기도 함 • 중산층의 존재를 인정함
이론	마르크스(Marx, K.)의 일원론	베버(Weber, M.)의 다원론
유용성	산업화 초기의 사회 불평등 현상을 설명하는 데 유용함	다원화된 현대 사회의 사회 불평등 현상을 설명하는 데 유용함
한계	다양한 사회 계층의 형성을 설명하기 어려움	대립과 갈등 관계를 설명하기 어려움

자본가 계급과 노동자 계급
• 자본가 계급 : 생산 수단을 소유하고 있으며 노동자를 고용하여 이윤을 얻는 유산(有産) 계급을 말한다.
• 노동자 계급 : 자본주의 사회에서 생산 수단을 소유하지 못하고, 자신의 노동력을 자본가 계급에게 팔아 생활하는 무산(無産) 계급을 말한다.

계급 의식
자신이 속한 계급을 명확히 인식하고, 동일한 계급에 속해 있는 사람들과 연대하면서 다른 계급에 대해서는 배타적이거나 적대적인 태도를 보이는 의식을 말한다.

지위 불일치 현상
경제적 지위(소득이나 재산), 사회적 지위(위신이나 학력), 정치적 지위(권력) 등 한 개인이 차지하고 있는 여러 가지 지위 중 하나 이상이 동일한 수준에 있지 않은 현상을 말한다.
예 경제적으로 높은 지위에 있는 벼락부자가 사회적 명성을 얻지 못한 경우

03 사회 계층 구조와 사회 이동

1. 사회 계층 구조

(1) 의미 : 한 사회에서 희소한 자원이 불평등하게 배분되고, 그러한 불평등이 지속되면서 정형화된 구조로 나타난 것

(2) 특징 : 사회 구성원들의 삶의 기회, 생활 양식, 사고방식 등에 영향을 미치며(구속성), 한 번 형성된 계층 구조는 제도화된 형태로서 오랜 기간 유지됨(지속성)

(3) 유형

① 계층 간 이동 가능성에 따른 계층 구조

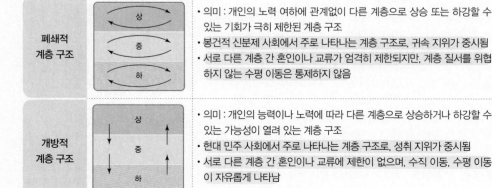

폐쇄적 계층 구조	• 의미 : 개인의 노력 여하에 관계없이 다른 계층으로 상승 또는 하강할 수 있는 기회가 극히 제한된 계층 구조 • 봉건적 신분제 사회에서 주로 나타나는 계층 구조로, 귀속 지위가 중시됨 • 서로 다른 계층 간 혼인이나 교류가 엄격히 제한되지만, 계층 질서를 위협하지 않는 수평 이동은 통제하지 않음
개방적 계층 구조	• 의미 : 개인의 능력이나 노력에 따라 다른 계층으로 상승하거나 하강할 수 있는 가능성이 열려 있는 계층 구조 • 현대 민주 사회에서 주로 나타나는 계층 구조로, 성취 지위가 중시됨 • 서로 다른 계층 간 혼인이나 교류에 제한이 없으며, 수직 이동, 수평 이동이 자유롭게 나타남

사회 계층 연구의 접근 방법
• 객관적 방법 : 사회 계층을 판단할 때에 사회 전체를 몇 개의 계층으로 구분하고 각 계층의 특성을 객관화할 수 있는 지표로 나타내어 응답하게 하는 방법이다.
• 주관적 방법 : 구성원 스스로가 자신을 평가하여 사회 계층의 위치를 규정하도록 하는 방법이다.
• 평가적 방법 : 제3자의 평가에 의해 피조사자의 계층을 판단하는 방법이다.

② 계층별 구성원 비율에 따른 계층 구조

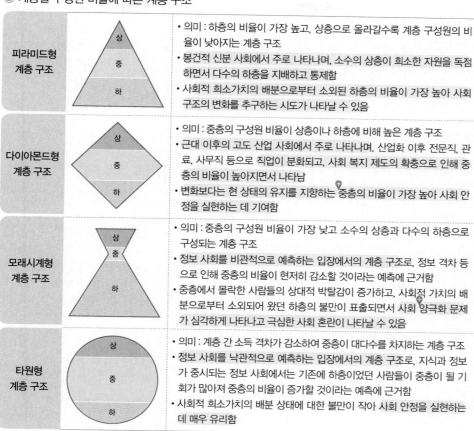

피라미드형 계층 구조	상 중 하	• 의미 : 하층의 비율이 가장 높고, 상층으로 올라갈수록 계층 구성원의 비율이 낮아지는 계층 구조 • 봉건적 신분 사회에서 주로 나타나며, 소수의 상층이 희소한 자원을 독점하면서 다수의 하층을 지배하고 통제함 • 사회적 희소가치의 배분으로부터 소외된 하층의 비율이 가장 높아 사회 구조의 변화를 추구하는 시도가 나타날 수 있음
다이아몬드형 계층 구조	상 중 하	• 의미 : 중층의 구성원 비율이 상층이나 하층에 비해 높은 계층 구조 • 근대 이후의 고도 산업 사회에서 주로 나타나며, 산업화 이후 전문직, 관료, 사무직 등으로 직업이 분화되고, 사회 복지 제도의 확충으로 인해 중층의 비율이 높아지면서 나타남 • 변화보다는 현 상태의 유지를 지향하는 중층의 비율이 가장 높아 사회 안정을 실현하는 데 기여함
모래시계형 계층 구조	상 중 하	• 의미 : 중층의 구성원 비율이 가장 낮고 소수의 상층과 다수의 하층으로 구성되는 계층 구조 • 정보 사회를 비관적으로 예측하는 입장에서의 계층 구조로, 정보 격차 등으로 인해 중층의 비율이 현저히 감소할 것이라는 예측에 근거함 • 중층에서 몰락한 사람들의 상대적 박탈감이 증가하고, 사회적 가치의 배분으로부터 소외되어 왔던 하층의 불만이 표출되면서 사회 양극화 문제가 심각하게 나타나고 극심한 사회 혼란이 나타날 수 있음
타원형 계층 구조	상 중 하	• 의미 : 계층 간 소득 격차가 감소하여 중층이 대다수를 차지하는 계층 구조 • 정보 사회를 낙관적으로 예측하는 입장에서의 계층 구조로, 지식과 정보가 중시되는 정보 사회에서는 기존에 하층이었던 사람들이 중층이 될 기회가 많아져 중층의 비율이 증가할 것이라는 예측에 근거함 • 사회적 희소가치의 배분 상태에 대한 불만이 작아 사회 안정을 실현하는 데 매우 유리함

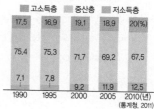

우리나라 계층 구성원 비율의 변화

■ 고소득층 ■ 중산층 ■ 저소득층

17.5	16.9	19.1	18.9	20(%)
75.4	75.3	71.7	69.2	67.5
7.1	7.8	9.2	11.9	12.5
1990	1995	2000	2005	2010(년)

(통계청, 2011)

제시된 그래프는 소득이 많은 순으로 고소득층, 중산층, 저소득층으로 구분한 것이다. 이때 계층의 구분은 사람들을 소득 순서에 따라 일렬로 배치할 때 정중앙에 있는 사람의 소득인 중위 소득을 기준으로, 어떤 사람의 소득이 중위 소득의 50% 이하이면 저소득층, 50~150% 사이이면 중산층, 150% 이상이면 고소득층인 것으로 분류하였다. 최근 들어 고소득층과 저소득층은 증가하는 반면 중산층의 비율은 감소하고 있다.

중층의 비율과 사회의 안전성
중층은 상층과 하층 사이에서 완충 역할을 하기 때문에 일반적으로 다른 계층에 비해 중층의 비율이 높을수록 사회의 안정성도 높다.

양극화
사회 내부의 집단이나 사람들이 상반된 방향으로 분리되는 현상을 가리킨다. 계층 구조의 측면에서는 중층 비율이 낮아지고 대대수 사회 구성원들이 상층과 하층으로 분리될 때 양극화가 나타난다. 이러한 현상이 나타날 경우 사회 통합 및 안정의 가능성이 낮아질 수밖에 없다.

올쏘 자료 Plus⁺ 불평등 정도에 따른 계층 구조의 유형

완전 불평등형	부분 불평등형	부분 평등형	완전 평등형
❙	상 중 하	상 중 하	▬
수직 계층 구조	피라미드형 계층 구조	다이아몬드형 계층 구조	수평 계층 구조

• 완전 불평등형 계층 구조 : 사회의 모든 구성원들의 계층적 지위가 하나의 수직선 위에 존재하는 계층 구조 → 이론적으로만 존재할 뿐 현실에서 나타나기 어려움
• 부분 불평등형 계층 구조 : 하층의 비율이 가장 높고, 계층적 위치가 높아지면서 계층 구성원의 비율이 줄어드는 계층 구조 → 피라미드형 계층 구조에서 주로 나타나고, 신분제 사회에서 일반적으로 나타나는 계층 구조임
• 부분 평등형 계층 구조 : 상층, 중층, 하층 중 중층의 비율이 다른 계층에 비해서 높은 계층 구조 → 다이아몬드형 계층 구조에서 주로 나타나고, 현대 사회에서 일반적으로 나타나는 계층 구조임
• 완전 평등형 계층 구조 : 사회의 모든 구성원들이 하나의 계층을 형성하고 있는 계층 구조 → 이론적으로만 존재할 뿐 현실에서 나타나기 어렵고, 공산주의나 유토피아적 종교관을 가진 집단이 지향하는 사회 계층 구조임

2. 사회 이동

(1) 의미 : 한 사회의 계층 구조 속에서 개인이나 집단의 계층적 위치가 변하는 현상

(2) 특징 : 전근대 사회보다 근대 이후 사회에서, 농촌 사회보다 도시 사회에서 더욱 뚜렷하게 나타나며, 사회 이동이 활발할수록 사회 구성원의 성취 욕구가 높아지고 사회 발전과 사회 통합이 용이함

(3) 유형

이동 방향	수직 이동	한 계층에서 다른 계층으로 계층적 위치가 변화하는 이동으로, 상승 이동과 하강 이동으로 구분됨 예 평사원 → 사장(상승 이동), 사장 → 실업자(하강 이동)
	수평이동	동일한 계층 내에서의 위치 변화로 계층적 위치의 높낮이는 바뀌지 않은 상태에서 비슷한 위치의 다른 직업을 갖거나 소속을 옮기는 등의 이동 예 영업부 과장 → 인사부 과장
세대 범위	세대 내 이동	한 개인의 생애 내에서 계층적 위치가 달라지는 사회 이동 예 무명 가수가 훗날 부와 명예를 가진 스타로 성장한 경우
	세대 간 이동	한 세대와 그 다음 세대 간에 걸쳐 계층적 위치가 변화하는 이동 예 빈농인 아버지와 대통령이 된 아들
이동 원인	개인적 이동	계층 구조의 변화를 수반하지 않고, 노력이나 능력 등 개인적 요인에 의해 계층적 위치가 변화하는 이동 예 자수성가하여 노점상에서 대기업 경영자가 된 경우
	구조적 이동	전쟁, 혁명, 산업화, 정보화 등의 급격한 사회 변동으로 인해 기존의 사회 구조가 변화하면서 개인이나 집단의 계층적 위치가 변화하는 이동 예 시민 혁명으로 봉건 귀족이 몰락(하강 이동)하고, 부르주아 계급이 사회 주도 세력으로 등장(상승 이동)한 경우

(4) 의의

① 사회 이동 가능성은 사회 구성원의 사회에 대한 인식과 태도에 영향을 주기 때문에 사회 이동 가능성이 없거나 낮을 경우 사회에 대한 불만이 커질 수 있음

② 사회 이동의 가능성은 계층 구조의 개방성을 판단하는 데 중요한 지표가 되지만, 하강 이동의 비중이 지속적으로 높은 것은 사회 불안의 요인이 될 수 있음

③ 계층 세습 정도, 사회 이동의 양상 등은 사회 문제의 발견과 대안 마련에 유용한 정보를 제공함

⊕ 사회 이동의 원인

• 개인적 원인 : 개인의 능력, 교육 정도, 지위 상승에 대한 열망 등

• 사회 구조적 원인 : 산업 구조와 직업 구조의 변화, 과학 기술의 발달, 교육의 보급 등

⊕ 사회 이동의 유형

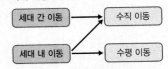

• 세대 간 이동은 세대 간에 계층이 상승하거나 하강하는 등 수직 이동이 나타난 경우만을 의미함

• 세대 내 이동은 한 개인의 일생 동안 이루어진 사회 이동을 의미하므로 수직 이동과 수평 이동이 모두 나타날 수 있음

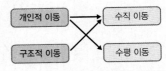

• 개인적 이동은 세대 내 이동과 마찬가지로 수직 이동과 수평 이동이 모두 나타날 수 있음

• 구조적 이동은 계층 구조의 변화를 수반하는 이동이므로 수직 이동이 나타난 경우만을 의미함

2단계 개념 쏙 정리하기

1. 사회 불평등 현상과 사회 계층화 현상의 의미

• 사회 불평등 : 사회적 자원이 불평등하게 분배되어 개인 및 집단이 서열화되어 있는 현상

• 사회 계층화 현상 : 사회 불평등 현상이 일정한 틀이나 체계를 갖추어 나타나는 현상

2. 사회 불평등 현상을 바라보는 관점

구분	기능론적 관점	갈등론적 관점
기본 입장	사회적 희소가치의 차등적 분배 결과로 나타나는 필연적인 현상	지배 집단의 기득권 유지 노력으로 나타나는 해소해야 할 현상
가치 배분 기준	개인의 자질과 노력 → 사회 구성원의 합의에 의해 결정	권력과 가정 배경 → 지배 집단에 의해 강제적으로 결정
사회적 기능	동기 부여, 인재 충원 → 사회 발전에 기여	상대적 박탈감, 집단 갈등 유발 → 사회 발전 저해

3. 사회 불평등 현상을 설명하는 개념

구분	계급	계층
구분 기준	생산 수단의 소유 여부 → 자본가 계급과 노동자 계급	계급, 지위, 권력 → 상류층, 중류층, 하류층
특징	이분법적 · 불연속적 구분	서열적 · 연속적 구분

4. 사회 계층 구조와 사회 이동

사회 계층 구조	이동 가능성	폐쇄적 계층 구조, 개방적 계층 구조
	구성원 비율	피라미드형 계층 구조, 다이아몬드형 계층 구조, 모래시계형 계층 구조, 타원형 계층 구조
사회 이동	이동 방향	수직 이동, 수평 이동
	세대 범위	세대 내 이동, 세대 간 이동
	이동 원인	개인적 이동, 구조적 이동

● 사회 불평등 현상을 바라보는 관점이 기능론이면 '기', 갈등론이면 '갈'에 표시하시오.

1 사회적 기여 정도에 따라 직업을 서열화할 수 있다. (기, 갈)

2 계층화는 개인의 능력 차이에 따른 차등적 보상 체계의 결과이다. (기, 갈)

3 계층화는 개인과 사회의 기능이 최대한으로 발휘되는 것을 저해한다. (기, 갈)

4 사회는 기득권층의 지배를 바탕으로 유지된다. (기, 갈)

5 사회 유지를 위해서는 차등적 보상 체계가 필요하다. (기, 갈)

6 계층화는 사회 분화에 따른 합리적 결과이다. (기, 갈)

7 계층화는 보편적이며 불가피한 현상이다. (기, 갈)

8 사회적 희소가치의 배분은 불공정하게 이루어지고 있다. (기, 갈)

9 사회 불평등 현상은 제도적 차원에서 해결해야 하는 문제이다. (기, 갈)

10 희소가치의 배분 과정에서 특정 집단의 합의가 중요하게 작용한다. (기, 갈)

● 다음 내용을 읽고 옳으면 ○, 틀리면 ×에 표시하시오.

11 계급 이론은 서로 다른 경제적 위치에 있는 집단 간의 위계가 불연속적이라고 본다. (○, ×)

12 계급 이론은 현대 사회의 지위 불일치 현상을 설명하기에 용이하다. (○, ×)

13 계급 이론은 계층 이론에 비해 서로 다른 계층에 속한 구성원 간의 적대감이 강하다고 본다. (○, ×)

14 계급 이론은 사회 불평등 현상을 경제적 요인으로만, 계층 이론은 사회·정치적 요인으로만 설명한다. (○, ×)

15 계층 이론은 계급 이론과 달리 위계를 구분하는 기준이 다차원적이다. (○, ×)

16 계층 이론은 계급 이론과 달리 계층화 현상을 연속적으로 서열화되어 있는 상태라고 전제한다. (○, ×)

17 계층 이론은 경제적 위치에 따른 집단 내 연대 의식을 강조한다. (○, ×)

18 계층 이론은 중간 계급의 존재를 부정한다. (○, ×)

● 다음 내용 중 옳은 것에 ○표 하시오.

19 수평 이동은 가능하지만 수직 이동의 가능성이 극히 제한되는 것은 (㉠ 폐쇄적, ㉡ 개방적) 계층 구조이다.

20 개인의 능력이나 노력에 따라 다른 계층으로 상승하거나 하강할 수 있는 가능성이 열려 있는 계층 구조는 (㉠ 폐쇄적, ㉡ 개방적) 계층 구조이다.

21 다이아몬드형 계층 구조에서는 (㉠ 상층, ㉡ 중층)의 비율이 가장 높고, 피라미드형 계층 구조에서는 (㉢ 중층, ㉣ 하층)의 비율이 가장 높다.

22 정보화 비관론자들은 계층 간 정보 격차로 인해 상층과 하층 간의 불평등이 심화되고 중층의 비율은 현저히 낮아지는 (㉠ 타원형, ㉡ 모래시계형) 계층 구조가 나타나면서 사회가 매우 불안정해질 것이라고 보았다.

23 한 세대에서 다음 세대 간에 계층적 위치가 변화하는 이동은 (㉠ 세대 내 이동, ㉡ 세대 간 이동)이다.

24 계층 구조의 변화에 따른 집단적 사회 이동은 (㉠ 개인적, ㉡ 구조적) 이동이다.

● 빈칸에 들어갈 알맞은 말을 쓰시오.

25 사회적 희소가치가 불평등하게 분배되어 개인 및 집단이 서열화되어 있는 것을 (   ) 현상이라고 한다.

26 (   )은/는 정보에 접근할 수 있는 능력을 가진 사람과 그렇지 못한 사람 사이에 경제적·사회적 격차가 커지는 현상을 의미한다.

27 사회 구성원 간 불평등이 일정한 요인에 따라 범주화되고, 범주화된 사람들 간에 구조적 서열이 존재하는 현상으로서, 사회 불평등 현상이 일정한 틀이나 체계를 갖추어 나타나는 것을 (   ) 현상이라고 한다.

28 (   )은/는 사회 불평등의 근본 원인을 경제적 측면에서 파악한 것으로, (   )의 소유 여부에 따라 서열화된 위치 또는 집단을 말한다.

29 (   )은/는 경제적 요인인 계급, 정치적 요인인 권력, 사회적 요인인 지위 등 다양한 요인에 따라 서열화된 위치 또는 집단을 말한다.

30 한 사회에서 희소한 자원이 불평등하게 배분되고, 그러한 불평등이 지속되면서 정형화된 구조로 나타난 것을 (   )(이)라고 한다.

31 한 사회의 계층 구조 속에서 개인이나 집단의 계층적 위치가 변하는 현상을 (   )(이)라고 한다.

---

1 기 2 기 3 갈 4 갈 5 기 6 기 7 기 8 갈 9 갈 10 갈 11 ○ 12 ×(계층 이론) 13 ○ 14 ×(계급 이론은 경제·사회·정치적 요인) 15 ○ 16 ○ 17 ×(계급 이론이 집단 내 연대 의식을 강조) 18 ×(계급 이론이 중간 계급의 존재를 부정) 19 ㉠ 20 ㉡ 21 ㉡, ㉣ 22 ㉡ 23 ㉡ 24 ㉡ 25 사회 불평등 26 정보 격차(정보 불평등) 27 사회 계층화 28 계급, 생산 수단 29 계층 30 사회 계층 구조 31 사회 이동

유형 ❶ 계층 구성 변화에 대한 분석

○ 본문 76쪽
03 사회 계층 구조와 사회 이동

그래프는 A~C국의 2000년과 2010년의 계층 간 상대적 비율을 나타낸 것이다.

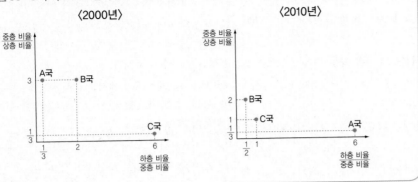

자료 접근 일반적으로 계층 구조만을 파악해서 해결하는 문제는 자주 출제되지 않지만, 계층 이동 문제에서 계층 구조를 파악해야 해결할 수 있는 문제는 자주 출제되고 있다. 그렇기 때문에 주어진 자료로 계층 구조를 파악하는 연습도 반드시 해 두어야 한다. 또한 문제에서 제공하는 자료는 주로 계층 대비 계층의 비율을 제공하기 때문에 제시된 숫자를 단순히 계층 비율이라고 오해하지 말고 자료를 꼼꼼히 살펴야 한다.

자료 분석 • 제시된 그래프를 분석하여 상층 : 중층 : 하층의 비율을 파악한다. 2000년에 A국의 경우 중층 비율/상층 비율은 3이므로, 중층 비율이 3일 때는 상층 비율이 1일 것이다. 또한 하층 비율/중층 비율은 1/3이므로 하층 비율이 1일 때는 중층 비율은 3이 된다. 따라서 2000년에 A국의 상층 : 중층 : 하층의 비율은 1:3:1이 된다. 나머지도 같은 방식으로 하면 아래 표와 같다.

구분	2000년	2010년
A국	1:3:1	3:1:6
B국	1:3:6	1:2:1
C국	3:1:6	1:1:1

• 그래프를 분석해 구한 상층 : 중층 : 하층의 비율을 토대로 각국의 사회 계층 구조를 살펴본다.

구분	2000년	2010년
A국	1:3:1(다이아몬드형)	3:1:6(모래시계형)
B국	1:3:6(피라미드형)	1:2:1(다이아몬드형)
C국	3:1:6(모래시계형)	1:1:1

• 다이아몬드형 계층 구조의 사회가 가장 안정된 형태이며, 모래시계형 계층 구조를 가진 사회는 양극화 현상이 심화되어 불안정한 사회임을 기억하며 문제를 해결한다.

계층 구조와 사회 통합 및 안정 가능성
피라미드형 계층 구조나 모래시계형 계층 구조에 비해 다이아몬드형 계층 구조는 사회 통합 및 안정의 실현에 유리하다. 다이아몬드형 계층 구조가 나타나는 사회는 현 체제에 대하여 만족하고 안정을 바라는 중층의 비율이 가장 높아 사회 불안 요인이 적은 편이다. 중층은 하층과 상층의 극단적인 충돌을 조정해 주는 완충 장치가 된다는 점에서 사회 안정의 실현에 중요한 역할을 하기도 한다.

• 위의 자료에 대한 설명으로 옳은 것은? (단, 2000년과 2010년 A~C국의 구성원은 변함이 없다고 가정한다.)

① 2000년 상층의 구성 비율은 B국이 가장 높다.
② 2010년 A국의 계층 구조는 피라미드형 구조이다.
③ 2010년 C국은 폐쇄적 계층 구조로 변하였다.
④ 2000년에 비해 2010년 A국에서는 양극화 현상이 완화되었다.
⑤ 2000년 대비 2010년 사회 이동의 결과를 보면, B국에서는 하강 이동보다 상승 이동이 더 많다.

선택지 풀이
① 오답 : 2000년 A~C국의 상층 구성 비율은 1 : 1 : 3이므로 C국이 가장 높다.
② 오답 : 2010년 A국의 계층 구성 비율은 3 : 1 : 6이므로 모래시계형 계층 구조이다.
③ 오답 : C국의 계층 구성비가 변화하고 있다는 것은 개방적 계층 구조임을 보여 주는 것이다.
④ 오답 : 2000년 A국의 계층 구조는 다이아몬드형 계층 구조였으나, 2010년에는 모래시계형 계층 구조로 변화하였다. 이는 양극화 현상이 심화되었음을 나타내는 것이다.
❺ 정답 : 2000년에 비해 상층은 15%, 중층은 20% 증가하였고, 하층은 35% 감소하였으므로 상승 이동이 더 많다.

유형 ❷ 세대 간 계층 이동에 대한 분석

세대 간 계층 이동으로 그림과 같은 결과가 나타났다.

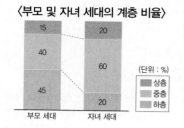

〈부모 및 자녀 세대의 계층 비율〉

〈세대 간 이동 결과〉 (단위 : %)

세대 간 이동 유형	상승		하강	
부모 세대 계층	중층	하층	상층	중층
자녀 세대 중 해당 비율	⑤	㉟	⑩	⑤

○ 본문 76쪽
03 사회 계층 구조와 사회 이동

♥ 사회 이동의 측정 목적과 방법
세대 간 이동 연구는 부모의 계층이 자녀의 계층에 미치는 영향을, 세대 내 이동 연구는 개인이 사회 진출 후 갖게 되는 사회 이동 가능성을 파악하려고 한다. 계층은 일반적으로 직업이나 소득으로 파악하는데, 이는 경제적 측면 이외의 요인을 간과한다는 비판을 받기도 한다.

자료 접근 계층 이동에 대해 파악하는 문제는 보통 부모 세대와 자녀 세대의 계층 비율을 자료에서 제시한다. 그리고 부모 세대에서 자녀 세대로 계층 이동한 현황에 대해 제시한다. 그렇기 때문에 문제를 해결하기 위해서는 먼저 부모 세대와 자녀 세대의 계층 이동 결과를 표로 정리하는 것이 좋다.

자료 분석 제시된 자료를 근거로 하여 아래와 같은 표를 작성해 본다.

(단위 : %)

구분		부모 세대 계층			계
		상	중	하	
자녀 세대 계층	상	㉠	㉣	㉗	20
	중	㉡	㉤	◎	60
	하	㉢	㉥	㉚	20
계		15	40	45	100

- 우선 〈부모 및 자녀 세대의 계층 비율〉을 근거로 위의 표처럼 '계'의 수치는 쉽게 쓸 수 있다. 그리고 〈세대 간 이동 결과〉를 근거로 ㉠∼㉚에 들어갈 수치를 써 본다. 부모 세대 중층이 상승 이동을 하게 되면 자녀 세대는 상층이 되므로 ㉣은 5이며, 부모 세대 하층이 상승 이동하게 되면 자녀 세대는 상층과 중층이 되므로, ㉗+◎은 35이다. 그리고 부모 세대 상층이 하강 이동을 하게 되면 자녀 세대는 중층과 하층이 되므로, ㉡+㉢은 10이며, 부모 세대 중층이 하강 이동을 하면 자녀 세대는 하층이므로, ㉥은 5이다. 따라서 ㉠은 5(15-10)이고, ㉡은 5(15-5-5), ㉢은 5(15-5-5), ㉤은 30(40-5-5)이다. ㉗은 10(20-5-5), ◎은 25(35-10), ㉚는 10(45-35)이다. 이를 표로 다시 정리하면 아래와 같다.

세대 간 상승 이동 비율 (단위 : %)

구분		부모 세대 계층			계
		상	중	하	
자녀 세대 계층	상	5	5	10	20
	중	5	30	25	60
	하	5	5	10	20
계		15	40	45	100

세대 간 하강 이동 비율 ── 계층 대물림 비율

- 위의 자료에 대한 옳은 분석만을 〈보기〉에서 있는 대로 고른 것은? (단, 계층은 상층, 중층, 하층으로만 구분한다.)

보기
ㄱ. 부모 세대의 계층 지위가 대물림된 비율은 45%이다.
ㄴ. 자녀 세대 중 부모가 상층이고 자녀가 하층인 비율은 5%이다.
ㄷ. 세대 간 상승 이동한 사람은 세대 간 하강 이동한 사람의 3배 이상이다.
ㄹ. 세대 간 이동으로 다른 계층에서 유입된 사람들이 가장 많은 계층은 하층이다.

보기 풀이
❶ 정답 : 〈세대 간 이동 결과〉에 따르면 세대 간 상승 또는 하강 이동한 비율(표의 대각선 부분)이 55%이므로, 부모 세대의 계층 지위가 자녀 세대에게 대물림된 비율은 45%이다.
❷ 정답 : 자녀 세대 중 부모가 상층이고 자녀가 하층인 비율은 ㉢, 즉 5%이다.
ㄷ 오답 : 세대 간 상승 이동의 비율은 40%, 하강 이동의 비율은 15%이므로 3배가 되지 않는다.
ㄹ 오답 : 세대 간 이동으로 다른 계층에서 유입된 비율은 상층 15%, 중층 30%, 하층 10%이므로 중층이 가장 많다.

유형 ③ 계층 구조의 변화와 세대 간 계층 이동에 대한 분석

○ 본문 76쪽
03 사회 계층 구조와 사회 이동

〈★★ 지역의 세대별 계층 간 상대적 비〉

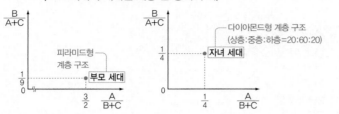

〈자녀 세대에서 부모와 계층이 일치하는 사람 대비 불일치하는 사람의 비〉

자녀 세대 계층		
A	B	C
0.25 —1/4	4 — 4/1	1.5 —3/2

* 모든 부모의 자녀는 1명씩이고, 부모 세대의 계층 구조는 피라미드형임 — 상층(B):중층(C):하층(A)=10:30:60
** 부모 세대 상층에서 자녀 세대 하층으로의 세대 간 이동은 없음
*** 다른 계층에서 중층으로 세대 간 이동한 경우는 모두 ★★ 지역의 산업 구조 변화로 인한 이동이며, 그 외의 이동은 모두 개인적 요인에 의한 것임

♥ 부모 세대의 계층 구성비 계산
부모 세대의 계층 구조가 피라미드형계층 구조라는 것을 전제한 상태에서 A/(B+C)=3/2이고, B/(A+C)=1/9인데 분모와 분자의 합을 10으로 통일하면 3/2을 6/4으로 바꿔 주면 된다. A+C가 9일 때 B는 1이고, B+C가 4일 때 A는 60이므로 C는 3이 된다. 따라서 A : B : C=6 : 1 : 3이므로 피라미드형이 되려면 B : C : A=1 : 3 : 6으로 정렬하면 된다.

자료 접근 최근 계층 이동을 파악하는 문제는 제시된 자료를 분석하여 상층, 중층, 하층을 먼저 파악할 수 있는지 묻고 각 계층의 비율도 자료를 분석하여 파악할 수 있는지 묻는 형태이다. 그렇기 때문에 문제를 해결하기 위해서는 먼저 자료를 분석한 다음에 부모 세대와 자녀 세대의 계층 이동 결과를 표로 정리하는 것이 좋다.

자료 분석 제시된 자료를 분석하여 A, B, C가 각각 어느 계층인지 파악하고, 부모 세대와 자식 세대의 계층 구성 비율을 파악한다. 각주에서 부모 세대의 계층 구조가 피라미드형(상층<중층<하층)이라고 했고 A/(B+C)=3/2이므로 A가 하층, B/(A+C)=1/9이므로 B가 상층, C는 중층임을 알 수 있다. 부모 세대의 계층 구성비는 상층(B) : 중층(C) : 하층(A)=10 : 30 : 60이 된다. 자녀 세대는 상층과 하층의 비율이 각각 20%이므로 계층 구성비는 상층 : 중층 : 하층=20 : 60 : 20이 된다. 그리고 〈자녀 세대에서 부모와 계층이 일치하는 사람 대비 불일치하는 사람의 비〉와 두 번째 각주 '부모 세대 상층에서 자녀 세대 하층으로의 세대 간 이동은 없음'을 적용하여 계산하면 다음과 같은 결과를 얻을 수 있다.

(단위 : %)

구분	자녀 세대 계층 비율	(불일치/ 일치)비	불일치 (계층 이동)	일치 (대물림)
상층(B)	20	4/1	16	4
중층(C)	60	3/2	36	24
하층(A)	20	1/4	4	16

이를 근거로 하여 아래와 같은 표를 작성해 본다. 자료의 각주에서 '부모 세대 상층에서 자녀 세대 하층으로의 세대 간 이동이 없다.'고 한 점을 고려하여 작성한다.

계층 대물림 비율 (단위 : %)

구분		부모 세대 계층			계
		상	중	하	
자녀 세대 계층	상	④	2	14	20
	중	6	㉔	30	60
	하	0	4	⑯	20
계		10	30	60	100

● 위의 자료에 나타난 세대 간 계층 이동에 대한 옳은 분석을 〈보기〉에서 고른 것은? (단, A~C는 각각 상층, 중층, 하층 중 하나이다.)

┌ 보기 ┐
ㄱ. 개인적 이동이 구조적 이동보다 많다.
ㄴ. 부모 세대 계층 대비 계층 대물림 비율은 하층에서 가장 낮다.
ㄷ. 중층으로의 세대 간 이동에서 상승 이동은 하강 이동의 5배이다.
ㄹ. 부모 세대와 자녀 세대 간에 계층 이동을 한 사람은 계층이 대물림된 사람보다 적다.

보기 풀이

ㄱ.오답 : 구조적 이동은 다른 계층에서 중층으로 이동한 경우(36%)이고, 나머지 이동(20%)은 개인적 이동이므로 구조적 이동이 개인적 이동보다 많다.
ㄴ.정답 : 부모 세대 계층 대비 계층 대물림 비율은 상층은 4/10, 중층은 24/30, 하층은 16/60이므로 하층이 가장 낮다.
ㄷ.정답 : 중층으로의 세대 간 이동에서 상승 이동은 30%, 하강 이동은 6%이므로 5배이다.
ㄹ.오답 : 대물림 비율은 44%이므로 세대 간 계층 이동이 더 많다.

유형 ④ 계층 비율의 변화와 세대 간 계층 이동에 대한 분석

〈세대별 계층 간 상대적 비율〉 —100%로 치환해서 계산한다.

구분	부모 세대	자녀 세대
상층+하층 / 전체 계층	$\frac{1}{2}$ —중층 50%	$\frac{4}{5}$ —중층 20%
상층 / 중층+하층	상층 20%— $\frac{1}{4}$ —하층 30%	상층 25%— $\frac{1}{3}$ —하층 55%

〈자녀 세대 계층 대비 부모와 자녀 계층 일치의 상대적 비율〉 —계층 대물림 비율

상층	중층	하층
$\frac{1}{5}$ —5%	$\frac{1}{2}$ —10%	$\frac{4}{11}$ —20%

* 모든 부모의 자녀는 1명이고, 갑국의 계층은 상층, 중층, 하층으로만 구분함
** 상층 부모를 둔 하층 자녀 인구와 하층 부모를 둔 중층 자녀 인구의 비는 2:1임

자료 접근 계층 이동을 파악하는 문제 중 부모 세대와 자녀 세대의 계층 비율을 직접 제시하는 것이 아니라 계층 간 상대적 비율을 제시하는 경우가 있다. 이럴 경우 제시된 자료를 재구성하여 부모 세대와 자녀 세대의 계층 조합을 파악하여 표로 정리하는 것이 좋다.

자료 분석 제시된 자료를 근거로 하여 아래와 같은 표를 작성해 본다.
(단위:%)

구분		부모 세대 계층			계
		상	중	하	
자녀 세대 계층	상	⑤			25
	중	㉠	⑩	a	20
	하	2a		⑳	55
계		20	50	30	100

— 계층 대물림 비율

• 우선 〈세대별 계층 간 상대적 비율〉을 근거로 부모 세대의 (상층+하층)/전체 계층=1/2이므로 중층이 50%이고, 상층/(중층+하층)=1/4이므로 상층

은 20%, 하층은 30%이다. 자녀 세대의 (상층+하층)/전체 계층=4/5이므로 중층이 20%이고, 상층/(중층+하층)=1/3이므로 상층 25%, 하층 55%이다. 그리고 〈자녀 세대 계층 대비 부모와 자녀 계층 일치의 상대적 비율〉을 근거로 상층, 중층, 하층의 대물림 비율은 각각 5%, 10%, 20%가 된다. 다음으로 상층 부모를 둔 하층 자녀 인구와 하층 부모를 둔 중층 자녀 인구의 비는 2:1이므로 a, 2a로 표현하고, 상층 부모를 둔 중층 자녀의 비율은 ㉠이라고 표현하면 5+㉠+2a=20이고 ㉠+10+a=20이므로, a와 ㉠은 각각 5가 됨을 알 수 있다. 이를 표로 다시 정리하면 아래와 같다.
(단위:%)

구분		부모 세대 계층			계
		상	중	하	
자녀 세대 계층	상	5	15	5	25
	중	5	10	5	20
	하	10	25	20	55
계		20	50	30	100

본문 76쪽
03 사회 계층 구조와 사회 이동

♦ **상층, 중층, 하층의 계층 대물림 비율 계산**
자료의 두 번째 표에서 상층의 일치 비율이 1/5이므로 자녀 세대 상층(25%)의 1/5인 5%가 부모와 자녀의 계층 일치 비율이 된다. 같은 방식으로 중층과 하층을 구할 수 있다. 중층의 일치 비율은 자녀 세대 중층(20%)의 1/2인 10%이고, 하층의 일치 비율은 자녀 세대 하층(55%)의 4/11인 20%이다.

• **위의 자료는 갑국의 세대 간 계층 이동 현황을 나타낸 것이다. 이에 대한 분석으로 옳은 것은?**
① 세대 간 계층 일치 비율이 세대 간 계층 이동 비율보다 크다.
② 부모 세대 계층 대비 부모와 자녀의 계층 일치 비율은 중층이 상층보다 크다.
③ 부모 세대 계층 대비 부모와 자녀의 계층 불일치 비율은 하층이 상층보다 크다.
④ 부모 세대 하층에서 자녀 세대 상층으로 이동한 인구와 자녀 세대 중층으로 이동한 인구는 같다.
⑤ 갑국에서 부모 세대의 계층 구조는 다이아몬드형이고, 자녀 세대의 계층 구조는 피라미드형이다.

선택지 풀이
① 오답: 세대 간 계층 일치 비율은 35%이고, 세대 간 계층 이동 비율은 65%이다.
② 오답: 부모 세대 계층 대비 부모와 자녀의 계층 일치 비율은 상층이 5/20, 중층이 10/50, 하층이 20/30이다.
③ 오답: 부모 세대 계층 대비 자녀와 부모의 계층 불일치 비율의 경우 상층은 15/20, 중층은 40/50, 하층은 10/30이다.
❹ 정답: 부모 세대 하층에서 자녀 세대 상층으로 이동한 인구 비율과 자녀 세대 중층으로 이동한 인구 비율은 각각 5%이다.
⑤ 오답: 부모 세대의 계층 구조는 다이아몬드형이고, 자녀 세대의 계층 구조는 모래시계형이다.

11강 다양한 불평등 양상

키워드
사회적 소수자 차별 문제, 역차별, 성 불평등 문제, 절대적 빈곤, 상대적 빈곤

1단계 개념 확 뜯어보기

01 사회적 소수자 문제

1. 사회적 소수자

⑴ 의미 : 신체적 또는 문화적 특성 때문에 사회의 다른 구성원으로부터 차별을 받으며, 스스로도 차별받는 집단에 속해 있다는 의식을 지닌 사람들의 집단

⑵ 사회적 소수자의 성립 요건

① 식별 가능성 : 신체적 또는 문화적 특성 때문에 다른 사람들과 구별됨

② 권력의 열세 : 정치권력뿐만 아니라 경제적·사회적 측면의 영향력에서 열세에 있음

③ 사회적 차별 대우 : 소수자 집단의 구성원이라는 이유만으로 사회적 차별의 대상이 됨

④ 집합적 정체성 : 스스로 차별받는 집단의 구성원이라는 집단의식 또는 소속감을 가지고 있음

> **올쏘 자료 Plus⁺ 사회적 소수자의 요건**
>
> 우리 사회의 사회적 소수자에는 여성, 노인, 장애인, 외국인 근로자, 결혼 이민자, 북한 이탈 주민 등이 있다. 일반적으로 사회적 소수자는 다음과 같은 요건을 필요로 한다. 첫째, 한 사회에서 신체적이든 문화적이든 외형상으로 구별되는 속성을 가져야 한다. 둘째, 정치, 경제, 사회적으로 권력의 열세에 있어야 한다. 셋째, 어떤 집단에 속해 있다는 이유만으로 사회적 차별을 받아야 한다. 넷째, 스스로 차별받는 집단의 구성원이라는 집합적 정체성을 느껴야 한다.

⑶ 사회적 소수자의 특징

① 수적으로 반드시 소수(少數)를 의미하는 것은 아님 ⓔ 남아프리카 공화국에서 소수의 백인에 의해 차별을 받았던 다수의 흑인 및 유색 인종, 남성에 의해 차별을 받는 다수의 여성도 사회적 소수자에 해당함

② 주류 집단에 비해 사회적 자원의 획득에서 불리한 위치에 있음

③ 성, 나이, 민족 및 인종, 신체적 특성, 국적, 종교, 사상, 취향 등 다양한 기준에 의해 사회적 소수자로 규정될 수 있음

④ 특정 시대나 사회에서 사회적 소수자였던 사람들이 다른 시대나 사회에서는 사회적 소수자가 아닐 수 있고, 그 반대의 경우가 발생하기도 함 ⓔ 우리나라에서 사회적 소수자로 규정되는 외국인 근로자들도 자신들의 나라로 돌아가면 사회적 소수자가 아닐 수 있음

> **올쏘 자료 Plus⁺ 사회적 소수자와 사회적 약자**
>
>
>
> ▲ 인종 차별 반대 시위
>
> 사회적 소수자와 사회적 약자의 포함 관계를 따지면 사회적 약자는 사회적 소수자를 포함하는 개념이다. 즉, 사회적 소수자는 모두 사회적 약자이지만, 사회적 약자라고 해서 모두 사회적 소수자는 아니다. 사회적 약자는 사회적으로 불리한 위치에 있는 사람들로, 이들은 반드시 어느 집단에 속해 있다는 이유로 차별받는 것이 아니다. 그러나 사회적 소수자는 어느 집단에 속해 있기 때문에 차별을 받는다. 예를 들어 소년·소녀 가장은 사회적 약자이지만 이들이 소년·소녀 가장이라는 집단에 속해 있기 때문에 차별을 받는 것은 아니다. 그러나 미국 사회에서 흑인들은 흑인이라는 집단에 속해 있기 때문에 차별을 받는다. 즉, 흑인은 사회적 약자이자 사회적 소수자인 것이다.

만점 공부 비법

- 사회적 소수자의 의미와 성립 요건을 정확하게 이해하고, 성 불평등 문제의 해결 방안을 사례를 바탕으로 이해하도록 한다.

- 절대적 빈곤과 상대적 빈곤을 비교하는 문제가 자주 출제되고 있으며, 최근에는 고난도 도표 분석 문제로 출제되는 경우도 많으므로 기출 문제를 통해 출제 패턴을 꼭 파악하도록 한다.

➕ 사회적 소수자의 식별 가능성

미국 사회에서 흑인은 피부색이라는 신체적 특징으로 식별되고, 유럽에서 무슬림 여성들은 히잡이나 차도르의 착용으로 식별되며, 중국에서 조선족은 한국 음식을 먹고 한국식 복장을 하는 문화적 특징으로 식별된다.

➕ 성적 소수자

사회의 주류 구성원들과는 다른 성 정체성이나 성적 지향을 지닌 사람들을 의미한다. 동성애자, 양성애자, 트랜스젠더 등이 포함된다.

➕ 사회적 소수자의 상대성

사회적 소수자는 상대적 개념이므로 상황에 따라 사회적 소수자인지의 여부가 달라질 수 있다.

(4) 사회적 소수자의 차별 양상

① 교육, 사회적 관계 등에서 배제되어 사회 적응에 어려움을 겪음 → 여성들은 취업에서 외모 지상주의, 승진에서 유리 천장 등의 성차별을 경험하고, 장애인의 경우 지원 제도 부족으로 이동권을 제대로 보장받지 못하고 있음

② 취업에 대한 정보 부족, 업무 능력에 대한 편견 등으로 경제적 어려움을 겪음 → 장애인들은 장애인 고용 촉진법이나 차별 금지법이 존재하지만 사회적 편견으로 인해 고용에서 차별을 받고 있음

③ 다원화, 인적 교류 증대 등으로 인해 다양한 유형의 사회적 소수자가 나타나고 있음

④ 사회적 소수자를 비정상으로 규정하는 차별적 사고로 인해 사회 갈등이 야기될 수 있음

올쏘자료 Plus⁺   사회적 소수자 우대 정책과 역차별

▲ 미국 연방 대법원의 판결에 항의하는 학생들

미국 연방 대법원은 미국 대학의 소수계 우대 입시 정책인 '어퍼머티브 액션(affirmative action)'이 역차별 소지가 있다는 이유로 일부 조항에 대해 위헌 판결을 내렸다. 대법원은 이날 텍사스대가 입시에서 소수계 우대 정책을 적용하는 것이 법적으로 문제가 없다는 뉴올리언스 제5 항소 법원의 판결을 재심리하라고 판결하고 이 사건을 항소 법원으로 되돌려 보냈다. 이 판결은 미국 대학들에 대해 입시에서 일반적으로 적용하고 있는 소수계 우대 정책은 유지할 수 있지만, 백인들이 이 때문에 역차별당하지 않도록 적용 기준을 엄격하게 할 것을 주문한 것이어서 결국 소수계 학생들에게 불이익이 돌아갈 것이라는 우려가 나오고 있다.

---

2. 사회적 소수자 문제의 해결 방안

(1) **개인적 측면**: 자신과 다른 사람에 대한 편견이나 고정 관념을 버리고 공존하려는 자세를 가지며, 사회의 다원화된 가치를 인정하는 관용 및 평등 의식을 가져야 함

(2) **사회적 측면**: 다양한 분야에 존재하고 있는 사회적 소수자에 대한 부당한 차별 제도를 폐지하거나 개선하고, 적극적 우대 조치와 같은 사회적 소수자를 지원하는 정책이나 제도를 마련할 필요가 있음 예 장애인 의무 고용 제도, 양성평등 채용 목표제 등

올쏘자료 Plus⁺   장애인 의무 고용 제도

■ 장애인 의무 고용률

(단위 : %)

적용 대상		2014~2016	2017~2018	2019~
국가 · 지방 자치 단체	공무원	3.0	3.2	3.4
	근로자	2.7	2.9	3.4
공공 기관		3.0	3.2	3.4
민간 기업		2.7	2.9	3.1

(고용 노동부, 2015)

장애인 의무 고용 제도는 장애인의 고용 확대를 위해 사업주가 의무적으로 장애인을 고용하도록 하는 제도이다. 국가와 지방 자치 단체의 장은 장애인을 소속 공무원 정원의 3% 이상 고용해야 하며, 이에 따라 시험을 통해 공무원을 선발하는 경우 장애인이 신규 채용 인원의 3% 이상 채용되도록 시험을 실시해야 한다. 또한 상시 50명 이상의 근로자를 고용하는 사업주의 경우에도 대통령령으로 정하는 비율 이상의 장애인을 고용하여야 한다.

사회적 소수자에 대한 차별의 발생 과정

> 신체적·문화적 차이 인식
> ↓
> 주류 집단에 의한 정상과 비정상의 구분
> ↓
> 사회적 소수자에 대한 차별

위 과정을 통해 잠재적인 사회적 소수자는 한 사회 내에서 차별받는 존재로서의 위치를 갖게 되며, 본인들의 사회적 위치에 대한 자각 과정을 통해 사회적 소수자로서의 정체성을 형성한다.

장애인 이동권
장애인들이 일상생활에서 비장애인들과 동일하게 원하는 곳으로 이동하고자 하는 데 불편함이 없이 움직일 수 있는 권리를 말한다.

역차별
부당한 차별을 받는 집단을 보호하기 위해 시행한 제도나 장치 때문에 오히려 일반인이 받게 되는 차별을 말한다.

적극적 우대 조치
오랜 차별을 받아 온 집단에 대하여 진학이나 취업 등에 있어서 가산점 부여나 할당제 등을 통해 우대하는 정책으로 적극적 차별 시정 정책이라고도 한다.

IV

02 성 불평등 문제

1. 성(性) 불평등

(1) 성(性)의 구분과 성 불평등의 의미

① 성(性)의 구분 : 생물학적 성(sex)에 따라 남성과 여성으로, 사회적 성(gender)에 따라 남성성(남성다움)과 여성성(여성다움)으로 구분됨

② 성 불평등의 의미 : 성별을 근거로 불합리한 차별 대우가 이루어지는 현상

(2) 성 불평등의 발생 요인

① 차별적 사회화 : 성별에 따른 선입견이나 편견을 토대로 서로 다른 성 정체성과 성 역할을 기대하고 내면화하는 사회화 과정을 거침

② 남성 중심의 가치관 : 남성은 정치나 경제 등 공적인 영역에서 활동하고, 여성은 가정과 같은 사적인 영역에서 활동하는 것이 합리적이라는 가치관으로 인해 여성이 사회에서 중추적인 역할을 할 수 있는 기회가 제한됨

③ 성 차별적인 제도 및 구조 : 가부장제, 남아 선호 사상, 남성에게 집중된 사회 진출 기회 등 여성의 사회 진출을 제약하거나 사회적 성공을 이루는 데 장애가 되는 각종 규범이나 제도, 사회 구조가 존재함

(3) 성 불평등의 양상

① 사회 · 문화적 측면 : 여성 또는 남성에 대한 차별적 언행, 대중문화에 의한 왜곡된 여성상이나 남성상을 확대 재생산하는 문화가 나타남

② 경제적 측면 : 여성의 취업이나 승진을 제약하는 다양한 장벽이 존재함 → '유리 천장'이라고 표현하기도 함

③ 정치적 측면 : 정치인, 고위 관리직 등 사회적 권한이 강한 직종에 여성의 진출이 저조함

올쏘 자료 Plus⁺ 보이지 않는 승진의 벽, 유리 천장

▲ 2016년 유리 천장 지수

'유리 천장(glass ceiling)'이란 여성이라는 이유로 직장에서 고위직으로 승진하는 과정에서 보이지 않는 장벽에 부딪치게 되는 현상을 말한다. '유리 천장 지수'는 각 나라별 고위직 진출을 가로막는 방해 요소를 수치화한 것으로, 남성과 여성의 고등 교육 이수율, 여성의 경제 활동 참가율, 남녀 임금 격차, 관리자 중 여성 비율, 임금 대비 육아 비용 등 5개 항목이 조사 대상이며, 지수가 클수록 장벽이 낮음을 의미한다. 영국의 한 경제 전문지가 경제 협력 개발 기구(OECD) 회원국을 대상으로 2016년 유리 천장 지수를 산정하여 발표하였는데, 우리나라는 조사 대상 29개국 가운데 최하위를 기록했다. 우리나라의 세부 지표를 보면, 25~64세 인구 중에서 고등 교육 이수율은 여성이 남성보다 7.6%p가 적었고, 경제 활동 참가율도 21.6%p가 적었다. 여성 고위직 비율도 11%에 불과했고, 기업의 여성 임원 비율도 2.1%에 불과했으며, 의원 중 여성 비율도 16.3%였다.

---

2. 성 불평등 문제의 해결 방안

(1) 개인적 측면 : 성에 대한 고정 관념을 버리고 양성평등 의식을 함양하며, 성별의 차이를 인정하되 차별로 이어지지 않도록 상호 존중하는 자세를 가짐

(2) 사회적 측면 : 특정 성이 불리한 위치에 있는 분야에서 양성평등 정착을 위한 제도를 마련하고, 학교 교육과 대중 매체 등을 통해 양성평등 문화를 확산함

생물학적 성(sex)과 사회적 성(gender)

생물학적 성이란 한 개인의 해부학적 특징에 근거하여 남성 또는 여성을 결정하는 신체적 · 유전적 성을 의미한다. 이에 반해 사회적 성은 생물학적 여성과 남성에 대하여 사회가 부여한 사회적 · 문화적 차이로서의 성을 의미한다.

차별적 사회화

사회화 과정에서 여자 아이와 남자 아이에게 서로 다른 내용의 학습이 이루어지는 과정을 의미한다. 다시 말해 여자 아이에게는 여성의 역할에 맞는 사회적 기대를, 남자 아이에게는 남성의 역할에 맞는 사회적 기대를 내면화시키는 일련의 과정을 일컫는다.

가부장제

좁은 의미로는 아버지가 가장으로서 가족 구성원을 지배하는 가족 제도를 뜻한다. 넓은 의미로는 여성을 체계적으로 차별하고 배제하는 사회적 제도와 관행을 의미한다.

우리나라의 여성 의원 비율

(단위: %)
(국제 의원 연맹, 2016)

2015년을 기준으로 여성 의회 의원의 비율은 한국이 17%로 전 세계 116위이다. 매우 낮은 비율이지만, 이 비율도 2004년 17대 총선 때 비례 대표 여성 할당 비율이 50%로 늘어났기 때문이다. 이러한 우리나라 여성 의회 의원의 비율은 경제 협력 개발 기구의 평균(27.8%)에도 한참 못 미치는 수치이다.

> **제1조(목적)** 이 법은 「대한민국 헌법」의 양성평등 이념을 실현하기 위한 국가와 지방 자치 단체의 책무 등에 관한 기본적인 사항을 규정함으로써 정치 · 경제 · 사회 · 문화의 모든 영역에서 양성평등을 실현하는 것을 목적으로 한다.
>
> **제4조(국민의 권리와 의무)** ① 모든 국민은 가족과 사회 등 모든 영역에서 양성평등한 대우를 받고 양성평등한 생활을 영위할 권리를 가진다.
>
> **제5조(국가 등의 책무)** ② 국가와 지방 자치 단체는 양성평등 실현을 위하여 법적 · 제도적 장치를 마련하고 이에 필요한 재원을 마련할 책무를 진다.

위 조항은 「양성평등 기본법」의 일부이다. 「양성평등 기본법」은 사회 전 분야에서 양성의 동등한 권리와 책임, 참여 기회를 보장하여 실질적인 양성평등을 구현하는 것을 목적으로 한다. 이 법은 헌법의 이념에 따라 국가, 지방 자치 단체, 국민 등이 양성평등을 위해 노력해야 한다는 것을 천명하고 있다.

03 빈곤 문제

1. 빈곤의 의미, 원인, 영향

(1) 의미 : 인간의 기본적인 욕구를 충족하는 데 필요한 자원이나 소득의 결핍이 지속되는 상태

(2) 원인

① 개인적 측면 : 근로 능력의 상실, 성취동기의 부족 등

② 사회적 측면 : 사회 보장 제도의 미비, 빈부 격차의 심화, 일자리 부족, 교육 불평등 등

(3) 영향

① 개인적 측면 : 건강과 체력이 손상되고 심리적 위축과 정신적 황폐화를 수반할 수 있음

② 사회적 측면 : 빈곤에 처한 사람들의 사회 불만이 높아져 사회 불안의 요인이 될 수 있음

빈곤의 원인
과거에는 빈곤의 원인을 개인의 나태나 무절제한 생활에서 찾았으며, 열심히 일하거나 높은 수준의 교육을 받으면 빈곤을 극복할 수 있다고 보았다. 그러나 최근에는 빈곤의 원인을 개인의 잘못보다는 사회 구조나 제도의 문제로 보는 경향이 있다. 자본주의 경제 체제를 빈곤의 원인으로 보거나 인종 차별, 성 차별적 구조가 빈곤의 원인이라고 주장하기도 한다.

 **빈곤의 책임**

빈곤은 개인의 책임이라는 이론은 가난한 사람은 자신이 불리한 위치에 놓인 책임을 져야 한다고 본다. 빈곤은 개인의 부적응 · 병약함의 결과이며, 가난한 자는 기술이 없거나 능력이 평균 이하라서 사회에서 성공할 능력이 없다는 것이다.

빈곤의 책임이 사회 구조적 요인에 있다는 이론은 개인이 극복하기 어려운 빈곤 상황을 만들어 내는 더 큰 사회적 과정을 강조한다. 이 견해는 계급이나 성, 인종, 직업적 위치, 교육 등 사회 내 구조적 힘이 자원 배분 방식을 결정한다고 본다.

근로 빈곤층
일하는 빈곤층이라는 뜻으로, 열심히 일해도 저축하기 빠듯할 정도로 형편이 나아지지 않는 계층을 말한다. 빈곤은 개인의 책임이라는 입장에서 개인의 노력을 강조하는 경우가 있는데, 아무리 노력해도 빈곤을 벗어날 수 없다는 근거로 사용되는 경우가 많다.

2. 빈곤의 유형

구분	절대적 빈곤	상대적 빈곤
의미	인간이 최소한의 생활을 유지하는 데 필요한 자원이나 소득이 절대적으로 부족한 상태	다른 사람들보다 자원이나 소득이 상대적으로 적어 사회 구성원 대다수가 누리는 생활 수준을 누리지 못하는 상태
특징	• 주로 저개발국에서 두드러지게 나타남 • 사회가 발전하면서 절대적 빈곤이 줄어드는 경향이 있음 • 시대나 사회마다 기본적인 생활을 위해 필요한 자원이나 소득의 크기는 다를 수 있음 • 일반적으로 최저 생활에 소요되는 금액으로 정한 기준이 절대적 빈곤선으로 활용됨	• 급속한 경제 성장 과정에서 생활 수준이 향상되더라도 소득 격차가 심화되면 상대적 빈곤 문제가 부각될 수 있음 • 특정 사회의 소득 분포를 고려하여 파악하며 어느 사회에나 존재할 수 있음 • 우리나라는 중위 소득의 50%에 미달하는 가구를 상대적 빈곤 가구로 파악하고 있음

빈곤선
빈곤한 상태와 빈곤하지 않은 상태를 구분하는 기준선을 말한다.

중위 소득
한 나라의 가구를 소득 순으로 일렬로 나열하였을 때, 한 가운데 위치한 가구의 소득을 중위 소득이라고 한다.

올쏘자료 Plus⁺ 절대적 빈곤에서 상대적 빈곤으로

■ 2017년 기준 중위 소득
(단위 : 원)

가구	1인 가구	2인 가구	3인 가구	4인 가구	5인 가구	6인 가구	7인 가구
중위 소득	1,652,931	2,814,449	3,640,915	4,467,380	5,293,845	6,120,311	6,946,776

* 8인 이상 가구의 경우 1인 증가 시마다 826,465원씩 증가함

보건 복지부는 2016년 1월부터 절대적 빈곤의 측정 기준인 '최저 생계비'라는 용어를 없애고 상대적 빈곤의 측정 기준인 '중위 소득'을 각종 사회 복지 사업의 기준으로 사용하기로 하였다. 즉 '중위 소득의 50% 미만'을 빈곤층으로 정의하는 국제적 기준을 사용하기로 한 것이다. 기존의 최저 생계비는 「국민 기초 생활 보장법」에 규정된 '국민이 건강하고 문화적인 생활을 유지하기 위하여 필요한 최소한의 비용'을 의미하였다. 그러나 법에서 정하고 있는 '건강하고 문화적인 생활'이 무엇인지 법에 명시하지 않아 최저 생계비의 정의, 측정 방법, 수준에 관한 논란이 끊이지 않았다. 이러한 상황에서 중위 소득을 사회 복지 사업의 기준으로 사용하기로 한 것은 한국 사회에서의 상대적 빈곤을 정책적 개념에 도입하였다는 점에서 의미가 있다.

➕ 누진세 제도
과세 대상 금액이 많아질수록 높은 세율을 적용하는 조세 부과 제도이다.

3. 빈곤 문제의 해결 방안

(1) 개인적 측면

① 빈곤층 스스로 빈곤에서 벗어나려는 자활 의지와 노력이 필요함

② 빈곤층을 배려하고 지원하려는 공동체 의식 및 공존의 가치관이 필요함

(2) 사회적 측면

① 빈곤층을 지원하는 사회 복지 정책이나 사회 보장 제도를 마련해야 함

② 교육 기회의 균등 실현, 자활 노력을 지원하기 위한 직업 훈련이나 일자리 창출 등의 정책 시행으로 빈곤의 악순환을 방지해야 함

③ 누진세, 최저 임금 제도 등을 통한 소득 분배의 형평성을 강화해야 함

➕ 최저 임금 인상 추이

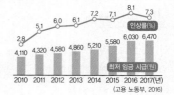
2010년 4,110, 2011년 4,320, 2012년 4,580, 2013년 4,860, 2014년 5,210, 2015년 5,580, 2016년 6,030, 2017년 6,470 (최저 임금 시급(원))
인상률(%): 2.8, 5.1, 6.0, 6.1, 7.2, 7.1, 8.1, 7.3
(고용 노동부, 2016)

최저 임금 제도란 국가가 근로자의 생활 안정을 위해 임금의 최저 수준을 정하고 사용자에게 그 수준 이상의 임금을 지급하도록 법으로 강제하는 제도를 말하며, 2019년 현재 시간당 최저 임금은 8,350원이다.

2단계 개념 쏙 정리하기

1. 사회적 소수자의 성립 요건
- 식별 가능성(신체적 또는 문화적 특성의 차이)
- 권력의 열세
- 사회적 차별 대우(차별을 당하고 있음)
- 집합적 정체성(차별받는 집단의 구성원이라는 인식)

2. 사회적 소수자 문제의 해결
- 개인적 측면 : 사회적 소수자에 대한 편견 타파, 공동체 의식과 공존의 가치관 함양 등
- 사회적 측면 : 사회적 소수자에 대한 차별 금지법 제정, 사회적 소수자에 대한 적극적 우대 조치 실시 등

3. 성 불평등의 발생 원인
- 차별적 사회화
- 남성 중심의 가치관
- 성 차별적인 제도 및 구조(가부장제)

4. 성 불평등 문제의 해결
- 개인적 측면 : 성 역할에 대한 편견 및 고정 관념 타파(양성평등 의식 함양), 다른 성을 존중하는 마음과 공존의 자세 함양
- 사회적 측면 : 양성평등 교육 프로그램의 개발 및 보급, 성 차별적 제도의 개선, 평등한 근무 환경 조성

5. 빈곤 문제의 유형

절대적 빈곤	상대적 빈곤
• 최저 생활을 유지하지 못하는 상태 • 최저 생계비 미달을 기준으로 함 • 주로 저개발국의 당면 문제임	• 다른 가구에 비해 생활 수준이 상대적으로 낮은 상태 • 중위 소득의 50% 미만을 기준으로 함 • 저개발국은 물론 선진국도 당면한 문제임

6. 빈곤 문제의 해결
- 개인적 측면 : 빈곤층의 자활 의지와 노력, 공동체 의식과 공존의 가치관
- 사회적 측면 : 사회 보장 제도 마련, 일자리 창출 정책, 소득 분배의 형평성 강화 등

● 다음 내용을 읽고 옳으면 ○, 틀리면 ×에 표시하시오.

1 사회적 소수자는 스스로 차별받는 집단의 구성원이라는 집단의식 또는 소속감을 가지고 있다. (○, ×)

2 사회적 소수자는 경제적 · 사회적 측면의 영향력에서와 달리 정치권력의 영향력에서 열세에 있다. (○, ×)

3 성은 생물학적 성에 따라 남성과 여성으로 구분되고, 사회적 성에 따라 남성다움과 여성다움으로 구분된다. (○, ×)

4 빈곤의 원인으로는 개인적으로 근로 능력의 상실, 성취동기의 부족 등을 들 수 있다. (○, ×)

5 빈곤에 처한 사람들이 많아지면 그들의 불만이 높아져 사회 불안 요인이 될 수 있다. (○, ×)

6 우리나라의 사회적 소수자에는 여성, 외국인 근로자, 장애인, 북한 이탈 주민 등이 있다. (○, ×)

7 사회적 소수자는 반드시 수적으로 소수(少數)여야 한다. (○, ×)

8 특정 시대나 사회에서 사회적 소수자였던 사람들이 다른 시대나 사회에서는 사회적 소수자가 아닐 수 있다. (○, ×)

9 사회적 소수자 문제를 해결하기 위해 개인들은 사회의 다원화된 가치를 인정하는 관용 및 평등 의식을 가져야 한다. (○, ×)

10 성 불평등 문제는 사회적으로 만들어지는 것이 아니라 타고난 생물학적 성에 의한 것이다. (○, ×)

11 성 불평등 문제를 해결하기 위해서는 양성평등 의식보다 여성을 적극적으로 우대하는 제도의 확충이 필요하다. (○, ×)

12 가부장제 및 남아 선호 사상의 확산은 성 불평등 문제를 발생시키는 요인 중 하나이다. (○, ×)

● 빈곤의 유형이 절대적 빈곤이면 '절', 상대적 빈곤이면 '상'에 표시하시오. (중복 선택 가능)

13 인간이 최소한의 생활을 유지하는 데 필요한 자원이나 소득이 절대적으로 부족한 상태를 의미한다. (절, 상)

14 개인이나 가구가 소유한 자원이나 소득이 다른 개인이나 가구에 비해 상대적으로 적어 일상생활에서 심리적 빈곤감을 느낄 수 있는 상태를 의미한다. (절, 상)

15 사회의 소득 분포를 고려하여 파악하는 빈곤의 유형에 대한 개념이다. (절, 상)

16 어느 사회에서나 존재할 수 있는 빈곤의 유형이다. (절, 상)

17 우리나라에서는 중위 소득의 50%에 미달하는 가구를 기준으로 이 빈곤의 유형을 파악하고 있다. (절, 상)

18 주로 저개발국에서 두드러지게 나타나는 빈곤의 유형을 말한다. (절, 상)

19 경제 성장을 통해 해결이 가능한 빈곤의 유형에 해당한다. (절, 상)

● 다음 내용 중 옳은 것에 ○표 하시오.

20 (㉠ 생물학적 성, ㉡ 사회적 성)은 사회 · 문화적인 사회화 과정에서 획득, 형성된 성을 의미한다.

21 빈곤층을 배려하고 지원하려는 공동체 의식 및 공존의 가치관 함양은 빈곤 문제를 해결하기 위한 (㉠ 개인적, ㉡ 제도적) 측면의 노력이다.

22 여성들이 승진의 사다리를 오를 때마다 일정 단계에 이르면 부딪히게 되는 보이지 않는 장벽을 비유하는 말은 (㉠ 유리 장벽, ㉡ 유리 천장)이다.

23 사회적 소수자 문제를 해결하기 위한 적극적 우대 조치는 다수의 국민들에게 차별적인 상황, 즉 (㉠ 역차별, ㉡ 차별 대우)을/를 유발할 수도 있기 때문에 신중하게 실시해야 한다.

24 빈곤의 원인 중 (㉠ 개인적 측면, ㉡ 사회적 측면)은 사회 보장 제도의 미비, 빈부 격차의 심화, 일자리 부족, 교육 불평등 등을 들 수 있다.

● 빈칸에 들어갈 알맞은 말을 쓰시오.

25 신체적 또는 문화적 특성으로 인해 사회의 다른 구성원들로부터 구분되어 불평등한 처우를 받는 사람들을 (   )(이)라고 한다.

26 성별을 근거로 불합리한 차별 대우가 이루어지는 현상을 (   )(이)라고 한다.

27 성 불평등 문제의 발생 요인 중 (   )은/는 성별에 따른 선입견이나 편견을 토대로 서로 다른 성 정체성과 성 역할을 기대하고 내면화하는 사회화 과정을 의미한다.

28 인간의 기본적인 욕구를 충족하는 데 필요한 자원이나 소득의 결핍이 지속되는 상태를 (   )(이)라고 한다.

29 빈곤의 유형 중 다른 사람들보다 자원이나 소득이 상대적으로 적어 사회 구성원 대다수가 누리는 생활 수준을 누리지 못하는 상태를 (   )(이)라고 한다.

---

1 ○ 2 ×(경제적 · 사회적 측면의 영향력에서도 열세에 있음) 3 ○ 4 ○ 5 ○ 6 ○ 7 ×(수적으로 다수라도 사회적 소수자가 될 수 있음) 8 ○ 9 ○ 10 ×(성 불평등은 차별적 사회화, 남성 중심의 가치관, 성 차별적인 제도와 관련이 있음) 11 ×(양성 평등 의식이 더 중요함) 12 ○ 13 절 14 상 15 상 16 절, 상 17 상 18 절 19 절 20 ㉡ 21 ㉠ 22 ㉡ 23 ㉠ 24 ㉡ 25 사회적 소수자 26 성 불평등 현상 27 차별적 사회화 28 빈곤 29 상대적 빈곤

유형 ① 평균 임금 격차 추이에 대한 분석

↻ 본문 86쪽
02 성 불평등 문제

자료는 갑국의 고소득층과 저소득층의 남녀 간 평균 임금 격차 추이를 나타낸 것이다.

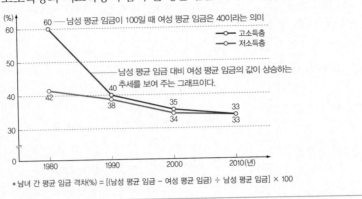

60 — 남성 평균 임금이 100일 때 여성 평균 임금은 40이라는 의미

남성 평균 임금 대비 여성 평균 임금의 값이 상승하는 추세를 보여 주는 그래프이다.

○ 고소득층
○ 저소득층

* 남녀 간 평균 임금 격차(%) = [(남성 평균 임금 − 여성 평균 임금) ÷ 남성 평균 임금] × 100

자료 접근 그래프에 제시된 자료의 의미를 정확하게 파악하는 것이 중요하다. 제시된 그래프의 평균 임금 격차는 [(남성 평균 임금−여성 평균 임금)/남성 평균 임금]×100이므로 남녀 전체 평균 임금은 남성 평균 임금과 여성 평균 임금 사이에 존재하게 된다는 점을 유의해야 한다.

자료 분석 • 남녀 간 평균 임금 격차는 [(남성 평균 임금−여성 평균 임금)/남성 평균 임금]×100으로 구할 수 있다. 이에 따르면 여성 평균 임금이 남성 평균 임금의 절반 이상이라면 남녀 간 평균 임금 격차는 50%보다 작고, 여성 평균 임금이 남성 평균 임금의 절반 이하라면 남녀 간 평균 임금 격차는 50%보다 크다. 1980년과 2010년에 저소득층에서는 남녀 간 평균 임금 격차가 각각 42%와 33%이므로 두 해 모두 여성 평균 임금은 남성 평균 임금의 50% 이상임을 알 수 있다.

• 1980년에 고소득층에서 남녀 간 평균 임금 격차가 60%라는 의미는 남성 평균 임금이 100일 때 여성 평균 임금은 40임을 의미한다. 이 경우 전체 평균 임금은 40과 100 사이에서 결정되므로, 여성 평균 임금은 전체 평균 임금의 40%를 넘을 것이다. 하지만 1980년 고소득층의 남녀 간 비율이 제시되지 않아 전체 평균 임금 수준을 알 수는 없다. 남녀 전체 평균 임금은 남성 평균 임금과 여성 평균 임금 사이에서 결정된다는 점을 꼭 유의하도록 한다.

• 1990년 대비 2000년에 고소득층에서 남녀 간 평균 임금 격차가 감소하였는데, 이는 남성 평균 임금 대비 여성 평균 임금의 값이 상승했음을 의미한다. 따라서 남성 평균 임금의 상승률보다 여성 평균 임금의 상승률이 크다.

• 위의 자료에 대한 분석으로 옳은 것은? (단, 고소득층과 저소득층 모두에서 남성 평균 임금은 지속적으로 상승하였다.)

① 1980년에 고소득층에서 여성 평균 임금은 전체 평균 임금의 40%이다.

② 1990년에 저소득층 여성 평균 임금은 10년 전과 비교하여 4% 증가하였다.

③ 1990년 대비 2000년에 고소득층에서 남성 평균 임금의 상승률이 여성 평균 임금의 상승률보다 크다

④ 2010년에 고소득층과 저소득층의 남녀 간 평균 임금의 차이는 같다.

⑤ 1980년, 2010년 모두 저소득층에서 여성 평균 임금은 남성 평균 임금의 50%를 넘는다.

선택지 풀이

① 오답 : 1980년에 고소득층에서 여성 평균 임금은 전체 평균 임금의 40%가 아니라 1980년 고소득층 남성 평균 임금의 40%이다. 여성 평균 임금이 전체 평균 임금의 몇%인지는 제시된 자료만으로는 알 수 없다.

② 오답 : 1980년 저소득층에서 남성 평균 임금이 100이라면 여성 평균 임금은 58이고, 1990년 저소득층에서 남성 평균 임금이 100이라면 여성 평균 임금은 62이다. 즉, 남성 평균 임금과 비교한 여성 평균 임금의 상댓값이 4%p 증가한 것이다.

③ 오답 : 1990년 대비 2000년에 고소득층에서 남녀 간 평균 임금 격차가 줄어들었으므로 남성 평균 임금의 상승률보다 여성 평균 임금의 상승률이 더 컸음을 알 수 있다.

④ 오답 : 2010년 고소득층과 저소득층의 남녀 간 평균 임금 격차가 33%로 동일하다고 해서 남녀 간 평균 임금의 차이가 같은 것은 아니다. 이는 임금 격차의 상대적 차이가 동일하다는 의미이지 실제 임금의 차이는 알 수 없다.

❺ 정답 : 1980년과 2010년 모두 저소득층에서 남녀 간 평균 임금 격차가 50%가 되지 않는다. 이는 여성 평균 임금이 남성 평균 임금의 50%를 넘기 때문이다.

유형 ② 경력 단절 여성에 대한 표 분석

○ 본문 86쪽
02 성 불평등 문제

〈갑국의 경력 단절 여성 규모와 사유〉

(단위 : %)

구분		2011년	2012년	2013년	2014년	2015년
15~64세 기혼 여성 인구 변화율		⓪—100	②—102	−2	0	0—99.96
경력 단절 여성 비율		20	20	20	20	20
경력 단절 사유	결혼	47	46	45	40	37
	임신 · 출산	20	24	21	20	24
	육아	25	26	30	31	32
	기타	8	4	4	9	7
	합계	100	100	100	100	100

* 15~64세 기혼 여성 인구 변화율 $= \dfrac{(당해\ 연도\ 15\sim64세\ 기혼\ 여성\ 수) - (전년도\ 15\sim46세\ 기혼\ 여성\ 수)}{전년도\ 15\sim64세\ 기혼\ 여성\ 수} \times 100$

** 경력 단절 여성 비율 $= \dfrac{경력\ 단절\ 여성\ 수}{15\sim64세\ 기혼\ 여성\ 수} \times 100$

자료 접근 2011년 '15~64세 기혼 여성 인구수'가 2011년에 비해 2012년에는 변화율이 2%이므로 증가하였고, 2013년에는 전년도에 비해 −2%, 즉 감소하였으며, 2014년, 2015년에는 2013년과 동일하다. 따라서 '15~64세 기혼 여성 인구수'의 크기는 2012년(102)>2011년(100)>2013년=2014년=2015년(99.96)이 된다.

자료 분석 • 15~64세 기혼 여성 인구의 증가율보다 경력 단절 여성 인구의 증가율이 높으면 15~64세 기혼 여성 인구에서 경력 단절 여성 인구가 차지하는 비율이 상승한다.

• 2012년에 비해 2013년에 경력 단절 여성 인구가 2% 감소하였는데(15~64세 기혼 여성 인구 감소율과 경력 단절 여성 인구 감소율이 −2%로 같기 때문에 경력 단절 여성 인구 비율이 20%로 일정함) 육아로 인한 경력 단절 여성 인구 비율은 4%p 증가하였다. 2012년에 경력 단절 여성 인구가 100명이라면 2013년 경력 단절 여성 인구는 98명이라고 할 수 있다. 2012년과 2013년에 육아로 인한 경력 단절 여성 인구가 26명으로 같다면 2013년에 육아로 인한 경력 단절 여성 인구 비율은 약 26.5%이다. 그런데 2013년에 육아로 인한 경력 단절 여성 인구 비율이 30%이므로 2012년보다 2013년에 육아로 인한 경력 단절 여성 인구가 많음을 알 수 있다. 2013년, 2014년, 2015년 15~64세 기혼 여성 인구, 경력 단절 여성 인구가 같으므로 2015년에 육아로 인한 경력 단절 여성 인구가 가장 많다.

• **위의 표에 대한 분석으로 옳지 않은 것은?**

① 15~64세 기혼 여성의 수는 2012년이 2013년보다 많다.

② 경력 단절 여성의 수는 2011년이 2015년보다 많다.

③ 결혼으로 인한 경력 단절 여성의 비율은 줄어들고 있다.

④ 임신 · 출산으로 인한 경력 단절 여성의 수는 2011년이 2014년보다 적다.

⑤ 육아로 인한 경력 단절 여성의 수가 가장 많은 해는 2015년이다.

선택지 풀이

① 정답 : 2013년 '15~64세 기혼 여성 인구 변화율'이 −2%이기 때문에 2012년보다 더 감소했다는 것을 알 수 있다. 변화율 값이 양(+)이면 기준 시점인 전년보다 값이 증가한 것이고 음(−)이면 감소했다는 것이다.

② 정답 : '경력 단절 여성 비율'이 2011년과 2015년으로 20%로 같아도 '15~64세 기혼 여성 인수 수'는 2011년이 2015년보다 많기 때문에 경력 단절 여성의 수는 2011년이 2015년보다 많다.

③ 정답 : '결혼으로 인한 경력 단절 여성의 비율'은 표에 나온 대로 47%, 46%, 45%, 40% 37로 계속 감소하고 있다.

❹ 오답 : '임신 · 출산으로 인한 경력 단절 여성'의 비율은 2011년과 2014년 모두 20%이지만 '15~64세 기혼 여성 인구수'가 2011년에 더 많으므로 '임신 · 출산으로 인한 경력 단절 여성'의 수도 2011년이 더 많다.

⑤ 정답 : 경력 단절 여성의 수는 '15~64세 기혼 여성 인구수'의 20%이고 2012년보다 2013년의 육아로 인한 경력 단절 여성 인구가 많으므로 결국 '육아로 인한 경력 단절 여성의 수'는 2015년이 가장 많다.

유형 ③ 빈곤율 변화에 대한 분석

본문 87쪽
03 빈곤 문제

그림은 A~C국의 1990년부터 2010년까지의 절대적 빈곤율(%)과 상대적 빈곤율(%)의 상대적 비율을 나타낸 것이다.

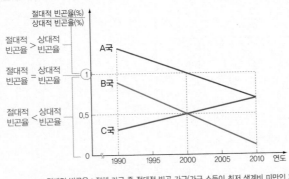

* 절대적 빈곤율 : 전체 가구 중 절대적 빈곤 가구(가구 소득이 최저 생계비 미만인 가구)의 비율
** 상대적 빈곤율 : 전체 가구 중 상대적 빈곤 가구(가구 소득이 중위 소득의 50% 미만인 가구)의 비율
*** 중위 소득 : 전체 가구를 소득 순으로 일렬로 배열했을 때 한가운데 위치한 가구의 소득

자료 접근 최근 빈곤율과 관련하여 자주 출제되고 있는 유형으로 난이도가 높은 유형이다. 절대적 빈곤선과 상대적 빈곤선의 개념을 정확하게 파악하고 있어야 한다. 제시된 그래프는 '절대적 빈곤율/상대적 빈곤율'을 나타낸 것이다. 상대적 빈곤율이 분모이고 절대적 빈곤율이 분자임에 주의해야 한다. 즉 분자의 증가율보다 분모의 증가율이 큰 경우에 그 분수의 크기가 감소하므로 그래프는 우하향하게 되고, 분자의 증가율이 분모의 증가율보다 큰 경우에 그 분수의 크기가 커지므로 그래프는 우상향하게 된다.

자료 분석 • 절대적 빈곤율/상대적 빈곤율이 1보다 크다는 것은 절대적 빈곤 가구 수가 상대적 빈곤 가구 수보다 많다는 것을 의미한다. 반대로 절대적 빈곤율/상대적 빈곤율이 1보다 작다는 것은 절대적 빈곤 가구 수가 상대적 빈곤 가구 수보다 적다는 것을 의미한다.
• 제시된 그래프를 분석하여 A~C국의 변화를 파악한다. 이 기간 중 A국의 경우 상대적 빈곤율 대비 절대적 빈곤율의 값이 하락하였으므로 절대적 빈곤 가구 증가율보다 상대적 빈곤 가구 증가율이 크다. B국의 경우도 A국과 마찬가지로 절대적 빈곤 가구 증가율보다 상대적 빈곤 가구 증가율이 크다. C국은 상대적 빈곤 가구 증가율 대비 절대적 빈곤 가구 증가율의 값이 상승하였다. 이는 절대적 빈곤 가구 증가율보다 상대적 빈곤 가구 증가율이 작기 때문에 나타난 결과인데, 이 경우 상대적 빈곤 가구 수는 절대적 빈곤 가구 증가율보다 작은 수준으로 증가할 수도 있고, 변동이 없거나 감소할 수도 있다.

♦ 우리나라의 절대적 빈곤선과 상대적 빈곤선
• 절대적 빈곤선 : 매년 정부에서 발표하는 최저 생계비를 절대적 빈곤선으로 삼고 있는데, 그에 미달하면 절대적 빈곤층으로 정의한다.
• 상대적 빈곤선 : 경제 협력 개발 기구(OECD)의 기준에 따라 중위 소득의 50%를 상대적 빈곤선으로 하여 그에 미달하면 상대적 빈곤층으로 정의한다.

• 위의 자료에 대한 분석으로 옳은 것만을 〈보기〉에서 있는 대로 고른 것은? (단, 이 기간 동안 A~C국의 전체 가구 수와 절대적 빈곤 가구 수는 지속적으로 증가하였으며, 모든 가구의 구성원 수는 동일하다.)

┌─보기─────────────────────
ㄱ. 1990년부터 2000년까지 B국의 상대적 빈곤 가구 수는 증가하였고, C국의 상대적 빈곤 가구 수는 감소하였다.
ㄴ. 1990년부터 2010년까지 A국에서 절대적 빈곤 가구 수의 증가율보다 상대적 빈곤 가구 수의 증가율이 낮다.
ㄷ. 1995년부터 2010년까지 B국에서 중위 소득의 1/2이 최저 생계비보다 크다.
ㄹ. 2005년부터 2010년까지 A국, B국, C국 모두에서 절대적 빈곤 가구는 모두 상대적 빈곤 가구에 속한다.
└────────────────────────

보기 풀이

ㄱ.오답 : 전체 가구 수와 절대적 빈곤 가구 수가 증가하고 있는데, B국에서는 상대적 빈곤율 대비 절대적 빈곤율의 값이 하락하였다. 이는 절대적 빈곤 가구 증가율보다 상대적 빈곤 가구의 증가율이 크기 때문에 나타난 결과이다. 한편 C국에서는 상대적 빈곤 가구 증가율 대비 절대적 빈곤 가구 증가율의 값이 상승하였다. 이는 절대적 빈곤 가구 증가율보다 상대적 빈곤 가구 증가율이 작기 때문에 나타난 결과인데, 이 경우 상대적 빈곤 가구 수는 절대적 빈곤 가구 증가율보다 작은 수준으로 증가할 수도 있고, 변동이 없거나 감소할 수도 있다. 따라서 반드시 감소했다고 단정할 수 없다.

ㄴ.오답 : 1990년부터 2010년까지 A국에서 절대적 빈곤율/상대적 빈곤율의 값은 작아지고 있다. 이는 절대적 빈곤 가구 수의 증가율보다 상대적 빈곤 가구 수의 증가율이 클 때 나타난다.

ㄷ.정답 : 1995년부터 2010년까지 B국에서 상대적 빈곤율이 절대적 빈곤율보다 높아 상대적 빈곤율 대비 절대적 빈곤율의 값이 1보다 작다. 이는 중위 소득의 1/2(상대적 빈곤선)이 최저 생계비(절대적 빈곤선)보다 크다는 것을 의미한다.

ㄹ.정답 : 2005년부터 2010년까지 A, B, C국의 상대적 빈곤율 대비 절대적 빈곤율의 값이 1보다 작다. 이는 상대적 빈곤율이 절대적 빈곤율보다 높다는 의미이고, 이런 경우 절대적 빈곤 가구는 모두 상대적 빈곤 가구에 해당한다.

유형 ④ 빈곤율 변화 추이에 대한 분석

자료는 갑국의 빈곤율을 나타낸 것이다.

본문 87쪽
03 빈곤 문제

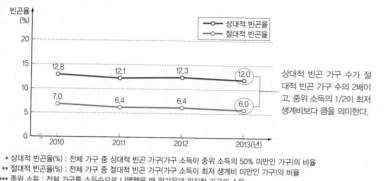

* 상대적 빈곤율(%) : 전체 가구 중 상대적 빈곤 가구(가구 소득이 중위 소득의 50% 미만인 가구)의 비율
** 절대적 빈곤율(%) : 전체 가구 중 절대적 빈곤 가구(가구 소득이 최저 생계비 미만인 가구)의 비율
*** 중위 소득 : 전체 가구를 소득순으로 나열했을 때 한가운데 위치한 가구의 소득

상대적 빈곤 가구 수가 절대적 빈곤 가구 수의 2배이고, 중위 소득의 1/2이 최저 생계비보다 큼을 의미한다.

자료 접근 그래프 하단에 제시된 각주에 유의하면서 자료에 접근할 필요가 있다. 절대적 빈곤율은 전체 가구 중 최저 생계비 미만인 가구의 비율을 말하고, 상대적 빈곤율은 전체 가구 중 중위 소득의 50% 미만인 가구의 비율을 말한다. 모든 연도에서 상대적 빈곤율이 절대적 빈곤율보다 높다는 것은 상대적 빈곤 가구가 절대적 빈곤 가구보다 많다는 것을 의미하며, 절대적 빈곤 가구는 모두 상대적 빈곤 가구에 해당한다는 것을 의미한다.

자료 분석 • 제시된 그래프를 분석해 보면 2011년 상대적 빈곤율은 12.1%이고 절대적 빈곤율은 6.4%이므로 상대적 빈곤 가구의 인구는 절대적 빈곤 가구 인구의 2배가 되지 않는다. 상대적 빈곤 가구의 인구가 2배 이상이 되려면 상대적 빈곤율이 12.8% 이상이 되어야 한다.

• 그래프에 제시된 숫자는 빈곤 가구의 비율이지 가구 수가 아니다. 2011년과 2012년의 전체 가구 수를 알 수 없으므로 빈곤 가구의 비율만 가지고 가구 수가 어떻게 변화했는지는 알 수 없다.

• 제시된 그래프를 분석해 보면 2013년 상대적 빈곤율이 12.0%, 절대적 빈곤율이 6.0%로, 상대적 빈곤율이 절대적 빈곤율의 2배인데 이는 상대적 빈곤 가구가 절대적 빈곤 가구의 2배임을 의미한다. 하지만 이를 가지고 중위 소득이 같은 해 최저 생계비의 2배인지 여부는 제시된 자료로는 알 수 없다.

• **위의 자료에 대한 분석으로 옳은 것은? (단, 갑국 모든 가구의 구성원 수는 동일하다.)**

① 2010년에 상대적 빈곤 가구는 모두 절대적 빈곤 가구이다.

② 2011년에 상대적 빈곤 가구의 인구는 절대적 빈곤 가구의 인구보다 2배 이상 많다.

③ 전년과 대비하여 2012년에 상대적 빈곤 가구의 수는 증가했고, 절대적 빈곤 가구의 수는 변함이 없다.

④ 2013년에 중위 소득은 같은 해 최저 생계비의 2배이다.

⑤ 제시된 모든 연도에서 중위 소득 대비 최저 생계비의 비율은 50% 미만이다.

선택지 풀이

① 오답 : 2010년에 절대적 빈곤 가구는 모두 상대적 빈곤 가구이다.

② 오답 : 2011년에 상대적 빈곤 가구 비율(12.1%)이 절대적 빈곤 가구 비율(6.4%)의 2배가 되지 않는다. 따라서 상대적 빈곤 가구의 인구가 절대적 빈곤 가구의 인구보다 2배 이상 많지는 않다.

③ 오답 : 전체 가구 수가 제시되어 있지 않으므로 2011년 대비 2012년의 상대적 빈곤 가구 수와 절대적 빈곤 가구 수의 변동은 알 수 없다.

④ 오답 : 2013년에 상대적 빈곤율이 절대적 빈곤율의 2배이다. 이는 중위 소득의 1/2이 최저 생계비보다 크다는 것을 의미하므로, 중위 소득은 최저 생계비의 2배보다 크다.

❺ 정답 : 제시된 모든 연도에서 상대적 빈곤율이 절대적 빈곤율보다 높다. 이는 중위 소득의 1/2이 최저 생계비보다 크다는 것을 의미한다. 따라서 중위 소득 대비 최저 생계비의 비율은 50% 미만이다.

12강 사회 복지와 복지 제도

1단계 개념 확 뜯어보기

01 사회 복지와 복지 국가

1. 사회 복지

(1) 의미 : 사회나 국가가 최소한의 인간다운 생활을 보장하고, 일정 수준의 삶의 질을 확보해 줌으로써 모든 사회 구성원들이 안전하고 행복한 삶을 살 수 있도록 실시하는 제도나 정책 등의 사회적 노력

(2) 필요성

① 사회 구성원 누구에게나 질병, 사고 등 예상치 못한 어려움이 발생하여 최소한의 인간다운 생활이 보장되지 않는 상황이 발생할 수 있음

② 개인이 누리는 삶의 질을 높이기 위해서는 개인 스스로의 노력과 더불어 사회적 지원이 필요함

③ 사회 구성원들에게 최소한의 인간다운 생활이 보장되지 않는 상황에서는 공동체의 유지를 어렵게 하는 여러 가지 사회 문제가 발생할 수 있음

(3) 사회 복지에 대한 인식 변화

초기 자본주의 사회	현대 복지 사회
• 주로 빈곤층의 빈곤 문제 해결에 관심을 가짐 • 빈곤의 원인으로 개인의 무능력, 게으름 등 개인의 책임을 강조함 • 개인이나 종교 단체 등에 의한 자선 활동이 중심이 되고, 국가는 극심한 사회 혼란이나 반란을 방지하기 위한 차원에서 구제 활동을 벌이기도 함 • 빈곤층에 한정된 사회 복지이며, 사후 처방적 성격과 국가의 시혜적 복지의 성격을 가짐	• 빈곤뿐만 아니라 다양한 측면에서 삶의 질 개선까지도 목표로 함 • 빈곤의 원인으로 개인의 책임과 사회적 책임을 모두 강조함 • 사회 복지 정책을 통해 빈곤을 예방하고 구제하고자 함 • 삶의 질 향상을 목적으로 한 사회 복지, 사전 예방적 차원의 사회 복지까지 고려하며, 사회 복지를 국민의 권리로 인식함

올쏘 자료 Plus⁺ 엘리자베스 구빈법(1601년)과 베버리지 보고서(1942년)

(가) 엘리자베스 구빈법(1601년) : 빈민은 세 가지 범주로 나누어 대책을 강구한다. 노동 능력이 있는 빈민에게는 일을 제공하며, 일을 거절할 경우에는 교정원에 1년간 감금하여 중노동을 시킨다. 노동 능력이 없는 빈민은 구빈원이나 의료원에 입소한다. 보호자가 없는 아동은 남자의 경우 24세까지, 여자의 경우 21세까지 양모 공장 등에 도제로 보낸다.

(나) 베버리지 보고서(1942년) : 사회 보장은 정부와 개인의 협력에 의해서만 달성되고 정부는 국민의 최저한의 생활을 보장할 책임이 있다. 사회 보험은 소득 보장을 목적으로 하고 이 방법이 빈곤 퇴치의 핵심이다. 사회 재건을 위한 5대 해악으로는 빈곤, 질병, 무지, 불결, 나태를 들 수 있다. 빈곤은 소득 보장으로, 질병은 의료 보장으로, 무지는 의무 교육으로, 불결은 주택 정책으로, 나태는 노동 정책으로 대처해야 한다.

(가)의 엘리자베스 구빈법은 빈민들의 빈곤 구제에 초점을 맞추고 있으며, 빈곤의 원인을 일하기 싫어하는 빈민들의 도덕적인 결함에서 찾고 있다. (나)의 베버리지 보고서는 빈곤은 물론 질병, 무지, 불결, 나태 등까지 사회 보장의 영역을 확대하고 있으며, 이에 대한 국가의 책임을 강조하고 있다. 이 보고서는 제2차 세계 대전 이후 영국을 비롯한 서구 사회에서 복지 국가가 발달하는 데 큰 영향을 미쳤다.

만점 공부 비법

• 우리나라 사회 보장 제도의 유형인 사회 보험, 공공 부조, 사회 서비스를 구분하는 문항은 거의 해마다 출제되므로 다양한 사례와 함께 알아둔다.

• 사회 보험, 공공 부조, 사회 서비스의 구체적인 사례에 해당하는 제도와 특징을 개념과 연계하여 알아둔다.

• 각 사회 보장 제도의 특징을 묻는 것뿐만 아니라 관련 통계 자료의 수치를 분석할 수 있는지도 평가하므로 다양한 형태의 자료를 분석하는 연습을 한다.

복지
삶의 질을 안정적으로 유지하거나 개선하여 안전하고 행복한 삶을 누리는 상태를 의미한다.

시혜(施惠)적 복지
은혜를 베푸는 차원에서 제공하는 복지를 가리킨다. 이러한 복지는 기본적으로 빈곤의 원인이 당사자에게 있으며, 그들에 대한 복지 제공은 도덕적으로 우월한 자의 자선이나 선행이라는 인식을 전제로 한다.

베버리지(Beveridge, W.)
윌리엄 베버리지는 1942년 「사회 보험 및 관련 서비스」라는 제목의 보고서를 작성하였다. 베버리지 보고서라고도 불리는 이 보고서를 바탕으로 영국에서는 출생에서 사망까지 전 생애를 대상으로 하는 복지 제도가 만들어졌다.

2. 복지 국가

(1) **의미** : 국민 전체의 복지 증진과 확보, 행복 추구를 국가의 중요한 사명으로 보는 국가 → 적극적 행정 국가로 야경 국가와 대비됨

(2) **등장 배경** : 자유방임주의에 기초한 근대 자본주의의 발달 과정에서 빈부 격차 심화, 실업 증가, 노동 조건 악화 등 국민의 안전한 삶을 위협하는 다양한 사회적 위험이 나타남

(3) **등장 과정**

엘리자베스 구빈법 (영국, 1601년)	자유방임주의의 영향을 받아 빈곤, 질병의 책임은 원칙적으로 개인에게 있다고 보았으나 빈민 구제에 대한 국가의 책임을 최초로 명시함
비스마르크 사회 보험 제도(독일, 1883년)	심각한 빈부 격차로 인해 발생할 수 있는 사회 혼란을 방지하고, 노동자들의 안정적인 미래를 보장하기 위해 도입된 최초의 사회 보험 제도(근대적인 사회 보험 제도의 탄생) → 질병 보험 제도(1883년), 재해 보험 제도(1884년), 노령 및 폐질(노동 능력 상실) 보험 제도(1889년) 등이 도입됨
사회 보장법 (미국, 1935년)	대공황을 극복하는 과정에서 시행된 뉴딜 정책의 일환 → 정부의 역할 확대, 본격적인 복지 국가 지향
베버리지 보고서 (영국, 1942년)	모든 국민의 '요람에서 무덤까지' 삶의 질을 보장하기 위한 국가의 책임 강조 → 현대적 의미의 사회 보장 제도 확립

(4) **발달**

① **배경** : 대공황, 제2차 세계 대전 등을 계기로 실업자와 빈곤층의 급증, 자본주의와 공산주의의 이념 대립으로 자본주의의 모순을 수정해야 할 필요성이 증대되었음

② **오늘날의 복지 국가** : 세계 각국은 모든 국민의 최소한의 인간다운 생활 보장을 국가의 의무로 규정하고, 복지 제도를 국가가 적극적으로 시행하는 복지 국가를 추구함

02 우리나라의 복지 제도

1. 사회 보험

(1) **의미** : 국민에게 발생하는 사회적 위험을 보험의 방식으로 대처함으로써 국민의 건강과 소득을 보장하는 제도

(2) **목적** : 질병, 실업, 산업 재해, 은퇴 및 노령 등으로 인하여 발생할 수 있는 사회적 위험을 공공 부문이 운영하는 보험의 방식을 통해 대비함으로써 모든 국민이 안전한 삶을 누리는 데 필요한 소득과 건강을 보장함

(3) **대상** : 모든 국민

(4) **비용 부담 원칙**

① **부담 주체** : 피보험자(수혜자), 기업주 또는 국가의 공동 부담

② **보험료 산출 기준** : 수혜자의 비용 부담 능력에 비례하여 보험료를 산출하는 것을 원칙으로 함

(5) **특징**

① 사(私)보험과 달리 강제 가입을 원칙으로 함

② 상호 부조의 원리를 기반으로 함

③ 원칙적으로 수혜 정도와 무관하게 각자의 경제적 능력에 따라 비용을 부담함

④ 미래에 직면할 사회적 위험에 대처하는 사전 예방적 성격을 가짐

⑤ 금전적 지원을 원칙으로 함

⑥ 수혜자와 부담자가 일치함

⑦ 소득 재분배 효과가 있음

야경 국가
개인이 자유롭게 경제 활동을 할 수 있도록 국가의 기능은 외적인 방어, 국내 치안의 유지, 최소한의 공공 사업에 한정되어야 한다는 국가관을 말한다.

뉴딜 정책
미국의 루스벨트 행정부가 추진한 정책으로 대공황 극복을 위하여 추진하였다. 이때부터 국민 생활에 국가가 적극적으로 개입하게 되었다.

보험
사회생활 중 발생하는 위험으로 인한 경제적 타격이나 부담을 덜어주기 위하여 다수의 사람들이 협동하여 일정 금액을 모아 위험에 처한 사람에게 지급하는 제도를 말한다.

사회 보험과 사(私)보험
사회 보험은 비영리성, 가입의 강제성, 비용 부담 능력에 따른 부담을 원칙으로 하지만, 사보험은 영리성, 가입의 자발성, 수혜 정도에 따른 비용 부담을 원칙으로 한다.

소득 재분배
사회 보장 제도나 누진 과세 세제 도입 등으로 가능한 한 개인이나 소득 계층 간의 격차를 시정하고 축소화하는 조치를 취하는데, 이러한 제도를 소득 재분배라고 한다.

(6) 종류

① 국민연금 제도 : 노령, 장애, 사망 시 본인 및 가족에게 노령 연금, 장애 연금, 유족 연금 등을 지급함으로써 국민의 생활 안정과 복지 증진을 목적으로 하는 제도 → 노령 시에는 노령 연금, 장애 시에는 장애 연금, 사망 시에는 유족 연금이 지급됨

② 국민 건강 보험 제도 : 국민의 질병 및 부상에 대한 예방, 진단, 치료, 재활과 출산, 사망 및 건강 증진에 보험 급여를 제공함으로써 가계 경제의 부담을 덜어 주고 국민의 건강을 향상시키기 위한 제도

③ 고용 보험 제도 : 근로자가 일자리를 잃을 경우 재취업을 위한 노력을 하는 것을 조건으로 생활에 필요한 급여를 지급하면서 직업 훈련과 취업을 알선해 주는 제도

④ 산업 재해 보상 보험 제도 : 업무와 관련하여 질병, 장애, 사망 등의 재해가 발생할 경우 본인의 치료비와 본인 및 가족에게 생계비를 보장하여 재활 및 사회 복귀를 촉진하는 제도

⑤ 노인 장기 요양 보험 제도 : 고령이나 노인성 질병 등으로 일상생활을 혼자서 수행하기 어려운 노인 등에게 신체 활동 또는 가사 활동 지원 등의 장기 요양 급여를 제공하여 노후의 건강 증진 및 생활 안정을 도모하고 그 가족의 부담을 덜어 줌으로써 국민의 삶의 질을 높이기 위한 제도

2. 공공 부조

(1) 의미 : 국가와 지방 자치 단체의 책임 아래 생활 유지 능력이 없거나 생활이 어려운 국민의 최저 생활을 보장하고 자립을 지원하는 제도

(2) 목적 : 국가와 지방 자치 단체의 지원을 통해 최소한의 인간다운 생활을 보장하고 자립을 지원함

(3) 대상 : 생활 유지 능력이 없거나 생활이 어려운 국민

(4) 비용 부담 원칙 : 국가 및 지방 자치 단체가 비용을 전액 부담함

(5) 특징

① 금전적 지원을 원칙으로 함

② 사회 보험보다 소득 재분배 효과가 큼

③ 국가의 재정 부담이 증대될 우려가 있음

④ 대상자 선정 과정에서 부정적 낙인이 발생할 수 있음

⑤ 현재 직면한 사회적 위험에 대응하는 사후 처방적 성격을 가짐

⑥ 수혜자와 부담자가 일치하지 않음

(6) 종류

① 국민 기초 생활 보장 제도 : 생활이 어려운 자에게 필요한 급여를 제공하여 최소한의 인간다운 생활을 할 수 있도록 돕고 자립과 자활을 지원하는 제도

② 의료 급여 제도 : 생활 유지 능력이 없거나 생활이 어려운 저소득 국민에게 의료 급여를 지급하는 제도

③ 기초 연금 제도 : 65세 이상 노인 중 소득과 재산이 적은 노인에게 매달 일정액의 연금을 지급하는 제도

④ 장애인 연금 제도 : 중증 장애인으로서 소득이 일정 수준 이하인 사람에게 생활 안정에 필요한 연금을 지급하는 제도

장애 연금
국민연금 가입자가 치료 후에도 장애가 남았을 때 장애 상태(1~4급)에 따라 지급되는 연금이다. 장애를 입게 된 즉시 지급하는 것이 아니라 장애 정도가 어느 정도 고정된 때(1년 6개월 경과 후)를 기준으로 결정된다.

고용 보험 제도
실업과 고용 불안이라는 사회적 위험에 대비하여 실업자에 대한 실업 급여를 제공함으로써 근로자의 생계를 보장하는 사회 보장적 기능과 취업 촉진, 능력 개발, 고용 안정 등 고용 구조의 개선을 위한 고용 정책적 기능을 동시에 수행하고 있는 제도이다.

산업 재해
노동 과정에서 작업 환경 또는 작업 행동 등 업무상의 사유로 발생하는 근로자의 신체적 · 정신적 피해를 말하며, 노동 재해라고도 한다. 여기에는 부상, 그로 인한 질병 · 사망, 작업 환경 부실로 인한 직업병 등이 포함된다. 산업 재해는 제조업의 노동 과정에서뿐만 아니라 광업 · 토목 · 운수업 등 모든 분야에서 발생할 가능성이 있다.

공공 부조와 부정적 낙인
공공 부조는 정부 재정으로 저소득층에게 지원하기 때문에 저소득층 여부를 조사하여 대상자를 선정하는 과정을 거쳐야 한다. 그러나 이 과정에서 저소득층의 정보 유출 등 인권 침해나 저소득층에 대한 부정적 낙인이 발생할 수 있다.

기초 연금 제도
노인 세대의 안정된 노후 생활을 지원하기 위한 제도로, 65세 이상인 노인 중 가구의 소득 인정액이 선정 기준 이하인 노인에게 매월 연금을 지급하는 제도이다.

올쏘자료 Plus⁺ 국민 기초 생활 보장 제도의 개편, 맞춤형 급여

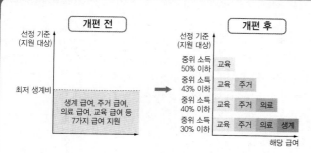

우리나라는 기존 국민 기초 생활 보장 제도를 보완하여 2015년 7월 1일부터 맞춤형 급여를 시행하고 있다. 기존에는 최저 생계비 이하의 소득 등 특정 기준에 부합하는 가구에게 생계·의료·주거·교육 급여를 일괄 지원하였다. 그런데 맞춤형 급여에서는 소

득이 중위 소득의 50 % 이하에 해당하는 가구를 소득 수준에 따라 4단계로 구분하고 가구의 소득 수준이 한 단계씩 낮아질수록 교육 급여, 주거 급여, 의료 급여, 생계 급여가 순서대로 하나씩 추가되도록 하였다. 맞춤형 급여 방식은 소득 수준에 따른 가구별 필요에 맞추어 급여를 제공하고 복지의 사각지대를 줄여 수혜 대상자를 확대하는 것을 목적으로 하고 있다.

3 사회 서비스

(1) 의미 : 보건 의료, 교육, 고용, 주거, 문화, 환경 등의 분야에서 인간다운 생활을 보장하고 상담, 재활, 돌봄, 정보 제공, 관련 시설 이용, 역량 개발, 사회 참여 등을 지원하는 제도

(2) 목적 : 국민의 삶의 질 향상을 목적으로 함

(3) 대상 : 국가나 지방 자치 단체 및 민간 부문의 도움이 필요한 모든 국민

(4) 비용 부담 원칙

① 부담 능력이 있는 국민은 수익자 부담을 원칙으로 함

② 일정 소득 수준 이하의 국민은 비용의 전부 또는 일부를 국가와 지방 자치 단체가 부담함

(5) 특징 : 비금전적 지원(서비스의 제공)을 원칙으로 하며, 민간 부문도 참여할 수 있음

(6) 대표적 사회 서비스

① 노인 돌봄 종합 서비스 : 일상생활이 어려운 노인과 독거노인에게 안전 확인, 생활 교육, 서비스 연계, 가사 지원, 활동 지원 등의 맞춤형 복지를 제공

② 산모·신생아 건강 관리 지원 사업 : 산모·신생아 건강 관리사가 일정 기간 출산 가정을 방문하여 산후 관리를 지원

③ 가사·간병 방문 지원 사업 : 갑작스러운 질병과 어려운 생활로 가사와 간병이 필요한 저소득층에게 요양 보호사가 방문하여 가사와 간병 서비스를 제공

03 복지 제도의 역할과 한계

1. 복지 제도의 역할

(1) 개인적 측면 : 현재의 사회적 위험으로부터 구제해 주고 미래의 사회적 위험에 대비할 수 있게 함으로써 개인의 최소한의 인간다운 생활과 삶의 질을 보장함

(2) 사회적 측면 : 사회 문제의 원인을 제공하는 사회적 환경을 개선하고 사회 불평등 현상을 완화하여 사회 통합에 기여함

2. 복지 제도의 한계

(1) 복지 제도의 부작용 발생 : 과도한 사회 보장이 오히려 근로 의욕을 감퇴시키고 사회 전반적으로 생산성과 효율성을 떨어뜨리는 결과를 초래함 → 복지병 발생

사회 변화와 사회 서비스

핵가족화, 여성의 경제 활동 증가, 가족 해체 등의 사회 변화에 따라 서비스를 필요로 하는 요보호 아동, 청소년, 장애인, 노인, 여성 등이 늘어나고 있다. 과거에는 대가족 제도가 이러한 비물질적 서비스를 대부분 제공해 왔으나, 현대에는 국가나 사회 단체의 개입이 필요한 상황이다.

사회 서비스의 제공 주체

사회 서비스는 국민의 서로 다른 필요에 부합하는 차별화된 지원을 중시한다. 따라서 서비스 제공은 국가뿐만 아니라 국가의 일정한 지원으로 기업이나 사회봉사 단체 등 민간 부문의 참여가 가능하다.

드림 스타트 사업

취약 계층 아동에게 맞춤형 통합 서비스를 제공하여, 아동의 건강한 성장과 발달을 도모하고 공평한 출발 기회를 보장함으로써, 아동이 건강하고 행복한 사회 구성원으로 성장할 수 있도록 지원하는 사업이다.

사회 복지의 유형과 한계

보편적 복지 (사회 민주주의 복지 모델)	선별적 복지 (자유주의 복지 모델)
복지를 통한 사회적 분배를 최대한 강조하는 방식, 모든 국민이 복지의 수혜 대상임	중산층 이상이 세금을 내면 가장 취약한 하류층이 복지 혜택을 받는 방식
복지의 형평성은 높지만 경제적 효율성이 낮으며, 복지병 초래의 가능성이 있음	형평성은 낮지만 효율성이 높으며, 대상자 선정 과정에서 부정적 낙인의 가능성이 있음

복지병

영국에서는 1960년대 이후부터 일하지 않고 정부의 복지 정책과 사회 보장에 기대려는 사람들이 늘어나 사회 전체적인 효율성이 떨어지는 문제가 발생하였는데, 이를 복지병 또는 영국병이라고 한다.

(2) 신자유주의 등장 : 1970년대 석유 파동으로 인한 경제 불황을 계기로 정부 규제 철폐, 복지 축소 등을 주장하는 신자유주의가 등장하면서 복지 국가의 이상이 후퇴함

3. 생산적 복지

(1) 의미 : 소외 계층이 자활 사업에 참여하거나 노동을 하는 조건으로 지원해 주는 새로운 형태의 복지

(2) 등장 배경 : 복지병의 발생에 따른 생산성과 효율성 저하, 정부의 재정 부담 심화

(3) 특징

① 복지의 형평성과 경제적 효율성을 동시에 추구함 → '제3의 길'

② 근로 능력이 있는 사람의 근로 의욕과 경제 활동 참여를 장려함

③ 직업 교육 실시, 취업 지원, 근로 장려 세제 등을 통해 복지 수급자들의 자립을 지원함

(4) 평가 : 복지로 인한 재정 부담 및 사회적 비효율성의 개선에 기여하지만 근로 능력이 없는 사람을 복지 혜택에서 소외시킬 우려가 있음

올쏘 자료 Plus⁺ 근로 장려 세제

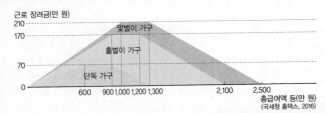

근로 장려 세제는 일정 요건을 충족하는 저소득 근로자 가구에 가구원 구성과 총급여액 등에 따라 산정된 근로 장려금을 지급하여 근로를 장려하고 실질 소득을 지원하는 근로 연계형 소득 지원 제도이다. 근로 장려 세제는 근로 소득의 크기에 따라 근로 장려금을 차등 지급함으로써 근로를 유인하는 기능이 있다. 이러한 근로 유인으로 근로 빈곤층이 극빈층으로 가는 것을 막을 수 있다. 또한 저소득 근로자 가구에 현금 급여를 제공하여 실질 소득을 증가시킴으로써 조세 제도를 통한 소득 재분배 효과를 기대할 수 있다.

신자유주의

국가 권력의 시장 개입을 비판하고 시장의 기능과 민간의 자유로운 활동을 중시하는 이론이다. 케인스 이론을 도입한 수정 자본주의의 실패를 지적하고 경제적 자유방임주의를 주장하면서 1970년대부터 본격적으로 대두되었다.

1970년대 석유 파동

1970년대 석유 생산국들의 원유 생산량 제한으로 인해 국제 석유 가격이 폭등하였고, 이로 인한 여파로 전 세계적인 경제 불황과 혼란이 발생하였는데, 이를 석유 파동이라고 한다.

제3의 길

제1의 길	형평, 복지 중시

↓ 복지병 발생

제2의 길	효율, 성장 중시

↓ 사회 안전망 미흡

제3의 길	형평과 효율의 조화 (복지와 성장의 조화)

2단계 개념 쏙 정리하기

1. 사회 복지의 의미 변화

구분	과거	오늘날
대상자	사회적 약자	모든 국민
서비스의 질	최저 생활의 보장	삶의 질 향상
서비스의 성격	장애 발생 시 사후 보완	장애의 사전 예방
사회 복지의 성격	여유 있는 사람들의 자선	국민으로서 누려야 할 권리
빈곤의 책임	개인의 책임을 강조	사회의 책임을 강조

2. 복지 국가의 역사

자유방임적 자본주의	현대 복지 국가의 등장	복지 정책의 새 흐름
자유 경쟁과 이윤 추구의 자유 보장 → 빈부 격차의 심화	전 국민을 대상으로 한 사회 보장 제도의 확립 → 복지병 발생	신자유주의의 등장과 생산적 복지의 지향

3. 복지 제도의 유형

구분	사회 보험	공공 부조	사회 서비스
목적	소득이 있을 때 보험료를 납부하여 발생 가능성이 있는 위험에 대비	생활이 어려운 빈곤층에 대해 급여 제공 → 최저 생활의 보장	도움을 필요로 하는 국민에게 상담, 재활 등의 서비스를 제공
대상	보험료 부담 능력이 있는 사람	보험료 부담 능력이 없는 사람	도움을 필요로 하는 국민
특징	수혜자와 기업(또는 정부)이 비용 부담, 강제 가입, 능력별 부담	국가가 전액 부담, 소득 재분배 효과가 큼, 근로 의욕 감퇴 초래	국가나 지방 자치 단체는 물론 민간도 운영 주체가 됨, 비금전적 지원
사례	국민연금, 건강 보험, 고용 보험 등	국민 기초 생활 보장 제도, 의료 급여 등	노인 복지, 아동 복지, 여성 복지 등

● 사회 보장 제도 중 사회 보험이면 '사', 공공 부조이면 '공', 사회 서비스이면 '서'에 표시하시오. (중복 선택 가능)

1 상호 부조의 원리가 적용된다. (사, 공, 서)

2 노인성 질병 등으로 인해 일상생활을 혼자서 수행하기 어려운 사람들에게 장기 요양 급여를 지급하는 제도이다. (사, 공, 서)

3 금전적 지원을 원칙으로 하는 제도이다. (사, 공, 서)

4 빈곤층의 최저 생활 보장과 자립 지원을 목적으로 한다. (사, 공, 서)

5 출산 가정에 건강 관리사를 파견하여 산후 관리를 지원함으로써 산모와 신생아의 건강을 증진하고 출산 가정의 경제적 부담을 줄여 주는 제도이다. (사, 공, 서)

6 국민 기초 생활 보장 제도를 사례로 들 수 있다. (사, 공, 서)

7 원칙적으로 재원을 부담하는 자와 수혜자가 일치하지 않는다. (사, 공, 서)

8 강제 가입을 원칙으로 한다. (사, 공, 서)

9 사전 예방적 성격이 강하다. (사, 공, 서)

10 모든 국민이 대상자가 되는 제도이다. (사, 공, 서)

● 다음 내용을 읽고 옳으면 ○, 틀리면 ×에 표시하시오.

11 공공 부조의 복지 비용은 국가나 지방 자치 단체가 부담함을 원칙으로 한다. (○, ×)

12 국민연금 제도와 기초 연금 제도 모두 공공 부조에 해당한다. (○, ×)

13 사회 보험은 강제 가입을 원칙으로 한다. (○, ×)

14 사회 보험과 달리 공공 부조는 상호 부조의 원리를 기반으로 한다. (○, ×)

15 사회 보험과 달리 공공 부조는 소득 재분배 효과가 있다. (○, ×)

16 공공 부조보다 사회 보험의 수혜 대상자 범위가 더 넓다. (○, ×)

17 사회 보험과 공공 부조는 금전적 지원, 사회 서비스는 비금전적 지원을 원칙으로 한다. (○, ×)

18 사회 보험의 비용은 피보험자(수혜자), 기업주 또는 국가가 공동으로 부담한다. (○, ×)

● 다음 내용 중 옳은 것에 ○표 하시오.

19 초기 자본주의 사회에서는 빈곤의 원인으로 (㉠ 개인적 책임, ㉡ 사회적 책임)을 강조하였다.

20 현대 복지 사회는 초기 자본주의 사회와 달리 사회 복지를 (㉠ 국민의 권리, ㉡ 국가의 시혜)로 본다.

21 신자유주의자들은 복지에 대한 (㉠ 축소, ㉡ 확대)를 주장하였다.

22 소외 계층이 자활 사업에 참여하거나 노동을 하는 것을 조건으로 지원해 주는 새로운 형태의 복지를 (㉠ 생산적 복지, ㉡ 소비적 복지)라고 한다.

23 과도한 사회 보장은 오히려 근로 의욕을 감퇴시키고 사회 전반적으로 생산성과 효율성을 떨어뜨리는 결과를 초래하는데, 이를 (㉠ 복지병, ㉡ 소비병)이라고 한다.

24 현대 복지 사회는 초기 자본주의 사회와 달리 삶의 질 향상을 목적으로 한 사회 복지, (㉠ 사후 처방적, ㉡ 사전 예방적) 사회 복지를 강조한다.

● 빈칸에 들어갈 알맞은 말을 쓰시오.

25 사회나 국가가 최소한의 인간다운 생활을 보장하고, 일정 수준의 삶의 질을 확보해 줌으로써 모든 인간이 안전하고 행복한 삶을 살 수 있도록 실시하는 제도나 정책 등의 사회적 노력을 (   )(이)라고 한다.

26 국민 전체의 복지 증진과 확보, 행복 추구를 국가의 중요한 사명으로 보는 국가를 (   )(이)라고 한다.

27 빈곤 등에 대한 국가의 책임을 최초로 강조하면서 등장한 영국의 법은 (   )이다.

28 국민에게 발생하는 사회적 위험을 보험의 방식으로 대처함으로써 국민의 건강과 소득을 보장하려는 사회 보장 제도는 (   )이다.

29 보건, 의료, 교육, 고용, 주거, 문화, 환경 등의 분야에서 인간다운 생활을 보장하고 상담, 재활, 돌봄, 정보의 제공, 관련 시설의 이용, 역량 개발, 사회 참여 등을 지원하는 사회 보장 제도는 (   )이다.

30 국가와 지방 자치 단체의 책임 아래 생활 유지 능력이 없거나 생활이 어려운 국민의 최저 생활을 보장하고 자립을 지원하는 사회 보장 제도는 (   )이다.

31 사회 보험은 미래에 발생할 수 있는 사회적 위험에 대비하기 위한 제도로 공공 부조에 비하여 (   ) 성격이 강하다.

---

1 사 2 사 3 사, 공 4 공 5 서 6 공 7 공 8 사 9 사 10 사 11 ○ 12 ×(국민연금 제도는 사회 보험) 13 ○ 14 ×(사회 보험이 상호 부조의 원리를 기반으로 함) 15 ×(사회 보험, 공공 부조 모두 소득 재분배 효과가 있음) 16 ○ 17 ○ 18 ○ 19 ㉠ 20 ㉠ 21 ㉠ 22 ㉠ 23 ㉠ 24 ㉡ 25 사회 복지 26 복지 국가 27 엘리자베스 구빈법 28 사회 보험 29 사회 서비스 30 공공 부조 31 사전 예방적

도표 분석특강

🔗 본문 95쪽
02 우리나라의 복지 제도

유형 ❶ 사회 복지 제도 변화에 대한 분석

(가), (나)는 갑국의 사회 복지 제도 변화를 나타낸 것이다.

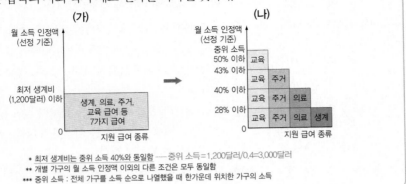

* 최저 생계비는 중위 소득 40%와 동일함 ── 중위 소득=1,200달러/0.4=3,000달러
** 개별 가구의 월 소득 인정액 이외의 다른 조건은 모두 동일함
*** 중위 소득 : 전체 가구를 소득 순으로 나열했을 때 한가운데 위치한 가구의 소득

자료 접근 국민 기초 생활 보장 제도의 기존 급여 방식과 맞춤형 급여 방식을 응용한 자료이다. 두 제도의 특징을 제시된 자료를 통해 충분히 이해해야 하는데, 새로운 제도인 (나)는 수급권자 가구의 소득 수준이 낮을수록 국가가 제공하는 급여의 수가 하나씩 증가하도록 설계되어 있다.

자료 분석 • 제시된 그래프를 분석해 보면, (가)는 선정된 가구의 월 소득 인정액이 최저 생계비 미만일 경우 모든 급여를 제공하는 방식이다. (나)는 월 소득 인정액이 중위 소득의 50% 이하인 경우 급여 대상이 되는데, 월 소득 인정액이 중위 소득의 43% 초과~50% 이하인 경우 교육 급여만 받을 수 있고, 월 소득 인정액이 중위 소득의 40% 초과~43% 이하인 경우 교육 급여와 주거 급여를 받을 수 있다. 월 소득 인정액이 중위 소득의 28% 초과~40% 이하인 경우 교육 급여와 주거 급여, 의료 급여를 받을 수 있고, 월 소득 인정액이 중위 소득의 28% 이하인 경우 교육 급여, 주거 급여, 의료 급여, 생계 급여를 모두 받을 수 있다. 이를 표로 작성하면 아래와 같다.

월 소득 인정액 구간	지원 급여의 종류
중위 소득의 43% 초과~50% 이하	교육 급여
중위 소득의 40% 초과~43% 이하	교육 급여, 주거 급여
중위 소득의 28% 초과~40%이하	교육 급여, 주거 급여, 의료 급여
중위 소득의 28% 이하	교육 급여, 주거 급여, 의료 급여, 생계 급여

• 국민 기초 생활 보장 제도의 기존 급여 방식은 포괄 급여 방식으로 선정된 가구가 최저 생계비 이하라는 기준을 충족하면 모든 급여를 지급받을 수 있었으나, 변화된 제도는 선정된 수혜 가구의 월 소득 인정액 수준이 낮을수록 많은 급여를 받을 수 있도록 설계되어 있다는 것에 주의해야 한다.

📍국민 기초 생활 보장 제도의 맞춤형 급여

2015년 7월 1일부터 수급자 선정 기준이 되는 최저 생계비를 중위 소득으로 대체하였고, 각 급여(생계·의료·주거·교육 급여)를 받을 수 있는 선정 기준을 다층화하였다.

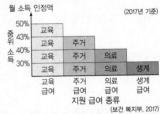

▲ 가구 소득에 따른 맞춤형 급여 종류

• 위의 자료에 대한 분석으로 옳은 것은?

① (가)는 선별적 복지보다는 보편적 복지의 성격이 강하다.

② (나)에서 교육 급여를 받을 수 있는 기준은 월 소득 인정액 1,400달러 이하이다.

③ (나)에서 월 소득 인정액 1,000달러인 가구는 의료 급여를 받을 수 있다.

④ (가)는 (나)와 달리 상대적 생활 수준을 반영한 기준을 적용한다.

⑤ 월 소득 인정액 900달러인 가구는 (가)에서는 모든 급여를 받았으나 (나)에서는 교육 급여만 받을 수 있다.

선택지 풀이

① 오답 : (가)는 월 소득 인정액 기준으로 1,200달러 이하의 가구에게 7가지 급여를 제공하는 것이므로 선별적 복지의 성격이 강하다.

② 오답 : (나)에서 교육 급여를 받을 수 있는 기준은 중위 소득인 3,000달러의 50% 이하이므로 월 소득 인정액은 1,500달러 이하이다.

❸ 정답 : (나)에서 의료 급여는 중위 소득의 40%인 1,200달러 이하인 가구에게 지급되므로 월 소득 인정액이 1,000달러인 가구도 의료 급여를 받을 수 있다.

④ 오답 : (가)는 최저 생계비를 기준으로 월 소득 산정액을 파악하므로 절대적 생활 수준을 반영한 기준을 적용한다.

⑤ 오답 : 월 소득 인정액이 900달러인 가구는 (가)에서는 모든 급여를 받을 수 있고, (나)에서도 중위 소득 3,000달러의 30%인 가구이므로 교육 급여, 주거 급여, 의료 급여를 받을 수 있다.

유형 ② 사회 보장 제도 유형에 대한 분석

본문 95쪽
02 우리나라의 복지 제도

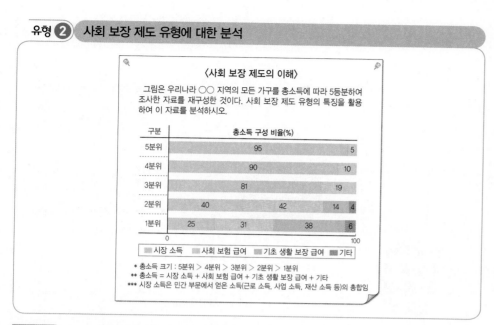

〈사회 보장 제도의 이해〉

그림은 우리나라 ○○ 지역의 모든 가구를 총소득에 따라 5등분하여 조사한 자료를 재구성한 것이다. 사회 보장 제도 유형의 특징을 활용하여 이 자료를 분석하시오.

구분	총소득 구성 비율(%)
5분위	95 / 5
4분위	90 / 10
3분위	81 / 19
2분위	40 / 42 / 14 / 4
1분위	25 / 31 / 38 / 6

■ 시장 소득　■ 사회 보험 급여　■ 기초 생활 보장 급여　■ 기타

* 총소득 크기 : 5분위 > 4분위 > 3분위 > 2분위 > 1분위
** 총소득 = 시장 소득 + 사회 보험 급여 + 기초 생활 보장 급여 + 기타
*** 시장 소득은 민간 부문에서 얻은 소득(근로 소득, 사업 소득, 재산 소득 등)의 총합임

자료 접근 사회 보험 급여와 기초 생활 보장 급여는 각각 사회 보험과 공공 부조에 해당한다. 그리고 시장 소득이 많을수록 고소득자이므로 1분위, 2분위가 사회 보장 제도의 수혜 대상이 되는 계층에 해당함을 알 수 있다.

자료 분석 • 제시된 자료에 근거하여 분석하면 사회 보험 급여는 1분위부터 5분위까지 모든 계층에서 받고 있음을 알 수 있다. 그리고 사회 보험 급여와 공공 부조에 의한 기초 생활 보장 급여 모두 소득 재분배 효과가 있다. 사회 보험은 소득에 따라 보험료를 차등적으로 부담하기 때문에 소득이 많은 부유층일수록 보험료를 많이 내고 생활 능력이 부족할수록 혜택이 크기 때문에 소득 재분배 효과가 있다. 공공 부조는 국민이 낸 세금으로 빈곤층을 구제하는 것이므로 소득 재분배 효과가 가장 크다.
• 사회 보험은 미래의 위험과 불안에 대처하는 목적으로 강제 가입, 상호 부조, 수혜자 비용 부담 등의 특징을 가지고 있다. 공공 부조는 국가가 생활 무능력자의 최저 생활을 보장하는 것이 목적으로 수혜자의 비용 부담이 없고 소득 재분배 효과가 크며 사후 처방의 성격이 강하다. 두 사회 보장 제도를 비교하면 아래와 같다.

구분	사회 보험	공공 부조
공통점	금전적 지원을 원칙으로 함, 소득 재분배 효과가 있음	
차이점	강제 가입, 사전 예방적 성격, 상호 부조의 성격이 강함	생활이 어려운 국민을 대상으로 함, 사후 처방적 성격, 수급자 선정 과정에서 부정적 낙인 발생 가능, 복지병 유발 가능

• **교사가 제작한 수업 자료에 대한 학생들의 분석으로 옳은 것은?**

① 갑 : 소득 재분배 효과가 있는 사회 보장 제도에 의한 급여는 2분위 이하에게만 제공됩니다.

② 을 : 저소득 분위일수록 총소득 중 강제 가입을 원칙으로 하는 제도에 의한 급여의 비율이 높습니다.

③ 병 : 수혜 대상자 선정 과정에서 소득이 고려되는 제도의 수혜자는 ○○ 지역 전체 인구의 40%입니다.

④ 정 : 1분위에서는 총소득 중 사후 처방적 성격이 강한 사회 보장 제도에 의한 급여의 비율이 가장 높습니다.

⑤ 무 : 총소득 중 수혜자 부담 원칙이 적용되지 않는 사회 보장 제도에 의한 급여의 비율이 가장 높은 분위는 2분위입니다.

선택지 풀이

① 오답 : 공공 부조뿐만 아니라 사회 보험도 소득 재분배 효과가 있다. 따라서 소득 재분배 효과가 있는 사회 보장 제도의 급여는 모든 계층에 제공되고 있다.
② 오답 : 강제 가입을 원칙으로 하는 사회 보험의 급여가 차지하는 비율은 2분위가 가장 높다.
③ 오답 : 소득을 고려하여 수혜 대상자를 선정하는 제도는 기초 생활 보장 제도이다. 기초 생활 보장 제도의 수혜 가구는 1분위와 2분위 가구이므로 전체 가구의 40%에 해당하는데, 1분위와 2분위를 합한 인구가 이 지역 전체 인구의 40%인지는 알 수 없다. 모든 가구의 구성원 수가 동일하다고 볼 수 없기 때문이다.
❹ 정답 : 1분위에서는 총소득 중 기초 생활 보장 급여의 비율이 38%로서 가장 높은데, 기초 생활 보장 제도는 사후 처방적 성격이 강한 공공 부조의 대표적인 제도이다.
⑤ 오답 : 수혜자 부담 원칙이 적용되지 않는 사회 보장 제도는 기초 생활 보장 제도이다. 총소득 중 기초 생활 보장 급여의 비율이 가장 높은 분위는 1분위이다.

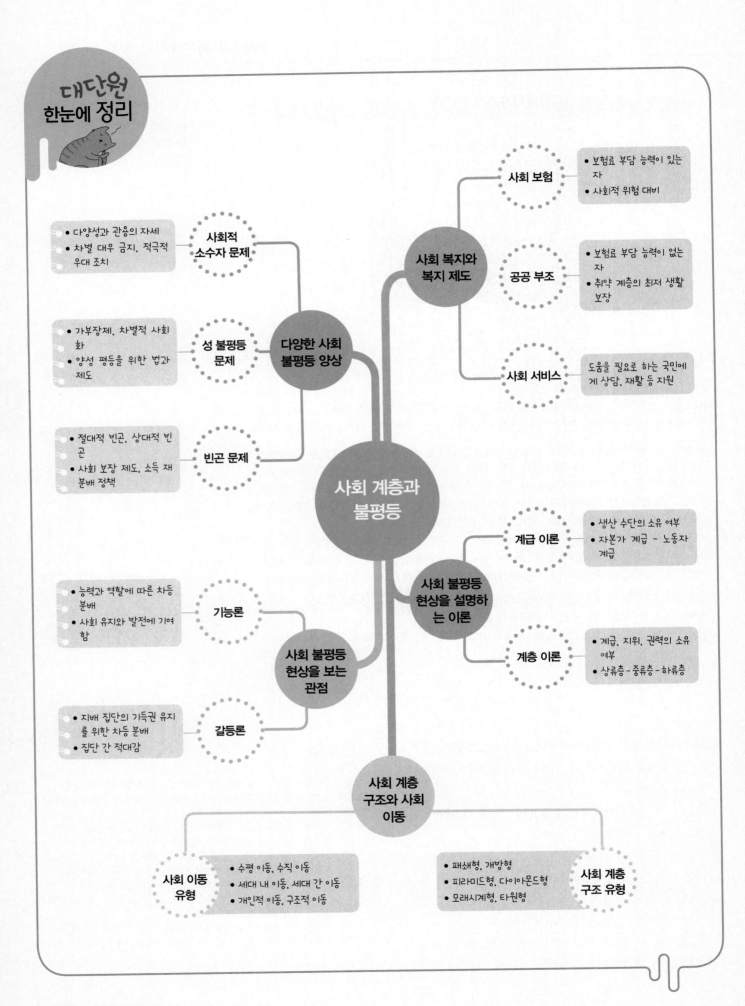

대단원 한눈에 정리

사회 보험
- 보험료 부담 능력이 있는 자
- 사회적 위험 대비

사회적 소수자 문제
- 다양성과 관용의 자세
- 차별 대우 금지, 적극적 우대 조치

사회 복지와 복지 제도

공공 부조
- 보험료 부담 능력이 없는 자
- 취약 계층의 최저 생활 보장

성 불평등 문제
- 가부장제, 차별적 사회화
- 양성 평등을 위한 법과 제도

다양한 사회 불평등 양상

사회 서비스
- 도움을 필요로 하는 국민에게 상담, 재활 등 지원

빈곤 문제
- 절대적 빈곤, 상대적 빈곤
- 사회 보장 제도, 소득 재분배 정책

사회 계층과 불평등

계급 이론
- 생산 수단의 소유 여부
- 자본가 계급 - 노동자 계급

기능론
- 능력과 역할에 따른 차등 분배
- 사회 유지와 발전에 기여함

사회 불평등 현상을 설명하는 이론

계층 이론
- 계급, 지위, 권력의 소유 여부
- 상류층 - 중류층 - 하류층

사회 불평등 현상을 보는 관점

갈등론
- 지배 집단의 기득권 유지를 위한 차등 분배
- 집단 간 적대감

사회 계층 구조와 사회 이동

사회 이동 유형
- 수평 이동, 수직 이동
- 세대 내 이동, 세대 간 이동
- 개인적 이동, 구조적 이동

사회 계층 구조 유형
- 폐쇄형, 개방형
- 피라미드형, 다이아몬드형
- 모래시계형, 타원형

V 현대의 사회 변동

이 단원의 수능 출제 분석

이 단원은 사회·문화에서 가장 출제 빈도가 낮고 교육과정 개편으로 단원 내용에 변화가 가장 많은 단원이다. 하지만 진화론과 순환론을 비교하는 문항과 정보 사회의 특징을 농업 사회나 산업 사회와 비교하는 문항은 자주 출제되는 주제이다. 이 단원의 주요 주제인 세계화, 다문화, 저출산·고령화, 지속 가능한 사회는 시사적인 사례와 관련하여 출제될 가능성도 높기 때문에 평소에 시사적인 문제에 관심을 기울여야 한다.

이 단원의 수능 빈출 주제

1순위 정보 사회의 특징 비교

출제빈도 ★★★ 난이도 중

2순위 진화론과 순환론의 비교

출제빈도 ★★★ 난이도 상

3순위 저출산·고령화 현상의 분석

출제빈도 ★ 난이도 중

4순위 다문화 사회를 보는 입장

출제빈도 ★ 난이도 하

13강 사회 변동과 사회 운동

사회 변동 이론(진화론, 순환론, 기능론, 갈등론), 사회 운동

1단계 개념 뜯어보기

01 사회 변동의 의미와 요인

1. 사회 변동의 의미와 특징

(1) 의미 : 시간의 흐름에 따라 사회의 전반적인 생활 양식, 사회적 관계, 규범과 가치, 사회 구조 등이 변화하는 양상

(2) 특징 : 어느 사회에서나 일어나는 현상으로 사회 변동의 속도와 양상은 사회마다 다양하게 나타나며, 최근에는 과학 기술과 교통·통신 기술의 발달로 정치, 경제, 문화 등 사회의 다양한 분야에 걸쳐 빠르고 광범위한 사회 변동이 이루어지고 있음

2. 사회 변동의 요인

(1) 사회 변동의 요인과 사례

요인	사례
기술 발달	• 의학 기술의 발달로 평균 수명이 늘어나면서 인구 구조를 변동시킴 • 인공 지능, 로봇 공학 등 4차 산업 혁명과 관련된 기술의 발달로 고용 구조의 변화를 가져올 것으로 예상됨
가치관, 이념 등 정신적 요인의 변화	• 계몽사상 및 천부 인권 사상이 시민 혁명의 사상적 토대가 됨 • 자유주의 이념과 프로테스탄티즘과 같은 기독교적 윤리가 자본주의의 형성과 발전에 영향을 미침
인구 구조의 변동	• 노인 인구의 증가로 노인 일자리 확충 및 노인 복지 사업이 확대되고 있음 • 외국인 근로자와 결혼 이주민의 국내 유입 증가로 다문화 사회로 변화함
집단 갈등	• 성차별에 대한 여성들의 페미니즘 사회 운동으로 양성평등 의식의 변화를 가져옴 • 인종 차별에 대한 흑인들의 저항으로 흑인들의 인권 신장에 기여함
정부 정책의 변화	• 정부의 복지 정책 확대에 따라 무상 급식 정책이 전국적으로 확대되고 있음 • 정부의 탈원전 정책에 따라 친환경 에너지 개발 계획 수립 및 실천이 이루어지고 있음
새로운 문화 요소의 등장	• 나침반이 유럽에 전파되어 신항로 개척과 식민지 건설에 큰 역할을 함 • 문자의 발명으로 지식의 세대 간 전승과 축적이 가능해짐
자연환경의 변화	• 한반도 내 지진 발생의 증가로 인해 내진 설계 관련 법률 제정과 같은 각종 안전 강화 조치들이 실시되고 있음 • 지구 온난화의 주범인 이산화 탄소의 배출량을 줄이기 위해 국제적으로 탄소 배출권 제도를 시행하고 있음

(2) 사회 변동 요인에 대한 균형적 이해 : 사회 변동은 어느 한 가지 요인보다는 다양한 요인들이 복합적으로 작용하여 나타나는 양상임을 이해하려는 태도가 필요함

02 사회 변동을 설명하는 여러 가지 관점

1. 사회 변동의 방향에 대한 관점

(1) 진화론

① 기본 입장 : 사회 변동은 일정한 방향으로 진보 또는 발전하는 것을 의미함

② 관련 학자의 주장

• 다윈은 「종의 기원」에서 모든 생물체는 단순한 것에서 복잡한 것으로 진화한다고 주장함

• 스펜서는 「사회 진화론」에서 사회가 '군사형 사회'에서 '산업형 사회'로 발전한다고 주장함

• 모건은 사회가 '야만, 미개, 문명'의 단계를 거치면서 진보한다고 설명함

• 콩트는 인류 문명이 '신학적', '형이상학적', '실증적' 단계를 거쳐 발전한다고 설명함

사회 변동의 요인에 대한 관점

• 기술 결정론 : 기술의 발달로 사회 변동이 이루어진다고 보는 입장으로 경제 영역의 변화가 인간의 의식 구조 및 사회 구조의 변화를 가져온다는 관점이다.

• 문화 결정론 : 문화의 변화가 사회 변동을 가져온다는 입장으로 인간의 의식 및 가치관 등과 같은 비물질문화가 사회 구조의 변동을 초래한다고 보는 관점이다.

프로테스탄티즘

신이 부여한 자신의 직업에 대해 근면, 성실하게 임하여 얻은 부는 신이 준 구원의 징표라고 보는 윤리로서, 이윤의 창출과 부의 축적을 신학적으로 정당화하여 자본주의 정신의 사상적 기초가 되었다.

진화론의 기본 입장

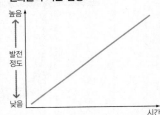

진화론은 모든 사회가 일정한 방향으로 진보 또는 발전해 가고, 각 단계는 이전 단계보다 더욱 복잡하고 분화된 단계라고 보았다.

③ 유용성 : 사회의 발전 방향을 설명하는 데 유용하며, 근대화론을 설명하는 데에도 유용함

④ 한계

- 모든 사회가 같은 방향으로 변화하지 않으며, 다양한 경로의 사회 발전 양상을 설명하기가 어려움
- 사회 변동이 항상 발전을 의미하지 않으며 퇴보하거나 멸망할 수도 있음
- 서구 사회가 진보된 사회임을 전제함 → 서구 사회만 발전된 사회라고 평가할 수 없으며, 오히려 서구 국가들의 제국주의 역사를 정당화하는 수단으로 악용될 우려가 있음

⑵ 순환론

① 기본 입장 : 사회나 문명은 단선적으로 진보하기만 하는 것이 아니라 유기체의 일생처럼 시간의 흐름에 따라 생성, 성장, 쇠퇴, 소멸의 과정을 반복함

② 관련 학자의 주장

- 슈펭글러는 「서구의 몰락」이라는 저서에서 문명도 생물체와 같이 성장, 발전, 노쇠, 몰락의 과정을 되풀이 한다고 주장함
- 파레토는 사회를 지배하는 엘리트를 사자형과 여우형으로 구분하고, 인류의 역사를 사자형 엘리트와 여우형 엘리트의 순환 과정으로 파악함
- 토인비는 「역사의 연구」라는 저서에서 '도전과 응전의 원리'를 통해 순환론적 사회 변동을 설명함

③ 유용성 : 발전과 퇴보가 반복되는 사회 변동을 설명하고 해석하는 데 유용하며, 장기적인 사회 변동 과정을 설명하기에도 유용함

④ 한계

- 사회 구조 자체의 변화 요인과 양상을 설명하지 못하고 역사적 과정에서 각 국가의 생성과 쇠퇴를 설명하는 데 그침
- 순환 과정에서 현 사회의 위치 파악이 어려워 앞으로의 변동 방향을 예측하여 대응하기에는 적합하지 않음
- 순환론이 전제하는 순환 과정은 매우 오랜 시간에 걸쳐 일어나는 것이므로 단기적 사회 변동 과정을 설명하기 어려움
- 숙명적인 힘을 강조한 나머지 사회 변동에 작용하는 인간의 주체적인 행동을 과소평가하고 있음

2. 사회 변동에 대한 구조적 관점

구분	기능론	갈등론
기본 입장	사회 변동은 사회의 부분이나 전체가 마찰이나 갈등과 같은 일시적인 불균형을 극복하고 균형 상태를 찾아가는 과정임	사회 구조의 내재적 갈등, 즉 부, 지위, 권력, 명예 등과 같은 사회적 희소가치의 불공정한 자원 배분을 둘러싸고 지배 집단과 피지배 집단 간의 경쟁과 대립 과정에서 사회 변동이 발생함
공통점	사회 변동을 사회 구조적 측면(거시적 관점)에서 바라보고 설명함	
유용성	사회의 질서와 안정성을 바탕으로 점진적 사회 변동을 설명하기에 용이함	• 사회 질서 이면에 숨겨진 모순과 갈등으로 발생하는 급격한 사회 변동을 설명하기에 용이함 • 갈등의 긍정적 측면을 인정함
한계	혁명과 같은 급진적 사회 변동을 설명하기에 곤란함	사회 변동을 갈등과 대립의 측면에서만 파악하고 있어 사회 통합이나 사회 구성 요소 간 상호 의존성 등을 설명하기에 곤란함

근대화론과 진화론
근대화론은 서구의 것을 근대적이고 발전된 것으로 인정하는 것을 전제로 저개발국은 전근대적인 전통 요소를 버리고 선진국의 발전 경로를 따름으로써 근대화를 달성할 수 있다고 보는 이론이다. 이는 진화론에 기반을 두고 있으며, 전통 농업 사회가 산업 사회로 이행하는 과정을 체계적으로 설명하는 데 유용하다. 그러나 지나치게 서구 중심적인 이론이라는 비판을 받고 있다.

제국주의
특정 국가가 다른 나라 또는 지역 등을 군사적, 정치적, 경제적으로 지배하는 정책이나 사상을 의미한다. 예를 들어 근대 유럽 자본주의 국가들은 원료 공급지, 상품 판매 시장, 잉여 자본 투자처를 확보하기 위해 아시아, 아프리카 지역에 있는 약소국들을 식민 지배하기도 하였다.

순환론의 기본 입장

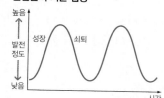

순환론은 모든 사회나 문명이 유기체의 일생처럼 생성, 성장, 쇠퇴, 소멸의 과정을 반복한다고 보았다.

사자형 엘리트와 여우형 엘리트
- 사자형 엘리트 : 특정 집단의 반대에 직면해도 힘으로 해결할 용의가 있는 지배자들을 의미한다.
- 여우형 엘리트 : 힘보다는 말과 조작을 선호하고 수완이 풍부하며, 적응성이 강한 지배자들을 의미한다.

갈등의 긍정적 기능
대항하는 집단과의 갈등 속에서 집단 내부의 결속을 강화하고, 새로운 이데올로기를 형성하며, 사회 변동의 방향을 제시하기도 한다.

03 사회 운동과 사회 변동

1. 사회 운동

(1) 의미 : 다수의 시민들이 뚜렷한 목표를 가지고 지속적으로 사회 문제를 해결하거나 사회 구조를 바꾸기 위해 조직적이고 집단적으로 벌이는 운동 예 비정부 기구(NGO)의 활동, 민주화 운동, 노동 운동, 인권 운동, 환경 운동 등 다양한 형태로 나타남

(2) 특징 : 일반적으로 뚜렷한 목표와 목표 달성을 위한 구체적인 활동 방법을 가지고 있으며, 목표와 활동 방식을 정당화하는 이념, 어느 정도의 체계적인 조직도 가지고 있음

(3) 유형

사회 변동 유발	개혁적 사회 운동	사회 체계의 일부분을 바꾸려는 제한적 목표의 사회 운동 예 사형제 폐지, 소비자 주권 향상 등과 같은 각종 시민 단체의 운동
	혁명적 사회 운동	사회 체계 자체를 변화시키려는 급진적인 사회 운동 예 절대 왕정 타도 → 프랑스 혁명
사회 변동 대항	반동적(복고적) 사회 운동	기존의 질서를 고수하고 급격한 사회 변화에 대항하기 위한 사회 운동으로, 기존 사회에 새로운 이질적인 요소가 개입하면서 기존의 구성원이 위협을 느낄 때 나타나기 쉬움 예 위정척사 운동

(4) 의의 : 시민들의 참여가 중심이 되어 사회 문제를 해결하고, 나아가 구조적인 개혁을 통해 사회 발전에 기여할 수 있음

2. 사회 운동이 사회 변동에 미치는 영향

(1) 순기능 : 다양한 사회 문제와 사회 갈등을 해소하고 발전적인 방향으로 사회 변동을 촉진하는 요인이 될 수 있음

(2) 역기능 : 사회 운동이 바람직하지 않은 목표나 이념을 추구하여 사회 전체의 이익을 저해하거나 공동체의 삶에 위험을 가져오기도 함

비정부 기구(NGO)
사회적 연대와 공공 목적을 실현하기 위해 조직된 자발적인 비영리 시민 단체로 '비정부성'을 강조하며, 우리나라에는 경제 정의 실천 연합, 녹색 연합 등이 있다.

위정척사 운동
조선 후기에 일어난 사회 운동으로, 정학(正學)인 성리학과 정도(正道)인 성리학적 질서를 수호하고(위정), 성리학 이외의 모든 종교와 사상을 사학(邪學)으로 보아 배격했던(척사) 운동이다.

2단계 개념 쏙 정리하기

1. 사회 변동의 의미와 요인
- 의미 : 시간의 흐름에 따라 사회의 전반적인 생활 양식, 사회적 관계, 규범과 가치, 사회 구조 등이 변화하는 양상
- 요인 : 기술 발달, 정신적 요인의 변화, 인구 구조의 변동, 집단 갈등, 정부 정책의 변화, 새로운 문화 요소의 등장, 자연환경의 변화 등

2. 사회 변동의 방향에 대한 관점

구분	진화론	순환론
기본 입장	일정한 방향(단선적)으로 진보 또는 발전함	생성, 성장, 쇠퇴, 소멸의 과정을 반복함
유용성	사회의 발전 방향을 설명하는 데 유용함	발전과 퇴보가 반복되는 사회 변동을 설명하는 데 유용함
한계	• 사회 변동이 항상 발전을 의미하지 않으며 퇴보하거나 멸망할 수도 있음 • 서구 국가들의 제국주의 역사를 정당화하는 수단으로 악용될 우려가 있음	• 앞으로의 변동 방향을 예측하여 대응하기에 부적합함 • 단기적 사회 변동 과정을 설명하기 어려움 • 사회 변동 과정에서 인간의 주체성, 자율성 등을 과소평가함

3. 사회 변동에 대한 구조적 관점

구분	기능론	갈등론
기본 입장	사회 변동은 일시적인 불균형을 극복하고 균형 상태를 찾아가는 과정임	사회 구조에 내재된 지배 집단과 피지배 집단 간의 갈등을 사회 변동의 원인으로 봄
유용성	점진적 사회 변동을 설명하기에 용이함	급격한 사회 변동을 설명하기에 용이함
한계	혁명과 같은 급진적 사회 변동을 설명하기에 곤란함	사회 통합이나 사회 구성 요소 간 상호 의존성 등을 설명하기에 곤란함

4. 사회 운동과 사회 변동

의미	사회 문제의 해결이나 사회 구조의 변화를 목적으로 다수의 시민들이 지속적, 조직적, 집단적으로 벌이는 운동
특징	뚜렷한 목표, 목표 달성을 위한 구체적인 활동 방법, 목표와 활동 방식을 정당화하는 이념, 체계적인 조직 등을 가지고 있음
유형	• 사회 변동 유발 : 개혁적 사회 운동, 혁명적 사회 운동 • 사회 변동 대항 : 반동적(복고적) 사회 운동

● 사회 변동의 방향에 대한 관점이 진화론이면 '진', 순환론이면 '순'에 표시하시오.

1 사회는 일정한 방향으로 변동한다고 본다. (진, 순)

2 사회 변동을 진보와 발전의 과정으로 이해한다. (진, 순)

3 사회는 시간의 흐름에 따라 생성, 성장, 쇠퇴, 소멸의 과정을 반복한다고 본다. (진, 순)

4 사회는 단순 사회로부터 복잡하게 분화된 사회로 변동한다고 본다. (진, 순)

5 서구 사회가 진보된 사회임을 전제로 한다. (진, 순)

6 사회 변동 과정을 운명론적 세계관으로 바라본다. (진, 순)

7 지난 역사 속에서 반복되는 사회 변동을 설명하고 해석하는 데 유용하다. (진, 순)

8 현재의 위치 파악이 어렵기 때문에 앞으로의 사회 변동 방향을 예측하기 어렵다. (진, 순)

9 근대화론을 설명하기에 유용한 이론이다. (진, 순)

10 단기적인 사회 변동 과정을 설명하기 어렵다는 비판을 받는다. (진, 순)

● 다음 내용을 읽고 옳으면 ○, 틀리면 ×에 표시하시오.

11 사회 변동의 속도와 양상은 모든 사회에서 동일하게 나타난다. (○, ×)

12 순환론은 서구 국가들의 제국주의 역사를 정당화하는 수단으로 악용될 수 있다는 비판을 받는다. (○, ×)

13 기능론적 관점은 질서와 안정성을 바탕으로 점진적으로 이루어지는 사회 변동 과정을 설명하기에 용이하다. (○, ×)

14 기능론적 관점은 사회 변동을 일시적인 불균형을 극복해 나가는 과정으로 본다. (○, ×)

15 갈등론적 관점은 혁명과 같은 급진적 사회 변동을 설명하기에 곤란하다. (○, ×)

16 사회 운동은 민주화 운동, 노동 운동, 인권 운동, 환경 운동 등 다양한 형태로 나타난다. (○, ×)

17 기존의 질서를 고수하고 급격한 사회 변화에 대항하기 위한 사회 운동은 일어나지 않는다. (○, ×)

18 여성 차별에 저항하며 일시적이고 우발적으로 일어난 폭동은 사회 운동이 아니다. (○, ×)

● 다음 내용 중 옳은 것에 ○표 하시오.

19 계몽사상 및 천부 인권 사상이 근대 시민 혁명의 사상적 토대가 되어 유럽 사회를 변화시켰다면 (㉠ 기술 발달, ㉡ 정신적 요인의 변화)을/를 사회 변동의 원인으로 볼 수 있다.

20 최근에는 과학 기술과 교통·통신 기술의 발달로 사회 변동 속도가 (㉠ 빨라졌다, ㉡ 느려졌다).

21 사회 구조 자체의 변화 요인과 양상을 설명하지 못하고 역사적 과정에서 각 국가의 생성과 쇠퇴를 설명하는 데 그친다는 비판을 받는 사회 변동 이론은 (㉠ 진화론, ㉡ 순환론)이다.

22 불공정한 자원 배분으로 사회적 희소가치를 갖지 못한 피지배 집단이 지배 집단에 저항하는 과정에서 사회가 변동한다고 보는 관점은 (㉠ 기능론, ㉡ 갈등론)이다.

23 파레토는 인류 역사의 순환 과정을 설명하기 위해 두 가지 동물로 나누어 엘리트 유형을 설명했는데, 이 중 특정 집단의 반대에 직면하여도 힘으로 해결할 용의가 있는 지배자들을 (㉠ 사자형, ㉡ 여우형) 엘리트라고 하였다.

24 사회 체계의 일부분을 바꾸려는 제한적 목표의 사회 운동은 (㉠ 개혁적, ㉡ 혁명적) 사회 운동이다.

● 빈칸에 들어갈 알맞은 말을 쓰시오.

25 시간의 흐름에 따라 사회의 전반적인 생활 양식, 사회적 관계, 규범과 가치, 사회 구조 등이 전반적으로 변화하는 양상을 ( )(이)라고 한다.

26 ( )은/는 사회가 일정한 방향으로 진보 또는 발전한다고 보는 사회 변동 이론이다.

27 ( )은/는 사회나 문명이 생물의 유기체처럼 생성, 성장, 쇠퇴, 소멸의 과정을 반복한다고 보는 사회 변동 이론이다.

28 사회 변동에 대한 구조적 관점은 일시적인 불균형을 극복하고 균형 상태로의 회복을 강조하는 ( )적 관점과 사회 구조의 내재적 갈등을 사회 변동의 원인으로 보는 ( )적 관점으로 구분할 수 있다.

29 다수의 시민들이 뚜렷한 목표를 가지고 지속적으로 사회 문제를 해결하거나 사회 구조를 바꾸기 위해 조직적·집단적으로 벌이는 운동을 ( )(이)라고 한다.

30 ( ) 사회 운동은 기존의 질서를 고수하고 급격한 사회 변화에 대항하기 위한 사회 운동으로 대표적인 사례로는 위정척사 운동 등이 있다.

---

1 진 2 진 3 순 4 진 5 진 6 순 7 순 8 순 9 진 10 순 11 ×(특수성을 가지고 있음) 12 ×(진화론) 13 ○ 14 ○ 15 ×(기능론) 16 ○ 17 ×(반동적·복고적 사회 운동도 있음) 18 ○ 19 ㉡ 20 ㉠ 21 ㉡ 22 ㉡ 23 ㉠ 24 ㉠ 25 사회 변동 26 진화론 27 순환론 28 기능론, 갈등론 29 사회 운동 30 반동적 또는 복고적

V. 현대의 사회 변동

14강 현대 사회의 변화와 대응, 지속 가능한 사회

키워드
세계화, 정보화, 저출산·고령화, 다문화 사회, 전 지구적 수준의 문제, 지속 가능한 사회와 세계 시민

1단계 개념 뜯어보기

01 세계화와 이에 대한 대응

1. 세계화의 의미와 배경

(1) 의미 : 정치·경제·사회·문화 등 다양한 측면에서 전 세계의 상호 의존성이 높아지면서 삶의 공간이 국경을 넘어 전 지구로 확대되는 과정

(2) 배경

① 탈냉전 이후 공산주의 정권이 잇달아 개혁·개방 체제를 지향하면서 국가 간 교류가 확대됨

② 정보 통신 및 교통 기술의 발달로 인적·물적·문화적 교류가 확대됨

③ 세계 무역 기구(WTO)의 출범으로 각종 무역 장벽이 철폐되고 완화됨으로써 전 세계가 거대한 단일 시장 체제로 통합되는 계기가 마련됨

④ 다국적 기업의 활동과 자본의 자유로운 이동으로 기업의 활동 무대가 전 세계로 확대됨

2. 세계화의 양상

정치적 측면	• 환경 오염, 전쟁과 테러 등 전 지구적 문제의 확산으로 국제기구의 역할이 증대됨 • 민주주의와 인권 의식이 확산되고 있음
경제적 측면	• 자본주의와 시장 경제의 확산 • 세계 무역 기구(WTO)의 출범으로 국가 간 자유 무역과 투자가 확대되고 있음 • 세계 단일 시장에서 국가 및 기업 간 경쟁이 심화되고 있으며, 다국적 기업의 활동이 증가하고 있음
사회적 측면	• 개별 국가의 경계를 넘어 다국적 기업, 비정부 기구(NGO), 개인 등 다양한 행위 주체가 등장하고 있음 • 국제적 인구 이동, 문화 전파 등으로 국가 간 문화적 교류가 확대되고 있음

3. 세계화의 영향

긍정적 측면	부정적 측면
• 국제 경제가 활성화되어 생산자는 더 넓은 시장을 확보하고 소비자는 다양한 상품을 선택할 수 있음 • 국가 간 문화 교류가 활발해지면서 다양한 문화를 접할 기회가 확대됨 • 인간의 존엄성, 자유, 평등 등과 같은 인류의 보편적 가치가 확산되는 데 기여함	• 국가 간의 빈부 격차가 심화됨 • 서로 다른 문화와의 교류로 문화 갈등이 발생하기도 하고, 선진국 문화의 일방적 전파에 따른 문화의 획일화로 인해 지역 문화의 정체성이 약화됨 • 국제기구, 강대국, 다국적 기업 등의 영향력이 커지면서 개별 주권 국가의 자율성이 침해되기도 함

4. 세계화에 따른 대응 방안

정치적 측면	• 세계화가 지나치게 강대국 등 특정 국가의 이익을 중심으로 흘러가지 않도록 우리 정부의 적극적인 외교 노력이 요구됨 • 지구촌이라는 공동체의 구성원으로서 인류 전체의 보편적 가치를 추구하고, 세계 공동체 의식을 바탕으로 지구촌 문제를 해결하기 위해 적극적으로 협력하는 자세가 필요함
경제적 측면	• 국가 간 경쟁이 심화되는 흐름 속에서 개인은 자신의 역량을 계발하고 기업은 기술 혁신을 통해 우리 상품의 국제 경쟁력 강화를 위해 노력해야 함 • 정부는 개인과 기업의 노력에 대한 각종 정책 및 제도적 지원과 함께 세계화의 부작용으로 나타날 수 있는 양극화 문제에 대해서도 철저히 대비하는 자세가 요구됨
사회적 측면	• 우리 문화의 정체성을 잃지 않도록 외래문화를 비판적으로 수용하는 자세와 함께 우수한 우리 문화를 창조적으로 계승하고 발전시켜 전 세계에 알리려는 노력이 필요함 • 다른 사회의 문화를 열린 마음으로 존중하는 관용의 자세와 문화 상대주의적 태도가 필요함

세계 무역 기구(WTO)
1995년 자유 무역의 실현을 목적으로 세계 무역 질서를 관장하기 위해 출범한 국제기구로 무역의 장벽을 낮추고 공산품, 농수산물은 물론 각종 서비스 산업의 자유로운 이동을 추구한다.

다국적 기업
기업의 활동 범위가 개별 국가의 국경에 구애받지 않고 세계 각지에 자회사, 지사, 공장 등을 확보하여 생산 및 판매 활동을 수행하는 기업으로 초국적 기업, 세계 기업으로 불리기도 한다.

소수 문화의 소외
세계화는 미국으로 대표되는 서구 문화가 주도하는 특징을 띤다. 그 과정에서 소수 문화는 그저 신기한 것, 낯선 것 등과 같은 호기심의 대상이 되거나 소멸하기도 한다.

02 정보화와 이에 대한 대응

1. 정보화의 의미와 요인

(1) 의미 : 정보 통신 기술이 급격하게 발전하여 지식과 정보가 가장 중요한 자원이 되는 사회를 정보 사회라고 하는데, 이때 산업 사회에서 정보 사회로 변화하는 현상을 정보화라고 함

(2) 요인 : 정보 통신 기술의 비약적 발달과 자본의 결합으로 지식과 정보의 경제적 중요성에 대한 인식에 변화가 나타남

2. 정보화의 양상

정치적 측면	• 정보 통신 기술을 이용하여 전자 투표, 청원이나 서명 등 시민들의 정치 참여 기회가 확대되고, 직접 민주 정치의 실현 가능성이 높아지고 있음 • 쌍방향 통신 매체의 발달로 의사 결정의 분권화 경향이 점차 강화되고 있음
경제적 측면	• 부가 가치를 창출하는 원천으로서 지식과 정보가 중시됨 • 개성과 창의성을 중시하는 소비자들의 기호에 맞추어 다품종 소량 생산 체제가 확립되고 있음 • 전자 상거래, 인터넷 뱅킹, 사물 인터넷 기술 등을 활용하여 소비자의 다양한 경제적 욕구를 편리하게 충족하고 있음 • 원격 근무, 재택근무의 확산으로 기업의 생산성이나 노동자의 노동 환경이 개선되고 있음
사회적 측면	• 사람들 간에 면대면 접촉이 감소하고 사이버 공간을 통해 새로운 사회적 관계를 맺는 양상이 증가하면서 공간적 범위가 확대되고 있음 • 유연하고 창의적인 조직 형태의 필요성이 증가하면서 탈관료제와 같은 수평적인 사회 조직이 증가하고 있음 • 사람들 간에 가상 공간을 통한 소통이 증가하면서 국내외적 문화 교류의 폭이 확대되고 있음

3. 정보화에 따른 문제와 대응 방안

(1) 정보화에 따른 문제

사생활 침해	휴대 전화, 이메일, 메신저, 교통 카드 등의 사용 기록 저장으로 인해 개인 정보가 유출되고 사생활 침해가 발생하고 있음
정보 격차	정보 접근, 정보 이용, 정보 활용 능력 등에 있어 경제력과 권력 등에 따라 경제적·사회적 불평등을 유발함 → 사회 계층 형성에 영향을 미침
지나친 감시와 통제	• 범죄 예방을 위해 설치된 폐쇄 회로 텔레비전(CCTV), 위치 추적 서비스 등이 인권 침해 요소가 될 수도 있음 • 국가나 기업이 정보 독점 시 '빅 브라더'가 나타나 시민의 자유와 권리를 침해할 수 있음
정보 오남용	정보의 홍수 속에서 저질 정보의 확산과 잘못된 정보로 인한 폐해가 증가하고 있음
사이버 범죄	인터넷의 익명성을 악용한 악성 댓글, 해킹 범죄 등과 같은 사이버 범죄 피해가 증가하고 있음
정보 기기 중독	인터넷 및 스마트폰 등의 과다 사용으로 정보 기기에 과도하게 의존하게 되면서 각종 사회 문제가 야기되고 있음
인간 소외 현상	면대면 접촉이 감소하고 형식적이고 피상적인 인간관계가 확산되면서 인간성을 상실할 수 있음
정보 윤리 미확립	타인의 창작물에 대한 무단 복제와 유포(저작권 침해), 인터넷의 익명성을 악용한 특정인에 대한 유언비어 살포 등의 일탈 행동 증가

(2) 대응 방안

개인적 차원	• 개인 정보 관리 방법, 정보 기기 활용법, 정보의 주체적·비판적 선별 능력 등 정보 사회에 필요한 다양한 지식과 기능을 습득해야 함 • 정보 윤리를 함양하여 불법 다운로드 및 유포, 악성 댓글 달기 등과 같은 타인의 권리를 침해하는 행위를 삼가해야 함
사회적 차원	• 시민을 대상으로 정보 통신 윤리 교육을 강화해야 함 • 각종 사이버 범죄 등과 관련하여 필요한 법적·제도적 장치를 마련하고 정비해야 함 • 정보 격차 해소를 위해 장애인, 저소득층, 농어민 등의 정보 취약 계층에게 복지 서비스를 지원하고 정보 활용 교육을 실시해야 함

산업 사회와 정보 사회 비교

구분	산업 사회	정보 사회
정치	간접 민주 정치의 정착	IT 기술을 기반으로 직접 민주 정치 가능
경제	노동과 자본을 중시, 제조업 중심	지식과 정보 중심, 3차 산업 비중 확대
사회	대규모 조직을 관리하기 위한 관료제	수평적 의사소통을 바탕으로 한 탈관료제
문화	대량 생산·대량 소비 → 획일적 대중문화	다품종 소량 생산 → 다양성과 개성 추구

부가 가치
생산 과정을 통해 새롭게 만들어진 가치를 말하며, 산업 사회에서는 노동과 자본이, 정보 사회에서는 지식과 정보가 부가 가치를 창출하는 주요 원천이 된다.

사물 인터넷 기술
사물 인터넷(Internet of Things, IoT)은 모든 사물을 인터넷으로 연결하여 사물들끼리 서로 정보를 생성·수집·공유·활용함으로써 인간에게 필요한 서비스를 제공하는 지능형 기술이다. 하이패스 시스템, 스마트 홈 등 우리 주변에서 다양하게 활용되고 있다.

원격 근무
고정된 근무 장소에서 정해진 근무 시간에 따라 일하는 방식 대신 정보 통신 기기 등을 활용해 시간과 장소에 구애받지 않고 일하는 근무 방식을 말한다.

빅 브라더(Big Brother)
조지 오웰의 소설 『1984년』에 나오는 용어로 정보 독점과 감시를 통해 사람들을 통제하는 권력 또는 그 사회 체계를 말한다.

03 저출산 · 고령화와 이에 대한 대응

1. 저출산의 원인과 영향

(1) 의미 : 아이를 적게 낳아 사회 전반적으로 출산율이 감소하는 현상

(2) 원인 : 여성의 사회 활동 증가, 자녀에 대한 가치관 변화, 결혼 기피 현상 및 초혼 연령 상승, 자녀 양육에 따른 경제적 부담의 증가 등이 복합적으로 작용함

(3) 영향 : 생산 가능 인구의 감소로 경제 성장이 둔화될 수 있으며, 고령화 현상과 맞물려 인구 부양에 심각한 위협을 받을 수 있음

2. 고령화의 원인과 영향

(1) 의미 : 전체 인구에서 65세 이상 노인 인구가 차지하는 비중이 증가하는 현상

(2) 원인 : 의료 기술 발달과 생활 수준의 향상에 따른 평균 수명의 증가, 저출산 현상의 심화로 전체 인구 중 노인 인구가 차지하는 비중이 더욱 커지고 있음

(3) 영향

① 저출산 현상과 맞물려 생산 가능 인구가 감소하게 되어 노동력 부족 문제가 발생하고, 이로 인한 생산성 감소로 경제 성장이 둔화할 수 있음

② 노인 복지 지출과 노년 부양비의 증가로 국가 재정이 악화될 수 있음

③ 노인 빈곤과 소외 등 각종 사회 문제가 발생하고, 정년 연장 및 노인 일자리 창출 등으로 인해 세대 간 갈등이 심화될 수 있음

3. 저출산 · 고령화의 대응 방안

(1) 개인적 측면 : 출산과 양육을 중요하게 여기고 육아에 대한 책임이 남성과 여성 모두에게 있음을 인식할 필요가 있으며, 젊은 시절부터 고령화된 미래 사회의 삶을 대비하는 대책을 마련하는 등의 노력이 필요함

(2) 제도적 측면 : 출산 · 양육에 대한 사회적 책임 강화, 일 · 가정 양립을 위한 제도적 지원 강화, 노후 소득 보장을 위한 연금 제도 개선, 고령화에 따른 산업 구조 개편 등

올쏘 자료 Plus⁺ 제3차 저출산 · 고령 사회 기본 계획(2016~2020)

구분		저출산	고령 사회
목표		**아이와 함께 행복한 사회** 합계 출산율 : 2014년 1.21명 → 2020년 1.50명	**생산적이고 활기찬 고령 사회** 노인 빈곤율 : 2014년 49.6% → 2020년 39.0%
주요 추진 전략		• 청년 일자리 · 주거 대책 강화 • 출산, 양육에 대한 사회적 책임 실현 • 맞춤형 돌봄 확대 · 교육 개혁 • 일 · 가정 양립 사각지대 해소	• 안정된 노후를 위한 노후 소득 보장 강화 • 여성, 중 · 고령자, 외국 인력 활용 확대 • 활기차고 안전한 노후 실현 • 고령 친화 경제로의 도약
전환 방향	제1, 2차 계획	기혼 가구 보육 부담 경감, 제도 도입 · 기반 조성, 비용 지원 위주	제1, 2차 계획	기초 연금 · 장기 요양 등 노후 기반 마련, 노인 복지 대책 위주
	제3차	청년 일자리 · 주거 대책 강화, 사각지대 해소, 실천, 문화 개선 초점	제3차	국민연금 · 주택 연금 확대 등 노후 대비 강화, 생산 인구 확충, 실버 경제 등 구조적 대응

제3차 저출산 · 고령 사회 기본 계획은 고용, 교육, 주거 등 사회 구조적 원인을 근본적으로 치유하기 위한 대책을 지향하고 있다. 이는 고령 사회 진입에 따른 삶의 질 향상, 노동력 확보, 경제 · 사회 체질 개선 등이 시급하다고 보고, 인구 구조 변화에 대응한 국가 발전 전략이라는 인식을 바탕으로 하고 있다.

우리나라 합계 출산율과 65세 이상 인구 비율 변화

* 합계 출산율 : 가임기(15~49세) 여성 1명당 평균 출생아 수
(통계청, 2016)

그래프는 우리나라의 저출산 · 고령화 실태를 보여 주고 있다. 우리나라의 합계 출산율은 1970년에는 4.53명으로 높은 수준이었으나, 2015년에는 1.24명으로 급격하게 감소하였다. 반면 평균 수명 증가에 따라 전체 인구에서 65세 이상 노인 인구가 차지하는 비중이 지속적으로 증가하면서 고령화가 빠르게 진행되고 있다.

고령화의 단계

일반적으로 전체 인구에서 65세 이상 인구가 차지하는 비율이 7% 이상 14% 미만인 사회를 고령화 사회, 14% 이상 20% 미만인 사회를 고령 사회, 20% 이상인 사회를 초고령 사회라고 한다.

노년 부양비와 노령화 지수

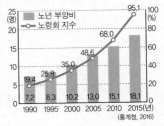

(통계청, 2016)

• 노년 부양비 : 생산 가능 인구(15~64세 인구) 100명 당 부양해야 하는 65세 이상 노인 인구의 수를 말한다.

• 노령화 지수 : 유소년 인구(0~14세) 100명당 65세 이상 노인 인구의 수를 말한다.

기초 연금

만 65세 이상이고 가구의 소득 인정액이 선정 기준액 이하인 노인에게 일정 금액을 정부 또는 지방 자치 단체가 지원하는 공공 부조 제도이다.

04 다문화와 이에 대한 대응

1. 다문화 사회의 의미와 배경

(1) 의미 : 서로 다른 문화적 배경을 지닌 민족이나 인종 등이 하나의 사회 안에서 함께 어우러져 살아가는 사회

(2) 배경 : 교통·통신의 발달과 세계화로 인해 국가 간 교류가 활발해짐 → 노동력의 자유로운 이동, 국제결혼의 증가 등으로 인해 외국인 이주민 수가 증가하고 이질적인 문화가 유입되면서 점차 다문화 사회의 모습이 나타남

2. 다문화 사회의 영향

긍정적 영향	• 문화의 다양성을 바탕으로 문화 창조 능력이 향상될 수 있음 • 다양한 문화가 공존하면서 풍부한 문화적 경험을 할 수 있고, 문화 발전의 가능성이 높아짐 • 저출산·고령화에 따른 국내 노동 시장의 노동력 부족 문제를 해결해 줌으로써 경제 발전에 기여할 수 있음
부정적 영향	• 다른 문화에 대한 이해 부족으로 문화 간 갈등이 발생하여 사회 통합이 어려워질 수 있음 • 외국인 이주민에 대한 편견과 차별 대우 및 인권 침해 문제가 발생할 수 있음 • 국제결혼 가정 구성원들이 문화적 배경의 차이로 인해 사회 적응에 어려움을 겪을 수 있음

3. 다문화 사회의 대응 방안

(1) 개인적 차원 : 이주민 문화에 대한 편견이나 차별적인 태도를 버리고 문화의 차이를 인정하고 존중하는 문화 상대주의의 태도 및 관용의 자세를 바탕으로 다른 문화와 적극적으로 소통하려는 노력이 필요함

(2) 사회적 차원

① 기존 사회 구성원에 대한 다문화 이해 교육을 강화함

② 이주민의 사회 적응력 제고를 위해 생계 지원, 학교 교육 지원, 언어 교육, 문화 체험 등 다양한 다문화 정책을 강화함

③ 이주민에 대한 편견과 사회적 차별을 막을 수 있는 법적·제도적 장치를 마련함

올쏘 자료 Plus⁺ 다문화 정책의 이해

구분	동화주의	다문화주의
의미	이주민들의 문화를 사회의 주류 문화에 동화시켜 문화적 동질성을 유지해야 한다는 입장	이주민들의 문화를 동화의 대상으로 보지 않고, 이주민과 주류 문화가 서로 공존하고 존중받으며 함께 발전해야 한다는 입장
정책 목표	이주민 집단의 주류 사회 동화(용광로 정책)	다양성 인정을 통한 사회 통합(샐러드 볼 정책)
이주민에 대한 관점	동화의 대상이며 통합의 객체로 보고 이방인으로 생각함	문화적 다양성을 높이는 원천으로 사회 구성원의 일원으로 봄
장점	이주민 집단이 주류 사회로의 완전한 동화가 이루어질 경우 사회 통합 및 질서 유지에 기여함	인위적으로 하나의 문화로 통합하는 과정에서 발생하는 불필요한 갈등을 막고 문화적 다양성을 기초로 문화 발전에 기여할 수 있음
단점	소수 민족의 문화가 소멸되고 인권 침해 등이 발생할 수 있으며, 동화되지 못한 이주민들의 고립과 불만이 사회 문제가 될 수 있음	다문화 구성원들이 자신의 독자성을 강조한 나머지 문화 갈등 및 사회 혼란을 초래함으로써 사회 통합을 저해할 수 있음
정책 방향	어느 것이 좋은 정책이라고 단정지을 수 없으며, 각 정책의 장단점을 잘 살펴서 우리 현실에 맞게 정책을 조율하고 실천해 나가는 것이 필요함	

우리나라에 거주하는 외국인 주민 수와 비중

자료에서 외국인 이주민 수(비중)는 2011년 127만여 명(2.5%)에서 2015년 174만여 명(3.4%)으로 증가하였다. 이는 국가 간 교류가 활발해지면서 우리나라가 다문화 사회로 이행되고 있음을 보여 준다.

주류 문화
어떤 사회나 조직의 내부에서 다수가 생산하고 향유하는 주된 문화를 말한다.

용광로(Melting Pot) 정책
금, 철, 구리 등 서로 다른 여러 금속을 용광로에 넣으면 모두 녹아 하나가 되는 것처럼 이주민들의 문화를 주류 사회의 문화와 가치에 흡수시키는 정책을 말한다.

샐러드 볼(Salad Bowl) 정책
한 그릇 안에 다양한 채소가 들어 있는 샐러드 볼처럼 이주민들의 문화에 대한 인정과 보호를 기초로 기존 문화와의 공존을 추구하는 정책을 말한다.

05 전 지구적 수준의 문제와 해결 방안

1. 환경 문제

(1) 발생 배경

① 산업화와 인구 증가에 따른 무분별한 자원 소비로 폐기물 발생량이 증가하여 환경 오염을 심화시킴

② 자연을 정복의 대상으로 보는 인간 중심적인 사고에 근거하여 무분별한 개발과 자원을 남용함으로써 환경 파괴를 초래함

③ 인간이 환경 보전보다는 물질적인 풍요와 일시적인 편리함의 추구에 초점을 두면서 환경 파괴에 따른 피해가 전 세계적으로 확대되고 있음

★(2) 실태

지구 온난화	의미	대기 중에 화석 연료가 연소할 때 발생하는 이산화 탄소와 같은 온실가스의 증가로 지구의 연평균 기온이 상승하는 현상
	원인	산업화와 인구 증가 등에 따른 화석 연료의 무분별한 사용, 무분별한 농경지 확대 및 과도한 삼림 파괴 등
	영향	가뭄, 집중 호우, 홍수 등 이상 기후 현상 심화, 해수면 상승으로 해안 저지대 침수 및 동식물의 서식지 변화 등과 같은 생태계 파괴를 초래함 → 국제 사회는 온실가스 배출량을 줄이기 위해 파리 기후 협정(2015)과 같은 기후 변화 협약을 통해 문제 해결에 노력하고 있음
열대 우림 파괴	의미	아마존 밀림처럼 세계의 허파와도 같은 역할을 하는 큰 숲이 파괴되는 현상
	원인	자원 개발로 인한 무분별한 벌목과 불법적인 방화, 농경지와 방목지 조성 등
	영향	지구의 이산화 탄소 흡수 능력을 약화시켜 온실가스가 증가하고, 토양 유실과 생물의 서식지 파괴 현상이 발생함
사막화	의미	초원과 삼림, 토양이 황폐화되면서 점차 사막으로 변해 가는 현상
	원인	강수량 감소에 따른 극심한 가뭄과 인구 증가에 따른 과도한 삼림 남벌, 농경지와 목축지의 과잉 개발 등으로 삼림과 초원이 황폐화됨
	영향	작물 재배가 불가능해지면서 식량 부족으로 난민이 발생하고 생물종이 감소하고 있으며, 전 세계적으로 대기 중의 산소가 부족하여 지구 온난화를 심화시키기도 함
기타		황사, 미세 먼지, 오존층 파괴, 산성비 피해, 토양 오염 등

(3) 해결 방안

① 인간 중심적인 사고에서 벗어나 자연과 더불어 살아가려는 인식의 전환이 필요함

② 국제 연합(UN)과 같은 국제기구뿐만 아니라 개별 국가, 기업, 개인 등이 유기적으로 협력하여 환경 문제 해결에 심혈을 기울어야 함

③ 무분별한 자원 개발과 성장 중심의 정책에서 벗어나 지속 가능한 발전과 함께 환경 친화적 상품을 개발하고 소비하는 풍토를 조성해야 함

올쏘자료 Plus⁺ 파리 기후 협정

파리 협정은 195개 선진국과 개발 도상국 모두가 온실가스 감축에 동참하기로 한 최초의 세계적 기후 합의이다. 온실가스 배출 1, 2위인 중국과 미국은 물론 전 세계 국가가 전 지구적인 기후 변화 대응 선언에 동참하였다는 데 큰 의미가 있다. 파리 협정에서는 온실가스를 좀 더 오랜 기간 배출해 온 선진국이 개발 도상국을 지원하기로 하였다. 그러나 2017년 6월, 미국의 탈퇴 선언으로 새로운 국면을 맞이하였다.

◀ 파리 협정의 주요 내용

온실가스
지표면의 복사 에너지를 흡수하여 온실 효과를 일으키는 기체로, 이산화 탄소, 메탄, 아산화 질소, 수소 불화 탄소 등이 있다.

지구 온난화의 원리

환경 문제를 해결하기 위한 노력

정부: 정책·제도 마련
기업: - 시설 정비 - 기술 혁신
→ 환경 문제 ←
시민 사회: - 시민 운동 - 캠페인
개인: 녹색 생활 실천 노력

지속 가능한 발전(ESSD)
1987년 세계 환경 개발 위원회(WCED)에서 처음 사용한 개념으로 '미래 세대의 필요를 충족시킬 능력을 손상시키지 않으면서 현재 세대의 필요를 충족시키는 발전 방식'을 의미한다. 이는 환경 보호와 경제 발전의 조화를 추구하면서 사회의 발전과 통합을 강조하고 있으며 '지속 가능한 개발'이라고 불리기도 한다.

2. 자원 문제

(1) 원인 : 한정된 자연 자원에도 불구하고 세계 인구의 증가와 산업 발달 등으로 인해 자원 사용이 급증하면서 자원 문제가 전 지구적 수준의 문제로 나타나고 있음

(2) 실태

에너지 자원 부족	• 석유, 석탄 등 에너지 자원의 대량 소비에 따른 자원 고갈로 인류의 생존이 위협받고 있음 • 석유, 석탄 등 에너지 자원의 고갈 위기가 대두되면서 이들 자원을 둘러싼 국제 분쟁과 갈등이 발생하고 있음
식량 부족	• 전 세계 곡물 생산량은 충분한 편이지만 생산 및 분배의 지역적 편중으로 인해 기아에 허덕이는 사람들이 있음 • 육류 소비 증가로 인해 곡물 수요가 기하급수적으로 증가하고, 사막화와 이상 기후 현상 등으로 곡물 생산이 오히려 감소하면서 전 세계가 식량 부족 상황에 처해 있음
물 부족	• 인구 증가, 소득 수준 향상 등으로 물에 대한 수요는 꾸준히 증가하고 있으나, 공급이 한정되어 있고 특히 지구 온난화로 인한 가뭄으로 물 부족 현상이 심화되고 있음 • 물 부족 현상이 심화되면서 국가 간 물 분쟁과 갈등이 고조될 수 있음

(3) 해결 방안

① 자원 소비 절약 및 재활용 확대 노력 등 지속 가능한 순환 사회 시스템 구축이 요구됨

② 기존의 화석 연료를 대체할 친환경적인 신·재생 에너지 자원의 개발이 필요함

③ 자원의 한계와 생태계의 수용 능력을 고려한 경제 개발을 추구해야 함과 동시에 자원 배분의 형평성을 제고하는 노력이 필요함

올쏘자료 Plus⁺ 물 발자국

소고기 1kg 15,400ℓ
돼지고기 1kg 6,000ℓ
닭고기 1kg 4,300ℓ
소고기 버거 1개 2,500ℓ

쌀 1kg 2,500ℓ
밀가루 1kg 1,849ℓ
우유 1,000㎖ 1,000ℓ
피자 한 판 1,250ℓ

(물 발자국 네트워크(WFN), 2015)

'물 발자국 네트워크(WFN)'는 전 세계의 지속 가능한 수자원 이용을 목표로 '물 발자국'을 계산하고 있다. 물 발자국이란 어떤 제품을 생산해서 사용하고 폐기할 때까지의 전 과정에서 직간접적으로 소비되고 오염되는 물을 모두 더한 양이다. 50g짜리 초콜릿을 먹기 위해 사용되는 물은 얼마나 될까? 우리가 그 작은 초콜릿을 먹는 데 가정에서 사용하는 욕조 3개를 채울 정도인 860ℓ의 물이 사용되는 것으로 나타났다.

3. 전쟁과 테러

(1) 원인 : 종교, 민족, 인종적 갈등이나 경제적 이해관계의 대립 등에 의해 발생함

(2) 실태

구분	전쟁	테러
공통점	무력이나 폭력을 행사함	
의미	국가나 정치 집단이 참여하여 전면적 또는 국지적으로 무력이나 폭력을 사용하는 행위 또는 그 상태	특정 목적을 가진 개인 또는 소규모 집단이 살인, 납치, 저격, 약탈 등의 다양한 방법으로 폭력을 행사하여 사회적 공포를 일으키는 행위
특징	• 수많은 인명 피해와 인류의 삶의 터전이 황폐화되고 있음 • 막대한 전쟁 비용의 소모는 환경, 복지, 교육, 교통 문제 등의 해결을 어렵게 함	• 이해관계가 없는 불특정 다수를 대상으로 공공장소에서의 테러가 증가하면서 사람들의 일상생활에 큰 피해를 주고 있음 • 최근에 전쟁을 대신하여 적을 공격하는 수단으로 빈번하게 사용되고 있음

(3) 해결 방안 : 국가 간, 지역 간 갈등과 분쟁은 분쟁 당사자들이 상호 존중과 이해 및 협력을 통해 평화적인 방법으로 합리적인 해결을 모색해야 하며, 국제 연합과 같은 국제기구의 적극적인 중재 노력도 병행되어야 함

자원
자연에서 얻을 수 있는 것 중 인간에게 유용하며 기술적으로 개발 가능하고 경제적으로 이용 가능한 것을 의미한다. 자원은 시대에 따라 그 가치나 유용성이 달라지고(가변성), 존재량이 유한하며(유한성), 일부 중요한 자원은 특정 지역에 편중되어 분포하기도 한다(편재성)는 특성을 지니고 있다.

지구에 존재하는 물의 총량

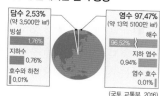

담수 2.53% (약 3,500만 ㎦)
빙설 1.76%
지하수 0.76%
호수와 하천 0.01%

염수 97.47% (약 13억 5100만 ㎦)
해수 96.52%
지하 염수 0.94%
염수 호수 0.01%

(국토 교통부, 2016)

자료는 지구상에 존재하는 물의 총량을 나타낸 것이다. 염분이 없는 담수는 2.53%에 불과하며, 특히 호수와 하천의 물은 0.01%에 불과하다. 세계 경제 포럼(WEF)에서 1970년대 석유 파동 이상으로 물 파동에 대비해야 한다고 경고할 정도 물 부족 문제는 전 지구적 수준의 문제로 부각되고 있다.

신·재생 에너지
석탄 액화 가스, 수소 에너지 등의 신에너지와 태양 에너지, 바이오 에너지, 수력, 풍력, 지열 등의 재생 에너지를 합쳐 부르는 용어이다. 기존의 석유, 석탄 등과 같은 화석 연료의 대체 자원으로 전 세계 각국이 개발하고 있다.

06 지속 가능한 사회와 세계 시민

1. 지속 가능한 사회

(1) 의미 : 현재 세대뿐만 아니라 미래 세대도 안정적이고 풍요로운 삶을 이어나갈 수 있도록 경제 성장, 환경 보전, 사회 안정과 통합 등이 조화를 이루는 사회

(2) 실현 방안 : 지속 가능한 발전 목표를 수립하고 실천하며 세계 시민 의식을 바탕으로 전 지구적 수준의 문제를 해결하기 위해 국제 협력을 강화하는 노력 등이 필요함

2. 세계 시민의 의미와 자세

(1) 의미 : 특정 국가의 국민으로서만이 아니라 인류 공동체의 일원으로서 세계 공동체 의식을 가지고 지구촌 문제의 해결을 위해 적극적으로 행동하는 사람

(2) 자세

① 인류를 하나의 운명 공동체로 바라보는 인식과 책임 의식을 가져야 함

② 특정한 이해관계를 초월하여 인류의 보편적 가치를 내면화하고 이를 달성하기 위해 행동하는 시민성을 갖추어야 함

③ 전 지구적 수준의 문제에 대한 지속적인 관심을 갖고 비판적 사고를 통한 균형 잡힌 관점에서 해결책을 찾기 위해 적극적이고 능동적인 참여가 필요함

④ 편견 없는 사고와 열린 마음으로 세계의 다양한 문화를 이해하고 존중하는 자세가 필요함

3. 세계 시민과 지속 가능한 사회의 관계 : 전 지구적 수준의 문제를 해결해야 지속 가능한 사회가 될 수 있으므로 이를 위해 세계 시민 의식을 가지고 공동으로 실천하는 시민들의 노력이 전제되어야 함

✚ 지속 가능한 발전 목표(SDGs)

(지속 가능 발전 포털, 2016)

지속 가능 발전 목표(SDGs)는 지속 가능한 발전을 실천하기 위해 2016년부터 2030년까지 이행할 국내외의 개발 목표이다.

✚ 세계 시민 교육의 목표

1 우리 모두는 인류 공동체의 구성원으로서 책임 의식을 가져야 합니다.

2 이를 위해 인류 보편의 가치를 내면화하는 것이 필수적입니다.

3 세계의 쟁점과 지구촌의 상호 의존성을 비판적으로 이해해야 합니다.

4 인류 공동의 문제 해결을 위해 능동적으로 참여할 수 있어야 합니다.

(유네스코 아시아·태평양 국제 이해 교육원, 2015)

2단계 개념 쏙 정리하기

1. 세계화, 정보화, 저출산·고령화, 다문화의 영향과 대응 방안

세계화	• 영향 : 시장 확대, 소비자의 선택 기회 확대, 문화 교류 확대, 국가 간 빈부 격차 심화, 문화의 획일화 등 • 대응 : 국제 경쟁력 강화, 비판적 수용과 문화 상대주의적 태도, 세계 시민 의식과 국제 협력 등의 노력 필요
정보화	• 영향 : 지식과 정보의 중요성 증대, 전자 상거래와 재택근무 확대, 탈관료제 조직 증가, 시민의 정치 참여 확대 등 • 문제점 : 정보 격차, 사생활 침해, 사이버 범죄, 지나친 통제와 감시, 정보 기기 중독, 인간 소외 현상 발생 등 • 대응 : 타인의 권리 존중, 정보의 비판적 분석 능력 함양, 정보 윤리 교육 강화, 정보 취약 계층 지원 등
저출산·고령화	• 영향 : 경제 성장 동력 약화, 노년 부양비 증가, 정부의 재정 건전성 약화, 세대 간 갈등 발생 우려 등 • 대응 : 자녀 양육 부담 경감, 가족 문화 개선, 고령 친화 산업 육성, 노후 소득 보장 등의 노력 필요
다문화	• 영향 : 문화 다양성 증가, 노동력 부족 문제 해결에 도움 → 이주민 인권 침해, 사회 부적응 등의 문제 발생 • 대응 : 다문화 교육 강화, 이주민을 위한 정책 지원 강화 등

2. 전 지구적 수준의 문제와 해결 방안

환경 문제	지구 온난화, 열대 우림 파괴, 사막화, 황사, 미세 먼지, 오존층 파괴 등 → 환경에 대한 인식 개선, 환경 친화적 상품 개발 등의 대책 필요
자원 문제	에너지 자원 부족, 식량 부족, 물 부족 및 이에 관한 국가 분쟁 → 자원 절약, 친환경적인 대체 자원 개발 등 대책 필요
전쟁과 테러	• 전쟁 : 국가나 정치 집단 간에 전면적 또는 국지적으로 무력이나 폭력을 사용하는 행위 또는 그 상태 • 테러 : 특정 목적을 가진 개인이나 집단이 다양한 방법의 폭력을 행사하여 사회적 공포를 일으키는 행위 → 상호 존중과 이해 및 협력을 바탕으로 한 갈등 해결 필요

3. 지속 가능한 사회와 세계 시민

지속 가능한 사회	• 현세대는 물론 미래 세대의 삶의 질이 함께 보장되는 사회 • 경제 성장, 환경 보전, 사회 통합 등이 조화를 이루는 사회
세계 시민	세계 공동체 의식을 가지고 지구촌 문제의 해결을 위해 적극적으로 행동하는 사람

● 현대 사회의 변화 중 세계화 현상과 관련이 있으면 '세', 정보화 현상과 관련이 있으면 '정'에 표시하시오.

1 세계 무역 기구(WTO)의 출범으로 국가 간 자유 무역과 투자가 확대되고 있다. (세, 정)

2 원격 근무, 재택근무의 확산으로 기업의 생산성이나 노동자의 노동 환경이 개선되고 있다. (세, 정)

3 국제기구, 강대국, 다국적 기업 등의 영향력이 커지면서 개별 주권 국가의 자율성이 침해되고 있다. (세, 정)

4 면대면 접촉이 감소하고 형식적이고 피상적 인간관계가 확산되면서 인간 소외 현상이 나타날 수 있다. (세, 정)

5 쌍방향 통신 매체의 발달로 의사 결정의 분권화 경향이 점차 강화되고 있다. (세, 정)

● 저출산의 원인이면 '저', 고령화의 원인이면 '고'에 표시하시오.

6 자녀 양육에 따른 경제적 부담 증가 (저, 고)

7 의학 기술의 발달과 생활 수준의 향상 (저, 고)

8 결혼이나 자녀에 대한 가치관의 변화 (저, 고)

● 다문화 정책 중 동화주의이면 '동', 다문화주의이면 '다'에 표시하시오.

9 문화 다양성 인정을 통한 사회 통합을 강조한다. (동, 다)

10 이주민을 이방인으로 보는 용광로 정책이다. (동, 다)

● 다음 내용을 읽고 옳으면 ○, 틀리면 ×에 표시하시오.

11 세계화로 인하여 상품 판매 시장과 소비자의 선택 기회 등이 축소되고 있다. (○, ×)

12 정보화로 인해 탈관료제와 같은 수평적 사회 조직이 증가한다. (○, ×)

13 고령화가 지속되면 노년 부양비가 증가하여 정부의 재정 건전성이 악화될 수 있다. (○, ×)

14 다문화 사회로의 변화는 문화적 다양성과 문화 발전의 가능성을 높이는 데 기여할 수 있다. (○, ×)

15 화석 연료의 사용으로 발생하는 이산화 탄소는 사막화 현상의 주요 요인이다. (○, ×)

16 식량 문제의 경우 생산 및 분배의 지역적 편중으로 인하여 기아에 허덕이는 사람들이 있다. (○, ×)

17 지속 가능한 발전은 환경과 경제를 서로 분리해서 다뤄야 함을 강조하는 발전 방식이다. (○, ×)

18 세계 시민은 자국의 이익 실현에만 집중한다. (○, ×)

● 다음 내용 중 옳은 것에 ○표 하시오.

19 산업 사회와는 달리 (㉠ 노동과 자본, ㉡ 지식과 정보)이/가 중요한 자원이 되는 사회를 정보 사회라고 한다.

20 소비자의 다양한 기호를 충족시키기 위해 다품종 소량 생산 방식의 비중이 높은 사회는 (㉠ 산업 사회, ㉡ 정보 사회)이다.

21 총인구 중 65세 이상 인구의 비율이 14% 이상 20% 미만인 사회를 (㉠ 고령화 사회, ㉡ 고령 사회)라고 한다.

22 자문화 중심주의를 바탕으로 이주민 문화와 주류 문화의 동질성을 추구하는 다문화 정책을 (㉠ 동화주의, ㉡ 다문화주의)라고 한다.

23 대기 중에 화석 연료가 연소할 때 발생하는 이산화 탄소와 같은 온실가스의 증가로 지구의 연평균 기온이 상승하는 현상을 (㉠ 지구 온난화, ㉡ 사막화)라고 한다.

24 특정 목적을 가진 개인 또는 소규모 집단이 살인, 납치, 저격, 약탈 등의 다양한 방법으로 폭력을 행사하여 사회적 공포를 일으키는 행위를 (㉠ 전쟁, ㉡ 테러)(이)라고 한다.

● 빈칸에 들어갈 알맞은 말을 쓰시오.

25 국가 간 교류 증진 및 상호 의존성의 심화로 삶의 공간이 국경을 넘어 전 지구로 확대되는 과정을 (　　　　) 현상이라고 한다.

26 (　　　　)은/는 정보의 접근과 소유 및 활용에 있어 경제력과 권력 등에 의해 발생하는 경제적·사회적 불평등 현상을 의미한다.

27 인구 구조상 65세 이상 인구의 비율이 증가하는 현상을 (　　　　)(이)라고 말하며, 일반적으로 그 비율이 (　　　　) 이상이 되면 고령화 사회라고 부른다.

28 (　　　　) 사회는 다양한 인종·종교·문화를 가진 사람들이 공존하며 살아가는 사회를 말한다.

29 (　　　　)은/는 전 지구적 수준에서 대응해야 할 문제 중 하나로, 지구 온난화, 열대 우림 파괴, 사막화 등이 있다.

30 (　　　　)은/는 정치 집단 간에 전면적 또는 국지적으로 무력이나 폭력이 발생하는 갈등 상황을 말한다.

31 현세대는 물론 미래 세대의 삶의 질이 함께 보장되는 사회를 (　　　　)(이)라고 한다.

32 특정 국가의 국민으로서만이 아니라 인류 공동체의 일원으로 세계 공동체 의식을 가지고 지구촌 문제의 해결을 위해 협력하는 사람을 (　　　　)(이)라고 한다.

1 세　2 정　3 세　4 정　5 정　6 저　7 고　8 저　9 다　10 동　11 ×(상품 판매 시장과 소비자 선택 기회 확대)　12 ○　13 ○　14 ○　15 ×(지구 온난화 현상의 주요 요인)　16 ○　17 ×(환경 보호와 경제 성장의 조화를 강조)　18 ×(세계 공동체 의식을 중시)　19 ㉡　20 ㉡　21 ㉡　22 ㉠　23 ㉠　24 ㉡　25 세계화　26 정보 격차　27 고령화, 7%　28 다문화　29 환경 문제　30 전쟁　31 지속 가능한 사회　32 세계 시민

분석 특강 도표

○ 본문 109쪽
02 정보화와 이에 대한 대응

유형 ❶ 농업·산업·정보 사회의 특징 비교 분석

표는 (가), (나)를 적용하여 A~C의 일반적인 특징을 비교한 것이다.

비교 기준 \ 사회	A	B	C
(가)	+++	+	++
(나)	++	+++	+

*+의 개수가 많을수록 높음, 빠름, 강함을 의미함

자료 접근 산업 사회와 정보 사회의 특징을 비교하거나 여기에 농업 사회의 특징까지 함께 비교하는 문제가 자주 출제되고 있다. 그렇기 때문에 제시된 표와 그래프 등을 꼼꼼히 살피고 분석하는 연습을 반드시 해야 한다. 특히 농업 사회, 산업 사회, 정보 사회의 특징에 대한 우선순위를 묻는 문제가 출제되고 있으므로 다양한 문제 조건에 맞추어 각 사회의 특징을 잘 정리하여 비교하고 확인해야 한다.

자료 분석 • 제시된 자료는 농업 사회, 산업 사회, 정보 사회의 일반적인 특징을 비교한 문항이다. 우선 제시된 표를 보면 '비교 기준' (가)와 (나)의 질문에 따라 A~C가 달라질 수 있기 때문에 제시된 선택지의 질문과 우선순위(높음, 빠름, 강함 정도)를 비교하고 A~C의 사회 유형을 파악해야 한다. 다음으로 파악된 사회 유형을 토대로 각각의 특징을 잘 구별하여 선택지의 정답 유무를 확인해야 한다. 선택지 ①번의 경우 (가)가 '가정과 일터의 분리 정도'라고 질문할 경우 우선순위를 비교해 보면 A는 산업 사회, B는 농업 사회, C는 정보 사회임을 파악할 수 있다. 그리고 이를 토대로 ①번 선택지 후반에 나와 있는 'A는 C보다 관료제의 비중이 높다.'는 내용이 정답임을 확인할 수 있다. 위에서 언급한 방식으로 나머지 선택지(②~⑤)를 분석해 보면 오답임을 알 수 있다.

• 기출 문제에 대한 분석을 토대로 농업 사회(A), 산업 사회(B), 정보 사회(C)의 특징에 대한 우선순위를 정리해 보면 아래 표와 같다.

비교 기준	비교 결과
사회 변동 속도, 비대면 접촉의 비중, 사회의 다원화 정도, 구성원 간의 익명성 정도, 개인 정보 유출 가능성, 서비스업의 비중(3차 산업의 비중)	C>B>A
가정과 일터의 결합 정도(정보 사회는 재택근무가 가능하기 때문에 산업 사회보다 가정과 일터의 결합 정도가 높음)	A>C>B
관료제의 비중(업무 방식의 표준화 정도)	B>C>A

♥ **농업 사회, 산업 사회, 정보 사회의 비교**

구분	농업 사회	산업 사회	정보 사회
부의 원천	토지, 노동	노동, 자본	지식, 정보
중심 산업	1차	2차	3차
생산 방식	소품종 소량 생산	소품종 대량 생산	다품종 소량 생산
사회 조직	1차적 관계	관료제 (수직적 인간관계)	탈관료제 (수평적 인간관계)

• **위의 표에 대한 설명으로 옳은 것은? (단, A~C는 각각 농업 사회, 산업 사회, 정보 사회 중 하나이다.)**

① (가)가 '가정과 일터의 분리 정도'이면 A는 C보다 관료제 조직의 비중의 높다.

② (가)가 '구성원의 비대면 접촉 정도'이면 C는 B보다 확대 가족의 비중이 높다.

③ (나)가 '구성원 간의 익명성 정도'이면 A는 B보다 전자 상거래의 비중이 높다.

④ (가)가 '사회 변동의 속도'이면, (나)는 '사회의 다원화 정도'가 적절하다.

⑤ (나)가 '직업의 동질성 정도'이면, (가)는 '의사 결정의 분권화 정도'가 적절하다.

선택지 풀이

❶ 정답 : (가)가 '가정과 일터의 분리 정도'이면 A는 산업 사회, C는 정보 사회이므로 A가 C보다 관료제의 비중이 높다.

② 오답 : (가)가 '구성원의 비대면 접촉 정도'이면 B는 농업 사회, C는 산업 사회이므로 B가 C보다 확대 가족의 비중이 높다.

③ 오답 : (나)가 '구성원의 익명성 정도'이면 A는 산업 사회, B는 정보 사회이므로 B가 A보다 전자 상거래의 비중이 높다.

④ 오답 : (가)가 '사회 변동의 속도'이면 A는 정보 사회, B는 농업 사회, C는 산업 사회이다. '사회의 다원화 정도'는 정보 사회, 산업 사회, 농업 사회 순으로 높으므로, (나)는 '사회의 다원화 정도'가 적절하지 않다.

⑤ 오답 : (나)가 '직업의 동질성'이면, A는 산업 사회, B는 농업 사회, C는 정보 사회이다. '의사 결정의 분권화 정도'는 정보 사회, 산업 사회, 농업 사회 순으로 높으므로, (가)는 '의사 결정의 분권화 정도'가 적절하지 않다.

유형 ❷ 저출산·고령화와 관련된 통계 분석

그래프는 A~C국의 1980년과 2015년의 연령대별 인구 비율(%)의 변화 추이를 나타낸 것이다.

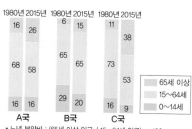

* 노년 부양비 : (65세 이상 인구 / 15~64세 인구) × 100
** 유소년 부양비 : (0~14세 인구 / 15~64세 인구) × 100

본문 110쪽
❸ 저출산 · 고령화와 이에 대한 대응

자료 접근 최근 저출산 · 고령화라는 사회 변화와 맞물려 표, 그래프 등을 활용하여 유소년 부양비, 노년 부양비 등을 계산하고 비교하는 통계 분석 문제가 출제되고 있다. 제시된 자료의 경우 그래프에 나와 있는 연령 대별 비율 수치와 그래프 아래에 제시되어 있는 노년 부양비와 유소년 부양비의 공식을 활용하여 선택지의 순서대로 국가별(A~C국), 연도별(1980년, 2015년) 수치를 계산하고, 그 증감 여부를 비교한 후 제시된 선택지의 정답 유무를 확인해야 한다. 특히 노년 부양비나 유소년 부양비 등 인구 부양비는 '분모를 100명으로 보았을 때 분자가 몇 명인가'를 의미한다고 생각하면 된다.

자료 분석 • 우선 선택지의 순서에 따라 제시된 자료의 공식을 활용하여 노년 부양비를 비교해 보면, 1980년에는 A국($\frac{16}{68}×100$), B국($\frac{6}{65}×100$), C국($\frac{11}{73}×100$)이므로 A국의 노년 부양비가 가장 크고, 2015년에는 A국($\frac{26}{58}×100$), B국($\frac{15}{65}×100$), C국($\frac{38}{53}×100$) 이므로 C국의 노년 부양비가 가장 크다.

• 2015년에 0~14세 인구 대비 65세 이상 인구 비율을 비교해 보면, A국($\frac{26}{16}×100$), B국($\frac{15}{20}×100$), C국($\frac{38}{9}×100$)이므로 C국이 가장 높다.

• 1980년 대비 2015년에 A국과 B국의 유소년 부양비의 변화를 비교해 보면, A국은 증가($\frac{16}{68}<\frac{16}{58}$)하였고, B국은 감소($\frac{29}{65}>\frac{20}{65}$)하였음을 알 수 있다.

• 1980년 대비 2015년에 A~C국의 노년 부양비의 변화를 비교해 보면, A국($\frac{16}{68}<\frac{26}{58}$), B국($\frac{6}{65}<\frac{15}{65}$), C국($\frac{11}{73}<\frac{38}{53}$) 모두 증가했음을 알 수 있다.

• 위의 자료에 대한 옳은 분석을 〈보기〉에서 고른 것은?

보기
ㄱ. 노년 부양비가 가장 큰 국가는 1980년과 2015년에 동일하다.
ㄴ. 2015년에 0~14세 인구 대비 65세 이상 인구 비율이 가장 높은 국가는 C국이다.
ㄷ. 1980년 대비 2015년에 A국과 B국의 유소년 부양비는 감소하였다.
ㄹ. 1980년 대비 2015년에 A~C국 모두 노년 부양비가 증가하였다.

보기 풀이
ㄱ.오답 : 노년 부양비가 가장 큰 국가는 1980년에 A국(16/68×100)이고, 2015년에 C국(38/53×100)이므로 동일하지 않다.
ㄴ 정답 : 2015년에 '0~14세 인구 대비 65세 이상의 인구의 비율은 A국(26/16×100), B국(15/20×100), C국(38/9×100)으로 C국이 가장 높다.
ㄷ.오답 : 1980년 대비 2015년에 A국의 유소년 부양비는 증가(16/68×100 → 16/58×100)하였고, B국의 유소년 부양비는 감소(29/65×100 → 20/65×100)하였다.
ㄹ 정답 : 1980년 대비 2015년에는 15~64세 인구 비율이 A국, C국은 감소하였고, B국은 변함없다. 반면, 65세 이상 인구 비율은 A~C국 모두 높아진 것으로 보아 A~C국의 노년 부양비는 모두 증가했음을 알 수 있다.

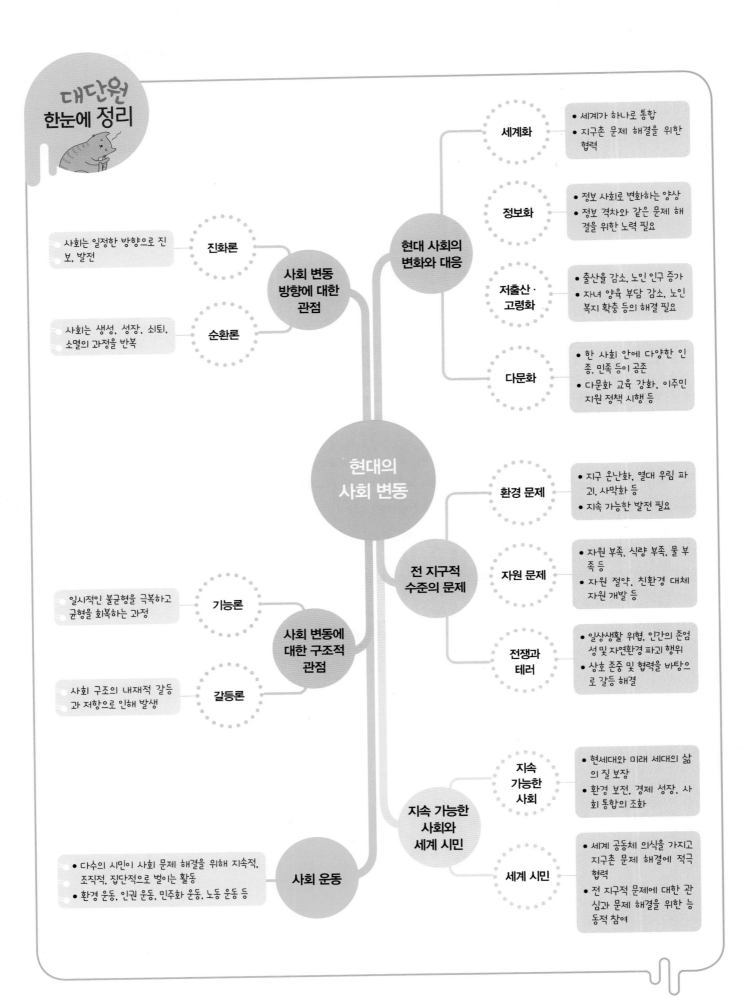

사회는 일정한 방향으로 진보, 발전 — **진화론** —┐

사회는 생성, 성장, 쇠퇴, 소멸의 과정을 반복 — **순환론** —┘ → **사회 변동 방향에 대한 관점**

현대의 사회 변동

현대 사회의 변화와 대응
- **세계화**
  - 세계가 하나로 통합
  - 지구촌 문제 해결을 위한 협력
- **정보화**
  - 정보 사회로 변화하는 양상
  - 정보 격차와 같은 문제 해결을 위한 노력 필요
- **저출산·고령화**
  - 출산율 감소, 노인 인구 증가
  - 자녀 양육 부담 감소, 노인 복지 확충 등의 해결 필요
- **다문화**
  - 한 사회 안에 다양한 인종, 민족 등이 공존
  - 다문화 교육 강화, 이주민 지원 정책 시행 등

일시적인 불균형을 극복하고 균형을 회복하는 과정 — **기능론** —┐

사회 구조의 내재적 갈등과 저항으로 인해 발생 — **갈등론** —┘ → **사회 변동에 대한 구조적 관점**

전 지구적 수준의 문제
- **환경 문제**
  - 지구 온난화, 열대 우림 파괴, 사막화 등
  - 지속 가능한 발전 필요
- **자원 문제**
  - 자원 부족, 식량 부족, 물 부족 등
  - 자원 절약, 친환경 대체 자원 개발 등
- **전쟁과 테러**
  - 일상생활 위협, 인간의 존엄성 및 자연환경 파괴 행위
  - 상호 존중 및 협력을 바탕으로 갈등 해결

- 다수의 시민이 사회 문제 해결을 위해 지속적, 조직적, 집단적으로 벌이는 활동
- 환경 운동, 인권 운동, 민주화 운동, 노동 운동 등

사회 운동

지속 가능한 사회와 세계 시민
- **지속 가능한 사회**
  - 현세대와 미래 세대의 삶의 질 보장
  - 환경 보전, 경제 성장, 사회 통합의 조화
- **세계 시민**
  - 세계 공동체 의식을 가지고 지구촌 문제 해결에 적극 협력
  - 전 지구적 문제에 대한 관심과 문제 해결을 위한 능동적 참여

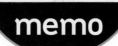

memo

수능과 내신을 한 번에 잡는
프리미엄 고등 영어
수프림 시리즈

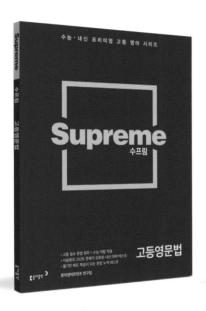

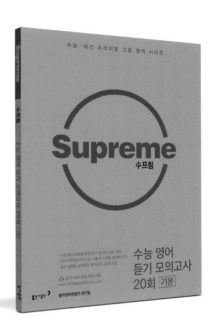

Supreme 고등영문법	**고등 내신과 수능을 미리 준비하는 고등영문법!**
	• 핵심 문법을 마스터하고 수능 어법까지 미리 준비
	• 내신 및 서술형, 수능 어법 유형 문제까지 촘촘한 배치로 내신 완벽 대비
	• 풀기만 해도 복습이 되는 문법 누적 테스트

Supreme 수능 어법 기본	**고등 문법 정리, 수능 어법 시작!**
	• 핵심만 뽑은 문법으로 어법 학습 전 문법 정리
	• 최근 수능 기출 어법 문항을 분석하여 정리한 어법 포인트 72개
	• 최근 증가 추세인 서술형 어법 문제로 내신 서술형 대비
	• 수능 실전 어법 지문으로 실전 감각 기르기

Supreme 수능 영어 듣기 모의고사 20회 기본	**수능 영어 듣기의 시작!**
	• 수능 듣기 유형별 특징 분석 및 주요 표현 정리
	• 고1-2 학력평가와 수능 기출 듣기 문항을 철저히 분석하여 만든 듣기 모의고사
	• 핵심 단어와 표현, 잘 안 들리는 발음에 빈칸을 넣어 듣기 실력을 높여주는 받아쓰기

올쏘

고등 사회·문화

2015 개정 교육과정

문제로 통하는 **사회·문화**

올쏘

고등 사회·문화

Book ② 실전편

수능 출제 유형을 익히는
기출 자료 & 선지 분석

수능 실전 감각을 향상시키는
실전 기출 문제

수능 문제 풀이의
노하우를 키우는
킬러 예상 문제

동아출판

all about society 올쏘

오르쏘

고등 사회·문화

BOOK 2 실전편

Structure

BOOK❷ 실전편의 구성과 활용법

1단계 기출 자료 & 선지 분석

수능에 자주 출제되는 빈출 주제의 주요 자료 중에서 대표적인 유형을 선별하여 제시하고 그에 대한 단서 풀이와 자료 분석을 친절하게 정리하였습니다. 그리고 빈출 자료와 연계된 **기출 선지 변형** ○× 문제를 수록하여 수능에 자주 나오는 빈출 선지를 익히도록 구성하였습니다. **기출 자료 & 선지 분석**을 꾸준히 학습한다면 수능의 출제 패턴을 익히는 데 큰 도움이 될 것입니다.

2단계 실전 기출 문제

수능을 준비하는 데 있어 기출 문제만한 것이 없지요? 최근 수능, 평가원, 교육청 기출 문제들을 강별로 수능 빈출 주제의 출제 빈도에 맞게 엄선하여 수록하였습니다. 기출 문제를 집중해서 풀어 본다면 실제 수능에서 어떠한 유형과 난이도로 출제가 이루어지고 있는지 파악하고 대비할 수 있습니다.

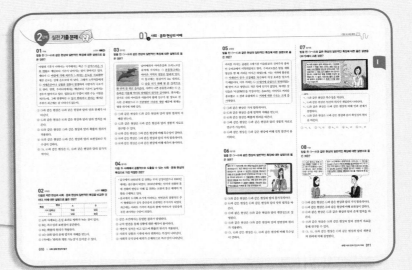

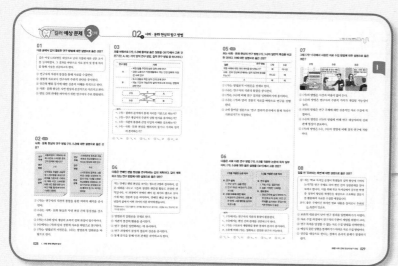

3단계 킬러 예상 문제

수능 빈출 주제 중에서 수능 출제 가능성이 높은 유형을 선별하였습니다. 변별력 높은 고난도 문제도 수록하여 수능 등급 향상에 도움이 되도록 구성하였습니다. 킬러 예상 문제를 통해 수능 문제 풀이의 스킬을 완벽하게 다질 수 있습니다.

실전 모의고사

개념 학습과 문제 풀이 학습이 모두 끝난 후, 실제 수능 시험의 느낌으로 풀어 볼 수 있는 실전 모의고사를 부록으로 수록하였습니다. 최근 수능 출제 경향을 반영하여 엄선한 문제인 만큼 수능 최종 점검 차원에서 꼭 풀어 보고 수능 준비를 마무리하세요!

정답 및 해설

문항별로 핵심 포인트를 짚어 풀이하였고, **선택지 분석**에서는 각 선택지별로 정답과 오답을 구분하여 친절하게 설명하였습니다.

• **자료 해설** 문제에 제시된 자료를 자세하게 설명하여 까다로운 문제도 확실히 이해할 수 있도록 하였습니다.

• **올쏘 만점 노트** 문제와 관련된 보충 내용이나 문제를 풀 때 꼭 알아야 하는 핵심 개념들을 정리해 놓았습니다.

Contents

BOOK❷ 실전편의 차례

정답 및 해설

개념 학습을 통해 어느 정도 자신감이 생기면서 수능 기출 문제 풀이를 시작했습니다. 하지만 사회·문화 기출 문제를 처음 풀면서 느낀 점은 '사회·문화가 이렇게 어려운 과목이었나?'하는 것이었습니다. 사실 사회·문화는 다른 과목에 비해 개념이 쉽다고 생각했고 기출 문제를 풀어 보면 금방 준비할 수 있다고 생각했는데, 기출 문제에서는 응용된 개념들이 많아 쉽게 풀 수 있는 문제들이 많지 않았습니다. 그래서 **기출 문제의 개념들과 선지들을 정리해서 다시 복습**하기 시작했습니다. 그러다 보니 **문제를 풀면서 선지의 맥락을 이해하는 것이 중요**하다는 것을 알게 되었고, 그 이후로는 오답 선지를 비교적 쉽게 골라낼 수가 있었습니다.

진시형
서울대 독어교육과 입학
서울 덕성여고 졸업

전우석
서울대 지리교육과 입학
강릉고 졸업

개념 정리 노트를 완성한 후에는 '실전 기출 문제 풀이'를 시작하면 되는데, 저는 실전 기출 문제집을 이용해 4개년 분량을 3회씩 독파했습니다. 올해 수능의 경향과 수능 문제의 감을 잡기 위해 **기출 문제 풀이는 주기적으로 하는 것이 좋습니다.** 1~2주마다 공휴일을 이용해 실제 수능처럼 시간과 분위기를 맞춰 기출 문제를 풀었습니다. 그리고 다음날 **시험 결과를 오답 노트로 작성**하면서 보완점을 찾았습니다. 이 경험 덕분에 시험 볼 때 긴장을 덜하고 실력을 발휘했다고 생각합니다. 수험생 여러분에게도 이 방법을 적극 추천합니다!

개념 학습을 마치면 기출 문제를 이용해서 실전 문제 풀이를 진행해야 합니다. 사실 개념 학습이 되어 있다고 생각해도 실제 문제를 풀어 보면 틀리거나 개념만 알고 문제에 적용하기 힘든 경우가 사회탐구 과목에는 많습니다. 그래서 **기출 문제를 풀고 분석해 보는 것이 반드시 필요**합니다. 개인의 상황에 맞게 하루 분량을 정하되, **문제에 사용된 개념, 자신이 잘못 알고 있던 내용, 문제를 풀 때 팁과 같은 것을 분석**합니다. 그리고 이것들을 문제 바로 옆 또는 다른 노트에 정리해 놓고 복습하면 기출 문제를 활용하여 효과적으로 공부할 수 있습니다.

김지후
서울대 사회교육과 입학
경기 고양외고 졸업

김재민
서울대 사회교육과 입학
경기 화성고 졸업

개념 공부와 문제 풀이는 엄격하게 분리할 수 있는 것이 아닙니다. 기본 개념만으로는 쉽게 도출하기 힘든 내용들이 문제 안에 녹아 있을 수도 있기 때문입니다. 그렇기 때문에 처음 기출 문제를 접했을 때 생각보다 문제가 쉽게 풀리지 않는 경우도 당연히 있을 수 있습니다. 문제를 풀었을 때 틀려도 괜찮습니다. 문제와 함께 **왜 그 문제를 틀렸는지, 그 문제에서 얻어갈 수 있는 교훈은 무엇인지를 필기 노트에 적어 두고 반복적으로 본다면 문제 푸는 감각을 유지하는 데 도움**이 될 것입니다.

01강 사회·문화 현상의 이해

1단계 기출 자료 & 선지 분석

기출 자료 분석

자료 01 자연 현상과 사회·문화 현상의 특징 분석

> 단서 ❶
> 한반도가 더 이상 지진의 안전지대가 아니라는 사실이 알려지면서 ㉠ 지진에 대한 대비를 해야 한다는 목소리가 높다. 일반적으로 지진은 ㉡ 활성 단층이 분포하고 있는 조산대의 주변에서 발생하나, 이전에 ㉢ 지진 활동이 있었다가 멈춘 지역에서도 지진 발생의 가능성은 충분히 존재한다. 따라서 이전의 ㉣ 지진 발생 기록을 살펴보고, 지진 발생의 우려가 있는 지역에서는 철저하게 대비를 할 필요가 있다.
> 단서 ❷

단서 풀이

• 단서 ❶ 인간의 의지와 가치가 반영된 '대비', '기록'을 통해 ㉠과 ㉣이 사회·문화 현상임을 파악한다.

• 단서 ❷ 인간의 의지와 관계없이 나타나는 '활성 단층의 분포', '지진 활동'을 통해 ㉡, ㉢이 자연 현상임을 파악한다.

자료 분석

제시문은 지리적·과학적 현상인 지진에 대해 사회적으로 대비해야 한다는 내용이다. 인간의 행동에 따라 나타나는 사회·문화 현상은 인간의 의지와 가치가 내포되어 있고, 당위적인 규범이 작용한다. 반면 인간의 의지와 상관없이 자연적으로 발생하는 자연 현상은 몰가치적이며 예외가 존재하지 않는 확실성의 원리를 따른다.

자료 02 자연 현상과 사회·문화 현상의 특징 이해

현상＼특징	특수성 단서❶	확실성 단서❷	가치 함축성 단서❸
(가)	있다	없다	있다
(나)	없다	있다	없다

단서 풀이

• 단서 ❶ 자연 현상은 시대, 상황과 상관없이 동일한 결과가 나타난다는 점에서 보편성을 지니지만, 사회·문화 현상은 보편성과 함께 그 사회나 시대에서만 나타날 수 있다는 점에서 특수성도 지닌다.

• 단서 ❷ 확실성이란 인과 관계가 명확하여 예외가 존재하지 않는 것이다.

• 단서 ❸ 가치 함축성이란 좋고 나쁨, 옳고 그름 등과 같은 인간의 주관적 가치 판단이 개입되어 있다는 것이다.

자료 분석

• 특수성과 가치 함축성을 특징으로 하는 (가)는 사회·문화 현상이다. 사회·문화 현상은 보편성뿐만 아니라 특수성도 내포하고 있어 법칙을 발견하기가 어렵다. 또한 자연 현상과 달리 인간의 의지나 가치가 개입되므로 감정 이입적 기법을 활용하여 연구할 수 있다.

• 확실성을 특징으로 하는 (나)는 자연 현상이다. 자연 현상은 인과 관계가 분명하게 나타나 미래를 예측하거나 법칙을 발견하기에 용이하다. 또한 인간의 인식 여부와 상관없이 자기 스스로의 원리에 의해 발생한다는 존재 법칙에 지배된다.

기출 선지 변형 ○X

01 **자료01**의 밑줄 친 ㉠~㉣과 같은 현상의 일반적인 특징에 대한 설명이 옳으면 ○, 틀리면 ×에 표시하시오.

① ㉠은 자연 현상에 대한 대응으로 나타난 사회·문화 현상이다. ○, ×

② ㉠과 같은 현상은 ㉡과 같은 현상과 달리 존재 법칙의 지배를 받는다. ○, ×

③ ㉡과 같은 현상은 ㉣과 같은 현상과 달리 인과 관계가 나타난다. ○, ×

④ ㉢과 같은 현상은 ㉣과 같은 현상과 달리 몰가치적이다. ○, ×

⑤ ㉣과 같은 현상은 ㉠과 같은 현상과 달리 확률성의 원리가 적용된다. ○, ×

⑥ ㉠, ㉢과 같은 현상에 대한 가치 판단이 가능하다. ○, ×

⑦ ㉠, ㉣과 같은 현상은 ㉡, ㉢과 같은 현상과 달리 보편성과 특수성이 공존한다. ○, ×

02 **자료02**의 (가), (나)와 같은 현상의 일반적인 특징에 대한 설명이 옳으면 ○, 틀리면 ×에 표시하시오.

① (가)는 (나)에 비해 미래 예측이 용이하다. ○, ×

② (가)는 (나)와 달리 존재 법칙의 지배를 받는다. ○, ×

③ (가)는 (나)와 달리 연구 과정에서 감정 이입적 기법을 활용할 수 있다. ○, ×

④ (나)는 (가)에 비해 인과 관계가 분명하게 나타나 법칙을 발견하기에 용이하다. ○, ×

⑤ (나)는 (가)와 달리 당위 법칙의 지배를 받는다. ○, ×

⑥ (나)는 (가)와 달리 연구 결과의 일반화가 가능하다. ○, ×

⑦ (가), (나) 모두 같은 조건에서는 동일한 결과가 발생한다. ○, ×

⑧ (가), (나) 모두 경험적 관찰을 통해 연구할 수 있다. ○, ×

기출 자료 분석

자료 03 자연 현상과 사회·문화 현상의 특징 이해

┌───┐
│ ⊙ 감기에 걸렸을 때 감기약을 먹으면 7일 만에 낫고, 그렇지 않 단서 ❶
│ 으면 일주일 만에 낫는다는 말이 있다. 이는 우리 몸에 ○ 병을 치
│ 유할 수 있는 자생력이 내재되어 있음을 의미하는 말이다. 사회에
│ 도 우리 몸과 같이 비정상적인 상태를 바로잡아 정상적인 상태로
│ 회복시켜 주는 장치가 내재되어 있다. 단서 ❷
└───┘

질문 \ 답변	예	아니요
A	⊙	○
B	○	⊙

단서 풀이

• 단서 ❶ ⊙에서 '감기약을 먹는다.'는 것은 인간의 의지·의도가 개입되어 있는 것이므로 사회·문화 현상이다.

• 단서 ❷ ○에서 '자생력이 내재되어 있다.'는 것은 인간의 의지·의도와 상관없는 것이므로 자연 현상이다.

자료 분석

• A의 질문에 대해 사회·문화 현상인 ⊙은 '예', 자연 현상인 ○은 '아니요'로 답하고 있으므로 A에는 사회·문화 현상에만 해당하는 질문이 들어가야 한다.

• B의 질문에 대해 자연 현상인 ○은 '예', 사회·문화 현상인 ⊙은 '아니요'로 답하고 있으므로 B에는 자연 현상에만 해당하는 질문이 들어가야 한다.

자료 04 자연 현상과 사회·문화 현상의 특징 구별

┌───┐
│ ⊙ 바닷물에서 소금을 얻기는 의외로 까다롭다. 3.5% 정도의 염
│ 분이 들어 있는 바닷물에서 소금을 얻으려면, ○ 염전을 조성해야
│ 한다. 이를 위해서는 풍부한 일조량과 적당한 © 조수간만의 차
│ 가 필요하다. 이러한 조건들을 모두 갖춘 우리나라 서해안은 ② 천
│ 일염 생산의 최적지로 유명하다. 단서 ❷
│   단서 ❶
└───┘

질문	갑	을	병	정	무
⊙과 같은 현상은 개연성의 원리가 적용되는가?	×	○	×	○	○
○과 같은 현상은 존재 법칙의 지배를 받는가?	×	○	×	×	×
©과 같은 현상은 몰가치적인 현상인가?	○	×	○	○	○
②과 같은 현상은 보편성과 특수성이 공존하는가?	○	○	×	×	○

(○ : 예, × : 아니요)

단서 풀이

• 단서 ❶ ⊙, ○은 소금을 얻기 위한 인간의 의지와 노력이 개입되어 있고, ②의 '유명'은 가치 함축적 단어이므로 사회·문화 현상이다.

• 단서 ❷ ©은 인간의 의지·의도가 개입되지 않은 자연 현상이다.

자료 분석

• 개연성의 원리는 사회·문화 현상의 특징이므로 ⊙의 질문에 대한 응답은 '○'이다.

• 존재 법칙은 자연 현상의 특징이므로 ○의 질문에 대한 응답은 '×'이다.

• 몰가치성은 자연 현상의 특징이므로 ©의 질문에 대한 응답은 '○'이다.

• 보편성과 특수성이 공존하는 것은 사회·문화 현상의 특징이므로 ②의 질문에 대한 응답은 '○'이다.

기출 선지 변형 O X

03 자료 03 에서 밑줄 친 ⊙, ○과 A, B의 질문에 대한 설명이 옳으면 ○, 틀리면 ×에 표시하시오.

① '동일한 조건하에서 동일 현상이 발생하는가?'라는 질문에 대해 ⊙은 '아니요'로 응답해야 한다. ○, ×

② '규범이 반영되어 나타나는가?'라는 질문에 대해 ○은 '예'로 응답해야 한다. ○, ×

③ '특수성과 보편성이 공존하는가?'라는 질문에 대해 ⊙은 '아니요'로, ○은 '예'로 응답해야 한다. ○, ×

④ A에는 '당위 법칙이 적용되는가?', B에는 '존재 법칙이 적용되는가?'라는 질문이 적절하다. ○, ×

⑤ A에는 '가치 판단이 가능한가?', B에는 '확률의 원리가 적용되는가?'라는 질문이 적절하다. ○, ×

04 자료 04 의 밑줄 친 ⊙~②과 같은 현상의 일반적인 특징을 고려하여 다음 질문에 대해 '예'에 해당하면 ○, '아니요'에 해당하면 ×를 쓰시오.

질문	응답 ⊙	○	©	②
① 확실성의 원리가 적용되는가?				
② 당위 법칙이 적용되는가?				
③ 가치 함축적인 현상인가?				
④ 특수성이 강조되는가?				
⑤ 과학적인 연구의 대상이 될 수 있는가?				
⑥ 통제된 실험과 예측이 용이한가?				

기출 자료 분석

자료 05 사회 · 문화 현상을 바라보는 관점 비교

(가) 사회 규범은 대다수 구성원이 특정 행위에 규범이라는 의미를 부여함으로써 형성된다. 그들이 그 행위에 다른 의미를 부여하면 기존 규범은 역할을 상실하고 새로운 규범이 나타난다. ─단서❶

(나) 사회 규범은 기존 질서 유지를 위한 기득권층의 의지가 반영되어 형성된다. 그들이 사회 규범을 마치 사회 전체의 합의인 것처럼 구성원들에게 강요함으로써 사회가 유지된다. ─단서❸ ─단서❷

(다) 사회 규범은 전체 구성원의 이익과 사회의 원활한 작동을 위해 형성된다. 이러한 사회 규범의 내용과 의미가 사회화를 통해 전승됨으로써 사회의 존속이 가능하다.

단서 풀이

• 단서 ❶ 개인 간의 상호 작용과 상황 정의, 의미 부여를 중시하면 상징적 상호 작용론이다.

• 단서 ❷ 지배 집단의 기득권 유지를 위한 억압을 강조하면 갈등론이다.

• 단서 ❸ 사회의 질서와 안정의 유지를 강조하면 기능론이다.

자료 분석

• (가) : 상징적 상호 작용론은 인간을 능동적인 존재로 전제하며, 개인이 사회 규범에 어떠한 의미를 부여하고 상황을 정의하느냐에 따라 그 의미가 달라진다고 본다.

• (나) : 갈등론은 사회 규범을 지배 집단이 자신들의 이익을 위해 규정한 것으로 본다.

• (다) : 기능론은 사회 규범이 사회화를 통해 전승되며, 사회 존속 및 질서 유지 기능을 한다고 본다.

자료 06 상징적 상호 작용론의 특징 이해

최근에 '비혼(非婚)'이라는 말을 쓰는 사람들이 증가하고 있다. 이는 결혼을 하지 않은 삶에 대해 개인들이 부여하는 의미가 달라진 결과이다. 결혼이 인생의 필수적인 과업은 아니며, 혼자 사는 것도 그 자체로 온전한 삶의 방식 중 하나라고 생각하는 사람들 ─단서❶ 은 자신의 의지로 결혼하지 않는 삶을 선택했음을 강조하기 위해 스스로 '미혼자' 대신 '비혼자'로 칭한다. '미혼'이라는 말이 결혼을 해야 함에도 불구하고 아직 하지 않은 미완의 상태라는 의미를 담고 있다고 보기 때문이다. ─단서❷

단서 풀이

• 단서 ❶ 개인과 상황에 따른 의미 부여를 중시하고 있다.

• 단서 ❷ 상황에 따라 주관적으로 의미를 정의하고 있다.

자료 분석

제시문은 결혼을 하지 않는 삶에 대해 개인들이 부여하는 의미가 서로 다르며 '미혼'과 '비혼'에 대한 의미를 상황에 따라 주관적으로 정의하고 있음을 보여 준다. 이를 통해 개인과 개인 사이의 상징을 통한 상호 작용을 중시하는 상징적 상호 작용론적 관점임을 알 수 있다.

기출 선지 변형 O X

05 자료 05 의 (가)~(다)에 대한 설명이 옳으면 ○, 틀리면 ×에 표시하시오.

① (가)는 (나)와 달리 행위자의 주체적 능동성을 중시한다. ○, ×

② (가)는 (다)와 달리 사회 갈등과 투쟁이 사회 발전의 원동력이라고 본다. ○, ×

③ (나)는 (다)와 달리 사회 변동의 불가피성을 강조한다. ○, ×

④ (나)는 (다)의 관점을 비판하면서 사회화를 현재의 불평등한 구조를 정당화하는 수단이라고 본다. ○, ×

⑤ (다)는 사회 유지에 필요한 기능의 상호 의존성에 관심을 둔다. ○, ×

⑥ (다)는 (나)와 달리 주관적인 상황 정의를 중시한다. ○, ×

⑦ (가)는 (나), (다)와 달리 사회가 개인에게 미치는 영향을 간과한다. ○, ×

⑧ (가), (다)는 (나)와 달리 사회 통합을 중시한다. ○, ×

06 자료 06 의 제시문에 나타난 관점에 대한 설명이 옳으면 ○, 틀리면 ×에 표시하시오.

① 사회 제도들 간의 유기적인 상호 의존성을 강조한다. ○, ×

② 개인들의 주관적인 상황 정의에 대한 이해를 중시한다. ○, ×

③ 상징을 매개로 한 타인과의 상호 작용을 통해 개인의 자아가 형성된다고 주장한다. ○, ×

④ 사회 구조에 초점을 맞추어 사회 · 문화 현상을 바라본다. ○, ×

⑤ 사회적 희소가치를 둘러싼 집단 간 대립 관계에 주목한다. ○, ×

⑥ 사회적 행위자의 능동적 사고와 자율적 행위의 측면을 강조한다. ○, ×

⑦ 사회 통합에 있어서 사회화가 수행하는 역할을 부정한다. ○, ×

기출 자료 분석

자료 07 사회·문화 현상을 바라보는 관점 적용

사회자: 노인 소외의 원인에 대하여 말씀해 주십시오.

갑: 급격한 사회 변동에 따라 가치관과 규범이 변화되고, 세대 간의 관계도 새롭게 정의되었습니다. 사회 변화에 노인들이 적응할 수 있도록 지원하는 정책이 미비하여 노인들이 소외되는 것입니다. ─단서❶

을: 가족 구성원들이 노인을 의존적인 존재로 여기고, 노인도 이를 수용하면서 스스로 위축될 수밖에 없습니다. 그러다 보니 자녀들과 원활한 의사소통을 하지 못하여 노인들이 소외되는 것입니다. ─단서❷

병: 현대 사회에서는 경제력을 가진 사람들이 주도권을 갖게 됩니다. 부와 권력의 분배를 중년층이 좌우하면서 노인들의 능력이나 노력과 상관없이 사회적 역할에서 노인들을 배제해 그들이 소외되는 것입니다. ─단서❸

단서 풀이

• 단서 ❶ 노인 소외를 사회 기능이 제대로 작용하지 않아 생긴 것으로 보고 있다.

• 단서 ❷ 노인 소외를 상호 작용 측면의 문제로 보고 있다.

• 단서 ❸ 노인 소외를 주도권을 가진 집단과 그렇지 않은 집단 간의 대립에 따른 것으로 보고 있다.

자료 분석

갑은 노인 소외의 원인을 사회 변화에 대한 노인들의 적응을 돕는 정책의 부족으로 보았고, 을은 자녀들과의 원활한 상호 작용의 부재로 인한 것으로 보았다. 또한 병은 중년층(지배 집단)이 노인(피지배 집단)을 배제하여 노인 소외가 발생한다고 보았다. 즉 갑은 기능론적 관점, 을은 상징적 상호 작용론적 관점, 병은 갈등론적 관점을 취하고 있다.

자료 08 사회·문화 현상을 바라보는 관점 비교

구분	A	B	C
개인의 행위를 초월한 사회 체계에 초점을 맞춰 사회·문화 현상을 이해하는가? ─단서❶	×	○	○
사회 체계의 구성 요소들은 상호 의존 관계에 있다고 보는가? ─단서❷	×	×	○
(가)	○	×	×

※ A~C는 각각 기능론, 갈등론, 상징적 상호 작용론 중 하나임.

(○ : 예 × : 아니요)

단서 풀이

• 단서 ❶ 개인의 행위를 초월한 사회 체계에 초점을 맞춰 사회·문화 현상을 이해하는 것은 거시적 관점이다.

• 단서 ❷ 사회 체계의 구성 요소들이 상호 의존 관계에 있다고 보는 것은 기능론이다.

자료 분석

C는 첫 번째 질문과 두 번째 질문에 모두 '예'라고 답하였으므로 기능론이고, B는 첫 번째 질문에는 '예'로 답하였으나 두 번째 질문에는 '아니요'로 답하였으므로 갈등론이다. 그리고 남은 A는 상징적 상호 작용론이다. 따라서 (가)에는 상징적 상호 작용론에만 해당하는 내용이 담긴 질문이 들어가야 한다.

기출 선지 변형 O X

07 자료 07 에 나타난 갑~병의 입장에 대한 설명이 옳으면 ○, 틀리면 ×에 표시하시오.

① 갑의 관점은 상황에 대한 개인의 주관적 의미 부여를 강조한다. ○, ×

② 갑의 관점은 기득권의 이익을 대변하는 논리로 사용된다는 비판을 받는다. ○, ×

③ 을의 관점은 사회가 필연적으로 변화하며 집단 간 갈등이 변화의 동력이라고 본다. ○, ×

④ 병의 관점은 개인이 각자의 주관에 따라 다양한 사회상을 만들어 낸다고 본다. ○, ×

⑤ 갑의 관점은 병의 관점과 달리 사회 구성 요소의 기능과 역할을 사회적으로 합의된 것이라고 본다. ○, ×

⑥ 병의 관점은 갑의 관점에 비해 사회 변동이 필연적이라고 본다. ○, ×

⑦ 을, 병의 관점은 갑의 관점과 달리 사회 문제를 설명하는 데 사회 구조적 요인을 중시한다. ○, ×

08 자료 08 의 A~C에 대한 설명이 옳으면 ○, 틀리면 ×에 표시하시오.

① A는 사회·문화 현상의 의미가 개인마다 다르게 규정된다고 본다. ○, ×

② B는 기존 사회 질서가 특정 집단의 이익 보호와 계급 재생산의 수단이 된다고 본다. ○, ×

③ C는 사회 문제의 해결을 위해 사회화와 도덕 교육을 강조한다. ○, ×

④ A보다 B, C의 관점에서 사회·문화 현상을 분석하는 것이 더 타당하다. ○, ×

⑤ (가)에는 '인간의 행동을 사회적 맥락 속에서 이해하려 하는가?'가 적절하다. ○, ×

⑥ (가)에는 '사회가 스스로 균형을 유지하려는 속성을 지니는가?'가 적절하다. ○, ×

⑦ A, B, C 모두 인간은 자율성을 지닌 능동적인 존재라고 본다. ○, ×

01 수능   p.006 자료 01

밑줄 친 ㉠~㉢과 같은 현상의 일반적인 특징에 대한 설명으로 옳은 것은?

> 아열대 기후가 나타나는 국가에서는 최근 ㉠ 갑작스러운 기후 변화로 예년보다 기온이 낮아지는 일이 잦아지고 있다. 게다가 ㉡ 바람에 의해 피부가 느껴지는 온도를 지표화한 체감 온도는 실제 온도보다 더 낮다. 그래서 노약자들에게 ㉢ 저체온증이나 심혈관 질환이 발생하여 사망자가 나오기도 한다. 반면, 우리나라에서는 예년보다 기온이 높아지는 경우가 많아지고 있다. 입동(立冬) 무렵이 되면 수능 시험을 치르는데, 그때 발생하던 ㉣ 입시 한파라고 불리는 매서운 추위가 최근에는 잘 나타나지 않는다.

① ㉠과 같은 현상은 ㉣과 같은 현상과 달리 인과 관계가 나타난다.
② ㉡과 같은 현상은 ㉢과 같은 현상과 달리 당위 법칙을 따른다.
③ ㉢과 같은 현상은 ㉠과 같은 현상과 달리 확률의 원리가 적용된다.
④ ㉣과 같은 현상은 ㉡과 같은 현상과 달리 보편성보다 특수성이 강하다.
⑤ ㉠, ㉡과 같은 현상은 ㉢, ㉣과 같은 현상과 달리 몰가치적이다.

02 교육청   p.006 자료 02

다음은 자연 현상과 사회·문화 현상의 일반적인 특징을 비교한 것이다. 이에 대한 설명으로 옳은 것은?

특징 \ 현상	A	B
가치 함축성	있음	없음
(가)	낮음	높음

① A의 사례로는 온실 효과로 빙하가 녹는 것이 있다.
② B는 특수성과 보편성이 공존한다.
③ B는 확률의 원리가 작용한다.
④ A는 B와 달리 존재 법칙의 지배를 받는다.
⑤ (가)에는 '반복과 재현 가능성'이 들어갈 수 있다.

03 평가원

밑줄 친 ㉠~㉣과 같은 현상의 일반적인 특징에 대한 설명으로 옳은 것은?

>  남아메리카 아마존강과 오리노코강 유역에 서식하는 ㉠ 분홍돌고래는 아마존 지역의 명물로 알려져 있다. 이 돌고래는 몸길이가 2m 내외로, ㉡ 숨을 쉬기 위해 몇 분 간격으로 한 번씩 물 위로 올라온다. 시력이 나쁜 분홍돌고래는 ㉢ 초음파를 이용해 먹이와 장애물의 위치를 감지한다. 과거에는 강가로 나와 아이들과 어울리며 함께 친구가 될 정도로 친숙한 존재였으나 ㉣ 무분별한 사냥과 개발 때문에 현재는 멸종 위기에 처해 있다.

① ㉠과 같은 현상은 ㉡과 같은 현상과 달리 당위 법칙의 지배를 받는다.
② ㉡과 같은 현상은 ㉣과 같은 현상과 달리 경험적 자료로 연구할 수 있다.
③ ㉢과 같은 현상은 ㉠과 같은 현상에 비해 특수성이 강하다.
④ ㉣과 같은 현상은 ㉠과 같은 현상과 달리 가치 함축적이다.
⑤ ㉣과 같은 현상은 ㉢과 같은 현상에 비해 예측이 용이하다.

04 평가원

다음 두 사례에서 공통적으로 도출할 수 있는 사회·문화 현상의 특징으로 가장 적절한 것은?

> • 갑국에서 1960년대 집 전화는 부의 상징이었으나 1980년대에는 필수품이 되었다. 2000년대에는 인터넷 전화와 휴대 전화의 발달로 인해 집 전화는 보완적 통신 매체의 역할을 수행하고 있다.
> • 을국에서 도시화 초기에 아파트는 빈민촌의 전형적인 주거 형태였으나 점차 중산층의 보편적인 주거지가 되었다. 최근에는 아파트 가격의 폭등과 함께 아파트가 상류층의 부를 과시하는 수단이 되었다.

① 같은 조건에서는 동일한 결과가 발생한다.
② 규칙 발견을 통해 상황에 대한 예측이 용이하다.
③ 개연적 성격을 띠고 있으며 확률의 원리가 적용된다.
④ 사회적 상황과 시대에 따라 변화하는 특성이 나타난다.
⑤ 사회적 규칙성에 예외가 존재하므로 특수성이 나타난다.

05 교육청

밑줄 친 ⊙~ⓒ과 같은 현상의 일반적인 특징에 대한 설명으로 옳은 것은?

> 커피를 마시는 습관은 8세기경 이슬람교의 신비주의 종파인 수피교에서 시작되었다고 한다. 수피교도들은 밤을 새워 명상을 할 때 커피를 마시곤 하였는데, 이는 커피에 함유된 ⊙ 카페인이 중추 신경계를 자극하여 각성 효과를 일으키기 때문이다. 이후 커피는 ⓒ 17세기에 유럽으로 전파되었는데 맛이 쓰고 영양소도 적은 탓에 인기가 없었다. 하지만 상인들은 '이성(理性)'을 각성시키는 음료라는 이미지로 커피를 홍보했고 그 결과 유럽에서 ⓒ 커피에 대한 수요는 크게 증가하였다.

① ⊙과 같은 현상은 가치 함축적이다.
② ⓒ과 같은 현상은 존재 법칙의 지배를 받는다.
③ ⓒ과 같은 현상은 확률의 원리를 따른다.
④ ⊙과 같은 현상은 ⓒ과 같은 현상과 달리 경험적 자료로 연구가 가능하다.
⑤ ⓒ과 같은 현상은 ⊙과 같은 현상에 비해 법칙 발견이 용이하다.

06 평가원

밑줄 친 ⊙~ⓔ과 같은 현상의 일반적인 특징에 대한 설명으로 옳은 것은?

> 얼마 전 ⊙ 지리산에 사는 반달가슴곰의 영상이 공개되었습니다. 최근 태어난 다섯 마리 새끼에 관한 영상입니다. 앞으로 ⓒ 유전적 다양성을 확보하기 위해 추가 방사를 한다면 안정적으로 번식할 수 있을 것으로 보입니다. ⓒ 겨울잠에서 깨어난 곰들이 왕성한 활동을 하고 있으므로, 국립 공원 관리 공단은 등산객들에게 ⓔ 곰들이 출몰할 가능성이 있는 구역의 출입을 자제해 줄 것을 당부했습니다.

① ⊙과 같은 현상은 ⓒ과 같은 현상과 달리 몰가치적이다.
② ⓒ과 같은 현상은 ⓒ과 같은 현상과 달리 당위 법칙을 따른다.
③ ⓒ과 같은 현상은 ⓔ과 같은 현상과 달리 개연성으로 설명된다.
④ ⓔ과 같은 현상은 ⊙과 같은 현상과 달리 필연성의 원리가 적용된다.
⑤ ⊙, ⓒ과 같은 현상은 ⓒ, ⓔ과 같은 현상에 비해 특수성이 강하다.

07 평가원

밑줄 친 ⊙~ⓔ과 같은 현상의 일반적인 특징에 대한 옳은 설명을 〈보기〉에서 고른 것은?

> 때 이른 벚꽃이 활짝 피었습니다. 기상청에 따르면 ⊙ 벚꽃 개화 시기는 개화 직전 날씨에 크게 영향을 받는데 갑작스러운 기온 상승으로 ⓒ 개화 시기 예측이 빗나갔다고 합니다. 이에 따라 벚꽃 축제에 비상이 걸렸습니다. ⓒ 높은 기온으로 빨리 핀 벚꽃에 맞추어 곳곳에서 ⓔ 축제 기간을 앞당기고 있습니다.

⌐보기⌐
ㄱ. ⊙과 같은 현상은 특수성을 지닌다.
ㄴ. ⓒ과 같은 현상은 인간의 의지가 개입되어 나타난다.
ㄷ. ⓒ과 같은 현상은 ⓒ과 같은 현상에 비해 인과 관계가 분명하다.
ㄹ. ⓔ과 같은 현상은 ⓒ과 같은 현상과 달리 확실성의 원리를 따른다.

① ㄱ, ㄴ ② ㄱ, ㄷ ③ ㄴ, ㄷ ④ ㄴ, ㄹ ⑤ ㄷ, ㄹ

08 수능

밑줄 친 ⊙~ⓔ과 같은 현상의 일반적인 특징에 대한 설명으로 옳은 것은?

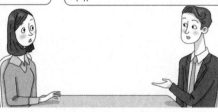

> ⊙ 노화 방지나 한계 수명 극복을 기대할 수 있는 연구가 진행되고 있다고 합니다. 최근 주목할 만한 연구로 어떤 것이 있습니까?

> 장수 노인에게서 공통적으로 나타나는 ⓒ 당사슬(sugar chain) 구조의 변화를 발견하였습니다. 이 구조는 우리 몸의 ⓒ 면역 기능이 적정 수준으로 유지될 수 있도록 도와주는 역할을 합니다. 이러한 ⓔ 면역 조절 능력이 질병을 예방하여 장수를 가능하게 해 줍니다.

① ⊙과 같은 현상은 ⓒ과 같은 현상과 달리 가치 함축적이다.
② ⓒ과 같은 현상은 ⓔ과 같은 현상에 비해 보편성이 강하다.
③ ⓒ과 같은 현상은 ⓒ과 같은 현상과 달리 존재 법칙을 따른다.
④ ⓔ과 같은 현상은 ⊙과 같은 현상과 달리 경험적 자료를 통해 연구할 수 있다.
⑤ ⊙, ⓒ, ⓔ과 같은 현상은 ⓒ과 같은 현상과 달리 개연성의 원리에 의해 설명된다.

09 수능
p.007 자료 04

밑줄 친 ㉠~㉣과 같은 현상의 일반적인 특징에 대한 질문에 모두 옳게 응답한 학생은?

철새는 계절에 따라 ㉠ 일정한 대형으로 무리 지어 이동한다. ㉡ 자신의 이익만을 좇아 이리저리 옮겨 다니는 사람을 지칭할 때 철새라는 말을 쓰지만, 철새의 이동 방식에는 과학적 원리와 지혜가 숨어 있다. 한 연구 팀이 철새에게 측정 장비를 달아 ㉢ 위치와 속도, 날갯짓 횟수 등을 분석한 결과, V자 대형으로 날 때 ㉣ 앞선 새가 만드는 상승 기류로 인해 에너지 소모를 줄이는 효과가 있었다. 또한 철새들은 가장 힘이 드는 맨 앞자리를 번갈아 가며 비행하여 협력하는 것으로 나타났다.

질문 \ 학생	갑	을	병	정	무
㉠과 같은 현상은 존재 법칙을 따르는가?	×	×	○	○	○
㉡과 같은 현상은 경험적 자료를 바탕으로 연구할 수 있는가?	×	○	×	○	○
㉢과 같은 현상은 인간의 가치가 반영되어 나타나는가?	○	○	○	○	○
㉣과 같은 현상은 같은 조건하에서는 항상 동일한 결과가 발생하는가?	×	○	○	×	○

(○ : 예, × : 아니요)

① 갑　　② 을　　③ 병　　④ 정　　⑤ 무

10 평가원

밑줄 친 ㉠~㉣과 같은 현상의 일반적인 특징을 고려하여 자신에게 주어진 질문에 모두 옳게 응답한 학생은?

최근 도심에 ㉠ 새끼 멧돼지가 먹이를 찾아 자주 출몰하고 있습니다. 이에 대한 원인과 대책을 설명해 주시기 바랍니다.

그 이유는 어미 멧돼지가 ㉡ 데리고 있던 새끼를 독립시키는 시기인데요. ㉢ 사람들의 주거지 개발로 서식지가 파괴되어 먹이가 부족해졌기 때문입니다. 이를 막으려면 ㉣ 야생 동물의 서식지를 보존하려는 노력이 필요합니다.

앵커　　기자

학생	질문	㉠	㉡	㉢	㉣
갑	몰가치적 현상인가?	×	○	○	×
을	당위 법칙의 적용을 받는가?	○	×	○	○
병	확실성의 원리가 적용되는가?	○	○	×	×
정	보편성과 특수성이 공존하는가?	○	○	×	×
무	경험적 자료에 의해 연구할 수 있는가?	○	○	×	×

(○ : 예, × : 아니요)

① 갑　　② 을　　③ 병　　④ 정　　⑤ 무

11 평가원

밑줄 친 ㉠~㉣과 같은 현상의 일반적인 특징에 대한 질문에 모두 옳게 응답한 학생은?

전염성이 강한 AI 바이러스는 닭과 오리 등의 ㉠ 체내에 침투한 뒤 세포에 붙어 폐사에 이르게 해 농가에 막대한 피해를 주고 있다. 이에 국내 연구팀은 SL이 ㉡ 조류의 체내에 침투한 AI 바이러스가 세포에 달라붙는 것을 막아 감염을 차단하는지를 확인하기 위해 동물 실험을 했다. 이 실험에서 닭에게 SL을 먹이면 AI 바이러스가 체내에 있는 ㉢ SL의 올리고당과 결합해 체외로 배출되는 결과를 확인했다. 이를 토대로 ㉣ 닭의 사료에 SL을 섞어 사육하면 AI 바이러스 감염과 확산을 예방할 수 있다고 발표했다.

* AI : 조류 인플루엔자의 약자
** SL : 인체의 면역 성분인 시알릭락토스의 약자

질문 \ 학생	갑	을	병	정	무
㉠과 같은 현상은 가치 함축적인가?	×	○	×	×	○
㉡과 같은 현상은 동일한 조건하에서는 항상 동일한 결과가 발생하는가?	○	×	○	○	×
㉢과 같은 현상은 보편성과 특수성이 공존하는가?	×	○	○	×	×
㉣과 같은 현상은 당위 법칙을 따르는가?	×	×	○	○	○

(○ : 예, × : 아니요)

① 갑　　② 을　　③ 병　　④ 정　　⑤ 무

12 수능

다음 자료에 대한 설명으로 옳은 것은? (단, A~C는 각각 기능론, 갈등론, 상징적 상호 작용론 중 하나이다.)

• '개인의 행동은 특정 집단의 가치가 반영된 사회 규범에 의해 강제되는 것이라고 보는가?'라는 질문으로 A와 B를 구분할 수 있다.

• '개인의 행동이 개인 외부에서 독립적으로 작동하는 강제력에 의해 규제된다고 보는가?'라는 질문으로는 A와 C를 구분할 수 없다.

① A는 사회의 각 부분이 상호 의존적인 관계라고 본다.
② B는 사회의 안정보다 변동을 중시한다.
③ C는 사회가 유기체와 유사한 특성을 지니고 있다고 본다.
④ A, B는 C와 달리 사회 제도의 영향력을 중시한다.
⑤ A는 B, C와 달리 개인의 행동은 상황에 대한 주관적 해석에 기초하여 이루어진다고 본다.

13 교육청

다음 글의 필자가 지닌 사회·문화 현상을 바라보는 관점에 대한 설명으로 옳은 것은?

> 많은 사람들이 빈곤이 사라지지 않는 이유를 개인의 노력 부족에서 찾곤 한다. 예컨대, 교육이나 훈련을 게을리 하여 사회에서 요구하는 능력을 갖추지 못하면 빈곤에 빠진다는 것이다. 하지만 빈곤이 유지되는 진짜 이유는 빈곤을 둘러싼 계층 간 이해관계가 상충되기 때문이다. 자본가 입장에서는 저임금을 받고도 일을 할 수밖에 없는 빈곤층이 존재해야 값싼 노동력을 안정적으로 확보할 수 있다. 따라서 자본가는 생계 유지에 필요한 최소한의 임금만을 지불하고, 노동자는 열심히 노력해도 빈곤에서 벗어날 수 없는 구조가 지속된다.

① 행위 주체인 개인의 능동성과 자율성을 강조한다.
② 대립과 갈등을 사회 구조의 필연적 속성으로 본다.
③ 사회가 스스로 균형을 유지하려는 속성을 지닌다고 본다.
④ 개인 간의 사회적 상호 작용을 통한 의미 부여를 중시한다.
⑤ 사회 규범이 사회 구성원 전체의 합의를 통해 형성된다고 본다.

14 평가원

p.008 자료 06

다음 글에 나타난 사회·문화 현상을 바라보는 관점에 부합하는 진술을 〈보기〉에서 고른 것은?

> 아기가 갑자기 울음을 터뜨리는 이유는 상황에 따라 다양하다. 남이 듣기에는 똑같은 울음소리지만 아기의 어머니는 울음에 담긴 의미를 잘 파악하여 필요를 채워준다. 아기와 어머니는 울음에 담긴 의미를 주고받는 셈이다. 이처럼 사회 현상은 개개인이 타인과의 상호 작용 과정에서 주어진 상황을 분별하여 그에 적합한 행위의 방식과 절차를 선택하여 반응한 결과이다.

> **보기**
> ㄱ. 사회 제도는 특정 집단의 권력 유지에 기여한다.
> ㄴ. 사회 구성 요소들은 통합적이고 안정적인 구조를 지향한다.
> ㄷ. 사회 현상은 사물이나 행위에 특정한 의미를 부여하고 공유하는 과정이다.
> ㄹ. 사회생활은 행위 주체의 상황 정의를 통한 상호 작용을 바탕으로 이루어진다.

① ㄱ, ㄴ   ② ㄱ, ㄷ   ③ ㄴ, ㄷ   ④ ㄴ, ㄹ   ⑤ ㄷ, ㄹ

15 교육청

자료에서 사회·문화 현상을 바라보는 갑, 을의 관점에 대한 설명으로 옳은 것은?

> **교훈**
> 성실근면노력
>
> 갑: 교훈에서 전체 사회의 가치가 반영되어 있으므로 모두가 이를 따르도록 노력해야 합니다.
> 을: 교훈은 지배 집단이 기존 사회 질서와 가치를 학생들에게 강요하기 위한 수단에 불과합니다.

① 갑은 개인의 능동성과 자율성을 강조한다.
② 을은 사회를 유기체로 간주한다.
③ 갑은 을과 달리 사회 변동보다 안정을 중시한다.
④ 을은 갑과 달리 사회 문제를 병리적인 현상으로 간주한다.
⑤ 갑과 을은 모두 개인에 대한 사회 구조의 영향력을 경시한다.

16 평가원

p.009 자료 07

(가), (나)에 나타난 사회·문화 현상을 바라보는 관점에 대한 설명으로 옳지 않은 것은?

> (가) 교칙은 학생들에게 지위에 맞는 역할이 무엇인지 강조하고, 보상이나 제재를 가하는 기준으로서의 기능을 수행한다. 교칙은 학교 구성원들이 지켜야 하는 규범으로, 구성원들에게 공통의 정체성을 갖도록 하여 학교라는 작은 사회의 통합을 증진하는 역할을 한다.
> (나) 교사는 생활 지도 과정에서 나타나는 학생의 반응을 통해 자신의 지도 방식에 대해 평가하고 교사로서 자기 정체성과 행동을 재구성한다. 따라서 생활 지도는 교사와 학생 간의 상호 작용과 그 상황에 대한 의미 부여를 통해 구성되는 개별적 경험으로 이해되어야 한다.

① (가)의 관점은 사회가 스스로 균형을 유지하려는 속성을 지닌다고 본다.
② (나)의 관점은 개인이 상황에 부여한 의미에 기초하여 사회적 상황에 반응한다고 본다.
③ (가)의 관점은 사회가 유기체와 유사한 특성을 지니고 있음을, (나)의 관점은 인간이 의미를 추구하는 존재임을 가정한다.
④ (가)의 관점과 달리 (나)의 관점은 사회가 구성 요소 간의 상호 의존적 관계 형성을 통해 질서와 안정을 이룬다고 본다.
⑤ (나)의 관점과 달리 (가)의 관점은 사회 구조에 대한 분석을 통해 사회 현상을 이해하고자 한다.

17 수능

사회·문화 현상을 바라보는 A~C의 관점에 대한 옳은 설명을 〈보기〉에서 고른 것은? (단, A~C는 각각 기능론, 갈등론, 상징적 상호 작용론 중 하나이다.)

> 학교와 학교 교육에 대한 서로 다른 관점이 존재한다. A의 관점은 C의 관점과 달리 학교 교육은 사회적 합의에 기초한 지배적 가치를 다양한 집단의 구성원들에게 전수하여 사회 질서 유지에 기여한다고 본다. B의 관점은 A, C의 관점과 달리 능동적 존재로서의 학생들이 학교와 학교 교육에 대해 부여하는 다양한 의미와 그 해석에 주목한다.

—보기—
ㄱ. A의 관점은 학교 교육이 지배 집단의 가치를 전수시킨다고 본다.
ㄴ. B의 관점은 학교 교육에 대한 교사와 학생의 상황 정의에 주목한다.
ㄷ. C의 관점은 학교 교육이 사회에서 필요한 인력을 적재적소에 배치하는 데 기여한다고 본다.
ㄹ. A, C의 관점은 거시적, B의 관점은 미시적 관점으로 분류할 수 있다.

① ㄱ, ㄴ ② ㄱ, ㄷ ③ ㄴ, ㄷ ④ ㄴ, ㄹ ⑤ ㄷ, ㄹ

18 평가원
p.009 **자료 07**

사회·문화 현상을 바라보는 갑~병의 서로 다른 관점에 대한 설명으로 옳은 것은?

> 사회자 : 세대 갈등의 원인에 대한 의견을 말씀해 주십시오.
> 갑 : 기성세대는 자신의 지식과 경험을 전수하고, 젊은 세대는 이것을 배우면서 새로운 아이디어를 제공하는 역할을 맡고 있습니다. 그런데 급격한 사회 변동으로 인해 이러한 역할 수행 체계가 무너지고 구성원 간 상호 의존성이 약화되면 세대 갈등이 나타납니다.
> 을 : 여러 사회 집단 내에서 나타나는 다양한 상황에 대해 개별 행위자들은 주관적으로 해석하고 각기 다른 의미를 부여합니다. 이러한 의미 부여의 차이는 세대 간에 더욱 두드러지게 나타납니다. 이는 세대 간 인식, 태도, 행동의 차이로 이어지고 그 결과 세대 갈등이 발생합니다.
> 병 : 사회 각 분야에서 주도적으로 의사 결정권을 행사하는 기성세대는 사회의 지배적 규범을 자신들에게 유리하게 만들어, 젊은 세대가 주류 사회로 진입하고 성장하는 것을 가로막고 있습니다. 이로 인해 세대 갈등이 나타납니다.

① 갑의 관점은 상징을 통한 개인 간 상호 작용에 초점을 맞춘다.
② 을의 관점은 사회 각 부분이 상호 보완적 역할을 수행한다고 본다.
③ 병의 관점은 갈등을 사회 변동의 원동력으로 본다.
④ 갑의 관점은 을의 관점과 달리 사회 구조가 개인에게 미치는 영향을 간과한다.
⑤ 병의 관점은 갑의 관점과 달리 능력에 따른 차등 보상의 필요성을 강조한다.

19 교육청
p.008 **자료 05**

(가)~(다)에 나타난 사회·문화 현상을 바라보는 서로 다른 관점에 대한 설명으로 옳은 것은?

> (가) 청년 실업은 기성세대가 자신들에게 유리한 고용 구조를 만들고, 소외된 청년들에게 이를 따르도록 사회적으로 강제하는 과정에서 발생한다.
> (나) 고용은 시장 구성원들의 자율적인 합의에 의해 만들어진 제도를 통해 효율적으로 이루어진다. 청년 실업은 고용 시장의 일시적인 부조화 현상일 뿐이다.
> (다) 청년 실업은 사회 구조적 요인에 의한 것이 아니라, 청년 개개인이 취업에 대해 중요한 의미를 부여하고 실업을 부정적 상황으로 정의함에 따라 사회 문제가 된다.

① (가)의 관점은 사회 구조로부터 자유로운 능동적 개인에 의해 사회·문화 현상이 발생한다고 본다.
② (나)의 관점은 사회에서 지배적으로 인정되는 규범을 따르는 것이 사회의 유지와 존속에 필수적이라고 본다.
③ (다)의 관점은 특정 집단의 합의에 의한 사회 규범이 기존의 사회 구조를 유지시키는 역할을 한다고 본다.
④ (가)의 관점은 (나)의 관점과 달리 사회가 스스로 균형을 유지하려는 속성을 지니고 있다고 본다.
⑤ (나)의 관점은 (다)의 관점과 달리 특정 현상에 대한 개인들의 인식에 따라 사회·문화 현상이 규정된다고 본다.

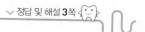

20 교육청

그림의 A~C에 대한 옳은 설명을 〈보기〉에서 고른 것은? (단, A~C는 각각 갈등론, 기능론, 상징적 상호 작용론 중 하나이다.)

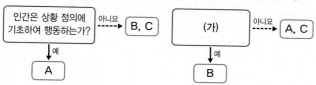

—보기—

ㄱ. A는 사회 구조적 관점에서 사회·문화 현상을 분석한다.

ㄴ. C가 사회 집단 간 상호 의존성을 강조한다면, (가)에 '사회 문제를 병리적 현상으로 보는가?'가 들어갈 수 있다.

ㄷ. (가)에 '사회 유기체설을 바탕으로 하는가?'가 들어가면, B는 사회가 본질적으로 균형을 지향한다고 본다.

ㄹ. (가)에 '사회 질서가 지배 집단의 필요를 반영하여 형성된다고 보는가?'가 들어가면, C는 기득권층의 이익을 대변하는 논리로 이용될 우려가 있다.

① ㄱ, ㄴ   ② ㄱ, ㄷ   ③ ㄴ, ㄷ   ④ ㄴ, ㄹ   ⑤ ㄷ, ㄹ

21 평가원

표는 질문 (가)~(다)를 통해 사회·문화 현상을 이해하는 관점 A~C를 구분한 것이다. 이에 대한 옳은 설명을 〈보기〉에서 고른 것은? (단, A~C는 각각 기능론, 갈등론, 상징적 상호 작용론 중 하나이다.)

구분	A	B	C
(가)	예	아니요	예
(나)	아니요	㉠	㉡
(다)	아니요	예	아니요

※ 단, 질문에 대해 '예' 또는 '아니요'로만 답할 수 있음.

—보기—

ㄱ. (가)에는 '인간을 능동적인 주체로 전제하는가?'가 적절하다.

ㄴ. (나)가 '사회 구성원의 주관적 상황 정의에 기초한 상호 작용을 중시하는가?'라면 ㉠과 ㉡의 답변은 서로 다르다.

ㄷ. (다)에는 '개인의 행위를 강제하는 사회 체계를 중시하는가?'가 적절하다.

ㄹ. A, B가 각각 기능론과 갈등론 중 하나라면, (다)에는 '갈등을 사회 변동의 원동력으로 보는가?'가 적절하다.

① ㄱ, ㄴ   ② ㄱ, ㄷ   ③ ㄴ, ㄷ   ④ ㄴ, ㄹ   ⑤ ㄷ, ㄹ

22 수능

p.009 자료 08

(가)~(다)는 가족 문제를 바라보는 관점이다. 이에 대한 설명으로 옳은 것은? (단, (가)~(다)는 각각 기능론, 갈등론, 상징적 상호 작용론 중 하나이다.)

질문＼관점	(가)	(나)	(다)
가족 문제에 대해 사회 구조적 차원에서 접근하는가?	예	아니요	예
가족 구성원 간의 갈등을 필연적이고 자연스러운 것으로 간주하는가?	예	아니요	아니요
A	아니요	아니요	예

① (가)는 (나)와 달리 가족 구성원 간의 합리적인 선택을 통해 가족 관계의 안정이 유지된다고 본다.

② (나)는 (다)와 달리 가족 구성원 간의 상호 의존적인 역할 수행을 강조한다.

③ 가족 문제의 원인으로 (가)는 가부장 제도의 폐해에, (다)는 가족 구성원 간의 유대 약화에 주목한다.

④ (다)는 (가), (나)와 달리 가족 문제가 가족 구성원 간의 상호 작용 양상에 따라 각기 다르게 나타난다고 본다.

⑤ A에는 '가족 문제 해결을 위해서는 가족 구성원 간의 고착화된 불평등 관계를 근본적으로 개선해야 하는가?'가 들어갈 수 있다.

23 교육청

다음 글의 사회·문화 현상을 바라보는 관점과 같은 입장에서 일관되게 답하고 있는 학생은?

자아와 자의식은 타인에 대한 우리의 행동, 타인의 반응, 그리고 그 반응에 대한 우리의 예상을 통해 만들어지고 계속해서 수정된다. 인간은 타인이 왜 그렇게 행동하는지 이해하려고 한다. 인간은 단지 몸짓에만 반응하는 것이 아니라 몸짓과 그 몸짓을 유발하는 물체나 사건 사이의 관계에 대해서도 반응한다.

진술＼학생	갑	을	병	정	무
집합적 단위로서의 사회 구조를 중시한다.	×	×	○	×	○
사회·문화 현상의 의미는 개인이 규정하기 나름이다.	○	○	○	○	×
성 정체성은 부모와 자녀의 상호 작용을 통해 형성된다.	○	×	○	○	○
사회 변동은 사회 구성원들 사이의 대립과 투쟁의 결과이다.	×	○	×	○	×

(○ : 동의한다, × : 동의하지 않는다.)

① 갑   ② 을   ③ 병   ④ 정   ⑤ 무

01

밑줄 친 ㉠~㉣과 같은 현상의 일반적인 특징에 대한 설명으로 옳은 것은?

> 2019년 ○월 ○일
> 지난 주 일요일에는 중학교 때 선생님을 뵈러 갔다. 은퇴 후에 지리산 자락에 집을 짓고 조그마한 땅에 감나무를 가꾸고 계셨다. 감나무는 심어 두면 저절로 자라서 ㉠ 가을에는 감이 주렁주렁 달리는 것으로 생각했는데 그게 아니었다. 선생님께서는 "때가 되면 물을 주어야 하고, ㉡ 나무 밑에서 자라는 잡초도 뽑아 주어야 한다."라고 말씀하셨다. 바깥에서 일하면서 ㉢ 햇볕을 받으니 얼굴이 많이 타신 것 같았다. 선물로 주신 감 한 상자를 품에 안으니 ㉣ 스승의 고마움이 전해졌다.

① ㉠과 같은 현상은 확실성의 원리가 적용된다.
② ㉡과 같은 현상은 인과 관계를 발견하기 어렵다.
③ ㉠과 같은 현상은 ㉢과 같은 현상과 달리 보편성이 강하게 나타난다.
④ ㉡과 같은 현상은 ㉣과 같은 현상과 달리 몰가치적이다.
⑤ ㉢, ㉣과 같은 현상은 당위 법칙이 적용된다.

02

다음 글에서 강조하는 내용으로 가장 적절한 것은?

> 아르헨티나 파타고니아의 국립 공원에는 페리토 모레노라는 거대한 빙하가 있다. 최근에는 빙하가 녹으면서 빙하 내부가 약화되는 탓에 4~5년에 한 번씩 대붕괴가 일어난다. 빙하가 굉음을 내며 무너져 내리는 모습을 보기 위해 전 세계에서 관광객이 모여든다. 빙하가 무너져 내리는 것은 지구 온난화로 빙하가 녹으면서 나타나는 현상인데, 빙하가 무너져 내릴수록 관광객은 오히려 증가하고 있다. 즉 이산화 탄소를 배출하는 인간의 활동이 지구 온난화를 일으키고, 지구 온난화에 따라 나타나는 자연 경관을 보려고 사람들이 자동차와 비행기를 타고 여행하면서 또다시 이산화 탄소를 배출하는 것이다.

① 자연 현상과 사회·문화 현상 모두 보편성을 가지고 있다.
② 자연 현상은 사회·문화 현상에 비해 인과 관계가 분명하다.
③ 자연 현상과 사회·문화 현상은 상호 간에 영향을 주고받는다.
④ 사회·문화 현상은 자연 현상에 비해 특수성이 더 강하게 나타난다.
⑤ 자연 현상은 존재 법칙, 사회·문화 현상은 당위 법칙의 지배를 받는다.

03 고난도

밑줄 친 ㉠~㉣과 같은 현상의 일반적인 특징에 대한 질문에 모두 옳게 응답한 학생은?

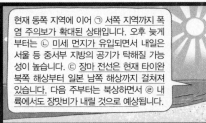

> 현재 동쪽 지역에 이어 ㉠ 서쪽 지역까지 폭염 주의보가 확대된 상태입니다. 오후 늦게부터는 ㉡ 미세 먼지가 유입되면서 내일은 서울 등 중서부 지방의 공기가 탁해질 가능성이 높습니다. ㉢ 장마 전선은 현재 타이완 북쪽 해상부터 일본 남쪽 해상까지 걸쳐져 있습니다. 다음 주부터는 북상하면서 ㉣ 내륙에서도 장맛비가 내릴 것으로 예상됩니다.

질문 \ 학생	갑	을	병	정	무
㉠과 같은 현상은 개연성의 원리가 적용되는가?	○	○	×	○	×
㉡과 같은 현상은 존재 법칙이 작용하는가?	○	×	○	×	○
㉢과 같은 현상은 가치 함축적인가?	×	×	○	○	×
㉣과 같은 현상은 보편성과 특수성이 공존하는가?	○	○	×	○	○

(○ : 예, × : 아니요)

① 갑　② 을　③ 병　④ 정　⑤ 무

04

다음 글을 통해 추론할 수 있는 사회 과학의 연구 경향에 대한 설명으로 옳은 것은?

> 정부가 고령화 현상의 대책을 세우기 위해서는 인구학자의 의견만 들어서는 안 될 것이다. 평균 수명이 늘어나면서 노인 질병도 증가하고 있으므로 의학계의 의견도 들어야 하고, 노인 범죄에 대한 대책도 시급하므로 법학자의 의견도 들어야 한다. 또한 재취업을 원하는 노인들이 많으므로 경제학자의 의견이나 노동계의 의견도 필요하다. 이처럼 고령화 현상의 대책에 대해 하나의 학문적 측면에서만 접근해서는 안 된다.

① 연역적 방법과 귀납적 방법의 조화를 꾀해야 한다.
② 자연 과학의 연구 방법을 사회 과학에 접목해야 한다.
③ 다양한 학문적 관점을 적용하는 간학문적 관점이 필요하다.
④ 현상의 원인 진단보다는 결과에 대한 대처를 중시해야 한다.
⑤ 사회 과학의 세분화·전문화를 통해 해결책을 강구해야 한다.

05

표는 사회·문화 현상을 바라보는 관점 (가)~(다)를 비교한 것이다. 이에 대한 설명으로 옳지 <u>않은</u> 것은?

구분	전제
(가)	사회는 유기체와 유사한 특성을 지니고 있음
(나)	사회적 관계는 지배와 피지배의 관계로 이루어짐
(다)	인간은 자율성을 지닌 능동적인 존재임

① (가)는 급격한 사회 변동을 설명하기 어렵다.

② (나)는 지배 집단의 이익을 대변한다는 비판을 받는다.

③ (다)는 일상생활 속에서의 인간 행위에 초점을 둔다.

④ (나)는 (가)와 달리 갈등이 사회 발전의 원동력이 된다고 본다.

⑤ (다)는 (가), (나)와 달리 미시적 측면에서 사회·문화 현상을 분석한다.

06

사회·문화 현상을 바라보는 갑~병의 서로 다른 관점에 대한 설명으로 옳은 것은?

> 사회자 : 직장에서의 회식 문화에 대한 의견을 말씀해 주십시오.
>
> 갑 : 회식은 직장 동료 간의 사회적 관계를 형성·유지시켜 주는 기능을 합니다. 이를 통해 공적인 관계에도 긍정적인 영향을 주게 됩니다.
>
> 을 : 직장인들에게 회식은 직장 상사가 부하 직원의 참석을 강제하면서 자신들의 지배 관계를 더욱 공고히 하려는 의도가 강합니다.
>
> 병 : 회식을 하면서 잘 몰랐던 직원들의 취미도 공유할 수 있고, 상사와의 관계도 원만해질 수 있습니다. 간혹 회식을 통해 다툼도 발생하지만 당사자가 그 상황을 어떻게 받아들이느냐가 중요한 것입니다.

① 갑의 관점은 사회 안정보다 사회 변동을 중시한다.

② 을의 관점은 사회 문제는 각 구성 요소가 주어진 역할을 제대로 수행하지 못했기 때문에 발생한다고 본다.

③ 병의 관점은 인간 행동의 동기에 대한 의미와 해석을 중시한다.

④ 을의 관점은 갑의 관점과 달리 사회 구성 요소의 기능과 역할은 사회적으로 합의된 것이라고 본다.

⑤ 갑과 을의 관점은 병의 관점과 달리 사회의 각 부분이 상호 유기적 관계를 맺고 있다고 본다.

07

다음 글의 필자가 지닌 사회·문화 현상을 바라보는 관점에 대한 설명으로 옳은 것은?

> 개인의 지식 수준이 일자리에 영향을 미치기는 하지만, 개인의 가정 배경이나 인맥과 같은 요소들이 더 많은 영향을 미친다. 따라서 실력이 뛰어난 구직자가 반드시 좋은 일자리를 얻고, 그렇지 못한 구직자는 안 좋은 일자리만 얻으라는 법은 없다. 그리고 고학력 일자리는 더디게 증가한 반면에 고학력 구직자의 수는 빠르게 증가하면서 학력과 일자리 사이에 불일치 문제가 나타나고, 특히 가정 배경이 좋지 않은 고학력 구직자가 하향 취업하는 사례가 늘고 있다. 사회 전체로 보면 사실은 구직자의 자질이 부족한 것이 문제가 아니라 경제 구조의 모순으로 구직자의 능력에 걸맞은 일자리를 충분히 공급해 주지 못하는 것 자체가 문제이다.

① 행위 주체인 개인의 능동성과 자율성을 강조한다.

② 대립과 갈등을 사회 구조의 필연적 속성으로 본다.

③ 사회가 스스로 균형을 유지하려는 속성을 지닌다고 본다.

④ 개인 간의 사회적 상호 작용을 통한 의미 부여를 중시한다.

⑤ 사회 규범이 사회 구성원 전체의 합의를 통해 형성된다고 본다.

08 고난도

표는 사회·문화 현상을 바라보는 관점 A~C를 질문에 따라 구분한 것이다. 이에 대한 옳은 설명을 〈보기〉에서 고른 것은? (단, A~C는 각각 기능론, 갈등론, 상징적 상호 작용론 중 하나이다.)

질문 \ 관점	A	B	C
(가)	예	아니요	아니요
(나)	예	예	아니요

보기
ㄱ. A가 기능론이라면, (가)에는 '행위 주체의 상황 정의를 중시하는가?'가 들어갈 수 있다.

ㄴ. B가 갈등론이라면, (나)에는 '지배와 피지배의 관계를 강조하는가?'가 들어갈 수 있다.

ㄷ. C가 상징적 상호 작용론이라면, (나)에는 '거시적 관점에 해당하는가?'가 들어갈 수 있다.

ㄹ. (가)가 '사회를 유기체와 비슷하다고 보는가?'라면, B와 C 중 하나는 상징적 상호 작용론이다.

① ㄱ, ㄴ ② ㄱ, ㄷ ③ ㄴ, ㄷ ④ ㄴ, ㄹ ⑤ ㄷ, ㄹ

02강 사회·문화 현상의 탐구 방법

1단계 기출 자료 & 선지 분석

기출 자료 분석

자료 01 양적 연구 방법과 질적 연구 방법의 특징 이해

> A는 사회·문화 현상에도 자연 현상과 같이 법칙이 존재한다는 전제하에, 과학적으로 정밀한 도구와 절차에 따른 탐구를 통해 법칙을 발견하고자 한다. 반면 B는 사회·문화 현상과 자연 현상은 본질적으로 다르기 때문에 법칙을 발견하기보다는 <u>구체적 사례에 담긴 인간의 주관적 동기와 의미를 해석하여 이해하고자 한다.</u>
> ─단서❶
> ─단서❷

단서 풀이
• 단서 ❶ 과학적 탐구 방법을 활용하여 사회·문화 현상에 관한 일반적인 법칙을 발견하는 데 목적을 두는 것은 양적 연구 방법이다.
• 단서 ❷ 인간 행위 속에 담긴 주관적 동기와 의미를 해석하여 이해하는 데 목적을 두는 것은 질적 연구 방법이다.

자료 분석
사회·문화 현상에 자연 과학의 연구 방법을 적용할 수 있느냐의 여부에 따라 방법론적 일원론과 방법론적 이원론으로 구분된다. 방법론적 일원론은 자연 과학적 방법을 이용하여 계량화된 자료의 분석을 통해 사회·문화 현상의 법칙을 발견하는 양적 연구 방법의 전제이다. 한편 방법론적 이원론은 사회·문화 현상은 자연 현상과 달리 인간의 의도나 동기가 담겨 있으므로 자연 과학과는 다른 방법으로 연구해야 한다는 입장이다. 이는 인간의 행위에 담긴 의미의 해석을 강조하는 질적 연구 방법의 전제이다. 따라서 A는 양적 연구 방법이고, B는 질적 연구 방법이다.

자료 02 양적 연구 방법과 질적 연구 방법의 특징 비교

연구 방법	전제
A	사회·문화 현상에는 자연 현상과 달리 <u>인간의 의도나 동기가 담겨 있으므로 자연 과학과는 다른 방법으로 연구해야 한다.</u> ─단서❶
B	사회·문화 현상에는 법칙이 내재되어 있으므로 이를 밝혀내기 위해 자연 과학에서 사용하는 <u>방법과 동일하게 연구해야 한다.</u> ─단서❷

```
(가) ──예──▶ A
    ╲아니요╱
    ╱아니요╲
(나) ──예──▶ B
```

단서 풀이
• 단서 ❶ 사회·문화 현상을 자연 과학과 다른 방법으로 연구해야 한다는 것은 방법론적 이원론을 의미한다.
• 단서 ❷ 사회·문화 현상을 자연 과학에서 사용하는 방법과 동일하게 연구해야 한다는 것은 방법론적 일원론을 의미한다.

자료 분석
• A는 방법론적 이원론을 전제하는 질적 연구 방법이고, B는 방법론적 일원론을 전제하는 양적 연구 방법이다.
• (가)의 응답이 '예'이면 A, '아니요'이면 B로 움직이므로 (가)에는 질적 연구 방법과 관련된 질문이 들어가야 한다. 반면 (나)의 응답이 '예'이면 B, '아니요'이면 A로 움직이므로 (나)에는 양적 연구 방법과 관련된 질문이 들어가야 한다.

기출 선지 변형 O X

01 자료01 에서 사회·문화 현상의 연구 방법 A, B에 대한 설명이 옳으면 ○, 틀리면 ×에 표시하시오.

① A는 감정 이입과 직관적 통찰을 통한 이해를 중시한다. ○, ×

② A는 사회·문화 현상 연구에 자연 과학적 연구 방법을 사용한다. ○, ×

③ A는 B와 달리 계량화된 자료의 통계적 분석을 중시한다. ○, ×

④ B는 A와 달리 경험적 자료를 중시한다. ○, ×

⑤ 일기나 편지와 같은 비공식적 자료는 A보다 B에서 중시한다. ○, ×

⑥ B는 A에 비해 결론의 재생 가능성이 낮다. ○, ×

⑦ A는 방법론적 일원론, B는 방법론적 이원론에 기초한다. ○, ×

⑧ A, B 모두 연구자가 연구 대상으로부터 분리될 수 있다고 본다. ○, ×

02 자료02 의 표를 바탕으로 그림에 대한 설명이 옳으면 ○, 틀리면 ×에 표시하시오.

① '계량화된 자료의 분석을 통한 법칙 발견을 목적으로 하는가?'라는 질문은 (가)에 적절하다. ○, ×

② '직관적 통찰과 감정 이입적 이해를 강조하는가?'라는 질문은 (가)에 적절하다. ○, ×

③ '변수와 변수 간의 관계 파악을 목적으로 하는가?'라는 질문은 (나)에 적절하다. ○, ×

④ A는 방법론적 일원론을 전제하므로 (가)에는 '일반적으로 귀납적 과정을 통해 결론을 도출하는가?'라는 질문이 적절하다. ○, ×

⑤ (나)에는 '인간의 행위의 동기보다 행위 자체를 주된 분석 대상으로 삼는가?'라는 질문이 적절하다. ○, ×

기출 자료 분석

자료 03 자료 수집 방법의 분류

분류 기준	자료 수집 방법
경험적 자료를 수집할 수 있는 것은? 단서 ❶	(가)
언어를 매개로 자료를 수집하는 것은? 단서 ❷	A, B
연구자의 주관 개입 가능성이 높은 것은? 단서 ❸	B, C
연구 과정에서 통계 분석이 용이한 것은? 단서 ❹	A, D

※ 단, A~D는 각각 질문지법, 면접법, 실험법, 참여 관찰법 중 하나임.

단서 풀이
• 단서 ❶ 질문지법, 면접법, 실험법, 참여 관찰법 모두 경험적 자료를 수집할 수 있다.
• 단서 ❷ 언어를 매개로 자료를 수집하는 방법에는 질문지법과 면접법이 있다.
• 단서 ❸ 면접법과 참여 관찰법은 연구자의 주관 개입 가능성이 높다.
• 단서 ❹ 연구 과정에서 통계 분석이 용이한 자료 수집 방법은 질문지법과 실험법이다.

자료 분석
• A는 언어를 매개로 하면서 연구 과정에서 통계 분석이 용이하므로 질문지법이다. 따라서 네 번째 분류 기준의 D는 실험법이다.
• B는 언어를 매개로 하며 연구자의 주관 개입 가능성이 높은 자료 수집 방법이므로 면접법이다. 따라서 세 번째 분류 기준의 C는 참여 관찰법이다.

자료 04 자료 수집 방법의 분류

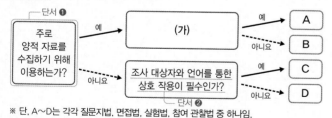

※ 단, A~D는 각각 질문지법, 면접법, 실험법, 참여 관찰법 중 하나임.

단서 풀이
• 단서 ❶ 양적 자료를 수집하기 위해 이용하는 방법에는 질문지법과 실험법이 있다.
• 단서 ❷ 양적 자료 수집에 주로 이용하지 않는 방법에는 면접법과 참여 관찰법이 해당하는데, 그중 조사 대상자와 언어를 통한 상호 작용이 필수적인 것은 면접법이다.

자료 분석
• 양적 자료를 수집하기 위해 이용하는 방법인 질문지법과 실험법은 (가)의 물음에 따라 A와 B로 구분된다.
• 양적 자료 수집에 주로 이용하지 않는 방법에는 면접법과 참여 관찰법이 해당하며, 그중 언어를 통한 조사 대상자와의 상호 작용이 필수인 자료 수집 방법은 면접법이므로 C는 면접법이고, D는 참여 관찰법이다.

기출 선지 변형 O X

03 자료 03 의 표에 대한 설명이 옳으면 ○, 틀리면 ×에 표시하시오.

① A는 연구 대상자의 일상을 심층적으로 이해하는 데 유리하다. ○, ×

② A는 표본의 대표성 확보가 중요하다. ○, ×

③ B는 응답자와 연구자 간의 정서적 교감을 중시한다. ○, ×

④ C는 A보다 시간과 비용 측면에서 효율적이다. ○, ×

⑤ C는 비구조화·비표준화된 자료 수집 방법에 해당한다. ○, ×

⑥ D는 다수를 대상으로 대량의 자료를 수집하는 데 용이하다. ○, ×

⑦ D는 가장 엄격한 통제가 가해지는 자료 수집 방법이다. ○, ×

⑧ (가)에는 A, D가 들어갈 수 있으나 B, C는 해당되지 않는다. ○, ×

04 자료 04 의 그림에 대한 설명이 옳으면 ○, 틀리면 ×에 표시하시오.

① A가 실험법, B는 질문지법이라면 (가)에는 '자료 수집 상황에 대해 가장 엄격한 통제가 이루어지는 자료 수집 방법인가?'가 적절하다. ○, ×

② C는 D에 비해 예상하지 못한 상황에 대한 통제가 어렵다. ○, ×

③ C는 자료의 계량화를 통해 정확하고 정밀한 연구가 가능하다. ○, ×

④ D는 B에 비해 일상생활을 심층적으로 파악하기 용이하다. ○, ×

⑤ A, B는 C, D에 비해 분석 기준이 명확하고 통계 처리가 용이하다. ○, ×

⑥ C, D는 A, B에 비해 연구자의 가치가 개입되기 쉽다. ○, ×

⑦ A가 실험법, B가 질문지법이라면, (가)에는 '다수를 대상으로 대량의 자료 수집에 유리한가?'가 적절하다. ○, ×

⑧ A~D 모두 2차 자료를 활용한 자료 수집 방법이다. ○, ×

기출 자료 분석

자료 05 자료 수집 방법의 특징 이해

┌─ 단서 ❶

구분		주로 계량화된 자료를 수집하는 데 활용되는가?	
		예	아니요
(가) 단서 ❷	예	A	B
	아니요	C	D

※ 단, A~D는 각각 질문지법, 면접법, 실험법, 참여 관찰법 중 하나임.

단서 풀이
• 단서 ❶ '계량화된 자료'는 양적 자료를 의미한다.
• 단서 ❷ (가)의 질문에 대해 '예'로 응답한 A, B, '아니요'로 응답한 C, D는 각각 공통된 특징을 가진 자료 수집 방법이다.

자료 분석
주로 계량화된 자료를 수집하는 데 활용하는 자료 수집 방법은 질문지법과 실험법이다. 따라서, A, C는 질문지법 또는 실험법이고, B, D는 면접법 또는 참여 관찰법이다. A~D의 자료 수집 방법은 고정되어 있는 것이 아니라 (가)의 질문에 따라 달라질 수 있다.

자료 06 질문지법을 활용한 양적 연구 방법의 과정 분석

> '청소년의 친구 관계와 비행 간의 인과 관계'를 연구 주제로 선택한 갑은 ㉠ '비행 친구와의 교제가 많을수록 비행 경험이 많아진다.'라는 가설과 ㉡ '비행 경험이 많을수록 비행 친구와의 교제가 많아진다.'라는 서로 다른 가설을 세웠다. 갑은 전국의 고등학생 중 ㉢ 도시 지역 남학생 500명과 ㉣ 농촌 지역 여학생 500명을 무작위로 추출하여 ㉤ 자신의 비행 횟수, ㉥ 비행 경험이 있는 친구의 수 등을 포함하는 ㉦ 설문 조사를 실시하였다. 분석 결과, 두 가설 중에 후자를 수용하는 ㉧ 결론을 내렸다.
> 단서 ❷

단서 풀이
• 단서 ❶ '가설을 세웠다.'를 통해 양적 연구 방법임을 파악할 수 있다.
• 단서 ❷ 청소년(모집단)을 대표하는 표본 집단으로 고등학생 중 도시 지역 남학생 500명과 농촌 지역 여학생 500명을 선정하였다.
• 단서 ❸ 자료 수집 방법 중 질문지법을 활용하고 있다.

자료 분석
제시문은 '청소년의 친구 관계와 비행 간의 인과 관계'를 연구 주제로 한 양적 연구 방법의 과정을 설명한 것이다. 양적 연구는 인과 관계의 법칙을 발견함으로써 사회·문화 현상을 설명하는 것이 목적이다. 따라서 변수들 간의 인과 관계에 대한 잠정적인 결론인 가설을 설정하고 이를 검증하는 연구 과정이 필요하다. 이 연구에서는 질문지법을 활용하고 있는데, 표본 집단을 선정함에 있어 지역별·성별 측면에서 한쪽으로 치우쳐 있고, 청소년의 범위도 고등학생으로 한정되어 있다.

기출 선지 변형 O X

05 자료 05 의 표에 대한 설명이 옳으면 ○, 틀리면 ×에 표시하시오.

① (가)는 '인위적으로 통제된 상황에서 변수의 효과를 관찰하는 방법인가?'가 적절하다. ○, ×

② (가)가 '언어적 상호 작용에 의한 자료 수집이 필수적인가?'라면 A는 질문지법, D는 참여 관찰법이다. ○, ×

③ (가)가 '자료 수집 시 연구 대상자의 응답이 필수 요건인가?'라면 B는 면접법, D는 참여 관찰법이다. ○, ×

④ A가 질문지법이라면, (가)는 '다수를 대상으로 한 자료 수집에 주로 사용되는가?'가 적절하다. ○, ×

⑤ B가 참여 관찰법이라면, (가)는 '연구자가 현상이 실제로 발생한 현지에 가서 연구해야 하는가?'가 적절하다. ○, ×

06 자료 06 의 밑줄 친 ㉠~㉧에 대한 설명이 옳으면 ○, 틀리면 ×에 표시하시오.

① ㉠에서 독립 변인은 '비행 친구와의 교제'이고, 종속 변인은 '비행 경험'이다. ○, ×

② ㉡에서 독립 변인은 '비행 경험'이고, 종속 변인은 '비행 친구와의 교제'이다. ○, ×

③ ㉢과 ㉣은 모두 실험 집단이다. ○, ×

④ ㉤을 알아보기 위해 수집한 자료는 1차 자료이다. ○, ×

⑤ ㉥은 ㉠ 가설의 독립 변인과 ㉡ 가설의 종속 변인을 조작적으로 정의한 것이다. ○, ×

⑥ ㉦에서는 연구 대상자의 주관적 인식을 묻지 않아야 한다. ○, ×

⑦ ㉧은 모집단을 대상으로 일반화할 수 있다. ○, ×

⑧ 갑은 직관적 통찰을 통해 연구한 결론을 재해석할 수 있다. ○, ×

기출 자료 분석

자료 07 실험법을 활용한 양적 연구 방법의 과정 분석

갑은 '◇◇ 교육 프로그램'이 인종에 대한 고등학생의 편견을 완화시키는 데 효과가 있는지 알아보고자 하였다. 이를 위해 먼저 갑은 ○○ 고등학교 1학년 전체 6개 학급 학생들을 대상으로 인종 편견 태도 지수를 측정하였다. 이후 6개 학급 중 3개 학급을 무작위로 선정하여 '◇◇ 교육 프로그램'을 실시하고, 나머지 3개 학급에게는 별도의 프로그램을 실시하지 않았다. 프로그램이 종료된 후 다시 1학년 전체 학생들을 대상으로 인종 편견 태도 지수를 측정하였다. 이를 통해 '갑은 '◇◇ 교육 프로그램'이 인종에 대한 고등학생의 편견을 완화시키는 데 효과가 있다고 결론지었다.

단서 풀이

• 단서 ❶ '◇◇ 교육 프로그램'은 원인이 되고, '인종에 대한 고등학생의 편견 완화'는 결론이 된다.

• 단서 ❷ 인종에 대한 편견 정도라는 개념을 측정 가능한 '인종 편견 태도 지수'로 정의하였다.

• 단서 ❸ '◇◇ 교육 프로그램'의 실시 전과 후에 각각 '인종 편견 태도 지수'를 측정하였다.

자료 분석

제시된 연구는 '◇◇ 교육 프로그램'이 인종에 대한 고등학생의 편견을 완화시키는 데 효과적인지 알아보고자 양적 연구 방법을 이용하고 있으며 실험 집단과 통제 집단을 비교하여 변인 간의 관계를 파악하는 실험법을 활용하여 자료를 수집하고 있다.

자료 08 양적 연구 방법의 계획 분석

• **연구 주제**: 귀농 기간과 삶의 만족도 간의 관계
• **연구 가설**: 귀농 기간이 길수록 귀농인의 삶의 만족도가 높을 것이다.
• **연구 설계**: ○○ 지역에 거주하는 귀농인 100명을 대상으로 설문 조사를 실시하여 귀농 기간을 월 단위로 측정하고, 주관적으로 느끼는 삶의 만족도를 파악하기로 한다.

단서 풀이

• 단서 ❶ 연구 가설에서 '귀농 기간'은 독립 변인이 되고 '귀농인의 삶의 만족도'는 종속 변인이 된다.

• 단서 ❷ 연구 설계 과정에서 표본 집단을 ○○ 지역의 귀농인 100명으로 한정하였다.

• 단서 ❸ 자료 수집 방법 중 질문지법을 활용하였다.

자료 분석

제시된 연구는 '귀농 기간과 귀농인의 삶의 만족도에 대한 인과 관계'를 파악하고자 양적 연구 방법을 실시하고 있다. 자료 수집 방법 중 질문지법을 활용하여 표본 집단을 선정하고 설문지를 작성하게 한다. 그리고 이를 계량화하고 분석하여 가설을 검증하고자 한다.

기출 선지 변형 OX

07 자료 07 의 연구에 대한 설명이 옳으면 ○, 틀리면 ×에 표시하시오.

① 개념의 조작적 정의가 이루어졌다. ○, ×

② 변인 간의 관계를 파악하고자 하였다. ○, ×

③ '◇◇ 교육 프로그램'은 종속 변인이고, '인종에 대한 고등학생의 편견 완화'는 독립 변인이다. ○, ×

④ '◇◇ 교육 프로그램'을 이수한 학생들은 실험 집단이다. ○, ×

⑤ 실험 집단과 달리 통제 집단에 대한 사후 검사가 이루어지지 않았다. ○, ×

⑥ 양적 연구와 질적 연구가 병행되었다. ○, ×

⑦ '인종 편견 태도 지수'를 측정하기 위해 2차 자료를 수집하였다. ○, ×

08 자료 08 의 연구 계획에 대한 설명이 옳으면 ○, 틀리면 ×에 표시하시오.

① 연구 결과는 일반화될 수 있다. ○, ×

② 가설에서 종속 변인은 귀농인의 삶의 만족도이다. ○, ×

③ 연구 가설은 변인 간의 관계가 명확하게 설정되었다. ○, ×

④ 연구 주제 선정에서는 연구자의 가치가 배제되었다. ○, ×

⑤ 방법론적 이원론을 전제로 하는 연구 방법을 선택하였다. ○, ×

⑥ 계량화가 가능한 변수들을 설정하였다. ○, ×

⑦ 연구 대상자들의 귀농 후 삶에 대한 만족도를 심층적으로 이해할 수 있어 가설을 검증하기에 용이하다. ○, ×

01 교육청　　　　　　　　　　　　　p.018 자료 01

사회 · 문화 현상의 연구 방법 A, B의 일반적인 특징에 대한 옳은 설명을 〈보기〉에서 고른 것은?

> 연구자는 연구하려는 주제와 목적에 따라 A 또는 B를 선택한다. 사회 현상이 어떤 양상으로 나타나는지 행위 자체의 규칙성이 궁금하다면 계량화된 자료 분석에 의존하는 A가 적합할 것이다. 반면 사회 현상이 왜 일어나는지 행위 이면의 의도가 궁금하다면 연구자의 직관적 통찰에 의존하는 B가 적합할 것이다.

> ·보기·
> ㄱ. A는 객관적이고 정밀한 연구에 적합하다.
> ㄴ. A에서는 B와 달리 경험적 자료를 바탕으로 연구한다.
> ㄷ. A는 방법론적 일원론, B는 방법론적 이원론에 기초한다.
> ㄹ. B에서는 A와 달리 인간의 행위를 내적 동기와 분리하여 연구한다.

① ㄱ, ㄴ　② ㄱ, ㄷ　③ ㄴ, ㄷ　④ ㄴ, ㄹ　⑤ ㄷ, ㄹ

02 교육청

사회 · 문화 현상의 연구 방법 A, B의 일반적인 특징에 대한 설명으로 옳은 것은?

> 갑 : 저는 객관적인 관찰과 실험, 측정 등을 통하여 사회 · 문화 현상의 규칙성을 증명해야 한다고 생각합니다. 이를 위해 연구자는 자료에 대한 계량적인 분석을 중시하는　A　을/를 수행해야 합니다.
> 을 : 저는 계량적 분석으로는 인간의 내면적 영역을 이해하는 데 한계가 있다고 봅니다. 연구자는 직관적 통찰 등을 활용하는　B　을/를 수행하여 연구 대상자의 삶의 경험 속에 담긴 의미를 해석해야 합니다.

① A는 연구자와 연구 대상자 간 정서적 교감을 중시한다.
② B는 연구 대상자의 행위가 이루어지는 상황에 대한 맥락적 이해를 강조한다.
③ A는 B와 달리 경험적 자료를 바탕으로 사회 · 문화 현상을 연구한다.
④ B는 A와 달리 인간 행위의 동기보다는 행위 자체를 주된 분석 대상으로 삼는다.
⑤ A는 방법론적 이원론, B는 방법론적 일원론을 전제한다.

03 교육청

다음 글의 갑이 활용한 연구 방법에 대한 옳은 설명을 〈보기〉에서 고른 것은?

> 연구자 갑은 A 부족의 문신에 관한 문화 기술지적 연구를 하였다. 그는 부족 사람들에 대한 참여 관찰을 통해 몸에 곰 문신을 하는 문화적 배경에 대해 알아보았다. 그 결과 곰 문신은 단순한 치장이 아닌 해당 부족의 탄생 신화와 사후 세계에 대한 관념이 반영된 문화임을 알게 되었다.

> ·보기·
> ㄱ. 사회 · 문화 현상과 자연 현상이 본질적으로 같다고 본다.
> ㄴ. 연구자의 직관적 통찰을 통해 사회 · 문화 현상을 이해하고자 한다.
> ㄷ. 상황 맥락 속에서 사회 · 문화 현상이 지닌 의미에 대한 해석을 추구한다.
> ㄹ. 개념의 조작적 정의를 통해 사회 · 문화 현상을 계량화하여 분석하고자 한다.

① ㄱ, ㄴ　② ㄱ, ㄷ　③ ㄴ, ㄷ　④ ㄴ, ㄹ　⑤ ㄷ, ㄹ

04 교육청　　　　　　　　　　　　　p.018 자료 02

표는 사회 · 문화 현상을 연구하는 방법 A, B를 비교한 것이다. 이에 대한 설명으로 옳은 것은?

구분	A	B
연구 목적	사회 · 문화 현상에 내재한 법칙 발견	사회 · 문화 현상에 대한 심층적 이해
주로 활용되는 자료 수집 방법	질문지법, 실험법	㉠
한계	㉡	연구자의 주관적 가치 개입 가능성이 큼

① A는 사회 · 문화 현상이 자연 현상과 본질적으로 다르다고 전제한다.
② B는 가설을 검증하여 결론을 도출하는 경우가 일반적이다.
③ 일기나 편지와 같은 비공식적 자료는 A보다 B에서 중시된다.
④ ㉠에 들어갈 수 있는 자료 수집 방법은 계량화된 자료를 수집하는 데 적합하다.
⑤ '객관적이고 정확한 연구의 어려움'은 ㉡에 들어갈 수 있다.

05 평가원

A~D에 해당하는 자료 수집 방법의 일반적인 특징에 대한 설명으로 옳은 것은? (단, A~D는 각각 면접법, 실험법, 질문지법, 참여 관찰법 중 하나이다.)

> • A와 달리 B에서는 언어적 상호 작용이 필수적이다.
> • B와는 달리 D에서는 연구 변수에 대한 인위적인 처치와 조작을 강조한다.
> • C와 달리 A는 ___(가)___(이)라는 장점이 있다.
> • C, D는 모두 양적 연구에서 흔히 사용된다.

① A는 문맹자에게 사용하기 어렵다.

② B는 기존 연구의 경향성 파악에 용이하다.

③ C는 일상생활을 심층적으로 파악하기에 용이하다.

④ 자료 수집 상황에 대한 통제 수준은 D>C>B>A 순서이다.

⑤ (가)에는 '다수를 대상으로 자료를 수집하기에 용이하다.'가 적절하다.

06 평가원 　　　　　　　　　　　　　p.019 자료 **03**

표에 제시된 자료 수집 방법 A~D의 일반적인 특징에 대한 설명으로 옳은 것은? (단, A~D는 각각 면접법, 실험법, 질문지법, 참여 관찰법 중 하나이다.)

연구 조건	적합한 자료 수집 방법
면대면 대화를 통해 깊이 있는 정보를 수집한다.	A
일상생활에서 나타나는 연구 대상의 행동을 관찰한다.	B
대규모 집단을 대상으로 계량화된 자료를 수집한다.	C
인위적으로 통제된 상황에서 변수의 효과를 관찰한다.	D

① A는 B보다 예상하지 못한 변수의 통제가 어렵다.

② B는 C보다 시간과 비용 측면에서의 효율성이 높다.

③ C는 D보다 문맹자에게 사용하기 어렵다.

④ D는 A보다 연구자의 주관적 가치 개입 가능성이 높다.

⑤ A, B는 C, D와 달리 양적 연구에서 주로 사용된다.

07 수능

표는 자료 수집 방법을 구분한 것이다. A~D의 일반적인 특징에 대한 설명으로 옳은 것은? (단, A~D는 각각 면접법, 실험법, 질문지법, 참여 관찰법 중 하나이다.)

질문 \ 자료 수집 방법	A	B	C	D
질적 자료를 수집하는 데 용이한가?	×	○	○	×
연구 대상자와의 언어적 상호 작용이 필수적인가?	×	×	○	○

(○ : 예, × : 아니요)

① A는 B보다 일상생활을 심층적으로 파악하기 어렵다.

② B는 C보다 예상치 못한 상황에 대한 통제가 용이하다.

③ C는 D보다 조사 대상자로부터 깊이 있는 답변을 유도하기 어렵다.

④ D는 A보다 대규모 집단을 대상으로 자료를 수집하기 어렵다.

⑤ A, D는 B, C보다 연구자의 편견이 개입될 가능성이 크다.

08 교육청 　　　　　　　　　　　　　p.019 자료 **04**

자료 수집 방법 A~D의 일반적인 특징에 대한 옳은 설명만을 〈보기〉에서 있는 대로 고른 것은? (단, A~D는 각각 질문지법, 면접법, 참여 관찰법, 문헌 연구법 중 하나이다.)

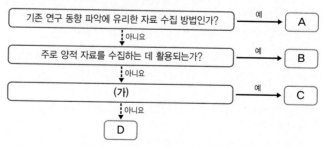

┌ 보기 ┐

ㄱ. B는 다수를 대상으로 자료를 수집하기에 용이하다.

ㄴ. A는 B와 달리 표준화·구조화된 도구를 사용하여 자료를 수집한다.

ㄷ. A는 C, D에 비해 시·공간적 제약을 적게 받는다.

ㄹ. (가)가 '언어적 상호 작용에 의한 자료 수집이 필수적인가?'라면, D는 예상치 못한 상황에 대한 통제가 어렵다.

① ㄱ, ㄴ　　　② ㄱ, ㄷ　　　③ ㄴ, ㄹ

④ ㄱ, ㄷ, ㄹ　　　⑤ ㄴ, ㄷ, ㄹ

09 교육청

자료 수집 방법 A~C의 일반적인 특징에 대한 설명으로 옳은 것은? (단, A~C는 각각 면접법, 질문지법, 참여 관찰법 중 하나이다.)

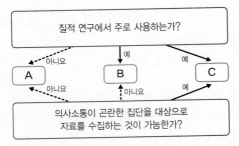

① A는 B에 비해 대량의 구조화된 자료를 얻는 데 유리하다.
② B는 C와 달리 1차 자료를 얻는 데 사용된다.
③ C는 A에 비해 자료 수집 과정에서 시간과 비용이 적게 든다.
④ C는 B와 달리 연구자와 연구 대상자 간 정서적 교감을 중시한다.
⑤ A는 B, C에 비해 연구자의 주관이 개입될 가능성이 높다.

10 수능

자료 수집 방법 A~C에 대한 옳은 설명을 〈보기〉에서 고른 것은? (단, A~C는 각각 질문지법, 면접법, 실험법 중 하나이며, 각 연구는 연구 내용에 가장 적합한 자료 수집 방법을 사용하였다.)

연구 내용	자료 수집 방법
폭력 예방 교육이 폭력성 감소에 미치는 효과를 교육 전후의 검사를 통해 측정	A
청소년 1,000명을 대상으로 비행 친구 교제 여부와 비행 간의 상관관계 분석	B
가출 청소년의 가출 동기와 가출 후 생활 및 비행에 이르는 과정 이해	C

- 보기 -
ㄱ. A는 B와 달리 질적 자료를 수집하기에 용이하다.
ㄴ. B는 C에 비해 시간과 비용 측면에서 효율적이다.
ㄷ. C는 B에 비해 조사자의 주관적 가치가 개입될 가능성이 크다.
ㄹ. B는 A, C에 비해 자료 수집 상황에 대한 통제 정도가 높다.

① ㄱ, ㄴ ② ㄱ, ㄷ ③ ㄴ, ㄷ ④ ㄴ, ㄹ ⑤ ㄷ, ㄹ

11 평가원

갑~병이 선택한 자료 수집 방법의 일반적인 특징에 대한 설명으로 옳은 것은?

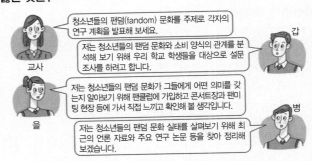

① 갑의 방법은 을에 비해 예상치 못한 상황의 통제가 어렵다.
② 을의 방법은 병에 비해 시간과 공간의 제약을 적게 받는다.
③ 병의 방법은 갑에 비해 실제성이 높은 생생한 자료를 확보하기 용이하다.
④ 갑의 방법은 을, 병에 비해 연구 대상에 대한 연구자의 감정 이입을 중시한다.
⑤ 갑, 을의 방법은 1차 자료를 수집하는 방법이다.

12 평가원

표는 자료 수집 방법 A~C의 일반적인 특징을 나타낸 것이다. 이에 대한 옳은 설명을 〈보기〉에서 고른 것은? (단, A~C는 각각 실험법, 질문지법, 면접법 중 하나이다.)

자료 수집 방법	A	B	C
일반적인 특징	(가)		(나)
	(다)	(라)	

- 보기 -
ㄱ. A가 질문지법이고, (가)가 '독립 변수와 종속 변수의 관계를 검증하는 연구에 적합하다.'라면 (나)는 '자료 수집 과정에서 연구자가 유연성이나 융통성을 발휘하기 어렵다.'가 적절하다.
ㄴ. C가 면접법이고, (다)가 '인위적으로 상황을 통제함으로써 변수의 효과를 관찰하기에 용이하다.'라면, (라)는 '대규모 집단을 대상으로 한 자료 수집에 용이하다.'가 적절하다.
ㄷ. (가)가 '연구 대상자와 언어를 매개로 한 상호 작용이 필수적이다.'라면, (나)는 '실제성이 높은 생생한 자료를 수집하기에 용이하다.'가 적절하다.
ㄹ. (나)가 '소수의 응답자로부터 깊이 있는 정보를 수집하기에 용이하다.'라면, (가)는 '수집된 자료를 통계적으로 처리하기에 용이하다.'가 적절하다.

① ㄱ, ㄴ ② ㄱ, ㄷ ③ ㄴ, ㄷ ④ ㄴ, ㄹ ⑤ ㄷ, ㄹ

13 평가원

그림은 자료 수집 방법 A, B의 일반적인 특징을 연결한 것이다. 이에 대한 옳은 설명을 〈보기〉에서 고른 것은? (단, A, B는 각각 질문지법과 면접법 중 하나이다.)

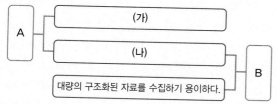

〈보기〉

ㄱ. A는 B보다 조사 대상자와의 정서적 교감을 중시한다.

ㄴ. B는 A보다 실제성이 높은 생생한 자료의 수집이 용이하다.

ㄷ. (가)에는 '조사 대상자의 반응에 유연하게 대처할 수 있다.'가 적절하다.

ㄹ. (나)에는 '인위적으로 통제된 상황에서 변수의 효과를 관찰하여 자료를 수집한다.'가 적절하다.

① ㄱ, ㄴ ② ㄱ, ㄷ ③ ㄴ, ㄷ ④ ㄴ, ㄹ ⑤ ㄷ, ㄹ

14 수능

다음에서 갑이 수행한 연구에 대한 옳은 설명을 〈보기〉에서 고른 것은?

연구자 갑은 인종 차별에 관한 연구를 수행하면서, 질문지법으로 조사한 을의 연구에서 ○○ 지역 주민들이 인종 차별을 하지 않는다고 응답한 것을 확인하였다. 갑은 직접 ○○ 지역을 다니며 호텔과 식당 등에서 인종에 따라 서비스가 달라지는지 여부를 살펴보면서 상세한 기술을 통하여 자료를 수집하였다. 호텔과 식당에서 일하는 사람들은 자신이 연구 대상임을 알지 못한 상태에서 손님의 피부색에 따라 다양한 차별적 행동을 보여 주었다. 갑은 을의 연구 결과와 자신이 수집한 자료를 비교하여 을의 결론에 반론을 제기하였다.

〈보기〉

ㄱ. 2차 자료를 수집하여 활용하는 방법이 사용되었다.

ㄴ. 실제성이 높은 생생한 자료를 수집하기에 용이한 방법이 사용되었다.

ㄷ. 구조화되고 표준화된 도구로 자료를 직접 수집하는 방법이 사용되었다.

ㄹ. 인위적으로 통제된 상황에서 변수의 효과를 관찰하는 방법이 사용되었다.

① ㄱ, ㄴ ② ㄱ, ㄷ ③ ㄴ, ㄷ ④ ㄴ, ㄹ ⑤ ㄷ, ㄹ

15 수능

다음 연구에 대한 옳은 설명만을 〈보기〉에서 있는 대로 고른 것은?

연구 주제	특정 지역의 문화와 그 지역 주민들의 폭력적 행동 양식 간의 관련성 연구
연구 대상	공식 통계로 확인된 폭력 범죄율이 높은 지역(A)과 낮은 지역(B) 각각에 거주하는 주민
자료 수집	각 지역에서 주민들과 함께 생활하면서 있는 그대로의 삶의 모습을 심층적으로 관찰함
연구 결과	B 지역 주민들과 달리 A 지역 주민들이 타인으로부터 자신을 보호하고 자존감을 지키기 위해 폭력에 의존하게 되는 맥락적인 이유를 밝혀 그들만의 문화적 특징을 이해하게 됨

〈보기〉

ㄱ. 수량화된 2차 자료를 활용하였다.

ㄴ. 질적 자료를 활용하여 양적 연구를 수행하였다.

ㄷ. 계량화하기 어려운 인간 행위의 의미를 직관적 통찰을 통해 파악하였다.

ㄹ. 생생한 자료를 얻기 위해 인위적 조작의 정도가 낮은 자료 수집 방법을 활용하였다.

① ㄱ, ㄴ ② ㄴ, ㄹ ③ ㄷ, ㄹ
④ ㄱ, ㄴ, ㄷ ⑤ ㄱ, ㄷ, ㄹ

16 교육청

다음 연구에 대한 분석 및 추론으로 옳지 않은 것은?

갑은 청소년의 문화·예술 활동 참여와 학교생활 만족도 간의 관계를 연구하기 위해 '문화·예술 활동 참여가 활발한 청소년일수록 학교생활 만족도가 높을 것이다.'라는 가설을 설정하였다. 이를 검증하기 위해 문화·예술 활동 참여 시간과 학생생활 만족도를 측정할 수 있는 다양한 문항으로 된 설문지를 제작하였고, △△ 지역에 거주하는 고등학생 500명을 대상으로 자료를 수집·분석하였다. 분석 결과, 문화·예술 활동 참여 시간이 많을수록 학교생활 만족도가 높은 것으로 나타났다. 이를 토대로 청소년의 활발한 문화·예술 활동이 학교생활 만족도를 높인다는 결론을 도출하였다.

① 개념의 조작적 정의가 이루어졌을 것이다.

② 방법론적 일원론에 기초하여 연구를 수행하였다.

③ 자료 분석 과정에서 연구자가 직관적 통찰을 활용하였다.

④ 연구 가설을 검증하기에 적합한 자료 수집 방법을 사용하였다.

⑤ 표본이 대표성을 갖추지 못하여 연구 결과를 일반화하기 어렵다.

17 교육청

다음 연구에 대한 설명으로 옳은 것은?

> 갑은 또래 활동 프로그램이 청소년의 공격성을 약화시킬 것이라는 가설을 세우고 연구를 하였다. 갑은 공격성이 강한 남자 고등학생 100명을 뽑아 각각 50명씩 A 집단과 B 집단으로 구분하였다. 이후 8주 동안 A 집단에는 또래 활동 프로그램을 적용하고, B 집단에는 이를 적용하지 않았다. 그 결과 A 집단에서는 공격성이 크게 감소하였고, B 집단에서는 거의 변화가 없었다.

① 가설이 기각되었다.
② 2차 자료를 수집하여 분석하였다.
③ 독립 변인은 청소년의 공격성이다.
④ 연구 결과를 청소년에게 일반화할 수 있다.
⑤ A 집단은 실험 집단, B 집단은 통제 집단이다.

18 평가원

다음 연구에 대한 옳은 설명만을 〈보기〉에서 있는 대로 고른 것은?

> 연구자 갑은 주변에 방관자들이 있으면, 곤경에 처한 사람이 낯선 사람으로부터 도움을 받을 가능성이 줄어든다는 '방관자 효과'를 검증하기 위한 연구에 착수하였다. 우선 갑은 접이식 커튼을 쳐, 보이지는 않지만 소리를 들을 수 있는 공간을 만들었다. 그리고 그곳에서 연구 대상자들에게 의자에 오르다 떨어져 도움을 청하는 노인의 녹음된 비명을 듣게 하였다. 연구 대상자들은 두 집단으로 구분되었는데, 한 연구 조건에서는 ⊙ 연구 대상자만 있게 했고, 다른 연구 조건에서는 의도적으로 노인의 비명에 반응하지 않도록 연구자와 공모한 방관자들을 ⓒ 연구 대상자와 함께 있게 했다. ⓒ 방관자들의 존재 여부에 따른 반응을 비교한 결과, '나 홀로 조건'에서는 연구 대상자의 70%가 도움을 주려 한 반면, '방관자 조건'에서는 20%만이 도움을 주려 하였다.

〈보기〉
ㄱ. ⊙은 실험 집단, ⓒ은 통제 집단에 해당한다.
ㄴ. ⓒ은 독립 변인에 해당한다.
ㄷ. 실제성이 높은 현장 자료를 얻기 용이한 자료 수집 방법을 사용하였다.
ㄹ. 연구자가 설정한 상황을 바탕으로 연구 대상자를 관찰하는 자료 수집 방법을 사용하였다.

① ㄱ, ㄷ   ② ㄴ, ㄷ   ③ ㄴ, ㄹ
④ ㄱ, ㄴ, ㄹ   ⑤ ㄱ, ㄷ, ㄹ

19 평가원

p.021 자료 07

밑줄 친 ⊙~ⓢ에 대한 설명으로 옳은 것은?

> 연구자 갑은 ⊙ 행복감에 소득 수준과 물질주의 가치관이 미치는 영향을 연구하고자, 전국의 ⓒ 30세 이상 성인 중 1,000명을 대상으로 설문 조사를 하였다. 분석 결과, 삶에 대한 만족도는 ⓒ 월평균 수입 정도와 정(+)의 관계이지만, ⓔ 삶에서 돈이 중요하다고 생각하는 정도와는 ⓜ 부(−)의 관계를 보였다. 연구자 을은 중학교에서 학생들의 생활에 대해 참여 관찰을 실시한 결과 ⓗ 행복감이 높은 학생이 학교 활동에 더 열심히 참여하는 것을 발견하였다. 두 연구 결과를 종합하여, 병은 ⓢ 학생의 가계 소득 수준이 높을수록 학교 활동도 열심히 한다고 결론지었다.

① ⊙은 갑의 연구에서, ⓗ은 을의 연구에서 종속 변수에 해당한다.
② ⓒ은 갑의 연구에서 표본이다.
③ ⓒ, ⓔ은 갑의 연구에서 독립 변수에 대한 조작적 정의이다.
④ ⓜ으로 보아 갑은 가설 검증에 실패하였다.
⑤ ⓢ은 병이 연역적 연구 과정을 통해 도출한 타당한 결론이다.

20 평가원

p.021 자료 08

밑줄 친 ⊙~ⓔ에 대한 옳은 설명을 〈보기〉에서 고른 것은?

> ◎ **연구 주제**: 고등학생의 스포츠 활동과 행복 간의 관계 연구
> ◎ **연구 가설**: ⊙ 스포츠 활동 참여도가 고등학생의 생활 만족도에 긍정적인 영향을 미칠 것이다.
> ◎ **자료 수집**
> · 조사 대상: ⓒ A 지역 남자 고등학생 1,000명
> · 조사 내용: ⓒ 학교생활 만족도, 교우 관계 만족도, 주당 스포츠 활동 참여 시간
> · 자료 수집 방법: ⓔ 질문지법
> ◎ **자료 분석 결과**

주당 스포츠 활동 참여 시간	만족도 평균(5점 만점)	
	학교생활	교우 관계
2시간 미만	3.4	3.2
2시간 이상 ~ 5시간 미만	4.1	4.1
5시간 이상	4.6	4.7

〈보기〉
ㄱ. ⊙은 독립 변수이다.
ㄴ. ⓒ은 모집단의 특성을 대표한다.
ㄷ. ⓒ은 독립 변수와 종속 변수에 대한 조작적 정의에 해당한다.
ㄹ. ⓔ에서는 연구 대상의 주관적 인식을 묻지 않아야 한다.

① ㄱ, ㄴ   ② ㄱ, ㄷ   ③ ㄴ, ㄷ   ④ ㄴ, ㄹ   ⑤ ㄷ, ㄹ

21 수능

p.020 자료 06

밑줄 친 ⊙~⑭에 대한 설명으로 옳은 것은?

연구자 갑은 ⊙ 고등학생의 건전한 인성 형성과 봉사 활동의 관계를 연구하기로 하였다. 이에 따라 가설을 세우고 이를 검증하기 위해 고등학생 ⓒ 1,000명을 무작위로 추출한 후, ⓒ 타인 배려 정도, 관용 정신 정도를 지수화하여 ⓔ 조사하였다. 그리고 조사 대상자를 ⓜ 봉사 활동 시간이 많은 A 집단과 적은 B 집단으로 나누어 그들의 응답을 분석해 보았다. 그 결과, ⓑ 봉사 활동 시간이 타인 배려 정도에는 유의미한 영향을 미치는 것으로, 관용 정신 정도에는 거의 영향을 미치지 않는 것으로 나타났다.

① ⊙ 단계에서는 연구자의 가치 중립이 요구된다.

② ⓒ은 표본으로, ⓜ은 실험 집단으로 선정된 것이다.

③ ⓒ은 종속 변인을 조작적으로 정의하는 과정이다.

④ ⓔ은 사전 조사를 통해 기존의 연구 동향을 파악한 것이다.

⑤ ⓑ을 통해 갑의 가설은 검증되지 않았음을 알 수 있다.

22 평가원

다음 연구에 대한 옳은 설명만을 〈보기〉에서 있는 대로 고른 것은?

갑은 청소년 비행에 부모와의 친밀도 및 ⊙ 비행 친구와의 교제가 미치는 영향에 대하여 연구하고자 선행 연구 자료를 분석하였다. 그리고 ⓒ '부모와의 친밀도가 높을수록 비행을 덜 저지를 것이다.', ⓒ '비행 친구와 교제할수록 비행을 더 저지를 것이다.'라는 잠정적 결론을 도출하였다. 이어 청소년 1,000명을 대상으로 부모와의 1주일 평균 대화 시간, ⓔ 주당 1시간 이상 접촉하는 친구 중에 비행을 저지른 친구가 있는지의 여부, 그리고 지난 1년간 비행 경험 유무에 대하여 설문 조사를 실시하였다. 수집된 자료 분석 결과는 아래와 같으며, 이 결과는 통계적으로 검증 과정을 거쳤다.

(단위 : 명)

ⓜ 부모와의 대화 시간	ⓑ 비행 친구 유무	비행 경험 유무		계
		없음	있음	
적음	있음	140	60	200
	없음	180	120	300
많음	있음	240	60	300
	없음	140	60	200

〈보기〉

ㄱ. 1차 자료와 2차 자료가 모두 활용되었다.

ㄴ. ⓒ은 ⓜ과 ⓑ의 관계를 통해 검증된다.

ㄷ. ⓔ은 ⊙의 조작적 정의에 해당한다.

ㄹ. 분석 결과는 ⓒ과 ⓒ을 지지하는 근거로 활용될 수 있다.

① ㄱ, ㄴ ② ㄱ, ㄷ ③ ㄴ, ㄹ
④ ㄱ, ㄷ, ㄹ ⑤ ㄴ, ㄷ, ㄹ

23 교육청

밑줄 친 ⊙~◎에 대한 옳은 설명을 〈보기〉에서 고른 것은?

갑은 ⊙ 초등학생의 ⓒ 자아 존중감에 ⓒ 놀이 프로그램이 미치는 영향에 대해 연구하였다. 갑은 ⓔ A 초등학교 학생 중 3학년 ⓜ 1반 학생들과 ⓑ 2반 학생들을 연구 대상으로 선정하여 ⓢ 사전 검사를 하였다. 이후 3학년 2반에 대해서만 놀이 프로그램을 실시하고 두 반 모두 ◎ 사후 검사를 하였다.

〈보기〉

ㄱ. ⊙은 모집단, ⓔ은 표본이다.

ㄴ. ⓒ은 종속 변인, ⓒ은 독립 변인이다.

ㄷ. ⓜ은 통제 집단, ⓑ은 실험 집단이다.

ㄹ. ⓢ과 ◎은 독립 변인에서 나타나는 변화를 파악하기 위한 검사이다.

① ㄱ, ㄴ ② ㄱ, ㄷ ③ ㄴ, ㄷ ④ ㄴ, ㄹ ⑤ ㄷ, ㄹ

24 수능

다음 연구에 대한 옳은 설명을 〈보기〉에서 고른 것은?

◎ **연구 주제** : 중·고등학생의 게임 몰입이 주변 사람과의 대화에 미치는 영향

◎ **연구 가설**

〈가설 1〉 게임을 적게 할수록 부모와 대화는 많을 것이다.

〈가설 2〉 _____(가)_____

◎ **자료 수집**
• 조사 방법 : 중·고등학생 1,000명을 무작위 선정하여 설문 조사
• 조사 내용 : ⊙ 게임 시간 정도, ⓒ 부모와 대화 정도, 친구와 대화 정도

◎ **자료 분석 결과** : 자료 분석 결과는 아래 표와 같고, 부모와 대화 정도 및 친구와 대화 정도는 게임 시간 정도에 따라 통계적으로 유의미한 차이가 있는 것으로 나타났다.

(단위 : 명)

대화 정도		게임 시간 정도 많음	중간	적음
부모와 대화 많음	친구와 대화 많음	78	100	120
	친구와 대화 적음	52	70	80
부모와 대화 적음	친구와 대화 많음	172	100	A
	친구와 대화 적음	48	B	C

* 무응답이나 복수 응답 없음.
** A+B=C=3A

〈보기〉

ㄱ. 게임을 많이 한 집단은 실험 집단, 게임을 적게 한 집단은 통제 집단이다.

ㄴ. 분석 결과에 따르면 ⊙과 ⓒ은 양(+)의 관계이다.

ㄷ. 부모와 대화 정도가 적다는 응답자가 친구와 대화 정도가 많다는 응답자보다 많다.

ㄹ. (가)가 '게임을 적게 할수록 친구와 대화는 많을 것이다.'라면, 〈가설 2〉는 기각된다.

① ㄱ, ㄴ ② ㄱ, ㄷ ③ ㄴ, ㄷ ④ ㄴ, ㄹ ⑤ ㄷ, ㄹ

01

다음 글에서 갑이 활용한 연구 방법에 대한 설명으로 옳은 것은?

> 갑은 여성 1,000명을 대상으로 남녀 차별에 대한 설문 조사를 실시하였다. 그 결과를 바탕으로 자료 분석 및 통계 처리를 통해 가설을 검증하고자 한다.

① 연구자의 직관적 통찰을 통해 자료를 수집한다.
② 경험적 자료보다 연구자의 주관적 판단을 중시한다.
③ 인간의 행위 동기에 대한 심층적 이해를 목적으로 한다.
④ 사회 · 문화 현상은 자연 현상과 본질적으로 다르다고 본다.
⑤ 변인 간의 관계를 파악하기 위한 연구에서 주로 활용된다.

02 고난도

사회 · 문화 현상의 연구 방법 (가), (나)에 대한 설명으로 옳은 것은?

연구 주제	고등학생의 가족과의 대화 시간과 스마트폰 중독 간의 관계에 대한 연구	연구 주제	스마트폰에 중독된 고등학생의 학교생활에서 나타나는 양상에 대한 연구
연구 방법	(가)	연구 방법	(나)
연구 설계	무작위로 추출한 고등학생 1,000명을 대상으로 하루를 기준으로 가족과의 대화 시간, 스마트폰 사용 시간 등을 설문 조사하고 이를 통계 분석하여 가설을 검증함	연구 설계	스마트폰에 중독된 고등학생 5명을 선정하여 이들의 수업 시간을 포함한 학교생활을 관찰하고, 비정기적으로 면접함으로써 행위의 동기나 목적을 파악함

① (가)는 연구자의 직관적 통찰을 통한 의미의 해석을 중시한다.
② (나)는 사회 · 문화 현상과 자연 현상 간의 동질성을 강조한다.
③ (가)는 (나)와 달리 개념의 조작적 정의 과정이 필수적이다.
④ (나)에서는 (가)와 달리 경험적 자료를 바탕으로 연구한다.
⑤ (가)는 방법론적 이원론을, (나)는 방법론적 일원론을 바탕으로 한다.

03

표를 바탕으로 (가), (나)에 들어갈 옳은 질문을 〈보기〉에서 고른 것은? (단, A, B는 각각 양적 연구 방법, 질적 연구 방법 중 하나이다.)

연구 방법	사례
A	· 북한 탈출 주민의 남한 정착 과정 연구 · 감정 노동자가 직장생활에서 겪는 인권 침해의 다양한 사례 연구
B	· 독서 경험과 학업 성적 간의 관계 연구 · 귀농 기간이 귀농인의 삶의 만족도에 미치는 영향에 관한 연구

· 보기 ·
ㄱ. (가) – 결과의 분석에서 통계 처리를 기본으로 하는가?
ㄴ. (가) – 연구 대상자의 주관적 상황 인식을 중시하는가?
ㄷ. (나) – 직관적 통찰과 감정 이입적 이해를 강조하는가?
ㄹ. (나) – 사회 · 문화 현상을 행위자의 동기나 가치와 엄격히 분리하는가?

① ㄱ, ㄴ ② ㄱ, ㄷ ③ ㄴ, ㄷ ④ ㄴ, ㄹ ⑤ ㄷ, ㄹ

04

다음은 연예인 팬덤 현상을 연구하려는 갑의 계획이다. 갑이 계획하고 있는 연구 방법에 대한 설명으로 옳은 것은?

> 저는 연예인 팬덤 현상을 보이는 청소년 3명과 접촉하여, 깊은 대화를 나누고 그들의 생생한 팬클럽 활동도 관찰할 생각입니다. 이 과정에서 연예인 팬이 된 계기와 팬으로 살아가게 하는 원동력 등을 파악하여, 연예인 팬덤 현상이 청소년들의 삶에서 어떤 의미인지를 파악하겠습니다.
>
> *팬덤(fandom) : 특정 인물이나 분야를 열성적으로 좋아하는 사람들 또는 열성적인 팬 의식을 말한다.

① 방법론적 일원론을 전제로 한다.
② 직관적 통찰의 활용을 중시한다.
③ 연구 결과를 일반화하는 데 유리하다.
④ 연구 과정에서 잠정적 결론의 검증을 중시한다.
⑤ 통계 분석을 통해 인과 관계를 파악하고자 한다.

05 고난도

표는 사회 · 문화 현상의 연구 방법 (가), (나)의 일반적 특징을 비교한 것이다. 이에 대한 설명으로 옳은 것은?

질문 연구 방법	(가)	(나)
개별 사례에 대한 의미 해석을 중시하는가?	예	아니요
사회 · 문화 현상에 존재하는 법칙 발견에 중점을 두는가?	아니요	예
A	예	예

① (가)는 방법론적 이원론을 전제한다.

② (나)는 연구자의 직관적 통찰을 중시한다.

③ (가)는 (나)에 비해 연구 결과를 일반화하기에 용이하다.

④ (나)는 (가)와 달리 경험적 자료를 바탕으로 연구를 진행한다.

⑤ A에 들어갈 질문으로 '연구 결과의 분석에서 통계 처리가 기본인가?'가 적절하다.

06

다음은 서로 다른 연구 방법 (가), (나)를 적용한 논문의 목차 일부이다. (가), (나)에 대한 옳은 설명을 〈보기〉에서 고른 것은?

(가)를 적용한 논문 목차	(나)를 적용한 논문 목차

⋮
Ⅲ. 연구 설계
  1. 연구 성격 : 심층 면접
  2. 연구 대상 : 비정규직 근로자 5명
Ⅳ. 수집 자료에 대한 해석
  1. 비정규직 근로자의 고용 불안 문제 : 고용 불안을 심각하게 호소함
	⋮
	Ⅲ. 연구 설계
	  1. 자료 수집 : 질문지법
	  2. 표본 : 직장인 1,000명
	Ⅳ. 결과 분석
	  1. 유연 근무제 실시 여부와 직무 만족도의 관계 : 유연 근무제를 실시하는 곳일수록 직무 만족도가 높음

— 보기 —

ㄱ. (가)에서는 연구자의 직관적 통찰이 활용된다.

ㄴ. (나)에서는 변인 간의 관계를 검증하고자 한다.

ㄷ. (가)는 (나)보다 계량화를 통한 통계적 분석이 용이하다.

ㄹ. (나)에 비해 (가)는 정확하고 정밀한 연구가 가능하다.

① ㄱ, ㄴ　② ㄱ, ㄷ　③ ㄴ, ㄷ　④ ㄴ, ㄹ　⑤ ㄷ, ㄹ

07

그림 (가)~(다)에서 사용한 자료 수집 방법에 대한 설명으로 옳은 것은?

① (가)의 방법은 시간과 비용이 많이 든다.

② (나)의 방법은 연구자의 주관적 가치가 개입될 가능성이 높다.

③ (다)의 방법은 연구 주제에 대한 심층적인 자료 수집에 적합하다.

④ (나)의 방법은 (다)의 방법에 비해 연구 대상자와의 신뢰 관계 형성이 중요하다.

⑤ (가)의 방법은 (나), (다)의 방법에 비해 질적 연구에 적합하다.

08

밑줄 친 '우려되는 측면'에 대한 설명으로 옳은 것은?

> 갑 : 저는 '학교 독서실 운영이 학생들의 실력 향상에 기여하는가?'를 연구 주제로 하여 변인 간의 상관관계를 알아보려고 합니다. 이를 위해 학교 독서실에서 공부한 학생 중 성적이 향상된 학생들을 대상으로 구조화된 질문지를 활용하여 자료를 수집할 예정입니다.
> 교사 : 좋은 주제이긴 하지만 발표 내용을 들어보니 우려되는 측면이 있군요.

① 표본의 대표성이 낮아 연구 결과를 일반화하기가 어렵다.

② 자료 수집 과정에서 연구자의 주관이 개입될 위험이 크다.

③ 연구 목적을 달성할 수 없는 자료 수집 방법을 선택하였다.

④ 예상치 못한 상황을 통제하기가 어려운 자료 수집 방법이다.

⑤ 인간을 대상으로 한다는 점에서 윤리적 문제가 발생하기 쉽다.

09

자료 수집 방법 A~C에 대한 설명으로 옳은 것은? (단, A~C는 각각 질문지법, 면접법, 참여 관찰법 중 하나이다.)

> • A와 C의 공통적인 특징 : 연구자의 주관적 가치가 개입될 가능성이 높다.
> • B와 구분되는 C의 특징 : 자료 수집 상황에 대한 통제가 어렵다.

① A는 C에 비해 윤리적 문제의 발생 가능성이 높다.
② A는 C에 비해 연구자의 편견이 개입될 여지가 크다.
③ B는 C에 비해 시간과 비용이 절약될 수 있다.
④ C는 A에 비해 연구자의 융통성 발휘 정도가 높다.
⑤ C는 B에 비해 집단 간 비교 분석이 용이하다.

10 고난도

자료 수집 방법 A~C의 일반적인 특징에 대한 설명으로 옳은 것은? (단, A~C는 각각 면접법, 질문지법, 참여 관찰법 중 하나이다.)

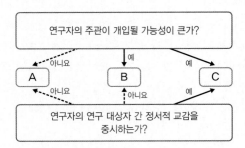

① A는 B에 비해 계량화된 자료를 얻는 데 유리하다.
② A는 C에 비해 인간 행위를 깊이 있게 이해할 수 있다.
③ B는 C와 달리 문맹자에게서도 자료를 수집할 수 있다.
④ C는 A에 비해 자료 수집 과정에서 시간과 비용이 적게 든다.
⑤ C는 B와 달리 자료의 실제성을 확보하기에 유리하다.

11

(가), (나)에서 사용된 자료 수집 방법의 공통된 특징으로 가장 적절한 것은?

> (가) 갑은 남아메리카 원주민들의 결혼 문화를 연구하기 위해 3년 동안 함께 생활하면서 그들이 어떤 방식으로 결혼하는지를 지켜보았다.
> (나) 을은 장기적으로 실업 상태에 있는 청년들의 심리 상태를 연구하기 위해 3년 이상 취업을 하지 못한 청년 5명을 선정하여 면담을 실시하였다.

① 분석의 기준이 명확하다.
② 무성의한 응답이 나올 수 있다.
③ 문맹자에게는 실시하기 어렵다.
④ 연구자의 편견이 개입될 가능성이 높다.
⑤ 변인 간의 인과 관계를 파악하기에 적합하다.

12

다음은 학생이 작성한 설문 문항이다. 이에 대한 옳은 분석을 〈보기〉에서 고른 것은?

> 1. 귀하는 시사 문제에 관심이 많습니까?
> ___ ① 예   ___ ② 아니요
>
> 2. 귀하가 시사 문제 중에서 가장 관심 있는 분야는 무엇입니까?
> ___ ① 정치   ___ ② 경제   ___ ③ 국제
>
> 3. 귀하는 시사 문제와 관련하여 하루에 신문을 어느 정도 보는 편입니까?
> ___ ① 1시간 미만   ___ ② 1시간 이상~2시간 미만
> ___ ③ 2시간 이상   ___ ④ 보지 않는다.

> **· 보기 ·**
> ㄱ. 윤리 문제가 발생하는 문항이 있다.
> ㄴ. 특정 응답을 유도하는 문항이 있다.
> ㄷ. 묻는 것이 명료하지 않는 문항이 있다.
> ㄹ. 선택지가 포괄적이지 않은 문항이 있다.

① ㄱ, ㄴ   ② ㄱ, ㄷ   ③ ㄴ, ㄷ
④ ㄴ, ㄹ   ⑤ ㄷ, ㄹ

13

갑~병이 선택한 자료 수집 방법의 일반적인 특징에 대한 설명으로 옳은 것은?

> 교사 : 다문화 가족의 문제에 대한 자료 수집 계획을 발표해
> 봅시다.
> 갑 : 신문 기사와 통계 자료 등을 찾아 다문화 가족의 실태와
> 문제점을 파악해 볼 예정입니다.
> 을 : 다문화 가족과 함께 생활하며 그들이 겪는 문제점은 무
> 엇인지 관찰해 볼 계획입니다.
> 병 : 구조화된 설문 문항을 작성하여 다문화 가족들을 대상
> 으로 설문 조사를 실시해 보겠습니다.
> 정 : 다문화 가족들을 만나 직접 대화를 나누면서 그들이 어
> 떤 문제점을 겪고 있는지 알아보겠습니다.

① 갑의 자료 수집 방법은 실제성 있는 자료 수집에 적합하다.

② 을의 자료 수집 방법은 가상의 상황을 설정하여 실시한다.

③ 병의 자료 수집 방법은 비교 분석 연구에 적합하다.

④ 정의 자료 수집 방법은 1차 자료보다는 2차 자료 수집을
중시한다.

⑤ 갑에 비해 을의 자료 수집 방법은 시간과 비용이 적게 든다.

14 고난도

그림은 자료 수집 방법 A, B의 상대적 특징을 나타낸 것이다. 이에
대한 옳은 설명만을 〈보기〉에서 있는 대로 고른 것은? (단, A, B는
각각 질문지법, 면접법 중 하나이다.)

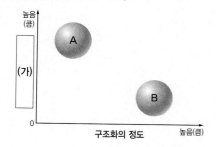

> 보기
> ㄱ. (가)에는 '연구자의 가치 개입 정도'가 들어갈 수 있다.
> ㄴ. A는 B에 비해 시간과 비용이 적게 든다.
> ㄷ. B는 A에 비해 조사 결과의 통계적 분석이 용이하다.
> ㄹ. A는 1차 자료, B는 2차 자료 수집에 주로 활용되는 방법
> 이다.

① ㄱ, ㄴ   ② ㄱ, ㄷ   ③ ㄷ, ㄹ

④ ㄱ, ㄴ, ㄹ   ⑤ ㄴ, ㄷ, ㄹ

15

다음 연구에서 갑이 사용한 자료 수집 방법에 대한 설명으로 옳지
않은 것은?

> 연구자 갑은 웃음 치료 프로그램이 직장인의 직장 생활 만
> 족도에 어떤 영향을 주는지 알아보고자 하였다. 갑은 직장
> 인 100명을 선발하여 50명씩 A, B 두 집단으로 나누고, A
> 집단에는 프로그램을 적용하고, B 집단에는 적용하지 않았
> 다. 6개월 후 직장 생활 만족도를 조사한 결과 A 집단은 점
> 수가 현저하게 높아졌지만 B 집단은 약간 떨어졌다.

① 인위적인 상황을 설정하여 처치를 가한다.

② 연구 대상자와의 정서적 교감을 중시한다.

③ 변인 간의 상관관계를 밝히는 데 적합하다.

④ A 집단은 실험 집단, B 집단은 통제 집단이다.

⑤ 독립 변인 이외의 변인을 철저히 차단해야 한다.

16 고난도

자료 수집 방법 A~C에 대한 설명으로 옳은 것은? (단, A~C는 각
각 질문지법, 면접법, 참여 관찰법 중 하나이다.)

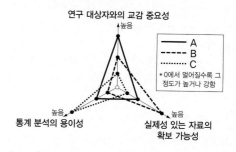

① A는 대규모를 대상으로 자료를 수집하기에 용이하다.

② B는 상황 변화에 유연하게 대처하기가 어렵다.

③ C는 문맹자에게도 실시할 수 있다.

④ C는 B에 비해 연구자의 편견이 개입될 가능성이 높다.

⑤ A와 C를 동일 연구에서 함께 사용할 수 없다.

03강 사회·문화 현상의 탐구 절차와 윤리

1단계 기출 자료 & 선지 분석

기출 자료 분석

자료 01 가설 검증과 자료 수집 단계 분석

┌─단서 ❶ ──────── ┌─단서 ❻
- **1 모둠** : 가구 소득이 높은 지역일수록 인터넷 이용 시간이 더 많을 것이다.
- **2 모둠** : 사회 경제적 지위가 높은 남성일수록 인터넷 이용 시간이 더 많을 것이다. └─단서 ❷
- **3 모둠** : 젊은 세대일수록 성별에 관계없이 인터넷 이용 시간이 더 많을 것이다. └─단서 ❸
- **4 모둠** : 농촌보다 도시에 거주하는 경우 고학력자일수록 인터넷 이용 시간이 더 많을 것이다. └─단서 ❹
- **5 모둠** : 정보 취약 계층 중 저소득층의 인터넷 이용 시간이 가장 적을 것이다. └─단서 ❺

단서 풀이 및 자료 분석
- **단서 ❶** 1 모둠에서 독립 변인은 '가구 소득'이므로 가구 소득이 높은 지역과 낮은 지역의 인터넷 이용 시간을 조사해야 한다.
- **단서 ❷** 2 모둠에서 독립 변인은 '남성의 사회 경제적 지위'이므로, 남성의 사회 경제적 지위를 나타낼 수 있는 직업 및 소득별 인터넷 이용 시간을 조사해야 한다.
- **단서 ❸** 3 모둠에서 독립 변인은 '세대와 성별'이다. 연령 및 성별에 따른 인터넷 이용 시간을 조사해야 한다.
- **단서 ❹** 4 모둠에서 독립 변인은 '거주 지역과 학력 정도'이다. 농촌·도시의 고학력자뿐만 아니라 농촌·도시의 저학력자의 인터넷 이용 시간도 조사해야 한다.
- **단서 ❺** 5 모둠에서 독립 변인은 '정보 취약 계층 중에서의 소득 정도'이다. 정보 취약 계층에는 저소득층, 노인, 장애인, 저학력자 등 다양한 계층이 속해 있으므로 이들의 인터넷 이용 시간을 조사해야 한다.
- **단서 ❻** 모든 모둠의 가설에서 종속 변인은 '인터넷 이용 시간'이다.

자료 02 사회·문화 현상의 탐구 태도 유추

- 사회학자의 임무는 어떤 사회·문화 현상에 대해 정확하게 보고하는 것이다. 사회학자의 보고에는 그의 취향이나 선호가 반영되지 않아야 한다. └─단서 ❶
- 사회학의 연구 대상은 경험한 것이나 경험할 수 있는 것에 한정되어야 한다. 또한 사회학자는 인간의 삶과 행위의 관찰 과정에서 제3자의 관점을 취해야 한다. └─단서 ❷

단서 풀이
- **단서 ❶** 개인의 취향이나 선입견 및 이해관계를 반영하지 않고 사회·문화 현상의 본질을 정확하게 파악해야 한다.
- **단서 ❷** '제3자의 관점'이란 객관적인 태도를 유지해야 한다는 것이다.

자료 분석
객관적 태도란 사회·문화 현상의 본질을 정확하게 파악하기 위해 어떤 현상에 대해 연구자가 가지고 있는 선입견과 주관적인 가치, 이해관계 등을 배제시키는 태도이다.

기출 선지 변형 O X

01 **자료 01** 에서 1 모둠~5 모둠의 가설과 수집 자료에 대한 설명으로 옳으면 ○, 틀리면 ×에 표시하시오.

① 1 모둠은 가구 소득이 높은 지역뿐만 아니라 낮은 지역의 인터넷 이용 시간도 조사해야 한다. ○, ×

② 3 모둠은 연령 및 성별에 따른 인터넷 이용 시간을 조사해야 한다. ○, ×

③ 남성의 소득별 인터넷 이용 시간을 조사해야 하는 모둠은 2 모둠과 3 모둠이다. ○, ×

④ 4 모둠의 독립 변인은 거주 지역과 학력 정도이므로 농촌 및 도시 지역의 고학력자뿐만 아니라 저학력자의 인터넷 이용 시간을 조사해야 한다. ○, ×

⑤ 5 모둠에서는 정보 취약 계층 중 저소득층의 인터넷 이용 시간만 조사하면 된다. ○, ×

⑥ 1 모둠~5 모둠의 독립 변인은 모두 '인터넷 이용 시간'이다. ○, ×

02 **자료 02** 에 공통적으로 나타나는 사회·문화 현상의 탐구 태도에 해당하는 주장으로 옳으면 ○, 틀리면 ×에 표시하시오.

① 사회·문화 현상을 보는 관점이 다양할 수 있음을 인정해야 한다. ○, ×

② 사회·문화 현상 탐구 시 주관적 가치와 이해관계를 배제해야 한다. ○, ×

③ 사회·문화 현상 탐구 시 해당 사회의 문화적 맥락을 고려해야 한다. ○, ×

④ 사회·문화 현상의 복잡성을 인정하고 이면의 원인을 파악하기 위해 노력해야 한다. ○, ×

⑤ 제3자의 관점에서 연구 주제를 결정하고 가설을 설정해야 객관성을 유지할 수 있다. ○, ×

⑥ 연구 결과를 왜곡하거나 한쪽으로 치우친 결론을 도출하지 않기 위해 노력해야 한다. ○, ×

기출 자료 분석

자료 03 양적 연구 방법의 절차 분석

- **연구 주제 설정** : ㉠ 청소년이 스마트폰 게임 중독에 빠지는 원인으로 가족 환경에 주목하고 그 관련성을 파악하기로 하였다.

(가) 스마트폰 게임 중독은 게임 빈도와 시간으로, 부모와 자녀의 유대 정도는 부모-자녀 간 말다툼 빈도 및 부모와의 동일시 정도로 측정하기로 하였다. 연구 대상자는 300명으로, ㉡ ○○ 지역 5개 고등학교 1학년 남녀 학생 중에서 무작위로 선정되었다. — 단서 ❶

(나) 스마트폰 게임 빈도 및 시간은 부모-자녀 간 말다툼 빈도와는 정(+)의 관계, 부모와의 동일시 정도와는 부(-)의 관계에 있음을 확인하였다.

(다) ㉢ 부모와 자녀 간 유대가 약할수록 자녀의 스마트폰 게임 중독 정도가 높을 것으로 추정하였다. — 단서 ❸
　　　　　　　　　　　　　　　　　　　　└ 단서 ❷

(라) 2017년 8월, 연구 대상자와의 대면 접촉을 통해 구조화된 질문지로 자료를 수집하였다. — 단서 ❹

(마) ㉣ 게임 중독 치료 경험이 있는 청소년들을 심층 면접한 선행 연구 자료를 검토하였다. ㉤ 이 선행 연구 자료에서 가족의 특성, 가족 내 갈등 경험 및 가족 구성원 간 친밀성 정도와 스마트폰 게임 중독 사이에 높은 연관성이 있음을 확인하였다. — 단서 ❺

- **결론 도출** : ㉥ 이 연구를 통해 부모와의 유대가 약한 청소년일수록 스마트폰 게임 중독에 빠질 가능성이 높아진다는 사실을 확인하였다.

단서 풀이
- 단서 ❶ 개념의 조작적 정의가 이루어졌고, 연구 대상을 선정하였다.
- 단서 ❷ 수집한 자료를 분석하여 가설을 검증하였다.
- 단서 ❸ 가설을 설정하였다.
- 단서 ❹ 자료를 수집하였다.
- 단서 ❺ 선행 연구를 검토하였다.

자료 분석
제시된 연구는 변인들 간의 상관관계를 파악할 목적으로 진행하는 양적 연구의 과정을 순서 없이 나열한 것이다. 가설을 검증하기 위해 질문지법을 활용하여 자료를 수집하였다.

자료 04 연구 과정에서의 연구 윤리 이해

(가) 연구자는 연구 대상자의 사생활이 노출되지 않도록 개인 정보와 응답 결과에 대한 비밀을 보장해야 한다. └ 단서 ❶

(나) 연구자는 연구 대상자에게 조사 참여 여부를 자발적으로 선택하게 해 주어야 한다. └ 단서 ❷

단서 풀이
- 단서 ❶ (가)의 키워드는 '비밀 보장'이다.
- 단서 ❷ (나)의 키워드는 '자발적 참여'이다.

자료 분석
- (가)는 사생활 보장의 원칙이다. 연구 과정에서 연구 대상자의 익명성을 보장해야 하며 수집된 자료는 반드시 연구를 위해서만 활용하고 다른 목적으로 사용해서는 안 된다.
- (나)는 연구 대상자의 자발적 참여 원칙이다. 연구 대상자에게 수치심을 느끼게 하는 질문을 하거나 강제로 답변을 요구해서는 안 된다.

기출 선지 변형 ○X

03 자료 03 의 연구에 대한 설명으로 옳으면 ○, 틀리면 ×에 표시하시오.

① ㉠은 모집단, ㉡은 표본 집단이다. 　　　　○, ×

② ㉢을 측정하기 위한 조작적 정의는 (가)에서 이루어졌다. 　○, ×

③ ㉣과 같은 자료 수집 방법은 연구 대상자와 연구자 간 친밀성이 중시된다. 　○, ×

④ ㉣과 같은 연구 방법은 최근 연구 동향이나 연구 성과를 살펴보기에 용이하기 때문에 모든 연구자들이 활용할 수 있는 방법이다. 　○, ×

⑤ ㉣과 같은 연구 방법은 ㉣과 같은 연구 방법에 비해 한정된 수의 변인에 집중하여 가설을 검증하기에 용이하다. 　○, ×

⑥ ㉥은 연역적 연구 과정, ㉣은 귀납적 연구 과정을 통해 결론을 도출한다. 　○, ×

⑦ 이 연구 과정은 (마)-(다)-(가)-(라)-(나) 순서로 진행되는 것이 적절하다. 　○, ×

04 자료 04 의 연구 윤리를 바탕으로 주어진 사례가 위배하고 있는 내용에 대한 설명이 옳으면 ○, 틀리면 ×에 표시하시오.

① 기업 관계자가 입사 시험을 보러 온 지원자에게 그 기업의 이미지 연구를 위한 설문 조사에 반드시 응답하도록 한 사례는 (가)에 위배된다. 　○, ×

② 연구자가 청소년 약물 남용 실태 조사 과정에서 특정 문항에 응답한 대상자와 그렇지 않은 대상자의 신원을 제3자가 파악할 수 있도록 보고서를 작성한 사례는 (가)에 위배된다. 　○, ×

③ 직장 여성의 소비 실태에 대한 심층 면접을 실시하다 면접 대상자 일부가 질문 내용에 불편함을 느끼고 면접 중단을 요구하였으나 이를 무시하고 진행한 사례는 (나)에 위배된다. 　○, ×

④ 결혼 정보 회사를 운영하는 친구의 요청으로 연구 결과와 함께 연구 대상의 개인 정보를 제공한 사례는 (나)에 위배된다. 　○, ×

01 수능
p.032 자료 01

다음 탐구 활동을 적절하게 수행한 모둠을 고른 것은?

〈모둠별 탐구 활동〉

가족 제도 및 가족 문제와 관련하여 모둠별로 주어진 가설을 검증하기에 적절한 자료를 제시하시오.

모둠	가설	자료
A	수도권 지역은 비수도권 지역에 비해 핵가족의 비율이 높을 것이다.	수도권과 비수도권 각각의 1세대 가구 수와 2세대 가구 수 및 3세대 이상 가구 수
B	기혼자의 가사 노동 시간은 연령대가 낮을수록 성별 격차가 작을 것이다.	결혼 여부에 따른 성인의 연령별 주당 평균 가사 노동 시간
C	도시는 농촌에 비해 1인 가구의 비율이 높을 것이다.	도시와 농촌 각각의 가구 구성원 수별 가구 수
D	맞벌이 가정은 외벌이 가정에 비해 부부 간의 대화 시간이 적을 것이다.	기혼자와 그 배우자 각각의 직업 유무에 따른 부부 간 하루 평균 대화 시간

① A 모둠, B 모둠
② A 모둠, C 모둠
③ B 모둠, C 모둠
④ B 모둠, D 모둠
⑤ C 모둠, D 모둠

02 교육청

표는 가설의 요건 충족 여부를 나타낸 것이다. (가)~(라)에 적합한 사례가 바르게 연결된 것만을 〈보기〉에서 있는 대로 고른 것은?

요건	(가)	(나)	(다)	(라)
검증의 필요성이 있는가?	×	○	○	○
검증의 가능성이 있는가?	○	×	○	○
두 변수 간의 관계 설정이 명확한가?	○	○	×	○
형식적으로 두 변수가 갖추어져 있는가?	○	○	○	○

(○ : 그렇다, × : 아니다)

〈보기〉
ㄱ. (가)-고소득 가구일수록 삶의 만족도가 높을 것이다.
ㄴ. (나)-출산을 선택으로 생각하는 부부들이 늘고 있을 것이다.
ㄷ. (다)-학력 수준과 결혼에 대한 만족도는 관련이 있을 것이다.
ㄹ. (라)-여자는 이혼에 대하여 더 허용적인 태도를 보일 것이다.

① ㄱ, ㄴ
② ㄱ, ㄷ
③ ㄷ, ㄹ
④ ㄱ, ㄴ, ㄹ
⑤ ㄴ, ㄷ, ㄹ

03 수능
p.033 자료 03

다음 연구에 대한 설명으로 옳은 것은? (단, (가)~(라)는 연구 과정 순서 없이 나열한 것이다.)

• 연구 주제 설정 : 정보 격차 문제를 파악하기 위해 A 지역 고등학생의 인터넷 이용 형태에 부모의 경제 수준 및 부모의 인터넷 이용 형태가 미치는 영향을 탐구하기로 하였다.

(가) ㉠ 부모의 경제 수준이 높을수록 자녀의 정보 지향적 인터넷 이용 정도가 높아지고, ㉡ 부모의 정보 지향적 인터넷 이용 정보가 높을수록 자녀의 정보 지향적 인터넷 이용 정도가 높아질 것이라고 가설을 설정하였다.

(나) A 지역에서 선정된 6개 ㉢ 고등학교 학생 1,000명 중 ㉣ 부모도 응답 가능한 300명을 대상으로 구조화된 질문지를 통해 자료를 수집하였다.

(다) 경제 수준은 ㉤ 월평균 소득으로, 정보 지향적 인터넷 이용 정도는 ㉥ 인터넷 이용 시간 중 정보 검색 시간 비중으로 측정하기로 하였다.

(라) 부모의 월평균 소득에 따라 자녀의 정보 검색 시간 비중은 통계적으로 유의미한 차이가 나타나지 않았다. 반면 부모의 정보 검색 시간 비중이 높을수록 자녀의 정보 검색 시간 비중은 통계적으로 유의미하게 높아지는 것으로 나타났다.

① ㉠은 독립 변수, ㉡은 종속 변수이다.
② ㉢은 모집단, ㉣은 표본이다.
③ ㉤은 ㉠의, ㉥은 ㉡의 조작적 정의에 해당한다.
④ (라)로 보아 가설은 검증되었다.
⑤ (다)-(나)-(가)-(라) 순서로 연구가 진행되었다.

04 수능

(가), (나)가 적용되어야 할 연구 단계로 옳은 것만을 〈보기〉에서 있는 대로 고른 것은?

연구자는 사회 현상의 연구 과정에서 가치 개입과 가치 중립의 문제에 직면한다. 연구자는 학문적 객관성을 위해 가급적 [(가)]을/를 지켜야 한다. 하지만 연구 과정에서 어떠한 가치 판단도 전제하지 않는 연구는 불가능하므로 [(나)]이/가 용인되는 단계도 있다.

〈보기〉
ㄱ. (가)-개념을 측정 가능하도록 조작적으로 정의한다.
ㄴ. (가)-수집된 자료를 통해 가설의 진위 여부를 확인한다.
ㄷ. (나)-자료 수집 방법으로 질문지법을 선택한다.
ㄹ. (나)-독립 변수와 종속 변수 간의 잠정적 관계를 설정한다.

① ㄱ, ㄴ
② ㄱ, ㄹ
③ ㄴ, ㄷ
④ ㄱ, ㄷ, ㄹ
⑤ ㄴ, ㄷ, ㄹ

05 교육청

p.032 **자료 02**

다음에서 강조하는 사회·문화 현상의 탐구 태도로 적절한 것을 〈보기〉에서 고른 것은?

기원전 300년경 정립된 유클리드 기하학에 따르면 삼각형 내각의 합은 항상 180°이고, 이는 불변의 진리처럼 받아들여져 왔다. 그러나 19세기에 우주에 존재하는 다른 공간에서는 삼각형 내각의 합이 180°보다 작거나 클 수 있다는 것이 발견되면서 비유클리드 기하학이 등장하였다. 이를 통해 인간이 발견하거나 발명한 수학적 원리가 항상 완벽한 것이 아님을 알 수 있다. 이러한 지식의 불완전성은 자연 현상뿐만 아니라 사회·문화 현상을 연구할 때에도 적용된다.

・보기・

ㄱ. 모든 사회적 요인 간의 관계를 종합적으로 고려해야 한다.
ㄴ. 사회적 맥락을 고려하여 사회·문화 현상을 연구해야 한다.
ㄷ. 자신의 연구에 대한 비판과 지적을 겸허하게 수용해야 한다.
ㄹ. 과학적인 연구 결과일지라도 반증에 의한 새로운 주장의 가능성을 인정해야 한다.

① ㄱ, ㄴ　② ㄱ, ㄷ　③ ㄴ, ㄷ　④ ㄴ, ㄹ　⑤ ㄷ, ㄹ

06 평가원

다음 사례를 연구 윤리 측면에서 적절하게 평가한 것만을 〈보기〉에서 있는 대로 고른 것은?

• 독신세 부과를 주장하던 갑은 독신세 도입에 대한 미혼자의 인식을 연구하였다. 결혼에 호의적인 미혼자를 대상으로 조사하여, 해당 자료를 엄격하게 분석한 후 75%가 독신세 부과에 찬성한다는 결과를 발표하고 독신세 도입을 촉구하였다. 이후 결혼 정보 회사를 운영하는 친구의 요청으로 연구 결과와 함께 연구 대상의 개인 정보를 제공하였다.
• 특정 기업의 주식을 소유한 을은 해당 기업의 주가 변동 예측 연구를 진행하였다. 해당 기업의 주식 관련 자료를 모두 수집한 후 주가 상승을 예측한 자료만 분석하여, 그중에 주가 상승 폭이 최대치로 예측된 분석 내용을 근거 자료로 제시하면서 해당 기업의 주가가 단기간에 대폭 상승할 것이라고 결과를 발표하였다.

・보기・

ㄱ. 자료 수집 단계에서 갑은 을과 달리 의도적으로 왜곡된 자료 수집을 하였다.
ㄴ. 자료 분석 단계에서 을은 갑과 달리 고의로 자료를 선별하여 분석하였다.
ㄷ. 결과 발표 단계에서 갑, 을 모두 자신의 이익을 추구하기 위해 분석 결과의 일부를 은폐하여 발표하였다.
ㄹ. 을은 갑과 달리 수집한 자료를 연구 외의 목적으로 유출하였다.

① ㄱ, ㄴ　② ㄱ, ㄹ　③ ㄷ, ㄹ
④ ㄱ, ㄴ, ㄷ　⑤ ㄴ, ㄷ, ㄹ

07 수능

p.033 **자료 04**

갑, 을이 강조하는 연구 윤리에 대한 옳은 설명을 〈보기〉에서 고른 것은?

・보기・

ㄱ. 공동 연구 성과를 단독 연구 성과로 발표하는 것은 갑이 강조하는 연구 윤리에 어긋난다.
ㄴ. 연구 대상자에게 연구 참여에 대한 동의를 받지 않는 것은 갑이 강조하는 연구 윤리에 어긋난다.
ㄷ. 연구 의뢰자의 이익을 위해 자료를 조작하여 분석하는 것은 을이 강조하는 연구 윤리에 어긋난다.
ㄹ. 갑은 자료 분석 단계에서, 을은 연구 결과 발표 단계에서 지켜야 할 연구 윤리를 강조하고 있다.

① ㄱ, ㄴ　② ㄱ, ㄷ　③ ㄴ, ㄷ　④ ㄴ, ㄹ　⑤ ㄷ, ㄹ

01

다음 연구에 대한 설명으로 옳은 것은?

> 갑은 봉사 활동 프로그램이 청소년의 사회성을 강화시킬 것이라는 가설을 세우고 연구를 하였다. 갑은 사회성이 약한 남자 고등학생 100명을 뽑아 각각 50명씩 A 집단과 B 집단으로 구분하였다. 이후 8주 동안 A 집단에는 봉사 활동 프로그램을 적용하고, B 집단에는 프로그램을 적용하지 않았다. 그 결과 A 집단 학생들의 사회성이 크게 증가하였고, B 집단에서는 거의 변화가 없었다.

① 가설이 기각되었다.
② 2차 자료를 수집하여 분석하였다.
③ 독립 변인은 봉사 활동 프로그램이다.
④ 연구 결과를 청소년에게 일반화할 수 있다.
⑤ A 집단은 통제 집단, B 집단은 실험 집단이다.

02 〔고난도〕

다음은 어느 연구 과정을 순서 없이 나열한 것이다. 이에 대한 설명으로 옳지 <u>않은</u> 것은?

> (가) 전국에 걸쳐 ㉠ 직장인 1,000명을 무작위로 선정하여 설문 조사를 실시하였다.
> (나) ㉡ 직장인의 사내 동아리 활동이 업무 스트레스 감소에 영향을 미칠 것이라는 잠정적 결론을 설정하였다.
> (다) 직장인의 업무 스트레스 감소를 위해 ㉢ 사내 동아리 활동을 적극 지원할 것을 사용자측에 제안하였다.
> (라) 설문 조사 분석 결과, 사내 동아리 활동이 활발할수록 ㉣ 업무 스트레스 감소 정도가 통계적으로 유의미하게 나타남을 확인하였다.

① ㉠은 표본 집단, ㉡은 모집단이다.
② ㉢은 종속 변인, ㉣은 독립 변인이다.
③ (다)를 통해 가설이 수용되었음을 알 수 있다.
④ (라)를 통해 독립 변인과 종속 변인 간 정(+)의 관계가 나타남을 알 수 있다.
⑤ 연구는 (나)−(가)−(라)−(다) 순으로 진행되었다.

03

밑줄 친 ㉠~㊅에 대한 설명으로 옳은 것은?

> 갑은 ㉠ '자전거 출퇴근이 ㉡ 직장인의 건강에 미치는 영향'이라는 ㉢ 주제를 선정하고 연구를 진행하였다. 갑은 '자전거 출퇴근이 직장인의 건강을 향상시킨다.'라는 가설을 설정하고, 자가용으로 출퇴근하던 ㉣ 연구 대상자 100명을 선정하여 50명씩 A, B 두 집단으로 나누었다. 이후 ㉤ A 집단에게는 6개월 동안 자전거로 출퇴근하도록 하였으며, ㉥ B 집단에게는 평소대로 자가용으로 출퇴근하도록 하였다. 6개월 후 두 집단의 건강 검진을 실시하였는데, ㊅ A 집단의 구성원 대부분이 근력이나 심폐 기능에서 현저한 향상이 있었다. 반면 B 집단의 구성원은 6개월 전과 거의 차이가 없거나 오히려 하락하였다.

① ㉠은 종속 변인, ㉡은 독립 변인이다.
② ㉢ 단계에서 연구자의 주관적 가치는 배제되어야 한다.
③ ㉣은 모집단이다.
④ ㉤은 통제 집단, ㉥은 실험 집단이다.
⑤ ㊅을 통해 가설이 수용되었음을 알 수 있다.

04

밑줄 친 ㉠, ㉡이 적용될 연구 단계를 〈보기〉에서 고른 것은?

> 사회 · 문화 현상을 과학적으로 탐구하기 위해서는 연구 과정에서 ㉠ 가치 중립을 지켜야 한다. 가치 중립이란 특정 가치나 태도에 치우치지 않는 것을 말한다. 그리고 ㉡ 가치 개입은 연구자가 자신의 가치를 연구 과정에 개입시키는 것을 말한다. 가치 개입과 가치 중립의 문제는 연구 단계에 따라 차이를 보인다.

〈보기〉
ㄱ. 청소년들의 비속어 사용이 심각함을 인식하여 이를 연구 주제로 선정하였다.
ㄴ. 청소년의 비속어 사용과 관련한 가설을 설정하였다.
ㄷ. 청소년의 비속어 사용에 대한 여러 가지 통계 자료를 수집하였다.
ㄹ. 수집된 자료를 토대로 청소년 비속어 사용의 원인, 실태 등을 분석하였다.

	㉠	㉡		㉠	㉡
①	ㄱ, ㄴ	ㄷ, ㄹ	②	ㄱ, ㄷ	ㄴ, ㄹ
③	ㄴ, ㄷ	ㄱ, ㄹ	④	ㄴ, ㄹ	ㄱ, ㄷ
⑤	ㄷ, ㄹ	ㄱ, ㄴ			

05 고난도

연구 가설 (가)~(라)에 대한 옳은 평가만을 〈보기〉에서 있는 대로 고른 것은?

> (가) 결혼 기피 풍조가 확산되면 초혼 연령이 높아지고 혼인율이 떨어질 것이다.
>
> (나) 범죄율이 높은 지역일수록 주민 간 공동체 의식 정도는 낮을 것이다.
>
> (다) 바람직한 정치 발전을 위해서는 정치인의 계파 형성 관습부터 없애야 한다.
>
> (라) 스승에 대한 존경심이 강할수록 학교생활 만족도가 클 것이다.

· 보기 ·
ㄱ. (가)는 검증의 필요성이 없으므로 가설로서 부적절하다.
ㄴ. (나)는 변인 간의 인과 관계가 명확하지 않으므로 가설로서 부적절하다.
ㄷ. (다)는 가치 중립적이지 않고 변인의 의미가 모호하므로 가설로서 부적절하다.
ㄹ. (라)는 검증이 가능하지 않으므로 가설로서 부적절하다.

① ㄱ, ㄴ 　② ㄱ, ㄷ 　③ ㄴ, ㄹ
④ ㄱ, ㄷ, ㄹ 　⑤ ㄴ, ㄷ, ㄹ

06

다음 연구 과정에서 (가)에 들어갈 단계로 가장 적절한 것은?

1단계	고령 은퇴자들에게 다양한 사회적 관계망이 어떤 의미로 작용하는지 궁금해졌다.

↓

2단계	(가)

↓

3단계	고령 은퇴자 중에서 면접 조사에 응한 10명을 대상으로 심층 면접을 하였다.

↓

4단계	자녀들과 친밀한 소통을 유지하고 있는 은퇴자들은 그렇지 않은 은퇴자들에 비해 삶의 질이 높다고 응답한 사람들이 많았다.

↓

5단계	고령 은퇴자에게 다양한 사회적 관계망의 존재는 긍정적인 사고와 자신감을 심어 주며 삶에 활력을 주고 있었다. 특히 고령 은퇴자들은 경제적 요인보다 자녀들과의 소통을 더 중요하게 여기고 있었다.

① 문제를 인식한다.
② 가설을 설정한다.
③ 자료 수집 방법을 선택한다.
④ 수집된 자료를 토대로 해석한다.
⑤ 개념의 조작적 정의를 실시한다.

07 고난도

다음 연구에 대한 설명으로 옳지 않은 것은?

> 갑은 신문 활용 교육이 논술 실력에 미치는 영향을 알아보고자 ○○ 고등학교 1학년 두 학급을 대상으로 표와 같은 계획을 세워 실험하였다. 두 학급의 학생 수는 25명으로 같다.
>
> | 구분 | 1학년 1반 | 1학년 2반 |
> |---|---|---|
> | 공통적인 조치 | (가) | |
> | 서로 다른 조치 | (나) | (다) |
>
> 실험 결과, 1학년 1반과 달리 1학년 2반은 논술 점수에 의미 있는 향상이 나타나 가설을 수용하였다.

① 방법론적 일원론에 기초한 연구 방법을 적용하였다.
② 1학년 1반은 실험 집단, 1학년 2반은 통제 집단이다.
③ (가)에는 '논술 실력에 대한 검사를 2회 실시한다.'가 들어갈 수 있다.
④ (나)에는 '신문 활용 교육을 실시하지 않는다.'가 들어갈 수 있다.
⑤ (다)에는 '신문 활용 교육을 실시한다.'가 들어갈 수 있다.

08

(가)~(마)의 연구 과정 단계에 갑의 연구 내용을 바르게 연결하여 설명한 것은?

> 갑은 A 지역의 고등학생 10명에게 자신이 하고 있는 아르바이트의 종류, 아르바이트를 통해 얻은 것 등을 묻고 그 내용을 검토하였다. 고등학생들은 아르바이트를 통해 '경제 관념이나 성취감', '시간 관리', '대인 관계' 등을 배웠으며, '아르바이트로 돈을 벌지만 함부로 써서 절제가 안 되는 경우'나 '아르바이트로 인해 일탈 행동을 했던 경우'도 경험하였다고 답했다. 이를 통해 갑은 고등학생의 아르바이트는 단순히 '돈을 벌기 위한 수단'이나 '진로나 직업에 대한 경험'이 아니라 '살아 있는 사회 경험'으로 보아야 한다고 해석하였다.

① (가)-'고등학생 아르바이트'에 대한 가치 중립적 입장을 취해야 한다.
② (나)-'고등학생 아르바이트'와 '사회 경험' 두 변인 간의 관계를 설정한다.
③ (다)-갑은 질문지법을 통해 자료를 수집하였다.
④ (라)-갑은 직관적 통찰을 통해 자료를 해석하였다.
⑤ (마)-갑은 면접 내용을 계량화하여 결론을 일반화하였다.

09

사회·문화 현상의 연구 태도와 관련하여 을에게 해 줄 수 있는 조언으로 가장 적절한 것은?

> 갑 : 우리 학교는 왜 아침 7시 30분까지 등교를 하게 할까? 아침잠이 부족해서 학생들이 학교에서도 잠자기 바쁜데도 꼭 강행하는 이유가 뭘까? 너무 비능률적이야.
> 을 : 그건 과거부터 이어져 온 우리 학교의 전통이야. 새삼스럽게 생각해 볼 이유가 없어.

① 연구 과정에서 객관적 사실과 주관적 가치를 구분하여 탐구해야 한다.
② 사회·문화 현상과 관련된 모든 요인 간의 관계를 종합적으로 파악해야 한다.
③ 현상을 수동적으로 받아들이지 않고, 이면에 담긴 의미나 원리를 파악해야 한다.
④ 특수한 사회·문화 현상이 지닌 고유한 가치와 의미를 그 사회의 맥락에서 이해해야 한다.
⑤ 사회·문화 현상 탐구 시 자신의 연구 결과에 대한 다른 연구자의 비판을 허용해야 한다.

10

(가), (나)에서 강조하고 있는 사회·문화 현상의 연구 태도를 바르게 연결한 것은?

> (가) 신문 사설을 읽어야만 논술 실력이 향상된다는 연구자 A의 주장에 대해 갑은 자신이 학급 학생들을 대상으로 실험한 바에 의하면 반드시 그렇지 않을 수 있다고 주장하였다. 이에 A는 갑이 제시한 근거를 보고 자신의 주장을 수정하였다.
> (나) 을은 국민 행복도 지수에서 우리나라보다 경제 수준이 낮은 B국이 우리나라보다 행복도 순위가 높다는 사실에 주목하였다. 을은 그 이유를 이해하려면 B국 국민의 생활 태도나 사고방식, 역사적 배경 등을 고려하여 그 현상을 이해해야 한다고 주장하였다.

	(가)	(나)
①	객관적 태도	개방적 태도
②	개방적 태도	객관적 태도
③	성찰적 태도	상대주의적 태도
④	개방적 태도	상대주의적 태도
⑤	상대주의적 태도	성찰적 태도

11

다음 편지의 필자가 지닌 사회·문화 현상의 연구 태도 내용으로 가장 적절한 것은?

> ○○○ 교수님께
> 며칠 동안 고민해 본 결과 이번 연구 프로젝트에 참여하지 않기로 했습니다. 저희 아버지께서 컴퓨터 게임 회사를 경영하시는데, 제가 컴퓨터 게임과 청소년 폭력성 간의 관계를 연구하는 팀의 대표를 맡는 것은 적절하지 않다고 생각하기 때문입니다.……

① 제3자의 입장에서 사실을 있는 그대로 관찰해야 한다.
② 연구 과정이 제대로 진행되는지 스스로 되짚어 보아야 한다.
③ 자신의 주장과 다른 주장이 존재할 수 있음을 인정해야 한다.
④ 과학적 연구의 결론이라도 잠정적인 진리로만 인식해야 한다.
⑤ 사회·문화 현상은 상황적 맥락이나 사회적 배경 속에서 이해해야 한다.

12

사회·문화 현상의 연구 태도와 관련하여 다음 대화에 대한 옳은 설명을 〈보기〉에서 고른 것은?

> 갑 : 방금 결혼을 장려하면 출산율이 올라간다고 말씀하셨는데, 그것은 문제가 있습니다. 결혼을 하고도 아기를 낳지 않는 부부가 많습니다. 따라서 저출산 문제를 혼인율 상승 촉진으로 풀어가서는 안 됩니다.
> 을 : 결혼에 대한 인식이 좋아져 혼인율이 상승하면 저출산 문제도 해결될 것입니다. 저의 이러한 주장은 진리라고 생각합니다.
> 갑 : 우리나라의 경우 양육비와 교육비가 다른 나라에 비해 많이 듭니다. 이러한 특수성을 전제하고 저출산에 대해 연구해야 합니다.

보기
ㄱ. 갑은 상대주의적 태도에 기초한 연구를 제안하고 있다.
ㄴ. 갑은 사회·문화 현상을 제3자의 입장에서 연구해야 한다고 보고 있다.
ㄷ. 을은 개방적 태도가 결여되어 있다.
ㄹ. 을은 갑의 의견이 타당성을 지녔다고 보고 있다.

① ㄱ, ㄴ ② ㄱ, ㄷ ③ ㄴ, ㄷ ④ ㄴ, ㄹ ⑤ ㄷ, ㄹ

13 고난도

(가), (나)에 나타난 문제점에 대한 옳은 진술을 〈보기〉에서 고른 것은?

> (가) 갑은 직장 여성의 결혼관에 대한 심층 면접을 실시하였다. 면접 대상자 중 일부는 질문 내용에 불편함을 느끼고 면접 중단을 요구하였으나 갑은 면접을 계속 진행하였다.
>
> (나) 을은 회사 측의 의뢰로 직원들의 애사심과 근무 태도에 대한 연구를 수행하던 중에 직원 중 일부가 업무 시간에 인터넷으로 주식 투자를 하고 있음을 알았다. 을은 주식 투자를 한 직원의 명단을 회사 측에 보고하였다.

─ 보기 ─
ㄱ. (가)에서는 연구 대상자의 자발적 참여가 보장되지 않았다.
ㄴ. (가)에서는 연구 결과를 연구 목적 이외의 용도로 사용되었다.
ㄷ. (나)에서는 연구 대상자의 익명성이 보장되지 않았다.
ㄹ. (나)에서는 연구 결과 작성 과정에서 일부 사실이 누락되었다.

① ㄱ, ㄴ ② ㄱ, ㄷ ③ ㄴ, ㄷ ④ ㄴ, ㄹ ⑤ ㄷ, ㄹ

14

다음 글의 내용과 진술의 부합 여부에 모두 옳게 응답한 학생은?

> 연구자는 연구 대상자에게 사전에 연구 목적과 과정에 관하여 알리고 연구 대상자로부터 연구에 참여하겠다는 동의를 얻어야 한다. 그런데 사전에 연구 대상자가 연구 목적이나 내용을 알게 되면, 이들의 행동에 영향을 주어 정확한 자료 수집이 어려울 수 있다. 이럴 때에는 자료 수집 이후라도 그 사실을 연구 대상자에게 알려 동의를 얻어야 한다.

진술 \ 학생	갑	을	병	정	무
연구 대상자의 자발적 참여가 보장되어야 한다.	○	○	×	○	×
연구 대상자에게 충분한 정보를 제공해야 한다.	○	×	○	×	○
연구 대상자에 의해 연구 주제가 왜곡되어서는 안 된다.	×	×	○	○	○
연구의 과정에서 연구자의 가치 중립이 요구된다.	×	○	×	○	○

(○ : 부합한다. × : 부합하지 않는다.)

① 갑 ② 을 ③ 병 ④ 정 ⑤ 무

15

다음 글의 갑이 긍정의 대답을 할 질문으로 가장 적절한 것은?

> 미국은 제2차 세계 대전 중 원자 폭탄 개발에 성공하였다. 원자 폭탄 개발에 참여한 갑은 나라를 구한 영웅으로 찬사를 받았지만, 일본에 떨어진 원자 폭탄 때문에 수많은 사람이 죽자 죄책감에 시달렸다. 이후 그는 핵무기 개발을 공개적으로 반대하였고, 미국 정부는 곧바로 그를 반역자로 낙인찍었다. 하지만 그는 죽을 때까지 자신의 의견을 굽히지 않았다.

① 인류의 발전을 위한 연구에 규제는 불필요한가?
② 연구 결과의 활용에 대한 비판적 성찰의 과정이 필요한가?
③ 연구 결과의 적용에 대한 책임으로부터 연구자는 자유로운가?
④ 연구 결과의 활용에 있어 연구자는 가치 중립적 태도를 유지해야 하는가?
⑤ 연구 과정에서 연구자는 타인의 연구 결과를 허락 없이 활용해도 되는가?

16

다음 사례에 나타난 연구 윤리 측면의 문제점으로 옳은 것은?

> 갑은 '권위에 대한 무조건적인 복종'을 알아보기 위한 연구를 '징벌에 대한 학습 효과 측정'이라고 속여 실험 대상자를 모집하였다. 그리고 실험 참가자를 2인 1조로 하여 한 명은 학생, 한 명은 교사 역할을 맡게 하였다. 교사는 학생에게 질문하고 학생이 틀리게 답하면 전기 충격을 15볼트에서 450볼트까지 올리게 하였다. 그러나 전기 충격 장치는 가짜였고, 학생 역할을 맡은 사람은 일부러 고통스러운 척 연기를 하였다. 실제로 450볼트면 즉사할 가능성도 있었지만, 450볼트까지 가도 사람이 죽지 않을 것이라는 갑의 말을 듣고 실험 대상 40명 중 26명이 450볼트까지 전압을 올렸다. 그러나 실험 이후 실험 대상자 중에는 실험을 거부하지 못하였다는 죄책감에 오랫동안 시달리는 사람들도 많았다.

① 연구 대상자의 익명성이 보장되지 않았다.
② 연구 목적에서 벗어나 연구 결과가 악용되었다.
③ 연구 결과를 축소 또는 과장하는 왜곡이 있었다.
④ 연구 결과의 공표로 연구 대상자의 인권을 침해하였다.
⑤ 연구 과정에서 윤리적으로 비난받을 연구 방법을 사용하였다.

사회적 존재로서의 인간

1단계 기출 자료 & 선지 분석

기출 자료 분석

자료 01 사회 실재론

> 개인의 행위는 외적 강제, 의무, 명령, 관습 등 사회·문화적인 요소들에 의해 구속된다. 예를 들어 층간 소음 문제는 이웃의 부주의가 아니라 주거와 관련된 사회 제도로 인한 것이며, 기업의 성공은 개별 구성원의 역량이 아닌 조직 문화가 결정하는 것이다. ── 단서 ❸

ⓒ 단서 ❶
ⓒ 단서 ❷

단서 풀이
• 단서 ❶ 개인의 행위는 개인의 자유 의지보다 사회·문화적 요소에 구속된다고 본다.
• 단서 ❷ 사회 문제는 개인의 문제가 아닌 사회 제도에 의한 것으로 본다.
• 단서 ❸ 기업의 성공은 개인이 아닌 조직 문화에 기인한 것으로 본다.

자료 분석
제시문은 개인의 행위가 사회·문화적 요소들, 사회 제도와 조직 문화 등에 의해 구속되고 결정된다고 보기 때문에 사회 실재론의 입장에 해당한다.

자료 02 사회 명목론

> A국은 공동체를 우선시하는 문화적 전통이 강하여 개인의 권리보다 국가와 사회에 대한 의무를 강조하였다. 그러나 A국의 청년들은 그러한 전통을 거부하고 개인의 권리를 더 소중한 것으로 인식하고 있다. 이에 따라 A국의 법률이나 정책에도 변화가 일어나고 있다.

ⓒ 단서 ❶
ⓒ 단서 ❷

단서 풀이
• 단서 ❶ A국은 공동체를 우선시하는 문화적 전통이 강하다.
• 단서 ❷ A국의 청년들은 전통을 거부하고 개인의 권리를 더 중시하고 있다.

자료 분석
A국의 청년들은 개인을 사회보다 중시하는 사회 명목론의 입장에서 사회를 주체적으로 변화시키고 있다.

자료 03 사회 실재론과 사회 명목론

> (가) 에 따르면 결혼, 가족, 종교의 본질은 해당 제도에 대응되는 개인적 욕구인 성적 욕구, 부모의 애정, 종교적 본능 등으로 구성된 것이다. 이 경우 개인의 정신 상태가 유일하게 관찰 가능한 대상이 된다. 그러나 제도란 그 자체로 다양하고 복합적인 역사적 맥락을 가지며 개인의 의식 외부에 실체로서 존재하는 것이다. 실체가 존재하지 않는다면 사회학은 그 자체의 연구 대상을 가질 수 없기에, (나) 을 바탕으로 할 때 사회학이 연구 대상을 가지게 된다.

ⓒ 단서 ❶
ⓒ 단서 ❷

단서 풀이
• 단서 ❶ 사회보다 개인을 더 중요하게 생각하고 있다.
• 단서 ❷ 개인보다 사회를 더 중요하게 생각하고 있다.

자료 분석
(가)는 사회보다 개인을 더 중시하는 사회 명목론의 입장이고, (나)는 개인보다 사회를 더 중시하는 사회 실재론의 입장이다.

기출 선지 변형 O X

01 자료 01 의 글에 나타난 개인과 사회의 관계를 보는 관점에 부합하는 진술로 옳으면 ○, 틀리면 ×에 표시하시오.

① 집단의 속성은 개개인 속성의 총합이다. ○, ×

② 사회는 개인의 목표를 실현시켜 주는 수단에 불과하다. ○, ×

③ 개인의 의식과 행위는 사회에 의해 규정된다. ○, ×

④ 사회 구속력이 개인의 자유 의지보다 우위에 있다. ○, ×

⑤ 사회 문제를 해결하기 위해서는 의식 개혁보다 제도 개선이 중요하다. ○, ×

02 자료 02 의 글에 나타난 A국의 청년들이 지니고 있는 개인과 사회의 관계를 보는 관점에 대한 설명이 옳으면 ○, 틀리면 ×에 표시하시오.

① 사회는 개인과 달리 영속성을 가진 존재라고 본다. ○, ×

② 사회 규범은 개인들에 의해 형성되고 변화한다고 본다. ○, ×

③ 개인의 발전이 곧 사회의 발전이라고 본다. ○, ×

④ 사회를 하나의 유기체로 바라본다. ○, ×

⑤ 극단적인 개인주의에 빠질 가능성이 있다. ○, ×

03 자료 03 의 (가), (나)에 대한 설명이 옳으면 ○, 틀리면 ×에 표시하시오.

① (가)는 사회가 개인들의 속성으로 환원될 수 있다고 본다. ○, ×

② (가)는 (나)와 달리 개인에 대한 사회 구조의 영향력을 중시한다. ○, ×

③ (나)는 개인들이 옳다고 믿기 때문에 사회 규범이 존재한다고 본다. ○, ×

④ (나)는 개인이 사회 속에서만 존재 의미를 갖는다고 본다. ○, ×

⑤ (가), (나) 모두 사회 구조나 제도에서 사회 문제의 원인을 찾는다. ○, ×

기출 자료 분석

자료 **04** 개인과 사회의 관계를 바라보는 관점

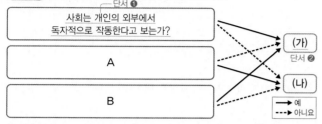

단서 풀이
- 단서 ❶ 사회가 개인의 외부에서 독자적으로 작동한다고 보는 것은 사회를 살아있는 실체로 여긴다는 의미이다.
- 단서 ❷ 첫 질문에 '예'라고 답하였기 때문에 (가)는 사회 실재론이고, (나)는 사회 명목론이다.

자료 분석
'사회가 개인의 외부에서 독자적으로 작동한다고 보는가?'의 질문에 '예'라고 답하였기 때문에 (가)는 사회 실재론이고, (나)는 사회 명목론이다. 따라서 A에는 사회 명목론과 관련된 질문이 적절하고, B에는 사회 실재론과 관련된 질문이 적절하다.

자료 **05** 사회화를 바라보는 관점

단서 풀이
- 단서 ❶ 갑의 키워드인 '타인과의 상호 작용' 통해 상징적 상호 작용론임을 알 수 있다.
- 단서 ❷ 을의 키워드인 '사회를 유지하는 데 필수적 요소'를 통해 기능론임을 유추할 수 있다.

자료 분석
갑은 개인과 타인과의 상호 작용을 중시하고 있으므로 상징적 상호 작용론이다. 을은 사회의 안정과 질서의 유지를 강조하고 있으므로 기능론이다.

이것도 알아둬
상징적 상호 작용론은 미시적 관점이고, 기능론과 갈등론은 거시적 관점이다.

기출 선지 변형 ○ X

04 자료 **04** 의 그림에 대한 설명이 옳으면 ○, 틀리면 ×에 표시하시오.

① (가)는 개인의 능동성보다 사회 규범의 구속성을 중시한다. ○, ×

② (가)는 전체를 위한 개인의 희생을 정당화할 우려가 있다. ○, ×

③ (나)는 사회 현상의 분석 단위로서 개인의 의식, 심리 상태 등을 간과한다. ○, ×

④ (나)는 사회를 실체가 없는 허구적 개념에 불과한 것으로 본다. ○, ×

⑤ (가), (나) 모두 사회는 개인들 간의 합의에 따라 움직인다고 본다. ○, ×

⑥ A에는 '사회 문제를 해결하기 위해 제도적 개입보다 개인의 의식 변화를 강조하는가?'가 적절하다. ○, ×

⑦ B에는 '사회가 개인으로 환원될 수 있다고 보는가?'가 적절하다. ○, ×

05 자료 **05** 의 갑, 을의 입장에 대한 설명이 옳으면 ○, 틀리면 ×에 표시하시오.

① 갑은 사회화 과정에서 개인의 능동성을 강조한다. ○, ×

② 갑은 을과 달리 미시적 관점에서 사회화를 바라보고 있다. ○, ×

③ 갑은 을과 달리 사회화를 통해 기존의 계층 구조를 재생산한다고 본다. ○, ×

④ 을은 사회화의 내용을 구성원 모두가 합의한 것으로 본다. ○, ×

⑤ 을은 사회화를 개인이 사회에 적응하기 위해 사회적 요구를 학습하는 과정으로 본다. ○, ×

⑥ 을은 갑과 달리 사회화를 기득권 집단의 이익에 부합하는 방식으로 운영하고 억압하는 수단으로 본다. ○, ×

⑦ 갑, 을 모두 사회 구조가 개인의 사회화에 미치는 영향력을 강조한다. ○, ×

기출 자료 분석

자료 06 공식적 사회화 기관과 비공식적 사회화 기관

> 인간이 개인적 존재에서 사회적 존재로 성장하는 데 영향을 주는 사회적 관계 또는 장소를 사회화 기관이라고 한다. 사회화 기관을 목적에 따라 분류할 때, ⑦ 은 사회화를 목적으로 설립하여 체계적으로 사회화를 수행하는 기관을 의미하고, ⓒ 은 본연의 목적이 따로 있으나 부수적으로 사회화 기능을 담당하는 기관을 의미한다. ─단서❷ ─단서❸

단서 풀이

• 단서 ❶ 사회화 기관을 목적에 따라 분류하면 공식적 사회화 기관과 비공식적 사회화 기관으로 구분할 수 있다.

• 단서 ❷ 사회화를 목적으로 설립하여 사회화를 체계적으로 수행하는 기관은 공식적 사회화 기관이다.

• 단서 ❸ 본연의 목적은 따로 있으나 부수적으로 사회화 기능을 담당하는 기관은 비공식적 사회화 기관이다.

자료 분석

사회화 기관을 목적에 따라 분류하면 공식적 사회화 기관과 비공식적 사회화 기관으로 구분할 수 있다. 사회화를 목적으로 설립하여 사회화를 체계적으로 수행하는 기관은 공식적 사회화 기관이고, 본연의 목적은 따로 있으나 부수적으로 사회화 기능을 담당하는 기관은 비공식적 사회화 기관이다. 따라서 ⑦은 공식적 사회화 기관이고, ⓒ은 비공식적 사회화 기관이다.

자료 07 사회화 기관의 분류

질문	사회화 기관		
─단서❶ ─단서❷	A	B	C
사회화를 목적으로 설립되었는가?	아니요	예	아니요
2차적 사회화 기관에 해당하는가?	예	예	아니요

※ A~C는 각각 가족, 대학교, 기업 중 하나임 ─단서❹
─단서❸

단서 풀이

• 단서 ❶ 사회화를 목적으로 설립된 기관은 공식적 사회화 기관이다.

• 단서 ❷ 비공식적 사회화 기관에는 회사, 또래 집단, 대중 매체 등이 있다.

• 단서 ❸ 2차적 사회화 기관에는 학교, 회사, 대중 매체 등이 있다.

• 단서 ❹ 1차적 사회화 기관에는 가족, 또래 집단 등이 있다.

자료 분석

제시된 표는 사회화 기관을 공식적·비공식적 사회화 기관과 1·2차적 사회화 기관으로 구분하고 있다. 첫 번째 질문은 공식적 사회화 기관에 해당되는지를 묻고 있으므로 '예'라고 응답한 B는 가족, 대학교, 기업 중 대학교에 해당한다. 두 번째 질문에서 2차적 사회화 기관에 해당하는 A, B 중 B는 대학교이므로 A는 기업이며, '아니요'라고 응답한 C는 가족이다.

이것도 알아둬

기업, 대학교, 가족의 사회화 기관 구분

기업	비공식적 사회화 기관, 2차적 사회화 기관
대학교	공식적 사회화 기관, 2차적 사회화 기관
가족	비공식적 사회화 기관, 1차적 사회화 기관

기출 선지 변형 O X

06 **자료 06**의 ⑦, ⓒ에 대한 설명이 옳으면 ○, 틀리면 ×에 표시하시오.

① ⑦은 1차적 사회화 기관이다. ○, ×

② ⓒ에는 또래 집단과 대중 매체가 해당된다. ○, ×

③ ⑦은 ⓒ과 달리 정서적인 부분의 사회화를 담당한다. ○, ×

④ ⓒ의 사회화 기관은 모두 2차적 사회화 기관이다. ○, ×

⑤ ⓒ은 ⑦과 달리 전문적 사회화를 담당할 수 있다. ○, ×

⑥ ⑦, ⓒ 모두 성인기의 재사회화를 담당할 수 있다. ○, ×

⑦ 현대 사회에서는 ⓒ보다 ⑦의 사회화 기능이 더 중시되고 있다. ○, ×

07 **자료 07**의 표에서 A~C에 대한 설명이 옳으면 ○, 틀리면 ×에 표시하시오.

① C와 달리 A에서는 재사회화 과정이 요구된다. ○, ×

② 개인 간 또는 집단 간에 간접적 접촉이 활발해지면서 A는 그 영향력이 확대되고 있다. ○, ×

③ C보다 A와 B가 개인의 인성 형성에 더 중요한 역할을 한다. ○, ×

④ A와 C보다 B가 사회화 과정 및 내용의 체계성 정도가 강하다. ○, ×

⑤ 현대 사회가 급변하면서 B는 예기 사회화 기능이 강화되기도 한다. ○, ×

⑥ 산업 사회가 되면서 사회화 과정에서 A와 B에 비해 C의 역할이 증대되었다. ○, ×

⑦ B와 달리 C는 비공식적 사회화 기관에 해당한다. ○, ×

기출 자료 분석

자료 08 사회적 지위와 역할, 역할 갈등

┌─── 단서 ❶
• 교사라는 꿈을 실현한 갑은 학교에 처음 도입된 '스마트 교실'의 운영을 위해 퇴근 후 교육연수원에서 연수를 받고 있다. 그런데 부모님의 갑작스러운 입원으로 연수를 그만두어야 할지 고민 중이다.
┌─── 단서 ❷
• 직장 생활에 만족하지 못하는 회사원 을은 요리사의 꿈을 실현하고자 매일 퇴근 후 요리 학원을 다니며 한식 조리사 자격증을 준비하고 있다. 하지만 아내가 반대하여 학원을 그만두어야 할지 고민 중이다. ─── 단서 ❹

단서 풀이
• 단서 ❶ 교사인 갑은 새로운 환경 변화에 적응하기 위해 교육 연수를 받으며 재사회화를 경험하고 있다.
• 단서 ❷ 교사라는 지위와 자녀라는 지위 간에 갈등이 나타나 있다.
• 단서 ❸ 직장인 을은 직장 생활에 만족하지 못하여 다른 직장을 구하고자 요리 학원을 다니고 있다. 이는 예기 사회화를 의미한다.
• 단서 ❹ 지위에 따른 역할 갈등이 아니라 심리적 고민이다.

자료 분석
• 교사인 갑은 '스마트 교실'이라는 새로운 교육 시스템에 적응하기 위한 재사회화의 과정, 직장인 을은 소속 집단인 현재의 직장에 만족하지 못하고 새로운 직장을 준비하기 위한 예기 사회화의 과정을 경험하고 있다.
• 교사인 갑은 입원하신 부모님을 위해 자식으로서 해야 할 역할과 연수 과정을 수료해야 하는 교사로서의 역할 사이에서 갈등하고 있다. 직장인 을은 역할 간의 갈등이 아니라 학원 수강을 더 할지 말지에 대한 심리적 고민을 하고 있다.

자료 09 사회적 지위와 역할, 준거 집단과 내집단

제○○호 ○○**신문** 2015년 ○월 ○일
┌── 단서 ❶
축구 선수 갑은 수년 간 해외 구단에서 주전 공격수로 활동하다가 부진으로 인해 ㉠ 계약 해지를 통보받았다. ㉡ 향후 거취를 고민하던 갑은 국내 프로 축구팀 ㉢ 감독인 ㉣ 아버지 을의 권유로 국내 리그에 복귀하였다. 그 후 ㉤ ☆☆축구협회에서 지도자 연수를 받고 코치 겸 선수로 뛰던 갑은 지치지 않는 체력과 탁월한 리더십을 발휘하며 소속팀을 우승으로 이끌었다. 그 결과 ㉥ 국가 대표팀 선수로도 거론되는 등 제2의 전성기를 누리고 있다. ─── 단서 ❸

단서 풀이
• 단서 ❶ 축구 선수 갑이 해외 구단에서 계약 해지를 통보받은 것은 자신의 역할 수행을 제대로 하지 못한 것에 대한 제재에 해당한다.
• 단서 ❷ 축구 선수인 갑은 재사회화 과정을 통해 코치로서의 역할을 잘 수행하였다.
• 단서 ❸ 갑은 축구 선수이기 때문에 국가 대표팀을 준거 집단으로 하지만 소속되어 있지 않으므로 내집단은 아니다.

자료 분석
축구 선수인 갑은 해외 구단에서 선수로서의 역할을 제대로 수행하지 못해 이에 따른 제재를 받았다. 이에 감독이자 아버지의 권유로 지도자 연수를 받아 코치 겸 선수로 재사회화 과정을 거쳐 성장하였고, 축구 선수의 준거 집단인 국가 대표팀의 선수로 거론되고 있다.

기출 선지 변형 ○X

08 자료08 에서 갑, 을에 대한 설명이 옳으면 ○, 틀리면 ×에 표시하시오.

① 갑은 공식적 사회화 기관에서 재사회화를 경험하고 있다. ○, ×
② 갑에게 학교는 준거 집단인 동시에 소속 집단이다. ○, ×
③ 갑은 귀속 지위 간에 따른 역할 대립으로 갈등을 겪고 있다. ○, ×
④ 을은 비공식적 사회화 기관에서 예기 사회화를 경험하고 있다. ○, ×
⑤ 을은 갑과 달리 소속 집단과 준거 집단이 일치하지 않는다. ○, ×
⑥ 갑, 을 모두 서로 다른 성취 지위 사이에서 역할 갈등을 경험하고 있다. ○, ×
⑦ 갑, 을 모두 빠른 사회 변동에 적응하기 위해 새로운 기술과 지식을 습득하고 있다. ○, ×

09 자료09 의 글에서 ㉠~㉥에 대한 설명이 옳으면 ○, 틀리면 ×에 표시하시오.

① ㉠은 갑의 역할 수행에 대한 제재에 해당한다. ○, ×
② ㉡은 갑의 역할 갈등이다. ○, ×
③ ㉢, ㉣ 모두 후천적으로 획득한 지위이다. ○, ×
④ 갑은 공식적 사회화 기관인 ㉤에서 예기 사회화를 경험하였다. ○, ×
⑤ ㉥은 갑의 준거 집단이지만 내집단은 아니다. ○, ×
⑥ ㉥은 갑의 준거 집단인 동시에 1차적 사회화 집단이다. ○, ×
⑦ ㉤, ㉥ 모두 공식적 사회화 기관이면서 2차 집단이다. ○, ×

01 평가원
p.040 자료 01

다음 글에서 부각되는 개인과 사회의 관계를 보는 관점에 부합하는 진술을 〈보기〉에서 고른 것은?

> 민원인이 관료제 특징을 보이는 기관을 방문하여 일처리를 하다 보면 좌절감을 경험하는 경우가 많다. 이러한 좌절감은 민원인의 무능력 때문인가? 아니면 이곳저곳에서 문서를 여러 번 작성하게 하는 직원 개인의 잘못 때문인가? 이러한 좌절감은 조직의 규모 등과 같은 요인에 의해서 설명될 수 있다. 조직의 규모는 운영 방식에 영향을 주어 조직의 독특한 특성을 형성하고, 개인은 이 특성으로부터 자유로울 수 없다.

─ 보기 ─
ㄱ. 개인은 사회에 의해 구조화된 행동을 한다.
ㄴ. 개인은 사회 속에서만 존재 의미를 갖는다.
ㄷ. 사회는 개인의 자율적인 의지에 의해 형성된다.
ㄹ. 사회는 개인의 속성에 의해 그 속성이 결정된다.

① ㄱ, ㄴ ② ㄱ, ㄷ ③ ㄴ, ㄷ ④ ㄴ, ㄹ ⑤ ㄷ, ㄹ

02 평가원

다음에 나타난 개인과 사회의 관계를 바라보는 관점에 대한 옳은 진술을 〈보기〉에서 고른 것은?

> 생산 요소로서 육체적 노동력이 중시되던 농업 사회에서는 노동력의 재생산을 위한 조혼과 다산이 사회 구성원들에게 자연스러운 삶의 방식으로 받아들여졌다. 그러나 전문화되고 숙련된 노동이 중시되는 현대 사회는 사회 구성원들에게 오랜 기간의 교육과 훈련을 요구하며, 그 결과 사회 전체적으로 초혼 연령이 높아지고 출산율이 낮아지게 되었다. 이처럼 개인의 선택처럼 보이는 초혼 시기와 출산 계획조차도 당대의 산업 구조로부터 자유로운 것은 아니다.

─ 보기 ─
ㄱ. 개인은 사회 속에서만 존재 의미를 갖는다고 본다.
ㄴ. 사회는 개인으로 환원하여 설명될 수 있다고 본다.
ㄷ. 사회는 개인의 외부에서 독자적으로 작동한다고 본다.
ㄹ. 개인의 능동성이 사회 규범의 구속성보다 우선한다고 본다.

① ㄱ, ㄴ ② ㄱ, ㄷ ③ ㄴ, ㄷ ④ ㄴ, ㄹ ⑤ ㄷ, ㄹ

03 교육청

다음은 개인과 사회의 관계를 보는 갑과 을의 서로 다른 관점이다. 을의 관점에 부합하는 진술은?

> 갑: 도덕은 개인적 양심에서 나오는 것이 아니라, 사회로부터 주어지는 것이야. 도덕적이라는 것은 사회적으로 적절한 것이라는 의미이지.

> 을: 도덕은 개인 각자가 선하고 올바른 것이라고 생각하는 덕목을 모은 것이야. 사회의 도덕은 개개인이 가진 덕목의 총합과 같아.

① 개인의 속성이 사회의 속성을 결정한다.
② 사회는 개인의 외부에서 독자적으로 작동한다.
③ 사회적 사실은 개인적 행위로 환원될 수 없다.
④ 개인은 사회에 의해 구조화된 행동을 하게 된다.
⑤ 개인은 집단 전체와의 관련 속에서만 존재 의미가 있다.

04 수능
p.040 자료 03

(가), (나)에 나타난 개인과 사회의 관계를 바라보는 관점에 대한 설명으로 옳은 것은?

> (가) 사회화는 사회가 바람직하다고 여기는 행위 양식을 개인에게 내면화시키는 과정이다. 개인은 주어진 행위 양식 이외에 다른 선택이 있다는 사실조차 의식하지 못한다. 사회 속 개인의 어떠한 행위 양식도 개인이 스스로 만들어 내는 경우는 없다.
> (나) 사회화는 단순히 정보를 받아들이는 일방적인 과정이 아니라 자신의 상황에 따라 외부의 대상을 재구성하고 그것에 의미를 부여하는 동적인 과정이다. 대상은 현실 세계에 객관적으로 존재하는 것처럼 보이지만, 정작 실재하는 것은 개별 행위자들이 대상에 부여하는 다양한 의미이다.

① (가)의 관점은 사회가 개인의 외부에서 독자적으로 작동한고 본다.
② (나)의 관점은 개인이 사회에 의해 구조화된 행동을 한다고 본다.
③ (가)의 관점은 (나)의 관점과 달리 사회 현상은 개인의 자율적인 의지에 의해 만들어진다고 본다.
④ (나)의 관점은 (가)의 관점과 달리 개인은 사회 속에서만 존재 의미를 가질 수 있다고 본다.
⑤ (가), (나)의 관점은 모두 개인의 자율성이 사회 규범의 구속성보다 우선한다고 본다.

05 평가원

다음은 개인과 사회를 바라보는 관점에 대한 글이다. A에 들어갈 적절한 진술을 〈보기〉에서 고른 것은?

> 사회에 대해 어떤 사람들은 '본능', '의지', '모방 성향', '이기심과 합리적 선택'과 같은 구성원의 개인적인 특성을 기반으로 분석한다. 이런 관점은 사회 구조가 개인의 특성과 행동을 집합한 결과라는 점을 전제한다. 그런데 이는 개인의 특성과 행동을 규정하는 근원적인 규범이 존재함을 무시하는 것이다. 이 점에서 "____A____"라는 주장에는 동의할 수 없다.

〈보기〉
ㄱ. 사회적 사실은 개인적 행위로 환원될 수 없다.
ㄴ. 개인의 능동성이 사회의 구속성보다 우선한다.
ㄷ. 사회 규범은 개인들이 옳다고 믿기에 존재한다.
ㄹ. 개인은 집단 전체와의 관련 속에서만 존재 의미를 지닌다.

① ㄱ, ㄴ ② ㄱ, ㄷ ③ ㄴ, ㄷ ④ ㄴ, ㄹ ⑤ ㄷ, ㄹ

06 수능

다음 자료에서 교사의 질문에 옳게 응답한 학생을 고른 것은?

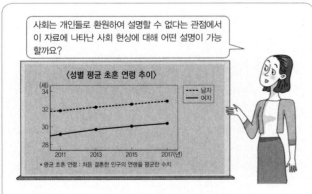

> 사회는 개인들로 환원하여 설명할 수 없다는 관점에서 이 자료에 나타난 사회 현상에 대해 어떤 설명이 가능할까요?

〈성별 평균 초혼 연령 추이〉
• 평균 초혼 연령 : 처음 결혼한 인구의 연령을 평균한 수치

갑: 결혼이 필수라고 생각하지 않아 자발적으로 독신을 선택한 사람이 늘어난 결과입니다.
을: 경기 침체로 취업난이 날로 심해지면서 결혼 시기를 놓친 사람이 늘어난 결과입니다.
병: 결혼보다 다른 개인적 가치 추구를 더 중시하여 결혼을 미루는 사람이 늘어난 결과입니다.
정: 주택 가격 폭등으로 신혼집 마련이 어려워 결혼을 늦출 수밖에 없는 사람이 늘어난 결과입니다.

① 갑, 을 ② 갑, 병 ③ 을, 병 ④ 을, 정 ⑤ 병, 정

07 교육청

자료는 개인과 사회의 관계를 보는 관점 A, B를 구분한 것이다. 이에 대한 설명으로 옳은 것은?

질문 관점	A	B
사회가 개인의 외부에 독립적으로 실재한다고 보는가?	㉠	㉡
(가)	아니요	예

A는 사회가 개인의 행동을 통제하기 때문에 사회 현상을 이해하기 위해서는 개별 행위자들의 특성을 파악하기보다 사회 자체가 갖고 있는 원리와 법칙을 찾아야 한다고 본다.

① ㉠은 '아니요', ㉡은 '예'가 적절하다.
② A는 B와 달리 사회 규범은 개인이 옳다고 믿기에 존재한다고 본다.
③ B는 A와 달리 전체를 위한 개인의 희생을 정당화할 우려가 있다.
④ 사회 문제의 해결책으로 A는 의식 개혁, B는 제도 개선을 강조한다.
⑤ (가)에는 '사회를 개인으로 환원하여 설명할 수 있다고 보는가?'가 적절하다.

08 교육청   p.041 자료 04

그림은 개인과 사회의 관계를 바라보는 관점 A, B를 구분한 것이다. 이에 대한 옳은 설명을 〈보기〉에서 고른 것은?

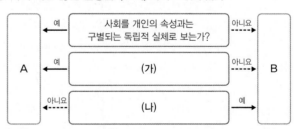

사회를 개인의 속성과 구별되는 독립적 실체로 보는가?
A ← 예 / 아니요 → B
(가)
(나)

〈보기〉
ㄱ. A는 사회가 개인의 총합에 불과하다고 본다.
ㄴ. B는 개인이 사회를 변화시킬 수 있는 자율성을 지닌 주체라고 본다.
ㄷ. (가)에는 '개인의 사고와 행동에 미치는 사회 구조의 영향력을 강조하는가?'가 들어갈 수 있다.
ㄹ. (나)에는 '사회 문제의 발생 원인을 개인적 측면보다 제도적 측면에서 찾는가?'가 들어갈 수 있다.

① ㄱ, ㄴ ② ㄱ, ㄷ ③ ㄴ, ㄷ ④ ㄴ, ㄹ ⑤ ㄷ, ㄹ

09 교육청
p.041 자료 05

사회화를 바라보는 갑, 을의 관점에 대한 옳은 설명을 〈보기〉에서 고른 것은?

> 사회화는 개인이 사회에 적응하기 위해 사회적 요구를 학습하는 과정입니다. 이는 사회의 유지와 통합에 기여합니다.

갑

> 사회적 요구에는 지배 집단의 가치가 반영되어 있습니다. 사회화를 통해 현재의 불평등한 구조가 교묘하게 정당화될 뿐입니다.

을

·보기·

ㄱ. 갑의 관점은 사회화의 내용이 사회 전체적으로 합의된 것이라고 본다.

ㄴ. 을의 관점은 사회화를 통해 기존의 계층 구조가 재생산된다고 본다.

ㄷ. 갑의 관점은 을의 관점과 달리 사회 구조가 개인의 사회화에 미치는 영향력을 간과한다.

ㄹ. 을의 관점은 갑의 관점과 달리 사회화가 타인과의 상호 작용을 통해 자아를 형성하는 과정이라고 본다.

① ㄱ, ㄴ ② ㄱ, ㄷ ③ ㄴ, ㄷ ④ ㄴ, ㄹ ⑤ ㄷ, ㄹ

10 수능
p.042 자료 06

사회화 기관 A~C에 대한 설명으로 옳은 것은?

> 전통 사회에서는 한 개인이 출생을 통해 소속되는 [A] 이/가 개인의 사회적 신분을 결정하고 그에 따른 역할과 규범을 학습시켰다. 현대 사회에서도 [A] 이/가 위치한 사회적 계층에 따라 사회화의 차이가 존재한다. 아동은 비슷한 연령의 타인과 [B] 을/를 이루고, 상호 작용을 통해 자신들만의 사회적 규칙을 만드는 등 교환과 협동의 경험을 한다. 한편, [C] 은/는 공식적 사회화를 통해 아동에게 지식과 기술, 가치와 태도 등을 가르쳐 그들을 더 큰 사회로 인도한다.

① A는 원초적 사회화, C는 재사회화를 전담한다.

② A는 1차 집단, B와 C는 2차 집단에 해당한다.

③ A는 B와 달리 이익 사회에 해당한다.

④ B는 A와 달리 비공식적 사회화 기관이다.

⑤ C는 A, B와 달리 2차적 사회화 기관이다.

11 교육청

밑줄 친 ㉠~㉤에 대한 옳은 설명을 〈보기〉에서 고른 것은?

> 최근 ㉠ 대학교와 산업체 간의 제휴가 활발해지고 있다. 대학생을 대상으로 산업체의 요구가 반영된 강좌를 개설하는 대학교가 증가하고 있는 것이다. ㉡ 이러한 변화는 대졸 신입 사원이 기업에 와서 별도의 ㉢ 연수 과정을 거치지 않으면 업무를 수행하지 못한다는 문제에 기인한다. 그런데 이러한 변화에 대하여 ㉣ 대학교의 본래 기능이 훼손될 우려가 있다고 ㉤ 비판하는 사람도 적지 않다.

·보기·

ㄱ. ㉠은 공식적 사회화 기관과 비공식적 사회화 기관의 협동에 해당한다.

ㄴ. ㉡은 대학교의 재사회화 기능 강화를 의미한다.

ㄷ. ㉢을 통해 2차적 사회화가 이루어진다.

ㄹ. ㉤이 생각하는 ㉣은 1차적 사회화이다.

① ㄱ, ㄴ ② ㄱ, ㄷ ③ ㄴ, ㄷ ④ ㄴ, ㄹ ⑤ ㄷ, ㄹ

12 평가원
p.042 자료 07

〈자료 1〉의 밑줄 친 ㉠~㉣을 〈자료 2〉의 (가)~(다)로 옳게 분류한 것은?

〈자료 1〉

A국에서 ㉠ 대학을 다니던 갑은 난민 신청 절차를 거쳐 B국으로 입국하였다. B국에서 갑은 경제 및 의료 지원 프로그램을 운영하는 ㉡ '○○난민 지원 센터'로부터 정착을 위한 서비스를 제공받고 있다. ㉢ 신문에서 A국과 관련된 기사를 볼 때마다 갑은 고향에 두고 온 ㉣ 가족이 떠올라 잠을 이루지 못한다. 하지만 갑은 낯선 B국에 정착하기 위하여 노력하고 있다.

〈자료 2〉

질문 \ 사회화 기관	(가)	(나)	(다)
사회화를 목적으로 설립되었는가?	예	아니요	아니요
기초적 수준의 사회화를 담당하는가?	아니요	아니요	예

	(가)	(나)	(다)
①	㉠	㉡	㉢, ㉣
②	㉠	㉡, ㉢	㉣
③	㉡	㉢	㉠, ㉣
④	㉢	㉡, ㉣	㉠
⑤	㉠, ㉡	㉣	㉢

13 평가원

다음은 갑의 일기 중 일부이다. (가), (나)에 대한 설명으로 옳은 것은?

> (가) 2010년 ○월 ○일
> 의과 대학에 입학한 지 벌써 1년이 넘었지만, 여전히 이곳에 대한 애착 없이 나만 겉돌고 있다. 얼마 전 학점 취득을 위해 봉사 활동을 다녀온 후 구호단체에서 일하는 것이 의미 있다는 확신을 갖게 되었다. 병원장의 아들로서 가업을 잇기를 바라는 부모님께 이런 생각을 어떻게 말씀드려야 할지 고민이다.

> (나) 2018년 ○월 ○일
> 의사가 아닌 다른 길을 잘 선택한 것 같다. 간절히 원하던 □□ 국제 구호 기관에서 일한 지 벌써 1년이 되었다. 오늘부터 기관 연수원에서 해외 파견 활동가 교육을 받기 시작했다. 외동아들을 멀리 떠나보낼 아버지의 걱정에도 불구하고 교육을 마치면 외국에서 일하게 된다. 그런데 외국에 가게 되면 사랑하는 여자 친구와 사이가 멀어질까 봐 고민이다.

① (가)와 달리 (나)에는 갑의 귀속 지위가 나타나 있다.
② (가)와 달리 (나)에는 갑의 내집단과 준거 집단이 일치하고 있다.
③ (나)와 달리 (가)에는 갑의 역할 행동이 나타나 있다.
④ (나)와 달리 (가)에는 공식적 사회화 기관이 나타나 있다.
⑤ (가), (나) 모두 갑의 역할 갈등이 나타나 있다.

14 교육청

밑줄 친 ㉠~㉤에 대한 설명으로 옳은 것은?

> 최근 아나운서 출신 갑이 언론의 주목을 받고 있다. 갑은 어린 시절부터 꿈꾸어 왔던 아나운서가 되기 위해 ㉠ ○○방송사에 입사한 후 다양한 프로그램에서 종횡무진으로 활동하였다. 이후 갑은 ㉡ 더 큰 무대로 진출할 것인지, 안정된 직장을 선택할 것인지 고민하다가 ○○방송사를 그만두며 프리랜서를 선언하고 ㉢ 연기자가 되었다. 이후 비교적 짧은 기간에 여러 편의 드라마에 출현하는 등 ㉣ 대중의 인기를 얻었으나, 해외에서 어려운 아이들을 돕는 프로그램에 참여한 것을 계기로 △△국의 빈민 지역으로 이주하여 현재 ㉤ 자원봉사자로 활동하고 있다.

① ㉠은 갑의 내집단이자 준거 집단이다.
② ㉡은 갑이 겪었던 역할 갈등이다.
③ ㉢이 되기 위해 갑은 ㉠에서 재사회화를 경험하였다.
④ ㉣은 ㉢으로서의 갑의 역할에 대한 보상이다.
⑤ ㉤은 갑의 성취 지위이다.

15 평가원

p.043 자료 08

다음 사례에 대한 옳은 분석만을 〈보기〉에서 있는 대로 고른 것은?

> • IT 회사의 앱 개발 팀장인 갑은 자신이 개발한 앱으로 인해 많은 부와 명예를 누리고 있다. 갑은 첫 출산을 앞두고 예비 부모 교실에 참석하면서 남편과 자녀 양육 분담을 계획하였다. 하지만 남편의 갑작스러운 해외 발령으로 자녀 양육에 대해 남편과 갈등을 겪었다.
> • 가난한 집안의 장남인 을은 원하던 회사에 합격해 입사 전 신입 사원 연수를 받았다. 입사 이후 회사 생활에 회의를 느낀 을은 회사를 계속 다닐지 창업을 할지 고민하다가, 동료와 함께 창업 후 경영인상을 수상하는 등 기업의 대표로서 승승장구하고 있다.

〈보기〉
ㄱ. 갑은 을과 달리 역할 수행에 따른 보상을 받았다.
ㄴ. 을은 갑과 달리 성취 지위와 귀속 지위에 따른 역할 갈등을 경험하였다.
ㄷ. 갑, 을 모두 예기 사회화를 경험하였다.
ㄹ. 갑, 을 모두 비공식적 사회화 기관에서 일하고 있다.

① ㄱ, ㄴ   ② ㄱ, ㄷ   ③ ㄷ, ㄹ
④ ㄱ, ㄴ, ㄹ   ⑤ ㄴ, ㄷ, ㄹ

16 수능

밑줄 친 ㉠~㉤에 대한 설명으로 옳은 것은?

 기자: □□영화제에서 ㉠ 신인상을 받으셨습니다. 영화계에 입문한 계기는 무엇입니까?

 영화배우 갑: ○○대학 시절 인문학부의 ㉡ 공연 관람 동아리 활동을 통해 ㉢ 연극배우가 되겠다고 결심을 하였습니다. 졸업 후, ㉣ ◇◇대학 연극학과에 합격하였지만 영화 오디션을 통해 주연으로 발탁되어 입학을 포기하고 영화배우가 되었습니다.

 기자: 올해 새로운 대중 영화에 출연하셨고, △△ 독립 영화제 ㉤ 집행 위원장까지 맡으셨는데요. 어려운 점은 없나요?

 영화배우 갑: 독립 영화제의 홍보에 힘쓸지, 제가 출연한 영화의 홍보에 힘쓸지 ㉥ 고민이 큽니다.

① ㉠은 갑의 역할에 대한 보상이다.
② ㉡과 ㉣은 모두 공식적 사회화 기관이다.
③ ㉢과 ㉤은 모두 갑의 성취 지위이다.
④ ㉣에서 갑은 재사회화를 경험하였다.
⑤ ㉥은 갑의 역할 갈등이다.

17 수능
밑줄 친 ㈀~㈄에 대한 설명으로 옳은 것은?

갑은 건축가가 되기를 원하는 아버지의 뜻에 따라 ㈀ 건축학과에 진학했지만, 요리에 관심을 갖게 되면서 졸업 후 외식 사업에 뛰어들었다. 한때는 매출 부진으로 인해 자신이 세운 회사의 ㈁ 대표 이사 자리에서 해임되기도 했지만, 이후 재기를 도모하여 현재는 여러 브랜드를 소유할 정도로 ㈂ 사람들에게 널리 인정받는 ㈃ 기업인이 되었다. 또한, 갑은 꿈을 찾는 청소년을 위해 ㈄ 청소년 수련원에 후원금을 내고 있다. 최근에는 경쟁 관계에 있는 두 개의 ㈅ 방송사 프로그램에서 동시에 출연 제의를 받고 ㈆ 어느 쪽을 선택할지 고민하는 중이다.

① ㈀은 갑의 아버지의 준거 집단이자 내집단이다.
② ㈁과 ㈂은 각각 ㈃로서의 갑의 역할 행동에 대한 제재와 보상이다.
③ ㈄은 앞으로 얻게 될 지위에 요구되는 역할을 미리 학습하는 1차적 사회화 기관이다.
④ ㈀, ㈅은 공식적 사회화 기관, ㈄은 비공식적 사회화 기관이다.
⑤ ㈆은 갑이 복수의 성취 지위로 인해 겪고 있는 역할 갈등이다.

18 수능
밑줄 친 ㈀~㈅에 대한 설명으로 옳은 것은?
p.043 자료 09

유명 연예인인 어머니의 반대에도 불구하고, 배우가 되고 싶었던 갑은 ㈀ 연예인 2세라는 것을 숨기고 ㈁ A인터넷 쇼핑몰에서 모델로 일하며 ㈂ 연기 학원에서 연기와 노래를 배우고 있었다. 갑은 스스로 인지도를 높이기 위해 ㈃ 시청자 평가단의 투표 결과에 따라 ㈄ 가수 데뷔가 결정되는 ㈅ TV 프로그램에 지원하여 치열한 경쟁 과정을 통해 가수로 데뷔하였다. 인기가 높아지자 갑은 가수로 계속 활동해야 할지 가수를 그만두고 원래 계획했던 배우로 전향해야 할지 ㈆ 고민이다.

① ㈀, ㈄ 모두 개인의 능력과 노력에 의해 획득한 지위이다.
② ㈁은 비공식적 사회화 기관, ㈂은 2차적 사회화 기관이다.
③ ㈃은 갑의 외집단이자 준거 집단이다.
④ ㈅은 재사회화에 해당한다.
⑤ ㈆은 갑의 역할 갈등에 해당한다.

19 교육청
밑줄 친 ㈀~㈄에 대한 설명으로 옳지 않은 것은? (두 개)

장발장은 ㈀ 조카를 위해 ㈁ 빵을 훔친 죄로 ㈂ 교도소에 들어갔다. 그는 출소한 이후 사람들로부터 냉대를 받는다. 신부의 도움으로 갱생의 길을 걷던 그는 불미스러운 일에 휘말려 ㈃ 그를 체포했던 자베르 경감에게 다시 쫓기는 신세가 되고 만다. 신분을 숨긴 채 살면서 사업에 성공하고, 작은 도시의 ㈄ 시장까지 지내게 된다. 시장으로서 ㈅ 사람들에게 존경을 받던 그는 다른 사람이 자기 대신 누명을 쓰게 되자 죄책감에 ㈆ 고민하다 결국 자신이 장발장임을 밝힌다.

① ㈂은 2차적 사회화 기관이다.
② ㈆은 역할 갈등에 해당한다.
③ ㈄은 ㈀과 달리 성취 지위이다.
④ ㈅은 ㈄으로서의 역할 행동에 대한 보상이다.
⑤ ㈁, ㈃은 모두 장발장의 역할 행동에 해당한다.

20 교육청
다음 사례에 대한 설명으로 옳은 것은?

제○○호 · · · · · · · · · · · · · · · · · · ◇◇소식

**3학년 학생 갑,
'자랑스런 인재상' 선정**

갑은 ㈀ 전교학생회장으로서 ㈁ 공약으로 제시한 내용을 잘 이행하였다. 그 공로를 인정받은 갑은 시상식에서 "㈂ 청소년 단체의 가입 여부를 고민했었는데, 청소년 단체를 포기하고 학생회 활동에 집중한 것이 좋은 결과를 가져온 것 같습니다."라고 소감을 밝혔다.

**㈃ ◇◇고등학교 교사 을,
㈄ 교육부 장관 표창 수상**

㈅ 진로 체험 과정을 성공적으로 운영한 공로를 인정받아 표창을 받은 을은 "아빠로서 자녀 양육에 더 참여하였으면 하는 ㈆ 아내의 바람과, 교사로서 학생 진로 지도에 더 힘써주기를 바라는 학교의 요구 사이에서 고민했던 한 해였습니다."라고 소감을 밝혔다.

① 갑은 ㈂에서 예기 사회화를 경험하였다.
② ㈀과 ㈅ 모두 성취 지위이다.
③ ㈁은 갑의 역할, ㈅은 을의 역할 행동이다.
④ ㈃은 공식적 사회화 기관, ㈄은 1차적 사회화 기관이다.
⑤ 갑, 을 모두 역할 갈등을 경험하였다.

21 평가원

밑줄 친 ⊙~ⓗ에 대한 설명으로 옳은 것은?

갑은 교사가 되길 원하던 어머니의 희망대로 ⊙ 사회교육과에 진학하였다. 그러나 어릴 적부터 간절히 진학을 꿈꿔온 ⓒ 미술 대학이 아니었기 때문에 갑은 점점 ⓒ 학업에 흥미를 잃고 강의에도 자주 결석하였다. 사범 대학을 계속 다닐지 말지 거듭 ⓔ 고민하던 갑은 두 학과의 교육과정을 모두 이수할 수 있는 복수 전공제가 있다는 것을 알고 미술교육과의 강의를 듣기 시작하였다. 또한 미술교육과 친구들이 추천한 ⓜ 교육 봉사 동아리에 가입하여 열심히 활동하였다. 이 과정에서 가르침의 보람을 느끼게 된 갑은 졸업식장에서 ⓗ 성적 최우수상을 받을 것을 기대하며 학과 공부에 매진하고 있다.

① ⊙은 2차적 사회화 기관, ⓜ은 공식적 사회화 기관이다.
② ⓒ은 갑의 내집단이자 비공식적 사회화 기관이다.
③ ⓒ의 원인은 소속 집단과 준거 집단 간의 불일치에 있다.
④ ⓔ은 갑이 겪은 역할 갈등이며, 제도적 뒷받침에 의해 해결되었다.
⑤ ⓗ은 갑의 역할에 대한 보상에 해당한다.

22 교육청

밑줄 친 ⊙~ⓗ에 대한 설명으로 옳은 것은?

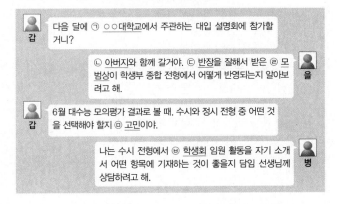

갑: 다음 달에 ⊙ ○○대학교에서 주관하는 대입 설명회에 참가할 거니?

을: ⓒ 아버지와 함께 갈거야. ⓒ 반장을 잘해서 받은 ⓔ 모범상이 학생부 종합 전형에서 어떻게 반영되는지 알아보려고 해.

갑: 6월 대수능 모의평가 결과로 볼 때. 수시와 정시 전형 중 어떤 것을 선택해야 할지 ⓜ 고민이야.

병: 나는 수시 전형에서 ⓗ 학생회 임원 활동을 자기 소개서 어떤 항목에 기재하는 것이 좋을지 담임 선생님께 상담하려고 해.

① ⊙은 공식적 사회화 기관이자 2차적 사회화 기관이다.
② ⓒ은 선천적, ⓒ은 후천적으로 획득되는 지위이다.
③ ⓔ은 ⓒ의 역할에 대한 보상이다.
④ ⓜ은 갑의 역할 갈등이다.
⑤ ⓗ은 병의 내집단, ⊙은 갑과 을 모두의 소속 집단이다.

23 평가원

밑줄 친 ⊙~ⓐ에 대한 설명으로 옳은 것은?

- 갑은 동료 교사들과 ⊙ 학교 내 ⓒ 연극 동아리 활동을 하면서 '햄릿' 공연을 준비하고 있다. ⓒ 주인공 햄릿 역할을 맡은 갑은 원작을 어떻게 해석해 연기를 해야 할지 ⓔ 고민에 빠졌다.
- 을은 ⓜ △△김씨종친회 총무이다. 또한 평소 환경 문제에도 관심이 있어 ⓗ □□환경연대라는 환경 단체에서 상임 위원으로 선출되어 활동하고 있다. 그런데 이번 주말에 두 모임의 일정이 겹쳐 어떻게 해야 할지 ⓐ 고민에 빠졌다.

① ⓒ은 갑의 내집단이면서 공동 사회이다.
② ⓒ은 갑의 ⓒ에서의 성취 지위이다.
③ ⓜ은 혈연적 특성에 의해 선천적으로 부여된 지위이다.
④ ⓗ은 ⊙과 같이 과업 지향적인 공식 조직이다.
⑤ ⓔ은 갑의, ⓐ은 을의 역할 갈등에 해당한다.

24 평가원

밑줄 친 ⓐ~ⓗ에 해당하는 개념으로 옳은 것만을 〈보기〉에서 있는 대로 고른 것은?

촉한 군대의 ⓐ 작전을 총괄하고 있는 제갈량은 ⓑ 선봉장을 맡은 마속에게 ⓒ 위나라 대군의 공격을 막기 위해 산 아래 협곡을 사수하라고 지시하였다. 그러나 마속은 ⓓ 이를 듣지 않고 ⓔ 산 위에다 진을 쳤다. 이로 인해 마속은 위나라 용장 장합에게 패하고 말았다. ⓕ 군의 기강을 바로잡아야 하는 제갈량은 지시를 어긴 그를 어쩔 수 없이 ⓖ 참형에 처하라고 명령했다. 제갈량은 자신이 가족처럼 여기던 마속이 형장으로 끌려가자 대성통곡을 하였다. 이로 인해 제갈량이 ⓗ '울면서 마속을 참살한다.'는 읍참마속(泣斬馬謖)의 고사가 만들어졌다.

┌ 보기 ┐

	제갈량	마속
ㄱ. 지위:	ⓐ	ⓑ
ㄴ. 역할:	ⓕ	ⓒ
ㄷ. 역할 행동:	ⓖ	ⓔ
ㄹ. 역할 갈등:	ⓗ	ⓓ

① ㄱ, ㄴ　　　② ㄱ, ㄹ　　　③ ㄴ, ㄷ
④ ㄱ, ㄷ, ㄹ　　　⑤ ㄴ, ㄷ, ㄹ

01

다음 글을 통해 추론할 수 있는 내용으로 가장 적절한 것은?

> 만일 한 친구가 아침에 등교해서 옆에 앉은 친구에게 "여보게 친구, 자네 부모님 건강하신가? 자네도 밤새 잘 잤는가?"라고 말했다고 하자. 어떤 일이 발생할까? 그 말을 들은 친구는 상당히 당황스러워 할 것이다. 혹시 어디 아픈 것이 아닐까 하고 경계하는 눈빛으로 쳐다볼 것이다. 물론 50대의 어른들이 과거의 친구들을 만났을 때는 이런 말투가 자연스러울 것이다. 그러나 10대의 청소년들이 이와 같은 말투를 쓴다는 것은 이해하기가 어려운 일이다.

① 사회 구조는 변화를 지향하는 속성이 있다.
② 인간의 사회적 행동은 구조화된 틀 안에서 행해진다.
③ 개인에게 적용되는 사회 규범은 연령에 관계없이 동일하다.
④ 개인은 사회 구조와 관계없이 자율적인 의지에 의해 행동한다.
⑤ 사회 구성 요소들은 사회의 유지와 존속에 필요한 기능을 수행한다.

02 고난도

다음 내용을 종합하여 도출할 수 있는 결론으로 가장 적절한 것은?

> • 우리나라의 대학 입시 제도는 대학에 진학하려는 고등학생에게는 큰 부담으로 작용한다. 입시에 포함되지 않는 과목을 좋아하더라도 대학 입시를 위해서는 어쩔 수 없이 입시 과목을 공부해야 한다.
> • 우리나라에서 남자로 태어났다면 반드시 병역 문제를 해결해야 한다. 아무리 평화를 좋아하고 군대가 적성에 맞지 않더라도 정해진 연령이 되면 군대를 다녀와야 정상적인 사회생활을 할 수 있다.

① 사회 구조는 구성원의 행동을 규제한다.
② 사회 구조는 사회적 관계가 정형화된 것이다.
③ 사회 구조는 구성원의 자유 의지에 따라 형성된다.
④ 사회 구조는 한번 형성되면 쉽게 변화하지 않는다.
⑤ 사회 구조는 구성원의 가치관에 따라 변화될 수 있다.

03

다음 내용을 종합하여 도출할 수 있는 결론으로 가장 적절한 것은?

> • 과거 많은 사회에서는 일부 특권 계층만이 교육을 받을 수 있었다. 그러나 사람들은 이에 대한 문제를 인식하고 공교육 및 의무 교육의 확대를 요구하였고, 그 결과 대중 교육이 보편화되어 대부분의 사람들이 교육을 받을 수 있게 되었다.
> • 가족이 무엇보다 소중하다는 가치관이 확산되고 있다. 일부 회사는 특정 요일을 '가족의 날'로 정해 그날은 야근을 금지하고 모든 사원이 정시에 퇴근하도록 하며, 개인이 원할 때 자녀 양육을 위해 근무 시간을 탄력적으로 조정해 주기도 한다.

① 사회 구조는 역사적으로 전승되고 축적된다.
② 구성원 개개인의 삶은 사회 구조에 의해 규제된다.
③ 사람들의 가치관에 따라 사회 구조가 바뀔 수 있다.
④ 구성원들의 상호 작용으로 안정된 사회관계가 유지된다.
⑤ 구성원이 바뀌어도 사회 구조는 상당 기간 지속성을 가진다.

04

개인과 사회의 관계를 보는 갑, 을의 관점에 대한 설명으로 옳은 것은?

> 갑 : 이번 지방자치 선거에서 모두 ☆☆당 후보만 찍었어. ☆☆당의 정책 공약이 마음에 들었거든.
> 을 : 난 후보가 속한 정당은 관심두지 않았어. 후보 개인의 실력이나 도덕성을 가장 중시했어.

① 갑의 관점은 개인이 사회의 그림자에 불과하다고 본다.
② 을의 관점은 사회가 개인의 특성으로 환원되지 않는다고 본다.
③ 갑의 관점과 달리 을의 관점은 사회에 대한 개인의 종속성을 강조한다.
④ 을의 관점과 달리 갑의 관점은 사회 문제의 해결책으로 개인의 의식 개선을 강조한다.
⑤ 갑의 관점은 사회를 개인들 간 계약의 산물로, 을의 관점은 사회를 생명을 가진 유기체로 인식한다.

05

개인과 사회의 관계를 바라보는 학자 A의 관점에 대한 일반적인 특징을 옳게 평가한 학생은?

> 학자 A: 오늘날 저출산 현상은 아이의 양육이나 교육에 들어가는 비용이 막대할 뿐만 아니라 취업도 힘든 사회적 구조 속에서 어쩔 수 없이 나타난 것입니다.

특징 \ 학생	갑	을	병	정	무
사회는 개인의 외부에 실제로 존재한다.	×	×	×	○	○
사회 문제의 해결책으로 개인의 의식 개혁을 강조한다.	○	×	○	×	○
인간의 주체적이고 능동적인 행위를 설명하기에 곤란하다.	×	○	×	○	○
사회 구조에 의해 결정되는 개인의 사고와 행동을 설명하기에 용이하다.	○	×	×	○	×

(○ : 예, × : 아니요)

① 갑　　② 을　　③ 병　　④ 정　　⑤ 무

06

다음은 개인과 사회의 관계를 바라보는 서로 다른 관점을 각각 도식화한 것이다. (가), (나)에 해당하는 옳은 진술을 〈보기〉에서 고른 것은?

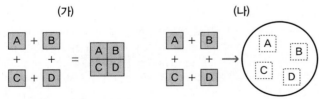

* A~D는 각각의 개인을 의미함

보기
ㄱ. (가)에서 개인의 행동은 사회에 의해 구조화된다.
ㄴ. (가)에서 사회는 개개인의 필요를 위해 합의된 도구적 존재이다.
ㄷ. (나)의 입장에서 사회 문제는 잘못된 사회 구조나 제도에 그 원인이 있다.
ㄹ. (나)에서 집단의 특성은 구성원 개개인의 특성으로 환원하여 설명할 수 있다.

① ㄱ, ㄴ　　② ㄱ, ㄷ　　③ ㄴ, ㄷ
④ ㄴ, ㄹ　　⑤ ㄷ, ㄹ

07 고난도

그림은 개인과 사회의 관계를 바라보는 관점 A, B를 나타낸 것이다. 이에 대한 옳은 설명을 〈보기〉에서 고른 것은? (단, A, B는 각각 사회 실재론과 사회 명목론 중 하나이다.)

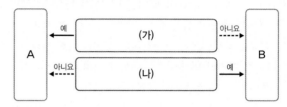

보기
ㄱ. A가 사회 실재론이라면, (가)에 '사회 문제의 해결책으로 의식 개혁을 강조하는가?'가 들어갈 수 있다.
ㄴ. B가 사회 명목론이라면, (나)에 '사회는 개인과 다른 고유한 속성을 지닌다고 보는가?'가 들어갈 수 있다.
ㄷ. (가)에 '사회의 특성이 개인의 특성으로 환원된다고 보는가?'가 들어간다면, B는 사회 유기체설을 바탕으로 한다.
ㄹ. (나)에 '사회는 개인의 사고와 행위를 구속한다고 보는가?'가 들어간다면 A는 극단적 이기주의로 흐를 수 있는 위험이 있다.

① ㄱ, ㄴ　　② ㄱ, ㄷ　　③ ㄴ, ㄷ
④ ㄴ, ㄹ　　⑤ ㄷ, ㄹ

08

다음은 어느 공휴일 회사원 갑의 일과를 나타낸 것이다. 갑이 경험한 사회화의 내용으로 옳지 <u>않은</u> 것은?

08:00	식구들과 함께 식사하면서 자녀들과 가벼운 대화를 나눔
10:00	퇴직한 은사님을 찾아뵙고 은사님이 가꾸는 포도밭을 구경함. 퇴직 후의 삶을 설계하는 데 많은 도움을 받음
16:00	중국 지사 근무에 대비하여 ○○학원에 가서 중국어 강의를 수강함
20:00	귀가 후, TV 뉴스를 통해 지방 선거 결과를 시청함

① 예기 사회화가 이루어졌다.
② 모방과 동일시의 사회화 과정을 경험하였다.
③ 공식적 사회화 기관에서 재사회화가 이루어졌다.
④ 1차적 사회화 기관을 통해 정서적 만족을 얻었다.
⑤ 비공식적 사회화 기관을 통해 정보를 습득하였다.

09

(가), (나)는 서로 다른 사회화의 유형에 해당하는 사례이다. 이에 대한 설명으로 옳은 것은?

> (가) □□중학교는 방과 후에 인근 노인들을 대상으로 한 스마트폰 활용 교육을 실시하였다. 한 할아버지는 "스마트폰 교육을 통해 여러 가지를 배워 모바일 메신저, 누리 소통망(SNS) 등 각종 앱으로 가족, 이웃들과 자주 연락할 수 있어서 좋다."라고 말하였다.
>
> (나) 서울 ○○구는 예비 부부와 미혼 남녀를 대상으로 예비부부 교실 '우리 결혼할까요?'를 운영하고 있다. 결혼을 준비하는 미혼 남녀를 대상으로 자신과 상대를 깊이 이해할 수 있는 의사소통 방법과 갈등 대처 방법 등을 알려준다.

① (가)는 (나)와 달리 어떤 변화를 겪기 전에 전개된다.
② (가)와 달리 (나)는 공식적 사회화 기관에서 담당한다.
③ (가)는 (나)에 비해 기본적인 습관 형성에 중점을 둔다.
④ (가)에 비해 (나)는 사회화 과정이 체계적이다.
⑤ (가)와 (나)는 모두 급속한 사회 변화 과정에서 그 중요성이 증가한다.

10

사회화를 바라보는 관점 (가)~(다)에 대한 설명으로 옳은 것은?

> (가) 사회화는 개인이 상징을 매개로 다른 사람과의 상호 작용을 통해 자아를 형성해 가는 과정이다.
> (나) 사회화는 개인이 원활한 사회생활을 하기 위한 과정인 동시에 사회 전체의 유지와 존속을 위해 필요한 과정이다.
> (다) 사회화는 한 사회의 지배 집단이 그들에게 유리한 가치나 규범, 행동 양식 등을 사회 구성원에게 학습시키는 과정이다.

① (가)는 사회화가 기득권층의 이익을 강화하는 수단이라고 본다.
② (나)는 사회화의 내용이 일부 계층에 의해 합의되었다고 본다.
③ (다)는 사회화 과정에서 개인의 능동성을 강조한다.
④ (나)는 (다)에 비해 사회화를 통한 사회 통합 기능을 중시한다.
⑤ (가)와 (나)는 (다)와 달리 사회화를 거시적 관점에서 본다.

11 고난도

밑줄 친 ㉠~㉣에 대한 옳은 설명을 〈보기〉에서 고른 것은?

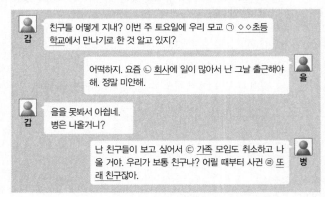

> 갑: 친구들 어떻게 지내? 이번 주 토요일에 우리 모교 ㉠ ◇◇초등학교에서 만나기로 한 것 알고 있지?
>
> 을: 어떡하지. 요즘 ㉡ 회사에 일이 많아서 난 그날 출근해야 해. 정말 미안해.
>
> 갑: 을을 못봐서 아쉽네. 병은 나올거니?
>
> 병: 난 친구들이 보고 싶어서 ㉢ 가족 모임도 취소하고 나올 거야. 우리가 보통 친구냐? 어릴 때부터 사귄 ㉣ 또래 친구잖아.

·보기·
ㄱ. ㉠은 인위적으로 형성된 사회화 기관이다.
ㄴ. ㉡은 원초적 사회화에 큰 영향을 미친다.
ㄷ. ㉢을 통해 인간의 사회화가 시작된다.
ㄹ. ㉣은 사회화를 주목적으로 한다.

① ㄱ, ㄴ　　　② ㄱ, ㄷ　　　③ ㄴ, ㄷ
④ ㄴ, ㄹ　　　⑤ ㄷ, ㄹ

12

밑줄 친 ㉠~㉦에 대한 설명으로 옳은 것은?

> ㉠ ○○고등학교 가정 통신문
>
> ### 진로의 날 행사 안내
>
> 안녕하십니까? ㉡ 신입생 오리엔테이션을 했던 것이 엊그제 같은데 벌써 여름방학이 다가옵니다. 학부모님의 ㉢ 가정에 행복이 깃들기를 빕니다. 본교에서는 학생들의 ㉣ 진로 설계를 도와주고자 ㉤ 자신의 직업에서 나름대로 보람을 갖고 생활하는 ㉥ 선배 직업인을 초청하여 해당 직업에 대한 안내를 하는 행사를 갖게 되었습니다. 진로 문제로 ㉦ 고민하고 있는 학생들에게 다소나마 도움이 되었으면 하는 마음입니다.

① ㉠과 ㉢은 '사회화를 주된 목적으로 하는 기관인가?'라는 질문으로 구분한다.
② ㉡과 ㉣은 재사회화에 해당한다.
③ ㉤은 ㉥의 역할에 해당한다.
④ ㉥은 청소년, 노인과 같은 유형의 사회적 지위이다.
⑤ ㉦은 학생들의 역할 갈등에 해당한다.

13

다음은 갑의 이력서 중 일부이다. 이에 대한 옳은 설명만을 〈보기〉에서 있는 대로 고른 것은?

> • 1990년 2월 6일, 2남 중 ⊙ 장남으로 출생
> • A고등학교 ⓒ 학생회장 역임
> • ⓒ B대학교 교육학과 입학
> • B대학교 2학년 : B대학교 ⓔ 교육 연구 동아리에서 활동
> • B대학교 3학년 : 우수 동아리 활동 사례로 선정되어 ⓜ 총장상 수상

> ─ 보기 ─
> ㄱ. ⊙은 귀속 지위, ⓒ은 성취 지위에 해당한다.
> ㄴ. ⓒ은 공식적 사회화 기관에 해당한다.
> ㄷ. ⓔ은 학생에게 기대되는 역할이다.
> ㄹ. ⓜ은 갑의 역할 행동에 대한 사회적 평가이다.

① ㄱ, ㄴ   ② ㄴ, ㄷ   ③ ㄷ, ㄹ
④ ㄱ, ㄴ, ㄹ   ⑤ ㄱ, ㄷ, ㄹ

14

밑줄 친 ⊙~ⓜ에 대한 설명으로 옳은 것은?

> 면접관 : 경찰을 지원하게 된 동기는 무엇인가요?
> 갑 : 경찰관인 ⊙ 아버지의 모습을 보고 느낀 점이 많았습니다. 아버지는 항상 ⓒ 자신보다는 국민을 위해 봉사하는 삶을 살았습니다.
> 면접관 : 공부하면서 어려운 점은 없었나요?
> 갑 : 국어는 그런대로 쉬운데 ⓒ 수학이 가장 어려웠습니다. 인터넷 강의를 통해 꾸준히 노력한 결과 점차 ⓔ 수학 성적이 올라갔습니다.
> 면접관 : 경찰이 된다면 어떤 분야에서 일하고 싶은가요?
> 갑 : 청소년을 선도하는 분야에서 일하고 싶습니다. ⓜ 방황하는 청소년을 잘 선도해서 올바른 길을 갈 수 있도록 하고 싶습니다.

① ⊙은 귀속 지위이다.
② ⓒ은 갑의 아버지의 역할 행동이다.
③ ⓒ은 갑의 역할 갈등이다.
④ ⓔ은 갑의 역할에 대한 보상이다.
⑤ ⓜ은 역할 갈등으로 인한 것이다.

15

다음은 ○○고등학교 학생생활 규정의 일부이다. 이를 토대로 내릴 수 있는 결론으로 가장 적절한 것은?

> 제60조[수상의 종류] ① 공로상 : 교내·외 생활에서 학교의 명예를 드높인 공이 현저한 학생에게 수여한다.
> 제68조[징계의 종류] ① 다음의 행위를 한 학생은 학생을 등교시켜 생활지도부와 담임 교사의 지도 아래 학교 내에서 봉사 활동을 하게 한다.
>   1. 학교나 교사, 교직원의 정당한 지도에 불응하거나 불손한 언행을 한 경우 ……

① 개인의 역할 행동에 따라 보상과 제재가 다를 수 있다.
② 예기 사회화는 개인의 역할 갈등을 예방하는 수단이다.
③ 역할 갈등이 발생할 경우 보상과 제재로 해결할 수 있다.
④ 동일한 지위에서는 동일한 방식으로 역할 행동이 나타난다.
⑤ 재사회화를 어떻게 경험했느냐에 따라 개인의 역할 행동이 달라질 수 있다.

16 〈고난도〉

다음 사례에 대한 옳은 분석만을 〈보기〉에서 있는 대로 고른 것은?

> • 갑은 A회사에 다니는 직장 여성이다. 한 달 전 딸이 다니는 유치원에서 재롱 잔치가 열렸지만 회사 일이 겹쳐 재롱 잔치 참석 여부를 고민하다가 참석하지 못하였다. 딸은 회사 일을 마치고 집에 온 갑을 보고 자기만 부모님이 오지 않았다면서 저녁 내내 울었다.
> • 을은 B회사에 합격해 입사 전 신입 사원 연수를 받았다. 입사 이후 회사 생활에 회의를 느낀 을은 회사를 계속 다닐지 창업을 할지 고민하다가, 가족의 도움을 받아 창업을 했는데, 회사 다닐 때 월급의 10배의 이익을 올리고 있다.

> ─ 보기 ─
> ㄱ. 갑은 을과 달리 역할 갈등을 경험하였다.
> ㄴ. 을은 갑과 달리 예기 사회화를 경험하였다.
> ㄷ. 을은 갑과 달리 역할에 따른 보상을 받았다.
> ㄹ. 갑과 을 모두 공식적 사회화 기관에서 일하였다.

① ㄱ, ㄴ   ② ㄱ, ㄷ   ③ ㄷ, ㄹ
④ ㄱ, ㄴ, ㄷ   ⑤ ㄴ, ㄷ, ㄹ

05강 사회 집단과 사회 조직

1단계 기출 자료 & 선지 분석

기출 자료 분석

자료 01 사회 집단의 분류

사회 집단의 유형은 어떻게 구분할 수 있을까요?

단서 ❶ 소속감을 기준으로 소속감이 있는 A와 그렇지 않은 B로 구분할 수 있어요.

결합 의지를 기준으로 본질적 의지에 바탕을 둔 C와 선택적 의지에 바탕을 둔 D로 구분할 수 있어요. 단서 ❷

접촉 방식을 기준으로 전인격적 접촉이 이루어지는 E와 수단적 접촉이 이루어지는 F로 구분할 수 있어요. 단서 ❸

단서 풀이
- 단서 ❶ 소속감에 따라 내집단과 외집단으로 구분한다.
- 단서 ❷ 결합 의지에 따라 공동 사회와 이익 사회로 구분한다.
- 단서 ❸ 접촉 방식에 따라 1차 집단과 2차 집단으로 구분한다.

자료 분석
소속감을 기준으로 소속감이 있으면 내집단(A)이고, 소속감이 없으면 외집단(B)이다. 결합 의지를 기준으로 본질적 의지에 바탕을 두면 공동 사회(C)이고, 선택적 의지에 바탕을 두면 이익 사회(D)이다. 접촉 방식을 기준으로 전인격적 접촉이 이루어지면 1차 집단(E)이고, 수단적 접촉이 이루어지면 2차 집단(F)이다.

자료 02 공식 조직과 비공식 조직

일반적으로 사회 조직이라고 할 때에는 A를 의미한다. A는 특정한 목표를 달성하기 위하여 구성원들의 지위와 역할 분담 및 업무 수행의 절차가 명시적으로 규정되어 있는 조직이다. 한편, A 안에서 형성되는 또 다른 성격의 조직을 B라고 한다. B는 A와 다른 목적, 즉 개인적인 취미나 공통의 관심사를 중심으로 결합되어 구성원 간의 친밀한 인간관계가 나타난다. 단서 ❷

단서 풀이
- 단서 ❶ 특정한 목표 달성, 지위와 역할 분담, 업무 수행 절차의 규정 등을 통해 A가 공식 조직임을 유추할 수 있다.
- 단서 ❷ 개인적인 취미, 공통의 관심사, 친밀한 인간관계 등을 통해 B가 비공식 조직임을 유추할 수 있다.

자료 분석
A는 특정한 목표 달성, 지위와 역할 분담 및 업무 수행의 절차가 명시적으로 규정되어 있는 공식 조직이고, B는 개인적인 취미나 공통의 관심사에 따라 형성되며 친밀한 인간관계가 나타나는 비공식 조직이다.

기출 선지 변형 O X

01 자료01의 그림에 나타난 사회 집단 A~F에 대한 설명이 옳으면 ○, 틀리면 ×에 표시하시오.

① 자신이 소속된 집단은 모두 A이다. ○, ×

② A와 B 간의 갈등은 A 안에서의 결속을 강화시킬 수 있다. ○, ×

③ 사회가 전문화되고 복잡해질수록 C가 증가하고 있으며 영향력도 커지고 있다. ○, ×

④ C는 공동 사회, D는 이익 사회이다. ○, ×

⑤ E는 사회화 자체를 목적으로 형성되었으며 원초적 사회화를 담당하는 집단이다. ○, ×

⑥ F에 해당하는 집단은 모두 D에 해당한다. ○, ×

⑦ F에서는 E와 달리 구성원에 대한 공식적 통제가 일반적이다. ○, ×

⑧ 가족은 C이면서 E에 해당하고, 학교는 C이면서 F에 해당한다. ○, ×

02 자료02의 A, B에 대한 설명이 옳으면 ○, 틀리면 ×에 표시하시오.

① A에서는 주로 수단적이고 간접적 접촉이 이루어진다. ○, ×

② A는 공식적인 규약과 절차에 따른 상호 작용이 강조된다. ○, ×

③ B의 활성화로 인해 A에서의 업무 공정성이 저해되기도 한다. ○, ×

④ A는 B와 달리 상향식 의사 결정 방식이 지배적이다. ○, ×

⑤ B는 A의 존재를 전제로 하는 자발적 결사체이다. ○, ×

⑥ B는 A와 달리 본질적 의지에 따라 결합된 공동 사회이다. ○, ×

⑦ 대표적 사례로 A에는 회사, B에는 회사 내 동호회가 있다. ○, ×

기출 자료 분석

자료 03 사회 집단의 유형

⊙ 아이돌 그룹의 멤버가 되기를 꿈꾸어 왔던 갑은 신인 아이돌 그룹 ⓒ ☆☆☆☆의 팬클럽을 결성하여 회장으로 활동하였다. 학교 친구들과 ⓒ 댄스 모임을 만들어 꾸준히 연습하던 갑은 방송사의 음악 경연 프로그램에 참가하였지만 ⓔ 예선 탈락의 아픔을 맛보았다. 이에 좌절하지 않고 더욱 분발한 갑은 마침내 ⓜ △△ 기획사에서 개최한 ⓑ 공개 오디션에 합격하였고, 솔로 가수로 데뷔하여 큰 인기를 얻었다. 최근 갑은 무의탁 노인을 대상으로 봉사하는 ⓐ ◇◇단체의 홍보 대사로 위촉되어 공연을 하는 등 재능 기부로 나눔을 실천하는 데 앞장서고 있다.

단서 ❶ / 단서 ❷ / 단서 ❸

단서 풀이
- 단서 ❶ '꿈꾸어 왔다.'는 것에서 ⊙이 갑의 준거 집단임을 알 수 있다.
- 단서 ❷ 어떤 단체를 자유롭게 결성하고 가입과 탈퇴할 수 있으므로 자발적 결사체임을 유추할 수 있다.
- 단서 ❸ '예선 탈락'과 '공개 오디션 합격'은 갑의 역할 활동에 대한 제재와 보상에 해당한다.

자료 분석
밑줄 친 ⊙~ⓐ의 사회 집단과 사회 조직을 정리하면 다음과 같다.

사례	유형
⊙ 아이돌 그룹	갑의 준거 집단
ⓒ ☆☆☆☆의 팬클럽, ⓒ 댄스 모임	자발적 결사체, 이익 사회
ⓜ △△ 기획사, ⓐ ◇◇ 단체	2차 집단, 이익 사회, 공식 조직
ⓔ 예선 탈락	역할 행동에 따른 제재
ⓑ 공개 오디션에 합격	역할 행동에 따른 보상

자료 04 사회 조직의 분류

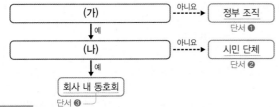

단서 풀이
- 단서 ❶ 정부 조직은 공식 조직이다.
- 단서 ❷ 시민 단체는 자발적 결사체, 공식 조직이다.
- 단서 ❸ 회사 내 동호회는 자발적 결사체, 비공식 조직이다.

자료 분석
- (가) 질문에 '예'라고 응답한 시민 단체와 회사 내 동호회는 모두 자발적 결사체의 특징을 가지고 있고, '아니요'라고 응답한 정부 조직은 공식 조직의 성격을 가지고 있다. 따라서 (가)에는 자발적 결사체에 대한 질문이 적합하다.
- (나) 질문에 '예'라고 응답한 회사 내 동호회는 비공식 조직이고, '아니요'라고 응답한 시민 단체는 공식 조직이다. 따라서 (나)에는 비공식 조직과 관련된 질문이 적합하다.

기출 선지 변형 O X

03 자료02의 밑줄 친 ⊙~ⓐ에 대한 설명이 옳으면 ○, 틀리면 ×에 표시하시오.

① ⊙은 갑의 준거 집단이자 내집단이다.	○, ×
② ⓒ은 가입과 탈퇴가 자유로운 자발적 결사체이자 이익 사회이다.	○, ×
③ ⓒ은 ⓒ과 같이 구성원의 지위와 역할이 명확히 규정되고 정해진 절차에 따라 목적을 추구하는 조직이다.	○, ×
④ ⓔ과 ⓑ은 각각 갑의 역할 행동에 대한 제재와 보상이다.	○, ×
⑤ ⓐ은 전인격적 인간관계를 바탕으로 한다.	○, ×
⑥ ⓜ과 ⓐ은 모두 2차 집단이자 이익 사회이다.	○, ×
⑦ ⊙과 ⓐ은 소속 집단이고, ⓜ은 외집단이다.	○, ×

04 자료04의 그림에 대한 설명이 옳으면 ○, 틀리면 ×에 표시하시오.

① '사회의 보편적 이익 달성을 목적으로 하는가?'라는 질문은 정부 조직에만 해당한다.	○, ×
② '집단의 명시적 목표보다 인간관계가 더 중시되는가?'는 시민 단체와 회사 내 동호회 모두 해당하는 질문한다.	○, ×
③ '조직의 목표 달성을 위해 명시적 규약과 체계화된 업무 수행 방식을 갖추고 있는가?'라는 질문은 정부 조직과 시민 단체 모두 해당한다.	○, ×
④ '가입과 탈퇴가 자유로운가?'는 (가)의 질문으로 적절하다.	○, ×
⑤ '공동의 목표나 이해관계를 추구하기 위해 자발적으로 결성하였는가?'는 (나)의 질문으로 적절하다.	○, ×
⑥ (나)에는 '공식 조직 내에서 개인적인 관심과 취미에 따라 결합되었는가?'라는 질문이 들어갈 수 있다.	○, ×
⑦ '구성원 간의 전인격적 인간관계가 형성되는가?'는 (가), (나)에 모두 적절하다.	○, ×

기출 자료 분석

자료 05 사회 조직의 유형

> • A는 공동의 목표를 가진 사람들의 자유의사에 따라 결성되며, B 혹은 C의 형태를 띨 수 있다. ─단서 ❶
> • B는 C를 기반으로 출현하여, C에 긍정적 혹은 부정적으로 작용하기도 한다. ─단서 ❷
> • C에 해당하는 사회 조직은 B에 속하지 않으나, B의 구성원은 C의 구성원이다. ─단서 ❸

※ A~C는 각각 공식 조직, 비공식 조직, 자발적 결사체 중 하나이다.

단서 풀이

• 단서 ❶ 자발적 결사체에 대한 설명이다.
• 단서 ❷ 비공식 조직은 공식 조직 내에 존재하며 공식 조직에 긍정적·부정적 영향을 준다.
• 단서 ❸ 공식 조직, 비공식 조직, 자발적 결사체의 관계

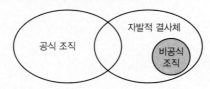

자료 분석

공동의 목표를 가진 사람들의 자유의사에 따라 결성된 A는 자발적 결사체이다. 비공식 조직은 공식 조직을 기반으로 출현하며, 공식 조직에 긍정적 혹은 부정적으로 작용하기도 한다. 따라서 B는 비공식 조직이고, C는 공식 조직이다.

자료 06 사회 집단과 사회 조직

> ─단서 ❶
> 월 : ㉠ 소속된 기획사의 봉사 동아리 회원들과 봉사 활동 참가
> 화 : ㉡ ○○방송국의 예능 프로그램 녹화
> 수 : ㉢ 국세청의 모범 납세자 시상식 참여
> 목 : 어머니 생신 축하를 위한 ㉣ 가족 모임 참석
> 금 : ㉤ △△대학교 총학생회 주관 축제 행사 공연
> 토 : ㉥ 연예인 야구단 시합 참가 ─단서 ❷
> ─단서 ❶

단서 풀이

• 단서 ❶ 가입과 탈퇴가 자유로운 자발적 결사체에 해당한다. 비공식 조직은 공식 조직 내의 구성원들이 스스로 결성한 자발적 결사체에 해당한다.
• 단서 ❷ 가족은 제시된 다른 사회 집단과 달리 1차 사회이며 공동 사회이다.

자료 분석

밑줄 친 ㉠~㉥의 사회 집단과 사회 조직을 정리하면 다음과 같다.

사례	유형
㉠ 소속된 기획사의 봉사 동아리	자발적 결사체, 비공식 조직, 이익 사회
㉥ 연예인 야구단	자발적 결사체, 이익 사회
㉡ ○○방송국, ㉢ 국세청, ㉤ △△대학교 총학생회	공식 조직, 이익 사회, 2차 집단
㉣ 가족	공동 사회, 1차 집단

기출 선지 변형 ○ X

05 자료 05 의 A~C에 대한 설명이 옳으면 ○, 틀리면 ×에 표시하시오.

① A는 1차 집단과 2차 집단의 성격이 공존하여 나타나기도 한다.	○, ×
② B는 C에 비해 조직의 규모가 크고, 구성원이 이질적이다.	○, ×
③ C에서는 형식적·수단적인 인간관계가 지배적으로 나타난다.	○, ×
④ C는 특정 목적을 달성하기 위해 구성원 간의 수평적 관계가 뚜렷하다.	○, ×
⑤ C는 B에 비해 구성원에 대한 공식적 통제의 정도가 강하다.	○, ×
⑥ A, B 모두 구성원의 의지와 무관하게 자연 발생적으로 형성된 집단이다.	○, ×
⑦ A, C 모두 과업 지향적인 사회 집단이다.	○, ×

06 자료 06 의 ㉠~㉥에 대한 설명이 옳으면 ○, 틀리면 ×에 표시하시오.

① ㉠과 ㉡은 갑의 내집단이다.	○, ×
② ㉠, ㉥은 자발적 결사체이면서 이익 사회이다.	○, ×
③ 결합 의지에 따라 사회 집단을 구분하면, ㉢과 ㉥은 같은 사회 집단에 속한다.	○, ×
④ ㉢, ㉤은 ㉠과 달리 공식 조직이다.	○, ×
⑤ ㉣, ㉤은 전인격적 인간관계를 중시한다.	○, ×
⑥ ㉣, ㉥은 ㉡과 달리 공동 사회이다.	○, ×
⑦ ㉠~㉥의 사회 집단 중 ㉣을 제외하고 모두 이익 사회이다.	○, ×
⑧ ㉠~㉥의 사회 집단과 사회 조직 중 공식 조직은 2개이다.	○, ×

기출 자료 분석

자료 07 관료제와 탈관료제

A기업의 조직 운영 방식은 _(가)_ 의 대표적 사례이다. 부장급 이상 임원만 100명이며, 직위에 따라 권한과 책임이 다르다.〔단서❶〕 출퇴근 시간과 업무 절차는 회사가 정한 규정을 따라야 한다. 승진과 보수는 경력과 직급에 따라 결정된다. 반면 B기업의 조직 운영 방식은 _(나)_ 의 대표적 사례이다. 업무의 성격이나 상황에 따라 여러 팀을 구성하여 운영한다.〔단서❸〕 팀 내 구성원의 관계는 수평적이며〔단서❶〕 세부적인 업무 절차와 내용도 자체적으로 결정할 수 있다.〔단서❸〕 승진과 보수는 개별적 능력과 업적에 따라 결정된다.〔단서❹〕〔단서❷〕

단서 풀이

구분	A기업	B기업
단서 ❶ 권한과 책임	직위에 따라 달라짐	업무의 성격과 상황에 따라 달라짐
단서 ❷ 인간관계	상하 수직적 관계	수평적 관계
단서 ❸ 업무의 절차와 내용	회사가 규정함	자체적으로 결정함
단서 ❹ 승진과 보수	경력과 직급에 따라 결정	개별적 능력과 업적에 따라 결정

자료 분석

- A기업은 직위에 따른 권한과 책임이 다르고, 업무 절차의 준수, 경력 중시 등의 특징을 통해 (가)가 관료제 조직임을 알 수 있다.
- B기업은 팀제 운영, 구성원의 수평적 관계, 업무 재량권 확보, 성과주의 등의 특징을 통해 (나)가 탈관료제 조직임을 알 수 있다.

자료 08 관료제와 탈관료제의 구분

질문	사회 조직 유형	
	(가)	(나)
경력보다 업무 성과를 고려한 차등적 보상을 중시하는가?〔단서❶〕	아니요	예
A	예	아니요
B	아니요	예

※ (가)와 (나)는 각각 관료제와 탈관료제 중 하나임

단서 풀이

- 단서 ❶ 업무 성과를 고려한 차등적 보상을 중시하는 조직은 탈관료제 조직이다.

자료 분석

첫 번째 질문에 '예'라고 응답한 (나)는 탈관료제이고, '아니요'라고 응답한 (가)는 관료제이다. 따라서 A에는 관료제와 관련된 질문이 들어가야 하며, B에는 탈관료제와 관련된 질문이 들어가야 한다.

기출 선지 변형 O X

07 **자료 07**에 대한 설명이 옳으면 ○, 틀리면 ×에 표시하시오.

① (가)는 무사안일주의로 인한 비효율성이 나타날 가능성이 크다는 비판을 받는다. ○, ×

② (가)는 (나)에 비해 업무 담당자의 재량권이 중시된다. ○, ×

③ (가)에서는 (나)와 달리 공식적 통제 방식으로 갈등을 해결한다. ○, ×

④ (나)는 외부 환경 변화에 유연하게 대처하기가 용이하다. ○, ×

⑤ (나)는 (가)에 비해 업무 결정권이 분산되며 구성원의 창의성이 발휘되기가 더 용이하다. ○, ×

⑥ (나)는 (가)에 비해 상향식 의사 결정과 수평적 의사소통이 더 중시된다. ○, ×

⑦ A기업은 2차적 관계가, B기업은 1차적 관계가 지배적이다. ○, ×

08 **자료 08**의 표에 대한 설명이 옳으면 ○, 틀리면 ×에 표시하시오.

① '조직의 운영에서 유연성보다 안정성을 중시하는가?'라는 질문은 A에 적절하다. ○, ×

② '정보 사회의 특성을 반영하고 있는가?'라는 질문은 A에 적합하다. ○, ×

③ B에는 '규약에 따른 과업 수행보다 창의적 과업 수행을 중시하는가?'라는 질문이 들어갈 수 있다. ○, ×

④ '효율적인 과업 수행을 지향하는가?'라는 질문에 대해 (가), (나) 모두 '예'라고 응답한다. ○, ×

⑤ '소수의 상층부에 권력이 집중되는가?'라는 질문에 대해 (가), (나) 모두 '아니요'라고 응답한다. ○, ×

01 교육청

다음 대화에 대한 설명으로 옳은 것은?

> 교사 : ◯◯에 따라 분류된 사회 집단 유형 A, B 중 A의 사례를 하나만 들어 보세요.
>
> 갑 : 군대를 들 수 있어요.
>
> 교사 : 그건 전형적인 사례로 보기 어려운데, 혹시 그렇게 생각한 이유가 뭐지요?
>
> 갑 : 군 복무 중인 오빠가 지휘관과 동료 부대원들이 인간적이고 친밀하게 대해 줘 매우 만족하고 있대요.
>
> 교사 : 군대에서도 A의 인간관계가 나타나는군요. 그럼에도 불구하고 군대는 과업을 위한 간접적이고 수단적인 만남이 중심이 되는 집단이므로 B의 사례로 보는 것이 타당해요.

① ◯에는 '구성원의 결합 의지'가 들어간다.

② A에서는 B와 달리 주로 비공식적인 통제가 이루어진다.

③ 자발적 결사체는 A가 아닌 B에 해당한다.

④ B는 A와 달리 가입과 탈퇴의 자유가 허용되지 않는다.

⑤ A는 내집단, B는 외집단이다.

02 평가원

밑줄 친 ◯~◯을 표의 (가)~(다)와 같이 분류할 때 바르게 연결된 것은?

> 갑은 ◯ 대기업의 부장으로 승진한 뒤 잦은 출장으로 인해 ◯ 가족과 보내는 시간이 줄어들 정도로 바빠졌지만, 주말마다 ◯ ◯◯동 조기 축구회 모임은 빠지지 않으려고 노력하였다. 그러나 오랫동안 활동해 온 ◯ 시민 단체에는 참석이 어려워져 아쉬움이 크다.

질문 분류	(가)	(나)	(다)
선택 의지로 결합되는가?	예	아니요	예
가입과 탈퇴가 자유로운가?	예	아니요	아니요
공식적 조직 목표와 명시적 규범에 의해 운영되는가?	아니요	아니요	예

	(가)	(나)	(다)			(가)	(나)	(다)
①	◯	◯	◯		②	◯	◯	◯
③	◯	◯	◯		④	◯	◯	◯
⑤	◯	◯	◯					

03 교육청

그림은 질문 (가), (나)에 대해 각각 '예'라고 답할 수 있는 사회 집단을 모두 찾아 점선으로 묶은 것이다. (가), (나)에 들어갈 옳은 질문을 〈보기〉에서 고른 것은?

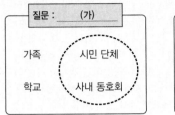
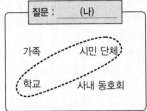

〈보기〉

ㄱ. (가)–2차 집단인가?

ㄴ. (가)–자발적 결사체인가?

ㄷ. (나)–공식 조직인가?

ㄹ. (나)–이익 사회인가?

① ㄱ, ㄴ   ② ㄱ, ㄷ   ③ ㄴ, ㄷ   ④ ㄴ, ㄹ   ⑤ ㄷ, ㄹ

04 교육청   p.054 자료 02

사회 조직의 유형 A, B에 대한 설명으로 옳은 것은?

> A는 특정한 목표 달성과 과업 수행을 위해 의도적으로 합리적인 기준에 따라 형성된 사회 조직이다. B는 A의 안에서 구성원들 간의 친밀한 인간관계를 바탕으로 형성되며, A의 목표와는 별개의 목표를 지닌다.

① A는 공통의 관심사나 목표를 바탕으로 자발적으로 결성된다.

② B의 구성원 모두에게 A는 준거 집단이다.

③ B의 구성원은 A에서와는 다른 지위와 역할을 지닌다.

④ B는 A와 달리 공동 사회에 해당한다.

⑤ 이익 집단은 A에, 시민 단체는 B에 해당한다.

05 교육청

그림은 사회 집단의 범주를 도식화한 것이다. A~D에 해당하는 집단을 〈보기〉에서 골라 바르게 연결한 것은?

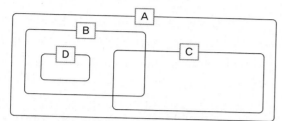

* 그림에 나타난 사회 집단의 관계는 개념상의 관계를 의미함
** A~D는 각각 사회 집단, 공식 조직, 비공식 조직, 자발적 결사체 중 하나임

보기

ㄱ. 공식 조직 내에서 친밀감과 공통의 관심사를 중심으로 생겨난 집단

ㄴ. 둘 이상의 사람이 소속감을 가지고 지속적인 상호 작용을 하는 집단

ㄷ. 가입과 탈퇴가 자유롭고 공통의 목표를 가진 사람들이 자발적으로 만든 집단

ㄹ. 구성원의 지위와 역할이 명확히 규정되고 정해진 절차에 의해 특정 목적을 달성하기 위한 조직

	A	B	C	D			A	B	C	D
①	ㄴ	ㄷ	ㄹ	ㄱ		②	ㄴ	ㄹ	ㄷ	ㄱ
③	ㄹ	ㄱ	ㄷ	ㄴ		④	ㄹ	ㄴ	ㄱ	ㄷ
⑤	ㄹ	ㄷ	ㄱ	ㄴ						

06 수능

사회 집단과 사회 조직의 유형 (가)~(라)에 대한 설명으로 옳은 것은?

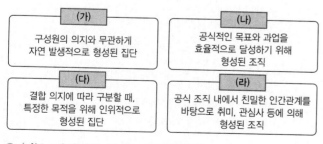

① (가)는 자발적인 동기로 결합된 집단이다.

② (나)에는 (다)와 달리 공식적인 규칙과 절차가 적용된다.

③ (나)의 구성원 모두 (라)의 구성원이다.

④ (라)는 (가)와 달리 전인격적 인간관계를 중시한다.

⑤ (나), (라)에 해당하는 조직은 모두 (다)로 볼 수 있다.

07 수능

p.054 자료 01

사회 집단과 사회 조직의 유형 A~E에 대한 설명으로 옳은 것은?

• A와 B는 구성원 간의 접촉 방식에 따라 분류한 것으로 A는 구성원들이 대면 접촉을 통해 전인격적인 관계를 맺는 집단이다.

• C와 D는 구성원의 결합 의지에 따라 분류한 것으로 C는 구성원의 선택 의지에 의해 결합된 집단이다.

• E는 다원화된 현대 사회에서 공통 관심과 목표를 가진 사람들이 자발적으로 결성한 집단이다.

① A에서는 B와 달리 특정 목적을 달성하기 위한 인간관계가 주로 나타난다.

② D에서는 E와 달리 구성원의 가입과 탈퇴가 자유롭다.

③ A, D에서는 모두 형식적인 인간관계가 주로 나타난다.

④ B, C에서는 모두 법적 제재보다 관습적 제재가 주로 적용된다.

⑤ 시민 단체와 이익 집단은 모두 C이면서 E에 속한다.

08 평가원

p.056 자료 05

사회 집단과 사회 조직의 유형 A~C에 대한 설명으로 옳은 것은?

• A의 성립은 B를 전제로 하며, A의 구성원은 항상 B의 구성원이 된다. A는 친목 도모를, B는 과업 달성을 중시한다.

• 결합 의지에 따라 사회 집단을 구분할 때 A, B는 C로 분류된다.

① 대학 내 홍보 부서는 A에, 대학은 B에 해당한다.

② 종친회와 가족은 C에 해당한다.

③ A는 B에 비해 공식적 규범에 대한 의존도가 높다.

④ B는 A와 달리 상향식 의사 결정 과정이 지배적이다.

⑤ A, B, C 모두 구성원의 특정 목적을 위해 인위적으로 만들어진다.

09 평가원

다음 대화의 A~D에 대한 설명으로 옳은 것은?

> 교사 : 사회 집단 및 사회 조직의 유형 A~D에 대해 말해 볼까요?
> 갑 : 사회 집단은 구성원 간 접촉 방식에 따라 A, B로 구분해요. A에서는 과업 지향적이고 수단적인 인간관계가 나타나요.
> 을 : 사회 집단 중 목표와 경계가 뚜렷하고 규범과 절차가 체계화된 집단을 C라고 해요.
> 병 : C에 속한 구성원들 중에 친밀한 인간관계를 바탕으로 자발적으로 형성된 집단은 D라고 해요.
> 교사 : 세 학생 모두 옳게 답했습니다.

① B에는 공식적 제재가 일반적으로 적용된다.
② 노동조합은 A이면서 D에 해당한다.
③ 또래 집단은 B이면서 C에 해당한다.
④ B는 D와 달리 가입과 탈퇴가 자유롭다.
⑤ D는 C의 과업 효율성을 향상시키는 데 기여할 수 있다.

11 평가원

p.055 **자료 03**

밑줄 친 ㉠~㉺과 같은 사회 집단과 사회 조직의 일반적인 특징에 대한 설명으로 옳은 것은?

> 갑은 ㉠ 법학 전문 대학원 학생이다. 평소 환경 문제에 관심이 많아서 ㉡ ○○시민 연대에서 활동하고 있다. 또한 주말마다 ○○시민 연대의 ㉢ 야구 동호회를 통해 친목을 다지고 있다. 한편 갑의 남편 을은 자동차 회사에 재직하면서 ㉣ 노동조합 활동도 열심히 하고 있다. 주말에는 ㉤ 음악 학원에서 드럼을 배우며 스트레스를 해소하고 있다. 두 사람은 너무 바쁘지만 ㉥ 가족과 좀 더 많은 시간을 보낼 방법에 대해 고민 중이다.

① ㉠은 공동의 목표나 관심사를 가진 사람들의 자발적 참여로 결성된 집단이다.
② ㉥은 선택 의지에 의해 형성된 집단이다.
③ ㉠은 ㉣과 달리 특정 목적 달성을 위한 지위와 역할이 명확한 조직이다.
④ ㉡은 ㉣, ㉥과 달리 구성원 간 직접적 접촉을 통한 전인격적 관계에 기초한 집단이다.
⑤ ㉢은 ㉠, ㉥과 달리 공식 조직 내에서 구성원 간의 친밀한 인간관계에 바탕을 두고 형성된 조직이다.

10 교육청

p.056 **자료 06**

밑줄 친 ㉠~㉤에 대한 옳은 설명을 〈보기〉에서 고른 것은?

> **〈주말 계획〉**
>
> • 토요일
> 09 : 00~11 : 00 ㉠ 동네 조기 축구회 회원들과 축구 경기
> 13 : 00~15 : 00 ㉡ 시민 단체 캠페인 행사 참석
>
> • 일요일
> 07 : 00~15 : 00 ㉢ ○○기업 내 산악 동호회 회원들과 등산
> 19 : 00~21 : 00 ㉣ 가족과 함께 ㉤ 종친회 행사 참석

> **보기**
> ㄱ. ㉡은 공동 사회이자 공식 조직이다.
> ㄴ. ㉢과 달리 ㉠은 비공식 조직이다.
> ㄷ. ㉣과 달리 ㉤은 이익 사회이다.
> ㄹ. ㉠, ㉡, ㉢, ㉤은 모두 자발적 결사체이다.

① ㄱ, ㄴ　② ㄱ, ㄷ　③ ㄴ, ㄷ　④ ㄴ, ㄹ　⑤ ㄷ, ㄹ

12 교육청

밑줄 친 ㉠~㉥에 대한 분석으로 옳지 <u>않은</u> 것은?

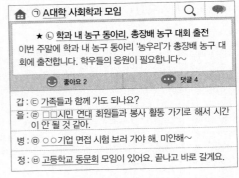

> 🏠 ㉠ A대학 사회학과 모임　🔍　💬
>
> ★ ㉡ 학과 내 농구 동아리, 총장배 농구 대회 출전
> 이번 주말에 학과 내 농구 동아리 '농우리'가 총장배 농구 대회에 출전합니다. 학우들의 응원이 필요합니다~
>
> 😊 좋아요 2　💬 댓글 4
>
> 갑 : ㉢ 가족들과 함께 가도 되나요?
> 을 : ㉣ □□시민 연대 회원들과 봉사 활동 가기로 해서 시간이 안 될 것 같아.
> 병 : ㉤ ○○기업 면접 시험 보러 가야 해. 미안해~
> 정 : ㉥ 고등학교 동문회 모임이 있어요. 끝나고 바로 갈게요.

① ㉢에서는 비공식적 수단에 의한 통제가 일반적이다.
② ㉥은 구성원들의 의지와 선택에 따라 형성된 집단이다.
③ ㉠보다 ㉡에서 구성원 간 친밀한 대면 접촉이 지배적이다.
④ ㉡, ㉣은 모두 2차 집단이면서 비공식 조직이다.
⑤ ㉡, ㉣, ㉥은 모두 자발적 결사체에 해당한다.

13 수능

다음은 어느 가족의 주간 일정표이다. 이에 대한 옳은 설명만을 〈보기〉에서 있는 대로 고른 것은?

우리 가족 주간 일정

갑(교사)
화 : 교육청 출장
수 : 대학원 수업 참석
금 : 지역 ⊙ 시민 단체
　　 대표자 회의 참석
토 : 가족 외식

을(회사원)
월 : 사내 야구 동호회
　　 경기 참가
수 : 노동조합 조합원
　　 총회 참석
토 : 가족 외식

병(중학생)
수 : 청소년 봉사 단체
　　 정기 모임 참석
금 : ⓒ 학급 소풍 참가
토 : 가족 외식

─ 보기 ─
ㄱ. ⊙, ⓒ은 선택적 의지에 의해 형성되는 이익 사회이다.
ㄴ. 갑, 을은 병과 달리 자발적 결사체에 소속되어 있다.
ㄷ. 을, 병은 갑과 달리 비공식 조직에 소속되어 있다.
ㄹ. 갑~병 모두 공동 사회와 공식 조직에 소속되어 있다.

① ㄱ, ㄴ　　　② ㄱ, ㄹ　　　③ ㄴ, ㄷ
④ ㄱ, ㄷ, ㄹ　　⑤ ㄴ, ㄷ, ㄹ

14 수능

표는 자발적 결사체 A~C를 질문 (가)~(다)의 응답에 따라 분류한 것이다. 이에 대한 설명으로 옳은 것은? (단, A~C는 각각 친목 집단, 이익 집단, 시민 단체 중 하나이다.)

질문＼응답	예	아니요
(가)	B	A, C
(나)	A, B, C	─
(다)	A, C	B

① (가)에는 '가입과 탈퇴가 자유로운가?'가 들어갈 수 있다.
② (나)에는 '본질 의지에 의해 자연 발생적으로 형성된 집단인가?'가 들어갈 수 있다.
③ (다)에는 '공통의 관심사나 목표를 가지고 결성한 집단인가?'가 들어갈 수 있다.
④ A와 C가 각각 시민 단체와 친목 단체 중 하나라면, (가)에는 '사회 다원화에 기여하는가?'가 들어갈 수 있다.
⑤ B가 친목 집단이라면, (다)에는 '과업 지향적인 집단인가?'가 들어갈 수 있다.

[15～16] 다음 자료를 읽고 물음에 답하시오.

〈자료 1〉 갑은 어려서부터 자연스럽게 자신의 연고 지역팀인 프로야구 ⊙ ○○팀의 ⓒ 팬클럽에 가입하여 지금까지 회원으로 활동하고 있다. 그러다가 고교 졸업 후, 내키지는 않았지만 △△팀의 연고 지역에 있는 ⓒ □□대학교에 진학하였다. 야구를 좋아했던 갑은 ⓔ 대학 내 야구 동아리에 가입하였고, 훈련과 연습을 하면서 친구들과 친밀하게 지냈다. 하지만 △△팀과 ○○팀의 경기가 열릴 때면 대부분의 야구 동아리 친구들이 일방적으로 △△팀을 응원하기 때문에 소외감을 느끼기도 한다.

〈자료 2〉 사회 집단 간 관계

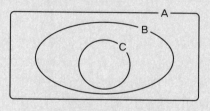

※ A~C는 각각 비공식 조직, 이익 사회, 자발적 결사체 중 하나이다.

15 수능

〈자료1〉에 나타난 사회 집단과 갑의 관계에 대해 옳은 설명을 〈보기〉에서 고른 것은?

─ 보기 ─
ㄱ. 갑에게 대학 내 야구 동아리는 1차 집단적 성격을 갖는다.
ㄴ. 갑에게 ○○팀의 팬클럽은 소속 집단이자 내집단이다.
ㄷ. 갑에게 □□대학교와 △△팀은 외집단이다.
ㄹ. 갑의 소속 집단은 모두 준거 집단이다.

① ㄱ, ㄴ　② ㄱ, ㄷ　③ ㄴ, ㄷ　④ ㄴ, ㄹ　⑤ ㄷ, ㄹ

16 수능

〈자료 1〉, 〈자료2〉에 대한 설명으로 옳은 것은?
① B는 이익 사회, C는 비공식 조직에 해당한다.
② ⓒ은 B와 C 모두에 해당한다.
③ ⓒ은 A와 B 모두에 해당한다.
④ ⓔ은 A에 해당하나 B에는 해당하지 않는다.
⑤ ⊙은 A, ⓒ은 B, ⓔ은 C에 해당한다.

17 교육청

그림은 사회 집단 A, B를 (가), (나)에 따라 구분한 것이다. 이에 대한 옳은 설명을 〈보기〉에서 고른 것은? (단, A, B는 각각 가족, 회사 중 하나이다.)

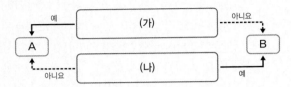

┌ 보기 ┐
ㄱ. (가)가 '자연발생적으로 형성된 집단인가?'이면, 가족은 A, 회사는 B에 해당한다.
ㄴ. (나)가 '구성원의 지위와 책임이 명확하게 정해져 있는가?'이면, A는 공통의 관심사에 따라 자발적으로 결성된 집단이다.
ㄷ. (나)가 '구성원 간 수단적·형식적 관계가 지배적인가?'이면, B는 주로 공식적 규범을 통해 구성원을 통제한다.
ㄹ. (가)가 '원초적 사회화를 담당하는 기관인가?'이면, (나)에는 '사회화 자체를 목적으로 형성되었는가?'가 적절하다.
└──────┘

① ㄱ, ㄴ ② ㄱ, ㄷ ③ ㄴ, ㄷ ④ ㄴ, ㄹ ⑤ ㄷ, ㄹ

18 교육청

표는 사회 집단 및 사회 조직 A~C를 질문에 따라 구분한 것이다. 이에 대한 옳은 설명을 〈보기〉에서 고른 것은? (단, A~C는 각각 가족, 회사, 시민 단체 중 하나이다.)

질문＼사회 집단(조직)	A	B	C
(가)	예	아니요	예
(나)	아니요	아니요	예
(다)	아니요	예	아니요

┌ 보기 ┐
ㄱ. A가 '회사'라면, (가)에는 '구성원 간의 전인격적 인간관계가 형성되는가?'가 적절하다.
ㄴ. B가 '가족'이라면, (다)에는 '집단의 결합 자체가 집단 형성의 목적인가?'가 적절하다.
ㄷ. C가 '시민 단체'라면, (나)에는 '비공식 조직에 해당하는가?'가 적절하다.
ㄹ. A가 '가족', B가 '시민 단체', C가 '회사'라면, (다)에는 '자발적 결사체에 해당하는가?'가 적절하다.
└──────┘

① ㄱ, ㄴ ② ㄱ, ㄷ ③ ㄴ, ㄷ ④ ㄴ, ㄹ ⑤ ㄷ, ㄹ

19 교육청

A의 일반적인 특징에 대한 옳은 설명을 〈보기〉에서 고른 것은?

> A라는 용어는 책상과 사무실을 의미하는 단어와 지배 또는 통치를 의미하는 단어의 결합에서 유래한 것으로, 근대 이후 등장한 효율적인 조직 운영 방식을 지칭한다. A는 특정 목표를 달성하기 위해 위계화된 조직 안에서 구성원의 역할을 명확하게 구분하고 공식적인 규칙과 절차를 강조한다. 따라서 대규모 조직을 효율적이고 체계적으로 관리할 수는 있지만, 지나치게 규칙과 절차에만 집착하는 문제점을 갖기도 한다.

┌ 보기 ┐
ㄱ. 다품종 소량 생산 체제로의 변화에 신속하게 대응하기에 적합하다.
ㄴ. 표준화된 업무 처리로 인해 창의성이나 융통성 발휘가 제한되기도 한다.
ㄷ. 수평적 의사소통을 중시하고 과업에 따라 조직 형태를 바꾸는 유연성이 높다.
ㄹ. 공개경쟁을 통해 지위를 획득할 수 있으며 연공서열에 따라 승진 기회가 제공된다.
└──────┘

① ㄱ, ㄴ ② ㄱ, ㄷ ③ ㄴ, ㄷ ④ ㄴ, ㄹ ⑤ ㄷ, ㄹ

20 교육청

A, B 조직은 서로 다른 운영 원리를 가진 전형적인 형태의 조직이다. 이 두 조직을 구분하기 위한 질문으로 적절하지 않은 것은?

구분	A조직	B조직
운영 원리	• 과업이 전문화되어 있고, 정해진 규약에 따라 업무를 수행함. • 조직 내 지위가 서열화되어 수직적인 관계가 형성됨.	• 비교적 수평적인 관계 속에서 의사 결정이 이루어짐. • 시장이나 업무 환경의 변화에 따라 유연하게 조직을 재편함.

① 조직 운영의 효율성을 강조하는가?
② 소수의 상층부에 권력이 집중되는가?
③ 주로 하향식 의사 결정 방식을 따르는가?
④ 연공서열에 따른 승진과 보상을 중시하는가?
⑤ 산업 사회로의 이행 과정에서 확산되었는가?

21 교육청

그림은 사회 조직 형태 A, B를 비교한 것이다. 이에 대한 설명으로 옳은 것은? (단, A, B는 각각 관료제와 탈관료제 중 하나이다.)

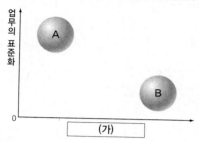

* 0에서 멀수록 그 정도가 높거나 강함

① A는 수평적인 의사 결정 구조가 지배적이다.
② B는 업무의 전문화와 세분화를 강조한다.
③ A와 달리 B는 효율적인 업무 수행을 지향한다.
④ B에 비해 A가 연공서열에 따른 보상을 중시한다.
⑤ (가)에 '업무 수행 과정의 예측 가능성'이 들어갈 수 있다.

22 평가원

사회 조직의 유형 A~C에 대한 설명으로 옳은 것은?

• A, B는 각각 과업 달성을 위한 조직이며, 조직의 효율성을 제고하기 위한 운영 원리가 적용된다.
• A에는 의사 결정의 권한이 분산되어 있으며, 외부 환경 변화에 대한 유연한 대처와 신속한 의사 결정이 가능하다. B에서는 조직 내 지위가 경력에 따라 서열화되어 있으며, 규약과 절차에 따른 구성원들의 업무 수행을 강조한다.
• A 또는 B의 구성원들이 조직 내에서 친밀한 인간관계에 바탕을 두고 자발적으로 결성한 것이 C이다.

① 기업의 노동조합은 C에 해당한다.
② A, B는 공식적 제재를 통해 구성원을 통제한다.
③ B는 A에 비해 상향식 의사 결정 방식을 강조한다.
④ A, C는 B와 달리 구성원들의 가입과 탈퇴가 자유롭다.
⑤ C에서는 A, B와 달리 구성원 간 수단적 만남과 간접적 접촉이 이루어진다.

23 교육청

다음 자료에 대한 설명으로 옳은 것은? (단, A, B 조직은 각각 관료제, 탈관료제 중 하나이다.)

○○기업 조직 개편 계획

◆ 개편 이유 : A조직의 문제점을 개선하고 빠르게 변화하는 환경에 대응하기 위해 B조직의 운영 방식을 도입하여 업무의 효율성을 더욱 높이고자 함

◆ A조직의 실태
• 환경 변화에 신속하게 대응하지 못해 비효율성 증가
• ㉠ 하향식 의사 결정 구조로 실무 담당자의 의견 미반영
• ㉡ 경력에 따른 승진과 보상 체계로 무사 안일주의 발생

◆ B조직의 운영 방식
• 일시적 업무를 위해 신속하게 조직되고 해체되는 팀제의 도입
• ㉢

① ㉠은 소수에 의한 의사 결정 권한의 독점과 남용을 예방할 수 있다.
② ㉡은 능력과 업무 성과를 고려한 차등적 보상 체계의 도입으로 개선할 수 있다.
③ ㉢에는 '위계의 서열화와 명확한 권한 및 책임 부여'가 적절하다.
④ A조직에서는 구성원 간 2차적 관계, B조직에서는 1차적 관계가 지배적이다.
⑤ A조직은 B조직과 달리 업무에 대한 구성원 간 자유로운 의사소통이 이루어진다.

24 교육청

그림에 대한 설명으로 옳은 것은? (단, A, B는 각각 관료제와 탈관료제 중 하나이다.)

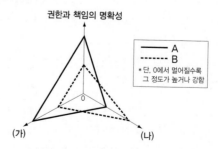

① A는 B에 비해 업적에 따른 보상을 더 중시한다.
② A는 B와 달리 정보 사회의 특성을 반영하고 있다.
③ A, B 모두 조직 운영의 효율성을 추구한다.
④ (가)에는 '조직 운영의 유연성'이 들어갈 수 있다.
⑤ (나)에는 '업무의 표준화'가 들어갈 수 있다.

01

밑줄 친 (가)에 들어갈 내용으로 가장 적절한 것은?

> 축구 경기를 보러 축구장에 모인 관중이나 가수의 공연을 보기 위해 공연장을 찾은 사람들을 사회 집단이라고 하지는 않는다. 하지만 국가 대표 축구팀을 응원하기 위해 자발적으로 결성된 응원 단체인 붉은 악마나 특정 가수의 팬클럽은 _____(가)_____ 는 점에서 사회 집단이라고 할 수 있다.

① 엄격한 규칙에 의해 움직이고 있다
② 구성원 간 지위와 역할이 세분화되어 있다
③ 구성원 간 수평적인 의사소통이 이루어진다
④ 그 집단이 지향하는 가치관을 공유하고 있다
⑤ 구성원 간 상호 작용이 지속적으로 이루어진다

02

다음과 같은 회칙을 가진 사회 집단의 특징에 대한 옳은 설명만을 〈보기〉에서 있는 대로 고른 것은?

> 제1조 본 단체는 우리 사회의 경제 정의와 사회 정의를 실현하기 위한 평화적 시민운동을 전개함을 목적으로 한다.
> 제3조 본 단체의 목적에 동의하여 본 단체의 사업에 참여하고자 하는 자로서 회원 명부에 등록한 자는 본 단체의 회원이 된다.
> 제6조 본 단체는 총회, 중앙 위원회, 상임 집행 위원회로 구성된다.

---보기---
ㄱ. 사회의 다원화와 민주화에 기여한다.
ㄴ. 구성원의 본능적인 결합 의지에 의해 형성된다.
ㄷ. 집단의 목표에 대한 구성원의 신념이 뚜렷하다.
ㄹ. 집단의 운영을 위한 조직 체계가 갖추어져 있다.

① ㄱ, ㄷ   ② ㄱ, ㄹ   ③ ㄴ, ㄹ
④ ㄱ, ㄷ, ㄹ   ⑤ ㄴ, ㄷ, ㄹ

03 고난도

그림은 갑의 아빠와 누나가 속한 사회 집단을 나타낸다. ㉠~㉘에 대한 옳은 설명만을 〈보기〉에서 있는 대로 고른 것은?

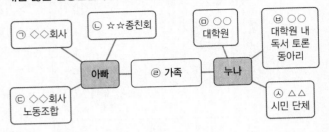

---보기---
ㄱ. ㉠, ㉢은 간접적 접촉과 수단적 만남을 특징으로 한다.
ㄴ. ㉢, ㉘은 자발적 결사체이며 공식 조직이라는 공통점이 있다.
ㄷ. ㉡은 본능적 결합 의지로 형성된 집단이라는 점에서 ㉤과 차이가 있다.
ㄹ. ㉠~㉘의 사회 집단에서 비공식 조직은 1개이다.

① ㄱ, ㄷ   ② ㄴ, ㄹ   ③ ㄷ, ㄹ
④ ㄱ, ㄴ, ㄷ   ⑤ ㄱ, ㄴ, ㄹ

04

그림의 A~C에 대한 설명으로 옳은 것은?

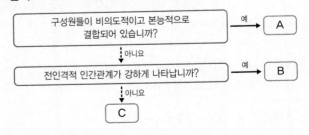

① A는 가입과 탈퇴가 자유롭다.
② B는 목표 지향적이고 효율성을 중시한다.
③ C는 강한 연대감과 친밀감을 바탕으로 결합되었다.
④ A는 가족, B는 회사 내 동호회를 예로 들 수 있다.
⑤ 자발적 결사체는 A나 B에 해당될 수 있다.

05

사회 집단 A~C에 대한 설명으로 옳은 것은?

> • A와 B는 C에 속해 있다.
> • C는 결합 의지에 의한 사회 집단의 분류 중 하나이다.
> • A는 B를 전제로 성립되므로 A의 구성원은 항상 B의 구성원이 된다.
> • A는 친목이나 취미 공유로 1차적 인간관계가 많이 나타나지만 B에서는 목표와 과업 달성이 주요 목표이다.

① A는 시민 단체를 예로 들 수 있다.

② B는 공익 실현이 주된 목적이다.

③ A와 C는 모두 가입과 탈퇴가 자유롭다.

④ B의 성립은 A가 성립된 이후에 가능하다.

⑤ A와 B는 본능적 의지, C는 선택적 의지에 의해 형성된다.

06 -고난도-

밑줄 친 ㉠~㉣을 표의 (가)~(다)와 같이 분류할 때 옳게 연결한 것은?

> 갑은 ㉠ ○○회사 부장을 맡고 있으며, 동시에 자신이 거주하는 ㉡ 아파트 조기 축구회의 회장이기도 하다. 갑의 아내 을은 교사로 근무하고 있는데, 동료 교사들과 함께 ㉢ 학교 내 등산 동아리를 만들어 주말마다 등산을 다니고 있다. 또한 갑과 을은 딸 병과 함께 매주 일요일에는 양로원을 찾아 ㉣ 가족 봉사 활동을 한다.

질문 \ 분류	(가)	(나)	(다)
선택 의지로 결합되는가?	예	아니요	예
친밀한 대면 접촉이 나타나는가?	예	예	예
공식 조직의 구성원만 가입이 가능한가?	아니요	아니요	예

	(가)	(나)	(다)
①	㉠	㉡	㉢
②	㉡	㉣	㉢
③	㉢	㉡	㉠
④	㉢	㉣	㉡
⑤	㉣	㉢	㉡

07

그림은 관료제와 탈관료제를 구분한 것이다. 이에 대한 옳은 설명을 〈보기〉에서 고른 것은?

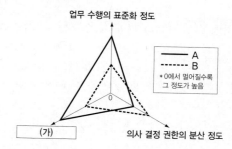

> **보기**
> ㄱ. (가)에는 '위계의 서열화 정도'가 들어갈 수 있다.
> ㄴ. 정보 사회에서는 A보다 B가 더 적합하다.
> ㄷ. B의 보상 기준은 실적보다 경력을 중시한다.
> ㄹ. A보다 B에서 목적 전치 현상이 나타날 가능성이 더 크다.

① ㄱ, ㄴ ② ㄱ, ㄷ ③ ㄴ, ㄷ ④ ㄴ, ㄹ ⑤ ㄷ, ㄹ

08

다음 자료에서 A회사가 별도의 팀을 만든 목적으로 가장 적절한 것은?

> A회사는 직원 수가 2만 명 정도로 대규모의 회사이다. 직원의 업무는 문서에 의해 명확하게 규정되어 있으며, 실무자가 기안한 문서는 과장-부장-이사-부사장-사장의 결재를 거쳐 시행된다. 그런데 최근 A회사는 다음과 같은 별도의 팀을 만들었다.
>
> • **조직 구성** : ☆☆ 상품 개발팀(10명)
> • **활동 기간** : 2018년 4월 1일 ~ 2018년 9월 30일
> • **운영 방법** : 구성원들이 원래의 부서에서 오전 근무하고, 오후에는 ☆☆ 상품 개발팀에서 근무
> • **의사 결정 방식** : 구성원들끼리 토의하여 결정하면 바로 시행함

① 부서 간 업무 경계를 명확히 한다.

② 조직 운영의 예측 가능성을 높인다.

③ 업무의 표준화로 효율성을 증진한다.

④ 외부 환경 변화에 유연하게 대응한다.

⑤ 지위에 따른 권한과 책임을 명확히 한다.

1단계 **기출 자료 & 선지 분석**

기출 자료 분석

자료 01 아노미 이론

> 갑 : 우리 사회 전체의 부가 증가함에도 불구하고 범죄가 감소하지 않는 이유는 무엇이라고 생각하십니까?
> 을 : 물질적 성공이라는 문화적 목표가 강조되는 우리 사회에서 부를 얻을 수 있는 합법적 수단이 제한된 경우 사람들은 <u>자신의 현실과 문화적 목표 사이의 괴리</u>를 경험하게 됩니다. 이 상황에서 일부 사람들은 비합법적 수단을 통해서라도 물질적 성공을 이루려 하기 때문에 범죄가 감소하지 않는 것입니다.
> └ 단서 ❶

단서 풀이
• 단서 ❶ 일탈 행동의 원인을 문화적 목표와 합법적 수단 사이의 괴리로 보고 있다.

자료 분석
머튼은 문화적 목표는 있지만 합법적 수단이 없는 경우 비합법적 수단으로 범죄와 같은 일탈 행동이 발생한다고 보았다. 즉, 머튼의 아노미 이론은 일탈 행동의 원인을 목표와 수단 사이의 괴리로 설명한다.

자료 02 일탈 이론의 특징

> ┌ 단서 ❶
> (가) 사회가 누군가를 일탈자라고 규정하면 그 사람은 이를 동일시하여 내면화 과정을 거치면서 규정된 것과 같은 특성을 보이게 된다. 일탈은 행위 자체의 속성에 있는 것이 아니라 행위에 대한 사회적 반응의 결과이다.
> (나) 산업화 단계로 접어들면서 대도시로의 인구 유입, 분업, 개인의 고립 등을 특징으로 하는 변화가 나타난다. 이 과정에서 사람들은 <u>규범과 역할의 혼란을 겪게 되고 욕구를 통제하지 못하게 되면서</u> 일탈을 저지른다.
> └ 단서 ❷
> (다) 개인이 법 위반에 우호적인 태도를 가진 사람들과 밀접한 관계를 맺으면서 일탈을 저지를 수 있다. 일탈은 개인이나 사회의 특성에서 비롯되는 것이 아니라 <u>개인이 경험한 학습 과정의 결과</u>로 나타난다.
> └ 단서 ❸

단서 풀이
• 단서 ❶ 일탈 행동을 행위에 대한 사회적 반응의 결과로 보고 있다.
• 단서 ❷ 사회적 규범의 부재를 일탈의 원인으로 보고 있다.
• 단서 ❸ 일탈은 사람들과의 상호 작용을 통해 개인이 경험한 학습의 결과로 설명하고 있다.

자료 분석
(가)는 사회가 일탈 행동에 대해 규정한 결과라고 설명하는 낙인 이론이다. (나)는 산업화로 인해 사람들이 규범과 역할의 혼란을 겪게 되고 욕구를 통제하지 못하게 되면서 일탈을 저지른다고 보는 뒤르켐의 아노미 이론이다. (다)는 개인이 일탈을 경험한 학습 과정의 결과로 나타난다고 설명하고 있으므로 차별 교제 이론이다.

기출 선지 변형 O X

01 자료 01 에서 을의 이론적 관점에 대한 설명이 옳으면 ○, 틀리면 ×에 표시하시오.

① 일탈을 규정하는 객관적 기준이 존재하지 않는다고 본다. ○, ×

② 일탈자가 되어 가는 내면적 과정보다 일탈 행동의 구조적 원인에 초점을 맞춘다. ○, ×

③ 사회 규범을 중시하는 기능론적 관점에 해당한다. ○, ×

④ 급변하는 사회 변동으로 인해 일탈 행동이 증가한다고 본다. ○, ×

⑤ 자신의 행위에 대한 타인의 부정적 시선을 내재화한 결과로 일탈 행동이 발생한다고 본다. ○, ×

⑥ 경기 침체가 장기화되었을 때 실업자들의 생계형 범죄가 증가하는 이유를 설명하기 적절하다. ○, ×

02 자료 02 의 (가)~(다)에 대한 설명이 옳으면 ○, 틀리면 ×에 표시하시오.

① (가)는 어떤 행동이 일탈 행동인지보다 어떤 과정으로 일탈 행동이 반복되는지에 초점을 맞춘다. ○, ×

② (가)는 일탈 행동을 정의하는 객관적인 기준이 상대적이다. ○, ×

③ (나)는 행동 자체보다 그것에 대한 사회적 평가를 더 강조한다. ○, ×

④ (나)에서는 무엇이 옳고 그른지에 대한 객관적인 기준이 부재하기 때문에 청소년 문제가 발생한다고 본다. ○, ×

⑤ (나)는 (다)와 달리 사소한 사회적 무질서를 방치하는 것이 더 큰 일탈을 초래한다고 본다. ○, ×

⑥ (다)에서는 범죄자가 유전에 의해 선천적으로 결정된다고 본다. ○, ×

⑦ '까마귀 노는 곳에 백로야 가지마라.'는 (다)와 관련된 속담이다. ○, ×

⑧ (가), (다)는 (나)와 달리 타인과의 상호 작용이 일탈 발생 과정에 미치는 영향을 중시한다. ○, ×

기출 자료 분석

자료 03 일탈 이론의 분류

┌단서 ❶ 질문	A	B	C
상호 작용을 통한 일탈의 발생에 초점을 두는가?	예	예	아니요
2차적 일탈이 발생하는 과정에 주목하는가?	예	아니요	아니요
┌단서 ❷ (가)	아니요	아니요	예

※ A~C는 각각 낙인 이론, 아노미 이론, 차별 교제 이론 중 하나임

단서 풀이
• 단서 ❶ 첫 번째 질문은 미시적 관점과 관련된 질문이다.
• 단서 ❷ 두 번째 질문은 낙인 이론과 관련된 질문이다.

자료 분석
• 첫 번째 질문은 미시적 관점에 대해 묻고 있으므로 '예'라고 응답한 A, B는 낙인 이론과 차별 교제 이론 중 하나이고, C는 아노미 이론이다.
• 두 번째 질문에서 2차적 일탈이 발생하는 과정에 주목하는 것은 낙인 이론이므로 '예'라고 응답한 A는 낙인 이론, B는 차별 교제 이론이다.
• 세 번째 질문 (가)에 대해 C가 '예'라고 응답하였으므로 (가)에는 아노미 이론과 관련된 질문이 들어가야 한다.

자료 04 일탈 행동의 원인과 해결 방안

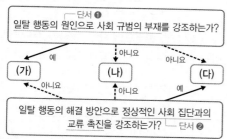

※ (가)~(다)는 각각 낙인 이론, 아노미 이론, 차별 교제 이론 중 하나임

단서 풀이
• 단서 ❶ 일탈 행동의 원인을 사회 규범의 부재로 보는 것은 뒤르켐의 아노미 이론이다.
• 단서 ❷ 일탈 행동의 해결 방안으로 정상적인 집단과의 교류를 강조하고 있으므로 차별 교제 이론이다.

자료 분석
• 일탈 행위의 원인을 사회 규범의 부재로 보는 것은 뒤르켐의 아노미 이론이다. 따라서 이 질문에 대해 '예'라고 응답한 (가)는 아노미 이론이다.
• 정상적인 집단과의 교류를 통해 일탈 행동을 해결하는 것은 차별 교제 이론이다. 따라서 이 해결 방안에 대해 '예'라고 응답한 (다)는 차별적 교제 이론이다.
• (가)의 아노미 이론과 (다)의 차별 교제 이론을 제외하면 (나)는 낙인 이론이다.

기출 선지 변형 O X

03 자료 03 의 표에 대한 설명으로 옳으면 O, 틀리면 ×에 표시하시오.

① A는 일탈 행동이 타인과의 상호 작용에서 비롯된다고 본다. O, ×

② A는 C와 달리 일탈 행동의 구조적 원인보다는 일탈자가 되어 가는 내면적 과정에 초점을 둔다. O, ×

③ C는 B와 달리 불평등한 사회 구조와 계급 갈등으로 일탈 행동이 발생한다고 본다. O, ×

④ A, B 모두 일탈 행동은 타인과의 상호 작용을 통해 학습된다고 본다. O, ×

⑤ A, C는 거시적 관점에, B는 미시적 관점에 해당한다. O, ×

⑥ (가)에는 '일탈 행동의 원인을 사회 구조적 차원에서 파악하고 있는가?'가 적절하다. O, ×

04 자료 04 의 그림에서 (가)~(다)에 대한 설명으로 옳으면 O, 틀리면 ×에 표시하시오.

① (가)는 일탈 행동에 대한 해결 방안으로 일탈자에 대한 재사회화를 강조한다. O, ×

② (가)는 사회적 합의에 바탕을 둔 지배적인 규범 정립의 필요성을 강조한다. O, ×

③ (나)는 일탈 행동에 대한 규정을 신중하게 할 필요가 있다고 본다. O, ×

④ (나)는 1차적 일탈에 대한 부정적 낙인이 2차적 일탈을 초래한다고 본다. O, ×

⑤ (다)는 사회적으로 주어진 목표 달성에 대한 압박감이 일탈 행동을 유발한다고 본다. O, ×

⑥ (다)는 (가)와 달리 일탈 행동을 타인과의 상호 작용의 산물로 본다. O, ×

⑦ (나), (다) 모두 사회의 불평등한 구조의 근본적인 변화를 강조한다. O, ×

01 교육청

다음 글에 나타난 일탈 이론에 대한 설명으로 옳은 것은?

갑국에서는 물질적으로 풍요로운 삶이 좋은 삶이며, 구매 행위는 삶의 가치를 높이는 행위이다. 그래서 갑국 국민들 모두 부를 추구하지만, 부를 얻을 수 있는 제도적 기회가 모두에게 충분히 주어지는 것은 아니다. 이러한 기회의 결핍 상태가 일탈 행동의 발생 가능성을 높인다.

① 차별적인 제재가 일탈 행동의 원인이라고 본다.
② 일탈자가 되어 가는 내면적 과정에 초점을 둔다.
③ 일탈 행동을 규정하는 객관적 기준이 없다고 본다.
④ 목표와 수단의 괴리에서 일탈 행동의 원인을 찾는다.
⑤ 일탈 행동은 특정 집단과의 교류를 통해 학습된다고 본다.

02 수능

p.066 자료 02

일탈 이론 (가)~(다)에 대한 설명으로 옳은 것은?

(가) 공식적으로 일탈자라고 규정되면 성공을 위한 합법적 수단으로부터 배제되고 일탈자라는 자아 개념을 가지게 되어, 미래의 일탈 가능성이 증가하게 된다. 결국 일탈자라고 규정짓는 것은 사회적 지위를 부여하는 것과 같다.

(나) 경제적 성공을 강조하는 문화를 구성원 모두가 공유하는 사회에서, 제도화된 수단이 부족한 특정 계층은 성공의 어려움을 겪게 된다. 따라서 이들은 불법적인 방법을 통해서라도 성공하려고 시도함으로써 일탈 행동을 하게 된다.

(다) 하층에 속한 사람들이 일탈 행동을 많이 한다는 주장이 있지만 하층에서도 일부만 일탈 행동을 한다. 이들이 일탈 행동을 하는 것은 일탈자와의 상호 작용을 통해 일탈적 가치와 태도를 수용하기 때문이다.

① (가)는 (다)와 달리 사회의 지배적 가치와 규범을 사회화하지 못함으로써 일탈 행동이 발생한다고 본다.
② (나)는 (가)와 달리 일탈 행동의 발생에 있어 타인과의 상호 작용을 통한 학습 과정을 강조한다.
③ (다)는 (나)와 달리 일탈 행동을 초래하는 사회 구조의 영향력을 강조한다.
④ (가)는 (나), (다)와 달리 일탈 행동이 행동의 속성에 의해서가 아니라 그에 대한 사회적 반응에 의해 규정된다고 본다.
⑤ (나)는 (가), (다)와 달리 지배 집단의 기득권 보호를 위한 사회 제도 때문에 일탈 행동이 발생한다고 본다.

03 수능

다음 대화에 나타난 갑, 을의 일탈 이론에 대한 설명으로 옳은 것은?

 통계에 따르면 범죄자의 다수는 하류 계층 출신인 것으로 나타났습니다. 이에 대한 의견을 말씀해 주십시오.

 누구나 물질적 풍요를 원하지만 하류 계층 사람들은 상류 계층에 비해서 제도적 수단이 부족하여 불법적 수단을 더 많이 선택하기 때문입니다.

 하류 계층 사람들의 행동에 대한 부정적 인식과 그에 따른 사회적 반응의 결과라고 생각합니다. 하류 계층의 행동을 더 위험하게 생각하여 범죄로 규정할 가능성이 크기 때문입니다.

사회자   갑   을

① 갑의 이론은 일탈 행동이 타인과의 상호 작용에서 비롯된다고 본다.
② 을의 이론은 부정적 자아가 형성되어 일탈 행동이 반복된다고 본다.
③ 갑의 이론은 을의 이론과 달리 일탈 행동을 미시적 관점에서 바라보고 있다.
④ 을의 이론은 갑의 이론과 달리 일탈을 규정하는 객관적 기준이 존재한다고 본다.
⑤ 갑, 을의 이론 모두 일탈 행동에 대한 대책으로 강력한 사회 통제를 강조한다.

04 평가원

p.067 자료 04

일탈 이론 A~C에 대한 설명으로 가장 적절한 것은? (단, A~C는 각각 낙인 이론, 아노미 이론, 차별 교제 이론 중 하나이다.)

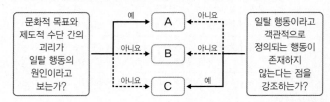

① A는 법 위반에 대한 우호적 가치의 습득을 일탈 행동의 원인으로 본다.
② B는 불평등한 사회 구조와 그로 인한 집단 간의 갈등을 일탈 행동의 원인으로 본다.
③ C는 사소한 사회적 무질서를 방치하는 것이 더 큰 일탈 행동을 초래한다고 본다.
④ B와 달리 A는 일탈 행동에 대한 규정을 신중하게 할 필요가 있음을 강조한다.
⑤ C와 달리 B는 일탈 행동의 해결 방안으로 정상적인 사회 집단과의 상호 작용 촉진을 제시한다.

05 교육청

일탈 행동을 보는 다음 글의 이론에 대한 설명으로 옳은 것은?

> 일탈 행동은 특정 행동 자체가 갖는 본질적인 속성이 아니라 그 행동이 발생하는 상황과 여건에 따라 사람들에 의해 규정된다. 이러한 점에서 일탈 행동은 상대성을 갖기 마련이다.

① 급격한 사회 변동으로 인해 일탈 행동이 증가한다고 본다.

② 자신에 대한 타인들의 기대를 부정하는 개인이 일탈 행동을 저지른다고 본다.

③ 사회적으로 주어진 목표 달성에 대한 압박감이 일탈 행동을 유발한다고 본다.

④ 어떤 행동이 일탈 행동인지보다 어떤 과정으로 일탈 행동이 반복되는지에 초점을 맞춘다.

⑤ 일탈 행동이 규정되는 상황 맥락을 배제해야 일탈 행동을 객관적으로 이해할 수 있다고 본다.

06 평가원

갑~병의 대화에 나타난 일탈 이론에 대한 설명으로 옳은 것은?

> 사회자 : 범죄로 인해 수감되었던 사람들 중 일부는 왜 다시 범죄를 저지르게 될까요?
>
> 갑 : 교도소에서 수감자들과 어울리는 동안 범죄 행동에 대해 우호적인 태도를 공유하게 되고, 때로는 함께 지내던 수감자들로부터 범죄 기술을 배우게 되기 때문이지요.
>
> 을 : 범죄는 사회적으로 권장되는 목표와 이를 달성하기 위한 합법적 수단 간의 괴리로부터 야기되는 긴장 때문에 발생하는데, 출소 후에도 여전히 그와 같은 상황에 놓인 이들이 범죄를 반복하게 되지요.
>
> 병 : 교도소에서 나온 후에 주위로부터 지속적으로 따가운 시선을 받게 되어 스스로를 일탈자로 인식하면서 다시 범죄를 저지르게 되지요.

① 갑의 이론은 일탈 행동의 원인을 사회 통제의 강화에서 찾는다.

② 을의 이론은 일탈 행동의 구조적 원인보다는 일탈자가 되어 가는 내면적 과정에 초점을 둔다.

③ 병의 이론은 특정 행위를 일탈 행동으로 규정하는 객관적 기준이 있다고 본다.

④ 갑, 병의 이론은 타인들과의 상호 작용이 일탈 발생 과정에 미치는 영향을 중시한다.

⑤ 병의 이론은 갑, 을과 달리 최초의 일탈을 방치하면 또 다른 일탈로 이어진다고 본다.

07 평가원

(가)~(다)에 나타난 일탈 이론에 대한 설명으로 옳은 것은?

> (가) 가정에서 주로 생활하던 아이가 성장하여 학교에 가면 다양한 부류의 친구를 접하게 된다. 그 과정에서 소위 말하는 '문제아'를 친구로 사귀게 되면 일탈을 행하게 된다.
>
> (나) 처음부터 '문제아'가 따로 있는 것이 아니다. 교사나 주변 학생들이 '문제아'라고 손가락질하면 평범한 학생도 '문제아'로 인식되어 정상적인 학교생활에서 소외되고 배제되어 일탈을 행하게 된다.
>
> (다) 우리 사회는 학업 성적과 대학 입시만을 지나치게 강조하는 반면, 학업 부진 학생들에게 적절한 방안을 제시하지 못하고 있다. 이 때문에 그 학생들이 학업을 포기하고 일탈을 행하게 된다.

① (가)는 차별적인 제재를 일탈 행동의 원인으로 본다.

② (나)는 문화적 목표와 제도적 수단 간의 괴리를 일탈 행동의 원인으로 본다.

③ (다)는 일탈 행동의 원인을 거시적 측면에서 찾는다.

④ (가)는 (나)와 달리 최초 일탈보다 일탈 행동의 반복에 초점을 맞춘다.

⑤ (다)는 (나)와 달리 일탈 행동에 대한 사회적 반응을 중시한다.

08 교육청

(가)~(다)의 일탈 이론에 대한 설명으로 옳은 것은?

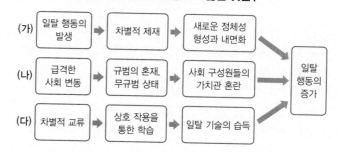

① (가)이론은 차별적인 접촉이 일탈을 학습하는 계기가 된다고 본다.

② (나)이론은 일탈에 대한 대책으로 사회적 합의를 통한 규범의 정립을 강조한다.

③ (다)이론은 일탈 행동이 문화적 목표와 제도적 수단 간의 괴리에서 비롯된다고 본다.

④ (나)이론은 (가)이론과 달리 일탈을 규정하는 객관적인 기준이 존재하지 않는다는 것을 전제로 한다.

⑤ (다)이론은 (나)이론과 달리 불평등한 사회 구조와 계급 갈등으로 일탈 행동이 발생한다고 본다.

09 평가원

일탈 이론 (가)~(다)에 대한 설명으로 옳은 것은?

> (가) 어떤 사회에서는 특정 목표가 모두에게 강조되지만 이를 달성하기 위한 접근 기회는 차별적으로 주어진다. 일탈은 문화적으로 정의된 열망과 사회적으로 구조화된 수단 사이의 격차로 인해 발생한다.
>
> (나) 사회 집단은 그들이 만든 규칙을 위반하는 것을 일탈이라고 보고 이 규칙을 상대적으로 다르게 적용하여 일탈자를 만들어 낸다. 일탈은 행위의 속성에 있는 것이 아니라 규칙과 처벌을 위반자에게 적용한 결과이다.
>
> (다) 사회 구조는 사람들이 상호 작용하는 조건을 형성해 주지만, 그 자체가 일탈 행동을 유발하는 것은 아니다. 일탈 행동은 다른 사람과의 친밀한 상호 작용을 통해 동기, 기술, 법에 대한 태도 등을 습득하면서 발생한다.

① (가)는 일탈 행동의 해결 방법으로 일탈 규정에 대한 신중한 접근을 강조한다.

② (나)는 일탈 행동의 해결 방법으로 일탈자에 대한 사회 통제와 규제 강화 방안의 마련을 강조한다.

③ (다)는 일탈 행동의 원인을 차별적인 제재에서 찾는다.

④ (가)는 (다)와 달리 일탈 행동의 원인을 개인적인 차원에서 찾는다.

⑤ (나), (다)는 (가)와 달리 타인들과의 상호 작용이 일탈 발생 과정에 미치는 영향을 중시한다.

10 평가원

표는 일탈 이론 A~C를 비교한 것이다. 이에 대한 설명으로 옳은 것은?

구분	A	B	C
원인	급격한 사회 변동과 전통적 규범의 통제력 약화	(가)	(나)
대책	(다)	일탈에 대해 우호적인 집단과의 교류 차단	일탈자로 규정하는 것에 대한 신중한 접근

① (가)에는 '문화적 목표를 달성하기 위한 합법적 수단의 부족'이 적절하다.

② (나)에는 '일탈자로부터 일탈 행동의 모방'이 적절하다.

③ (다)에는 '대립하는 집단 간 갈등 해소'가 적절하다.

④ A는 C와 달리 일탈 행동을 규정하는 객관적 기준이 없다고 본다.

⑤ B는 A와 달리 타인과의 상호 작용이 일탈 행동에 미치는 영향을 중시한다.

11 교육청

일탈 행동 이론 (가)~(다)에 대한 설명으로 옳은 것은?

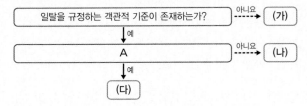

① (가)는 무규범 상태를 일탈 행동의 원인이라고 본다.

② (나)가 아노미 이론이면, A에는 '일탈 행동을 일탈자와의 상호 작용을 통한 학습의 결과로 보는가?'가 들어갈 수 있다.

③ (다)가 차별 교제 이론이면 A에는 '일탈 행동 자체보다 그에 대한 사회적 반응에 주목하는가?'가 들어갈 수 있다.

④ A가 '목표와 수단 간의 괴리가 일탈 행동의 원인인가?'라면 (나)는 부정적 낙인이 2차적 일탈을 초래한다고 본다.

⑤ A가 '집단 간 이해관계의 대립이 일탈 행동의 원인인가?'라면 (다)는 (가)와 달리 미시적 관점에서 일탈을 설명한다.

12 평가원

일탈 이론 (가)~(다)에 부합하는 연구 결과로 적절하지 않은 것은?

> (가) 일탈은 특정 행위에 대한 사회적 반응에 의해 규정되며, 그러한 사회적 반응의 결과 행위자가 일탈자로서의 정체성을 형성할 때 지속적인 일탈로 이어진다.
>
> (나) 준법적 태도를 보이던 사람도 일탈자들과 오랫동안 빈번하게 교류하면서 법과 규범을 경시하는 태도를 학습할 경우 일탈에 가담할 가능성이 높아진다.
>
> (다) 공유된 사회적 목표에 도달하기 위한 제도화된 수단이 제한되어 있을 때에 야기되는 갈등과 긴장으로 인해 일탈이 나타난다.

① (가) – 지속적인 상담 과정을 통해 자아상이 새롭게 바뀐 상습 범죄자의 경우 범죄를 중단하는 경향을 보였다.

② (가) – 비행 청소년이 영화 속 갱단을 준거 집단으로 삼아 그들의 가치를 내면화할 경우 일탈 행위가 강화되었다.

③ (나) – 다수의 초범 청소년을 조사해 보니 법 위반에 앞서 비행 친구들과 밀접한 접촉이 있었던 것으로 밝혀졌다.

④ (다) – 경기 침체가 장기화되면서 일자리가 감소할 경우 실업자들의 생계형 범죄가 증가하는 것으로 나타났다.

⑤ (다) – 경제적 곤란을 겪는 청소년들에게 생활비 지원 정책을 시행한 결과 해당 청소년들의 일탈 행위가 감소하였다.

13 수능

일탈 이론 (가)~(다)에 대한 설명으로 옳은 것은? (단, (가)~(다)는 각각 낙인 이론, 아노미 이론, 차별 교제 이론 중 하나이다.)

(가) 성공 목표라는 문화적 압력은 계층을 구분하지 않고 무차별적으로 영향력을 행사한다. 그러나 목표 달성을 위한 기회는 계층별로 차등화되어 있다. 따라서 기회가 제한된 계층은 성공 목표 달성을 위해 불법적 행위를 시도하게 된다.

(나) 일탈자에 대한 처벌은 행위에 상응하여 부여되는 것이 아니라 그 행위를 한 사람이 누구인가에 따라 결정된다. 일탈자로 규정되면 그는 일탈자로서의 정체성을 가지고 지속적으로 일탈 행동을 저지르게 된다.

(다) 일탈 성향은 타고나는 것이 아니라 습득되는 것이다. 또한 일탈은 구조적 요인에 의한 것도 아니다. 일탈자와의 상호 작용을 통하여 법 위반에 대한 우호적 태도가 형성되면 일탈 행동을 하게 된다.

① (가)는 지배 집단의 통제와 착취를 정당화하는 불평등 구조가 일탈 행동의 근본 원인이라고 본다.

② (나)는 일탈이 행위의 속성에 의해서가 아니라 그에 대한 사회적 반응에 의해 규정된다고 본다.

③ (다)는 일탈 행동의 원인을 차별적 제재에서 찾는다.

④ (나)는 (가), (다)와 달리 일탈에 대한 대책으로 사회적 합의를 통한 규범의 정립을 강조한다.

⑤ (가), (나)는 (다)와 달리 사회의 지배적 가치를 사회화하지 못한 사람이 일탈 행동을 저지른다고 본다.

14 평가원

일탈 행동을 바라보는 (가)~(다)의 이론적 관점에 대한 설명으로 옳은 것은?

사회 계층과 범죄율 간의 부(−)의 관계가 나타난다는 주장에 대해 다음과 같은 견해들이 제시되고 있다.

(가) 부를 획득하기 위한 합법적 수단은 계층에 따라 차등 분포되어 있다. 하층 계층은 상위 계층에 비해 문화적 목표와 합법적 수단 간 불일치로 인한 긴장의 정도가 더 커서 일탈 행동을 할 가능성이 높다.

(나) 일탈자로 규정되는 과정에서 규범 위반 여부보다 더 중요한 변인은 개인의 사회적 위치에 따른 차별적 반응이다. 즉, 하위 계층에 보다 엄격한 규범이 적용되고, 이들이 일탈자로서의 정체성을 형성하면서 일탈 경력이 강화된다.

(다) 일탈 행동이 하위 계층의 부적응에서 기인하거나 사회의 차별적 반응의 결과라는 주장에는 문제가 있다. 일탈 행동은 반사회적 행동 성향을 지닌 타인들과 지속적 대면 접촉한 결과이다. 일탈에 동조하는 가치, 태도, 행위에 노출된 결과, 일탈을 위한 동기 부여와 기술 습득이 이루어진다.

① (가)의 관점은 불평등한 사회 구조와 계급 간 갈등을 일탈 행동의 근본 원인이라고 본다.

② (나)의 관점은 일탈 행동이 비행 집단과의 교류로 인한 잘못된 사회화에서 비롯된 것이라고 본다.

③ (다)의 관점은 사회의 지배적인 규범이 약화되거나 해체될 때 일탈 행동이 증가한다고 본다.

④ (나)의 관점은 (가)의 관점과 달리 일탈 행동의 원인을 거시적 관점에서 바라본다.

⑤ (다)의 관점은 (가)의 관점과 달리 일탈 행동을 타인과의 상호 작용의 산물로 본다.

15 평가원   p.067 자료 03

표는 일탈 이론 A~C를 질문에 따라 구분한 것이다. 이에 대한 옳은 설명만을 〈보기〉에서 있는 대로 고른 것은? (단, A~C는 각각 낙인 이론, 아노미 이론, 차별 교제 이론 중 하나이다.)

이론＼질문	(가)	(나)	(다)
A	예	아니요	아니요
B	아니요	아니요	예
C	아니요	예	아니요

보기

ㄱ. A가 아노미 이론, B가 차별 교제 이론이라면, '타인들과의 상호 작용이 일탈 발생 과정에 미치는 영향을 중시하는가?'는 (다)에 적절하다.

ㄴ. B가 낙인 이론, C가 아노미 이론이라면, '일탈자와의 접촉 차단을 일탈에 대한 대책으로 보는가?'는 (가)에 적절하다.

ㄷ. (가)가 '사회 규범의 통제력 회복을 일탈에 대한 대책으로 보는가?'라면, '일탈의 원인으로 구조적인 요인을 강조하는가?'는 (나)에 적절하다.

ㄹ. (가)가 '일탈 행동에 대한 부정적 반응을 일탈의 원인으로 보는가?'이고, (다)가 '문화적 목표에 도달할 기회 제공을 일탈에 대한 대책으로 보는가?'라면, C는 차별 교제 이론이다.

① ㄱ, ㄷ   ② ㄴ, ㄷ   ③ ㄴ, ㄹ

④ ㄱ, ㄴ, ㄹ   ⑤ ㄱ, ㄷ, ㄹ

01

다음 글에서 도출할 수 있는 결론으로 가장 적절한 것은?

> 과거에는 직장 사무실에서 담배를 피우는 경우가 보통이었다. 특히 직장 상사가 담배를 피우면 아무도 이의를 제기하지 못했다. 그러나 오늘날에는 사무실에서 담배 피우는 일은 거의 없어졌다. 누구든지 잘못된 행위라고 생각하기 때문이다. 아무리 직장 상사라도 그냥 넘어가는 일은 거의 없다.

① 일탈 행동은 시대에 따라 상대적으로 규정된다.
② 목표와 수단의 괴리가 일탈 행동의 원인이 된다.
③ 일탈 행동은 무규범 상태에서 발생할 가능성이 높다.
④ 일탈로 규정되면 사회적 비난이나 박해를 받을 수 있다.
⑤ 구성원의 의식이 개선되어 일탈 행동이 크게 줄어들었다.

02

다음 자료에서 파악할 수 있는 일탈 행동 이론에 대한 설명으로 옳은 것은?

> • 조사 대상 : 마약 밀매범
> • 면담 내용 : 어릴 적에 저는 무일푼이었습니다. 돈을 마련해 볼 목적으로 마약을 거리에서 팔기 시작하였습니다. 그때 나이가 지긋한 한 선배가 제게 다가와 마약 판매 기법을 알려 주기 시작하였습니다. 순식간에 저는 마약 판매로 몇 백 달러씩을 벌게 되었고, 이렇게 번 돈은 저에게 큰 재산이 되었습니다. 이후로 저는 새롭게 이 분야에 뛰어드는 후배들에게 친절하게 마약 파는 방법을 알려 주고 있습니다.

① 문화적 목표를 달성할 수 있는 제도적 수단의 미비에 주목한다.
② 일탈 행동이 발생하는 원인을 사회적 통제력의 약화에서 찾는다.
③ 특정 행위를 일탈 행동으로 규정하는 객관적 기준이 없다고 본다.
④ 타인들과의 상호 작용이 일탈 발생 과정에 미치는 영향을 중시한다.
⑤ 특정 행동에 대한 사회적 평가와 규정에 의해 일탈이 나타난다고 본다.

03

다음 사례에 적용될 수 있는 일탈 행동 이론에 대한 설명으로 가장 적절한 것은?

> 명문대 재학생들이 주말에 술을 마시다가 자동차 유리를 깬 것과 막노동을 하는 같은 연령대의 젊은이들이 술을 마시다가 자동차 유리를 깬 것의 사회적 반응은 다르게 나타날 수 있다. 명문대 재학생들에게는 흥을 이기지 못하고 실수하였다고 생각해 가볍게 넘어갈 수도 있지만, 똑같은 행동을 한 막노동을 하는 젊은이들에게는 범죄자라는 꼬리표가 붙을 수도 있다.

① 일탈자와의 접촉 차단을 해결 방안으로 제시한다.
② 일탈을 규정하는 객관적 기준이 존재한다고 본다.
③ 거시적 관점에서 일탈 행동의 원인을 설명하는 이론이다.
④ 일탈을 범한 사람에 대한 사회적 반응에 초점을 맞추고 있다.
⑤ 문화적 목표와 이를 달성할 수 있는 제도적 수단과의 괴리에서 일탈 행동이 발생한다고 본다.

04 고난도

그림에서 (가) 이론과 (나) 이론에 대한 옳은 설명을 〈보기〉에서 고른 것은?

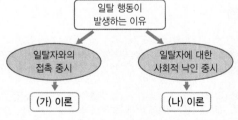

> 보기
> ㄱ. (가)는 일탈 행동에 대한 사회적 반응을 중시한다.
> ㄴ. (나)는 일탈을 규정하는 객관적인 기준이 없다고 본다.
> ㄷ. (가)는 (나)와 달리 범죄의 학습 가능성에 주목하고 있다.
> ㄹ. (가)와 (나)는 모두 일탈 행동에 대한 대책으로 지배적 규범의 확립을 제시한다.

① ㄱ, ㄴ   ② ㄱ, ㄹ   ③ ㄴ, ㄷ   ④ ㄴ, ㄹ   ⑤ ㄷ, ㄹ

05

(가), (나)는 일탈 행동과 관련된 사례이다. 이에 대한 옳은 설명을 〈보기〉에서 고른 것은?

> (가) 갑이 중학교에 입학할 무렵 쿠데타가 발생하였고, 그 결과 전 정권에 대한 보복 등으로 사회적 대혼란이 발생했다. 갑은 이 와중에 무엇이 옳고 그른지를 판단하지 못한 채 절도와 강도를 일삼곤 했다.
>
> (나) 을은 어려서 배가 고파 동네 가게에서 빵을 들고 나오다가 주인에게 들켜 혼이 났다. 주인은 을의 부모에게 도둑을 키우고 있다며 소리쳤고, 을은 주변의 시선을 의식하면서 정말 도둑이 되어 갔다.

> **보기**
> ㄱ. (가)는 무규범 상태에서 일탈 행동이 발생한다고 본다.
> ㄴ. (나)는 일탈 행동의 객관적인 기준이 있다고 본다.
> ㄷ. (가)는 (나)와 달리 거시적 관점으로 분류된다.
> ㄹ. (나)는 (가)와 달리 사회 규범의 통제력 회복을 해결 방안으로 제시한다.

① ㄱ, ㄴ   ② ㄱ, ㄷ   ③ ㄴ, ㄷ   ④ ㄴ, ㄹ   ⑤ ㄷ, ㄹ

06 고난도

학교 폭력을 바라보는 갑~병에 대한 설명으로 옳은 것은?

> 갑 : 폭력을 일삼는 친구들과 어울리다 보니, 폭력을 정당화하는 가치관을 갖게 되어 자주 폭력을 행사하게 됩니다.
> 을 : 폭력이 나쁘다는 사회적 규범이 확립되어 있지 않기 때문에 폭력이 나쁜 것인 줄 모르는 학생들이 저지르게 됩니다.
> 병 : 어쩌다 한 번 친구를 때렸는데 주변 사람들이 자신을 불량한 아이로 바라보기 때문에 스스로를 폭력배로 인정하게 되면서 폭력을 일삼는 것입니다.

① 갑은 무규범 상태에서 일탈 행동이 발생한다고 본다.
② 을은 일탈 행동에 대한 부정적 반응이 2차적 일탈을 초래한다고 본다.
③ 병은 일탈 행동을 규정하는 객관적 기준이 존재한다고 본다.
④ 갑은 을과 달리 사회 규범의 통제력 회복을 대책으로 강조한다.
⑤ 을은 갑, 병과 달리 거시적 관점에서 일탈 행동을 설명한다.

07 고난도

그림의 A~C에 대한 옳은 설명을 〈보기〉에서 고른 것은? (단, A~C는 각각 낙인 이론, 아노미 이론, 차별 교제 이론 중 하나이다.)

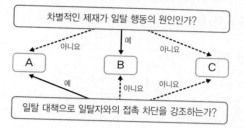

> **보기**
> ㄱ. A는 일탈 행동을 학습의 결과물로 본다.
> ㄴ. B는 2차적 일탈이 발생하는 과정에 주목한다.
> ㄷ. C는 목표와 수단의 괴리에서 일탈 행동의 원인을 찾는다.
> ㄹ. A와 B는 C와 달리 급격한 사회 변동 시기에 일탈 행동이 더 자주 발생한다고 본다.

① ㄱ, ㄴ   ② ㄱ, ㄷ   ③ ㄴ, ㄷ
④ ㄴ, ㄹ   ⑤ ㄷ, ㄹ

08

다음은 일탈 행동에 관한 이론 A를 반박하기 위한 자료이다. A이론에 대한 설명으로 옳은 것은?

> • 일탈을 범한 사람에 대한 사회적 반응에만 지나치게 초점을 맞춘 나머지 최초의 일탈이나 범죄의 원인을 설명하지 못한다.
> • 두 사람이 일탈자라는 냉대를 동일하게 받았음에도 한 사람은 일탈을 계속하고 다른 사람은 일탈을 하지 않은 경우를 설명하지 못한다.

① 가치관의 혼란 상태에서 일탈 행동이 발생한다고 본다.
② 사회 규범의 통제력 회복을 일탈 억제 대책으로 제시한다.
③ 타인과의 상호 작용을 통해 일탈 행동이 학습된다고 본다.
④ 일탈 행동을 규정하는 객관적 기준은 존재하지 않는다고 본다.
⑤ 문화적 목표와 제도적 수단 간의 괴리를 일탈 행동의 원인으로 본다.

문화의 이해

1단계 기출 자료 & 선지 분석

기출 자료 분석

자료 01 문화 관련 개념

갑국에는 다양한 ⊙ 이민자 집단의 문화가 존재한다. 그 중 일부는 갑국의 보편적 문화로 자리 잡았다. 그 대표적인 사례를 음식과 ⓒ 음악에서 찾을 수 있다. 한 때 토마토소스는 '마녀의 피'라고 불리며 ⓒ 문화인이라면 먹어서는 안 되는 야만적인 식재료로 간주되었으나, 오늘날 갑국에서 토마토소스를 사용한 ② 요리는 누구나 즐겨 먹는 음식이 되었다. 하층 계급 이민자들의 정서를 표현하고 있어 과거 대다수 사람들이 저속하다고 여기던 재즈(Jazz)와 블루스(Blues)도 주류 음악과 융합하여 변형되면서 갑국의 대중음악으로 자리 잡았다.

단서 풀이
- 단서 ❶ 생활양식을 의미하는 문화는 '넓은 의미의 문화'이고, 발전되고 세련된 것을 의미하는 문화는 '좁은 의미의 문화'이다.
- 단서 ❷ 인간이 삶을 영위하기 위해 필요한 기술은 물질문화, 사회 제도와 같은 제도문화와 신화, 철학, 예술 등과 같은 관념 문화는 비물질문화에 해당한다.

자료 분석
- ⊙에서의 문화는 생활양식을 의미하므로 넓은 의미의 문화이고, ⓒ에서의 문화는 고상한 것을 의미하므로 좁은 의미의 문화이다.
- ⓒ은 예술이라는 측면에서 관념 문화, 비물질문화로 분류할 수 있다. ②은 삶을 영위하기 위한 일종의 기술로서 물질문화로 분류할 수 있다.

자료 02 총체성, 공유성

- ○○ 지역에서는 추운 기후로 인해 집안에 머무르는 시간이 길며, 목재가 풍부하여 연료 공급이 용이하다. 이로 인하여 이 지역 사람들은 오랫동안 천천히 약한 불로 끓이는 스튜와 같은 음식을 즐겨 먹는다.
- 내륙의 분지 지형에 위치한 △△ 지방에서는 여름에 기온이 매우 높아 음식 부패 방지를 위해 향신료가 많이 들어간 조리법이 사용되고 있으며, 향신료의 원료가 되는 작물의 재배 및 유통이 활성화되어 있다.

단서 풀이
- 단서 ❶ 총체성은 문화를 구성하는 요소들이 상호 유기적으로 결합된 하나로서의 총체이므로 부분이 아닌 전체로서 의미를 갖는다는 속성이다.
- 단서 ❷ 공유성은 문화가 한 사회의 구성원 다수가 공통적으로 가지고 있는 생활양식이라는 속성이다.

자료 분석
- 스튜와 같은 음식과 향신료가 들어간 조리법이 다른 문화 요소와 상호 유기적으로 연관되어 있다는 점에서 총체성을 알 수 있다.
- 그 지역 사람들이 스튜와 같은 음식을 즐겨 먹고 향신료가 들어간 조리법을 사용한다는 점에서 공유성이 나타나 있다.

기출 선지 변형 O X

01 **자료 01**의 ⊙~②에 대한 설명이 옳으면 ○, 틀리면 ×에 표시하시오.

① ⊙에서 문화는 한 사회의 구성원이 함께 향유하는 생활양식임을 보여 준다. ○, ×

② ⊙에서의 '문화'는 청소년 문화에서의 '문화'와 달리 좁은 의미로 사용된 것이다. ○, ×

③ ⓒ은 사회 구성원의 행동을 통제하는 문화 요소에 해당한다. ○, ×

④ ⓒ은 ②과 달리 비물질문화에 해당한다. ○, ×

⑤ ⓒ에서의 문화는 '문화 시민'에서의 문화와 같이 좁은 의미로 사용되었다. ○, ×

⑥ ②은 구성원의 욕구 충족을 위한 기술이나 도구에 해당하는 문화 요소이다. ○, ×

⑦ ②은 사회 구성원이 지닌 태도나 신념의 옳고 그름을 판단하는 데 사용되는 문화 요소에 해당한다. ○, ×

02 **자료 02**의 두 사례에 공통적으로 부각되는 문화의 속성에 대한 진술이 옳으면 ○, 틀리면 ×에 표시하시오.

① 문화는 타고나는 것이 아니라 습득하는 것이다. ○, ×

② 문화는 상징을 통해 다음 세대로 전달·계승된다. ○, ×

③ 문화는 고정된 것이 아니라 지속적으로 변화한다. ○, ×

④ 문화는 새로운 문화 요소가 추가되어 점점 더 풍부해진다. ○, ×

⑤ 문화는 사회 구성원 간 원활한 상호 작용의 토대가 된다. ○, ×

⑥ 한 부분의 변동이 다른 부분에 영향을 주어 변동을 일으킨다. ○, ×

⑦ 문화는 특정 상황에서 상대방의 행동 방식을 예측하게 한다. ○, ×

⑧ 문화는 부분이 아닌 전체로서 의미를 갖기 때문에 문화 요소 간에 서로 영향을 미친다. ○, ×

기출 자료 분석

자료 03 공유성, 학습성, 변동성

갑국의 ○○는 면발을 물에 끓여 먹던 △△에서 유래한 것이다. ○○는 기름에 튀겨 면발을 가공하는 기술이 △△에 접목되어 새롭게 만들어진 것이다. ㉠ 쌀 위주의 식생활을 하는 갑국에서 밀가루 음식인 ○○가 처음에는 국민들의 관심을 끌지 못했다. 그러나 국민들은 ○○를 ㉡ 간편하게 먹을 수 있다는 것을 알게 되었고, 갑국 정부는 쌀 부족으로 인한 식량 문제를 해결하기 위해 분식을 장려하였다. 이제 ○○는 ㉢ 국민 대다수가 즐겨 먹는 음식이 되었다.

단서 풀이

• 단서 ❶ 학습성은 문화가 선천적·유전적으로 나타나는 행동이 아니라 후천적 학습에 의해 형성되는 생활양식이라는 속성이다.

• 단서 ❷ 변동성은 문화는 시간이 흐르면서 그 형태나 내용, 의미가 변화하는 생활양식이라는 속성이다.

자료 분석

• ㉠ : 갑국 국민들은 쌀 위주의 식생활을 공유하고 있다.

• ㉡ : 갑국 국민들이 처음에는 ○○에 대해 관심을 가지지 않다가 ○○이 간편하게 먹을 수 있다는 것을 알고 즐기게 되었다는 내용에서 문화는 학습되는 것임을 알 수 있다.

• ㉢ : ○○가 갑국 국민 대다수가 즐겨 먹는 음식이 되었다는 것에서 문화의 변동성과 공유성을 찾을 수 있다.

자료 04 학습성, 총체성, 공유성

문화의 속성	사례
(가)	결혼 이민자가 다문화 가정을 지원하는 기관을 통해 우리나라의 전통 예절을 배움 ─단서 ❶
(나)	우리 민족의 음식 문화는 기후, 민간 신앙, 가족 제도 등과 밀접하게 연관되어 있음 ─단서 ❷
(다)	외국인들은 우리나라 사람들이 뜨거운 국물을 먹으면서 시원하다고 말하는 것의 의미를 이해하는 데 어려움을 겪음 ─단서 ❸

단서 풀이

• 단서 ❶ '배운다', '후천적으로 습득한다' 등의 표현에서 학습성을 유추할 수 있다.

• 단서 ❷ '밀접하게 연관되어 있다', '연쇄적 변동을 초래한다' 등의 표현에서 총체성을 유추할 수 있다.

• 단서 ❸ 공유성은 어떤 사회의 문화를 다른 사회 구성원은 이해할 수 없다는 내용, 또는 특정 사회 구성원이 공유하는 문화의 모습으로 제시하는 경우가 많다.

자료 분석

• (가) : 결혼 이민자가 우리나라의 전통 예절을 배워서 익혔으므로 학습성이 나타나 있다.

• (나) : 음식 문화가 기후, 민간 신앙, 가족 제도 등과 밀접하게 연관되어 있다는 내용에서 문화의 총체성을 알 수 있다.

• (다) : 뜨거운 국물을 먹으면서 시원하다고 여기는 것은 우리나라 사람이 공유하는 문화이므로 공유성을 보여 주는 사례이다.

기출 선지 변형 O X

03 자료 03 의 ㉠~㉢에 대한 설명이 옳으면 ○, 틀리면 ×에 표시하시오.

① ㉠은 한 문화 요소의 변화가 다른 문화 요소에 연쇄적 변화를 가져옴을 보여 준다.	○, ×
② ㉡은 문화가 후천적으로 습득된다는 것을 보여 준다.	○, ×
③ ㉡은 문화가 세대 간 전승을 통해 복잡하고 다양해짐을 보여 준다.	○, ×
④ ㉢은 기존의 문화 요소가 소멸되거나 새로운 문화 요소가 나타나기도 함을 보여 준다.	○, ×
⑤ ㉢은 문화 요소가 다른 문화 요소와 관련을 맺으며 하나의 전체를 형성하고 있음을 보여 준다.	○, ×
⑥ ㉠, ㉢은 모두 문화가 구성원의 사고와 행동을 구속한다는 것을 보여 준다.	○, ×
⑦ ㉢은 ㉠과 달리 문화 현상이 고정된 것이 아니라 지속적으로 변화함을 보여 준다.	○, ×

04 자료 04 의 (가)~(다)에 대한 분석이 옳으면 ○, 틀리면 ×에 표시하시오.

① (가)는 서로 다른 문화 체계를 구분하는 기준이 된다.	○, ×
② 사회화를 통해 사회가 존속되는 것은 (가)에 의해 설명된다.	○, ×
③ (나)는 인류 문명의 발달을 가능하게 하는 바탕이 된다.	○, ×
④ 문화 요소들의 연쇄적인 변동을 설명하는 데에는 (나)가 적합하다.	○, ×
⑤ 문화가 세대 간 전승을 통해 더욱 풍부해지는 것은 (다)를 통해 설명된다.	○, ×
⑥ (다)의 사례에는 2월에 꽃다발을 들고 다니는 사람들을 보면서 졸업식을 떠올리는 현상이 해당된다.	○, ×
⑦ 스마트폰의 확산으로 인해 나타난 대학생들의 일상생활 변화는 (나), (다) 모두에 해당되는 사례이다.	○, ×
⑧ (다)가 아닌 (나)로 인해 한 사회 구성원 간 원활한 상호 작용이 가능해진다.	○, ×

기출 자료 분석

자료 05 문화 이해의 관점

┌─────────────────────── 단서 ❶
│ • 여가 문화를 연구하던 갑은 A국과 B국의 프로야구 응원 문
│ 화를 조사했다. 조사 과정에서 A국이 개인적으로 응원을
│ 하는 반면, B국은 치어 리더를 중심으로 관중이 집단적으로
│ 응원을 하는 특징이 있다는 점에 주목했다.
│ • 장례 문화를 연구하던 을은 시신을 바로 땅에 묻지 않고 풀
│ 같은 것으로 덮는 임시 무덤인 초분(草墳)을 조사했다. 조사
│ 과정에서 초분이 자연 환경적 원인 및 민간 신앙과 어떻게
│ 관련되어 있는지에 주목했다.
└─────────────────────── 단서 ❷

단서 풀이
• 단서 ❶ 비교론적 관점은 서로 다른 문화 간의 공통점과 차이점을 비교
하여 문화의 보편성과 특수성을 파악하고자 한다.
• 단서 ❷ 총체론적 관점은 문화의 한 부분이 독립적으로 의미를 갖지 못
한다고 여겨 다른 문화 요소나 전체와의 관련 속에서 문화의 의미를 이
해하고자 한다.

자료 분석
• 갑은 A국과 B국의 프로야구 응원 문화를 비교하고 있으므로 비교론적 관
점을 가지고 있다.
• 을은 초분(草墳)이 자연 환경적 원인 및 민간 신앙과 어떻게 관련되어 있
는지에 주목하고 있으므로 총체론적 관점을 가지고 있다.

이것도 알아둬
문화 이해의 관점을 묻는다면 비교론적 관점, 상대론적 관점, 총체론적 관
점을 떠올려야 한다. 상대론적 관점은 해당 문화를 향유하는 사회 구성원
들의 입장에서 문화의 고유한 의미를 파악하고자 하는 관점이다.

자료 06 문화를 이해하는 태도

타 문화를 받아들임에 있어서 A는 B에 비해 수용적이지만, 자기
문화의 정체성을 보존하는 데는 B가 A보다 유리하다. 한편 문화
의 다양성 신장을 위해서는 A, B보다 C가 필요하다.

단서 풀이
• 단서 ❶ 문화 상대주의는 각 문화가 해당 사회의 맥락에서 갖는 고유한
의미를 존중하려는 태도이다.
• 단서 ❷ 자문화 중심주의는 자기 문화의 우수성을 내세워 타 문화를 낮
게 평가하는 태도이다.
• 단서 ❸ 문화 사대주의는 타 문화의 우수성을 내세워 자기 문화를 낮게
평가하는 태도이다.

자료 분석
• 타 문화의 우수성을 높이 평가하여 타 문화를 받아들임에 있어서 수용적
인 태도인 A는 문화 사대주의이다.
• B는 자문화 중심주의로, 자기 문화에 대한 자부심이 강하여 자기 문화의
정체성을 보존하는 데 유리하다.
• C는 문화를 우열 평가가 아닌 이해의 대상으로 간주하는 문화 상대주의
로, 문화의 다양성 신장에 기여한다.

기출 선지 변형 O X

05 자료05 의 갑, 을이 가진 문화 이해의 관점에 대한 설명이 옳
으면 O, 틀리면 ×에 표시하시오.

① 갑의 관점은 특정 지역의 문화 요소 간의 유기적 관계에 초점을 둔다. 　O, ×

② 갑의 관점은 자문화의 특징을 타 문화와 비교하여 파악하는 데 유용하다. 　O, ×

③ 을의 관점은 다양한 문화 요소를 전체적인 맥락에서 이해하고자 한다. 　O, ×

④ 갑의 관점은 을의 관점과 달리 모든 문화는 고유한 가치를 지닌다고 본다. 　O, ×

⑤ 갑의 관점은 을의 관점과 달리 사회적 맥락을 고려하여 문화를 이해하는 데 기여한다. 　O, ×

⑥ 을의 관점은 갑의 관점과 달리 문화의 보편성을 찾는 것에 초점을 둔다. 　O, ×

⑦ 을의 관점은 갑의 관점과 달리 자문화를 객관적으로 인식하는 데 효과적이다. 　O, ×

06 자료06 의 A~C에 대한 설명이 옳으면 O, 틀리면 ×에 표시
하시오.

① 외국 브랜드 제품에 대한 맹목적인 선호 풍조는 A의 사례이다. 　O, ×

② B는 사회적 환경과 맥락을 고려한 문화 이해를 강조한다. 　O, ×

③ 연장자에게 악수를 청하는 외국인을 보고 무례하다고 비난하는 것은 B의 사례이다. 　O, ×

④ 외국의 특정 음식에 대해 거부감은 있지만 그들의 생활양식으로 이해하는 것은 C의 사례이다. 　O, ×

⑤ A, B 모두 문화의 고유한 가치를 존중한다. 　O, ×

⑥ A는 B, C와 달리 문화를 평가의 대상으로 간주한다. 　O, ×

⑦ A는 국수주의에, C는 극단적 상대주의에 빠질 가능성이 높다는 비판을 받는다. 　O, ×

기출 자료 분석

자료 07 문화를 이해하는 태도

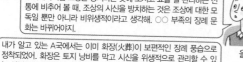

△△ 지역 ○○ 부족은 가족이 죽으면 장례 비용을 마련할 때까지 몇 년 동안 시신을 집안에 두었다가 나중에 매장하는 풍습이 있어. 이러한 풍습은 시신이 잘 썩지 않는 △△ 지역의 자연적 조건과 장례를 성대하게 치를수록 내세에 더 좋은 곳으로 간다는 ○○ 부족의 믿음에서 비롯된 것으로 이해할 수 있어.

갑

우리나라처럼 조상을 양지바른 곳에 모시고 묘를 잘 관리하는 전통에 비추어 볼 때, 조상의 시신을 방치하는 것은 조상에 대한 모독일 뿐만 아니라 비위생적이라고 생각해. ○○ 부족의 장례 문화는 바뀌어야지.

을

내가 알고 있는 A국에서는 이미 화장(火葬)이 보편적인 장례 풍습으로 정착되었어. 화장은 토지 낭비를 막고 시신을 위생적으로 관리할 수 있는 선진적인 장례 문화야. ○○ 부족이나 우리에게 남아 있는 매장 풍습은 하루 빨리 화장으로 완전히 대체되어야 해.

병

단서 풀이

• 단서 ❶ 다른 사회의 문화 현상에 대해 갑~병은 각각 어떤 생각을 가지고 있는지 파악한다.

• 단서 ❷ 우열을 가리지 않고 있는 그대로 이해한다면 문화 상대주의, 자문화의 관점에서 비판한다면 자문화 중심주의, 타 문화의 관점에서 자신의 문화를 비판한다면 문화 사대주의로 볼 수 있다.

자료 분석

• 갑은 ○○ 부족의 장례 문화를 △△ 지역의 자연적 조건과 내세관에 연관 지어 이해하고 있으므로 문화 상대주의 태도를 가지고 있다.

• 을은 우리나라 매장 풍습에 비추어 ○○ 부족의 장례 문화를 비판하고 있으므로 자문화 중심주의 태도를 가지고 있다.

• 병은 A국에서 보편적으로 이루어지는 화장(火葬)을 선진적이라고 여겨 우리나라와 ○○ 부족도 이를 받아들여야 한다고 주장하므로 문화 사대주의 태도를 가지고 있다.

자료 08 문화 이해 태도의 비교

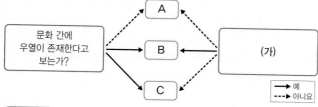

단서 풀이

• 단서 ❶ 문화 간에 우열이 존재한다고 보면 문화 절대주의(자문화 중심주의, 문화 사대주의)이고, 문화 간에 우열이 존재한다고 보지 않으면 문화 상대주의이다.

• 단서 ❷ (가)에는 자문화 중심주의와 문화 사대주의 중 하나에만 해당하는 특징을 묻는 질문이 들어가야 한다.

자료 분석

• 문화 간에 우열이 존재한다고 보지 않는 A는 문화 상대주의이다.

• 문화 간에 우열이 존재한다고 보는 B, C는 (가)의 질문에 따라 자문화 중심주의 또는 문화 사대주의가 된다.

기출 선지 변형 ○X

07 **자료 07**의 갑~병의 문화 이해 태도에 대한 설명이 옳으면 ○, 틀리면 ×에 표시하시오.

① 갑의 태도는 을의 태도와 달리 문화 간에 우열이 존재한다고 본다. | ○, ×

② 갑의 태도는 을, 병의 태도와 달리 문화의 의미와 가치를 그것이 발생한 사회의 맥락 속에서 파악한다. | ○, ×

③ 을의 태도는 병의 태도에 비해 타 문화 수용에 적극적이다. | ○, ×

④ 을의 태도는 병의 태도와 달리 자국의 문화 정체성을 약화시킬 우려가 있다. | ○, ×

⑤ 갑의 태도는 을의 태도에 비해 문화의 다양성 확보에 유리하다. | ○, ×

⑥ 병의 태도는 을의 태도와 달리 집단 구성원의 결속력을 높이는 데 기여한다. | ○, ×

⑦ 을, 병의 태도는 모두 특정 사회의 문화를 기준으로 타 문화를 평가할 수 있다고 본다. | ○, ×

⑧ 병의 태도는 갑, 을 태도와 달리 구성원들의 소속감을 고취시키지만 국제적 고립을 초래하기도 한다. | ○, ×

08 **자료 08**에 대한 설명이 옳으면 ○, 틀리면 ×에 표시하시오.

① A는 B, C와 달리 문화의 다양성을 발전 수준의 차이로 본다. | ○, ×

② B가 자문화 중심주의이면, (가)에 "문화의 다양성 보존에 기여하는가?"가 들어갈 수 있다. | ○, ×

③ C가 문화 사대주의이면, (가)에 "타 문화의 수용에 적극적인가?"가 들어갈 수 있다. | ○, ×

④ (가)에 "문화를 해당 사회의 맥락에서 이해하는가?"가 들어갈 수 있다. | ○, ×

⑤ (가)에 "자문화의 정체성을 상실할 우려가 높은가?"가 들어가면, B는 문화 사대주의이다. | ○, ×

⑥ (가)에 "구성원의 결속과 사회 통합에 기여하는가?"가 들어가면, B는 타 문화 수용시 문화적 마찰이 발생할 가능성이 크다. | ○, ×

01 평가원
p.074 자료 01

밑줄 친 ㉠~㉤에 대한 옳은 설명을 〈보기〉에서 고른 것은?

갑국에는 다양한 ㉠ 이민자 집단의 문화가 존재한다. 그 중 일부는 갑국의 보편적 문화로 자리 잡았다. 그 대표적인 사례를 음식과 ㉡ 음악에서 찾을 수 있다. 한 때 토마토소스는 '마녀의 피'라고 불리며 ㉢ 문화인이라면 먹어서는 안 되는 야만적인 식재료로 간주되었으나, 오늘날 갑국에서 토마토소스를 사용한 ㉣ 요리는 누구나 즐겨 먹는 음식이 되었다. 하층 계급 이민자들의 정서를 표현하고 있어 ㉤ 과거 대다수 사람들이 저속하다고 여기던 재즈(Jazz)와 블루스(Blues)도 주류 음악과 융합하여 변형되면서 갑국의 대중음악으로 자리 잡았다.

보기

ㄱ. ㉠은 갑국의 주류 문화에 대항하는 반문화이다.
ㄴ. ㉠에서 '문화'는 넓은 의미, ㉢에서 '문화'는 좁은 의미로 사용되었다.
ㄷ. ㉡은 물질문화, ㉣은 비물질문화에 해당한다.
ㄹ. ㉤은 문화가 고정되어 있지 않고 변화하는 것임을 보여 준다.

① ㄱ, ㄴ ② ㄱ, ㄷ ③ ㄴ, ㄷ ④ ㄴ, ㄹ ⑤ ㄷ, ㄹ

02 수능

밑줄 친 ㉠~㉤에 대한 설명으로 옳지 않은 것은?

㉠ 하우사 족에게는 출산 후 2년간 임신을 금하는 관습이 있다. 부족 여성들의 영양 상태가 나빠 ㉡ 출산 직후에 또 임신하면 단백질 결핍증으로 사망할 위험이 높기 때문에 그들을 보호하려는 것이다. 한편 하우사 족은 결혼한 여성이 이혼하지 않고도 다른 남자와 결혼할 수 있는 ㉢ 혼인 문화를 갖고 있다. 만약 부인이 남편을 버리고 다른 남자에게 가면 남편은 빨리 처가로 달려가 부인을 데려다 달라고 요구해야 한다. 그러지 않으면 ㉣ 그 여자는 다른 남자의 배우자로 공인되는데, 원래 남편과의 혼인도 유지되므로 ㉤ 일처이부제가 인정되는 것이다.

① ㉠은 문화가 한 사회의 구성원 다수가 공통적으로 지니는 생활양식임을 보여 준다.
② ㉡은 특정 문화가 개별 사회 안에서 고유한 가치를 가지고 형성됨을 보여 준다.
③ ㉢에서의 문화는 '문화 시설'에서의 문화와 달리 넓은 의미로 사용된 것이다.
④ ㉣은 새로운 문화 요소가 추가되어 점점 더 풍부해지는 문화의 속성을 보여 준다.
⑤ ㉤은 사회 구성원의 행동을 통제하는 문화 요소에 해당한다.

03 평가원

밑줄 친 ㉠~㉤에 대한 설명으로 가장 적절한 것은?

동아프리카의 키크유 족은 ㉠ 상대의 손바닥에 침을 뱉어 반가움을 표현한다. 일부 사람들은 이러한 ㉡ 인사 문화에 대해 ㉢ 더럽다거나 상대방의 기분을 고려하지 않는다고 생각하기도 한다. 그러나 이러한 인사법은 ㉣ 물이 귀한 이 지역에서 수분을 함께 나눈다는 뜻으로 이해할 수 있다. 또한, 행운을 기원하는 ㉤ 주술의 의미도 포함되어 있다.

① ㉠은 문화 요소 중 인간의 욕구 충족을 위한 '기술'에 해당한다.
② ㉡에서의 문화는 '문화 시민'에서의 문화와 같이 좁은 의미로 사용되었다.
③ ㉢에는 문화를 평가의 대상으로 보는 태도가 담겨 있다.
④ ㉣은 타 문화를 통해 자신의 문화를 객관적으로 바라보는 관점에 해당한다.
⑤ ㉤은 ㉡과 달리 비물질문화에 해당한다.

04 평가원

다음은 어느 모둠이 제출한 과제의 일부이다. 밑줄 친 ㉠~㉤에 대한 설명으로 가장 적절한 것은?

한국의 음식 문화와 김치

◇◇모둠

김치를 빼놓고는 한국의 ㉠ 음식 문화를 논할 수 없다. ㉡ 우리나라 사람은 밥을 먹을 때면 자연스럽게 김치를 찾는다. 또한 식당에서 라면을 주문할 때도 당연히 ㉢ 빨간 김치가 반찬으로 나올 것이라고 기대한다. 이는 ㉣ 어릴 때부터 우리 입맛이 김치에 익숙해졌기 때문이다. 그런데 우리 민족이 처음부터 지금과 같은 김치를 먹었던 것은 아니다. 문헌에 따르면 본래 우리의 김치는 고춧가루가 들어가지 않은 백김치였다. 임진왜란을 거치면서 고추가 전래되고 ㉤ 김치를 담그는 데 고춧가루가 양념으로 들어가면서 지금과 같은 김치를 먹게 되었다. …(후략)…

① ㉠에서의 문화는 '하위문화'에서의 문화와 달리 좁은 의미로 사용되었다.
② ㉡은 시간의 흐름에 따라 문화의 형태나 의미가 변화함을 보여 준다.
③ ㉢은 사회 구성원이 지닌 태도나 신념의 옳고 그름을 판단하는 데 사용되는 문화 요소에 해당한다.
④ ㉣은 문화가 사회화 과정을 통해 후천적으로 습득됨을 보여 준다.
⑤ ㉤은 서로 다른 문화 요소가 한 사회에 공존하는 사례에 해당한다.

05 평가원

밑줄 친 ㉠~㉤에 대한 설명으로 옳은 것은?

> 인도네시아 토라자 부족은 ㉠ 대부분의 사회와 마찬가지로 부모가 죽으면 고인을 떠나보내는 의식을 치른다. 그런데 이 부족의 ㉡ 장례 문화에는 독특한 점이 있다. ㉢ 장례식을 치를 때 물소를 잡는 고유한 풍습이 있다는 점이다. 부족 사람들에게 물소는 고인이 저세상으로 갈 때 타고 가는 교통수단이라는 의미인 동시에 저세상에서의 편안한 생활을 보장해 주는 재산으로 여겨진다. 만약 ㉣ 죽은 자의 자녀들이 물소를 잡지 않으면 그들은 부족 사회에서 지탄의 대상이 된다. 한편 장례식에서 부족 사람들은 ㉤ 고인의 가족과 화해하는 의식을 가지는데, 이 의식은 부족 사회의 결속력을 높이는 데 중요한 역할을 한다.

① ㉠은 문화가 개별 사회마다 고유한 특수성을 지니고 있음을 보여 준다.

② ㉡에서의 '문화'는 청소년 문화에서의 '문화'와 달리 좁은 의미로 사용된 것이다.

③ ㉢은 문화 현상이 고정된 것이 아니라 지속적으로 변화함을 보여 준다.

④ ㉣은 문화란 한 사회의 구성원이 함께 향유하는 생활양식임을 보여 준다.

⑤ ㉤은 구성원의 욕구 충족을 위한 기술이나 도구에 해당하는 문화 요소이다.

06 교육청

갑과 을의 대화에 대한 설명으로 옳은 것은?

갑: 시대와 사회를 막론하고 특정 집단 구성원끼리만 공유하는 ㉠ 언어 문화는 늘 있었습니다. 최근에는 많은 10대들이 ㉡ 급식체*를 사용함으로써 그들만의 집단 연대 의식을 형성하고 이를 강화합니다.

을: 급식체는 세대 간 소통을 단절시키고 우리 언어를 파괴합니다. ㉢ 스마트폰의 사용이 급식체 확산의 주범인 만큼, ㉣ 문화 시민의 품격에 맞는 스마트폰 활용이 이루어지도록 언어 예절 교육을 실시해야 합니다.

* 급식체 : 급식을 먹는 세대들이 자주 사용하는 문체라고 해서 붙은 명칭으로 초·중·고등학생 사이에서 사용되는 언어를 일컬음

① 갑은 ㉠이 해당 문화를 공유하는 집단 구성원의 소속감 고취에 기여한다고 본다.

② 을은 ㉡이 다른 유형의 문화 요소들과 상호 연관되어 있음을 부정하고 있다.

③ 갑은 을과 달리 ㉡을 반문화로 인식하고 있다.

④ ㉠에서 '문화'는 좁은 의미, ㉣에서 '문화'는 넓은 의미로 사용되었다.

⑤ ㉡과 ㉢ 모두 물질문화이다.

07 평가원

밑줄 친 ㉠~㉢에 부각되어 있는 문화의 속성에 대한 설명으로 가장 적절한 것은?

> 뉴기니의 ○○ 부족 사회에서 남자는 아름답고 예술적인 것을 추구하는 존재로서, 여자는 공적인 일을 경영하고 추진하는 존재로서 각각 역할을 수행한다. 만약 ㉠ 그와 반대로 성 역할을 구분하는 사회의 구성원이 ○○ 부족을 만나 함께 생활한다면 어색함을 느낄 것이다. 이것은 성 역할이 하나의 문화로서 사회마다 다르다는 것을 의미한다. 사실 ㉡ 타고난 특성에서 기인한다고 생각하는 성 역할도 사회 속에서 후천적으로 획득된다. 최근 우리 사회에서는 성 역할에 대한 인식의 변화와 함께 성 평등 관련 제도의 도입, 여성의 경제적 지위 향상 등 다양한 요인에 의해 전통적인 성 역할 문화에 큰 변화가 일어나고 있다. ㉢ 이는 결혼 문화와 가족 형태에도 영향을 미치고 있다.

① ㉠은 문화가 계승되고 발전하는 현상임을 보여 준다.

② ㉠은 한 문화 요소의 변화가 다른 문화 요소에 연쇄적 변화를 가져옴을 보여 준다.

③ ㉡은 시간의 흐름에 따라 기존 문화 요소가 사라지거나 변화함을 보여 준다.

④ ㉢은 특정 상황에서 상대방의 행동 방식을 예측할 수 있음을 보여 준다.

⑤ ㉢은 문화 요소가 다른 문화 요소와 관련을 맺으며 하나의 전체를 형성하고 있음을 보여 준다.

08 평가원

다음 글에서 공통적으로 부각된 문화의 속성에 대한 옳은 진술을 〈보기〉에서 고른 것은?

> • A국에서 전통적으로 기혼 여성은 두건을 착용해야 한다. A국 사람들에게 두건은 기혼녀로서의 표식이자 가족의 생계를 책임지는 사람임을 나타내는 상징물이다.
> • B국에서 식사할 때 남성은 도구를 사용하지 않고, 맨손으로 음식을 집어 먹는다. B국 사람들에게 이런 행위는 남성다움을 보여 주는 것으로 인식되어 있다.

─ 보기 ─

ㄱ. 구성원 간 원활한 상호 작용의 토대가 됨을 보여 준다.

ㄴ. 새로운 요소가 추가되어 문화가 보다 풍부해짐을 보여 준다.

ㄷ. 특정 상황에서 상대방이 어떻게 행동할지 예측하게 해 준다.

ㄹ. 인간이 새로운 환경에 적응하는 과정에서 문화가 변화함을 보여 준다.

① ㄱ, ㄴ ② ㄱ, ㄷ ③ ㄴ, ㄷ ④ ㄴ, ㄹ ⑤ ㄷ, ㄹ

09 평가원

다음 글에서 공통적으로 부각되는 문화의 속성에 대한 옳은 진술을 〈보기〉에서 고른 것은?

- 미국 남서부에 거주하는 주니 족은 절제의 미덕을 중시한다. 이들은 남에게 해를 끼치지 않기 위해 어릴 때부터 집단의 행동 규범을 따라야 하고 개인적인 권위나 카리스마를 내세울 수 없다. 아이들은 일상생활 속에서 원한, 억눌림, 야심, 야망 등이 없이 자라난다. 어른이 되어도 그들은 권력을 쥐고 무언가 해 보겠다는 식의 권력 의지가 없다.
- 베네수엘라와 브라질의 국경 부근에 사는 야노마모 족에게 근본적이고 중요한 관심사는 "누가 진짜 인간인가?"라는 것이다. 그들은 스스로를 '진짜로 문명화된' 유일한 존재라고 생각하며, 외부인들을 '야만적' 존재로 간주한다. 선조들로부터 구전되어 오는 그들의 기원 신화에 따르면, 최초로 창조된 사람은 야노마모 족이며 그 외의 다른 사람들은 모두 열등한 존재이다.

▸보기◂
ㄱ. 문화는 타고나는 것이 아니라 습득되는 것이다.
ㄴ. 문화는 정적인 상태로 머물지 않고 발전하거나 퇴보한다.
ㄷ. 문화는 사회 구성원 간 원활한 상호 작용의 토대가 된다.
ㄹ. 문화는 새로운 문화 요소가 추가되어 점점 더 풍부해진다.

① ㄱ, ㄴ   ② ㄱ, ㄷ   ③ ㄴ, ㄷ   ④ ㄴ, ㄹ   ⑤ ㄷ, ㄹ

10 수능

p.075 **자료 03**

밑줄 친 ㉠~㉣에 나타난 문화의 속성에 대한 옳은 설명을 〈보기〉에서 고른 것은?

갑국의 ○○는 면발을 물에 끓여 먹던 △△에서 유래한 것이다. ○○는 ㉠ 기름에 튀겨 면발을 가공하는 기술이 △△에 접목되어 새롭게 만들어진 것이다. ㉡ 쌀 위주의 식생활을 하는 갑국에서 밀가루 음식인 ○○가 처음에는 국민들의 관심을 끌지 못했다. 그러나 국민들은 ○○를 ㉢ 간편하게 먹을 수 있다는 것을 알게 되었고, 갑국 정부는 쌀 부족으로 인한 식량 문제를 해결하기 위해 분식을 장려하였다. 이제 ○○는 ㉣ 국민 대다수가 즐겨 먹는 음식이 되었다.

▸보기◂
ㄱ. ㉡은 전승된 문화를 바탕으로 새로운 문화가 창출된다는 것을 보여 준다.
ㄴ. ㉢은 문화가 후천적으로 습득된다는 것을 보여 준다.
ㄷ. ㉣은 ㉠과 달리 문화 현상이 고정된 것이 아니라 지속적으로 변화함을 보여 준다.
ㄹ. ㉡, ㉣은 모두 문화가 구성원의 사고와 행동을 구속한다는 것을 보여 준다.

① ㄱ, ㄴ   ② ㄱ, ㄷ   ③ ㄴ, ㄷ   ④ ㄴ, ㄹ   ⑤ ㄷ, ㄹ

11 수능

밑줄 친 ㉠, ㉡에 해당하는 문화의 속성에 대한 옳은 설명을 〈보기〉에서 고른 것은?

▸보기◂
ㄱ. ㉠은 문화의 각 요소가 상호 연관되어 있음을 보여 준다.
ㄴ. ㉠은 기존의 문화 요소가 소멸되거나 새로운 문화 요소가 나타나기도 함을 보여 준다.
ㄷ. ㉡은 문화가 세대 간 전승을 통해 복잡하고 다양해짐을 보여 준다.
ㄹ. ㉡은 문화를 통해 상대방의 행동을 예측하고 그에 대응하여 사회 질서 유지에 기여할 수 있음을 보여 준다.

① ㄱ, ㄴ   ② ㄱ, ㄷ   ③ ㄴ, ㄷ   ④ ㄴ, ㄹ   ⑤ ㄷ, ㄹ

12 평가원

(가), (나)에서 공통적으로 부각되는 문화의 속성에 대한 진술로 옳은 것만을 〈보기〉에서 있는 대로 고른 것은?

(가) 농경 국가이던 A국에 목축업이 도입되면서 다수의 사람들이 유제품과 육류를 즐기는 식생활 문화를 누리게 되었다. 또한 양모를 활용한 의복 문화와 가축 도축을 위한 공간이 있는 주거 문화도 형성되었다.

(나) B국 사람들은 가족만이 아니라 고향의 친지와 함께 명절을 즐기기 위해 고향을 방문한다. 이를 위해 명절을 포함한 일정 기간을 휴일로 지정하고 있다. 최근에는 개인주의의 영향으로 연휴 기간에 타지로 여행을 가는 사람들이 늘어나면서 명절의 의미가 퇴색되었다.

▸보기◂
ㄱ. 상대방의 행동을 예측하고, 대응할 수 있게 한다.
ㄴ. 새로운 요소가 추가되거나 기존 요소가 소멸되기도 한다.
ㄷ. 한 부분의 변동이 다른 부분에 영향을 주어 변동을 일으킨다.
ㄹ. 후대에 문화가 계승되면서 보다 풍부한 요소를 갖추게 된다.

① ㄱ, ㄹ   ② ㄴ, ㄷ   ③ ㄷ, ㄹ
④ ㄱ, ㄴ, ㄷ   ⑤ ㄱ, ㄴ, ㄹ

13 평가원

다음 두 사례에서 공통적으로 부각되는 문화의 속성에 대한 옳은 설명을 〈보기〉에서 고른 것은?

- A국에서는 남는 음식을 제공하는 사람이 이를 얻어 가는 걸인에게 고마움을 표시한다. 이는 덥고 습한 지역이 많은 A국에서는 다모작이 가능하여 식량이 풍족하게 생산되는 반면, 음식을 오래 보관하기 곤란하다는 것과 관련이 깊다.
- 유목 생활을 하는 B 민족은 화장(火葬) 문화를 가지고 있다. 이는 잦은 이동 생활로 인해 무덤에 대한 지속적인 사후 관리가 용이하지 않다는 것과 관련이 깊다.

┌─ 보기 ─
ㄱ. 문화는 상징을 통해 다음 세대로 전달 · 계승된다.
ㄴ. 문화는 여러 요소들이 유기적으로 결합된 하나의 체계이다.
ㄷ. 문화는 시간의 흐름에 따라 기존 요소가 사라지거나 변화한다.
ㄹ. 문화는 부분이 아닌 전체로서 의미를 갖기 때문에 문화 요소 간에 서로 영향을 미친다.
└─

① ㄱ, ㄴ ② ㄱ, ㄷ ③ ㄴ, ㄷ ④ ㄴ, ㄹ ⑤ ㄷ, ㄹ

14 평가원

갑과 을이 가진 문화 이해의 관점에 대한 옳은 설명을 〈보기〉에서 고른 것은?

- 갑은 경제적 측면에 치우친 주택에 대한 연구 경향을 비판하며, 주택의 문화적 의미에 대해 연구하였다. 그 결과 갑은 주택이 경제적 의미뿐만 아니라 사회적 성향, 자연 조건, 자원의 영향과 밀접하게 관련되어 있다는 사실을 규명하였다.
- 을은 남태평양의 여러 섬에서 나타나는 선물 문화를 연구한 결과, 선물의 형태가 각 지역의 특성에 따라 다양하지만 선물을 주고받는 것은 어느 사회에서나 사회를 유지하는 데 중요한 기능을 한다는 결론을 내렸다.

┌─ 보기 ─
ㄱ. 갑의 관점은 문화가 부분이 아닌 전체로서의 의미를 갖는다고 본다.
ㄴ. 을의 관점은 여러 문화를 비교하면서 공유되는 보편성을 파악한다.
ㄷ. 갑의 관점은 을의 관점과 달리 자문화를 객관적으로 파악해야 한다고 본다.
ㄹ. 을의 관점은 갑의 관점과 달리 모든 문화는 고유한 가치를 지닌다고 본다.
└─

① ㄱ, ㄴ ② ㄱ, ㄷ ③ ㄴ, ㄷ ④ ㄴ, ㄹ ⑤ ㄷ, ㄹ

15 수능

(가), (나)에 나타난 문화 이해의 관점에 대한 옳은 설명만을 〈보기〉에서 있는 대로 고른 것은?

- (가) 벌레를 섭취하는 ○○족의 음식 문화가 그들의 자연환경, 관습, 정치 제도 등 다양한 문화 요소들과 어떤 관련을 맺고 있는지 전체적으로 연구하였다.
- (나) 벌레를 섭취하는 ○○족의 음식 문화를 해당 사회의 문화적 전통과 사회적 맥락 속에서 연구하여 부족한 단백질 보충이라는 그 사회 나름의 합리적 근거를 찾아내었다.

┌─ 보기 ─
ㄱ. (가)의 관점은 문화에 대한 편협하고 왜곡된 이해를 방지하는 데 기여한다.
ㄴ. (나)의 관점은 해당 문화를 향유하는 사회 구성원의 입장에서 문화의 의미를 파악하는 데 초점을 둔다.
ㄷ. (나)의 관점은 (가)의 관점과 달리 문화를 평가의 대상으로 인식한다.
ㄹ. (가), (나)의 관점은 모두 문화 간 비교를 통해 자기 문화를 객관적으로 이해하는 데 유용하다.
└─

① ㄱ, ㄴ   ② ㄱ, ㄷ   ③ ㄷ, ㄹ
④ ㄱ, ㄴ, ㄹ   ⑤ ㄴ, ㄷ, ㄹ

16 평가원

(가), (나)에 나타난 문화 이해의 관점에 대한 옳은 설명을 〈보기〉에서 고른 것은?

- (가) 세계 각지에 존재하는 매장(埋葬), 화장(火葬), 수목장(樹木葬), 조장(鳥葬) 등 다양한 유형의 장례 문화를 조사하여 공통점과 차이점을 연구하였다.
- (나) 고산 지대에 사는 ○○족의 장례 문화가 그들의 종교, 경제, 가족 제도 등 다른 문화 요소들과 어떻게 연관되어 있는지 연구하였다.

┌─ 보기 ─
ㄱ. (가)의 관점은 자문화의 특징을 타 문화와 비교하여 파악하는 데 유용하다.
ㄴ. (나)의 관점은 문화가 부분이 아닌 전체로서의 의미를 갖는 생활양식임을 중시한다.
ㄷ. (가)의 관점은 (나)의 관점과 달리 사회적 맥락을 고려하여 문화를 이해하는 데 기여한다.
ㄹ. (나)의 관점은 (가)의 관점과 달리 문화의 보편성을 찾는 것에 초점을 둔다.
└─

① ㄱ, ㄴ ② ㄱ, ㄷ ③ ㄴ, ㄷ ④ ㄴ, ㄹ ⑤ ㄷ, ㄹ

17 수능

다음에서 강조하는 문화 이해의 관점에 대한 설명으로 가장 적절한 것은?

> 특정 문화 현상의 의미를 이해하기 위해서는 그 문화 현상이 해당 사회의 문화적 전통과 사회적 맥락에 의해 형성된 것임을 고려해야 한다. 독수리에게 죽은 이의 시체를 먹게 하는 장례 문화처럼 외부인에게는 낯설고 이상하게 보이는 문화 현상도 그 사회 나름의 합리적인 근거를 지니고 있기 때문이다.

① 다른 문화를 거울삼아 자기 문화를 파악하는 데 유용하다.

② 문화를 단절 없이 연속적으로 발전하는 과정으로 파악한다.

③ 문화를 문명과 동일시하면서 문화 요소 간의 연관성을 강조한다.

④ 해당 문화를 향유하는 사회 구성원의 관점에서 문화의 의미를 파악한다.

⑤ 보편적 문화 현상을 바탕으로 특정 현상의 객관적 의미를 파악한다.

18 평가원

다음 글에 대한 설명으로 가장 적절한 것은?

> A국에는 사냥 후 감사의 마음으로 동물의 피를 나누어 마시는 오랜 ㉠ 풍습이 있다. B국에서 온 갑, 을, 병은 여행 중 이러한 낯선 광경을 함께 목격하게 되었다. 갑은 불쾌감을 느끼며 혐오스럽고 미개한 풍습이라고 주장했다. 반면 을은 A국의 고유한 ㉡ 문화는 나름의 사회적 맥락이 반영된 것이기에 존중해야 된다고 보았다. 이에 대해 병은 고유한 문화의 존중보다는 생명체 존중이라는 보편적 가치가 우선되어야 한다고 말했다.

① ㉠은 물질문화에 해당한다.

② ㉡에서의 '문화'는 좁은 의미의 문화이다.

③ 갑의 문화 이해 태도는 문화의 우열을 가릴 수 없다고 본다.

④ 을의 문화 이해 태도는 문화의 다양성 확보에 유리하다.

⑤ 병의 주장은 극단적 문화 상대주의를 옹호하는 근거가 될 수 있다.

19 수능

밑줄 친 ㉠∼㉤에 대한 옳은 설명만을 〈보기〉에서 있는 대로 고른 것은?

> 파르테논 신전은 ㉠ 고대 아테네인들의 지혜가 오랜 기간 집약되어 형성된 ㉡ 건축 문화의 대표 사례입니다. 신전의 바닥과 윗부분은 수평으로 지어지지 않았는데, 그 이유는 착시 효과를 통해 멀리서 수평처럼 보이도록 의도했기 때문입니다. 이를 통해 당시 아테네인들의 ㉢ 기술 수준이 상당히 높았음을 알 수 있습니다. 아울러 이 거대한 신전의 규모는 당시 아테네의 힘을 보여 주며, 신전을 장식하는 조각들은 뛰어난 ㉣ 예술 작품이라 평가받고 있습니다.

> 결국 ㉤ 파르테논 신전은 아테네의 국력과 기술력 그리고 뛰어난 예술 정신이 결합되어 만들어진 결과네요.

─보기─

ㄱ. ㉠은 문화가 전승되면서 더욱 풍부해짐을 보여 준다.

ㄴ. ㉡의 문화는 '문화 시설'에서의 문화와 같은 의미이다.

ㄷ. ㉢은 물질문화, ㉣은 비물질문화에 해당한다.

ㄹ. ㉤은 각 문화 요소들이 서로 연결되어 하나의 전체로서 존재함을 보여 준다.

① ㄱ, ㄷ ② ㄴ, ㄷ ③ ㄴ, ㄹ

④ ㄱ, ㄴ, ㄹ ⑤ ㄱ, ㄷ, ㄹ

20 평가원

문화를 이해하는 갑∼병의 태도에 대한 설명으로 옳은 것은?

> 갑: 한 사회의 문화는 그 자체의 의미와 가치에 따라 이해해야 해.

> 을: 내가 속한 사회의 문화를 기준으로 다른 문화에 대해 판단하는 것은 자연스럽고 바람직한 태도야.

> 병: 우리 문화보다 우월한 선진국의 문화를 적극적으로 수용해서 낙후된 우리 문화의 수준을 향상시켜야 해.

① 갑의 태도는 문화 제국주의로 변질될 가능성이 높다.

② 을의 태도는 모든 문화가 동등한 가치를 지닌다고 본다.

③ 병의 태도는 자기 문화에 대한 객관적 이해를 가능하게 한다.

④ 갑의 태도와 달리 병의 태도는 특정 문화를 기준으로 문화의 우열을 판단한다.

⑤ 을의 태도와 달리 병의 태도는 다문화 사회에서 문화 갈등을 초래할 수 있다.

21 수능

갑, 을의 문화 이해 태도에 대한 설명으로 가장 적절한 것은?

> blog: ○○씨의 …
>
> **○○씨의 여행기**
>
> 남태평양 군도에 사는 A 부족은 마른 과일로 만든 팽이를 사용하여 코코넛 말뚝을 쓰러뜨리는 방식의 놀이를 즐기는데, 이는 볼링과 흡사하다. 그렇지만 볼링과 달리 이 놀이의 목적은 상대 팀보다 많은 말뚝을 쓰러뜨려 이기는 것이 아니다. 이 놀이는 두 팀이 같은 수의 말뚝을 쓰러뜨릴 때까지 진행된다. 그들이 이런 놀이를 즐기는 것은 타인과 경쟁하는 행위가 나쁜 것이라고 믿고 있기 때문이다.
>
> 댓글 달기
>
> ↳ 갑 : A 부족이 의미 없이 왜 이런 놀이를 하는지 모르겠어. 시간 낭비일 뿐이야. 놀이에서조차 경쟁하지 않으니 사회가 발전하지 못하는 거야. A 부족도 경쟁을 통해 사회를 발전시켜 온 우리나라를 본받아야 해.
>
>   ↳ 을 : A 부족이 경쟁을 나쁜 것이라고 믿는 것이나 우리나라가 경쟁을 중시하는 것 모두 각 사회의 역사와 전통 속에서 선택된 삶의 방식이라고 생각해. 둘 다 그 나름의 의미가 있어.

① 갑의 태도는 모든 문화가 동등한 가치를 지닌다고 본다.

② 을의 태도는 자문화의 정체성을 상실할 우려가 있다는 비판을 받는다.

③ 갑의 태도는 을의 태도와 달리 특정 사회의 문화를 기준으로 타 문화를 평가할 수 있다고 본다.

④ 을의 태도는 갑의 태도와 달리 국수주의로 변질될 수 있다는 비판을 받는다.

⑤ 갑, 을의 태도는 모두 문화의 다양성 보존에 기여한다.

22 평가원

갑~병이 가진 문화 이해 태도에 대한 옳은 설명을 〈보기〉에서 고른 것은?

갑 : 외국에 여행을 갔을 때 그 나라 사람들이 음식을 손으로 집어 먹는 모습을 보고 깜짝 놀랐어. 우리처럼 도구를 사용하여 음식을 먹는 것이 더 문명화된 모습이 아닐까?

을 : 예전에 한국에 처음 방문했을 때 여러 사람이 둘러앉아 자기 입에 넣었던 숟가락으로 찌개를 함께 떠먹는 모습을 보고 무척 당혹스러웠어. 음식은 당연히 각자 개인 그릇에 덜어 먹어야 하는 것 아니야?

병 : 식사 자리에서 대화를 즐기는 나라가 있는 반면, 조용히 식사에만 집중하는 나라도 있잖아. 이렇듯 식사 문화는 나라마다 고유한 특성을 가지고 있어. 이 방인이 자기 시선으로 다른 나라의 식사 문화에 대해 우열을 따지는 것은 옳지 않아.

·보기·

ㄱ. 갑의 태도는 자국의 문화 정체성을 약화시킬 우려가 있다.

ㄴ. 을의 태도는 문화를 평가가 아닌 이해의 대상으로 본다.

ㄷ. 병의 태도는 문화를 사회적 상황과 연결시켜 파악한다.

ㄹ. 갑과 을의 태도는 병의 태도와 달리 문화의 다양성을 저해할 수 있다.

① ㄱ, ㄴ ② ㄱ, ㄷ ③ ㄴ, ㄷ ④ ㄴ, ㄹ ⑤ ㄷ, ㄹ

23 평가원

갑~병의 문화 이해 태도에 대한 설명으로 가장 적절한 것은?

교사 : A국의 ◇◇ 축제에서는 재앙을 막아 주고 행운을 가져다 달라는 의미로 물소, 새 등 수십만 마리의 동물을 죽여서 제물로 바칩니다. 이에 대해 자신의 의견을 이야기해 봅시다.

갑 : 축제 중에 동물을 죽인다 해도 그것은 A국의 사회적 맥락이 반영된 고유한 문화이기에 존중해야 합니다.

을 : 고유한 문화로 인정해야 하지만, 그 전에 동물을 죽이는 것이 보편적인 가치를 훼손하는 것은 아닌지 검토해야 합니다.

병 : 축제에서 수십만 마리의 동물을 죽이는 A국의 관습은 야만적인 것입니다. 선진국인 우리나라의 동물 애호 정신을 배워서 A국은 이런 악습을 바꿔야 합니다.

① 갑의 태도는 문화 간에 우열이 존재한다고 본다.

② 을의 태도는 극단적 문화 상대주의를 경계해야 한다고 본다.

③ 병의 태도는 자문화를 보다 객관적으로 파악하는 데 유용하다.

④ 갑의 태도는 병의 태도와 달리 문화 다양성 보존에 불리하다.

⑤ 을의 태도는 병의 태도와 달리 자문화의 정체성을 보존하는 데 유리하다.

24 평가원

문화 이해의 태도 (가)~(다)에 대한 설명으로 옳은 것은?

> 자기 문화와 다른 문화를 대할 때 (가) 은/는 해당 문화의 관점에서 그 의미와 가치를 파악하려고 노력한다. 이와 달리 (나) 은/는 자기 문화의 관점을 내세워 다른 문화가 지닌 가치를 낮게 평가한다. 한편, (다) 은/는 다른 문화를 우월하게 보고 자기 문화의 가치를 평가 절하한다.

① (가)는 문화 다양성 유지를 용이하게 한다.

② (나)는 다른 문화의 수용에 적극적이다.

③ (다)는 자기 문화의 주체성 형성에 도움이 된다.

④ (나), (다) 모두 모든 문화의 고유한 가치를 존중한다.

⑤ (가)는 (나), (다)와 달리 문화를 평가의 대상으로 간주한다.

01

다음 글을 통해 추론한 문화에 대한 옳은 내용을 〈보기〉에서 고른 것은?

> 인도네시아의 전통 가옥 통고난은 1층 바닥을 지면에서 들어 올려 지면의 열이 거주 공간으로 전해지는 것을 방지하고 홍수로 인한 피해를 막도록 설계되었다. 이는 해충이나 짐승의 침입을 막고 통풍을 원활하게 하는 데도 효과적이다. 더불어 급한 경사를 지닌 뾰족한 지붕은 비가 많이 오는 열대성 기후에서 빗물이 빠르게 지상으로 떨어지도록 하고, 크게 낸 창문과 통풍구는 시원한 바람이 통하도록 하여 무더운 기후를 버틸 수 있게 해 준다.

> •보기•
> ㄱ. 인간에게는 문화를 창조하는 능력이 있다.
> ㄴ. 문화는 인간이 처한 자연환경과는 무관하게 창조된다.
> ㄷ. 문화는 인간이 환경적 제약을 극복하기 위해 만들어 낸 인위적 산물이다.
> ㄹ. 인간의 행위 중 본능에 따른 행위나 유전적 요인에 의한 행위도 문화의 범주에 포함된다.

① ㄱ, ㄴ   ② ㄱ, ㄷ   ③ ㄴ, ㄷ   ④ ㄴ, ㄹ   ⑤ ㄷ, ㄹ

02 고난도

밑줄 친 ㉠~㉤에 대한 설명으로 옳은 것은?

> ㉠ 우리나라에 국수가 들어온 것은 송나라 때 중국으로 유학을 떠난 고려 승려들에 의해서였다는 설이 유력하다. 국수는 우리의 ㉡ 음식 문화에도 빠르게 적응했다. 각 지역에서 나는 재료와 특색 있는 조리법을 이용해 다양한 국수가 만들어졌다. ㉢ 춥고 척박한 땅을 가진 북쪽 지방에서는 칡 · 옥수수 · 메밀을, 남쪽 지방에서는 밀가루와 전분을 섞어 국수 요리를 즐겼다. ㉣ 민물고기가 많은 충청도에서는 생선 국수를, 내륙 지방에서는 콩이나 팥을 이용해 국수를 해 먹었다. 국수의 종류가 다양해진 것은 북한 사람들의 영향이 크다. 한국 전쟁 이후 실향민은 여러 지역으로 흩어져 북한의 ㉤ 국수 문화를 재현하려고 노력했다. – 한겨레신문, 2010. 6. 3. –

① ㉠을 통해 문화가 사회 구성원들의 원활한 소통을 가능하게 함을 알 수 있다.
② ㉡의 '문화'는 ㉤의 '문화'와 달리 생활양식의 총체를 가리킨다.
③ ㉢은 문화 요소가 상호 유기적으로 연결되어 있음을 보여 준다.
④ ㉣에는 ㉢과 달리 문화의 보편성과 특수성이 동시에 나타난다.
⑤ ㉤은 기존에 존재하지 않던 문화 요소가 새롭게 생겨난 사례에 해당한다.

03

다음 연구에서 강조되는 문화의 속성에 대한 옳은 설명을 〈보기〉에서 고른 것은?

> 한 문화 심리학자는 동양인과 서양인의 생각하는 방식에 차이가 있음에 주목하여 실험을 통해 그 차이를 밝혀냈다. 예를 들어, 원숭이, 판다, 바나나 중에서 둘을 짝지어 묶을 때 동양인은 원숭이와 바나나를 묶는 반면, 서양인은 원숭이와 판다를 묶는다. 동양인은 사물을 볼 때 전체 속의 조화 및 관계를 중시하고, 서양인은 각 사물의 개별성에 주목하기 때문이다. 이는 교육의 방식에서도 여실히 드러난다. 1930년대 미국의 초등학교 교과서에는 '딕과 제인'이라는 이야기가 실려 있었다. '딕이 뛰는 것을 보아라. 딕이 노는 것을 보아라. 딕이 뛰면서 노는 것을 보아라.' 반면 똑같이 한 남자아이의 행동을 묘사하는 중국의 초등학교 교과서는 사뭇 다른 내용을 담고 있다. '형이 어린 동생을 돌보고 있구나. 형은 어린 동생을 사랑해. 그리고 동생도 형을 사랑한단다.'
> – 리처드 니스벳, 「생각의 지도」 인용 및 수정 –

> •보기•
> ㄱ. 상징을 통해 다음 세대로 전달 · 계승된다.
> ㄴ. 부분들이 모여 전체로서 하나의 체계를 이룬다.
> ㄷ. 특정 상황에서 상대방의 행동 방식을 예측하게 한다.
> ㄹ. 한 부분의 변동이 다른 부분에 영향을 주어 변동을 일으킨다.

① ㄱ, ㄴ   ② ㄱ, ㄷ   ③ ㄴ, ㄷ   ④ ㄴ, ㄹ   ⑤ ㄷ, ㄹ

04

다음 사례에서 강조되는 문화의 속성에 대한 설명으로 적절한 것은?

> 산업화의 시초가 된 것은 섬유 산업의 성장이었다. 의류 생산량을 늘리기 위해서는 더 나은 교통수단이 필요했다. 그리고 증가한 생산량만큼 더 많이 판매하기 위해서는 더 넓은 지역에서 팔아야 했다. 영국의 운하는 이를 감당하기에는 역부족이었고, 좀 더 빠르고 편리한 교통수단인 철도가 새로운 가능성으로 떠올랐다. 값비싼 수로 대신에 철도를 이용하면 많은 화물 차량을 연결할 수 있었다. 그 덕분에 철도를 통한 대량 화물 수송이 가능해졌다.
> – 한스 크리스토프 리스, 「청소년을 위한 1010 경제학」 –

① 시간의 흐름에 따라 그 형태나 의미가 변화한다.
② 사회 구성원의 사고와 행동의 동질성을 형성한다.
③ 연쇄적인 문화 변동이 일어나는 원인으로 작용한다.
④ 특정 상황에서 상대방의 행동 방식을 예측하게 한다.
⑤ 후대에 문화가 계승되면서 보다 풍부한 요소를 갖추게 한다.

05

밑줄 친 ㉠, ㉡에 대한 옳은 설명을 〈보기〉에서 고른 것은?

1920년대 중반 ㉠ 미국의 한 문화 인류학자는 남태평양에 있는 사모아에서 청소년들의 행동을 관찰한 후 미국 청소년 문화와 어떻게 다른지 살펴보았다. 그에 따르면, 사모아의 청소년은 미국 청소년에게서 흔히 나타나는 스트레스를 거의 겪지 않는 것으로 나타났다. ㉡ 그는 이 문제를 이해하기 위해 사모아의 문화 전반을 살펴보았다. 먼저, 미국과 사모아는 사회 규범의 제재 정도에서 차이가 있었다. 당시 미국은 청교도의 영향으로 성(性)에 대한 규제를 포함한 사회 규범이 매우 강하였고, 그러한 규범의 제재는 청소년에게도 엄격하게 적용되었다. 이 때문에 미국 청소년의 대부분이 많은 스트레스를 받았다. 반면, 사모아는 사회 규범이 다소 느슨한 편이었으며, 청소년에 대한 규제도 거의 없었다.

– 마거릿 미드, 「사모아의 청소년」 재구성 –

┌─ 보기 ┐
ㄱ. ㉠은 문화를 평가할 수 있다고 여긴다.
ㄴ. ㉠은 문화의 보편성과 특수성을 전제로 문화를 바라보고 있다.
ㄷ. ㉡에서의 '문화'는 '문명'과 동일한 의미로 사용되었다.
ㄹ. ㉡은 문화의 부분 요소가 다른 요소들과 관련을 맺으며 하나의 체계를 형성하기 때문에 시도되었다.
└────┘

① ㄱ, ㄴ ② ㄱ, ㄷ ③ ㄴ, ㄷ ④ ㄴ, ㄹ ⑤ ㄷ, ㄹ

06

다음 내용을 통해 교사가 설명하고자 한 문화의 속성에 대한 설명으로 옳은 것은?

우리나라 어디에서든 김치를 먹습니다. 그러나 지역에 따라 김치는 서로 다른 모습으로 발달해 왔습니다. 평안도 지역은 기온이 낮아 김치가 쉽게 상하지 않으므로 다른 지역에 비해 간은 싱겁고 양념을 담백하게 하는 편입니다. 반면, 전라도 지역은 기온이 상대적으로 높아 김치가 빨리 상할 수 있으므로 소금을 듬뿍 넣고 진한 젓갈과 양념으로 맛을 냅니다.

① 문화는 부분이 모여 전체로서 하나의 체계를 이룬다.
② 문화는 타고난 것이 아니라 후천적으로 습득되는 것이다.
③ 문화는 고정된 것이 아니라 지속적으로 변화하고 발전한다.
④ 문화는 세대를 거쳐 후대에 전승됨에 따라 보다 풍성해진다.
⑤ 문화는 사회 구성원들 간 원활한 상호 작용의 토대로 작용한다.

07

밑줄 친 ㉠~㉢에 대한 옳은 설명을 〈보기〉에서 고른 것은?

정보 통신 ㉠ 기술이 발달하면서 일본에서는 상상도 못한 ㉡ 장례 문화가 등장하고 있다. 일본에서는 장례식 때 스님이 독경을 하며 의식을 집전하는 것이 일반적이다. 그러나 최근 스님에게 ㉢ 장례를 맡기는 비용이 부담스러운 사람들을 위해 보다 저렴한 가격으로 로봇이 대신 유골함을 제단에 올리고 불경을 외워주는 서비스가 시행되고 있다. 매년 제사를 지내줄 가족이 없는 사람들을 위해 ㉣ 실제 토지가 아닌 스마트폰 안에 증강 현실 기술을 활용하여 묘지를 조성하는 서비스도 등장했다. 이용자들은 고인이 좋아했던 장소나 유골을 뿌린 장소 등을 GPS에 등록한 후 그 장소를 찾아 어플리케이션을 켜면 고인과의 추억을 되새길 수 있다.

– 중앙일보, 2018. 9. 23. –

┌─ 보기 ┐
ㄱ. ㉠은 물질문화에 해당한다.
ㄴ. ㉡에서의 '문화'는 좁은 의미로서의 문화이다.
ㄷ. ㉢은 비물질문화에 해당한다.
ㄹ. ㉣을 통해 문화의 공유성을 엿볼 수 있다.
└────┘

① ㄱ, ㄴ ② ㄱ, ㄷ ③ ㄴ, ㄷ ④ ㄴ, ㄹ ⑤ ㄷ, ㄹ

08 고난도

그림은 문화의 속성 A~E를 일정한 기준에 따라 분류한 것이다. 이에 대한 설명으로 옳은 것은?

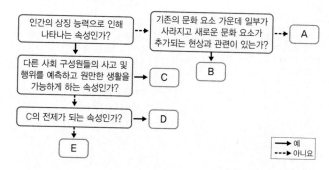

① A로 인해 본능에 따른 행위는 문화에 포함되지 않는다.
② B는 쌍둥이라도 서로 다른 환경에서 자라면 소통하기 어려운 이유를 설명해 준다.
③ C는 한 문화 요소가 변동하면 다른 문화 요소가 연쇄적으로 변동하는 것을 통해 확인 가능하다.
④ D는 짐승에 의해 길러진 인간이 인간다운 삶을 살기 어려운 이유를 설명해 준다.
⑤ E는 모든 문화 요소가 상호 유기적으로 연결되어 있어 나타나는 속성이다.

09

다음 글에서 강조되는 문화를 바라보는 관점에 대한 설명으로 가장 적절한 것은?

> 중국의 우루무치가 과거 어떻게 교역의 중심지가 되었는지 알아보려면 지형부터 살펴보아야 한다. 몽골어로 '광활한 목초지'를 의미하는 우루무치는 천산산맥에서 시작되는 우루무치 강과 내륙 분지로 인해 넓은 초지가 형성되었고, 이는 목축업 발달의 토대가 되었다. 목축업의 발달은 유제품 산업과 양모 및 피혁 산업을 성장하게 했으며, 그로 인한 거래가 증가함에 따라 자연스레 교역의 거점 도시로 발달하였다.
> – 2007. 4. 11. 대전일보 수정 –

① 문화의 다양성을 발전 수준의 차이로 본다.
② 자문화를 객관적으로 인식하는 데 효과적이다.
③ 모든 문화에 공통점과 차이점이 존재한다고 본다.
④ 문화가 부분이 아닌 전체로서의 의미를 갖는다고 본다.
⑤ 여러 문화를 비교함으로써 문화 간에 공유되는 보편성을 파악한다.

10 고난도

갑, 을이 가진 문화 이해 관점의 일반적 특징을 〈보기〉에서 고른 것은?

> 너 인도의 결혼 문화에 대한 발표 준비했어? 나는 인도의 결혼 문화를 조사하면서 우리나라, 영국, 프랑스의 결혼 문화를 함께 조사해서 인도의 결혼 문화와 비교해 보려고 해.

> 그렇구나. 나는 인도의 결혼 문화를 인도 특유의 자연환경, 종교, 경제적 상황 등과의 연관성 속에서 조사하여 발표하려고 해.

갑   을

·보기·
ㄱ. 갑은 문화가 부분이 아닌 전체로서의 의미를 갖는다고 본다.
ㄴ. 갑은 을에 비해 객관적으로 문화를 이해하고 있다.
ㄷ. 을은 모든 문화 요소가 유기적으로 연결되어 있음을 전제로 하고 있다.
ㄹ. 을은 갑과 달리 모든 문화에 보편성과 특수성이 있음을 전제로 하고 있다.

① ㄱ, ㄴ ② ㄱ, ㄷ ③ ㄴ, ㄷ ④ ㄴ, ㄹ ⑤ ㄷ, ㄹ

11

다음 대화의 갑, 을에 대한 설명으로 옳은 것은?

> 교사 : 고대 아스텍 사람들은 생명이 죽음에서 온다고 믿어 종교 의식 중 산 사람을 제물로 바치는 의식을 행했습니다. 아스텍의 제사장은 산 사람의 배를 갈라 심장을 꺼내 태양신에게 바쳤지요. 그러한 행위가 풍년을 들게 하고 제국을 번성하게 한다고 믿었기 때문입니다. 이에 대해 자신의 의견을 이야기해 볼까요?
>
> 갑 : 현대 사회의 기준으로 볼 때는 다소 잔혹해 보일 수 있지만, 과학이 오늘날처럼 발달하지 못한 당시에는 당연하게 존재했던 종교적 믿음이므로 그 고유성을 존중해야 한다고 생각합니다.
>
> 을 : 사람을 제물로 바치는 것은 생명의 존엄함을 무시하는 문화입니다. 다른 사회의 문화를 존중해야 하지만, 인간 생명의 존엄성은 언제나 우선 존중되어야 합니다.

① 갑은 문화의 특수성을 간과하고 있다.
② 갑은 문화를 평가할 수 있는 성격의 것으로 본다.
③ 갑은 문화 다양성 보존에 기여하는 태도를 취하고 있다.
④ 을은 문화를 좁은 의미로 이해하고 있다.
⑤ 을은 자문화를 객관적으로 파악하기 위해 노력하고 있다.

12

갑, 을이 지닌 문화 이해 태도의 일반적 특징에 대한 설명으로 옳은 것은?

> 갑 : 우리 문화만이 우수하다고 여기는 것은 오산입니다. A국의 경우 매우 이른 시기에 근대 문물을 받아들여 정치·경제·문화 등 모든 측면에서 우리보다 우수합니다. 따라서 우리가 A국의 문화를 편견 없이 전면적으로 수용해야만 A국처럼 발전할 수 있습니다.
>
> 을 : 그런 태도는 우리 문화의 고유한 색채를 잃어버리는 지름길입니다. 모든 문화는 각자의 환경에 맞도록 형성된 산물입니다. 다른 문화와 교류하지 말자는 것이 아닙니다. 우리의 색채를 유지하면서도 분별력 있게 다른 문화를 받아들이자는 것입니다.

① 갑은 문화 상대주의를 비판하고 있다.
② 갑은 을과 달리 문화에 우열이 없다고 본다.
③ 을은 자문화 중심주의를 비판하고 있다.
④ 을은 갑과 달리 국제적 고립을 초래할 수 있다.
⑤ 을은 갑과 달리 문화의 획일화를 방지하고 문화 창조 및 변화에 기여한다.

13 고난도

다음 글에 대한 옳은 설명을 〈보기〉에서 고른 것은?

> 근대 서양의 원근법에 따르면 멀리 있는 코끼리보다 가까운 곳의 고양이를 당연히 크게 그려야 하지만, 어떤 문화의 사람들에게는 실제로 더 큰 코끼리를 더 작게 그리는 것이야 말로 우스꽝스러운 일이며, 높이가 똑같은 기둥들을 멀리 있다고 점점 더 낮게 그리는 것도 마찬가지로 우스꽝스러운 일이다. 서양화에 익숙한 사람들이 보기에는 동양화가 원근 법에 맞지 않는 것 같지만, 이는 하나의 화면 안에서 시점을 여러 곳으로 옮겨 가면서 경치를 그린 것일 수도 있다.
>
> – 한국 문화 인류학회, 「처음 만나는 문화 인류학」 –

─• 보기 •─

ㄱ. 사물을 바라보고 표현하는 방식은 다양하게 존재할 수 있다고 본다.

ㄴ. 사물을 바라보고 표현하는 방식은 후천적으로 학습되는 것이라 본다.

ㄷ. 서양의 원근법은 서양 문화가 우월하다는 인식에 기초하고 있다고 본다.

ㄹ. 자기 문화를 비판 없이 당연시하는 태도가 문화 사대주 의의 원인이 된다고 본다.

① ㄱ, ㄴ　② ㄱ, ㄷ　③ ㄴ, ㄷ　④ ㄴ, ㄹ　⑤ ㄷ, ㄹ

14

밑줄 친 ㉠, ㉡에 나타나는 문화 이해 태도에 대한 설명으로 옳은 것은?

> ㉠ 오리엔탈리즘(Orientalism)은 동양에 대한 서구의 왜곡 과 편견을 의미한다. 오리엔탈리즘 속 동양은 대체로 게으 르고, 비민주적이고, 부패하거나, 비논리적인 지역으로 묘 사된다. 한편, ㉡ 옥시덴탈리즘(Occidentalism)은 오리엔탈 리즘과는 반대로 서양에 대한 동양의 왜곡과 편견을 의미한 다. 옥시덴탈리즘 속 서양은 인간적이고 고상한 동양과는 달리 비인간적이고, 천박하고, 물질적인 지역으로 그려진다.

① ㉠은 자문화의 정체성 상실을 야기할 수 있다.

② ㉠은 ㉡과 달리 제국주의를 합리화하는 수단으로 활용될 수 있다.

③ ㉡은 ㉠과 달리 문화를 해당 사회의 맥락 속에서 이해해 야 한다고 본다.

④ ㉠, ㉡ 모두 문화를 평가할 수 있는 성격의 것이라 본다.

⑤ ㉠, ㉡ 모두 인류의 보편 가치를 훼손하는 문화마저도 이 해하고자 한다.

15

표는 몇 가지 질문을 통해 문화 이해 태도를 구분한 것이다. (가)~(라)에 대한 설명으로 옳은 것은? (단, (가)~(라)는 각각 자문 화 중심주의, 문화 사대주의, 문화 상대주의, 극단적 문화 상대주의 중 하나이다.)

질문	(가)	(나)	(다)	(라)
타 문화의 수용을 거부하는가?	아니요	아니요	아니요	예
문화에 우열이 있다고 보는가?	아니요	예	아니요	예
인류 보편 가치 실현을 저해할 가능성이 있는가?	아니요	예	예	예
자문화의 정체성 상실 우려가 있는가?	아니요	예	아니요	아니요

① (가)는 (나)와 달리 문화 다양성 보존을 저해한다.

② (가)는 (다)와 달리 문화를 평가할 수 있다고 본다.

③ (나)는 (다)와 달리 국수주의로 흐를 우려가 있다.

④ (다)는 (나)와 달리 다른 문화와 갈등을 빚기 쉽다.

⑤ (라)는 (가)와 달리 문화 제국주의를 합리화하는 근거가 될 수 있다.

16

다음 글에 대한 옳은 설명을 〈보기〉에서 고른 것은?

> ㉠ 문화권마다 다양한 인사법이 존재한다. 그 중 티베트인 들은 모자를 벗고 혀를 내밀어 인사를 한다. 언뜻 보기에 ㉡ 사람들이 우스꽝스럽다고 여길 수 있는 이 인사법은 9세기 경 불교를 극심하게 탄압한 것으로 유명한 랑다르마 왕 시 대로부터 유래한 것이다. 랑다르마 왕은 도깨비처럼 머리에 뿔이 있고 혀가 없었기 때문에 뿔을 가리기 위해 항상 모자 를 쓰고 다녔다고 한다. 티베트인들은 랑다르마 왕을 악마 의 화신이라 여겨 스스로 그 왕과 다른 부류의 인간임을 보 여 주기 위해 ㉢ 사람들을 만나면 한 손으로 모자를 올리고 혀를 쭉 내밀면서 '나는 머리에 뿔도 없고 혀도 있으니 랑다 르마와 같은 악마가 아니다.'라는 뜻이 담긴 인사를 나누게 되었다고 한다.

─• 보기 •─

ㄱ. ㉠에는 문화의 보편성과 특수성이 동시에 나타난다.

ㄴ. ㉡과 같은 태도를 보이는 사람들은 문화를 평가할 수 없 는 것이라 여긴다.

ㄷ. ㉢을 통해 문화의 학습성과 공유성을 파악할 수 있다.

ㄹ. 글쓴이가 가진 문화 이해 태도는 자문화의 정체성을 위 협할 수 있다.

① ㄱ, ㄴ　② ㄱ, ㄷ　③ ㄴ, ㄷ　④ ㄴ, ㄹ　⑤ ㄷ, ㄹ

III. 문화와 일상생활

현대 사회의 문화 양상

1단계 기출 자료 & 선지 분석

기출 자료 분석

자료 01 하위문화와 반문화

구분	A	B	C
한 사회 내에서 일부 구성원들만 공유하는 문화인가? ─ 단서 ❶	예	예	아니요
한 사회의 지배적인 문화를 거부하거나 저항하는 문화인가? ─ 단서 ❷	예	아니요	아니요

단서 풀이
- 단서 ❶ 하위문화는 한 사회 내의 일부 구성원들이 공유하는 문화로, 주류 문화가 가지는 요소 중 일부를 공유한다.
- 단서 ❷ 반문화는 하위문화의 하나로, 지배적인 문화를 거부하거나 저항하는 성격을 가진다.

자료 분석
- 한 사회 내에서 일부 구성원들만 공유하는 문화인 A, B는 하위문화이다. A는 한 사회의 지배적인 문화를 거부하거나 저항하는 반문화이고, B는 반문화의 성격이 없는 하위문화이다.
- C는 사회 구성원 대부분이 공유하는 주류 문화이다.

자료 02 반문화와 세대 문화

유형	사례
A 문화	1960년대 미국의 히피족은 정치적으로 베트남전 참전을 위한 징집을 거부하는 등 정부 정책에 도전하며 평화를 추구하고, 물질적 풍요와 편의성보다는 자연과 공존하는 생활 태도를 중시하였다. ─ 단서 ❶
B 문화	최근 2030세대는 이전의 젊은 세대에 비해 현재를 중시하는 삶의 방식을 보인다. 이들은 미래에 투자하기보다 현재의 행복과 즐거움을 위해 소비하는 경향을 보인다. 이는 "You only live once(당신의 삶은 한번 뿐이다.)"의 줄임말인 '욜로(YOLO)' 현상으로 설명되기도 한다.

단서 풀이
- 단서 ❶ 히피족이 만들어 낸 히피문화는 주류 문화에 저항하고 대립하는 성격을 가진다.
- 단서 ❷ '2030세대'와 '젊은 세대'라는 말에서 세대 문화에 대한 내용임을 알 수 있다.

자료 분석
- A 문화 : 히피문화는 주류 문화에 저항하고 대립하는 반문화의 대표적인 사례이다. 따라서 A 문화는 반문화이다.
- B 문화 : 2030세대의 문화는 일정 범위의 연령층이 공유하는 문화인 세대 문화라고 할 수 있다. 따라서 B 문화는 세대 문화이다.

이것도 알아둬
반문화는 하위문화의 한 유형으로, 집단 간 갈등을 조장하여 사회 혼란을 초래하지만 기존 주류 문화를 대체하면서 사회 변동을 가져오기도 한다.

기출 선지 변형 O X

01 자료 01 의 A~C에 대한 설명이 옳으면 ○, 틀리면 ×에 표시하시오.

① 사회가 다원화되고 복잡해질수록 A와 B는 다양해진다. ○, ×

② A는 B와 달리 기존의 지배적인 문화를 대체하기도 한다. ○, ×

③ A를 공유하는 구성원은 C의 문화 요소 중 일부를 공유한다. ○, ×

④ A, B는 C와 달리 해당 문화를 향유하는 구성원들 공통의 정체성 형성에 기여한다. ○, ×

⑤ A, B는 C와 다른 독특한 가치와 규범을 갖기도 한다. ○, ×

⑥ A는 B와 달리 주류 집단에 의해 일탈로 규정되기도 한다. ○, ×

⑦ B, C는 A와 달리 사회에 따라 상대적으로 규정된다. ○, ×

02 자료 02 의 A, B 문화에 대한 설명이 옳으면 ○, 틀리면 ×에 표시하시오.

① A 문화와 B 문화의 총합은 전체 문화이다. ○, ×

② A 문화는 사회 통합에, B 문화는 사회 변동에 기여한다. ○, ×

③ A 문화에 속하는 것을 구분하는 기준은 상대적이다. ○, ×

④ A 문화는 기존 문화에 저항하는 특징을 보인다. ○, ×

⑤ A 문화는 B 문화와 달리 전체 사회에 문화 다양성을 제공한다. ○, ×

⑥ A 문화는 B 문화와 달리 해당 집단 구성원들의 소속감을 강화시킨다. ○, ×

⑦ A 문화와 B 문화 모두 해당 문화를 향유하는 구성원들의 욕구 충족에 기여한다. ○, ×

기출 자료 분석

자료 03 주류 문화와 하위문화

┌ 단서 ❶ ┐   ┌ 단서 ❷ ┐
한 사회 구성원들이 전반적으로 공유하는 문화를 A 문화라 한다. 반면 사회의 일
부 구성원들만 공유하여 다른 구성원들과 구분되는 생활양식을 B 문화라고 한다.
B 문화는 이를 공유하는 구성원들의 정체성을 알려 주는 문화로서 그들에게 중요
한 삶의 양식이 된다. B 문화 중에는 그 사회의 지배 문화에 저항하거나 대립하는
문화가 있는데, 이를 C 문화라 한다.
└ 단서 ❸ ┘

단서 풀이
• 단서 ❶ '한 사회 구성원들', '전반적으로 공유' 등은 주류 문화와 관련한
  표현이다.
• 단서 ❷ '일부 구성원들만 공유', '다른 구성원들과 구분' 등은 하위문화와
  관련한 표현이다.
• 단서 ❸ 반문화는 하위문화에 속하며 '저항', '대립' 등의 단어로 표현된다.

자료 분석
• 한 사회 구성원들이 전반적으로 공유하는 A 문화는 주류 문화이다.
• 사회의 일부 구성원들만 공유하여 다른 구성원들과 구분되는 생활양식인
  B 문화는 하위문화이다.
• 그 사회의 지배 문화에 저항하거나 대립하는 C 문화는 반문화이다.

자료 04 대중 매체의 특징 비교

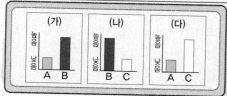

A, B는 C에 비해 정보 재가공의 용이성이 낮아요. A, C는 B와 달리 복합 감각 정보
의 전달이 가능해요. (가)~(다)를 기준으로 A~C의 일반적인 특징을 비교해 봅시다.

※ 단, A~C는 각각 인쇄 매체, 영상 매체, 뉴 미디어 중 하나이다.

단서 풀이
• 단서 ❶ 뉴 미디어는 정보를 동일한 형태로 복제하고 다양한 형태로 재
  가공할 수 있다.
• 단서 ❷ 인쇄 매체는 문자 언어나 그림 등 시각에 의존하는 정보만을 조
  직화하여 전달한다.
• 단서 ❸ (가)는 영상 매체보다 높게 나타나는 인쇄 매체의 특징, (나)는 뉴
  미디어보다 높게 나타나는 인쇄 매체의 특징, (다)는 영상 매체보다 높게
  나타나는 뉴 미디어의 특징이다.

자료 분석
• A는 영상 매체이다.
• 영상 매체, 뉴 미디어와 달리 복합 감각 정보의 전달이 불가능한 B는 인
  쇄 매체이다.
• 인쇄 매체, 영상 매체에 비해 정보 재가공의 용이성이 높은 C는 뉴 미디
  어이다.

기출 선지 변형 ○ X

03 자료 03 의 A~C 문화에 대한 설명이 옳으면 ○, 틀리면 ×에 표시하시오.

① A 문화는 B 문화의 총합으로 설명할 수 없다.	○, ×
② B 문화에는 A 문화의 문화 요소가 존재하지 않는다.	○, ×
③ B 문화는 A 문화와 대립하여 사회 안정을 저해한다.	○, ×
④ 한 사회에서 B 문화는 C 문화와 공존이 불가능하다.	○, ×
⑤ B 문화와 달리 C 문화는 집단 간 갈등을 초래하여 사회 통합을 저해할 수 있다.	○, ×
⑥ 사회가 다원화될수록 C 문화는 A 문화로 수렴되는 경향을 보인다.	○, ×
⑦ C 문화와 달리 B 문화는 사회 변화에 따라 A 문화가 되기도 한다.	○, ×

04 자료 04 의 (가)~(다)에 들어갈 내용이 옳으면 ○, 틀리면 × 에 표시하시오.

① (가) – 정보 유통의 신속성	○, ×
② (가) – 정보 생산자의 전문성	○, ×
③ (나) – 정보 활용과 공유 가능성	○, ×
④ (나) – 정보 전달의 양방향성	○, ×
⑤ (나) – 정보 확산 경로의 다양성	○, ×
⑥ (나) – 정보 검색과 활용의 신속성	○, ×
⑦ (다) – 정보 전달의 속도	○, ×
⑧ (다) – 정보 생산자의 익명성	○, ×
⑨ (다) – 정보 생산자와 소비자 간 경계의 명확성	○, ×

기출 자료 분석

자료 05 대중 매체의 특징 비교

- A~C는 각각 누리 소통망(SNS), 서적, TV 중 하나이다.
- 정보 전달의 양방향성 측면에서 보면 C가 A, B보다 높은 편이다.
- 문맹자의 정보 접근성 측면에서 보면 B가 A보다 높은 편이다.

단서 풀이
- 단서 ❶ 누리 소통망(SNS)은 뉴 미디어, 서적은 인쇄 매체, TV는 영상 매체이다.
- 단서 ❷ 정보 전달의 양방향성 측면은 뉴 미디어가 높고, 문맹자의 정보 접근성은 영상 매체가 뉴 미디어와 인쇄 매체에 비해 높다.

자료 분석
양방향 의사소통이 가능한 C는 SNS(뉴 미디어)이고, 문맹자의 정보 접근성이 높은 B는 TV(영상 매체)이다. 따라서 A는 서적(인쇄 매체)이다.

이것도 알아둬
- 인쇄 매체 : 신문, 잡지, 서적 등
- 음성 매체 : 라디오, 음반 등
- 영상 매체 : 텔레비전, 영화 등
- 뉴 미디어 : 인터넷, 누리 소통망(SNS), 블로그 등

자료 06 대중 매체의 특징 비교

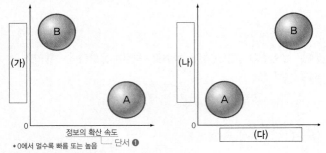

*0에서 멀수록 빠름 또는 높음 ── 단서 ❶
※ 단, A, B는 각각 인쇄 매체, 뉴 미디어 중 하나이다.

단서 풀이
- 단서 ❶ 정보의 확산 속도는 A가 B보다 높게 나타난다.
- 단서 ❷ (가)에는 A<B, (나)에는 A<B, (다)에는 A<B인 특징이 들어갈 수 있다.

자료 분석
- 정보의 확산 속도는 뉴 미디어가 인쇄 매체보다 빠르므로 A는 뉴 미디어, B는 인쇄 매체이다.
- (가), (나), (다) 모두에는 뉴 미디어와 비교하여 인쇄 매체가 더 빠르거나 높은 특징이 들어가야 한다.

이것도 알아둬
인쇄 매체는 심층적인 정보 전달에 유리하지만, 정보 전달의 신속성과 시각 장애인이나 문맹자의 정보 접근 가능성이 가장 낮은 편이며 생동감 있는 정보 전달에 한계가 있다.

기출 선지 변형 O X

05 자료 05 의 A~C에 대한 설명이 옳으면 ○, 틀리면 ×에 표시하시오.

① A는 B보다 생동감 있는 정보 전달이 용이하다. ○, ×

② B는 C보다 정보 복제와 재가공의 용이성이 낮다. ○, ×

③ B는 C와 달리 정보에 대한 수용자의 즉각적 반응을 확인할 수 있다. ○, ×

④ C는 A에 비해 정보 확산의 시·공간적 제약이 크다. ○, ×

⑤ C는 B보다 정보 생산자와 소비자 간의 경계가 모호하다. ○, ×

⑥ A, B와 달리 C는 수용자별 정보 획득의 동시성이 나타난다. ○, ×

⑦ B는 A, C와 달리 대중 조작의 도구로 활용될 가능성이 있다. ○, ×

06 자료 06 의 A, B와 (가)~(다)에 대한 설명이 옳으면 ○, 틀리면 ×에 표시하시오.

① A는 B에 비해 정보 확산의 시·공간적 제약이 크다. ○, ×

② B는 A와 달리 정보의 동시적 전달이 가능하다. ○, ×

③ (가)에는 '정보 재가공의 용이성'이 들어갈 수 있다. ○, ×

④ (가)에는 '정보 전달자와 수용자 간의 상호 작용성'이 적절하다. ○, ×

⑤ (나)에는 '매체에 대한 수용자의 영향력'이 적절하다. ○, ×

⑥ (나)에는 '시청각 정보 제공의 용이성'이 들어갈 수 있다. ○, ×

⑦ (다)에는 '정보 생산자의 전문성'이 적절하다. ○, ×

⑧ (다)에는 '정보 생산자와 소비자 간 경계의 명확성'이 들어갈 수 있다. ○, ×

기출 자료 분석

자료 07 대중 매체의 특징 비교

대중 매체＼항목	시각 정보	청각 정보	양방향성
A	○	×	-
B	○	○	+
C	×	○	-
D	○	○	-

* ○는 있음을 ×는 없음을, +는 높음을 -는 낮음을 나타냄
※ 단, A~D는 각각 신문, 라디오, TV, 인터넷 중 하나이다.

단서 풀이

• 단서 **❶** 라디오는 시각 정보를 제공하지 못한다.

• 단서 **❷** 신문은 청각 정보를 제공하지 못한다.

• 단서 **❸** 양방향성은 뉴 미디어의 특징이다.

자료 분석

시각 정보를 전달하지 못하는 C는 라디오, 청각 정보를 전달하지 못하는 A는 신문, 양방향성이 높은 B는 인터넷, 따라서 D는 TV이다.

이것도 알아둬

라디오나 TV를 통해 제공되는 정보는 방송이 전파를 타는 시간에만 소비할 수 있지만, 인터넷을 통해 제공되는 정보는 소비자가 원하는 시간에 소비할 수 있다.

자료 08 대중 매체를 수용하는 태도

(가) 사람들은 대중 매체라는 창을 통해 바깥 세계를 본다. 그 창 ┈단서 **❶**
이 어떤 모양인지에 따라 세계가 다르게 보일 수 있는 것처럼 대중 매체가 어떤 틀을 갖고 있는지에 따라 세계에 대한 우리 머릿속의 그림이 달라진다.

(나) 대중 매체가 묘사하는 바깥 세계의 모습이 우리 머릿속에 그대로 복사되는 것은 아니다. 왜냐하면 인간은 외부의 정보를 나름대로 해석하는 자신만의 인식 틀을 갖고 있기 때문이다.
┈단서 **❷**

단서 풀이

• 단서 **❶** 대중 매체는 기본적으로 대중에게 정보를 전달하는 기능을 한다.

• 단서 **❷** 대중은 대중 매체가 제공하는 정보를 무비판적·수동적으로 수용하기도 하고, 주체성을 가지고 능동적·비판적으로 수용하기도 한다.

자료 분석

• (가) : 대중은 수동적이므로 대중 매체는 대중의 사고와 판단을 지배할 수 있다고 본다.

• (나) : 대중은 주체적 인식 능력이 있으므로 대중 매체가 제공하는 정보를 능동적·비판적으로 수용할 수 있다고 본다.

이것도 알아둬

대중 매체의 비판적 수용이란 대중 매체가 제공하는 정보의 객관성 및 사실성, 상업성 등을 주체적으로 검토하고 선별하여 수용하는 자세이다.

기출 선지 변형 ○X

07 **자료07**의 A~D에 대한 설명이 옳으면 ○, 틀리면 ×에 표시하시오.

① A는 정보 생산과 관리의 전문성이 나타난다. ○, ×

② A보다 B가 정보 생산자의 익명성이 문제가 될 가능성이 높다. ○, ×

③ A는 D에 비해 정보의 확산 속도가 빠른 매체이다. ○, ×

④ B는 A와 달리 정보 생산자와 정보 소비자가 명확하게 구분된다. ○, ×

⑤ B는 C와 달리 비동시적인 정보 소비가 가능하다. ○, ×

⑥ A~D 모두에서 대중은 정보 생산자인 동시에 소비자이다. ○, ×

⑦ A와 B는 산업 사회, C와 D는 정보 사회에서 지배적인 매체이다. ○, ×

08 **자료08**의 (가), (나)에 대한 분석이 옳으면 ○, 틀리면 ×에 표시하시오.

① (가)는 대중 매체가 사회의 다양성을 증진시킬 것으로 본다. ○, ×

② (나)는 정보 제공자로서 대중 매체의 사회적 책임을 강조한다. ○, ×

③ (가)는 (나)에 비해 대중 매체에 의한 대중 조작을 설명하는 데 적합하다. ○, ×

④ (가)는 (나)와 달리 대중 매체가 왜곡된 정보를 제공하여 대중에게 편견을 갖게 할 수 있다고 본다. ○, ×

⑤ (나)는 (가)와 달리 정보 수용자를 수동적인 존재로 본다. ○, ×

⑥ (가)는 대중 매체의 역기능, (나)는 대중 매체의 순기능을 강조하고 있다. ○, ×

⑦ (가), (나)를 통해 대중 매체가 전달하는 내용을 비판적으로 수용할 필요가 있음을 알 수 있다. ○, ×

01 수능   p.088 자료 01

A~C의 일반적인 특징에 대한 설명으로 옳은 것은? (단, A~C는 각각 전체 문화, 반문화, 반문화의 성격이 없는 하위문화 중 하나이다.)

구분	A	B	C
한 사회 내에서 일부 구성원들만 공유하는 문화인가?	예	예	아니요
한 사회의 지배적인 문화를 거부하거나 저항하는 문화인가?	예	아니요	아니요

① A는 B와 달리 기존의 지배적인 문화를 대체하기도 한다.

② B는 A와 달리 주류 집단에 의해 일탈로 규정되기도 한다.

③ A를 공유하는 구성원은 C의 문화 요소 중 일부를 공유한다.

④ A, B는 C와 달리 해당 문화를 향유하는 구성원들 공통의 정체성 형성에 기여한다.

⑤ B, C는 A와 달리 사회에 따라 상대적으로 규정된다.

02 평가원

A~C 문화에 대한 옳은 설명을 〈보기〉에서 고른 것은? (단, A~C 문화는 각각 전체 문화, 하위문화, 반문화 중 하나이다.)

중세 말기 유럽에서는 새롭게 부를 축적한 부르주아지가 등장하였다. 이들의 문화는 당시 엄격한 신분제에 기초한 봉건제적 문화와는 차별화된 성격을 띠고 있어 처음에는 A 문화였다. 그러나 부르주아지가 근대 시민 혁명을 통해 구체제를 전복하려 나선 시기에, 이들의 문화는 B 문화로서의 성격을 보였다. 그리고 마침내 구체제가 무너지고 새로운 근대 사회가 도래한 이후 이들의 문화는 점차 봉건제적 문화를 대체하며 C 문화로 성장하였다.

·보기·

ㄱ. A 문화는 C 문화와 대립하여 사회 안정을 저해한다.

ㄴ. C 문화는 사회 변동에 따라 A 문화가 되기도 한다.

ㄷ. 한 사회에서 B 문화는 C 문화와 공존이 불가능하다.

ㄹ. 한 사회에서 C 문화는 A 문화의 총합으로 설명할 수 없다.

① ㄱ, ㄴ   ② ㄱ, ㄷ   ③ ㄴ, ㄷ   ④ ㄴ, ㄹ   ⑤ ㄷ, ㄹ

03 평가원   p.088 자료 02

하위문화의 유형인 A, B 문화의 일반적인 특징에 대한 설명으로 옳은 것은?

유형	사례
A 문화	1960년대 미국의 히피족은 정치적으로 베트남전 참전을 위한 징집을 거부하는 등 정부 정책에 도전하며 평화를 추구하고, 물질적 풍요와 편의성보다는 자연과 공존하는 생활 태도를 중시하였다.
B 문화	최근 2030세대는 이전의 젊은 세대에 비해 현재를 중시하는 삶의 방식을 보인다. 이들은 미래에 투자하기보다 현재의 행복과 즐거움을 위해 소비하는 경향을 보인다. 이는 "You only live once(당신의 삶은 한번 뿐이다)."의 줄임말인 '욜로(YOLO)' 현상으로 설명되기도 한다.

① A 문화는 B 문화와 달리 전체 사회에 문화 다양성을 제공한다.

② B 문화는 A 문화와 달리 기존 문화에 저항하는 특징을 보인다.

③ A 문화나 B 문화에 속하는 것을 구분하는 기준은 상대적이다.

④ A 문화는 사회 통합에, B 문화는 사회 변동에 기여한다.

⑤ A 문화와 B 문화의 총합은 전체 문화이다.

04 수능

(가), (나)의 사례에 대한 설명으로 옳은 것은?

(가) 인터넷 및 스마트폰의 보급으로 누구나 온라인 게임을 손쉽게 접할 수 있게 되었다. 이제 온라인 게임은 청소년뿐만 아니라 중장년층 및 노년층까지 전 세대가 즐기는 대중적 문화가 되었다.

(나) 최근 청소년들은 그들끼리만 통하는 언어를 사용한다. 인터넷 용어를 축약하여 표현하거나, 자음만으로 의사를 표현하는 등의 방법으로 신조어와 은어를 만들어 사용한다. 기성세대가 청소년들의 언어문화를 이해하지 못하여, 세대 간 의사소통의 장애가 발생하고 있다.

① (가)에서는 물질문화 변동으로 인해 하위문화가 전체 문화로 변화되었다.

② (나)에서는 하위문화로 인해 세대 문화 간의 이질성이 약화되었다.

③ (가)는 (나)와 달리 문화 지체 현상을 포함하고 있다.

④ (나)는 (가)와 달리 반문화의 범위가 확장된 사례이다.

⑤ (가), (나)는 모두 특정 집단의 문화가 기존의 주류 문화를 대체한 사례이다.

05 평가원

p.089 **자료 03**

A~C 문화의 일반적인 특징에 대한 설명으로 옳은 것은?

> 한 사회 구성원들이 전반적으로 공유하는 문화를 A 문화라고 한다. 반면 사회의 일부 구성원들만 공유하여 다른 구성원들과 구분되는 생활 양식을 B 문화라고 한다. B 문화는 이를 공유하는 구성원들의 정체성을 알려 주는 문화로서 그들에게 중요한 삶의 양식이 된다. B 문화 중에는 그 사회의 지배 문화에 저항하거나 대립하는 문화가 있는데, 이를 C 문화라고 한다.

① A 문화는 B 문화의 총합으로 설명할 수 없다.

② B 문화에는 A 문화의 문화 요소가 존재하지 않는다.

③ B 문화와 달리 C 문화는 집단 간 갈등을 초래하여 사회 통합을 저해할 수 있다.

④ 사회가 다원화될수록 C 문화는 A 문화로 수렴되는 경향을 보인다.

⑤ C 문화와 달리 B 문화는 사회 변화에 따라 A 문화가 되기도 한다.

06 수능

다음 두 사례에 대한 공통적인 설명으로 가장 적절한 것은?

> • 힙합 음악계에서 사용되다가 청년층의 문화로까지 새롭게 확산되고 있는 '스왜그(swag)'라는 용어는 과시를 하거나 허세를 부리는 행위를 가리킨다. 이러한 행위는 지나치게 자신을 내세우는 태도가 타인을 비하하는 언행으로 이어지는 경우가 있어서 비판을 받기도 하지만, 스왜그는 자유 분방함과 개성을 지향하는 젊은이들에게 큰 호응을 얻고 있다.
>
> • 최근 등장한 '스낵 컬처(snack culture)'라는 용어는 출퇴근이나 휴식 시간 등을 이용하여 웹 드라마, 웹툰 등을 즐기는 것을 가리킨다. 스낵 컬처는 휴대용 스마트 기기의 대량 보급과 함께 간편하게 즐길 거리를 찾는 소비자들이 증가하면서 나타난 현상이다. 그러나 상업주의와 결합하여 즉흥적이고 자극적인 소비를 조장할 수 있다는 비판을 받기도 한다.

① 대중문화 안에 존재하는 반문화의 사례를 보여 준다.

② 대중문화 영역에서 발생한 문화 지체 현상을 지적한다.

③ 지나친 상업주의로 인한 대중문화의 질적 저하 문제를 지적한다.

④ 특정 집단의 문화가 기존 주류 문화를 대체하는 현상을 보여 준다.

⑤ 일부 구성원이 공유하는 생활양식이 문화 다양성에 기여할 수 있음을 보여 준다.

07 평가원

밑줄 친 A, B 문화의 일반적인 특징에 대한 설명으로 옳은 것은?

> 문화는 사회마다 다를 뿐 아니라 같은 사회 내에서도 다양한 양상으로 나타난다. 한 사회 내의 특정 집단 구성원들만이 공유하는 문화가 있는데, 이를 A 문화라고 한다. 또한, 주류 문화에 반대하고 적극적으로 도전하는 양상을 보이는 B 문화도 있다. B 문화는 때로는 지배 집단에 의해 일탈로 규정되기도 한다.

① 모든 A 문화의 총합은 전체 문화이다.

② 사회가 복잡해질수록 A 문화는 전체 문화로 수렴되는 경향을 보인다.

③ B 문화는 전체 문화와 공통 요소를 가지고 있다.

④ A 문화는 사회 변동을, B 문화는 사회의 안정을 지향한다.

⑤ A 문화는 사회에 따라 상대적으로, B 문화는 사회에 상관없이 절대적으로 규정된다.

08 교육청

표에 대한 옳은 분석을 〈보기〉에서 고른 것은? (단, A국에는 갑~병 지역만 존재하며, 세 지역의 인구는 비슷하다.)

〈A국에 존재하는 음식 문화 요소〉

구분	갑 지역	을 지역	병 지역
T 시기	a, b	a, c	a, d
T+1 시기	a, b, c	a, c	a, c, d

-보기-

ㄱ. T 시기에 a는 A국의 전체 문화 요소이다.

ㄴ. T+1 시기에 b는 A국의 하위문화 요소이다.

ㄷ. T 시기보다 T+1 시기에 A국의 음식 문화 요소가 많다.

ㄹ. T+1 시기보다 T 시기에 A국의 세 지역 간 음식 문화의 동질성이 강하다.

① ㄱ, ㄴ ② ㄱ, ㄷ ③ ㄴ, ㄷ ④ ㄴ, ㄹ ⑤ ㄷ, ㄹ

09 평가원
p.089 자료 04

그림의 (가)~(다)에 들어갈 내용으로 옳은 것은? (단, A~C는 각각 인쇄 매체, 영상 매체, 뉴 미디어 중 하나이다.)

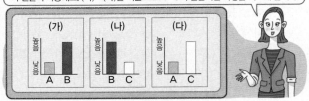

A, B는 C에 비해 정보 재가공의 용이성이 낮아요. A, C는 B와 달리 복합 감각 정보의 전달이 가능해요. (가)~(다)를 기준으로 A~C의 일반적인 특징을 비교해 봅시다.

① (가) – 정보 유통의 신속성
② (나) – 정보 전달의 양방향성
③ (나) – 정보 확산 경로의 다양성
④ (다) – 정보 생산자의 익명성
⑤ (다) – 정보 생산자와 소비자 간 경계의 명확성

11 평가원

표는 대중 매체 A~C의 일반적인 특징을 구분한 것이다. 이에 대한 설명으로 옳은 것은? (단, A~C는 각각 음성 매체, 영상 매체, 뉴 미디어 중 하나이다.)

구분	정보 생산자와 정보 소비자 간의 경계가 뚜렷한가?	시청각 정보를 제공하는가?	(가)
A	아니요	예	예
B	예	예	아니요
C	예	아니요	아니요

① A는 C보다 정보 확산의 시·공간적 제약이 크다.
② B는 C보다 청각 정보에 대한 의존도가 높다.
③ C는 A와 달리 양방향 정보 전달이 가능하다.
④ 대중 매체는 C, A, B 순으로 등장하였다.
⑤ (가)에는 '정보 수용자에 의한 정보 수정 및 재가공이 용이한가?'가 들어갈 수 있다.

10 수능

(가), (나)에 해당하는 내용으로 옳은 것은? (단, A~C는 각각 인쇄 매체, 영상 매체, 뉴 미디어 중 하나이다.)

'정보의 생산자와 소비자 간 경계가 모호한가?'라는 질문을 통해 A와 B를 구분할 수 있다. 하지만 '시청각 정보 제공이 가능한가?'라는 질문으로는 B와 C를 구분할 수 없다. 표는 대중 매체 A~C를 대중 매체의 특징 (가), (나)를 기준으로 비교한 것이다.

대중 매체의 특징	비교 결과
(가)	A>B
(나)	B>C

① (가) : 정보 전달의 신속성
② (가) : 정보 획득 시 사용 가능한 감각의 다양성
③ (가) : 정보 전달 시 문맹자의 정보 접근 가능성
④ (나) : 정보의 복제와 재가공의 용이성
⑤ (나) : 정보 전달자와 수용자 간 구분의 명확성

12 수능

그림은 대중 매체 A, B의 일반적인 특징을 비교한 것이다. 이에 대한 옳은 설명을 〈보기〉에서 고른 것은? (단, A, B는 각각 인쇄 매체, 뉴 미디어 중 하나이다.)

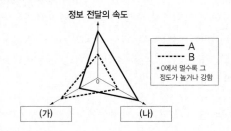

보기
ㄱ. A는 B보다 정보 확산의 시·공간적 제약이 크다.
ㄴ. B는 A보다 정보 생산자와 소비자 간의 경계가 뚜렷하다.
ㄷ. (가)에는 '정보 전달자와 수용자 간의 상호 작용성'이 적절하다.
ㄹ. (나)에는 '정보 재가공의 용이성'이 적절하다.

① ㄱ, ㄴ ② ㄱ, ㄷ ③ ㄴ, ㄷ ④ ㄴ, ㄹ ⑤ ㄷ, ㄹ

13 평가원

자료는 어떤 세대의 매체 이용 실태를 조사한 결과이다. 이에 대한 분석으로 옳은 것은? (단, A, B는 각각 전통적 영상 매체와 뉴 미디어 중 하나이다.)

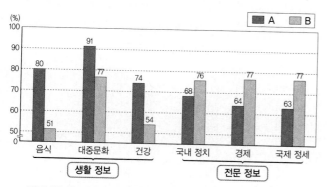

* 정보의 생산자와 소비자 간 경계의 명확성은 A<B임
**각각의 수치는 전체 응답자 중 해당 정보를 획득하기 위해 각 매체를 이용한 비율이며, 무응답은 없음

① 생활 정보 획득에서 일방향 매체를 이용한 응답자보다 양방향 매체를 이용한 응답자가 많다.
② 전문 정보 획득에서 정보 재가공이 용이한 매체를 이용한 응답자보다 그렇지 않은 매체를 이용한 응답자가 적다.
③ A를 이용하여 생활 정보를 획득한 건수가 전문 정보를 획득한 건수보다 많다.
④ B를 이용하여 '경제' 정보를 획득한 사람은 모두 '국제 정세' 정보도 획득하였다.
⑤ A의 이용 비율과 B의 이용 비율 간의 차이는 생활 정보 획득에서보다 전문 정보 획득에서 더 크다.

14 수능

대중 매체 A~D의 일반적인 특징에 대한 설명으로 옳은 것은? (단, A~D는 각각 종이 신문, 라디오, TV, 인터넷 중 하나이다.)

- 청각 정보에 의존하는 정도는 A가 가장 높다.
- 정보 전달의 시·공간적 제약은 B가 가장 크다.
- 정보의 복제 및 재가공 용이성은 C가 가장 높다.
- A, B는 C, D와 달리 ___(가)___ 이/가 가능하다.

① A는 B에 비해 깊이 있는 정보 전달이 용이하다.
② B는 C와 달리 정보의 확산 경로가 다양하다.
③ C는 D에 비해 정보 생산자의 전문성이 높다.
④ D는 B와 달리 정보의 실시간 전달이 가능하다.
⑤ (가)에는 '복합 감각 정보의 전달'이 적절하다.

15 평가원

다음 자료에 대한 설명으로 옳은 것은? (단, A와 B는 각각 신문과 뉴 미디어 중 하나이다.)

표는 시민들을 대상으로 매체의 이용률과 신뢰도를 조사한 결과와 각 매체의 특징을 제시한 것이다. 각 매체별 이용률은 뉴스를 접하기 위해 이용한다고 응답한 사람의 비율(복수 응답 가능)이며, 신뢰도는 매체에 대한 신뢰도 점수(100점 만점)의 평균값이다.

매체	특징	이용률(%)	신뢰도(점)
A	심층적인 정보 전달에 유리함	31	49
텔레비전	(가)	94	66
B	양방향 정보 전달에 유리함	75	25
라디오	(나)	20	38

① A는 시각 정보 또는 청각 정보를 활용하는 다른 모든 매체들보다 신뢰도가 높다.
② B는 텔레비전보다 정보의 생산자와 소비자 간의 경계가 뚜렷하다.
③ (가)에는 '정보 전달의 동시성이 높음', (나)에는 '시각 정보를 제공할 수 있음'이 적절하다.
④ 이용률 대비 신뢰도는 청각 정보만 전달하는 매체가 인쇄 매체보다 높다.
⑤ 뉴 미디어를 이용한다고 응답한 비율에 비해 나머지 세 가지 매체를 함께 이용한다고 응답한 비율이 높다.

16 수능

p.090 자료 06

그림은 대중 매체의 유형 A, B의 특징을 비교한 것이다. 이에 대한 설명으로 옳은 것은? (단, A, B는 각각 인쇄 매체, 뉴 미디어 중 하나이다.)

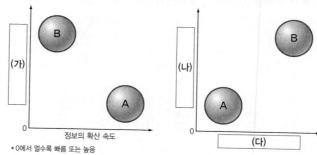

* 0에서 멀수록 빠름 또는 높음

① A는 B에 비해 정보 확산의 시·공간적 제약이 크다.
② B는 A와 달리 정보의 동시적 전달이 가능하다.
③ (가)에는 '정보 재가공의 용이성'이 들어갈 수 있다.
④ (나)에는 '시청각 정보 제공의 용이성'이 들어갈 수 있다.
⑤ (다)에는 '정보 생산자와 소비자 간 경계의 명확성'이 들어갈 수 있다.

17 평가원

그림에 나타난 대중 매체 A~C의 일반적인 특징에 대한 옳은 설명을 〈보기〉에서 고른 것은? (단, A~C는 각각 종이 신문, 라디오, TV 중 하나이다.)

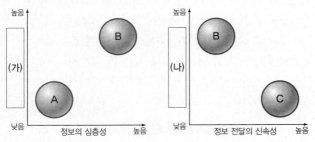

┌─ 보기 ┐
ㄱ. B는 문맹자의 정보 접근이 어렵다.
ㄴ. C가 라디오라면, B는 A보다 먼저 등장하였다.
ㄷ. (가)에는 '정보 전달과 수용의 동시성'이 적절하다.
ㄹ. (나)에는 '복합 감각 정보의 전달 가능성'이 적절하다.
└─────

① ㄱ, ㄴ ② ㄱ, ㄷ ③ ㄴ, ㄷ ④ ㄴ, ㄹ ⑤ ㄷ, ㄹ

18 평가원

그림은 대중 매체 유형 A, B의 특징을 비교한 것이다. 이에 대한 설명으로 옳은 것은? (단, A, B는 각각 인쇄 매체와 뉴 미디어 중 하나이다.)

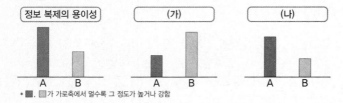
* ■, □가 가로축에서 멀수록 그 정도가 높거나 강함

① A는 B에 비해 정보의 생산자와 소비자 간 경계가 뚜렷하다.
② B는 A와 달리 정보의 동시적 전달이 가능하다.
③ B는 A에 비해 정보의 전달자와 수용자 간 상호 작용이 활발하다.
④ (가)에는 '시청각 정보 제공의 용이성'이 적절하다.
⑤ (나)에는 '정보 확산 경로의 다양성'이 적절하다.

19 교육청

다음 자료에 대한 설명으로 옳은 것은? (단, A~C는 각각 영상 매체, 인쇄 매체, 뉴 미디어 중 하나이다.)

┌─────
• A는 B, C에 비해 정보 전달의 양방향성이 높다.
• A, C는 B와 달리 시청각 정보를 제공할 수 있다.
└─────

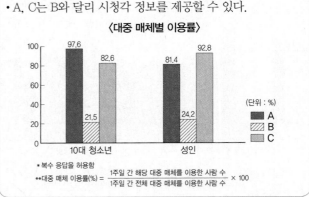

* 복수 응답을 허용함
** 대중 매체 이용률(%) = (1주일 간 해당 대중 매체를 이용한 사람 수 / 1주일 간 전체 대중 매체를 이용한 사람 수) × 100

① A는 B보다 정보 확산의 시·공간적 제약이 크다.
② B는 C보다 정보 전달의 속도가 빠르다.
③ C는 A보다 정보 재가공이 용이하다.
④ 가장 먼저 등장한 대중 매체의 이용률은 성인이 10대 청소년보다 높다.
⑤ 정보 수용자의 즉각적 반응을 확인할 수 있는 대중 매체를 이용한 사람 수는 10대 청소년이 성인보다 많다.

20 교육청

대중 매체 A~C의 일반적인 특징에 대한 질문에 모두 옳게 응답한 학생은? (단, A~C는 각각 서적, TV, 인터넷 중 하나이다.)

┌─────
• A는 B, C보다 정보 전달의 양방향성이 높다.
• C는 B와 달리 시청각 정보를 제공한다.
└─────

질문	갑	을	병	정	무
A가 B보다 정보 확산의 시·공간적 제약이 큰가?	×	×	○	○	×
B가 A보다 문맹자의 정보 접근성이 높은가?	×	×	×	○	○
C가 B보다 정보 전달의 속도가 빠른가?	○	○	×	×	×
A, B 모두 정보의 비동시적 소비가 가능한가?	○	×	○	×	×

(○ : 예, × : 아니요)

① 갑 ② 을 ③ 병 ④ 정 ⑤ 무

21 교육청

자료는 교사가 채점한 형성평가지이다. 이에 대한 옳은 설명을 〈보기〉에서 고른 것은? (단, A~C는 인쇄 매체, 영상 매체, 뉴 미디어 중 하나이다.)

형 성 평 가

3학년 ○반 ○○○

다음 질문에 해당하는 대중 매체 A, B, C를 쓰시오.

질문	답란
① 가장 먼저 등장한 매체는?	C
② 시청각 정보 제공이 가능한 매체는?	A, B
③ 정보의 재가공이 가장 용이한 매체는?	A

┌─보기─
ㄱ. A는 B와 달리 여론 조작의 가능성이 있다.
ㄴ. B는 C에 비해 정보 전달의 속도가 느리다.
ㄷ. C는 A에 비해 정보 확산에 있어 시·공간적 제약이 크다.
ㄹ. A는 B, C에 비해 정보 생산자와 소비자 간 경계가 모호하다.
└──

① ㄱ, ㄴ ② ㄱ, ㄷ ③ ㄴ, ㄷ ④ ㄴ, ㄹ ⑤ ㄷ, ㄹ

22 교육청

p.091 자료 08

대중 매체에 관한 (가), (나)의 주장에 대한 설명으로 옳은 것은?

┌──
(가) 사람들은 대중 매체라는 창을 통해 바깥 세계를 본다. 그 창이 어떤 모양인지에 따라 세계가 다르게 보일 수 있는 것처럼 대중 매체가 어떤 틀을 갖고 있는지에 따라 세계에 대한 우리 머릿속의 그림이 달라진다.

(나) 대중 매체가 묘사하는 바깥 세계의 모습이 우리 머릿속에 그대로 복사되는 것은 아니다. 왜냐하면 인간은 외부의 정보를 나름대로 해석하는 자신만의 인식 틀을 갖고 있기 때문이다.
└──

① (가)는 대중 매체가 사회의 다양성을 증진시킬 것으로 본다.
② (나)는 정보 제공자로서 대중 매체의 사회적 책임을 강조한다.
③ (가)는 (나)에 비해 대중 매체에 의한 대중 조작을 설명하는 데 적합하다.
④ (나)는 (가)와 달리 정보 수용자를 수동적인 존재로 본다.
⑤ (가)는 대중 매체의 역기능, (나)는 대중 매체의 순기능을 강조하고 있다.

23 평가원

그림의 내용에서 도출할 수 있는 대중 매체의 문제점으로 옳은 진술만을 〈보기〉에서 있는 대로 고른 것은?

파일(F) 편집(E) 보기(V) 즐겨찾기(A) 도구(T) 도움말(H)

인물 검색

괴벨스(P. J. Goebbels)

나치 정권의 선전부 장관

신문과 라디오를 활용하여 독일 대중을 나치즘으로 끌어들이는 데 앞장섰으며, 이와 관련하여 그가 남긴 다음과 같은 말이 유명하다.

"나에게 그 사람이 한 말을 한마디만 알려 달라. 그러면 누구라도 바로 범죄자로 만들 수 있다. …(중략)… 거짓말일수록 과감하게 과장하고 여러 번 반복해서 지속적으로 말하라. 그러면 대중은 믿게 될 것이다."

┌─보기─
ㄱ. 정보의 조작을 통해 여론을 왜곡할 수 있다.
ㄴ. 특정 집단의 이익을 옹호하기 위한 도구로 활용될 수 있다.
ㄷ. 이윤을 추구하는 자본의 영향을 받아 상업주의에 빠질 수 있다.
ㄹ. 일방적 정보 전달로 대중을 수동적인 존재로 전락시킬 수 있다.
└──

① ㄱ, ㄷ ② ㄴ, ㄹ ③ ㄷ, ㄹ
④ ㄱ, ㄴ, ㄷ ⑤ ㄱ, ㄴ, ㄹ

24 교육청

다음 글을 통해 추론할 수 있는 옳은 진술을 〈보기〉에서 고른 것은?

┌──
우리는 대중 매체를 통해 세상을 바라본다. 그런데 언론의 보도 내용이 모든 것을 있는 그대로 보여 주는 것은 아니다. 뉴스 가치에 따라 어떤 사건의 보도 여부와 그 비중이 달라질 수 있기 때문이다. 뉴스 가치는 기자 개인의 성향, 언론사의 방침, 언론사의 외적 환경 등으로 인해 다양하게 해석되어 결정된다.
└──

┌─보기─
ㄱ. 대중 매체는 사회 문제에 대해 중립적인 입장을 취한다.
ㄴ. 특정 사건의 중요도는 대중 매체에 따라 달라질 수 있다.
ㄷ. 언론의 보도 내용을 결정하는 것은 시청자의 선호도이다.
ㄹ. 대중 매체가 전달하는 내용을 비판적으로 수용할 필요가 있다.
└──

① ㄱ, ㄴ ② ㄱ, ㄷ ③ ㄴ, ㄷ ④ ㄴ, ㄹ ⑤ ㄷ, ㄹ

01

밑줄 친 ㉠~㉢에 대한 옳은 설명을 〈보기〉에서 고른 것은?

제주도에서 대한(大寒) 후 5일째부터 입춘(立春) 3일 전까지 7~8일 동안의 기간은 ㉠'신구간(新舊間)'이라 불리는데, ㉡제주도민의 약 15%가 이 시기에 이사를 한다. ㉢이 시기에 제주도민들이 집을 고치거나 이사를 하는 이유는, 인간의 길흉화복을 관장하는 신들이 임무 교대를 위해 하늘로 올라간다는 속설이 전해지기 때문이다.

┌보기┐
ㄱ. ㉠은 지역 문화이자 하위문화이다.
ㄴ. ㉠은 주류 문화에 대안을 제시하는 문화이다.
ㄷ. ㉡은 하위문화의 구성원임과 동시에 주류 문화의 구성원이다.
ㄹ. ㉢을 통해 문화 요소가 시간이 흐르면서 그 형태나 의미가 변화하는 속성을 파악할 수 있다.

① ㄱ, ㄴ   ② ㄱ, ㄷ   ③ ㄴ, ㄷ   ④ ㄴ, ㄹ   ⑤ ㄷ, ㄹ

02 고난도

(가), (나)에 대한 분석으로 옳은 것은?

(가) 탄광촌은 다른 업종에 비해 노동 강도가 높고 작은 이유로도 큰 사고가 발생할 수 있어 안전과 관련한 다양한 금기가 존재한다. 막장에서는 쥐를 잡지 않는다든지, 갱내에서는 휘파람을 불지 않는다든지, 뛰거나 큰 소리를 내지 않는다든지, 작업 도구를 빌려주지도 빌리지도 않는다든지 하는 것들이다.

(나) 기독교의 한 일파인 아미시는 16세기에 스위스에서 발생한 뒤 종교적 박해를 피해 미국에 정착하였고, 현재 펜실베니아 등 미국 30개 주에 분포한다. 아미시는 경쟁을 당연시하는 미국 사회에서 아이들에게 경쟁하지 말라고 가르친다. 경쟁은 사회 구성원들을 적으로 만들어 공동체를 파괴하기 때문이다.
– 오마이뉴스, 2016. 2. 1. –

① (가) 문화는 (나) 문화와 달리 해당 집단 구성원들의 소속감을 강화시킨다.
② (가), (나)와 같은 문화에는 주류 문화 요소가 존재하지 않는다.
③ (나) 문화는 (가) 문화와 달리 반문화적 성격을 띠고 있다.
④ (나) 문화는 (가) 문화와 달리 해당 문화 구성원들을 구속한다.
⑤ (가), (나) 문화 모두 전체 사회에 문화적 역동성을 제공하여 사회 통합에 기여한다.

[03~04] 다음을 읽고 물음에 답하시오.

한 사회의 구성원들 대부분이 향유하는 문화를 A라고 한다. 그런데 그 구성원들 가운데 일부는 집단을 형성하여 자신들만의 문화를 공유하기도 하는데 이를 B라고 한다. 그리고 B 가운데 A에 저항하고 대립하는 문화를 C라고 한다.

03

윗글의 A~C에 대한 옳은 분석을 〈보기〉에서 고른 것은?

┌보기┐
ㄱ. 한 사회 내의 모든 B의 총합은 A와 같다.
ㄴ. 사회 변동에 의해 C는 A가 되기도 한다.
ㄷ. B는 A의 한 종류이고, C는 B의 한 종류이다.
ㄹ. B나 C를 공유하는 집단은 A의 문화 요소를 공유한다.

① ㄱ, ㄴ   ② ㄱ, ㄷ   ③ ㄴ, ㄷ
④ ㄴ, ㄹ   ⑤ ㄷ, ㄹ

04

윗글의 A~C를 활용하여 밑줄 친 문화에 대해 바르게 설명한 것은?

신분제 사회였던 19세기 말 동학은 정치 운동이자 경제 운동이었고, 사회 운동인 동시에 종교·문화 운동이었다. "사람이 곧 하늘이다(人乃天)."라는 가르침은 자주적 근대화 운동임을 보여 준다. 동학교도들은 남녀노소를 불문하고 만인의 평등을 신봉하였다. '유무상자(有無相資)'라 하여, 그들은 가진 사람과 없어서 못사는 사람이 서로 도우며 사는 경제 공동체를 추구하였다. 또한 문화적으로도 유교, 불교, 도교의 장점을 취하여 앞으로 5만 년을 지속할 새로운 '대운(大運)'을 열고자 하였다. 겉보기에 동학은 일개 종교 운동이었지만, 그들은 실제로 인간을 비롯한 만물의 '상생(相生)'을 목적으로 하는 총체적 개혁을 바랐다.
– 녹색평론 제135호 –

① 당시 사회에서 B이자 C로서 존재하였다.
② A에 따라 B가 상대적으로 규정될 수 있음을 보여 준다.
③ 처음에는 A였던 것이 B나 C가 될 수 있음을 보여 준다.
④ 모든 B는 A에 의해 일탈로 규정될 수 있음을 보여 준다.
⑤ C의 구성원은 A의 구성원이 될 수 없음을 보여 준다.

05

⊙~ⓒ에 대한 옳은 설명을 〈보기〉에서 고른 것은?

가요, 영화, 스포츠, 드라마 등과 같이 다수의 사람이 같이 즐기고 누리는 문화를 _____⊙_____ (이)라고 한다. ⊙의 형성 배경을 살펴보면 다음과 같다.

ⓛ

또한 정보 통신 기술이 발달하여 신문, 잡지, 라디오, 텔레비전 등의 ⓒ 대중 매체가 사회 전반에 보급되었고, 이는 문화 상품의 생산 및 판매를 크게 촉진하였다.

〈보기〉
ㄱ. ⊙은 대중문화이며, 하위문화의 속성을 띤다.
ㄴ. ⓛ에는 의무 교육 제도의 확산이 포함될 수 있다.
ㄷ. ⓛ에는 정보화에 따른 정보 수집의 욕구 상승이 포함될 수 있다.
ㄹ. ⓒ을 통해 ⊙이 상품화된 문화를 소비함으로써 형성됨을 알 수 있다.

① ㄱ, ㄴ ② ㄱ, ㄷ ③ ㄴ, ㄷ
④ ㄴ, ㄹ ⑤ ㄷ, ㄹ

06

표는 대중 매체를 특징에 따라 구분한 것이다. 대중 매체 (가)~(라)에 대한 설명으로 옳은 것은? (단, (가)~(라)는 각각 종이 신문, 라디오, TV, 인터넷 중 하나이다.)

질문	(가)	(나)	(다)	(라)
문맹자의 접근이 용이하다.	○	○	×	○
정보 수용이 동시적으로 이루어진다.	○	×	×	○
시각과 청각을 모두 활용하여 정보를 전달한다.	○	○	×	×

① (가)는 (라)와 달리 청각적 정보를 활용한다.
② (나)는 (다)에 비해 정보 생산자와 소비자 간 경계가 모호하다.
③ (다)는 (가)와 달리 정보 생산자의 전문성이 높다.
④ (라)는 (나)에 비해 정보의 복제 및 재가공이 용이하다.
⑤ (라)는 (가), (나), (다)에 비해 정보 생산자와 소비자 간 상호 정보 전달이 용이하다.

07 고난도

제시문을 통해 파악할 수 있는 내용을 〈보기〉에서 고른 것은?

'스낵 컬처(snack culture)'란 언제 어디서나 간편히 즐길 수 있는 과자처럼, 이동 시간 등 짧은 시간에도 쉽게 즐길 수 있는 새로운 형식의 문화 소비 경향을 말하는 신조어이다. 스마트 기기의 대중화로 출퇴근 시간이나 점심시간에 간편하게 즐길 수 있는 문화 콘텐츠가 늘고 있다. 대표적인 예로는 웹툰, 웹 드라마, 웹 소설 등을 들 수 있다. 웹툰이나 웹 소설은 요일별로 연재되고 있고, 웹 드라마는 기존 드라마보다 짧게 제작되며 시청률 대신 조회 수와 댓글로 인기를 가늠한다.

– 한국경제, 2015. 9. 3. –

〈보기〉
ㄱ. 대중 매체가 대중문화의 양상을 결정할 수 있다.
ㄴ. 전통적인 대중 매체가 뉴 미디어와 결합하는 양상이 나타나고 있다.
ㄷ. 대중문화가 특정 세력에 의해 여론 조작의 수단으로 이용될 수 있다.
ㄹ. 스낵 컬처는 대중문화로 인해 문화 다양성이 증대될 수 있음을 보여 준다.

① ㄱ, ㄴ ② ㄱ, ㄹ ③ ㄴ, ㄷ ④ ㄴ, ㄹ ⑤ ㄷ, ㄹ

08

밑줄 친 운동을 통해 극복할 수 있는 대중문화의 문제점으로 보기 어려운 것은?

'한 도시, 한 책 읽기' 운동은 1998년 미국 워싱턴주의 시애틀에서 처음 시작된 이래 미국, 영국, 오스트레일리아, 캐나다 등으로 널리 퍼졌다. 국내에서도 2003년 충남 서산시에서 시범 사업으로 처음 선보인 이후 여러 도시에서 지속해서 추진하고 있는 독서 운동이다. 소비적이고 향락적인 대중문화가 아닌 생산적이고 건전한 독서와 토론 문화를 통해 지역 사회의 문화를 개선하고, 지역 사회 구성원들이 다양한 의견을 나누고 소통하는 지역 공동체를 만들어가려는 노력이 퍼지고 있다.

① 질 낮은 문화가 생산되고 유포될 수 있다.
② 대중을 수동적인 소비자로 전락하게 한다.
③ 자본과 결합하여 상업적 성격을 띠기 쉽다.
④ 특정 세력이 대중 매체의 소유나 통제를 독점할 수 있다.
⑤ 개인의 독창성과 개성이 쇠퇴하여 문화 다양성 약화로 이어질 수 있다.

09강 문화 변동의 이해

1단계 기출 자료 & 선지 분석

기출 자료 분석

자료 01 문화 변동 요인

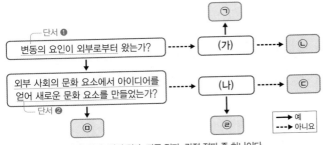

단서 ❶
변동의 요인이 외부로부터 왔는가? ----▶ (가) ----▶ ㉡

외부 사회의 문화 요소에서 아이디어를 얻어 새로운 문화 요소를 만들었는가? ----▶ (나) ----▶ ㉢

단서 ❷
㉤

㉣

→ 예
---▶ 아니요

※ ㉠~㉤은 각각 발견, 발명, 직접 전파, 자극 전파, 간접 전파 중 하나이다.

단서 풀이
- 단서 ❶ 변동의 요인이 외부로부터 오는 것은 문화 변동의 외재적 요인인 문화 전파이다.
- 단서 ❷ 외부 사회의 문화 요소에서 아이디어를 얻어 새로운 문화 요소를 만드는 것은 자극 전파이다.

자료 분석
- ㉠과 ㉡은 각각 발명과 발견 중 하나이고, ㉢과 ㉣은 각각 직접 전파와 간접 전파 중 하나이며, ㉤은 자극 전파이다.
- (가)에는 발명과 발견을 구분하는 질문이, (나)에는 직접 전파와 간접 전파를 구분하는 질문이 들어가야 한다.

자료 02 문화 변동 요인

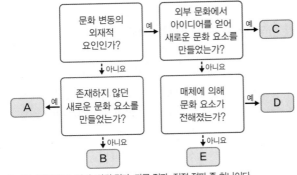

문화 변동의 외재적 요인인가? ─예→ 외부 문화에서 아이디어를 얻어 새로운 문화 요소를 만들었는가? ─예→ C

↓아니요   ↓아니요

존재하지 않던 새로운 문화 요소를 만들었는가? ─예→ A   매체에 의해 문화 요소가 전해졌는가? ─예→ D

↓아니요   ↓아니요

B   E

※ A~E는 각각 발견, 발명, 간접 전파, 자극 전파, 직접 전파 중 하나이다.

단서 풀이
- 단서 ❶ 발명, 발견은 문화 변동의 내재적 요인이다.
- 단서 ❷ 전파(직접 전파, 간접 전파, 자극 전파)는 문화 변동의 외재적 요인이다.

자료 분석
A는 내재적 요인 중 새로운 문화 요소를 창조한 것이므로 발명이고, B는 발견이다. C는 외재적 요인(전파) 중 외부 문화에서 아이디어를 얻어 새로운 문화 요소를 만들었으므로 자극 전파이다. 매체에 의해 문화 요소가 전해진 D는 간접 전파이고, E는 직접 전파에 해당한다.

기출 선지 변형 ○ X

01 **자료 01**의 (가), (나)와 ㉠~㉤에 대한 설명이 옳으면 ○, 틀리면 ×에 표시하시오.

① (가)가 '존재하지 않던 문화 요소를 새롭게 만들어 냈는가?'라면, 인쇄술은 ㉡의 사례에 해당한다. ○, ×

② (나)가 '문화 요소가 매체에 의해 전달되었는가?'라면, 통신 기술이 발달할수록 ㉣을 통한 문화 변동이 더 용이하게 나타날 수 있다. ○, ×

③ ㉠의 사례로 활을 들 수 있다면, (가)는 '존재하고 있었으나 알려지지 않았던 문화 요소를 찾아냈는가?'가 적절하다. ○, ×

④ ㉢의 사례로 전쟁을 통해 유럽에 전파된 설탕을 들 수 있다면, (나)는 '문화 요소의 전달이 직접 이루어졌는가?'가 적절하다. ○, ×

⑤ ㉣의 사례로 외국인 선교사에 의해 외래 종교가 전래된 것을 들 수 있다. ○, ×

⑥ ㉤은 서로 다른 문화 체계 간에 문화 요소와 관련된 추상적인 개념이나 아이디어가 전파되어 새로운 문화 요소의 등장을 자극하는 현상이다. ○, ×

02 **자료 02**의 A~E에 대한 설명이 옳으면 ○, 틀리면 ×에 표시하시오.

① 물질문화, 비물질문화 모두 A를 통해 만들어질 수 있다. ○, ×

② 특정 종교의 창시는 B의 사례이다. ○, ×

③ 상호 인적 교류가 없는 집단들 간에는 D를 통한 문화 변동이 이루어질 수 없다. ○, ×

④ D와 달리 E는 C의 원인이 될 수 있다. ○, ×

⑤ A, B와 달리 C, D, E는 문화 지체 현상을 초래할 수 있다. ○, ×

⑥ A, B와 달리 C, D, E는 외부적 요인에 의해 문화 변동이 일어날 수 있음을 보여 준다. ○, ×

⑦ 한류 드라마의 인기로 한국어를 배우려는 외국인이 늘어난 사례는 E에 해당한다. ○, ×

기출 자료 분석

자료 03 문화 변동 요인과 양상

많은 사람들이 햄버거는 미국에서 시작되었다고 생각한다. 하지만 일설에 따르면, 햄버거는 아시아의 기마 민족인 ㉠ 타타르족으로부터 유래되어 14세기경 오늘날의 독일 지역을 거쳐, 이후 ㉡ 미국으로 건너가 대중화된 것이라고 한다. 타타르족은 ㉢ 말안장 밑에 고기 조각을 넣고 말을 달리면 말안장의 충격으로 고기가 부드럽게 다져진다는 사실을 알게 되었다. 그들은 그렇게 해서 연해진 고기를 각종 양념을 쳐서 먹곤 했다. 이후 미국에서 ㉣ 빵 사이에 다진 고기를 넣는 요리법이 더해지면서 ㉤ 타타르족의 음식과는 다른 형태를 띤 지금의 햄버거가 탄생하여 여러 나라에 보급되었다. 우리나라에는 해방 후 들어온 ㉥ 미군에 의해 햄버거가 전해졌다. 이후 햄버거를 즐겨 먹는 한국인이 늘어나면서 빵 대신 밥을 이용한 ㉦ 라이스 버거와 같은 새로운 메뉴가 개발되기도 하였다.

단서 풀이
• 단서 ❶ 직접 전파는 사회 구성원들 간의 직접적인 접촉 과정에서 문화 요소가 전달되는 것이다.
• 단서 ❷ 간접 전파는 매개체를 통해 문화 요소가 전달되는 것이다.
• 단서 ❸ 자극 전파는 외부에서 전파된 문화 요소에서 아이디어를 얻어 새롭게 발명이 일어나는 것이다.

자료 분석
타타르족이 발견한 조리법이 독일 지역에 직접 전파되었고 이후 미국의 요리법이 더해져 지금의 햄버거가 탄생하였는데, 이는 문화 융합의 모습이다. 또한 우리나라에 직접 전파되어 라이스 버거라는 새로운 메뉴가 탄생한 것도 문화 융합의 사례이다.

자료 04 문화 변동 요인과 양상

• A국이 B국을 정복하여 문화 이식 정책을 시행한 결과, B국에서는 A국 언어가 널리 쓰이게 되면서 B국 언어를 더 이상 사용하지 않게 되었다. ―단서 ❶ ―단서 ❷
• A국에 유학하여 A국 언어를 학습한 C국의 상류층 자녀들은 귀국 후에도 A국 언어를 사용하였다. 이후 A국 언어가 확산되면서 C국에서는 A국 언어도 널리 쓰이게 되었다. ―단서 ❸ ―단서 ❹

단서 풀이
• 단서 ❶ 정복 과정에서는 대개 강제적 문화 접변이 이루어진다.
• 단서 ❷ 자국의 언어가 사라졌다면 문화 동화가 나타났다.
• 단서 ❸ 다른 문화를 계속 가지고 있는 모습은 자발적 문화 접변이다.
• 단서 ❹ 자국의 언어와 다른 언어가 동시에 존재하는 모습은 문화 공존이다.

자료 분석
• 첫 번째 사례에서는 A국 문화가 B국에 강제적으로 이식되어 B국의 문화가 A국의 문화에 동화되었다.
• 두 번째 사례에서는 C국 국민이 A국의 문화를 자발적으로 받아들여 C국에 두 문화가 존재하는 문화 공존이 나타났다.

기출 선지 변형 ○ X

03 자료 03 의 ㉠~㉦에 대한 설명이 옳으면 ○, 틀리면 ×에 표시하시오.

① ㉠은 직접 전파, ㉥은 간접 전파의 사례이다. ○, ×
② ㉡은 강제적 문화 접변의 사례이다. ○, ×
③ ㉡에서 문화 수용자의 의사와 관계 없이 문화 변동이 발생하였음을 알 수 있다. ○, ×
④ ㉢은 ㉣과 달리 자극 전파의 사례이다. ○, ×
⑤ ㉤은 문화 동화의 사례이다. ○, ×
⑥ ㉥은 문화 접변 과정에서 문화 정체성을 상실한 결과로 나타났다. ○, ×
⑦ ㉦은 문화 융합의 사례이다. ○, ×
⑧ ㉦을 통해 한국에서 외재적 요인에 의한 문화 변동이 나타났음을 알 수 있다. ○, ×

04 자료 04 의 두 사례에 대한 분석이 옳으면 ○, 틀리면 ×에 표시하시오.

① B국에서는 외재적 요인에 의한 문화 변동이 일어났다. ○, ×
② C국에서는 강제적 문화 접변이 나타났다. ○, ×
③ B국에서는 문화 동화, C국에서는 문화 공존이 나타났다. ○, ×
④ B국에서는 직접 전파, C국에서는 간접 전파로 인한 문화 변동이 일어났다. ○, ×
⑤ C국에서는 외래문화와의 접촉으로 문화 요소 간의 융합이 이루어졌다. ○, ×
⑥ 강제적 문화 접변의 시도는 C국의 문화 변동 결과보다 B국의 문화 변동 결과를 목적으로 한다. ○, ×

기출 자료 분석

자료 05 문화 변동 요인과 결과

질문 ＼ 문화 변동의 요인	(가)	(나)	(다)
문화 변동의 내재적 요인인가? (단서❶)	예	아니요	예
존재하지 않았던 새로운 문화 요소를 만들어 내었는가? (단서❷)	아니요	아니요	예

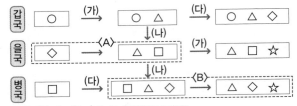

* ○·□·△·◇·☆은 서로 다른 문화 요소를 의미함

※ (가)~(다)는 각각 발명, 발견, 직접 전파 중 하나이다.

〔 단서 풀이 〕
• 단서 ❶ 문화 변동의 내재적 요인은 발명과 발견이고, 외재적 요인은 전파(직접 전파, 간접 전파, 자극 전파)이다.
• 단서 ❷ 존재하지 않았던 새로운 문화 요소를 만든 것은 발명이다.

〔 자료 분석 〕
• (가)는 발견, (나)는 직접 전파, (다)는 발명이다.
• 갑국 : 문화 요소 △를 발견하였고, 문화 요소 ◇를 발명하였다.
• 을국 : 〈A〉 과정에서 직접 전파로 △이 추가되었고 ◇이 소멸하였다. 또한 ☆를 발견하였다.
• 병국 : ◇를 발명하였다. 또한 〈B〉 과정에서 직접 전파로 △이 추가되었고 □이 소멸하였다.

자료 06 문화 변동 사례

(가) 국내 기업이 스팀 청소기를 개발하여 많은 가정이 집안 청소에 사용하였다. └단서❶
(나) 영상 매체를 통해 전파된 K-POP이 동남아 지역 등 다른 문화권에서 유행하였다.
(다) 우리나라의 태권도 사범들이 해외 각국에 나가 태권도를 가르쳐 현지에서 태권도 문화가 확산되었다. └단서❷

〔 단서 풀이 〕
• 단서 ❶ '개발하다', '찾아내다' 등은 발명, 발견과 관련 있다.
• 단서 ❷ '전파되다', '확산되다' 등은 전파와 관련 있다.

〔 자료 분석 〕
• (가) : 청소기를 개발한 것은 발명의 사례이다.
• (나) : 영상 매체를 통해 전파된 것은 간접 전파의 사례이다.
• (다) : 해외 각국에서 태권도를 가르쳐 태권도 문화가 확산된 것은 직접 전파의 사례이다.

기출 선지 변형 OX

05 자료05 에 대한 설명이 옳으면 ○, 틀리면 ×에 표시하시오.

① (가)는 발견, (나)는 발명, (다)는 직접 전파이다. ○, ×

② 갑국에서는 외재적 요인에 의한 문화 변동이 나타나지 않았다. ○, ×

③ 을국은 내부에서 새로운 문화 요소를 찾아내었다. ○, ×

④ 갑국에서 발명으로 나타난 문화 요소는 병국에서도 나타났다. ○, ×

⑤ 갑국에서 (가)로 인해 나타난 문화 요소는 (나)로 인해 병국으로 전달되었다. ○, ×

⑥ 을국에는 병국에서와 달리 자국의 문화 요소와 갑국의 문화 요소가 공존하고 있다. ○, ×

⑦ A, B에는 모두 문화 요소의 추가 및 소멸 과정이 포함되어 있다. ○, ×

06 자료06 의 (가)~(다)에 대한 분석이 옳으면 ○, 틀리면 ×에 표시하시오.

① (가)에서는 발견에 의한 문화 변동이 나타났다. ○, ×

② (나)는 간접 전파 사례에 해당한다. ○, ×

③ (나) 이후 문화의 변동 속도 차이에서 기인하는 문화 지체 현상이 나타났을 것이다. ○, ×

④ (다)에서는 내재적 요인에 의한 문화 변동이 나타났다. ○, ×

⑤ (나)는 (다)와 달리 강제적 문화 접변 사례이다. ○, ×

⑥ (나)는 문화 동화, (다)는 문화 공존을 보여 주는 사례이다. ○, ×

⑦ 세계화가 진행될수록 (가)보다 (나), (다)에 의한 문화 변동이 더 많이 나타난다. ○, ×

기출 자료 분석

자료 07 문화 변동 요인과 결과

〈문화 변동의 요인〉

구분	(가)	(나)	(다)
문화 변동의 외재적 요인인가?	아니요	예	예
타 문화로부터 아이디어를 얻어 새로운 문화 요소가 만들어졌는가?　단서 ❶	아니요	예	아니요

※ (가)~(다)는 각각 발명, 직접 전파, 자극 전파 중 하나이다.

〈갑국과 을국의 문화 변동〉

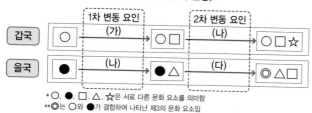

* ○, ●, □, △, ☆은 서로 다른 문화 요소를 의미함
** ◎는 ○와 ●가 결합하여 나타난 제3의 문화 요소임

※ 갑국과 을국은 상호 교류 이외에 다른 제3의 국가와는 교류를 하지 않았다.
　　　└단서 ❷

단서 풀이

• 단서 ❶ 문화 변동의 외재적 요인 중에서 타 문화로부터 아이디어를 얻어 새로운 문화 요소가 만들어지는 것은 자극 전파이다.

• 단서 ❷ 갑국과 을국은 상호 교류 이외에 다른 제3의 국가와 교류를 하지 않으므로 갑국과 을국에서 전파를 통해 나타난 문화 요소들은 모두 서로의 영향을 받았다.

자료 분석

• (가)는 발명, (나)는 자극 전파, (다)는 직접 전파이다.
• 갑국의 문화 요소 ☆은 을국 문화의 자극 전파 결과로 생겨났다.
• 을국의 문화 요소 △는 갑국 문화의 자극 전파 결과로 생겨났고, 문화 요소 ◎은 문화 융합의 결과 나타났다.

자료 08 문화 변동 양상과 결과

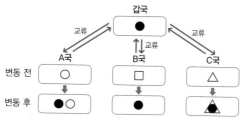

* ▭ 안의 기호는 각국의 문화 요소이며, ▲는 ●와 △가 혼합되어 나타난 것임

단서 풀이

• 단서 ❶ 문화 변동 양상은 문화 동화, 문화 공존, 문화 융합이 있다.
• 단서 ❷ 문화 변동 후에 변동 전 문화 요소가 남아 있으면 문화 공존, 남아 있지 않으면 문화 동화, 새로운 문화 요소가 생겨나면 문화 융합이다.

자료 분석

A국에서는 갑국과 A국 문화 요소가 공존하므로 문화 공존, B국에서는 갑국의 문화만 남아 있으므로 문화 동화, C국에서는 갑국의 문화 요소와 C국의 문화 요소가 혼합된 문화 요소가 생겨났으므로 문화 융합이 나타났다.

기출 선지 변형 OX

07 자료 07 에 대한 분석이 옳으면 ○, 틀리면 ×에 표시하시오.

① (가)는 발명, (나)는 직접 전파이다. ○, ×

② (가)는 문화 변동의 내재적 요인이고, (나)와 (다)는 문화 변동의 외재적 요인이다. ○, ×

③ 다른 나라의 종교 교리와 체계를 응용하여 만든 신흥 종교는 (나)의 사례가 될 수 있다. ○, ×

④ 갑국에서는 (나)에 의한 문화 동화가 나타났다. ○, ×

⑤ 을국에서는 (다)로 인한 문화 융합이 나타났다. ○, ×

⑥ 갑국에서 창조된 문화 요소가 을국으로 전달되었다. ○, ×

⑦ 을국은 1차, 2차 변동에서 모두 갑국의 영향을 받았다. ○, ×

⑧ 을국에서는 강제적 문화 접변의 결과로 (다)에 의한 문화 변동이 나타났다. ○, ×

⑨ 갑국은 을국과 달리 타 문화로부터 아이디어를 얻어 새로운 문화 요소가 만들어졌다. ○, ×

⑩ 갑국과 을국 모두 문화 변동을 겪으면서 문화 융합이 일어나 새로운 문화 요소가 만들어졌다. ○, ×

08 자료 08 에 대한 분석이 옳으면 ○, 틀리면 ×에 표시하시오.

① A국의 문화 변동 결과에 해당하는 사례로는 서양의 결혼 예식과 전통 폐백 의례가 결합된 현재 한국의 결혼식을 들 수 있다. ○, ×

② B국의 문화 변동 결과는 자발적이 아닌 강제적 문화 접변에 의해 나타났다. ○, ×

③ B국의 문화 변동이 자발적 문화 접변이라면 자국 문화 요소보다 갑국 문화 요소가 우수하다고 인식한 결과이다. ○, ×

④ C국의 문화 변동 결과에 해당하는 사례로는 한국에서 전통 시장과 별도로 온라인 쇼핑몰이 자리 잡은 것을 들 수 있다. ○, ×

⑤ A국과 C국에서는 문화 접변 후에도 자문화 요소가 유지되고 있다. ○, ×

⑥ A국과 B국에서는 C국과 달리 외래문화 요소를 수용하였다. ○, ×

01 평가원

밑줄 친 ㉠~㉂에 대한 설명으로 옳은 것은?

노예 해방 이후에도 미국 흑인들의 삶은 고달팠다. 이들은 삶의 애환을 음악에 담아 표현하였는데 이것이 ㉠ 블루스이다. 한편 미국 서부 지역에서는 백인들을 중심으로 ㉡ 웨스턴 뮤직이 출현하였다. 백인들은 ㉢ 블루스를 '인종 음악'이라고 부르면서 천대하였고, 자신들의 음악과 철저히 구분하였다. 그러나 1950년대 무렵 흑인과 백인의 음악은 각각의 색채가 모두 담긴 ㉣ 새로운 음악 장르인 로큰롤로 발전되었다. 당시 로큰롤은 ㉤ 통속적이고 즉흥적이라는 이유로 비난받는 경우도 있었으나, 이후 ㉥ TV와 라디오를 통해 전 세계로 급속히 진출하면서 대중문화의 한 줄기를 이루었다.

① ㉠, ㉡은 모두 미국 사회의 하위문화였다.
② ㉢은 문화 지체 사례에 해당한다.
③ ㉣은 문화 공존 사례에 해당한다.
④ ㉤은 물질문화의 확산에 대한 반발이다.
⑤ ㉥은 강제적 문화 접변 사례에 해당한다.

02 평가원

p.100 **자료 01**

그림은 문화 변동 요인 ㉠~㉤을 구분한 것이다. 이에 대한 설명으로 옳은 것은? (단, ㉠~㉤은 각각 발견, 발명, 직접 전파, 자극 전파, 간접 전파 중 하나이다.)

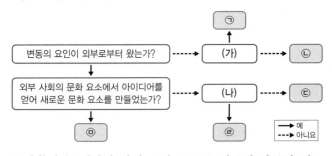

① (가)가 '존재하지 않던 문화 요소를 새롭게 만들어 냈는가?'라면, 인쇄술은 ㉡의 사례에 해당한다.
② (나)가 '문화 요소가 매체에 의해 전달되었는가?'라면, 통신 기술이 발달할수록 ㉣을 통한 문화 변동이 더 용이하게 나타날 수 있다.
③ ㉠의 사례로 활을 들 수 있다면, (가)는 '존재하고 있었으나 알려지지 않았던 문화 요소를 찾아냈는가?'가 적절하다.
④ ㉢의 사례로 전쟁을 통해 유럽에 전파된 설탕을 들 수 있다면, (나)는 '문화 요소의 전달이 직접 이루어졌는가?'가 적절하다.
⑤ ㉤의 사례로 외국인 선교사에 의해 외래 종교가 전래된 것을 들 수 있다.

03 수능

p.100 **자료 02**

그림은 문화 변동 요인 A~E를 구분한 것이다. 이에 대한 설명으로 옳은 것은? (단, A~E는 각각 발견, 발명, 간접 전파, 자극 전파, 직접 전파 중 하나이다.)

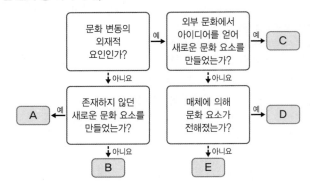

① 물질문화, 비물질문화 모두 A를 통해 만들어질 수 있다.
② 특정 종교의 창시는 B의 사례이다.
③ 상호 인적 교류가 없는 집단들 간에는 D를 통한 문화 변동이 이루어질 수 없다.
④ D와 달리 E는 C의 원인이 될 수 있다.
⑤ A, B와 달리 C, D, E는 문화 지체 현상을 초래할 수 있다.

04 수능

표는 특정 시기 갑국의 문화 변동 양상을 나타낸 것이다. 이에 대한 설명으로 옳은 것은? (단, 제시된 문화 변동 이외의 다른 것은 고려하지 않는다.)

구분	문화 변동 양상
의복	• 전통 의복을 서구식으로 개량한 새로운 의복 등장 • 개량 의복과 서구 의복의 혼재
음식	• 전통 음식과 외래 음식이 결합된 새로운 음식 등장 • 주변국의 음식 및 조리법 도입으로 전통식과 외래식 혼재
주거	• 전통 가옥 형태 유지 • 신분에 따른 가옥 규모 제한 폐지

① 의복 분야에서는 자기 문화의 정체성이 상실되었다.
② 음식 분야에서는 발견으로 인한 문화 변동이 발생하였다.
③ 주거 분야에서는 음식 분야와 달리 문화 지체 현상이 나타났다.
④ 의복, 음식 분야에서는 주거 분야와 달리 문화 융합이 발생하였다.
⑤ 의복, 음식, 주거 분야 모두에서 물질문화의 변동이 발생하였다.

05 평가원

자료를 통해 문화 변동 사례를 분석한 것으로 옳은 것은? (단, A~C는 각각 간접 전파, 자극 전파, 직접 전파 중 하나이고, (가)~(다)는 각각 문화 공존, 문화 동화, 문화 융합 중 하나이다.)

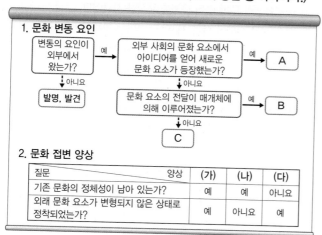

① 다른 나라의 종교 교리와 체계를 응용하여 만든 신흥 종교가 기존 종교를 대체한 사례는 A에 의한 (가)에 해당한다.

② 새로운 정보 통신 기술을 개발하여 자국의 첨단 매체 발달에 기여한 사례는 B에 의한 (나)에 해당한다.

③ 케이팝(K-pop)의 인기로 외국인이 한국어를 배우러 한국에 와서 정착하는 사례는 B에 의한 (다)에 해당한다.

④ 자국을 식민 지배한 나라의 언어와 자국의 전통 언어를 공용어로 사용하는 사례는 C에 의한 (가)에 해당한다.

⑤ 이웃 나라의 특정 음료가 교역을 통해 들어와 자국민이 즐겨 마시는 음료 중 하나가 된 사례는 C에 의한 (나)에 해당한다.

06 평가원

p.101 자료 04

다음 사례에 대한 옳은 설명을 〈보기〉에서 고른 것은?

- A국이 B국을 정복하여 문화 이식 정책을 시행한 결과, B국에서는 A국 언어가 널리 쓰이게 되면서 B국 언어를 더 이상 사용하지 않게 되었다.

- A국에 유학하여 A국 언어를 학습한 C국의 상류층 자녀들은 귀국 후에도 A국 언어를 사용하였다. 이후 A국 언어가 확산되면서 C국에서는 A국 언어도 널리 쓰이게 되었다.

〈보기〉
ㄱ. B국에서는 외재적 요인에 의한 문화 변동이 일어났다.
ㄴ. C국에서는 강제적 문화 접변이 나타났다.
ㄷ. B국에서는 문화 동화, C국에서는 문화 공존이 나타났다.
ㄹ. B국에서는 직접 전파, C국에서는 간접 전파로 인한 문화 변동이 일어났다.

① ㄱ, ㄴ ② ㄱ, ㄷ ③ ㄴ, ㄷ ④ ㄴ, ㄹ ⑤ ㄷ, ㄹ

07 수능

p.102 자료 05

다음 자료에 대한 옳은 분석만을 〈보기〉에서 있는 대로 고른 것은?

〈자료 1〉은 문화 변동의 요인을 (가)~(다)로 분류한 것이며, 〈자료 2〉는 갑~병국의 문화 변동 과정을 도식화한 것이다. 단, (가)~(다)는 각각 발견, 발명, 직접 전파 중 하나이며, 제시된 것 이외의 다른 문화 변동은 없다.

〈자료 1〉

질문\문화 변동의 요인	(가)	(나)	(다)
문화 변동의 내재적 요인인가?	예	아니요	예
존재하지 않았던 새로운 문화 요소를 만들어 내었는가?	아니요	아니요	예

〈자료 2〉

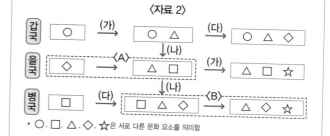

* ○, □, △, ◇, ☆은 서로 다른 문화 요소를 의미함

〈보기〉
ㄱ. A, B에는 모두 문화 요소의 추가 및 소멸 과정이 포함되어 있다.
ㄴ. 갑국에서 발명으로 나타난 문화 요소는 병국에서도 나타났다.
ㄷ. 갑국에서 (가)로 인해 나타난 문화 요소는 (나)로 인해 병국으로 전달되었다.
ㄹ. 을국에는 병국에서와 달리 자국의 문화 요소와 갑국의 문화 요소가 공존하고 있다.

① ㄱ, ㄴ ② ㄱ, ㄹ ③ ㄷ, ㄹ
④ ㄱ, ㄴ, ㄷ ⑤ ㄴ, ㄷ, ㄹ

08 교육청

다음 글에 대한 옳은 설명만을 〈보기〉에서 있는 대로 고른 것은?

우리나라의 전통 가옥에서는 난방을 위해 주로 온돌을 활용하였다. 그런데 서양식 침대 문화가 우리나라에 들어오면서, 최근에는 침대의 편리함과 온돌의 따스함이라는 장점을 모두 살린 온돌 침대가 개발되어 많은 사람들이 사용하고 있다.

〈보기〉
ㄱ. 온돌 침대는 문화 융합 사례이다.
ㄴ. 온돌 침대는 문화 요소 중 기술에 해당한다.
ㄷ. 외재적 요인에 의한 문화 변동이 나타나 있다.
ㄹ. 문화 변동의 결과 우리 문화의 정체성이 상실되었다.

① ㄱ, ㄴ ② ㄱ, ㄹ ③ ㄷ, ㄹ
④ ㄱ, ㄴ, ㄷ ⑤ ㄴ, ㄷ, ㄹ

09 평가원

다음 자료에 대한 분석으로 옳은 것은? (단, 〈자료 1〉의 (가)~(다)는 각각 발명, 직접 전파, 자극 전파 중 하나이다.)

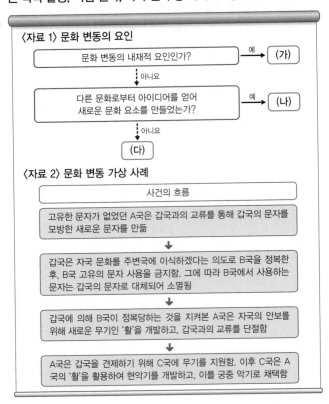

① A국에서는 (다)에 의한 문화 융합이 나타났다.
② B국에서는 (다)에 의한 문화 동화가 나타났다.
③ C국에서는 강제적 문화 접변의 결과로 (나)에 의한 문화 변동이 나타났다.
④ C국에서는 A국과 달리 (가)에 의한 문화 변동이 나타났다.
⑤ A, C국에서는 (나)로 인한 문화 공존이 나타났다.

10 교육청

p.102 자료 06

문화 변동 사례 (가)~(다)에 대한 설명으로 옳은 것은?

(가) 국내 기업이 스팀 청소기를 개발하여 많은 가정이 집안 청소에 사용하였다.
(나) 영상 매체를 통해 전파된 K-POP이 동남아 지역 등 다른 문화권에서 유행하였다.
(다) 우리나라의 태권도 사범들이 해외 각국에 나가 태권도를 가르쳐 현지에서 태권도 문화가 확산되었다.

① (가)에서는 발견에 의한 문화 변동이 나타났다.
② (나)는 간접 전파 사례에 해당한다.
③ (다)에서는 내재적 요인에 의한 문화 변동이 나타났다.
④ (나)는 (다)와 달리 강제적 문화 접변 사례이다.
⑤ (나)는 문화 동화, (다)는 문화 병존을 보여 주는 사례이다.

11 평가원

p.103 자료 07

다음 자료에 대한 옳은 분석만을 〈보기〉에서 있는 대로 고른 것은?

다음은 문화 변동의 요인을 (가)~(다)로 구분하고, 이를 통해 갑국과 을국의 문화 변동 사례를 분석한 자료이다. 갑국과 을국은 상호 교류 이외에 다른 제3의 국가와는 교류를 하지 않았다. 단, (가)~(다)는 각각 발명, 직접 전파, 자극 전파 중 하나이다.

〈문화 변동의 요인〉

구분	(가)	(나)	(다)
문화 변동의 외재적 요인인가?	아니요	예	예
타 문화로부터 아이디어를 얻어 새로운 문화 요소가 만들어졌는가?	아니요	예	아니요

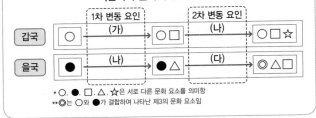

〈갑국과 을국의 문화 변동〉

* ○, ●, □, △, ☆은 서로 다른 문화 요소를 의미함
** ◎는 ○와 ●가 결합하여 나타난 제3의 문화 요소임

보기
ㄱ. (가)는 발명, (나)는 직접 전파이다.
ㄴ. 을국에서는 (다)로 인한 문화 융합이 나타났다.
ㄷ. 갑국에서 창조된 문화 요소가 을국으로 전달되었다.
ㄹ. 을국은 1차, 2차 변동에서 모두 갑국의 영향을 받았다.

① ㄱ, ㄴ　　② ㄱ, ㄹ　　③ ㄴ, ㄷ
④ ㄱ, ㄷ, ㄹ　　⑤ ㄴ, ㄷ, ㄹ

12 평가원

밑줄 친 ㉠~㉡에 대한 설명으로 옳은 것은?

강대국인 A국 왕실이 주도한 ㉠ 정략혼인을 통해 A국 왕실 문화가 B국 왕실로 전래되었다. 또한 양국 간에 ㉡ 사람들의 왕래가 많아지면서 B국 왕실 사람들이 누리던 ㉢ A국 왕실의 음식 문화를 B국의 상류층 대다수도 향유하였는데, 이를 B국 사람들은 ㉣ 'A 양식'이라고 불렀다. 이후 경제적 여유가 없었던 B국의 중·하층에서는 A국의 ㉤ 음식 문화를 모방하여, ㉥ A국의 요리법과 B국의 요리 재료가 결합된 새로운 음식을 만들어 냈다.

① ㉠은 ㉡과 달리 문화 변동의 외재적 요인으로 작용했다.
② ㉢은 하위문화이지만 반문화는 아니다.
③ ㉣은 강제적 문화 접변에 의해 나타난 것이다.
④ ㉤의 '문화'에는 문화에 대한 평가적 의미가 내포되어 있다.
⑤ ㉥은 문화 공존의 사례이다.

13 수능

표는 문화 접변의 결과 A, B를 비교한 것이다. 이에 대한 옳은 설명을 〈보기〉에서 고른 것은?

구분	A	B
의미	(가)	서로 다른 두 문화가 결합하여 새로운 문화를 형성함
사례	○○국에서 고유 언어와 외래 언어를 모두 공용어로 사용함	(나)
공통점	(다)	

〈보기〉
ㄱ. (가)에는 '외래문화 요소에서 영감을 얻어 새로운 문화 요소를 만듦'이 들어갈 수 있다.
ㄴ. (나)에는 '△△국에서 전통적인 온돌 문화와 외래의 침대 문화가 혼합된 돌침대가 만들어짐'이 들어갈 수 있다.
ㄷ. (다)에는 '고유문화의 정체성이 남아 있음'이 들어갈 수 있다.
ㄹ. A와 B의 구분 기준은 외래문화의 자발적 수용 여부이다.

① ㄱ, ㄴ ② ㄱ, ㄷ ③ ㄴ, ㄷ ④ ㄴ, ㄹ ⑤ ㄷ, ㄹ

14 평가원

p.103 자료 08

그림은 갑국과 교류한 A~C국의 문화 변동 양상과 결과를 나타낸 것이다. 이에 대한 분석으로 가장 적절한 것은?

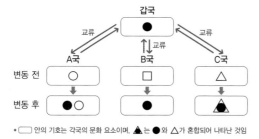

* □ 안의 기호는 각국의 문화 요소이며, ▲는 ●와 △가 혼합되어 나타난 것임

① A국의 문화 변동 결과에 해당하는 사례로는 서양의 결혼 예식과 전통 폐백 의례가 결합된 현재 한국의 결혼식을 들 수 있다.
② B국의 문화 변동 결과는 자발적이 아닌 강제적 문화 접변에 의해 나타났다.
③ C국의 문화 변동 결과에 해당하는 사례로는 한국에서 전통 시장과 별도로 온라인 쇼핑몰이 자리 잡은 것을 들 수 있다.
④ A, C국에서는 문화 접변 후에도 자문화 요소가 유지되고 있다.
⑤ A, B국에서는 C국과 달리 외래문화 요소를 수용하였다.

15 수능

밑줄 친 ⊙~⑩에 대한 설명으로 가장 적절한 것은?

⊙ 중국과의 접촉을 통해 우리나라에 한자가 전래된 것은 대략 기원전 2세기경으로 추정된다. 이후 ⓒ 우리나라에서는 한자의 음과 훈을 빌려 표기하는 이두를 만들어 사용했지만 불편함이 있었다. 조선 시대에 이르러 세종대왕이 우리말에 맞는 ⓒ 한글을 창제하여 비로소 우리 고유의 글자를 사용하게 되었다. ⓔ 한글은 한때 사대부 등에 의해 경시되기도 했지만 오늘날 여러 나라에서 가르칠 정도로 그 위상이 높아졌다. 특히 최근에는 한류의 인기에 힘입어 ⑩ 동남아 지역에서 한국어 교육 수요가 증가하고 있다.

① ⊙은 물질문화의 직접 전파에 해당한다.
② '전통적으로 계승된 온돌의 원리를 활용하여 현대식 바닥 난방 장치를 만든 것'은 ⓒ과 동일한 문화 변동 요인의 사례이다.
③ ⓒ은 내재적 요인에 의한 문화 변동이다.
④ ⓔ은 문화 지체 현상에 해당한다.
⑤ ⑩은 자발적 문화 접변에 의한 문화 동화이다.

16 평가원

그림은 문화 변동 요인 A~D를 분류한 것이다. 이에 대한 설명으로 옳은 것은? (단, A~D는 각각 발명, 직접 전파, 간접 전파, 자극 전파 중 하나이다.)

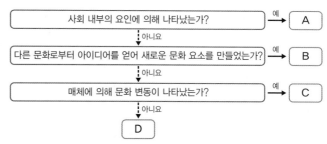

① 다른 나라 기성 종교의 교리와 체계를 응용하여 신흥 종교를 창시한 사례는 A에 해당한다.
② 한류 드라마의 인기로 한국어를 배우려는 외국인이 늘어난 사례는 B에 해당한다.
③ 독일에서 구텐베르크가 인쇄 기술을 만들어 자국 내 지식 보급에 기여한 사례는 C에 해당한다.
④ 서아시아 지역에서 종교 의식에 사용되던 커피가 유럽에 전해져 일반인의 기호품으로 대중화된 사례는 D에 해당한다.
⑤ 미국에서 배구가 처음 고안된 사례는 A, 미국인 선교사가 한국 청년들에게 처음 배구를 지도한 사례는 C에 해당한다.

01

다음 글에 나타난 문화 변동 요인 및 양상에 대한 옳은 설명을 〈보기〉에서 고른 것은?

> 일본의 목판화인 우키요에가 유럽에 수출된 도자기의 포장지로 우연히 소개된 1867년 파리 만국박람회를 기점으로 고갱, 모네, 드가, 마네 등 많은 프랑스 화가가 우키요에를 따라 그려보거나 자신의 화풍에 적용하였다. 우키요에의 영향을 받은 것으로 추정되는 고갱(1848~1903)의 '브르타뉴의 여인들'을 보면 기존의 화풍을 따르면서도 이전의 서양화에서 볼 수 없었던 검은 윤곽선이 부각된다.　　　– 중앙일보, 2018. 9. 22. –

─ 보기 ─
ㄱ. 밑줄 친 작품은 문화 융합의 산물이다.
ㄴ. 우키요에가 서양화가들에게 전해진 것은 간접 전파의 사례에 해당한다.
ㄷ. 당시 프랑스 화가들에게서 문화 사대주의적 태도가 나타나고 있음을 알 수 있다.
ㄹ. 만국박람회 이후 프랑스 화가들의 화풍에 나타난 변화는 내재적 요인에 의한 문화 변동이다.

① ㄱ, ㄴ　② ㄱ, ㄷ　③ ㄴ, ㄷ　④ ㄴ, ㄹ　⑤ ㄷ, ㄹ

02 고난도

다음 글의 일본에서 나타난 문화 변동 양상에 대한 설명으로 가장 적절한 것은?

> 백제 출신의 학자, 승려, 유민 등이 불교, 건축, 조각, 회화, 여가 문화 등을 고대 일본에 전해 주었다. 일본 오사카 지역에는 일종의 '코리아타운'처럼 '백제 마을'이 조성되기도 하였다. 백제 문화는 고대 일본의 일상생활에도 변화를 가져다주었다. 5세기 전까지는 주로 움집 형태의 집에서 살던 고대 일본인은 백제 문화에 영향을 받은 5세기 이후 기둥을 세우고 흙벽과 지붕이 있는 집에서 살기 시작하였다.
> 　　　– 허문명 외, 「한국의 일본, 일본의 한국」 –

① 문화 수용자의 의지에 반하여 문화 접변이 이루어졌다.
② 직접 전파를 통해 전해진 문화 요소가 정착하게 되었다.
③ 당시 일본에서 백제 문화는 일종의 반문화로서 존재하였다.
④ 5세기 이후에 일본에서 나타난 주거 문화는 문화 융합의 결과이다.
⑤ 일본의 주거 형태가 백제 문화로 인해 변형된 것으로 보아 문화 지체 현상이 나타났다.

03

(가), (나)에 나타난 문화 변동에 대한 옳은 설명을 〈보기〉에서 고른 것은?

> (가) 피지에서 식민지 통치를 위해 유럽의 문명을 이식하며 모든 남자와 여자에게 교회와 같은 공공장소에서 영국 왕실의 의병대가 착용한 것과 유사한 치마를 만들어 입게 하였다. 그 결과 지금도 피지인들은 공적인 자리에서는 항상 치마를 입어야 전통에 맞고 예의를 지키는 것으로 생각한다.　　　– 이태주, 「문명과 야만을 넘어서 문화 읽기」 –
>
> (나) 체로키 인디언들은 백인들과 접촉하기 전까지는 고유의 문자가 없었다. 그런데 이 부족의 한 인디언이 백인들과 접촉하면서 영어에서 아이디어를 얻어 체로키 문자를 고안해 냈다.　　　– 한상복, 「문화 인류학」 –

─ 보기 ─
ㄱ. (가)에서는 강제적 문화 접변이 나타나 있다.
ㄴ. (가)에서는 전통문화 요소가 외래문화 요소에 의해 대체되었다.
ㄷ. (나)는 (가)와 달리 문화 체계 내부적 요인에 따라 문화가 변동한 사례이다.
ㄹ. (나)에는 외부 사회의 필요와 의지에 따라 이루어진 문화 접변이 나타나 있다.

① ㄱ, ㄴ　② ㄱ, ㄷ　③ ㄴ, ㄷ　④ ㄴ, ㄹ　⑤ ㄷ, ㄹ

04

(가)~(마)에 해당하는 문화 변동의 사례가 바르게 연결된 것은?

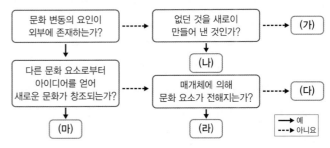

① (가) – 인터넷이 발달하여 전자 상거래가 크게 증가하였다.
② (나) – 불을 사용하게 되면서 각종 질병으로부터 해방되었다.
③ (다) – 네덜란드 동인도 회사에 의해 중국의 홍차가 유럽에 전해졌다.
④ (라) – 6 · 25 전쟁 이후 미군들에 의해 프라이드 치킨이 전해졌다.
⑤ (마) – 필리핀에서 한국 드라마가 인기를 끌면서 드라마 속 주인공이 입은 옷 스타일이 유행하고 있다.

05

다음 글을 통해 도출할 수 있는 내용을 〈보기〉에서 고른 것은?

미국의 평범한 시민은 자신이 일상 속에서 매우 미국적인 생활을 하고 있다고 자부하며 미국인으로서 긍지를 느낀다. 그러나 그가 일어나자마자 보는 시계는 중세 유럽의 발명품이며, 욕실에서 사용하는 변기는 중국의 도자기술로 만들어졌다. 그가 매일 신는 구두는 고대 그리스에서부터 시작되었으며, 그를 비롯해 거의 모든 미국 남성이 즐겨 매는 넥타이는 17세기 크로아티아인들이 둘렀던 목도리가 변형된 것이다.
– 랄프 린튼, 「100퍼센트 미국인」 –

보기
ㄱ. 문화 변동은 대부분 발명과 발견을 통해 이루어진다.
ㄴ. 문화 전파와 수용을 통해 문화가 다양해지고 발전한다.
ㄷ. 한 사회의 발명은 외부 문화권으로 전파되어 문화 변동을 일으킨다.
ㄹ. 외부로부터 전해진 문화 요소가 전통문화 요소를 대체하면 자문화의 정체성은 약화된다.

① ㄱ, ㄴ　② ㄱ, ㄷ　③ ㄴ, ㄷ　④ ㄴ, ㄹ　⑤ ㄷ, ㄹ

06 고난도

갑~병국의 문화 변동 과정에 대한 설명 및 추론이 옳지 <u>않은</u> 것은?

구분	갑국	을국	병국
T년	○	□	●
T+5년	○, ◉	□, ☆	○
T+10년	○, ◉, ☆	○, ◉	○, ▲

* ○, □, ●, ◉, ☆, ▲는 문화 요소를 의미함
** T년~T+5년 사이에는 갑국과 병국의 문화 접촉이 있었음
*** T+5년~T+10년 사이에는 갑국과 을국의 문화 접촉이 있었음
**** ◉는 ○과 ●이 결합하여 생겨난 새로운 문화 요소임

① T+5년에 갑국에서는 문화 융합이, 병국에서는 문화 동화가 나타났다.
② T+5년에 을국에서는 발명 또는 발견이 이루어졌을 것이다.
③ T+10년에 갑국에서는 자국의 문화 요소와 외래문화 요소가 나란히 존재하고 있다.
④ T년~T+10년 사이에 을국은 병국과 달리 문화 융합을 경험하였다.
⑤ T년~T+10년 사이에 을국과 병국은 외재적 요인과 내재적 요인에 의한 문화 변동을 모두 경험하였다.

07

(가), (나)에 대한 옳은 분석을 〈보기〉에서 고른 것은?

(가) 최근 부모 부양의 의무가 장남에게 있다는 인식이 변화하여 장남임에도 부모를 부양하지 않는 사례가 크게 늘고 있다. 그러나 장남이 아닌 다른 형제들은 자신들에게는 부양 의무가 없다고 여기므로 과거에 비해 노부모에 대한 부양이 제대로 이루어지지 못하고 있다.
(나) 무인 항공기 '드론'이 대중화되면서 아무 제한 없이 드론을 활용한 촬영이 가능하여 사생활 침해 문제가 생기고 있다. 각국 정부는 드론의 비행 구역을 제한하는 규제 마련으로 분주하지만 드론의 보급 속도에 비하면 미진하다.

보기
ㄱ. (가)는 합의된 가치 및 규범의 확립을 통해 해결 가능하다.
ㄴ. (가)는 (나)와 달리 비물질문화의 변동 속도를 물질문화의 변동 속도가 따라잡지 못해 나타나는 현상이다.
ㄷ. (나)는 물질문화의 변동 속도가 비물질문화의 변동 속도보다 빨라 생겨나는 부조화 현상이다.
ㄹ. (나)는 (가)와 달리 다른 문화와의 접촉으로 인해 발생하는 문화 변동 과정에서 나타나는 부작용이다.

① ㄱ, ㄴ　② ㄱ, ㄷ　③ ㄴ, ㄷ　④ ㄴ, ㄹ　⑤ ㄷ, ㄹ

08

다음 글을 통해 도출할 수 있는 결론으로 가장 적절한 것은?

히말라야 고산 지대 라다크 사람들은 진흙 벽돌로 집을 짓고 직접 경작한 보리와 통밀을 주식으로 하며, 서구인들이 필수품으로 여기는 수많은 물건이나 기계 없이 살았지만 즐겁고 행복했다. 그런데 1975년 이후 관광지로 개방되면서 자급자족 경제는 외부의 자본주의 경제로 편입되기 시작했고, 빈부 격차도 커졌다. 서로 돌보며 가난을 몰랐던 라다크 사람들은 풍요로운 관광객들을 보며 불행하다 느꼈고, 그 결과 공동체는 급속도로 붕괴되어 갔다.

① 문화 전파는 문화 다양성 증가에 기여한다.
② 외래문화에 대한 편견은 자문화의 발전을 저해한다.
③ 자발적 문화 접변이라도 주체적인 문화 수용 자세가 중요하다.
④ 자문화의 정체성 확립을 위해 외래문화와의 접촉을 지양해야 한다.
⑤ 비물질문화가 발달해도 물질문화가 뒷받침하지 못하면 부작용이 발생한다.

10강 사회 불평등 현상과 사회 계층의 이해

1단계 기출 자료 & 선지 분석

기출 자료 분석

자료 01 사회 계층화 현상을 설명하는 이론

┌─ 단서 ❶

(가) 사회 구조 차원에서 볼 때, 부·명예·권력의 분배가 똑같은 원칙에 의해 결정되는 것은 아니다. 가령 명예의 분배는 시장의 작동 원리뿐만 아니라 사회적 관습이나 가치관에 의해서도 결정된다. 어떤 경우, 명예를 중시하는 사람들은 돈이 많다고 자랑하는 사람들을 멸시하기도 한다. ┌─ 단서 ❷

(나) 자본주의 사회의 불평등 구조 배후에는 자본, 기계, 원료 등 생산에 필요한 물질에 대한 소유 여부가 존재한다. 이를 소유한 집단은 그들의 이익을 정당화하는 관념을 마치 사회의 보편적 가치인 것처럼 모든 구성원에게 주입한다.

단서 풀이
- 단서 ❶ 사회 계층화 현상을 다양한 기준에 따라 구분하고 있다.
- 단서 ❷ 사회 계층화 현상을 오직 하나의 기준으로 구분하고 있다.

자료 분석
- (가) : 부(경제적 요인), 명예(사회적 요인), 권력(정치적 요인) 등의 다양한 요인에 따라 상층, 중층, 하층으로 구분하는 다원론적 관점은 계층 이론이다.
- (나) : 생산 수단의 소유 여부에 따라 자본가 계급과 노동자 계급으로 구분하는 일원론적 관점은 계급 이론이다.

자료 02 사회 불평등 현상을 바라보는 관점

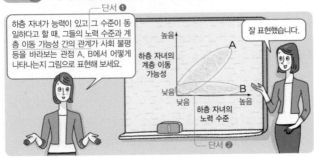

단서 풀이
- 단서 ❶ 하층 자녀의 노력 수준과 계층 이동 가능성 간의 관계에 대해 기능론과 갈등론의 입장이 서로 다르다.
- 단서 ❷ A, B 각 관점에서 하층 자녀의 노력 수준과 계층 이동 가능성 간의 관계를 어떻게 표현하는지 살펴본다.

자료 분석
- A : 그래프에서 계층 이동 가능성과 노력 수준이 정비례 관계에 있으므로, 하층 자녀가 노력할수록 계층 이동 가능성이 높아진다고 보는 기능론적 관점에 해당한다.
- B : 하층 자녀가 노력을 해도 계층 이동이 어렵다고 보는 것은 갈등론적 관점에 해당한다.

기출 선지 변형 O X

01 **자료 01**의 (가), (나)에 대한 설명이 옳으면 ○, 틀리면 ×에 표시하시오.

① (가)는 (나)에 비해 동일한 경제적 위치에 기반한 강한 귀속 의식을 강조한다.　　○, ×

② (가)는 (나)와 달리 사회적 희소가치의 불평등한 분배 상태를 서열적으로 범주화하여 바라본다.　　○, ×

③ (가)는 (나)와 달리 지위 불일치 현상을 설명하는 데 적합하다.　　○, ×

④ (나)는 (가)와 달리 생산 수단의 소유 여부가 정치, 경제, 문화적 관계를 결정한다고 본다.　　○, ×

⑤ (나)는 (가)에 비해 현대 사회의 계층화 현상을 설명하는 데 적합하다.　　○, ×

⑥ (가), (나)는 모두 사회 불평등을 보편적인 현상이라고 본다.　　○, ×

⑦ (가), (나)는 모두 사회 불평등 현상에 경제적 요인이 작용한다고 본다.　　○, ×

02 **자료 02**의 A, B에 대한 설명이 옳으면 ○, 틀리면 ×에 표시하시오.

① A는 희소가치가 개인의 사회적 기여도와 무관하게 분배된다고 본다.　　○, ×

② A는 희소가치의 분배 수준이 균등해질수록 사회적 효율성이 낮아진다고 본다.　　○, ×

③ A는 개인의 성취동기와 희소가치의 차등 분배 수준 사이에 정(+)의 관계가 있다고 본다.　　○, ×

④ B는 희소가치의 차등 분배 수준과 사회 갈등 정도 사이에 부(−)의 관계가 있다고 본다.　　○, ×

⑤ B는 부모의 계층과 자녀의 사회적 성공 가능성 사이에 정(+)의 관계가 있다고 보고, A는 무관하다고 본다.　　○, ×

⑥ A는 B와 달리 개인의 성취동기가 지위 변동에 미치는 영향력을 간과한다는 한계가 있다.　　○, ×

기출 자료 분석

자료 03 세대 간 이동 분석

〈A 사회〉 (단위 : %)
세대 간 상승 이동
세대 간 하강 이동

자녀＼부모	상층	중층	하층	계
상층	5	12	5	22
중층	16	30	18	64
하층	4	8	2	14
계	25	50	25	100

부모 세대의 계층 구조

〈B 사회〉 (단위 : %)
계층 대물림

자녀＼부모	상층	중층	하층	계
상층	15	1	3	19
중층	2	28	28	58
하층	1	2	20	23
계	18	31	51	100

자녀 세대의 계층 구조

단서 풀이
- 단서 ❶ 세대 간 상승 이동은 표의 우상단을, 세대 간 하강 이동은 표의 좌하단을, 계층 대물림은 표의 대각선을 살펴보면 된다.
- 단서 ❷ 부모 세대의 계층 구조는 표의 가로열을, 자녀 세대의 계층 구조는 표의 세로열을 살펴보도록 한다.

자료 분석
- A 사회에서 세대 간 상승 이동률은 35%, 세대 간 하강 이동률은 28%, 세대 간 계층이 대물림된 비율은 37%이다. 또한 부모 세대보다 자녀 세대에서 중층의 비율(50% → 64%)이 더 증가하였고, 부모 세대와 자녀 세대 모두 다이아몬드형 계층 구조이다.
- B 사회에서 세대 간 상승 이동률은 32%, 세대 간 하강 이동률은 5%, 세대 간 계층이 대물림된 비율은 63%이다. 그리고 부모 세대보다 자녀 세대에서 중층의 비율(31% → 58%)이 상당히 증가하면서 피라미드형 계층 구조에서 다이아몬드형 계층 구조로 변화하였다.

자료 04 사회 이동과 계층 구조 분석

(가) 부모 세대와 자녀 세대의 상대적 계층비

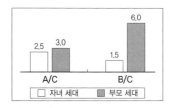

2.5 3.0 6.0 1.5
A/C   B/C
□ 자녀 세대   ■ 부모 세대

(나) 부모 세대 계층 대비 자녀 세대의 계층 이동 현황(%)

이동 방향＼계층	A	B	C
상승	20	60	0
하강	20	0	40

* 모든 부모의 자녀는 1명이다.
** A, B, C는 각각 상승, 중층, 하층 중 하나에 해당한다.

단서 풀이
- 단서 ❶ (나)의 A는 중층(상승 또는 하강 이동 모두 가능), B는 하층(상승 이동만 가능), C(하강 이동만 가능)는 상층이라는 것을 알 수 있다.
- 단서 ❷ (가)의 상층 대비 중층(A/C) 계층비와 상층 대비 하층(B/C) 계층비를 통해 부모 세대와 자녀 세대의 계층 구조를 파악할 수 있다.

자료 분석
(가)와 (나)에서 얻은 정보를 통해 계층 이동 기본 표를 아래와 같이 완성할 수 있고, 이를 바탕으로 선택지의 정답과 오답을 가려낼 수 있다.

구분		부모 세대 상층(C)	중층(A)	하층(B)	계
자녀 세대	상층(C)	6	6	8	20
	중층(A)	4	18	28	50
	하층(B)	0	6	24	30
계		10	30	60	100

기출 선지 변형 OX

03 **자료 03** 의 A 사회와 B 사회에 대한 분석이 옳으면 ○, 틀리면 ×에 표시하시오.

① A 사회에서 부모가 중층인 사람 중에서 세대 간에 계층이 고착화된 비율은 60%이다. ○, ×

② A 사회의 계층 구조는 다이아몬드형에서 피라미드형으로 변화하였다. ○, ×

③ B 사회에서 하층이 대물림된 사람은 전체의 23%이다. ○, ×

④ B 사회에서는 부모 세대보다 자녀 세대의 계층 구조가 더 안정된 모습이다. ○, ×

⑤ B 사회는 세대 간 상승 이동이 세대 간 하강 이동보다 더 많다. ○, ×

⑥ A 사회는 B 사회에 비해 세대 간 수직 이동이 활발하다. ○, ×

⑦ A 사회, B 사회 모두 개방적 계층 구조를 가지고 있다. ○, ×

04 **자료 04** 의 (가), (나)를 통해 분석한 내용이 옳으면 ○, 틀리면 ×에 표시하시오.

① A는 상층, B는 중층, C는 하층이다. ○, ×

② 세대 간 이동으로 다른 계층에서 유입된 비율은 상승과 중층이 같다. ○, ×

③ 부모 세대 상층에서 자녀 세대 하층으로 세대 간 이동을 한 경우는 없다. ○, ×

④ 세대 간 상승 이동을 한 사람의 수는 세대 간 하강 이동을 한 사람 수의 4배 이상이다. ○, ×

⑤ 자녀 세대의 계층 중 부모 세대와 계층이 일치하는 비율은 하층에서 가장 높고 상층에서 가장 낮다. ○, ×

⑥ 부모 세대의 피라미드형 계층 구조가 자녀 세대에서는 다이아몬드형 계층 구조로 변화하였다. ○, ×

기출 자료 분석

자료 05 세대 간 계층 이동 분석

〈세대 간 계층별 구성 비율의 상대적 비〉

구분	A	B	C
부모 세대 해당 계층 대비 자녀 세대 해당 계층의 상대적 비	0.5	1	2

〈세대 간 계층 이동 현황〉 (단위 : %)

구분	A	B	C
부모 세대 해당 계층 대비 부모와 자녀의 계층 불일치 비율 ┌단서 ❶	75	0	50

* 모든 부모의 자녀는 1명씩이고, 부모 세대의 계층 구조는 다이아몬드형임
** A는 C보다 높은 계층이며, 부모 세대의 계층 구성비에서 A는 B와 C를 합한 것의 1.5배임
└단서 ❷

단서 풀이

• 단서 ❶ 제시된 조건의 '부모 세대의 계층 구조는 다이아몬드형'이다.

• 단서 ❷ 제시된 두 번째 조건의 'A는 C보다 높은 계층이며, 부모 세대의 계층 구성비에서 A는 B와 C를 합한 것의 1.5배'이다.

자료 분석

• 두 가지 정보를 활용하면 A가 중층, B가 상층, C가 하층임을 알 수 있다. A(중층)의 구성 비율을 a, B(상층)의 구성 비율을 b, C(하층)의 구성 비율을 c라고 하면 부모 세대에서 a=1.5(b+c)이고, b+c=100−a이므로 a=1.5(100−a)이다. 이를 계산하면 부모 세대에서 a(중층 구성 비율)는 60%임을 알 수 있다.

• 부모 세대 중층 구성 비율이 60%라는 점과 〈세대 간 계층별 구성 비율의 상대적 비〉를 활용하면 다음과 같은 정보를 얻을 수 있다.
(단위 : %)

구분	계층 구성 비율			계
	상층(B)	중층(A)	하층(C)	
부모 세대	b	60	c	100
자녀 세대	b	30	2c	100

따라서 부모 세대 계층 구성비는 10 : 60 : 30이고, 자녀 세대 계층 구성비는 10 : 30 : 60이다.

• 각 세대의 계층 구성비와 〈세대 간 계층 이동 현황〉의 '부모 세대 해당 계층 대비 부모와 자녀의 계층 불일치 비율'을 활용하면 세대 간 계층 이동 현황을 구할 수 있는데, 표에서 상층(B)의 계층 불일치 비율은 0%이다. 따라서 부모 세대 상층(10%)의 0%가 계층 불일치 비율이고, 계층 일치 비율(대각선)은 10%(10%−0%)가 된다. 중층(A)의 계층 불일치 비율은 75%이므로 부모 세대 중층(60%)의 75%인 45%(60%×0.75)가 계층 불일치 비율이고, 계층 일치 비율(대각선)은 15%(60%−45%)가 된다. 하층(C)의 계층 불일치 비율은 50%이므로 부모 세대 하층(30%)의 50%인 15%(30%×0.5)가 계층 불일치 비율이고, 계층 일치 비율(대각선)은 15%(30%−15%)가 된다. 이를 바탕으로 아래와 같은 세대 간 계층 이동 현황을 파악할 수 있다.
(단위 : %)

구분		부모 세대			계
		상층(B)	중층(A)	하층(C)	
자녀 세대	상층(B)	10	0	0	10
	중층(A)	0	15	15	30
	하층(C)	0	45	15	60
계		10	60	30	100

자료 06 계층 대물림과 세대 간 계층 이동 분석

〈★★ 지역의 세대별 계층 간 상대적 비〉

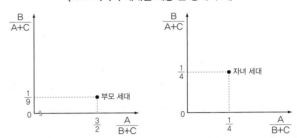

〈자녀 세대에서 부모와 계층이 일치하는 사람 대비 불일치하는 사람의 비〉

자녀 세대 계층		
A	B	C
0.25	4	1.5

* 모든 부모의 자녀는 1명씩이고, 부모 세대의 계층 구조는 피라미드형임
** 부모 세대 상층에서 자녀 세대 하층으로의 세대 간 이동은 없음
*** 다른 계층에서 중층으로 세대 간 이동한 경우는 모두 ★★ 지역의 산업 구조 변화로 인한 이동이며, 그 외의 이동은 모두 개인적 요인에 의한 것임

단서 풀이

• 단서 ❶ B/(A+C)=B/(100−B)를 의미하므로 이를 활용하면 B의 비율이 부모 세대에서 10%, 자녀 세대에서 20%임을 파악할 수 있다.

• 단서 ❷ A/(B+C)=A/(100−A)를 의미하므로 이를 활용하면 A의 비율이 부모 세대에서 60%, 자녀 세대에서 20%임을 파악할 수 있다.

• 단서 ❸ 위 계산식을 통해 부모 세대에서 A는 60%, B는 10%, C는 30%이고, 부모 세대의 계층 구조는 피라미드형이므로 A는 하층, B는 상층, C는 중층이다. 자녀 세대의 계층 구조는 A(하층) 20%, B(상층) 20%, C(중층) 60%이므로 다이아몬드형 계층 구조이다.

자료 분석

• 〈자녀 세대에서 부모와 계층이 일치하는 사람 대비 불일치하는 사람의 비〉를 해석하면 자녀 세대에서 부모와 계층이 불일치하는 사람은 상층(B)의 경우 4/5, 중층(C)의 경우 3/5, 하층(A)의 경우 1/5임을 알 수 있다.

• 위 결과에서 나온 자녀 세대에서 부모와 계층이 일치하는 사람과 불일치하는 사람의 비율을 바탕으로 세대 간 이동 양상과 계층 대물림을 파악한다. 자녀 세대 상층(B)에서 부모와 계층이 일치하는 사람이 전체에서 차지하는 비율은 4%이고 불일치하는 사람의 비율은 16%이다. 자녀 세대 중층(C)에서 부모와 계층이 일치하는 사람이 전체에서 차지하는 비율은 24%이고 불일치하는 사람의 비율은 36%이다. 자녀 세대 하층(A)에서 부모와 계층이 일치하는 사람이 전체에서 차지하는 비율은 16%이고 불일치하는 사람의 비율은 4%이다. '부모 세대 상층에서 자녀 세대 하층으로의 세대 간 이동은 없음'과 위에서 파악한 정보를 바탕으로 계층 대물림 및 세대 간 이동 표를 다음과 같이 나타낼 수 있다.
(단위 : %)

구분		부모 세대			계
		상층(B)	중층(C)	하층(A)	
자녀 세대	상층(B)	4	2	14	20
	중층(C)	6	24	30	60
	하층(A)	0	4	16	20
계		10	30	60	100

기출 선지 변형 O X

05 자료 **05** 의 표에 대한 분석이 옳으면 ○, 틀리면 ×에 표시하시오.

① 세대 간 상승 이동한 자녀가 세대 간 하강 이동한 자녀의 3배이다.	○, ×
② 자녀 세대 계층 대비 계층 대물림 비율은 상층이 가장 높고 하층이 가장 낮다.	○, ×
③ 중층으로 세대 간 상승 이동한 자녀와 중층으로 세대 간 하강 이동한 자녀의 수는 같다.	○, ×
④ 세대 간 계층 이동을 한 사람의 수는 중층 부모를 둔 자녀가 하층 부모를 둔 자녀의 3배이다.	○, ×
⑤ 부모 세대와 자녀 세대 간에 계층 대물림 비율은 60%이다.	○, ×
⑥ 자녀 세대의 계층 구조는 피라미드형 계층 구조로 변화하였다.	○, ×

06 자료 **06** 에 대한 분석이 옳으면 ○, 틀리면 ×에 표시하시오.

① 개인적 이동이 구조적 이동보다 많다.	○, ×
② 부모 세대 계층 대비 계층 대물림 비율은 하층에서 가장 낮다.	○, ×
③ 중층으로의 세대 간 이동에서 상승 이동은 하강 이동의 5배이다.	○, ×
④ 부모 세대와 자녀 세대 간에 계층 이동을 한 사람은 계층이 대물림된 사람보다 적다.	○, ×
⑤ 자녀 세대 중층에서 부모 세대와 계층이 일치하는 사람이 전체에서 차지하는 비율은 24%이다.	○, ×
⑥ 부모 세대와 자녀 세대 간에 계층 이동 비율은 44%이다.	○, ×

07 사회 계층 구조와 사회 이동에 대한 설명이 옳으면 ○, 틀리면 ×에 표시하시오.

① 피라미드형 계층 구조에서는 세대 간 이동이 불가능하다.	○, ×
② 다이아몬드형 계층 구조가 피라미드형 계층 구조보다 사회 통합에 유리하다.	○, ×
③ 피라미드형은 부분 평등형 계층 구조이고, 다이아몬드형은 부분 불평등형 계층 구조이다.	○, ×
④ 타원형과 모래시계형 계층 구조는 계층 이동 가능성에 따라 분류한 계층 구조이다.	○, ×
⑤ 정보 사회에 대한 비관론자는 정보 사회의 계층 구조가 모래시계형이 될 것으로 본다.	○, ×
⑥ 세대 간 이동과 세대 내 이동은 이동 방향에 따라 구분되는 사회 이동이다.	○, ×
⑦ 상승 이동은 하층에서만 나타나고, 하강 이동은 상층에서만 나타난다.	○, ×
⑧ 한 개인은 세대 간 이동과 세대 내 이동을 동시에 경험할 수 없다.	○, ×

01 평가원

사회 불평등 이론을 설명하는 이론 A, B의 입장을 고려하여 자신에게 주어진 질문에 대한 응답을 모두 옳게 한 학생은?

A는 자본주의 체제에서 돈, 기계, 원료 등과 같은 생산 수단의 소유 여부를 기준으로 사회 불평등 현상을 설명한다. 한편 B는 사회 불평등의 층위가 사회적·정치적 차원에서도 발생한다고 주장하며, 현대 사회에서 나타나는 다양한 차원의 불평등을 근거로 제시한다.

학생	질문	A의 입장	B의 입장
갑	사회 계층이 연속적으로 서열화되어 있다고 보는가?	×	○
을	계층 간 수직 이동이 극히 제한적이라고 보는가?	×	○
병	경제적 요인에 의해 계층화가 발생한다고 보는가?	○	×
정	동일한 계층에 속하는 구성원 간의 연대 의식이 강하다고 보는가?	×	○
무	한 사람의 지위가 계층화의 여러 차원에 따라 달라질 수 있다고 보는가?	○	×

① 갑　② 을　③ 병　④ 정　⑤ 무

02 수능

밑줄 친 'A 이론'에 대한 옳은 설명을 〈보기〉에서 고른 것은?

사회 불평등 현상을 설명하는 A 이론은 생산 수단의 소유 여부와 더불어 소득이나 부의 크기도 계급을 결정하는 요인으로 본다. 그러나 소득이나 부의 크기는 계급 관계의 산물일 뿐, 계급을 구분하는 요인은 아니다. 또한 A 이론에서 사회 불평등을 구성하는 요인으로 보는 지위나 파당도 기본적으로 계급 관계에 의해 규정될 뿐이며, 그 자체로는 독자적인 기원을 가지지 못한다.

─ 보기 ─
ㄱ. 지위 불일치 가능성을 인정한다.
ㄴ. 다차원적 측면에서 사회 불평등 현상을 파악한다.
ㄷ. 동일 집단 구성원 간의 강한 연대 의식을 강조한다.
ㄹ. 사회 불평등 현상을 불연속적으로 구분되어 있는 상태로 본다.

① ㄱ, ㄴ　② ㄱ, ㄷ　③ ㄴ, ㄷ　④ ㄴ, ㄹ　⑤ ㄷ, ㄹ

03 평가원

그림은 질문 (가)~(다)에 따라 사회 불평등 현상을 설명하는 이론 A, B를 구분한 것이다. 이에 대한 옳은 설명을 〈보기〉에서 고른 것은? (단, A, B는 각각 계급 이론, 계층 이론 중 하나이다.)

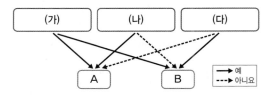

─ 보기 ─
ㄱ. (가)에는 '사회 불평등 현상의 원인으로 경제적 요인을 고려하는가?'가 들어갈 수 있다.
ㄴ. A가 계층 이론이라면, (나)에는 '사회 불평등 현상을 불연속적인 위계화로 파악하는가?'가 들어갈 수 있다.
ㄷ. A가 계급 이론이라면, (다)에는 '사회 불평등 현상의 발생 원인을 다원론적 관점으로 보는가?'가 들어갈 수 있다.
ㄹ. B가 계층 이론이라면, (나)에는 '지위 불일치 현상을 설명하기에 적합한가?'가 들어갈 수 있다.

① ㄱ, ㄴ　② ㄱ, ㄷ　③ ㄴ, ㄷ　④ ㄴ, ㄹ　⑤ ㄷ, ㄹ

04 수능

다음 자료는 사회 계층화 현상에 대한 두 이론 A, B의 공통점과 차이점을 나타낸 것이다. (가)~(다)에 들어갈 수 있는 내용으로 옳은 것은?

A : 불연속적·이분법적 관계로 계층화 현상을 설명한다.
B : 연속적·서열적 관계로 계층화 현상을 설명한다.

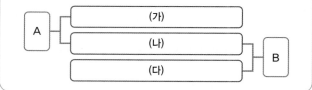

① (가)–동일 계층 집단 구성원 간의 연대 의식을 강조한다.
② (가)–현대 사회의 다양한 계층 분화를 설명하기에 용이하다.
③ (나)–경제적 불평등이 정치적 불평등을 결정한다고 본다.
④ (다)–사회 계층화 현상의 원인을 단일 요인으로 설명한다.
⑤ (다)–사회 계층화 현상에서 귀속적 요인의 영향력을 중시한다.

05 수능

p.110 자료 01

(가), (나)는 사회 계층화 현상을 설명하는 서로 다른 이론이다. 이에 대한 옳은 설명을 〈보기〉에서 고른 것은?

> (가) 사회 구조 차원에서 볼 때, 부·명예·권력의 분배가 똑같은 원칙에 의해 결정되는 것은 아니다. 가령 명예의 분배는 시장의 작동 원리뿐만 아니라 사회적 관습이나 가치관에 의해서도 결정된다. 어떤 경우, 명예를 중시하는 사람들은 돈이 많다고 자랑하는 사람들을 멸시하기도 한다.
>
> (나) 자본주의 사회의 불평등 구조 배후에는 자본, 기계, 원료 등 생산에 필요한 물질에 대한 소유 여부가 존재한다. 이를 소유한 집단은 그들의 이익을 정당화하는 관념을 마치 사회의 보편적 가치인 것처럼 모든 구성원에게 주입한다.

──〈보기〉──
ㄱ. (가)는 (나)에 비해 동일한 경제적 위치에 기반한 강한 귀속 의식을 강조한다.
ㄴ. (가)는 (나)와 달리 이분화된 불평등 구조를 설명하기에 용이하다.
ㄷ. (나)는 (가)와 달리 지위 불일치 현상을 설명하는 데 적합하지 않다.
ㄹ. (가), (나)는 모두 사회 불평등 현상에 경제적 요인이 작용한다고 본다.

① ㄱ, ㄴ ② ㄱ, ㄷ ③ ㄴ, ㄷ ④ ㄴ, ㄹ ⑤ ㄷ, ㄹ

06 평가원

다음은 사회 불평등 현상을 설명하기 위해 사회학자 갑과 을이 조사 대상자 A~D를 분류한 것이다. 이에 대한 설명으로 옳지 <u>않은</u> 것은?

〈갑의 분류〉

구분	생산 수단 소유 여부
자본가	A
노동자	B, C, D

〈을의 분류〉

구분	경제적 요인	정치적 요인	사회적 요인
상층	A	A, C	C
중층	B, C	D	A, B
하층	D	B	D

① 을의 분류에서 A~D는 모두 지위 불일치의 사례에 해당한다.
② 을의 분류에서 상층에 속한 모든 대상자는 갑의 분류에서 자본가이다.
③ 갑은 을과 달리 사회 불평등 현상을 이분법적으로 파악한다.
④ 을은 갑과 달리 다차원적 측면에서 사회 불평등 현상을 파악한다.
⑤ 갑과 을의 분류에는 모두 경제적 요소가 반영되어 있다.

07 수능

(가), (나)는 사회 불평등 현상을 설명하는 이론이다. 이에 대한 설명으로 옳은 것은?

> (가) 역사상 주요 시대는 생산 양식의 변화에 따라 구분된다. 어느 시대에서나 사람들 간의 불평등한 관계가 나타나는데, 이는 생산 수단의 소유 여부에서 비롯된다.
>
> (나) 집단 간 차이는 경제적 기준뿐만 아니라 위신과 권력에 의해서도 형성된다. 이러한 요인들은 복잡한 상호 작용을 통해 사회 내에 다양한 위계를 만들어 낸다.

① (가)는 서로 다른 경제적 위치에 있는 집단 간의 위계가 불연속적이라고 본다.
② (나)는 불평등한 분배 상태를 이분법적으로 구분한다.
③ (가)는 (나)에 비해 현대 사회의 지위 불일치 현상을 설명하기에 용이하다.
④ (나)는 (가)에 비해 서로 다른 계층에 속한 구성원 간의 적대감이 강하다고 본다.
⑤ (가)는 사회 불평등 현상을 경제적 요인으로만, (나)는 사회·정치적 요인으로만 설명한다.

08 평가원

표는 베버의 계층론을 근거로 갑~병의 주관적 계층 의식과 실제 계층을 조사한 결과이다. 이에 대한 분석으로 옳은 것은?

〈주관적 계층 의식〉

구분	재산	권력	위신
상층	을	갑, 병	갑
중층	갑, 병	–	을, 병
하층	–	을	–

〈실제 계층〉

구분	재산	권력	위신
상층	을, 병	갑, 병	갑, 병
중층	–	을	–
하층	갑	–	을

① 을은 주관적 계층 의식과 실제 계층이 모두 일치한다.
② 병은 경제적, 사회적 측면 모두에서 자신의 계층적 위치를 실제보다 낮게 평가한다.
③ 갑과 을은 계급적 연대 의식을 공유하고 있다.
④ 실제 계층에서 갑과 을의 권력 차이는 재산 차이에서 비롯된다.
⑤ 실제 계층에서 갑~병 모두에게 지위 불일치 현상이 나타난다.

09 평가원

다음은 사회 계층화 현상에 대한 어떤 이론이다. 이에 대한 옳은 설명만을 〈보기〉에서 있는 대로 고른 것은?

> 사회는 재산, 권력, 위신에 기초하여 계층화된다. 재산의 차이는 '계급'을, 권력의 차이는 '파당'을, 위신의 차이는 '지위 집단'을 만들어 낸다. 어떤 사람이 이들 중 한두 가지 차원에서 상층에 속하더라도 나머지 다른 차원에서는 하층에 속할 수 있다.

·보기·

ㄱ. 다원론적 관점에서 사회 계층화 현상을 바라본다.
ㄴ. 현대 사회의 지위 불일치 현상을 설명하기 용이하다.
ㄷ. 동일한 계층적 위치에 속한 구성원 간의 귀속 의식을 강조한다.
ㄹ. 사회 계층화 현상을 불연속적으로 구분되어 있는 상태로 파악한다.

① ㄱ, ㄴ   ② ㄱ, ㄷ   ③ ㄷ, ㄹ
④ ㄱ, ㄴ, ㄹ   ⑤ ㄴ, ㄷ, ㄹ

10 평가원

다음 자료에 대한 옳은 분석을 〈보기〉에서 고른 것은?

> 다음은 성인 자녀 1명을 둔 가구주 100명을 대상으로 부모 세대와 자녀 세대의 계층 비율과 계층 이동 현황을 조사한 결과이다. 계층은 상층, 중층, 하층으로만 구분된다.

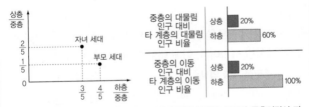

〈세대별 계층 간 상대적 비율〉　〈계층 대물림 및 이동 인구 비율〉

* '중층의 대물림 인구 대비 타 계층의 대물림 인구 비율'은 부모가 중층이면서 자녀도 중층인 인구 대비 타 계층에서 세대 간 계층이 일치하는 인구의 비율(%)임
** '중층의 이동 인구 대비 타 계층의 이동 인구 비율'은 부모는 중층이지만 자녀는 다른 계층인 인구 대비 타 계층에서 세대 간 계층 이동이 일어난 인구의 비율(%)임

·보기·

ㄱ. 부모 세대 계층 대비 계층 대물림 비율은 하층이 가장 높다.
ㄴ. 부모 세대와 자녀 세대는 모두 다이아몬드형 계층 구조이다.
ㄷ. 부모 세대와 자녀 세대 간 계층 이동한 사람은 계층이 대물림된 사람보다 많다.
ㄹ. 부모가 하층이었던 자녀 중에 상승 이동한 사람 수는 부모가 상층이었던 자녀 중에 하강 이동한 사람 수의 4배이다.

① ㄱ, ㄴ ② ㄱ, ㄷ ③ ㄴ, ㄷ ④ ㄴ, ㄹ ⑤ ㄷ, ㄹ

11 수능

다음은 사회 불평등 현상을 바라보는 관점을 나타낸 자료이다. 이에 대한 설명으로 옳은 것은?

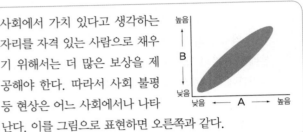

> 사회에서 가치 있다고 생각하는 자리를 자격 있는 사람으로 채우기 위해서는 더 많은 보상을 제공해야 한다. 따라서 사회 불평등 현상은 어느 사회에서나 나타난다. 이를 그림으로 표현하면 오른쪽과 같다.

① 사회 불평등 현상을 보편적이지만 제거해야 할 대상이라고 본다.
② 사회적 지위나 직업에는 중요도에 따른 위계 체계가 존재한다고 본다.
③ 지배 집단과 피지배 집단 간의 대립 관계에서 사회 불평등 현상을 이해한다.
④ A가 '부모의 경제적 지위'라면, B는 '자녀의 사회적 성공 가능성'이 적절하다.
⑤ A가 '희소가치의 균등 분배 수준'이라면, B는 '개인의 성취 동기'가 적절하다.

12 평가원

다음 자료는 갑국의 세대 간 계층 이동 현황을 나타낸 것이다. 이에 대한 분석으로 옳은 것은?

〈세대별 계층 간 상대적 비율〉		
구분	부모 세대	자녀 세대
상층+하층 / 전체 계층	$\frac{1}{2}$	$\frac{4}{5}$
상층+하층 / 중층+하층	$\frac{1}{4}$	$\frac{1}{3}$

〈자녀 세대 계층 대비 부모와 자녀 계층 일치의 상대적 비율〉		
상층	중층	하층
$\frac{1}{5}$	$\frac{1}{2}$	$\frac{4}{11}$

* 모든 부모의 자녀는 1명이고, 갑국의 계층은 상층, 중층, 하층으로만 구분함
** 상층 부모를 둔 하층 자녀 인구와 하층 부모를 둔 중층 자녀 인구의 비는 2 : 1임

① 세대 간 계층 일치 비율이 세대 간 계층 이동 비율보다 크다.
② 부모 세대 계층 대비 부모와 자녀의 계층 일치 비율은 중층이 상층보다 크다.
③ 부모 세대 계층 대비 부모와 자녀의 계층 불일치 비율은 하층이 상층보다 크다.
④ 부모 세대 하층에서 자녀 세대 상층으로 이동한 인구와 자녀 세대 중층으로 이동한 인구는 같다.
⑤ 갑국에서 부모 세대의 계층 구조는 다이아몬드형이고, 자녀 세대의 계층 구조는 피라미드형이다.

13 평가원

사회 불평등 현상을 바라보는 관점 A, B에 대한 설명으로 옳은 것은?

구분	관점 A	관점 B
사회 불평등 현상의 발생 원인은 무엇인가?	사회적 역할의 중요도에 따른 보상의 차등 분배	(가)
희소가치의 배분 방식은 어떻게 결정되는가?	(나)	권력 유지를 위한 기득권 집단의 결정

① A는 사회 불평등 현상이 지배와 피지배 관계에서 비롯된다고 본다.

② B는 사회 불평등 현상을 불가피한 것으로 본다.

③ A는 B와 달리 개인의 성취동기가 지위 변동에 미치는 영향력을 간과한다는 한계가 있다.

④ (가)에는 '개인의 능력 차이에 따른 보상의 차등 분배'가 적절하다.

⑤ (나)에는 '사회의 효율적 운영을 위한 사회 구성원의 합의'가 적절하다.

14 평가원

다음 자료에 대한 분석으로 옳은 것은?

〈자료 1〉 갑국의 자녀 세대 계층 구성 현황

자녀 세대의 A 비율은 B 비율보다는 20%p 크고, C 비율보다는 30%p 크다. 자녀 세대의 계층 구조는 다이아몬드형이며, C는 B보다 높은 계층이다.

* 갑국의 모든 부모의 자녀는 1명이고, 계층은 상층, 중층, 하층으로만 구분하며, A~C는 각각 상층, 중층, 하층 중 하나임.
** %p: 백분율 간의 차이를 나타내는 단위임. 예를 들어, 20%는 10%보다 10%p 크다고 표현함

〈자료 2〉 갑국의 세대 간 계층 이동 현황

(단위 : %)

구분 \ 계층	A	B	C
자녀 세대 계층 대비 부모 세대와 자녀 세대의 계층 불일치 비율	90	50	40
부모 세대 계층 대비 부모 세대와 자녀 세대의 계층 일치 비율	25	30	40

* 상층 부모를 둔 중층 자녀 인구는 하층 부모를 둔 상층 자녀 인구의 3배임

① 하층 대비 상층의 비율은 부모 세대가 자녀 세대보다 높다.

② 세대 간 상승 이동한 비율이 세대 간 하강 이동한 비율보다 낮다.

③ 중층 부모를 둔 하층 자녀의 인구는 중층 부모를 둔 상층 자녀 인구의 4배이다.

④ 부모 세대의 계층 구조는 자녀 세대의 계층 구조에 비해 사회 통합에 유리하다.

⑤ 자녀 세대 계층 대비 세대 간 이동을 경험하지 않은 비율이 가장 높은 계층은 하층이다.

15 수능

p.112 **자료 05**

다음 자료에 나타난 갑국의 세대 간 계층 이동에 대한 옳은 분석을 〈보기〉에서 고른 것은? (단, 계층은 상층, 중층, 하층으로만 구분하며, A~C는 각각 상층, 중층, 하층 중 하나이다.)

〈세대 간 계층별 구성 비율의 상대적 비〉

구분	A	B	C
부모 세대 해당 계층 대비 자녀 세대 해당 계층의 상대적 비	0.5	1	2

〈세대 간 계층 이동 현황〉

(단위 : %)

구분	A	B	C
부모 세대 해당 계층 대비 부모와 자녀의 계층 불일치 비율	75	0	50

* 모든 부모의 자녀는 1명이고, 부모 세대의 계층 구조는 다이아몬드형임
** A는 C보다 높은 계층이며, 부모 세대의 계층 구성비에서 A는 B와 C를 합한 것의 1.5배임

〈보기〉

ㄱ. 세대 간 상승 이동한 자녀가 세대 간 하강 이동한 자녀의 3배이다.

ㄴ. 자녀 세대 계층 대비 계층 대물림 비율은 상층이 가장 높고 하층이 가장 낮다.

ㄷ. 중층으로 세대 간 상승 이동한 자녀와 중층으로 세대 간 하강 이동한 자녀의 수는 같다.

ㄹ. 세대 간 계층 이동을 한 사람의 수는 중층 부모를 둔 자녀가 하층 부모를 둔 자녀의 3배이다.

① ㄱ, ㄴ ② ㄱ, ㄷ ③ ㄴ, ㄷ ④ ㄴ, ㄹ ⑤ ㄷ, ㄹ

16 평가원

그림은 갑국의 세대 간 계층 이동 현황을 나타낸 것이다. 이에 대한 분석으로 옳지 않은 것은? (단, 자녀 계층의 구성비는 상층 : 중층 : 하층 = 1 : 6 : 3이며, 모든 부모의 자녀는 1명이다.)

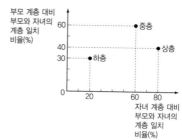

① 세대 간 상승 이동보다 하강 이동이 더 많다.

② 부모 세대는 다이아몬드형 계층 구조를 보인다.

③ 상층의 하강 이동이 하층의 상승 이동보다 많다.

④ 부모 세대와 자녀 세대의 중층은 각각 60%로 동일하다.

⑤ 세대 간 계층 이동 비율과 유지 비율은 각각 50%로 동일하다.

17 수능

표는 질문 (가)~(다)를 활용하여 사회 불평등 현상을 설명하는 두 이론 A, B를 비교한 것이다. 이에 대한 설명으로 옳은 것은? (단, A와 B는 각각 계급론과 계층론 중 하나이다.)

이론 \ 질문	(가)	(나)	(다)
A	아니요	예	아니요
B	예	아니요	아니요

① A가 계층론이면 (가)는 "지위 불일치 현상을 설명할 수 있는가?"가 적절하다.

② A가 계층론이면 (나)는 "계층을 일원론적 관점에서 구분하는가?"가 적절하다.

③ (나)가 "동일한 경제적 위치에 있는 집단 구성원이 갖는 강한 귀속 의식을 중시하는가?"이면, B는 계층론이다.

④ (다)는 "불평등의 원인을 희소가치의 차등 분배에서 찾는가?"가 적절하다.

⑤ (가)가 "사회 불평등을 연속적인 서열로 파악하는가?"이면, (나)는 "사회 이동의 개방성이 크다고 보는가?"가 적절하다.

18 수능

다음 자료에 대한 옳은 분석만을 〈보기〉에서 있는 대로 고른 것은?

(가), (나)는 갑국에서 부모와 자녀의 계층이 일치하는 비율을 부모 세대와 자녀 세대의 계층별로 각각 나타낸 것이다. 자녀 세대의 계층 구성 비율은 상층 25%, 중층 50%, 하층 25%이다. 모든 부모의 자녀는 1명씩이고, 부모 세대 상층에서 자녀 세대 하층으로의 이동은 발생하지 않았다.

(가) 부모 세대 계층 대비 부모와 자녀의 계층이 일치하는 비율

부모 계층	비율(%)
상층	75
중층	50
하층	40

(나) 자녀 세대 계층 대비 부모와 자녀의 계층이 일치하는 비율

자녀 계층	비율(%)
상층	60
중층	30
하층	80

〈보기〉
ㄱ. 세대 간 이동 비율은 50%이다.
ㄴ. 세대 간 하강 이동한 자녀보다 세대 간 상승 이동한 자녀가 더 많다.
ㄷ. 부모 세대보다 자녀 세대의 계층 구조에서 사회 통합의 필요성이 더 크다.
ㄹ. 부모 세대 하층에서 자녀 세대 상층으로의 세대 간 이동은 발생하지 않았다.

① ㄱ, ㄴ ② ㄱ, ㄷ ③ ㄷ, ㄹ
④ ㄱ, ㄴ, ㄹ ⑤ ㄴ, ㄷ, ㄹ

19 평가원

(가), (나)에 대한 옳은 분석만을 〈보기〉에서 있는 대로 고른 것은?

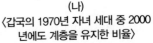

(가) 〈갑국의 1970년 계층 구조 현황〉 (단위 : %)

구분		자녀 세대 계층			계
		상층	중층	하층	
부모 세대 계층	상층	6	2	2	10
	중층	24	17	19	60
	하층	4	1	25	30
계		34	20	46	100

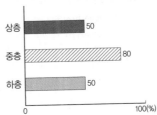

(나) 〈갑국의 1970년 자녀 세대 중 2000년에도 계층을 유지한 비율〉

상층 — 50
중층 — 80
하층 — 50

〈보기〉
ㄱ. (가)에 따르면, 세대 간 상승 이동이 세대 간 하강 이동보다 많다.
ㄴ. (가)에 따르면, 자녀 세대 중에서 세대 간 이동을 경험한 비율이 가장 낮은 계층은 중층이다.
ㄷ. (가)에 따르면, 부모 세대의 계층 대비 계층 대물림 비율은 중층에서 가장 낮고 상층에서 가장 높다.
ㄹ. (가), (나)에 따르면, 자녀 세대 중 세대 내 상승 이동을 한 사람이 세대 내 하강 이동을 한 사람보다 많다.

① ㄱ, ㄴ ② ㄴ, ㄷ ③ ㄷ, ㄹ
④ ㄱ, ㄴ, ㄹ ⑤ ㄱ, ㄷ, ㄹ

20 수능

다음 자료는 갑국의 세대 간 계층 이동 현황을 나타낸 것이다. 이에 대한 분석으로 옳은 것은?

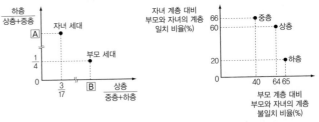

〈세대별 계층의 상대적 비율〉 〈세대 간 계층 이동 현황〉

* 모든 부모의 자녀는 1명이고, 갑국의 계층은 상층, 중층, 하층으로만 구분한다.
** 부모 세대 상층에서 자녀 세대 중층으로 이동한 인구와 부모 세대 상층에서 자녀 세대 하층으로 이동한 인구는 같다.

① 세대 간 계층 유지 비율이 이동 비율보다 크다.

② 부모 세대 하층 대비 부모와 자녀가 모두 하층인 비율은 A보다 작다.

③ 부모 세대 중층 대비 부모 세대가 중층이고 자녀 세대가 하층인 비율은 B보다 작다.

④ 자녀 세대 계층 대비 부모와 자녀의 계층 불일치 비율은 상층이 가장 크다.

⑤ 부모 세대 상층에서 자녀 세대 하층으로 이동한 인구는 부모 세대 하층에서 자녀 세대 중층으로 이동한 인구보다 많다.

21 수능

다음 자료에 대한 분석으로 옳은 것은?

> 다음은 갑국에서 가구주 1,000명을 대상으로 ㉠ 부모의 계층과 본인의 현재 계층 간 이동 및 ㉡ 부모로부터 독립 후 본인의 최초 계층과 현재 계층 간 이동을 조사한 결과이다. (단, 계층은 상층, 중층, 하층으로만 구성된다.)
>
> 〈계층의 상대적 비(比)〉
>
> *상축+하층*
> *중층*
> $\frac{7}{3}$ ● 본인의 현재 계층
> $\frac{1}{2}$ ● 본인의 최초 계층
> $\frac{2}{3}$ ● 부모의 계층
> 0 ──── 1 ── $\frac{3}{2}$ ── $\frac{7}{3}$ ── *상층+중층*
>   *하층*
>
> 〈계층 일치 비율〉
>
> | 구분 | A | B |
> |------|-----|------|
> | 상층 | 80 | 100 |
> | 중층 | 50 | 52 |
> | 하층 | 80 | 90 |
>
> * A: 부모 계층 대비 부모 계층과 본인 현재 계층의 일치 비율(%)
> ** B: 본인 최초 계층 대비 본인 최초 계층과 현재 계층의 일치 비율(%)

① ㉠과 ㉡을 모두 경험한 가구주가 ㉠과 ㉡ 중 어느 하나도 경험하지 않은 가구주보다 적다.

② ㉠을 경험하고 ㉡은 경험하지 않은 가구주가 ㉠은 경험하지 않고 ㉡을 경험한 가구주보다 적다.

③ 세대 내 하강 이동보다 세대 내 상승 이동이 많다.

④ 현재 계층이 중층인 가구주의 최초 계층은 모두 중층이었다.

⑤ 가구주의 현재 계층 구조가 부모의 계층 구조보다 사회 통합에 유리한 계층 구조이다.

22 수능

(가), (나)는 갑국의 계층 이동을 나타낸 것이다. 이에 대한 분석으로 옳은 것은?

(가) 세대별 계층 간 상대적 비율

상층
중층
$\frac{3}{2}$ ┄┄┄┄┄┄ ● 3대
$\frac{1}{3}$ ● 2대   ● 1대
0 ── $\frac{1}{3}$ ── 2 ── $\frac{5}{2}$ ── *하층*
                                      중층

(나) 계층 이동 결과

(단위 : %)

구분		1대→2대	2대→3대
계층 대물림	상층	8	18
	중층	14	16
	하층	12	18
세대 간 이동		66	48
계		100	100

* 1대는 조부모 세대, 2대는 부모 세대, 3대는 자녀 세대이며, 각 세대의 구성원 수는 모든 가계에서 동일함

① 2대의 계층 구조보다 3대의 계층 구조가 사회 통합에 더 유리하다.

② 1대에서 2대로의 세대 간 이동의 경우, 하강 이동이 상승 이동보다 많다.

③ 2대에서 3대로의 세대 간 이동의 경우, 상승 이동이 하강 이동보다 많다.

④ 2대에서 3대로의 세대 간 이동의 경우, 상층에서 하층으로의 이동과 하층에서 상층으로의 이동은 모두 나타나지 않았다.

⑤ 상층 부모를 둔 사람 중 하강 이동을 한 비율은 1대에서 2대로의 이동에서와 2대에서 3대로의 이동에서가 동일하다.

23 평가원

다음 자료는 갑국의 세대 간 계층 이동 현황을 나타낸 것이다. 이에 대한 분석으로 옳은 것은?

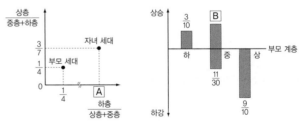

> [세대별 계층의 상대적 비율] [부모 계층 대비 자녀 계층의 세대 간 이동 비율]
>
> * 모든 부모의 자녀는 1명이고, 갑국의 계층은 상층, 중층, 하층으로만 구분한다.
> ** 부모 세대 하층에서 자녀 세대 상층으로의 세대 간 이동은 없다.
> *** 자녀 계층 중층에서 부모와 자녀의 계층 일치 비율과 불일치 비율의 상대적 비는 1:1이다.

① 부모 세대보다 자녀 세대에서 사회 통합의 필요성이 낮아졌다.

② 자녀 세대 계층 대비 부모와 자녀의 계층 일치 비율은 하층이 가장 높다.

③ 부모 세대 계층 대비 자녀와 부모의 계층 불일치 비율은 상층보다 하층이 높다.

④ 부모 세대 상층과 하층의 합 대비 부모 세대 중층의 상대적 비율은 A보다 크다.

⑤ 부모 세대 상층 대비 부모 상층에서 자녀 하층으로의 세대 간 이동 비율은 B보다 작다.

01

(가)~(다)는 다양한 사회 불평등 현상을 나타낸 것이다. 이에 대한 옳은 설명만을 〈보기〉에서 있는 대로 고른 것은?

> (가) 권력의 소유와 행사의 차이로 나타나는 불평등
> (나) 소득이나 재산 등의 차이로 인해 부유층과 중산층, 빈곤층으로 서열화되는 불평등
> (다) 명예, 교육 수준, 지식 소유 등 여러 가지 사회·문화적 생활 수준과 기회의 차이로 나타나는 불평등

・보기・

ㄱ. 시민 혁명 이후에 전개된 참정권 획득 운동은 (가)를 둘러싼 갈등이 표출된 것이다.
ㄴ. (가)와 달리 (나)는 (다)를 유발하는 원인이 될 수 있다.
ㄷ. (가), (나)와 달리 (다)는 개인 및 집단의 서열화를 발생시키지 않는다.
ㄹ. (가)~(다)는 사회적 자원의 희소성으로 인해 대부분의 사회에서 나타난다.

① ㄱ, ㄴ ② ㄱ, ㄹ ③ ㄴ, ㄷ
④ ㄱ, ㄷ, ㄹ ⑤ ㄴ, ㄷ, ㄹ

02 고난도

다음 표에 대한 설명으로 옳은 것은? (단, A, B는 각각 기능론과 갈등론 중 하나이다.)

구분	A	B
개인의 노력과 계층 이동 가능성 사이의 상관관계	+++	+
(가)	+	+++

* +가 많을수록 강함, 높음을 뜻함

① A는 희소가치의 분배 수준이 균등해질수록 사회적 효율성이 높아진다고 본다.
② B는 희소가치의 차등 분배 수준과 사회 갈등 정도 사이에 부(−)의 관계가 있다고 본다.
③ A는 B에 비해 부모의 계층과 자녀의 사회적 성공 가능성 사이의 상관관계가 높다고 본다.
④ B는 개인의 성취동기와 희소가치의 차등 분배 수준 사이의 상관관계가 높다고 보고, A는 낮다고 본다.
⑤ (가)에는 '개인의 귀속적 요인이 사회 불평등에 미치는 영향'이 적절하다.

03

사회 불평등 현상을 바라보는 갑, 을의 관점에 대한 옳은 설명을 〈보기〉에서 고른 것은?

미국 한 연구소의 조사 결과, 미국의 각 사업장에서 나타난 최고 경영자와 근로자의 평균 연봉 비율은 약 303대 1로 나타났습니다.

갑: 최고 경영자는 그들의 역량이 뛰어나서가 아니라, 연봉을 결정할 때 더 많은 권력을 행사하기 때문에 높은 연봉을 받는 거야.

을: 급변하는 시장 상황에서 최고 경영자의 역량이 기업의 운명을 좌우할 만큼 중요하기 때문에 높은 연봉을 받아야 해.

・보기・

ㄱ. 갑은 균등 분배가 성취동기를 저하시킨다고 본다.
ㄴ. 을은 사회 불평등 현상을 불가피한 것으로 본다.
ㄷ. 갑은 을에 비해 개인의 귀속적 요인이 사회 불평등에 미치는 영향력을 중시한다.
ㄹ. 을은 갑과 달리 사회적 희소가치의 배분 기준이 특정 집단의 합의에 의해 결정된다고 본다.

① ㄱ, ㄴ ② ㄱ, ㄷ ③ ㄴ, ㄷ ④ ㄴ, ㄹ ⑤ ㄷ, ㄹ

04

사회 불평등 현상을 바라보는 다음 글의 관점에 부합하는 진술을 〈보기〉에서 고른 것은?

> 자동차의 엔진과 와이퍼 모두 자동차의 부품이지만 엔진이 담당하는 기능적 중요도는 와이퍼보다 훨씬 크므로 엔진을 만들 때 와이퍼보다 더 많은 주의와 노력이 필요하다. 사회에서도 사람들이 하는 일은 기능적 중요도가 다르고, 사회적으로 중요한 일을 맡은 사람에게 큰 보상이 주어져야 개인들은 열심히 노력하게 된다.

・보기・

ㄱ. 균등 보상 체계는 사회 발전에 기여한다.
ㄴ. 사회적 희소가치의 분배 기준은 사회적으로 합의된 것이다.
ㄷ. 사회 불평등 현상은 보편적이지만 필수 불가결하지는 않다.
ㄹ. 사회 불평등 현상은 인재를 적재적소에 배치하는 데 기여한다.

① ㄱ, ㄴ ② ㄱ, ㄷ ③ ㄴ, ㄷ ④ ㄴ, ㄹ ⑤ ㄷ, ㄹ

05

표는 질문 (가)~(다)를 활용하여 사회 불평등 현상을 설명하는 두 이론 A, B를 비교한 것이다. 이에 대한 설명으로 옳은 것은? (단, A와 B는 각각 계급 이론과 계층 이론 중 하나이다.)

이론＼질문	(가)	(나)	(다)
A	예	아니요	예
B	아니요	예	예

① A가 계급 이론이면 (가)는 "계층을 다원론적 관점에서 구분하는가?"가 적절하다.

② A가 계층 이론이면 (나)는 "지위 불일치 현상을 설명할 수 있는가?"가 적절하다.

③ (나)가 "동일한 경제적 위치에 있는 집단 구성원이 갖는 강한 귀속 의식을 중시하는가?"이면, B는 계층 이론이다.

④ (다)는 "불평등의 발생 원인을 희소가치의 차등 분배에서 찾는가?"가 적절하다.

⑤ (가)가 "사회 불평등을 연속적인 서열로 파악하는가?"이면, (나)는 "수직적 사회 이동이 자유롭다고 보는가?"가 적절하다.

06

그림은 질문 (가)~(다)에 따라 사회 불평등 현상을 설명하는 이론 A, B를 구분한 것이다. 이에 대한 옳은 설명을 〈보기〉에서 고른 것은? (단, A, B는 각각 계급 이론, 계층 이론 중 하나이다.)

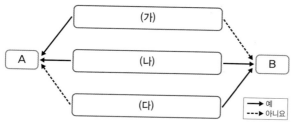

──보기──
ㄱ. A가 계층 이론이라면, (가)에는 '사회 불평등 현상을 불연속적인 위계화로 파악하는가?'가 들어갈 수 있다.

ㄴ. A가 계급 이론이라면, (다)에는 '사회 불평등 현상의 발생 원인을 다원론적 관점으로 보는가?'가 들어갈 수 있다.

ㄷ. B가 계층 이론이라면, (가)에는 '지위 불일치 현상을 설명하기에 적합한가?'가 들어갈 수 있다.

ㄹ. (나)에는 '사회 불평등 현상의 원인으로 경제적 요인을 고려하는가?'가 들어갈 수 있다.

① ㄱ, ㄴ　② ㄱ, ㄷ　③ ㄴ, ㄷ　④ ㄴ, ㄹ　⑤ ㄷ, ㄹ

07

사회 불평등 현상을 설명하는 다음 이론에 대한 옳은 설명을 〈보기〉에서 고른 것은?

사회 불평등은 경제적 자원의 차이에 따라 계급이 만들어지고, 권력 집단의 소속 여부에 따라 당파, 사회적 위신이나 명예의 차이에 따라 지위 집단이 만들어진다. 각각의 차원은 상호 관련성은 있지만 별개의 개념이므로 경제적 계급을 달리 한다 하더라도 동일한 지위 집단에 소속될 수 있다.

──보기──
ㄱ. 중간 계급의 존재를 부정한다.

ㄴ. 경제적 위치에 따른 집단 내 연대 의식을 강조한다.

ㄷ. 사회 불평등 현상이 연속선 상에 서열화되어 있다고 여긴다.

ㄹ. 사회 불평등에서 위계를 결정하는 기준이 다원적이라고 본다.

① ㄱ, ㄴ　② ㄱ, ㄷ　③ ㄴ, ㄷ　④ ㄴ, ㄹ　⑤ ㄷ, ㄹ

08 고난도

(가), (나)는 사회 계층화 현상을 설명하는 서로 다른 이론이다. 이에 대한 옳은 설명만을 〈보기〉에서 있는 대로 고른 것은?

(가) 사회 불평등의 요인 중 경제적인 측면이 정치적, 사회적 측면의 불평등을 가져오는 결정적인 요인이다. 따라서 사회 불평등의 요인으로 정치적, 사회적 측면을 따로 고려할 필요는 없다.

(나) 경제적, 정치적, 사회적 측면은 서로 영향을 주고받는다. 그러나 기본적으로 각 측면의 기원은 독립적이다. 따라서 경제적으로 상층에 있더라도 사회적으로 인정받지 못하는 '졸부'나 경제적으로 하층에 있더라도 상당한 존경을 받는 '청빈'과 같은 현상이 나타날 수 있다.

──보기──
ㄱ. (가)는 (나)에 비해 동일한 경제적 위치에 기반한 강한 귀속 의식을 강조한다.

ㄴ. (가)는 (나)와 달리 이분화된 불평등 구조를 설명하기에 용이하다.

ㄷ. (나)는 (가)와 달리 지위 불일치 현상을 설명하는 데 적합하지 않다.

ㄹ. (가), (나)는 모두 사회 불평등 현상에 경제적 요인이 작용한다고 본다.

① ㄱ, ㄷ　　② ㄱ, ㄹ　　③ ㄴ, ㄷ
④ ㄱ, ㄴ, ㄹ　　⑤ ㄴ, ㄷ, ㄹ

09

갑~정의 사례를 바탕으로 질문에 대한 답을 표로 정리하였다. (가), (나)에 적절한 질문을 〈보기〉에서 골라 옳게 연결한 것은?

> 갑 : 대기업 회장의 아들이었으나 스스로 승계를 포기하고 평범한 삶을 살고 있다.
>
> 을 : 백정의 자식으로 태어났으나 갑오개혁을 통해 평민이 되었다.
>
> 병 : 대농장을 소유한 지주였으나 혁명으로 전 재산을 몰수 당하여 빈민으로 전락하였다.
>
> 정 : 9급 공무원으로 시작하여 성실하게 노력한 결과 고위 공무원이 되었다.

질문	갑	을	병	정
(가)	아니요	예	아니요	예
(나)	아니요	예	예	아니요

- 보기 -
ㄱ. 구조적 이동을 경험하였는가?
ㄴ. 세대 간 이동을 경험하였는가?
ㄷ. 상승 이동을 경험하였는가?
ㄹ. 개인적 이동을 경험하였는가?

	(가)	(나)		(가)	(나)
①	ㄱ	ㄹ	②	ㄴ	ㄷ
③	ㄷ	ㄱ	④	ㄷ	ㄹ
⑤	ㄹ	ㄴ			

10

갑국의 계층 이동 현황이다. 이에 대한 분석으로 옳지 **않은** 것은?

> 부모 세대 계층을 기준으로 부모와 자녀의 계층이 일치하는 비율은 상층 75%, 중층 50%, 하층 40%로 나타났다. 반면, 자녀 세대 계층을 기준으로 부모와 자녀의 계층이 일치하는 비율은 상층 60%, 중층 30%, 하층 80%로 나타났다. 한편, 부모 세대의 계층 구성 비율은 상층 20%, 중층 30%, 하층 50%이며, 모든 부모의 자녀는 1명씩이고, 부모 세대 상층에서 자녀 세대 하층으로의 이동은 발생하지 않았다.

① 부모의 계층을 세습한 자녀의 비율은 50%이다.
② 중층의 비율은 자녀 세대보다 부모 세대가 더 높다.
③ 세대 간 상승 이동이 세대 간 하강 이동의 4배이다.
④ 부모 세대 하층에서 자녀 세대 상층으로의 이동은 발생하지 않았다.
⑤ 부모 세대 계층 구조보다 자녀 세대 계층 구조가 사회 통합에 유리하다.

11 고난도

다음 자료에 대한 옳은 분석을 〈보기〉에서 고른 것은?

(가) 세대별 계층 구성 현황

구분	부모 세대	자녀 세대
중층 이상 비율(%)	40	70
중층 이하 비율(%)	85	80

(나) 자녀 세대 계층별 수직 이동 경험 비율

구분	자녀 세대 중 상승 이동 경험 비율(%)	자녀 세대 중 하강 이동 경험 비율(%)
상층	60	0
중층	64	6
하층	0	40

- 보기 -
ㄱ. 부모 세대의 계층 구조는 폐쇄적이다.
ㄴ. 부모 세대 하층은 부모 세대 상층의 4배이다.
ㄷ. 부모가 상층이고 자녀가 하층인 비율은 4%이다.
ㄹ. 세대 간 상승 이동한 사람은 세대 간 하강 이동한 사람의 3배 이상이다.

① ㄱ, ㄴ　② ㄱ, ㄷ　③ ㄴ, ㄷ　④ ㄴ, ㄹ　⑤ ㄷ, ㄹ

12

갑국의 세대 간 이동 결과이다. 이에 대한 옳은 분석만을 〈보기〉에서 있는 대로 고른 것은? (단, 부모 세대 계층 구성비는 상층 : 중층 : 하층 = 1 : 3 : 6이다.)

〈세대 간 계층별 구성 비율의 상대적 비〉

구분	상층	중층	하층
부모 세대 해당 계층 대비 자녀 세대 해당 계층의 상대적 비	2	5/3	1/2

〈자녀 세대를 기준으로 조사한 계층별 세대 간 이동 비율〉(단위 : %)

구분	상층	중층	하층
상승 이동	90	36	0
일치	10	48	80
하강 이동	0	16	20

- 보기 -
ㄱ. 상층인 부모를 둔 자녀는 모두 상층에 해당한다.
ㄴ. 부모 세대 기준 계층 대물림 비율은 중층이 가장 높다.
ㄷ. 세대 간 상승 이동한 비율이 하강 이동한 비율보다 높다.
ㄹ. 부모 세대에 비해 자녀 세대에서 중층 비율이 높게 나타난다.

① ㄱ, ㄴ　② ㄱ, ㄹ　③ ㄴ, ㄷ
④ ㄱ, ㄷ, ㄹ　⑤ ㄴ, ㄷ, ㄹ

13 고난도

다음 자료에 대한 옳은 분석을 〈보기〉에서 고른 것은? (단, A~C는 각각 상층, 중층, 하층 중 하나이며, 2010년의 계층 구성비는 A : B : C = 4 : 3 : 30이다.)

〈1980년 대비 2010년의 세대 내 이동 유형별 비율〉

(단위 : %)

1980년의 계층	A			B			C			계
세대 내 이동 유형	상승	하강	동일	상승	하강	동일	상승	하강	동일	
비율	6	14	20	24	0	16	0	16	4	100

보기

ㄱ. 2010년의 중층 중 세대 내 수직 이동을 경험한 비율은 해당 계층의 50%이다.

ㄴ. 1980년보다 2010년의 계층 구조가 더 개방적이고 사회 통합에 유리하다.

ㄷ. 1980년 계층 대비 2010년에 각 계층별로 계층적 지위가 유지된 비율은 중층이 하층보다 높다.

ㄹ. 상층에서 하층으로의 세대 내 이동과 하층에서 상층으로의 세대 내 이동은 나타나지 않았다.

① ㄱ, ㄴ ② ㄱ, ㄷ ③ ㄴ, ㄷ ④ ㄴ, ㄹ ⑤ ㄷ, ㄹ

14

다음 자료에 대한 분석으로 옳은 것은?

(가) 세대별 계층 간 상대적 비율

구분	부모 세대	자녀 세대
중층 비율 / 상층 비율	1	2
하층 비율 / 중층 비율	4/3	1/2

(나) 부모 세대 계층별 자녀와 계층이 다른 사람의 비율

계층	비율(%)
상층	2/3
중층	1/3
하층	1/2

* 모든 부모의 자녀는 1명이다.

** 부모 세대 상층에서 자녀 세대 하층으로 이동한 사람은 없다.

① 부모 세대 계층 대비 계층 대물림 비율은 중층과 하층이 동일하다.

② 세대 간 이동으로 다른 계층에서 유입된 사람은 상층이 가장 많다.

③ 부모 세대 중층 중 자녀가 상층인 사람이 자녀가 하층인 사람보다 많다.

④ 자녀 세대 중층 중 수직 이동을 경험한 비율은 해당 계층의 과반수이다.

⑤ 상층에서 중층으로 세대 간 이동한 인구보다 하층에서 중층으로 이동한 인구가 많다.

15

자녀 세대 계층 A~C에 대한 옳은 설명을 〈보기〉에서 고른 것은? (단, A~C는 각각 상층, 중층, 하층 중 하나이다.)

A에는 세대 간 상승 이동한 사람의 비율이 80%이고, 세대 간 하강 이동한 사람은 없다. B에는 세대 간 상승 이동한 사람은 없고, 세대 간 하강 이동한 사람의 비율이 70%이다. C에는 세대 간 상승 이동한 사람의 비율이 50%이고, 세대 간 하강 이동한 사람의 비율이 10%이다. 단, 자녀 세대의 계층 구성비는 상층 : 중층 : 하층 = 1 : 3 : 1이다.

보기

ㄱ. 신분제 사회에서는 A의 비율이 가장 높다.

ㄴ. B에서 계층을 대물림한 사람의 비율은 30%이다.

ㄷ. 계층을 대물림한 사람은 C에서 가장 많다.

ㄹ. C보다 B의 비율이 높을수록 사회 통합에 유리하다.

① ㄱ, ㄴ ② ㄱ, ㄷ ③ ㄴ, ㄷ ④ ㄴ, ㄹ ⑤ ㄷ, ㄹ

16 고난도

다음 자료에 나타난 세대 간 계층 이동에 대한 옳은 분석만을 〈보기〉에서 있는 대로 고른 것은? (단, A~C는 각각 상층, 중층, 하층 중 하나이다.)

〈갑국의 세대별 계층 간 상대적 비율〉

구분	부모 세대	자녀 세대
B/(A+C)	1/9	1/4
A/(B+C)	3/2	1/4

〈자녀 세대 계층 대비 부모와 자녀 계층 일치의 상대적 비율〉

A	B	C
4/5	1/5	2/5

* 모든 부모의 자녀는 1명씩이고, 부모 세대의 계층 구조는 피라미드형임

** 부모 세대 상층에서 자녀 세대 하층으로의 세대 간 이동은 없음

보기

ㄱ. 세대 간 상승 이동은 세대 간 하강 이동의 4배 이상이다.

ㄴ. 부모 세대 계층 대비 계층 대물림 비율은 하층에서 가장 낮다.

ㄷ. 부모 세대와 자녀 세대 간에 계층 이동을 한 사람은 계층이 대물림된 사람보다 적다.

ㄹ. 자녀 세대에서 부모와 계층이 일치하는 사람 대비 불일치하는 사람의 비는 상층이 가장 높다.

① ㄱ, ㄷ ② ㄱ, ㄹ ③ ㄴ, ㄷ

④ ㄱ, ㄴ, ㄹ ⑤ ㄴ, ㄷ, ㄹ

11강 다양한 불평등 양상

1단계 기출 자료 & 선지 분석

기출 자료 분석

자료 01 사회적 소수자 차별 문제

- 장애로 인한 차별을 시정하기 위해 '장애인 차별 금지법'이 시행된 이후 스스로 자신의 권리를 지키려는 장애인들이 많아졌다. 하지만 사회적 인식이 크게 바뀌지 않아 여전히 장애인에 대한 차별이 해소되지 못하고 있다. └ 단서 ❶
- 여성의 사회 진출을 돕기 위한 '남녀 고용 평등과 일·가정 양립 지원에 관한 법률'이 시행된 이후에도 여전한 성차별적 인식으로 인해 여성에게 낮은 임금을 주거나 취업 및 승진 기회를 제한하는 등 여성에 대한 차별이 해소되지 못하고 있다. └ 단서 ❷

단서 풀이
- 단서 ❶ 장애인 차별을 금지하는 법이 시행되고 있지만 사회적 인식은 바뀌지 않고 있다.
- 단서 ❷ 양성평등을 보장하는 법률이 시행된 후에도 성차별적 인식은 여전히 남아 있다.

자료 분석
우리 사회의 소수자인 장애인과 여성을 보호하기 위한 법이 시행되고 있지만, 사회 구성원의 인식이 바뀌지 않아서 차별 문제가 해소되지 않고 있다.

자료 02 성 불평등 문제

〈갑국의 경력 단절 여성 규모와 사유〉 (단위 : %)

구분		2011년	2012년	2013년	2014년	2015년
15~64세 기혼 여성 인구 변화율		0	2	−2	0	0
경력 단절 여성 비율		20	20	20	20	20
경력 단절 사유	결혼	47	46	45	40	37
	임신·출산	20	24	21	20	24
	육아	25	26	30	31	32
	기타	8	4	4	9	7
	합계	100	100	100	100	100

* 15~64세 기혼 여성 인구 변화율=

$$\frac{(당해\ 연도\ 15{\sim}64세\ 기혼\ 여성\ 수)-(전년도\ 15{\sim}64세\ 기혼\ 여성\ 수)}{전년도\ 15{\sim}64세\ 기혼\ 여성\ 수} \times 100$$

** 경력 단절 여성 비율=$\frac{경력\ 단절\ 여성\ 수}{15{\sim}64세\ 기혼\ 여성\ 수} \times 100$

단서 풀이
- 단서 ❶ 변화율을 보면 전년도와 당해 연도를 비교했을 때 얼마만큼 증가 또는 감소했는지 알 수 있다.
- 단서 ❷ 2011년부터 2015년까지 경력 단절 여성 비율은 같지만 15~64세 기혼 여성 인구 변화율에 따라 그 수는 달라진다.

자료 분석
15~64세 기혼 여성 수의 상대값을 알아내기 위해 2011년 15~64세 기혼 여성 수를 1000이라고 하면, 2012년은 102, 2013년은 99.96, 2014년과 2015년도 모두 99.96이다. 이에 따라 경력 단절 여성 비율은 2011년부터 2015년까지 20%로 같지만, 그 수는 2012년이 가장 많다.

기출 선지 변형 O X

01 자료01 을 통해 추론할 수 있는 내용이 옳으면 ○, 틀리면 ×에 표시하시오.

① 사회적 소수자 우대 정책으로 인한 역차별 문제도 함께 해소해야 한다. ○, ×

② 사회적 소수자는 법을 통한 제도적 인정 여부에 따라 상대적으로 규정된다. ○, ×

③ 사회적 소수자에 대한 차별은 개인적 능력 차이가 집합적 차별로 전환된 결과이다. ○, ×

④ 사회적 소수자에 대한 차별을 해소하기 위해서는 문화 다양성 존중보다 문화 동질성 형성이 중요하다. ○, ×

⑤ 사회적 소수자에 대한 차별을 해소하기 위해서는 제도 개선뿐만 아니라 의식 개혁도 함께 이루어져야 한다. ○, ×

⑥ 사회적 소수자 차별 문제가 해소되지 않고 있는 것은 장애인과 여성에 대한 사회적 인식이 바뀌지 않았기 때문이다. ○, ×

02 자료02 의 표에 대한 분석이 옳으면 ○, 틀리면 ×에 표시하시오.

① 15~64세 기혼 여성의 수는 2012년이 2013년보다 많다. ○, ×

② 경력 단절 여성의 수는 2011년이 2015년보다 많다. ○, ×

③ 결혼으로 인한 경력 단절 여성의 비율은 줄어들고 있다. ○, ×

④ 임신·출산으로 인한 경력 단절 여성의 수는 2011년이 2014년보다 적다. ○, ×

⑤ 육아로 인한 경력 단절 여성의 수가 가장 많은 해는 2015년이다. ○, ×

⑥ 결혼, 임신·출산, 육아 이외에 다른 이유로 경력이 단절된 여성의 수는 2011년이 2012년의 두 배이다. ○, ×

기출 자료 분석

자료 03 절대적 빈곤과 상대적 빈곤의 정의

• A는 사회 구성원이 누리고 있는 일반적인 생활 수준과 비교하여 박탈 상태에 처한 경우를 말한다. A에 따르면 사회의 전반적인 소득 수준과 대비하여 낮은 소득 수준의 계층이 빈곤층으로 정의된다. ┐단서 ❶
• B는 한 개인이나 가구의 소득 또는 지출이 최저 생활을 유지하는 데 필요한 기준에 미치지 못하는 경우를 말한다. B에 따르면 인간의 기본적인 욕구 충족을 위한 자원이 심각하게 박탈된 상태에 있는 계층이 빈곤층으로 정의된다. ┐단서 ❷

단서 풀이
• 단서 ❶ 사회의 전반적인 소득 수준과 대비한다는 것에서 상대적으로 정의되는 상태임을 알 수 있다.
• 단서 ❷ 인간의 기본적인 욕구 충족을 위한 자원이 박탈된 상태는 절대적 빈곤 상태이다.

자료 분석
• A : 상대적 빈곤은 다른 사람들보다 자원이나 소득을 상대적으로 적게 가져 사회 구성원 다수가 누리는 생활 수준을 누리지 못하는 상태이다.
• B : 절대적 빈곤은 인간이 최소한의 생활을 유지하는 데 필요한 자원이나 소득이 부족한 상태이다.

이것도 알아둬
상대적 빈곤과 절대적 빈곤은 모두 객관적 빈곤 개념이며, 이와 대비한 주관적 빈곤은 스스로 가난하다고 느끼는 상태이다.

자료 04 절대적 빈곤과 상대적 빈곤

※ 단, 전체 가구는 도시 가구와 농촌 가구로 구성되며 구성비는 1 : 1이고, 모든 가구의 구성원 수는 동일하다. ┐단서 ❶

구분	연도	2010년	2011년
전체 가구	절대적 빈곤율(%)	7.5	8.0
	상대적 빈곤율(%)	10.0	12.0
도시 가구	절대적 빈곤율(%)	4.5	4.0
	상대적 빈곤율(%)	8.0	9.0

* 절대적 빈곤율(%) : 전체 가구 중 절대적 빈곤 가구(가구 소득이 최저 생계비 미만인 가구)의 비율
** 상대적 빈곤율(%) : 전체 가구 중 상대적 빈곤 가구(가구 소득이 중위 소득의 50% 미만인 가구)의 비율 ┐단서 ❷
*** 중위 소득 : 전체 가구를 소득순으로 일렬로 배열했을 때 한가운데 위치한 가구의 소득

단서 풀이
• 단서 ❶ 전체 가구는 도시 가구와 농촌 가구가 1 : 1로 구성되므로 도시 가구와 농촌 가구 빈곤율의 평균값이 전체 가구 빈곤율이다.
• 단서 ❷ 절대적 빈곤선은 최저 생계비이고, 상대적 빈곤선은 중위 소득의 50%이다.

자료 분석
• 농촌 가구의 빈곤율을 구하면 다음과 같다.

구분	2010년	2011년
절대적 빈곤율(%)	10.5%	12%
상대적 빈곤율(%)	12%	15%

• 가구 소득이 최저 생계비 이상이면서 중위 소득의 50% 미만인 가구는 상대적 빈곤 가구이지만 절대적 빈곤 가구에는 해당되지 않는 가구이다.

기출 선지 변형 ○ X

03 자료 03 의 A, B에 대한 설명이 옳으면 ○, 틀리면 ×에 표시하시오.

① A의 기준을 적용하면 기본적인 의식주가 충족된 사람이라도 빈곤층에 포함될 수 있다. ○, ×

② 최저 생계비를 높게 설정하면 B에 따른 빈곤율은 낮아진다. ○, ×

③ B는 A와 달리 소득의 불평등 현상을 설명하는 데 활용된다. ○, ×

④ 현대 사회에서는 A, B 모두를 사회 문제로 인식한다. ○, ×

⑤ A에 따른 빈곤율이 낮아지면 B에 따른 빈곤율이 높아진다. ○, ×

⑥ A에 따른 빈곤율과 B에 따른 빈곤율을 더한 것이 그 나라의 전체 빈곤율이 된다. ○, ×

⑦ 우리나라에서 A와 B에 해당하는 빈곤층은 객관화된 기준에 의해 분류된다. ○, ×

04 자료 04 의 표에 대한 분석이 옳으면 ○, 틀리면 ×에 표시하시오.

① 2010년 전체 가구의 소득 중 절대적 빈곤 가구의 소득이 차지하는 비율은 7.5% 미만이다. ○, ×

② 2011년 농촌에서 절대적 빈곤 가구는 모두 상대적 빈곤 가구에 속한다. ○, ×

③ 2010년 대비 2011년에 도시와 달리 농촌에서 소득 불평등이 완화되는 경향이 나타났다. ○, ×

④ 2010년과 달리 2011년에 도시에서 가구 소득이 최저 생계비 이상이면서 중위 소득의 50% 미만인 가구 수는 절대적 빈곤 가구 수의 2배 이상이다. ○, ×

⑤ 전년과 대비하여 2011년에 상대적 빈곤 가구의 수는 증가했고 절대적 빈곤 가구의 수는 변함이 없다. ○, ×

⑥ 2010년과 2011년 모두 전체 가구의 중위 소득 대비 최저 생계비 비율은 50% 미만이다. ○, ×

⑦ 2011년 농촌 가구의 중위 소득은 같은 해 최저 생계비의 2배이다. ○, ×

IV

01 평가원

다음 두 사례를 종합하여 내린 결론으로 가장 적절한 것은?

- 남성 우위 문화가 지배적인 A 국에서 살던 갑은 여성 우위 문화가 지배적인 B 국으로 이주하였다. 그 결과 갑은 남성으로서 누리던 우월한 지위를 상실하고 사회적 불이익을 받게 되었다.
- C 지역의 다수 민족 출신인 을은 D 지역으로 이주하면서 소수 민족에 속하게 되었다. D 지역에 널리 퍼져 있는 소수 민족 차별의 사회적 관행으로 인해 을은 자신의 민족 언어와 문화를 포기해야 할 지경에 이르렀다.

① 사회적 소수자가 되는 기준은 상대적이다.

② 사회적 소수자는 수적으로 열세에 놓인 집단이다.

③ 성별에 따른 차별이 출신에 따른 차별보다 강하다.

④ 사회적 소수자에 대한 차별은 주류 집단의 정체성을 약화시킨다.

⑤ 사회적 소수자 집단에서 벗어나려면 성취 지위의 변화가 필수적이다.

02 수능

p.124 **자료 01**

다음에서 공통적으로 추론할 수 있는 내용으로 가장 적절한 것은?

- 장애로 인한 차별을 시정하기 위해 '장애인 차별 금지법'이 시행된 이후 스스로 자신의 권리를 지키려는 장애인들이 많아졌다. 하지만 사회적 인식이 크게 바뀌지 않아 여전히 장애인에 대한 차별이 해소되지 못하고 있다.
- 여성의 사회 진출을 돕기 위한 '남녀 고용 평등과 일·가정 양립 지원에 관한 법률'이 시행된 이후에도 여전한 성차별적 인식으로 인해 여성에게 낮은 임금을 주거나 취업 및 승진 기회를 제한하는 등 여성에 대한 차별이 해소되지 못하고 있다.

① 사회적 소수자 우대 정책으로 인한 역차별 문제도 함께 해소해야 한다.

② 사회적 소수자는 법을 통한 제도적 인정 여부에 따라 상대적으로 규정된다.

③ 사회적 소수자에 대한 차별은 개인적 능력 차이가 집합적 차별로 전환된 결과이다.

④ 사회적 소수자에 대한 차별을 해소하기 위해서는 문화 다양성 존중보다 문화 동질성 형성이 중요하다.

⑤ 사회적 소수자에 대한 차별을 해소하기 위해서는 제도 개선뿐만 아니라 의식 개혁도 이루어져야 한다.

03 수능

다음 자료를 통해 참 또는 거짓으로 진위 여부를 판단할 수 있는 진술만을 〈보기〉에서 있는 대로 고른 것은?

〈갑국의 지역별, 계층별 학생 1인당 월평균 교육비〉 (단위 : 만 원)

구분	연도	2010년	2013년	2016년
전체		24.0	23.9	25.6
지역	도시	26.6	27.1	29.0
	농촌	22.1	21.5	23.2
계층	상층	45.3	39.6	41.6
	중층	24.6	23.4	23.4
	하층	9.2	10.0	8.8

* 갑국의 모든 학생을 대상으로 조사하였으며 무응답은 없음

** 지역은 도시와 농촌으로만, 계층은 상층, 중층, 하층으로만 구분함

〈보기〉

ㄱ. 2013년과 2016년에 월평균 가구 소득 중에서 학생 1인당 월평균 교육비가 차지하는 비율이 중층에서는 같다.

ㄴ. 2010년부터 2016년까지 농촌 지역에서는 학생 1인당 월평균 교육비가 지속적으로 증가하였다.

ㄷ. 2010년, 2016년 모두에서 계층 수준과 학생 1인당 월평균 교육비는 정(+)의 관계이다.

ㄹ. 제시된 모든 연도에서 농촌 지역 학생이 도시 지역 학생보다 많다.

① ㄱ, ㄴ ② ㄱ, ㄷ ③ ㄷ, ㄹ

④ ㄱ, ㄴ, ㄹ ⑤ ㄴ, ㄷ, ㄹ

04 평가원

다음 글을 통해 도출할 수 있는 옳은 내용만을 〈보기〉에서 있는 대로 고른 것은?

'유리 천장'은 여성이 조직에서 상위 직급으로 승진할 때 겪는 '눈에 보이지 않는 장벽'을 의미한다. 유리 천장의 유형으로 여성의 업무 능력에 대한 근거 없는 의심, 비공식 자리에서의 의도적 배제 등을 들 수 있다. 한편 같은 직급이더라도 승진에 유리한 핵심 업무가 있을 수 있는데, 여성이 핵심 업무로부터 수평적으로 분리되는 현상을 '유리벽'으로 표현한다.

〈보기〉

ㄱ. 직장 내 양성 평등 문화의 확산은 유리 천장 현상을 완화하는 데 기여한다.

ㄴ. 여성에 대한 사회적 차별은 남성과 여성의 개인적 능력 차이에서 기인한다.

ㄷ. 유리벽 현상은 조직 내에서 특정 성에 대한 차별이 구조적으로 나타나는 현상이다.

ㄹ. 유리 천장과 유리벽 현상이 제거되면 사회적 자원의 배분 과정에서 기회의 공정성이 제고될 것이다.

① ㄱ, ㄷ ② ㄴ, ㄷ ③ ㄴ, ㄹ

④ ㄱ, ㄴ, ㄹ ⑤ ㄱ, ㄷ, ㄹ

05 교육청

표는 갑국 남녀 근로자의 정규직과 비정규직의 비율 변화를 나타낸 것이다. 이에 대한 옳은 분석을 〈보기〉에서 고른 것은? (단, 남녀 근로자의 수는 2013년 이후 각각 지속적으로 증가하였다.)

(단위 : %)

성별	2013년		2014년		2015년	
	정규직	비정규직	정규직	비정규직	정규직	비정규직
남자	73.5	26.5	73.4	26.6	73.5	26.5
여자	59.4	40.6	60.1	39.9	59.8	40.2

┌ 보기 ┐
ㄱ. 2014년 비정규직 근로자 수는 남자가 여자보다 적다.
ㄴ. 2015년 전체 근로자 중 정규직 비율은 59.8%를 넘는다.
ㄷ. 2013년과 2015년의 남자 비정규직 근로자 수는 같다.
ㄹ. 2013년~2015년 여자 근로자의 과반수는 정규직이다.
└─────┘

① ㄱ, ㄴ　② ㄱ, ㄷ　③ ㄴ, ㄷ　④ ㄴ, ㄹ　⑤ ㄷ, ㄹ

06 평가원

그림에 대한 분석으로 옳은 것만을 〈보기〉에서 있는 대로 고른 것은? (단, 이 기간 동안 A~C국의 전체 가구 수와 절대적 빈곤 가구 수는 지속적으로 증가하였으며, 모든 가구의 구성원 수는 동일하다.)

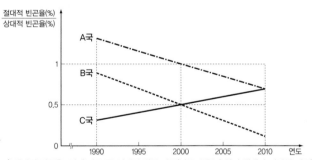

* 절대적 빈곤율 : 전체 가구 중 절대적 빈곤 가구(가구 소득이 최저 생계비 미만인 가구)의 비율
** 상대적 빈곤율 : 전체 가구 중 상대적 빈곤 가구(가구 소득이 중위 소득의 50% 미만인 가구)의 비율
*** 중위 소득 : 전체 가구를 소득 순으로 일렬로 배열했을 때 한가운데 위치한 가구의 소득

┌ 보기 ┐
ㄱ. 1990년부터 2000년까지 B국의 상대적 빈곤 가구 수는 증가하였고, C국의 상대적 빈곤 가구 수는 감소하였다.
ㄴ. 1990년부터 2010년까지 A국에서 절대적 빈곤 가구 수의 증가율보다 상대적 빈곤 가구 수의 증가율이 더 낮다.
ㄷ. 1995년부터 2010년까지 B국에서 중위 소득의 1/2이 최저 생계비보다 크다.
ㄹ. 2005년부터 2010년까지 A국, B국, C국 모두에서 절대적 빈곤 가구는 모두 상대적 빈곤 가구에 속한다.
└─────┘

① ㄱ, ㄴ　　　② ㄴ, ㄷ　　　③ ㄷ, ㄹ
④ ㄱ, ㄴ, ㄹ　　⑤ ㄱ, ㄷ, ㄹ

07 평가원

다음 자료에 대한 설명으로 옳은 것은? (단, A, B는 각각 상대적 빈곤과 절대적 빈곤 중 하나이다.)

┌─────────────────────────┐
A는 인간이 최소한의 생활을 유지하기 어려운 상태로서, 주로 자원이나 소득이 부족한 상태를 의미한다. 우리나라에서는 A를 측정하기 위한 기준선으로 　(가)　을/를 활용한다. B는 개인이 다른 사람에 비해 자원이나 소득이 결핍되어 사회 구성원 다수가 누리는 생활을 영위하지 못하는 상태를 의미한다. 우리나라에서는 B를 측정하기 위한 기준선으로 　(나)　을/를 활용한다.
└─────────────────────────┘

① B는 개인이 빈곤 상태에 있다고 주관적으로 인식하는 개념이다.
② B의 기준을 적용하면 기본적인 의식주가 충족된 가구라도 빈곤 가구에 포함될 수 있다.
③ A는 B와 달리 소득의 불평등 정도를 측정하는 데 활용된다.
④ A에 따른 빈곤율과 B에 따른 빈곤율의 합이 그 나라 전체의 빈곤율이다.
⑤ (가)는 중위 소득의 50%, (나)는 최저 생계비이다.

08 평가원

다음 자료에 대한 분석으로 옳은 것은?

┌─────────────────────────┐
표는 갑국과 을국의 절대적 빈곤 가구 수(A) 대비 상대적 빈곤 가구 수(B)의 변화를 나타낸 것이다. 두 국가 모두 2000년에서 2010년 사이에 최저 생계비는 지속적으로 증가하였다. (단, 갑국과 을국 각각 모든 가구의 구성원 수는 동일하다.)

구분	2000년	2005년	2010년
갑국(B/A)	0.25	1	1.5
을국(B/A)	2	1	0.5

* 절대적 빈곤 가구 : 가구 소득이 절대적 빈곤선(최저 생계비) 미만인 가구
** 상대적 빈곤 가구 : 가구 소득이 상대적 빈곤선(중위 소득의 50%) 미만인 가구
*** 중위 소득 : 전체 가구를 소득 순으로 나열했을 때 한가운데 위치한 가구의 소득
└─────────────────────────┘

① 2000년에 갑국에서 절대적 빈곤선은 상대적 빈곤선의 4배이다.
② 2000년에 을국에서 상대적 빈곤 가구는 모두 절대적 빈곤 가구에 해당한다.
③ 2005년 대비 2010년에 갑국에서는 절대적 빈곤선과 상대적 빈곤선이 모두 높아졌다.
④ 2010년에 을국에서 중위 소득 대비 최저 생계비 비율은 50% 미만이다.
⑤ 2010년에 갑국은 을국과 달리 상대적 빈곤 가구의 비율이 절대적 빈곤 가구의 비율보다 낮다.

09 평가원

그림은 질문에 따라 빈곤의 유형을 구분한 것이다. 이에 대한 옳은 설명만을 〈보기〉에서 있는 대로 고른 것은? (단, A, B는 각각 절대적 빈곤, 상대적 빈곤 중 하나이다.)

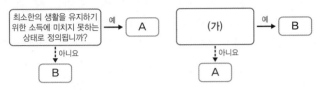

┌─ 보기 ┐

ㄱ. A는 소득 수준이 높은 국가에서는 나타나지 않는다.

ㄴ. B는 해당 사회의 소득 분포를 고려하여 파악한다.

ㄷ. 우리나라에서는 A, B 모두 객관화된 기준에 따라 분류한다.

ㄹ. (가)에는 '실제 소득 규모와 상관없이 개인이 체감하는 빈곤 상태를 의미합니까?'가 적절하다.

① ㄱ, ㄴ   ② ㄱ, ㄹ   ③ ㄴ, ㄷ

④ ㄱ, ㄷ, ㄹ   ⑤ ㄴ, ㄷ, ㄹ

10 수능

p.125 자료 04

표는 갑국의 빈곤율을 나타낸 것이다. 이에 대한 옳은 분석을 〈보기〉에서 고른 것은? (단, 전체 가구는 도시 가구와 농촌 가구로 구성되며 구성비는 1 : 1이고, 모든 가구의 구성원 수는 동일하다.)

구분	연도	2010년	2011년
전체 가구	절대적 빈곤율(%)	7.5	8.0
	상대적 빈곤율(%)	10.0	12.0
도시 가구	절대적 빈곤율(%)	4.5	4.0
	상대적 빈곤율(%)	8.0	9.0

* 절대적 빈곤율(%) : 전체 가구 중 절대적 빈곤 가구(가구 소득이 최저 생계비 미만인 가구)의 비율

** 상대적 빈곤율(%) : 전체 가구 중 상대적 빈곤 가구(가구 소득이 중위 소득의 50% 미만인 가구)의 비율

*** 중위 소득 : 전체 가구를 소득순으로 일렬로 배열했을 때 한가운데 위치한 가구의 소득

┌─ 보기 ┐

ㄱ. 2010년 전체 가구의 소득 중 절대적 빈곤 가구의 소득이 차지하는 비율은 7.5% 미만이다.

ㄴ. 2011년 농촌에서 절대적 빈곤 가구는 모두 상대적 빈곤 가구에 속한다.

ㄷ. 2010년 대비 2011년에 도시와 달리 농촌에서 소득 불평등이 완화되는 경향이 나타난다.

ㄹ. 2010년과 달리 2011년에 도시에서 가구 소득이 최저 생계비 이상이면서 중위 소득의 50% 미만인 가구 수는 절대적 빈곤 가구 수의 2배 이상이다.

① ㄱ, ㄴ ② ㄱ, ㄷ ③ ㄴ, ㄷ ④ ㄴ, ㄹ ⑤ ㄷ, ㄹ

11 평가원

다음 자료에 대한 옳은 분석만을 〈보기〉에서 있는 대로 고른 것은?

표는 갑의 절대적 빈곤 가구 비율과 상대적 빈곤 가구 비율의 변화를 나타낸 것이다. 2010년에 최저 생계비는 중위 소득의 50% 미만이었으며, 2000년에서 2010년 사이에 최저 생계비는 지속적으로 증가하였다. (단, A, B는 각각 절대적 빈곤 가구와 상대적 빈곤 가구 중 하나이며, 갑국에서 모든 가구의 구성원 수는 동일하다.)

(단위 : %)

구분	2000년	2005년	2010년
A	5	7	10
B	9	7	5

* 절대적 빈곤 가구 : 소득이 절대적 빈곤선(최저 생계비) 미만인 가구

** 상대적 빈곤 가구 : 소득이 상대적 빈곤선(중위 소득의 50%) 미만인 가구

*** 중위 소득 : 전체 가구를 소득 순으로 나열했을 때 한가운데 위치한 가구의 소득

┌─ 보기 ┐

ㄱ. 2000년에 상대적 빈곤 가구는 모두 절대적 빈곤 가구에 속한다.

ㄴ. 2010년에 전체 가구 소득 중 A의 소득 점유 비중은 10% 미만이다.

ㄷ. 2000년 대비 2005년에 중위 소득 증가율이 최저 생계비 증가율보다 더 크다.

ㄹ. 2005년에 상대적 빈곤선은 절대적 빈곤선과 일치하며, 2010년에 상대적 빈곤선은 절대적 빈곤선의 2배이다.

① ㄱ, ㄴ   ② ㄴ, ㄹ   ③ ㄷ, ㄹ

④ ㄱ, ㄴ, ㄷ   ⑤ ㄱ, ㄷ, ㄹ

12 교육청

표에 대한 분석으로 옳은 것은? (단, A 지역은 빈곤 가구 수보다 비빈곤 가구 수가 많다.)

〈A 지역의 가구 월평균 소득〉

(단위 : 만 원)

구분	2015년	2016년	2017년
빈곤 가구	100	110	120
비빈곤 가구	500	530	550

① 2015년 전체 가구 월평균 소득은 빈곤 가구 월평균 소득의 3배보다 많다.

② 2016년 전체 가구 월평균 소득은 320만 원이다.

③ 2015년 대비 2016년의 월평균 소득 증가율은 빈곤 가구보다 비빈곤 가구가 크다.

④ 2015년 대비 2017년의 월평균 소득 증가액은 비빈곤 가구보다 빈곤 가구가 크다.

⑤ 빈곤 가구와 비빈곤 가구 간 월평균 소득 격차는 2017년보다 2016년이 크다.

13 평가원

자료는 갑국의 빈곤율을 나타낸 것이다. 이에 대한 분석으로 옳은 것은? (단, 갑국 모든 가구의 구성원 수는 동일하다.)

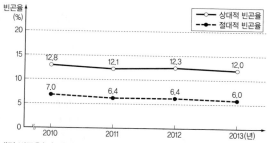

* 상대적 빈곤율(%): 전체 가구 중 상대적 빈곤 가구(가구 소득이 중위 소득의 50% 미만인 가구)의 비율
** 절대적 빈곤율(%): 전체 가구 중 절대적 빈곤 가구(가구 소득이 최저 생계비 미만인 가구)의 비율
*** 중위 소득 : 전체 가구를 소득순으로 나열했을 때 한가운데 위치한 가구의 소득

① 2010년에 상대적 빈곤 가구는 모두 절대적 빈곤 가구이다.
② 2011년에 상대적 빈곤 가구의 인구는 절대적 빈곤 가구의 인구보다 2배 이상 많다.
③ 전년과 대비하여 2012년에 상대적 빈곤 가구의 수는 증가했고 절대적 빈곤 가구의 수는 변함이 없다.
④ 2013년에 중위 소득은 같은 해 최저 생계비의 2배이다.
⑤ 제시된 모든 연도에서 중위 소득 대비 최저 생계비의 비율은 50% 미만이다.

14 교육청

다음은 우리나라 특정 지역의 빈곤 가구 중에서 맞춤형 급여를 지원받는 가구의 비율을 나타낸 것이다. 이에 대한 옳은 분석만을 〈보기〉에서 있는 대로 고른 것은?

조사 당시 중위 소득은 500만 원이며, 조사한 빈곤 가구의 가구원 수는 모두 동일하다.

〈맞춤형 급여 지원 기준〉

기준(중위 소득 기준)	지원 급여
28% 이하	교육, 주거, 의료, 생계
28% 초과 ~ 40% 이하	교육, 주거, 의료
40% 초과 ~ 43% 이하	교육, 주거
43% 초과 ~ 50% 이하	교육

〈빈곤 가구 중 맞춤형 급여를 지원받는 비율〉
(단위 : %)

빈곤 가구 \ 급여	생계	의료	주거	교육
절대적 빈곤 가구	70	100	100	100
상대적 빈곤 가구	56	80	86	100

* 절대적 빈곤 가구 : 월 소득이 최저 생계비 미만인 가구
** 상대적 빈곤 가구 : 월 소득이 중위 소득의 50% 미만인 가구
*** 중위 소득 : 전체 가구를 소득 순으로 나열했을 때 한가운데 위치한 가구의 소득

보기
ㄱ. 상대적 빈곤 가구보다 절대적 빈곤 가구가 많다.
ㄴ. 조사 시점의 최저 생계비는 월 소득 250만 원이다.
ㄷ. 상대적 빈곤 가구 중 생계, 의료, 주거, 교육 급여를 모두 받는 비율은 56%이다.
ㄹ. 월 소득이 최저 생계비 미만인 가구 중에서 30%는 월 소득 140만 원을 초과한다.

① ㄱ, ㄴ　　　② ㄱ, ㄹ　　　③ ㄷ, ㄹ
④ ㄱ, ㄴ, ㄷ　　　⑤ ㄴ, ㄷ, ㄹ

15 교육청

학생 갑~무의 분석에 대한 평가로 옳은 것은?

〈A국 빈곤 인구 구성의 변화〉
(단위 : %)

구분	20대 미만	20대	30대	40대	50대	60대 이상	계
2014년	10	11	15	14	20	㉠30	100
2015년	8	8	12	10	22	㉡40	100

* 2014년에 비해 2015년의 A국 전체 인구는 증가하였고, 2014년과 2015년의 빈곤율은 일치함
** 빈곤율(%)=(전체 빈곤 인구/전체 인구)×100

〈학생들의 분석〉

갑 : 2014년보다 2015년의 전체 빈곤 인구가 더 많습니다.
을 : 50대 인구 중 빈곤 인구의 비율은 2014년에 비해 2015년이 더 큽니다.
병 : 50대 빈곤 인구는 40대 빈곤 인구와 달리 2014년보다 2015년에 더 많습니다.
정 : 2014년과 달리 2015년에는 50대 이상인 빈곤 가구가 전체 빈곤 인구의 과반수를 차지하였습니다.
무 : ㉠에 해당하는 사람들이 모두 ㉡에 포함되어 있다면, 2015년 전체 빈곤 인구 중 ㉠에 해당하지 않는 60대 이상 빈곤 인구의 비율은 10%입니다.

① 빈곤율 수치가 주어지지 않아 전체 빈곤 인구를 알 수 없으므로 갑의 분석은 타당하지 않다.
② 전체 인구가 증가하였고 전체 빈곤 인구 중 50대의 빈곤 인구의 비율도 증가하였으므로 을의 분석은 타당하다.
③ 40대와 50대 빈곤 인구 모두 어느 해가 더 많은지 알 수 없으므로 병의 분석은 타당하지 않다.
④ 전체 빈곤 인구 중 50대 이상 빈곤 인구의 비율은 두 해 모두 50% 이상이므로 정의 분석은 타당하지 않다.
⑤ ㉠에 해당하는 빈곤 인구는 2015년 전체 빈곤 인구의 30%보다 작은 비율을 차지하므로 무의 분석은 타당하지 않다.

01

밑줄 친 ㉠~㉣에 대한 옳은 설명을 〈보기〉에서 고른 것은?

> ㉠ 사회적 소수자의 성립 요건은 신체적으로나 문화적으로 다른 집단과 구별되는 뚜렷한 차이가 있고, 정치권력을 포함한 사회적 권한의 행사에서 지배 집단보다 열세에 있어야 한다. 그리고 ㉡ 사회적 소수자 집단의 구성원이라는 이유만으로 사회적 차별의 대상이 되며 스스로 차별받는 집단의 구성원이라는 인식 또는 소속감이 있어야 한다. 우리 사회의 소수자 집단에 대한 차별이 사회 문제가 되고 있는데, 이를 개선하는 방안에는 ㉢ 개인적·의식적 차원과 ㉣ 사회적·제도적 차원이 있다.

・보기・

ㄱ. ㉠에 대한 역차별 정책으로 인해 사회적 논란이 발생하기도 한다.

ㄴ. 능력이 뛰어남에도 장애인이라는 이유로 신입 사원 공채에서 탈락시키는 것은 ㉡의 예가 될 수 있다.

ㄷ. 학교 교육과 대중 매체 등을 통해 양성평등 문화를 확산시키는 것은 ㉢의 예가 될 수 있다.

ㄹ. 차별 금지법 제정, 장애인 의무 고용제 시행 등은 ㉣의 예가 될 수 있다.

① ㄱ, ㄴ　② ㄱ, ㄷ　③ ㄴ, ㄷ　④ ㄴ, ㄹ　⑤ ㄷ, ㄹ

02

다음 두 사례에 공통적으로 해당하는 내용을 〈보기〉에서 고른 것은?

> • A 국에서 대학을 졸업하고 지식인으로 인정받았던 갑은 B 국에서 외국인 근로자로 일하면서 차별과 사회적 불이익을 받고 있다.
>
> • C 지역 다수 민족 출신인 을은 D 지역으로 이주하면서 소수 민족에 속하게 되어 사회적 차별을 경험하고 자신의 언어와 문화를 포기할 처지에 놓여 있다.

・보기・

ㄱ. 사회적 소수자가 되는 기준은 상대적이다.

ㄴ. 사회적 소수자에 대한 차별은 주류 집단의 정체성을 약화시킨다.

ㄷ. 특정 집단이 주류 집단과 다른 특성을 가지면 사회적 소수자가 될 수 있다.

ㄹ. 사회적 소수자의 구분 기준으로 성취 지위의 영향력이 귀속 지위보다 강하다.

① ㄱ, ㄴ　② ㄱ, ㄷ　③ ㄴ, ㄷ　④ ㄴ, ㄹ　⑤ ㄷ, ㄹ

03

성 불평등 현상의 원인에 대한 다음 글의 관점에 부합하는 진술을 〈보기〉에서 고른 것은?

> 성별에 따른 구분과 위계, 부계 중심의 가족 제도 등을 통해 재생산되는 남성 중심적인 지배 질서를 '가부장제'라고 부른다. 가부장제는 여성을 체계적으로 차별·배제하는 사회적 제도와 관행을 가리키는 말로, 가부장제에서 여성들은 남성 가장에 의존해 생계를 유지하는 수동적 존재로 취급된다.

・보기・

ㄱ. 남성은 직장 노동, 여성은 가사 노동이라는 성별 분업을 통해 여성을 차별해 왔다.

ㄴ. 직장 구조 안에서도 업무 분담이나 승진 기회에서 여성을 차별하는 배경이 되었다.

ㄷ. 사회가 용인하는 여자다움 혹은 남자다움을 학습하면서 서로 다른 역할을 효율적으로 수행한다.

ㄹ. 남편과 아내가 사회와 가정에서 각각 상호 보완적인 역할을 담당하는 것은 자연스러운 현상이다.

① ㄱ, ㄴ　② ㄱ, ㄷ　③ ㄴ, ㄷ　④ ㄴ, ㄹ　⑤ ㄷ, ㄹ

04 고난도

다음 글에 대한 옳은 분석을 〈보기〉에서 고른 것은?

> '유리 천장(glass ceiling)'이란 여성이라는 이유로 직장에서 고위직으로 승진하는 과정에서 보이지 않는 장벽에 부딪치게 되는 현상을 말한다. 남성과 여성의 고등 교육 이수율, 여성의 경제 활동 참가율, 남녀 임금 격차, 관리자 중 여성 비율, 임금 대비 육아 비용 등 5개 항목을 조사하여 유리 천장 지수를 산출하는데, 그 수치가 클수록 장벽이 낮음을 의미한다. 2016년 조사에서 유리 천장 지수는 아이슬란드 82.6, 스웨덴 79.0, 미국 55.9를 나타냈다.

・보기・

ㄱ. 남성 중심적 조직 문화 등이 승진 과정에서 유리 천장으로 작용한다.

ㄴ. 여성과 남성의 평균 임금을 같게 하는 것이 가장 바람직한 해결 방법이다.

ㄷ. 승진 차별 관행을 없애고, 평등한 근무 환경을 조성하는 것이 해결 방안이 될 수 있다.

ㄹ. 2016년 조사 결과에 따르면 스웨덴이 아이슬란드보다 유리 천장의 장벽이 낮음을 알 수 있다.

① ㄱ, ㄴ　② ㄱ, ㄷ　③ ㄴ, ㄷ　④ ㄴ, ㄹ　⑤ ㄷ, ㄹ

05

빈곤 유형 A, B에 대한 설명으로 옳은 것은?

> A와 B는 모두 인간의 기본적인 욕구를 충족하는 데 필요한 자원이나 소득의 결핍이 지속되는 상태를 의미한다. 다만 A에 따르면 사회의 전반적인 소득 수준과 대비하여 낮은 소득 수준의 계층이 빈곤층으로 정의된다. 이에 비해 B에 따르면 인간의 기본적인 욕구 충족을 위한 자원이 심각하게 박탈된 상태에 있는 경우이다.

① A는 객관적 기준에 의해, B는 주관적 기준에 의해 파악된다.

② A의 기준은 모든 사회에서 동일하지만, B의 기준은 그렇지 않다.

③ A와 달리 B는 사회 구성원들에게 상대적 박탈감을 유발할 수 있다.

④ 일반적으로 선진국에서는 B보다 A가 더 심각한 문제로 취급된다.

⑤ 일반적으로 후진국에서는 B와 달리 A에 의한 문제는 나타나지 않는다.

06

표에 대한 옳은 분석을 〈보기〉에서 고른 것은? (단, 갑국에서 모든 가구의 구성원 수는 동일하고 빈곤선이 다르면 빈곤율도 다르다.)

〈A 국의 빈곤율 변화〉

(단위 : %)

구분	2000년	2005년	2010년	2015년
절대적 빈곤율	8.5	5.4	9.0	12.1
상대적 빈곤율	12.1	10.8	9.0	10.5

* 절대적 빈곤율 : 소득이 절대적 빈곤선(최저 생계비) 미만인 가구의 비율

** 상대적 빈곤율 : 소득이 중위 소득의 50% 미만인 가구의 비율

*** 중위 소득 : 전체 가구를 소득순으로 나열했을 때 한가운데 위치한 가구 소득

> ·보기·
> ㄱ. 2005년에 상대적 빈곤 인구가 절대적 빈곤 인구의 2배이다.
> ㄴ. 중위 소득이 최저 생계비의 2배 수준이면 2010년과 같은 현상이 나타난다.
> ㄷ. 2015년에 최저 생계비가 중위 소득보다 높다.
> ㄹ. 2010년보다 2015년에 절대적 빈곤 가구와 상대적 빈곤 가구가 모두 많다.

① ㄱ, ㄴ ② ㄱ, ㄷ ③ ㄴ, ㄷ ④ ㄴ, ㄹ ⑤ ㄷ, ㄹ

07

다음은 질문을 통해 빈곤 유형 A, B를 구분한 것이다. 이에 대한 옳은 설명을 〈보기〉에서 고른 것은? (단, A, B는 각각 절대적 빈곤과 상대적 빈곤 중 하나이다.)

질문	A	B
최소한의 생활을 유지하는 데 필요한 자원이나 소득이 부족한 상태입니까?	예	아니요
(가)	아니요	예

> ·보기·
> ㄱ. 우리나라는 중위 소득의 50%를 A의 기준선으로 삼고 있다.
> ㄴ. A와 달리 B는 산업화 과정에서 감소하는 경향이 있다.
> ㄷ. B에 비해 A가 주로 저개발국에서 두드러지게 나타난다.
> ㄹ. (가)에는 '빈부 격차가 큰 사회에서 문제가 되는 빈곤 유형입니까?'가 들어갈 수 있다.

① ㄱ, ㄴ ② ㄱ, ㄷ ③ ㄴ, ㄷ ④ ㄴ, ㄹ ⑤ ㄷ, ㄹ

08 고난도

표는 갑국 도시와 농촌의 연도별 빈곤율을 나타낸 것이다. 이에 대한 옳은 분석을 〈보기〉에서 고른 것은? (단, 갑국은 도시와 농촌만으로 구성되어 있고 전체 인구는 지속적으로 증가하였다.)

(단위 : %)

구분	2012년	2013년	2014년	2015년	2016년
전체	19.4	19.0	18.9	19.0	19.5
도시	17.3	17.0	16.8	16.9	17.3
농촌	21.4	21.0	20.8	21.1	21.6

> ·보기·
> ㄱ. 2012년 도시 인구는 농촌 인구보다 많다.
> ㄴ. 2014년 이후 빈곤 인구는 지속적으로 증가하였다.
> ㄷ. 2012년과 2016년의 도시 인구는 동일하다.
> ㄹ. 농촌 빈곤 인구는 도시 빈곤 인구보다 항상 많았다.

① ㄱ, ㄴ ② ㄱ, ㄷ ③ ㄴ, ㄷ ④ ㄴ, ㄹ ⑤ ㄷ, ㄹ

IV. 사회 계층과 불평등

사회 복지와 복지 제도

1단계 기출 자료 & 선지 분석

기출 자료 분석

자료 01 우리나라 사회 보장 제도

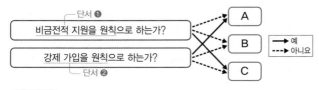

단서 풀이
- 단서 ❶ 비금전적 지원을 원칙으로 하는 것은 사회 서비스이다.
- 단서 ❷ 강제 가입을 원칙으로 하는 것은 사회 보험이다.

자료 분석
- A : 금전적 지원과 강제 가입을 원칙으로 하므로 사회 보험이다.
- B : 금전적 지원을 원칙으로 하고 강제 가입을 원칙으로 하지 않으므로 공공 부조이다.
- C : 비금전적 지원을 원칙으로 하고 강제 가입을 원칙으로 하지 않으므로 사회 서비스이다.

자료 02 사회 보장 제도의 특징 비교

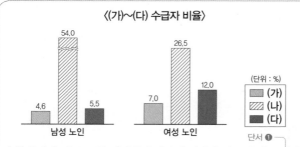

(가) 국가가 가구 소득 인정액이 기준액 이하인 가구의 기초 생활을 보장하기 위해 급여를 지급하고, 자활을 지원하는 제도
(나) 가입자와 고용주 등이 분담해서 마련한 기금을 통해 노령, 장애 등에 대한 연금 급여를 지급하여 생활 안정을 도모하는 제도 ┌단서 ❷
(다) 노인성 질병 등으로 인해 일상생활을 혼자서 수행하기 어려운 사람들에게 장기 요양 급여를 지급하는 제도
└단서 ❸

단서 풀이
- 단서 ❶ 공공 부조는 기초 생활 보장을 목적으로 한다.
- 단서 ❷ 사회 보험은 가입자와 고용주 등이 분담하여 기금을 마련한다.
- 단서 ❸ 장기 요양 급여는 사회 보험이다.

자료 분석
- (가) : 국민 기초 생활 보장 제도로 공공 부조에 해당한다.
- (나) : 국민 연금 제도로 사회 보험에 해당한다.
- (다) : 노인 장기 요양 보험 제도로 사회 보험에 해당한다.

기출 선지 변형 O X

01 자료 01 의 A~C에 대한 설명이 옳으면 ○, 틀리면 ×에 표시하시오.

① '수혜 대상자에 대한 자립과 자활 보장을 목적으로 한다.'는 특징은 A에는 나타나고, B에는 나타나지 않는다. ○, ×

② '소득 재분배 효과가 나타난다.'는 특징은 A와 B에 공통으로 나타난다. ○, ×

③ '수혜 정도와 상관없이 능력에 따라 비용을 부담한다.'는 특징은 A와 B에 공통으로 나타난다. ○, ×

④ '사전 예방적 성격이 강하다.'는 특징은 B와 C에 공통으로 나타난다. ○, ×

⑤ '상호 부조의 성격이 강하다.'는 특징은 C에는 나타나고, A와 B에는 나타나지 않는다. ○, ×

02 자료 02 의 (가)~(다)에 대한 진술이 옳으면 ○, 틀리면 ×에 표시하시오.

① (나)는 (다)와 달리 상호 부조 원리가 적용된다. ○, ×

② (다)는 (가)와 달리 사후 처방적 성격을 지닌다. ○, ×

③ (가)~(다) 모두 수혜자가 부담하는 비용에 비례하여 수혜 정도를 결정한다. ○, ×

④ (가)~(다) 중 강제 가입 원칙이 적용되는 제도의 경우, 전체 노인 수급자 중에서 성별 비율은 남성이 여성의 2배 이상이다. ○, ×

⑤ (가)~(다) 중 국가와 지방 자치 단체가 비용을 전액 부담하는 제도의 경우, 남성 노인 수급자 수가 여성 노인 수급자보다 더 적다. ○, ×

⑥ (가)~(다) 중 소득 재분배 효과가 있는 제도의 경우, 남성 노인 인구 중에서 수급자 비율과 여성 노인 인구 중에서 수급자 비율은 모두 10% 미만이다. ○, ×

⑦ (가)~(다) 중 수혜자 비용 부담 원칙이 적용되지 않는 제도의 경우, 여성 노인 인구 중에서 수급자 비율이 남성 노인 인구 중에서 수급자 비율보다 높다. ○, ×

기출 자료 분석

자료 03 우리나라 사회 보장 제도

〈자료 1〉 우리나라 사회 보장 제도의 사례

제도	사례
(가)	소득, 건강, 주거, 사회적 접촉 등의 수준을 평가하여 선정된 65세 이상의 독거 노인에게 정기적인 안전 확인 및 정서적 지원, 보건 서비스 연계·조정, 생활 교육 지원 등을 하는 제도
(나)	사용자, 근로자 또는 자영업자 등이 공동으로 마련한 재원으로 노령에 따른 근로 소득 상실을 보전하기 위한 급여를 지급하는 제도
(다)	국가와 지방 자치 단체의 재정으로 65세 이상 노인 중 소득이 일정 수준 이하인 사람에게 생활 안정에 필요한 연금을 지급하는 제도

〈자료 2〉 A 지역의 65세 이상 인구 중 (가)~(다)의 수혜자 현황

(단위 : %)

구분	2014년 단서❶						2015년					
제도	(가)		(나)		(다)		(가)		(나)		(다)	
수혜자 비율	12		40		60		12		40		60	
수혜자 중 남녀 비율	남	여	남	여	남	여	남	여	남	여	남	여
	30	70	58	42	36	64	40	60	55	45	30	70

* 2014년 A 지역의 65세 이상 인구는 10,000명임
** 2015년 A 지역의 65세 이상 인구 증가율은 −5%임
*** 65세 이상 인구 증가율(%)= $\dfrac{\text{당해 연도 65세 이상 인구−전년도 65세 이상 인구}}{\text{전년도 65세 이상 인구}}$ ×100 ─ 단서❷

단서 풀이

• 단서 ❶ 2014년 (나) 제도 수혜자 중 여자의 수를 구하려면 2014년 '65세 이상 인구 수×40%×42%'로 계산한다.

• 단서 ❷ 인구 증가율 −5%는 인구가 5% 감소하였음을 의미한다.

자료 분석

• (가)는 사회 서비스, (나)는 사회 보험, (다)는 공공 부조이다.

• 2014년 A 지역의 65세 이상 인구는 10,000명이고 2015년 A 지역의 65세 이상 인구는 9,500명이다.

자료 04 사회 복지 제도의 변화

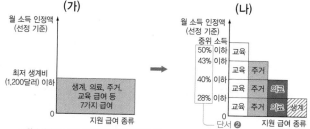

* 최저 생계비는 중위 소득 40%와 동일함 단서 ❶
** 개별 가구의 월 소득 인정액 이외의 다른 조건은 모두 동일함
*** 중위 소득 : 전체 가구를 소득 순으로 나열했을 때 한가운데 위치한 가구의 소득

단서 풀이

• 단서 ❶ 중위 소득을 구할 수 있다.

• 단서 ❷ 각 급여를 지원받을 수 있는 소득 수준을 계산한다.

자료 분석

최저 생계비가 1,200달러이므로 중위 소득은 3,000달러임을 알 수 있다. 따라서 중위 소득의 50%는 1,500달러, 43%는 1,290달러, 40%는 1,200달러, 28%는 840달러이다.

기출 선지 변형 OX

03 **자료 03**에 대한 설명이 옳으면 ○, 틀리면 ×에 표시하시오.

① 2014년에 공공 부조에 해당하는 제도의 수혜자 수는 65세 이상 인구의 절반 이상이다. ○, ×

② 2014년에 소득 재분배 효과가 가장 큰 제도의 수혜자 수는 비금전적 지원이 원칙인 제도의 수혜자 수의 1.5배이다. ○, ×

③ 2015년에 수혜 정도와 무관하게 능력에 따른 비용 부담이 원칙인 제도의 남자 수혜자 수는 여자 수혜자 수보다 많다. ○, ×

④ 2015년에 상호 부조의 원리에 기반을 둔 제도의 여자 수혜자 수와 최저 생활 보장을 목적으로 하는 제도의 남자 수혜자 수는 동일하다. ○, ×

⑤ 강제 가입이 원칙인 제도의 여자 수혜자 수는 2014년보다 2015년이 많다. ○, ×

⑥ 65세 이상 인구 중에 2014년에 비해 2015년에 능력별 비용 부담 원칙이 적용되는 제도의 수혜자 수는 200명 증가하였다. ○, ×

⑦ 민간 단체에 의해 이루어지기도 하며, 사후 처방과 사전 예방적 성격을 동시에 가지는 제도의 65세 이상 수혜자 수는 2014년과 2015년이 동일하다. ○, ×

04 **자료 04**의 (가), (나)에 대한 분석이 옳으면 ○, 틀리면 ×에 표시하시오.

① (가)는 선별적 복지보다는 보편적 복지의 성격이 강하다. ○, ×

② (나)에서 교육 급여를 받을 수 있는 기준은 월 소득 인정액 1,400달러 이하이다. ○, ×

③ (나)에서 월 소득 인정액 1,000달러인 가구는 의료 급여를 받을 수 있다. ○, ×

④ (가)는 (나)와 달리 상대적 생활 수준을 반영한 기준을 적용한다. ○, ×

⑤ (가), (나) 제도는 모두 생산적 복지 이념의 실현을 추구하고 있다. ○, ×

⑥ 월 소득 인정액 900달러인 가구는 (가)에서는 모든 급여를 받았으나 (나)에서는 교육 급여만 받을 수 있다. ○, ×

01 평가원

우리나라 사회 보장 제도 A~C의 일반적 특징에 대한 설명으로 옳은 것은? (단, A~C는 각각 공공 부조, 사회 보험, 사회 서비스 중 하나이다.)

> 68세인 갑, 을, 병은 각각 자신에게 맞는 사회 보장 제도에 대한 정보를 관련 기관 홈페이지에서 찾아보았다.
> • 갑이 찾은 제도는 A의 하나로서, 일상생활을 혼자서 수행하기 어려운 사람 등을 지원하여 건강 증진 및 생활 안정을 도모한다. 재원은 가입자가 납부하는 보험료, 국가와 지방 자치 단체 부담금으로 조달한다.
> • 을이 찾은 제도는 B의 하나로서, 생활이 어려운 사람에게 안정적인 소득 기반을 제공하여 생활 안정을 지원한다. 소득 인정액이 보건복지부 장관이 매년 결정·고시하는 선정 기준액 이하인 65세 이상의 자에 한하여 차등 지급한다.
> • 병이 찾은 제도는 C의 하나로서, 식사, 세면, 옷 갈아입기, 구강 관리, 화장실 이용, 외출, 목욕 등의 신변 활동을 지원한다. 또한 취사, 생활 필수품 구매, 청소, 세탁 등 일상생활을 지원한다.

① A는 대상자의 수혜 정도에 따른 비용 부담을 원칙으로 한다.
② B는 사후 처방적 성격이 강하다.
③ C는 강제 가입을 원칙으로 한다.
④ B는 A, C와 달리 소득 재분배 효과가 있다.
⑤ B, C는 A보다 수혜 대상자의 범위가 넓다.

02 수능

그림은 우리나라 사회 보장 제도 A~C를 구분한 것이다. 이에 대한 설명으로 옳은 것은? (단, A~C는 각각 공공 부조, 사회 보험, 사회 서비스 중 하나이다.)

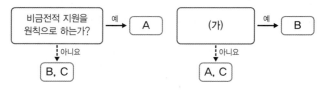

① A는 B, C와 달리 사전 예방적 성격이 강하다.
② B보다 C가 대상자의 범위가 넓다면, B는 A에 비해 소득 재분배 효과가 작다.
③ C가 사회 보험이면, (가)에는 '강제 가입을 원칙으로 하는가?'가 적절하다.
④ (가)가 '국가와 지방 자치 단체가 비용을 모두 부담하는가?'라면, A와 C의 대상자는 중복될 수 없다.
⑤ (가)가 '상호 부조의 원리를 기반으로 하는가?'라면, C는 생활 유지 능력이 없거나 생활이 어려운 사람을 대상으로 한다.

03 수능

p.132 자료 02

자료는 우리나라 성별 노인 인구 중에서 사회 보장 제도 (가)~(다) 각각의 수급자 비율을 나타낸 것이다. 이에 대한 설명으로 옳은 것은?

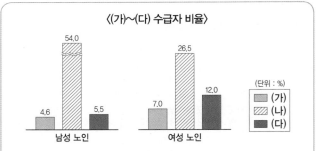

> (가) 국가가 가구 소득 인정액이 기준액 이하인 가구의 기초 생활을 보장하기 위해 급여를 지급하고, 자활을 지원하는 제도
> (나) 가입자와 고용주 등이 분담해서 마련한 기금을 통해 노령, 장애 등에 대한 연금 급여를 지급하여 생활 안정을 도모하는 제도
> (다) 노인성 질병 등으로 인해 일상생활을 혼자서 수행하기 어려운 사람들에게 장기 요양 급여를 지급하는 제도

① (나)는 (다)와 달리 상호 부조 원리가 적용된다.
② (다)는 (가)와 달리 사후 처방적 성격을 지닌다.
③ (가)~(다) 중 강제 가입 원칙이 적용되는 제도의 경우, 전체 노인 수급자 중에서 성별 비율은 남성이 여성의 2배 이상이다.
④ (가)~(다) 중 소득 재분배 효과가 있는 제도의 경우, 남성 노인 인구 중에서 수급자 비율과 여성 노인 인구 중에서 수급자 비율은 모두 10% 미만이다.
⑤ (가)~(다) 중 수혜자 비용 부담 원칙이 적용되지 않는 제도의 경우, 여성 노인 인구 중에서 수급자 비율이 남성 노인 인구 중에서 수급자 비율보다 높다.

04 수능

표는 우리나라 사회 보장 제도를 구분한 것이다. A~C에 대한 설명으로 옳은 것은? (단, A~C는 각각 사회 보험, 공공 부조, 사회 서비스 중 하나이다.)

구분	A	B	C
강제 가입을 원칙으로 하는가?	아니요	아니요	예
금전적 지원을 원칙으로 하는가?	아니요	예	예

* 사회 복지 서비스는 2013년부터 사회 서비스로 변경되어 시행됨

① A는 빈곤층의 최저 생활 보장을 목적으로 한다.
② B는 C보다 상호 부조의 성격이 강하다.
③ B는 A, C보다 수혜 대상자의 범위는 작고, 소득 재분배 효과는 크다.
④ A는 사전 예방, C는 사후 처방의 성격이 강하다.
⑤ A, B 모두 수혜자 부담의 원칙이 적용된다.

05 수능

다음 자료는 우리나라 사회 보장 제도 (가)~(다)와 ○○시의 수급자 비율이다. 이에 대한 분석으로 옳은 것은? (단, ○○시는 A, B 지역으로만 이루어져 있다.)

> (가) 노령, 장애, 사망으로 인한 소득 상실을 보전하기 위해 연금 급여를 지급하는 제도로서, 이를 실행하는 데 드는 비용은 고용주, 가입자 등이 부담한다.
> (나) 노인에게 안정적인 소득 기반을 제공하여 생활 안정을 돕기 위한 제도로서, 65세 이상 노인 중 소득 인정액이 기준 금액 이하인 사람에게 연금 급여를 지급한다.
> (다) 생활이 어려운 국민의 최저 생활을 보장하고 자활을 지원하기 위한 제도로서, 국가나 지방 자치 단체가 수급 권자로 선정된 사람에게 생계 급여 등을 지급한다.

〈○○시 지역별 총인구 대비 수급자 비율〉

(단위 : %)

지역 \ 제도	(가)	(나)	(다)
A 지역	6.7	5.5	1.9
B 지역	6.7	7.6	1.6
전체	6.7	6.9	1.7

① A 지역의 경우, (가)~(다) 중에서 의무 가입 원칙이 적용되는 제도의 수급자 비율은 12.2%이다.

② B 지역의 경우, (가)~(다) 중에서 사후 처방적 성격이 강한 제도의 수급자 비율은 6.7%이다.

③ (가)~(다) 중에서 수혜자 부담 원칙이 적용되지 않는 제도의 수급자 수는 A 지역이 B 지역보다 많다.

④ (가)~(다) 중에서 가입자 간 상호 부조 원리가 적용되는 제도의 수급자 수는 B 지역이 A 지역보다 많다.

⑤ 지역별 총인구 중 65세 이상 노인 인구의 비율은 B 지역이 A 지역보다 높다.

06 수능

우리나라 사회 보장 제도 A, B의 일반적 특징에 대한 설명으로 옳은 것은?

> • 2008년 7월부터 시행된 이 제도는 A의 하나로서, 국민 건강 보험 가입자 또는 그 피부양자 가운데 고령이나 노인성 질병 등으로 일상생활을 혼자서 수행하기 어려운 사람들에게 신체 활동 또는 가사 활동 지원 등의 장기 요양 급여를 판정 등급에 따라 제공한다.
> • 2014년 7월부터 시행된 이 제도는 B의 하나로서, 국민연금의 혜택을 충분히 누리지 못하고 빈곤을 겪고 있는 노인을 위해 마련되었다. 만 65세 이상이며, 가구의 소득 인정액이 기준액 이하인 사람들을 수혜 대상으로 한다.

① A는 B에 비해 빈곤층 자활 지원의 성격이 강하다.

② A는 B와 달리 국가와 지방 자치 단체가 비용을 전액 부담하는 것을 원칙으로 한다.

③ B는 A에 비해 소득 재분배 효과가 크다.

④ B는 A에 비해 사전 예방적 성격이 강하다.

⑤ A, B는 모두 수혜자 부담의 원칙이 적용된다.

07 평가원

그림은 우리나라 사회 보장 제도 A~C를 구분한 것이다. 이에 대한 분석으로 옳은 것은? (단, A~C는 각각 공공 부조, 사회 보험, 사회 서비스 중 하나이다.)

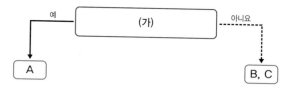

① A가 공공 부조이면, (가)에는 '금전적 지원을 원칙으로 하는가?'가 적절하다.

② A가 사회 보험이면, (가)에는 '강제 가입을 원칙으로 하는가?'가 적절하다.

③ A가 사회 서비스이면, (가)에는 '상호 부조의 성격이 강한가?'가 적절하다.

④ (가)가 '소득 재분배 효과가 가장 큰 제도인가?'이면, 기초 연금과 고용 보험은 각각 B, C 중 하나에 속한다.

⑤ (가)가 '상담, 재활, 사회 복지 시설 이용 등의 지원을 기본으로 하는가?'이면, B와 C의 대상자는 상호 배타적이다.

08 평가원

자료는 우리나라 사회 보장 제도의 세 가지 유형 중에서 A, B 두 가지 유형을 분류한 것이다. 이에 대한 설명으로 옳은 것은?

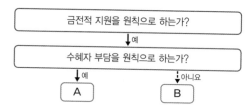

① A는 대상자가 수혜 정도에 따라 복지 비용을 부담한다.

② A는 B에 비해 사후 처방의 성격이 강하다.

③ A는 B와 달리 의무 가입을 원칙으로 한다.

④ B는 A와 달리 소득 재분배 효과가 있다.

⑤ B는 A에 비해 상호 부조의 성격이 강하다.

09 평가원

다음 자료에 대한 옳은 분석 및 추론만을 〈보기〉에서 있는 대로 고른 것은?

그림은 갑국과 을국의 저소득층 단독 가구가 근로 소득에 따라 받을 수 있는 근로 장려금 지급 체계를 보여 준다. 단, 근로 소득과 근로 장려금 이외에 다른 소득이나 조건은 고려하지 않는다.

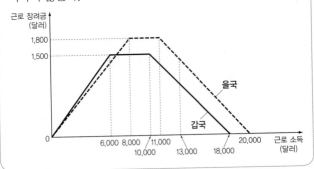

보기

ㄱ. 을국은 근로 소득이 6,000달러인 경우보다 13,000달러인 경우가 근로 장려금 지급액이 많다.

ㄴ. 근로 소득이 7,000달러인 경우, 근로 장려금 지급액은 갑국과 을국이 같다.

ㄷ. 갑국과 을국 모두 근로 의욕을 높이려는 생산적 복지 이념을 반영하고 있다.

ㄹ. 갑국과 을국 모두 근로 장려금 지급에 따른 소득 재분배 효과가 발생한다.

① ㄱ, ㄴ　　　　　② ㄱ, ㄷ　　　　　③ ㄴ, ㄹ
④ ㄱ, ㄷ, ㄹ　　　　⑤ ㄴ, ㄷ, ㄹ

10 교육청

그림은 우리나라 사회 보장 제도의 유형 A~C를 구분한 것이다. 이에 대한 설명으로 옳은 것은? (단, A~C는 각각 사회 보험, 공공 부조, 사회 서비스 중 하나이다.)

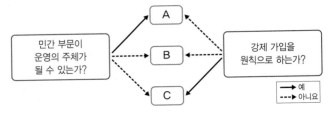

① A와 C의 대상자는 상호 배타적이다.

② B는 A와 달리 수혜자 부담 원칙이 적용된다.

③ C는 B와 달리 상호 부조의 원리가 적용된다.

④ B는 사전 예방적, C는 사후 처방적 성격이 강하다.

⑤ 소득 재분배 효과는 C>B>A 순으로 나타난다.

11 평가원

표는 우리나라의 사회 보장 제도 A, B의 일반적인 특징을 비교한 것이다. (가)~(라)에 들어갈 적절한 질문만을 〈보기〉에서 있는 대로 고른 것은?

구분	A	B
	국민의 질병·부상에 대한 예방·진단·치료·재활과 출산·사망 및 건강 증진에 대하여 보험 급여를 실시하는 제도	소득 인정액이 일정 수준 이하인 가구의 최저 생활을 보장하기 위해 일정한 절차를 거쳐 급여를 실시하는 제도
(가)	예	예
(나)	예	아니요
(다)	아니요	예
(라)	아니요	아니요

보기

ㄱ. (가) – 소득 재분배 효과가 있는가?

ㄴ. (나) – 대상자의 강제 가입을 원칙으로 하는가?

ㄷ. (다) – 대상자가 수혜 정도에 따라 비용을 부담하는가?

ㄹ. (라) – 수혜 대상자 선정 과정에서 소득이 고려되는가?

① ㄱ, ㄴ　　　　② ㄴ, ㄷ　　　　③ ㄷ, ㄹ
④ ㄱ, ㄴ, ㄹ　　　　⑤ ㄱ, ㄷ, ㄹ

12 평가원

(가), (나)에 나타난 우리나라 사회 보장 제도의 일반적인 특징에 대한 설명으로 가장 적절한 것은?

(가) A는 2011년 3월부터 3년간 회사를 다니던 중 경기 불황으로 회사가 어려움에 처하면서 해고를 당한 후 실업 급여를 신청하여 지급받았다.

(나) 68세인 B는 소득 인정액이 2015년 기준액 이하로 판정되어 매월 일정 금액을 정부로부터 받고 있다.

① (가)의 제도는 (나)의 제도에 비해 사후 처방적 성격이 강하다.

② (가)의 제도는 (나)의 제도와 달리 상호 부조의 원칙이 적용된다.

③ (나)의 제도는 (가)의 제도에 비해 소득 재분배 기능이 약하다.

④ (나)의 제도는 (가)의 제도와 달리 대상자의 강제 가입을 원칙으로 한다.

⑤ (가), (나)의 제도 모두는 수혜자 부담 원칙이 적용된다.

13 평가원

p.133 자료 04

(가), (나)는 갑국의 사회 복지 제도 변화를 나타낸 것이다. 이에 대한 분석으로 옳은 것은?

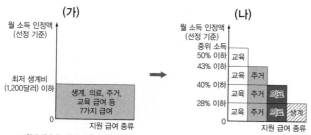

* 최저 생계비는 중위 소득 40%와 동일함
** 개별 가구의 월 소득 인정액 이외의 다른 조건은 모두 동일함
*** 중위 소득 : 전체 가구를 소득 순으로 나열했을 때 한가운데에 위치한 가구의 소득

① (가)는 선별적 복지보다는 보편적 복지의 성격이 강하다.
② (나)에서 교육 급여를 받을 수 있는 기준은 월 소득 인정액 1,400달러 이하이다.
③ (나)에서 월 소득 인정액 1,000달러인 가구는 의료 급여를 받을 수 있다.
④ (가)는 (나)와 달리 상대적 생활 수준을 반영한 기준을 적용한다.
⑤ 월 소득 인정액 900달러인 가구는 (가)에서는 모든 급여를 받았으나 (나)에서는 교육 급여만 받을 수 있다.

14 평가원

다음 자료에 대한 옳은 분석만을 〈보기〉에서 있는 대로 고른 것은?

〈갑국의 공공 부조 지원 기준〉

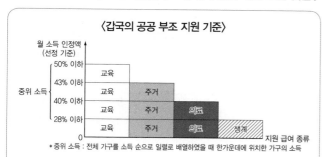

*중위 소득 : 전체 가구를 소득 순으로 일렬로 배열하였을 때 한가운데에 위치한 가구의 소득

〈갑국의 공공 부조 지원 대상 가구 현황〉

(단위 : %)

구분	2000년	2005년	2010년	2015년
전체 가구 수 변화율	0	10	-10	0
중위 소득 50% 이하 가구 비율	35	35	35	35
중위 소득 43% 이하 가구 비율	27	28	29	30
중위 소득 40% 이하 가구 비율	15	15	15	15
중위 소득 28% 이하 가구 비율	5	5	5	5

* 갑국은 1995년부터 5년 단위로 공공 부조 지원 가구를 조사함
** 전체 가구 수 변화율 = $\frac{당해조사연도의전체가구수-직전조사연도의전체가구수}{직전조사연도의전체가구수} \times 100$

〈보기〉

ㄱ. 전체 가구 중 교육 급여 한 가지만 지원받는 가구 비율은 2010년과 2015년이 같다.
ㄴ. 교육, 주거 급여 두 가지만 지원받는 가구 수는 2000년이 2015년보다 적다.
ㄷ. 전체 가구 중 교육, 주거, 의료, 생계 급여 모두를 지원받는 가구 비율은 2000년이 2010년보다 낮다.
ㄹ. 2005년 교육, 주거, 의료 급여 세 가지만 지원받는 가구 수는 2015년 교육, 주거, 의료, 생계 급여 모두를 지원받는 가구 수의 2배 이상이다.

① ㄱ, ㄷ   ② ㄴ, ㄷ   ③ ㄴ, ㄹ
④ ㄱ, ㄴ, ㄹ   ⑤ ㄱ, ㄷ, ㄹ

15 평가원

교사가 제작한 수업 자료에 대한 학생들의 분석으로 옳은 것은?

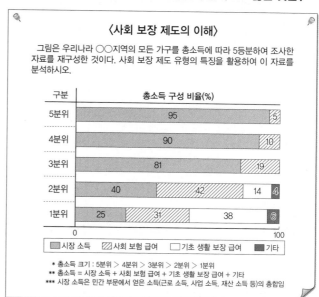

〈사회 보장 제도의 이해〉

그림은 우리나라 ○○지역의 모든 가구를 총소득에 따라 5등분하여 조사한 자료를 재구성한 것이다. 사회 보장 제도 유형의 특징을 활용하여 이 자료를 분석하시오.

* 총소득 크기 : 5분위 > 4분위 > 3분위 > 2분위 > 1분위
** 총소득 = 시장 소득 + 사회 보험 급여 + 기초 생활 보장 급여 + 기타
*** 시장 소득은 민간 부문에서 얻은 소득(근로 소득, 사업 소득, 재산 소득 등)의 총합임

① 갑 : 소득 재분배 효과가 있는 사회 보장 제도에 의한 급여는 2분위 이하에게만 제공됩니다.
② 을 : 저소득 분위일수록 총소득 중 강제 가입을 원칙으로 하는 제도에 의한 급여의 비율이 높습니다.
③ 병 : 수혜 대상자 선정 과정에서 소득이 고려되는 제도의 수혜자는 ○○지역 전체 인구의 40%입니다.
④ 정 : 1분위에서는 총소득 중 사후 처방적 성격이 강한 사회 보장 제도에 의한 급여의 비율이 가장 높습니다.
⑤ 무 : 총소득 중 수혜자 부담 원칙이 적용되지 않는 사회 보장 제도에 의한 급여의 비율이 가장 높은 분위는 2분위입니다.

01

(가), (나)에 나타난 우리나라 사회 보장 제도의 일반적인 특징에 대한 설명으로 가장 적절한 것은?

> (가) A는 3년 간 자동차 회사를 다니던 중 자동차 조립 과정에서 다쳐 병원에 입원한 후에 산업 재해 보상 급여를 신청하여 지급받았다.
>
> (나) 70세인 B는 소득 인정액이 일정 기준액 이하로 판명되어 매월 일정 금액을 정부로부터 받고 있다.

① (가) 제도는 수혜자 선정 과정에서 소득이 고려된다.

② (나) 제도는 원칙적으로 보편적 복지에 해당한다.

③ (가) 제도는 (나) 제도와 달리 대상자가 수혜 정도에 따라 복지 비용을 부담한다.

④ (나) 제도는 (가) 제도에 비해 수혜 대상자의 범위는 좁고, 소득 재분배 효과는 크다.

⑤ (가), (나) 제도 모두 수혜자 부담 원칙이 적용된다.

02 고난도

우리나라의 사회 보장 제도 A, B의 일반적인 특징에 대한 질문에 모두 옳게 응답한 학생은?

A	B
가입자, 사용자, 국가로부터 보험료를 받고, 이를 재원으로 사회적 위험에 노출되어 소득이 중단되거나 상실될 경우 급여를 제공하는 제도	생활이 어려운 사람에게 필요한 급여를 실시하여 이들의 최저 생활을 보장하고 자활을 돕는 것을 목적으로 하는 제도

구분	갑	을	병	정	무
A는 B와 달리 보편적 복지에 해당하는가?	○	○	○	○	×
B는 A와 달리 수혜 대상자 선정 과정에서 소득이 고려되는가?	○	○	×	○	○
A와 B는 모두 소득 재분배 효과가 있는가?	×	×	○	○	○
A와 B는 모두 대상자의 강제 가입을 원칙으로 하는가?	×	○	×	×	○

(○ : 예, × : 아니요)

① 갑　② 을　③ 병　④ 정　⑤ 무

03

그림은 사회 보험과 공공 부조가 갖는 특징의 공통점과 차이점을 도식화한 것이다. (가)~(다)에 해당되는 내용으로 옳은 것을 〈보기〉에서 고른 것은?

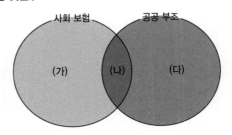

> **보기**
> ㄱ. (가) - 수혜자의 수혜 정도에 따라 보험료가 산출된다.
> ㄴ. (나) - 소득 재분배 효과가 나타난다.
> ㄷ. (나) - 상호 부조의 성격을 갖는다.
> ㄹ. (다) - 사후 처방적 성격을 갖는다.

① ㄱ, ㄴ　　② ㄱ, ㄷ　　③ ㄴ, ㄷ
④ ㄴ, ㄹ　　⑤ ㄷ, ㄹ

04

우리나라의 사회 보장 제도를 구분한 표이다. (가)~(다)에 대한 설명으로 옳은 것은? (단, (가)~(다)는 각각 사회 보험, 공공 부조, 사회 서비스 중 하나이다.)

구분	(가)	(나)	(다)
특징	강제 가입	전액 국고 부담	비금전적 지원
대상	전 국민	경제적으로 어려운 국민	서비스가 필요한 국민

① (가)의 가입자는 수혜 정도에 비례하여 차등적으로 비용을 부담한다.

② (나)는 소득 재분배 효과를 통해 실질적 평등에 기여한다.

③ (나)는 (가)와 달리 상호 부조의 효과가 강하다.

④ (나)는 (다)와 달리 제도 운영에 있어 민간 참여가 나타난다.

⑤ (다)는 (나)와 달리 대상자 선정 과정에서 부정적 낙인이 생길 수 있다.

05

밑줄 친 'A 제도'의 일반적 특징에 대한 옳은 설명을 〈보기〉에서 고른 것은?

> 갑은 장애인으로 집에서 식사 준비, 빨래, 청소 등을 할 때 많은 어려움을 겪고 있다. 갑의 친구는 일상생활과 사회 활동이 어려운 저소득층에게 가사·간병 서비스를 지원하는 A 제도를 알게 되었다. 이에 갑은 친구와 함께 행정 기관을 방문하여 한 달에 일정 시간 동안 가사 또는 간병 서비스를 지원받을 수 있는 이용권(바우처)을 받았다.

┌─ 보기 ─
ㄱ. 금전적 지원을 원칙으로 한다.
ㄴ. 서비스 제공에 민간 참여가 가능하다.
ㄷ. 원칙적으로 모든 국민을 대상으로 한다.
ㄹ. 상담, 재활, 사회 복지 시설 이용 등이 포함된다.
└─

① ㄱ, ㄴ ② ㄱ, ㄷ ③ ㄴ, ㄷ ④ ㄴ, ㄹ ⑤ ㄷ, ㄹ

06

갑국의 사회 복지 제도는 (가)에서 (나)로 변화하였다. 이에 대한 분석으로 옳은 것은?

(가)

선정 기준	지원 급여 종류
월 소득 인정액이 최저 생계비 이하	생계, 의료, 주거, 교육 급여 등 7가지 급여

(나)

선정 기준		급여 종류
월 소득 인정액 (중위 소득 기준)	43% 초과 ~ 50% 이하	교육
	40% 초과 ~ 43% 이하	교육, 주거
	28% 초과 ~ 40% 이하	교육, 주거, 의료
	28% 이하	교육, 주거, 의료, 생계

* 최저 생계비는 중위 소득의 50%와 동일함
** 개별 가구의 월 소득 인정액 이외의 다른 조건은 모두 동일함
*** 중위 소득 : 전체 가구를 소득 순으로 나열했을 때 한가운데 위치한 가구의 소득

① (가)는 선별적 복지보다 보편적 복지의 성격이 강하다.
② 최저 생계비가 100만 원인 경우 (나)에서 교육 급여를 받을 수 있는 기준은 월 소득 인정액이 120만 원 이하이다.
③ 최저 생계비가 100만 원인 경우 (나)에서 월 소득 인정액 80만 원인 가구는 의료 급여를 받을 수 있다.
④ (가)는 (나)와 달리 상대적 생활수준을 반영한 기준을 적용한다.
⑤ 최저 생계비가 100만 원인 경우 월 소득 인정액이 60만 원인 가구는 (가), (나) 모두에서 생계 급여를 받을 수 있다.

07 고난도

그림의 A~C는 우리나라 사회 보장 제도이다. 이에 대한 분석으로 옳은 것은? (단, A~C는 각각 공공 부조, 사회 보험, 사회 서비스 중 하나이다.)

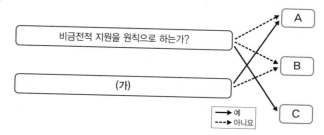

① C는 수혜 대상자의 자립과 자활 보장을 목적으로 한다.
② (가)에는 "소득 재분배 효과가 있는가?"가 들어갈 수 있다.
③ '사전 예방적 성격이 강하다.'는 특징으로 A와 B를 구별할 수 있다.
④ '수혜 정도와 상관없이 능력에 따라 비용을 부담한다.'는 특징은 A와 B에 공통으로 나타난다.
⑤ '국가와 지방 자치 단체가 비용을 전액 부담하는 것을 원칙으로 한다.'는 특징으로 A와 B를 구별할 수 없다.

08

우리나라 사회 보장 제도 A~C에 대한 옳은 설명을 〈보기〉에서 고른 것은? (단, A~C는 각각 공공 부조, 사회 보험, 사회 서비스 중 하나이다.)

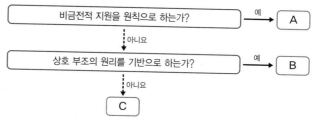

┌─ 보기 ─
ㄱ. A는 국가나 지방 자치 단체에 의해서만 제공된다.
ㄴ. B는 원칙적으로 모든 국민을 대상으로 제공된다.
ㄷ. C의 대표적인 사례는 국민 건강 보험이다.
ㄹ. 소득 재분배 효과는 B보다 C가 크다.
└─

① ㄱ, ㄴ ② ㄱ, ㄷ ③ ㄴ, ㄷ
④ ㄴ, ㄹ ⑤ ㄷ, ㄹ

V. 현대의 사회 변동
13강 사회 변동과 사회 운동

1단계 기출 자료 & 선지 분석

기출 자료 분석

자료 01 사회 변동을 바라보는 관점의 특징

> 사회 변동은 사회 구조가 단순하고 미분화된 사회에서 복잡하고 분화된 사회로 변화해 나아가는 과정입니다. 단서 ❶

> 사회 변동은 사회의 문명이 생성, 성장, 쇠퇴, 소멸하는 일련의 단계를 주기적으로 반복하는 과정입니다. 단서 ❷

갑   을

단서 풀이
- 단서 ❶ 단순한 사회가 복잡하고 분화된 사회로 진보·발전한다는 것은 진화론이다.
- 단서 ❷ 한 사회의 변동이 생성, 성장, 쇠퇴, 소멸의 과정을 반복한다고 보는 것은 순환론이다.

자료 분석
- 갑은 단순한 유기체가 복잡한 유기체로 진화한다는 생물학적 진화론을 사회 변동에 적용한 진화론의 입장이다. 진화론에서 사회 변동은 일정한 방향을 가지고 있으며 사회 변동은 발전과 진보를 의미한다.
- 을은 시간의 흐름에 따라 사회가 생성, 성장, 쇠퇴, 소멸의 과정을 반복하며 변동한다고 보는 순환론의 입장이다.

자료 02 진화론과 순환론의 공통점과 차이점

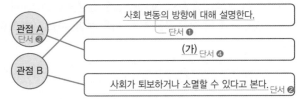

관점 A 단서 ❸ — 사회 변동의 방향에 대해 설명한다. 단서 ❶
관점 B — (가) 단서 ❹
— 사회가 퇴보하거나 소멸할 수 있다고 본다. 단서 ❷

※ A와 B는 각각 진화론과 순환론 중 하나임

단서 풀이
- 단서 ❶ 관점 A와 관점 B의 공통된 특성이다.
- 단서 ❷ 사회 변동을 흥망성쇠의 과정을 반복한다고 보는 것은 순환론이다.
- 단서 ❸ 단서 ❷에서 순환론을 유추했다면 관점 A는 진화론에 해당한다.
- 단서 ❹ (가)에는 관점 A만의 특징이 들어가야 한다.

자료 분석
진화론과 순환론 모두 사회 변동의 방향이 일정한 양상을 띠고 있다. 진화론은 진보·발전이라는 단일한 방향성으로 나타나며, 순환론은 생성, 성장, 쇠퇴, 소멸이라는 일정한 양상을 반복하는 형태로 나타난다. 진화론은 한 사회가 연속성을 가지며 발전하는 현상을 설명하는 데 적합한 반면, 순환론은 운명론적인 입장에서 한 사회의 변동을 파악하고 있으므로 과거의 사회 변동을 설명하기에 적합하다.

기출 선지 변형 O X

01 자료 01 에서 갑, 을의 관점에 대한 설명이 옳으면 ○, 틀리면 ×에 표시하시오.

① 갑의 관점에서 사회 변동은 사회 발전과 동일시된다. ○, ×

② 갑의 관점은 대립과 갈등을 사회 변동의 원동력으로 본다. ○, ×

③ 갑은 을과 달리 사회 변동에 대해 부정적 입장을 취하고 있다. ○, ×

④ 을은 사회 변동을 운명론적 관점으로 설명하고 있다. ○, ×

⑤ 을의 관점에서는 사회 변동을 생물 유기체의 진화 과정에 비유한다. ○, ×

⑥ 을은 갑과 달리 사회 변동을 미시적 관점에서 보고 있다. ○, ×

⑦ 갑은 사회 변동이 항상 발전을 의미한다고 보며, 을은 사회가 퇴보되거나 멸망할 수 있다고 본다. ○, ×

02 자료 02 의 그림에 대한 설명이 옳으면 ○, 틀리면 ×에 표시하시오.

① 관점 A는 사회 변동의 유형이 사회마다 다르다고 본다. ○, ×

② 관점 A는 사회 변동에 의해 사회가 더 복잡하게 분화한다고 본다. ○, ×

③ 관점 A와 관점 B 모두 사회 변동이 단일한 방향성을 가지고 움직인다고 본다. ○, ×

④ 관점 B는 관점 A와 달리 서구 사회가 진보된 사회임을 전제한다. ○, ×

⑤ 관점 B는 과거의 사회 변동만을 설명한다는 비판을 받는다. ○, ×

⑥ 관점 B는 한 사회가 연속성을 가지며 발전하는 현상을 설명하는 데 적합하다. ○, ×

⑦ (가)에 들어갈 내용으로 '사회 변동이 곧 발전이나 진보를 의미한다고 본다.'가 적절하다. ○, ×

⑧ (가)에 들어갈 내용으로 '사회 변동을 질서와 안정을 추구하는 것으로 파악한다.'가 적절하다. ○, ×

기출 자료 분석

자료 03 진화론과 순환론의 방향성

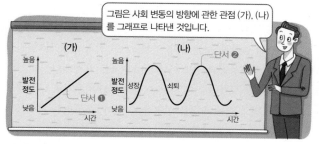

그림은 사회 변동의 방향에 관한 관점 (가), (나)를 그래프로 나타낸 것입니다.

단서 풀이

• 단서 ❶ 시간과 사회 발전 정도는 비례 관계에 있다.
• 단서 ❷ 시간과 사회 발전 정도는 성장과 쇠퇴를 반복하고 있다.

자료 분석

• (가) : 시간의 경과에 따라 사회 발전이 계속적으로 높아지고 있으므로 진화론과 관련된 그래프다. 진화론에서 사회 변동은 바람직한 방향으로 변화하는 것을 의미한다.
• (나) : 시간이 지남에 따라 사회 발전이 성장과 쇠퇴를 반복하고 있으므로 순환론과 관련된 그래프이다. 순환론에서 사회는 항상 발전하는 것이 아니라 쇠퇴·소멸할 수 있다고 본다.

자료 04 진화론과 순환론의 유용성과 한계점

(가) 인류 사회는 일정한 방향으로 진보해 온 것이 아니라 시간의 흐름에 따라 생성, 성장, 쇠퇴, 소멸의 과정을 반복해 왔다. 사회 변동은 단선적 발전 과정이 아니라 주기적으로 반복되어 나타나는 것이다.
　　　　　　　　단서 ❶　　　　　　단서 ❷
(나) 인류 사회는 사회 변동을 통해 특정한 방향으로 진보해 왔다. 방향을 갖는다는 것은 단순한 사회로부터 복잡하고 분화된 사회로, 진보한다는 것은 새롭고 보다 나은 문명의 사회로 나아감을 의미한다.

단서 풀이

• 단서 ❶ (가)는 시간의 흐름에 따라 생성, 성장, 쇠퇴, 소멸의 과정을 반복한다고 보는 순환론이다.
• 단서 ❷ (나)는 사회가 일정한 방향으로 진보·발전한다고 보는 진화론이다.

자료 분석

• (가) : 순환론은 시간의 흐름에 따라 사회가 생성, 성장, 쇠퇴, 소멸의 과정을 반복되는 장기적인 사회 변동 과정을 설명하는 데 유용하다. 하지만 중·단기적 변동을 예측하여 대응하기 어렵다.
• (나) : 진화론은 사회의 발전 방향과 양상을 설명하는 데 유용하지만 서구 사회가 진보된 사회임을 전제로 하기 때문에 제국주의 지배를 정당화할 우려가 있으며, 사회 변동이 항상 발전을 의미하지 않는다는 점에서 비판을 받고 있다.

기출 선지 변형 ○X

03 자료 03 의 (가), (나)에 대한 분석이 옳으면 ○, 틀리면 ×에 표시하시오.

① (가)에서 사회 변동은 일정한 양상을 반복하며 진행된다. ○, ×

② (가)에서 사회 변동은 단순한 상태에서 복잡하고 분화된 상태로의 변동을 의미한다. ○, ×

③ (가)는 (나)에 비해 미래를 예측하기에 적합하다. ○, ×

④ (나)는 사회 변동에 대한 단일한 방향성을 전제로 하고 있다. ○, ×

⑤ (나)는 사회 변동이 항상 발전을 의미하지는 않는다고 본다. ○, ×

⑥ (나)는 (가)와 달리 사회가 변동할 때 성장 과정이 나타남을 부정한다. ○, ×

⑦ (가), (나) 모두 사회가 일정한 양상을 가지고 변동한다고 본다. ○, ×

04 자료 04 의 (가), (나)에 대한 설명이 옳으면 ○, 틀리면 ×에 표시하시오.

① (가)의 관점은 사회 변동의 방향을 예측하기 어려워 역동적 대응이 곤란하다. ○, ×

② (가)의 관점은 (나)의 관점과 달리 모든 발전은 곧 서구화임을 전제로 하여 제국주의의 지배를 정당화한다. ○, ×

③ (가)의 관점은 (나)의 관점과 달리 서구 중심적 사고라는 비판을 받을 수 있다. ○, ×

④ (나)에 비해 (가)의 관점은 지난 역사 속에서 반복된 사회 변동을 설명하기에 유용하다. ○, ×

⑤ (나)의 관점에서는 현대 사회가 전통 사회보다 우월하다고 본다. ○, ×

⑥ (나)의 관점에서는 사회 변동 과정에서 나타나는 사회의 멸망을 설명하기 어렵다. ○, ×

⑦ (가), (나) 모두 서구 사회가 밟아 왔던 변동의 과정이 최선의 것은 아니라고 본다. ○, ×

01 교육청

다음 대화에서 사회 변동의 방향을 보는 관점 A에 대한 설명으로 옳은 것은?

> A에 따르면 사회가 항상 발전하는 것만은 아니야.

> 맞아. 달도 차면 기울듯이 사회도 시간에 따라 흥망성쇠를 거듭한다고 보는 것이 A의 입장이야.

① 사회 변동을 사회 발전과 동일시한다.
② 사회 변동을 미시적 관점에서 이해한다.
③ 사회 변동을 생물 유기체의 진화 과정에 비유한다.
④ 서구의 제국주의 역사를 정당화하는 수단으로 활용된다.
⑤ 지난 역사 속에서 반복된 사회 변동을 설명하기에 유용하다.

02 평가원

사회 변동을 바라보는 관점 (가), (나)에 대한 옳은 설명을 〈보기〉에서 고른 것은? (단, (가), (나)는 각각 순환론, 진화론 중 하나이다.)

> (가) 인류 문명의 발전 속도는 지역에 따라 다르게 나타난다. 그렇지만 문명이 단순한 것에서 분화된 것으로, 미신적인 것에 합리적인 것으로, 낡은 것에서 새로운 것으로 발전하는 경향은 일반적으로 나타난다.
>
> (나) 인류 문명은 일정한 시간 동안에는 정해진 방향을 향해 나아가는 것 같지만 곧 한계에 부딪히게 되고, 문명에 내재한 힘을 따라 다시 반대 방향을 향해 움직이게 된다. 그러나 반대 방향의 움직임 역시 오래가지 못하고 문명은 다시 본래의 방향을 향하게 된다.

·보기·
ㄱ. (가)는 (나)와 달리 사회 변동을 동일한 과정의 주기적 반복으로 설명한다.
ㄴ. (나)는 (가)와 달리 사회가 항상 진보하는 것은 아니라고 본다.
ㄷ. (가)는 (나)에 비해 개발도상국의 서구식 근대화 과정을 설명하기에 적합하다.
ㄹ. (나)는 (가)에 비해 변동 방향을 예측하여 대응하기에 적합하다.

① ㄱ, ㄴ ② ㄱ, ㄷ ③ ㄴ, ㄷ ④ ㄴ, ㄹ ⑤ ㄷ, ㄹ

03 평가원

사회 변동의 방향을 바라보는 갑, 을의 관점에 대한 옳은 설명을 〈보기〉에서 고른 것은?

> 갑 : 인류 문명의 성장 과정을 미디어의 발달과 관련지어 설명할 수 있다. 인류 문명은 말[言]의 등장과 수렵·채취 사회, 문자의 등장과 농경 사회, 인쇄술의 등장과 산업 사회, 원격 통신의 등장과 정보 사회의 네 단계를 거쳐 왔다.
>
> 을 : 유목민과 정착민 간의 갈등을 통해 120년 주기로 나타나는 문명의 변동 과정을 설명할 수 있다. 유목민은 기회가 오면 도시의 정착민을 공격하고 정복한다. 이렇게 정복에 성공한 유목민은 차츰 도시 생활에 안주하면서 정착민으로 변모한다. 하지만 이들 역시 안일한 삶과 부패가 만연해지면서 또 다른 강력한 유목민에게 정복당한다.

·보기·
ㄱ. 갑의 관점은 사회 변동을 비관적으로 바라본다.
ㄴ. 을의 관점은 사회 변동이 일정한 양상을 반복하며 진행된다고 본다.
ㄷ. 갑의 관점은 을과 달리 사회가 단순한 상태에서 복잡하고 분화된 상태로 변동한다고 본다.
ㄹ. 을의 관점은 갑과 달리 모든 발전은 곧 서구화임을 전제로 하여 제국주의의 지배를 정당화한다.

① ㄱ, ㄴ ② ㄱ, ㄷ ③ ㄴ, ㄷ ④ ㄴ, ㄹ ⑤ ㄷ, ㄹ

04 교육청

밑줄 친 ㉠~㉤ 중 옳지 않은 것은?

> [서술형 문항] 사회 변동의 방향을 바라보는 관점 (가), (나)를 비교하여 설명하시오.
>
> | 구분 | (가) | (나) |
> | --- | --- | --- |
> | 사회는 퇴보하기도 합니까? | 예 | 아니요 |
> | 근대화론의 기반이 되는 관점입니까? | 아니요 | 예 |
>
> [답] ㉠ (가)는 문명의 흥망성쇠를 확인하고 설명하는 데 유용하지만 ㉡ 운명론적 관점이라는 비판을 받는다. 반면 ㉢ 사회 변동을 긍정적으로 인식하는 (나)는 ㉣ 다양한 경로의 사회 발전 양상을 설명하는 데에만 유용하다는 비판을 받고 있다. 그리고 ㉤ (나)는 (가)와 달리 서구 중심의 사고를 반영하고 있다는 평가를 받는다.

① ㉠ ② ㉡ ③ ㉢ ④ ㉣ ⑤ ㉤

05 수능

사회 변동의 방향을 보는 관점 (가), (나)에 대한 설명으로 옳은 것은?

> (가) 단순한 생물체가 점차 그 조직의 구조가 분화되고 통합되어 복합적인 생물체로 변화되듯이, 사회 또한 사회를 구성하는 집단이 증가할 뿐만 아니라 집단 간 결합이 양적, 질적으로 강화되는 방향으로 변화될 것이다.
>
> (나) 한 사회가 일련의 도전에 어떻게 반응하는가에 따라 변동 방향이 좌우된다. 그 반응의 성공 여부에 의해 개별 사회가 성장하고 쇠퇴하는데, 결국 인류 문명에서 이러한 성장과 쇠퇴는 지속적으로 되풀이될 것이다.

① (가)는 사회가 주기적으로 동일한 과정을 통해 변동하는 것으로 본다.

② (나)는 서구의 제국주의 역사를 정당화하는 수단으로 악용될 수 있다는 비판을 받는다.

③ (가)는 (나)와 달리 모든 사회가 일정한 방향으로 발전한다고 본다.

④ (나)는 (가)와 달리 선진국과 후진국 간의 불평등한 힘의 관계에 주목한다.

⑤ (가), (나) 모두 서구 사회가 밟아 왔던 변동의 과정이 최선의 것은 아니라고 본다.

06 평가원

p.140 **자료 02**

그림은 사회 변동에 대한 관점 A, B와 그에 대한 특징 (가)~(다)를 연결한 것이다. 이에 대한 진술로 옳은 것은? (단, A, B는 각각 진화론과 순환론 중 하나이다.)

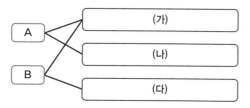

① (가)에는 '제국주의를 정당화하는 근거로 사용되었다.'가 적절하다.

② (나)가 '근대화론의 이론적 근거가 된다.'라면, (다)에는 '미래 사회의 변동 방향에 대한 예측에 한계가 있다.'가 적절하다.

③ (다)가 '사회 변동을 긍정적으로 본다.'라면, (나)에는 '사회 변동을 단선적인 진보의 과정으로 설명한다.'가 적절하다.

④ A가 진화론이라면, (다)에는 '사회 변동이 항상 발전을 의미하지는 않는다는 점을 간과한다.'가 적절하다.

⑤ B가 순환론이라면, (나)에는 '과거의 사회 변동만을 설명한다는 비판을 받는다.'가 적절하다.

07 평가원

표는 질문 (가)~(다)를 활용하여 사회 변동을 보는 관점 A, B를 구분한 것이다. 이에 대한 설명으로 옳은 것은? (단, A와 B는 각각 진화론과 순환론 중 하나이다.)

관점＼질문	(가)	(나)	(다)
A	아니요	예	예
B	예	아니요	예

① A가 진화론이면 (가)에는 '서구 중심적 사고라고 비판을 받는가?'가 적절하다.

② B가 순환론이면 (다)에는 '사회 변동을 사회 발전으로 인식하는가?'가 적절하다.

③ (나)가 '사회 변동은 주기적으로 동일한 과정을 반복하는가?'이면, B는 순환론이다.

④ (다)에는 '사회 변동은 일정한 방향을 가지고 있는가?'가 적절하다.

⑤ (가)가 '제국주의를 정당화하는 근거로 사용되었는가?'이면, (나)에는 '사회 변동 과정에서 문명이 퇴보할 수 있는가?'가 적절하다.

08 교육청

그림은 사회 변동의 방향을 보는 관점 A, B를 구분한 것이다. 이에 대한 설명으로 옳은 것은?

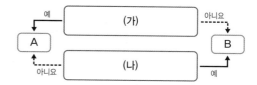

① A가 사회 변동을 진보와 발전으로 본다면, (가)에는 '사회 변동은 일정한 방향을 가지고 있는가?'가 적절하다.

② B가 서구 중심적 사회를 전제한다는 비판을 받는다면, (나)에는 '사회 변동 과정에서 문명이 퇴보할 수 있다고 보는가?'가 적절하다.

③ (가)가 '근대화론의 기반이 되는 관점인가?'라면, B는 서구 사회가 비서구 사회보다 도덕적으로 열등할 수 있다는 점을 간과했다는 비판을 받는다.

④ (나)가 '과거의 반복되는 역사를 해석하는 데 유용한가?'라면, A는 미래 사회의 변화에 대한 역동적 대응이 곤란하다는 비판을 받는다.

⑤ (가)가 '사회 변동을 곧 발전으로 인식하는가?'라면, (나)는 '제국주의를 정당화하는 근거로 사용되는가?'가 적절하다.

01

표는 사회 변동의 주요 요인과 사례를 정리한 것이다. 이에 대한 옳은 설명만을 〈보기〉에서 있는 대로 고른 것은?

요인	사례
(가)	컴퓨터, 스마트폰 등의 발명은 정보 사회 발달에 결정적인 계기가 되었다.
가치관의 변화	(나)
(다)	(라)

〈보기〉
ㄱ. (가)는 기술 결정론적 관점에서 강조하는 사회 변동 요인이다.
ㄴ. (나)에는 '프로테스탄티즘 정신이 자본주의 발전을 가져왔다.'가 적절하다.
ㄷ. (다)가 '인구 구조의 변동'이라면, (라)에는 '의학 기술 발달로 노인 인구의 비중이 증가하고 있다.'가 들어갈 수 있다.
ㄹ. (가)와 (나) 모두 비물질문화 요소를 사회 변동의 주요 요인으로 보고 있다.

① ㄱ, ㄴ
② ㄱ, ㄷ
③ ㄴ, ㄹ
④ ㄱ, ㄴ, ㄷ
⑤ ㄴ, ㄷ, ㄹ

02

(가)~(다)의 사회 변동에 대한 분석으로 옳은 것은?

(가) 기본권의 불가침, 불가양성을 강조한 천부 인권 사상이 확산되면서 기존의 봉건 체제가 붕괴되고, 근대 시민 사회가 성립하게 되었다.
(나) 자유주의 이념의 확산으로 개인의 자유와 창의를 바탕으로 한 경제 활동의 자유가 보장되면서 서구 유럽에 자본주의 체제가 발전하는 계기가 되었다.
(다) 최근 여성들의 성차별 문제 해결을 위한 사회 운동이 활성화되면서 사회 전반적으로 평등 의식이 확산되고 있다.

① (가)는 기술 발전에 따른 사회 변동의 사례이다.
② (나)와 인공 지능 발명에 따른 사회 변동은 변동 요인의 유형이 동일하다.
③ (가)는 (다)에 비해 다양한 사회 변동의 요인이 작용하였다.
④ (나)와 달리 (다)는 어느 한 변동 요인의 변화가 다른 변화를 유발하고 있다.
⑤ (가), (나) 모두 비물질문화가 사회 변동의 요인으로 작용하였다.

03

사회 변동을 바라보는 갑과 을의 관점에 대한 옳은 설명을 〈보기〉에서 고른 것은?

갑 : 정보화가 진행되면서 정보 격차를 둘러싼 대립이 심각해지고 있습니다. 이는 정보를 가진 자들이 더 많은 이득을 얻어 현상 유지를 원하고, 갖지 못하는 자들은 보다 나은 위치에 서기 위해 그들과 저항하는 과정에서 나타나는 현상입니다. 이로 인해 사회가 변동된다고 봅니다.
을 : 정보화로 인해 우리 사회에 여러 가지 긍정적인 변화와 함께 사이버 범죄, 사생활 침해, 인터넷 중독 등의 많은 문제점이 발생하였습니다. 이는 일시적인 현상이며 다양한 정책적 노력을 통해 충분히 해결할 수 있다고 봅니다.

〈보기〉
ㄱ. 갑의 관점은 사회 변동을 병리적 현상으로 간주한다.
ㄴ. 을의 관점은 급진적인 사회 변동을 설명하기에 용이하다.
ㄷ. 을의 관점은 갑의 관점과 달리 보수적 성향이라는 평가를 받는다.
ㄹ. 갑과 을의 관점 모두 사회 변동의 원인을 사회 구조적 측면에서 찾고 있다.

① ㄱ, ㄴ ② ㄱ, ㄷ ③ ㄴ, ㄷ ④ ㄴ, ㄹ ⑤ ㄷ, ㄹ

04 고난도

그림은 사회 변동의 방향을 보는 관점 A, B를 구분한 것이다. 이에 대한 옳은 설명만을 〈보기〉에서 있는 대로 고른 것은? (단, A, B는 각각 진화론, 순환론 중 하나이다.)

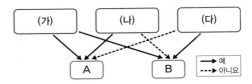

〈보기〉
ㄱ. (가)에는 '사회 변동은 일정한 양상을 가지고 있는가?'가 들어갈 수 있다.
ㄴ. A가 진화론이라면, (나)에는 '사회 변동을 긍정적으로 바라보는가?'가 들어갈 수 있다.
ㄷ. B가 순환론이라면, (다)에는 '제국주의를 정당화하는 근거로 활용되었는가?'가 들어갈 수 있다.
ㄹ. (다)가 '모든 사회가 이전보다 복잡하고 분화되는 양상으로 변동한다고 보는가?'라면, A는 B와 달리 미래 사회 변동에 대한 역동적 대응이 곤란하다는 비판을 받는다.

① ㄱ, ㄴ ② ㄱ, ㄷ ③ ㄷ, ㄹ
④ ㄱ, ㄴ, ㄹ ⑤ ㄴ, ㄷ, ㄹ

05

표는 사회 변동의 방향을 바라보는 관점 A, B를 구분한 것이다. 이에 대한 옳은 설명을 〈보기〉에서 고른 것은? (단, A와 B는 각각 진화론과 순환론 중 하나이다.)

구분	A	B
사회 변동에 일정한 방향이 있다고 보는가?	예	아니요
(가)	㉠	㉡
(나)	아니요	예

보기

ㄱ. A는 B와 달리 거시적 관점에서 사회 변동을 설명한다.

ㄴ. B는 A에 비해 사회 구조 자체의 변화를 설명하기에 용이하다.

ㄷ. (가)의 질문이 '서구 중심적 사고라고 비판을 받는가?'이면, ㉠은 '예', ㉡은 '아니요'이다.

ㄹ. (나)에는 '숙명론적 시각으로 사회 변동을 바라보는가?'가 들어갈 수 있다.

① ㄱ, ㄴ ② ㄱ, ㄷ ③ ㄴ, ㄷ ④ ㄴ, ㄹ ⑤ ㄷ, ㄹ

06 고난도

그림은 사회 변동에 대한 관점 A~D를 구분한 것이다. 이에 대한 옳은 설명을 〈보기〉에서 고른 것은? (단, A~D는 각각 순환론, 진화론, 기능론, 갈등론 중 하나이다.)

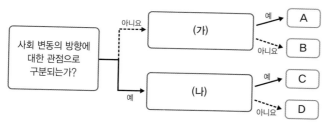

보기

ㄱ. A가 갈등론이면, (가)에는 '사회 구성 요소 간의 상호 의존성과 통합을 강조하는가?'가 적절하다.

ㄴ. C가 순환론이면, (나)에는 '단기적인 사회 변동을 설명하기에 용이한가?'가 적절하다.

ㄷ. (가)가 '사회 변동을 일시적인 불균형을 극복하는 과정으로 보는가?'라면, B는 A와 달리 급진적인 사회 변동을 설명하기에 용이하다.

ㄹ. (나)가 '다양한 경로의 사회 발전 양상을 설명하기에 용이한가?'이면, C는 D와 달리 사회 변동에 작용하는 인간의 주체적인 행동을 과소 평가한다는 비판을 받는다.

① ㄱ, ㄴ ② ㄱ, ㄷ ③ ㄴ, ㄷ ④ ㄴ, ㄹ ⑤ ㄷ, ㄹ

07

다음은 교사가 수업 시간에 제시한 자료 중 일부이다. ㉠~㉣에 대한 설명으로 옳은 것은?

> Ⅰ. 학습 주제 : ㉠ 의 의미와 사회 변동에 미치는 영향
> Ⅱ. 학습 내용
> 　1. 의미 : 사회 문제를 해결하거나 사회 구조를 바꾸기 위해 다수의 시민들이 집단적으로 벌이는 노력
> 　2. 특징 : ㉡
> 　3. 유형 : ㉢
> 　4. 사회 변동에 미치는 영향 : ㉣

① ㉠의 예로 지하철 선로에 빠진 승객을 구조하는 군중들의 행동을 들 수 있다.

② ㉠의 사례로 비정부 기구의 국제 활동은 포함되지 않는다.

③ ㉡에는 '뚜렷한 목표를 가지고 지속적·조직적으로 수행한다.'가 들어갈 수 있다.

④ ㉢에는 기존의 사회 질서 유지를 목표로 하는 ㉠은 포함되지 않는다.

⑤ ㉣과 관련하여 ㉠이 사회 변동으로 이어지기 위해 사회 구성원들의 지지보다는 정치 엘리트들의 역량이 더 중요하다.

08

밑줄 친 ㉠~㉣에 대한 옳은 설명을 〈보기〉에서 고른 것은?

> 현대 한국의 ㉠ 사회 운동의 기원은 ㉡ 4·19 혁명(1960년)에서 찾는 것이 일반적인 견해이다. 이후 노동자의 권리 확보 또는 부당한 공권력에 저항하며 각종 노동 운동이나 5·18 민주화 운동(1980년), 6월 민주 항쟁(1987년) 등이 일어났다. 최근에는 다원화되고 복잡화된 사회 변화 속에서 ㉢ 시민 단체를 중심으로 기존 운동과는 다른 목표와 방법을 갖고 ㉣ 다양한 형태의 사회 운동을 벌이고 있다.

보기

ㄱ. ㉠은 일반적으로 뚜렷한 목표와 구체적인 활동 방법을 가지고 있다.

ㄴ. ㉡은 기존의 질서를 고수하고 급격한 사회 변화에 대항하기 위한 사회 운동이다.

ㄷ. ㉢은 공동의 이해관계나 관심사를 기반으로 본질 의지에 따라 형성된다.

ㄹ. ㉣에는 인권, 환경 보호, 소수자 보호, 여성 운동 등의 예를 들 수 있다.

① ㄱ, ㄴ ② ㄱ, ㄹ ③ ㄴ, ㄷ ④ ㄴ, ㄹ ⑤ ㄷ, ㄹ

V. 현대의 사회 변동

14강 현대 사회의 변화와 대응, 지속 가능한 사회

1단계 기출 자료 & 선지 분석

기출 자료 분석

자료 01 농업 사회, 산업 사회, 정보 사회의 특징

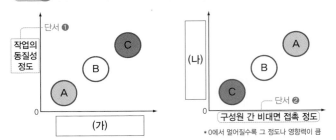

단서 ❶
작업의 동질성 정도

(가)

(나)

구성원 간 비대면 접촉 정도 ← 단서 ❷

*0에서 멀어질수록 그 정도나 영향력이 큼

단서 풀이
• 단서 ❶ 작업의 동질성 정도는 '농업 사회 > 산업 사회 > 정보 사회' 순으로 나타난다.
• 단서 ❷ 정보 사회는 산업 사회와 농업 사회에 비해 사이버 상에서의 접촉 비중이 가장 크다. 따라서 구성원 간 비대면 접촉 정도는 '정보 사회 > 산업 사회 > 농업 사회' 순으로 나타난다.

자료 분석
작업의 동질성은 농업 사회가, 구성원 간의 비대면 접촉 정도는 정보 사회가 가장 크다. 따라서 A는 정보 사회, B는 산업 사회, C는 농업 사회이다.

자료 02 정보 사회의 문제점 – 정보 격차 문제

표는 갑국의 정보 격차 경험자의 학력별, 성별 비율을 나타낸 것이다. 단, 갑국은 농촌과 도시로만 이루어져 있으며 정보 격차 경험자 수는 도시가 농촌의 2배이다. ← 단서 ❶

(단위 : %)

구분	학력			성별	
	중졸 이하	고졸	대졸 이상	남성	여성
농촌	50	15	35	40	60
도시	50	25	25	30	70

단서 ❷ ┘

단서 풀이
• 단서 ❶ 갑국의 정보 격차 경험자 수는 도시가 농촌의 2배이므로 농촌의 정보 격차 경험자 수를 100명이라고 가정할 때, 도시의 정보 격차 경험자 수는 200명이 된다.
• 단서 ❷ 제시된 표는 정보 격차의 경험자 비율을 나타낸 것이다. 정보 격차의 경험자 수를 계산하려면, 농촌의 1%를 1명으로 가정한 후 도시의 1%에 2배를 곱하여야 한다. 즉 농촌의 1%는 1명, 도시의 1%는 2명이 되는 것이다.

자료 분석
• 갑국의 농촌과 도시의 총 학력별 정보 격차 경험자 수를 비교해 보면, 중졸 이하는 150명(농촌 50+도시 100)이고, 고졸은 65명(농촌15+도시 50)이며 대졸 이상은 85명(농촌 35+도시 50)이다.
• 성별 정보 격차의 경험자 수는 여성(200명=농촌 60+도시140)이 남성(100명=농촌 40+도시 60)보다 2배 많다.

기출 선지 변형 O X

01 **자료 01**의 두 그래프에 대한 설명이 옳으면 ○, 틀리면 ×에 표시하시오.

① 구성원 간의 익명성은 A가 B보다 낮다. ○, ×

② 핵가족의 비중은 B가 C보다 높다. ○, ×

③ 사회의 다원화 정도는 C > A > B 순이다. ○, ×

④ B는 A에 비해 정보의 생산자와 소비자 간 구분이 뚜렷하다. ○, ×

⑤ C는 A에 비해 정보 확산의 시공간적 제약이 크다. ○, ×

⑥ (가)에는 '사회 변동의 속도'가 적절하다. ○, ×

⑦ (나)에는 '가정과 일터의 결합 정도'가 적절하다. ○, ×

⑧ (나)에는 '쌍방향 미디어의 비중'이 적절하다. ○, ×

02 **자료 02**의 표에 대한 설명이 옳으면 ○, 틀리면 ×에 표시하시오.

① 도시 전체 인구는 농촌 전체 인구의 2배이다. ○, ×

② 농촌과 도시에서는 모두 학력이 낮을수록 정보 격차 경험자 수가 많아진다. ○, ×

③ 농촌의 중졸 이하 학력의 정보 격차 경험자 수와 도시의 대졸 이상 학력의 정보 격차 경험자 수는 같다. ○, ×

④ 갑국의 정보 격차 경험자 수는 여성이 남성의 2배이다. ○, ×

⑤ 정보 격차 경험자 중에서 중졸 이하 학력의 여성이 차지하는 비율은 도시가 농촌보다 높다. ○, ×

⑥ 농촌과 도시의 중졸 이하 학력의 정보 격차 경험자 수는 서로 같다. ○, ×

기출 자료 분석

자료 03 인구 문제 분석하기

〈연령대별 인구 비율(%)의 변화 추이〉

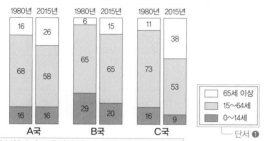

* 노년 부양비 : (65세 이상 인구/15~64세 인구)×100
** 유소년 부양비 : (0~14세 인구/15~64세 인구)×100
└─ 단서 ❷

단서 풀이

• 단서 ❶ '0~14세'는 유소년 인구, '15~64세'는 청·장년층 인구, '65세 이상'은 노년 인구를 의미한다.
• 단서 ❷ 노년 부양비와 유소년 부양비 구하는 공식을 보면, 분모가 모두 15~64세 인구(청·장년층 인구)이다. 즉 '15~64세 인구'를 100으로 보았을 때, 노년 부양비는 '65세 이상 인구'가 얼마인지를 나타내고, 유소년 부양비는 '0~14세 인구'가 얼마인지를 나타낸다.

자료 분석

A국은 유소년 인구 비중에는 증감이 없으나 노년 인구 비중이 증가하여 청·장년 인구 비중이 줄어들었다. 이에 유소년 부양비는 증가한 반면, 노년 부양비는 감소하였다. B국과 C국은 유소년 인구 비중과 청·장년층 인구 비중은 감소하고 노년 인구 비중은 증가하였다. 이에 유소년 부양비는 감소한 반면, 노년 부양비는 증가하였다.

자료 04 다문화 사회

구분	전체 혼인 (천 건)	외국인과의 혼인이 전체 혼인에서 차지하는 비중(%)		
	단서 ❶		한국 남성+ 외국 여성(%)	한국 여성+ 외국 남성(%)
2005년	314.3	13.5	9.8	3.7
2010년	326.1	10.5	8.0	2.5
2015년	302.3	7.0	4.9	2.1

단서 풀이

• 단서 ❶ 전체 혼인 건수와 외국인과의 혼인이 전체 혼인에서 차지하는 비중을 알면 실제 혼인 건수를 파악할 수 있다.

※ 실제 혼인 건수=(전체 혼인 건수)× $\frac{(외국인과의 혼인이 전체 혼인에서 차지하는 비중)}{100}$

자료 분석

주어진 표는 전체 혼인에서 외국인과의 혼인이 차지하는 비중을 나타낸 것으로 우리나라의 다문화 현상과 관련되어 있다. 특히 한국 남성이 외국 여성과 결혼하는 비율은 한국 여성이 외국 남성과 결혼하는 비율보다 높게 나타나고 있다. 하지만 혼인이 증가한다고 해서 다문화 가구가 증가한다고 단정하기는 어렵다. 외국인 가구가 우리나라로 이민 및 귀화한 경우, 외국인과 혼인한 가구의 이혼 등과 같은 자료가 주어지지 않았다.

기출 선지 변형 O X

03 **자료 03** 의 그래프에 대한 분석이 옳으면 ○, 틀리면 ×에 표시하시오.

① 노년 부양비가 가장 큰 국가는 1980년과 2015년에 동일하다. ○, ×

② A국의 유소년 부양비는 1980년과 2015년에 동일하다. ○, ×

③ 2015년에 '0~14세 인구 대비 65세 이상 인구'의 비율이 가장 높은 국가는 C국이다. ○, ×

④ 1980년 대비 2015년에 A국과 B국의 유소년 부양비는 감소하였다. ○, ×

⑤ 1980년 대비 2015년에 A~C국 모두 노년 부양비가 증가하였다. ○, ×

⑥ C국은 1980년 대비 2015년에 상대적으로 유소년의 인구 비중이 작아지고, 노년 인구의 비중이 커졌다. ○, ×

⑦ A~C국 중 '0~14세'의 인구수가 가장 많이 감소한 나라는 B국이다. ○, ×

04 **자료 04** 의 표에 대한 설명이 옳으면 ○, 틀리면 ×에 표시하시오.

① 다문화 가구의 수는 지속적으로 감소하고 있다. ○, ×

② 2010년에 외국인과의 혼인 건수는 3만 건을 넘는다. ○, ×

③ 한국 남성과 외국 여성의 혼인 건수는 2005년이 2015년의 2배가 안 된다. ○, ×

④ 제시된 모든 연도에서 남성이 외국인인 혼인 건수보다 여성이 외국인인 혼인 건수가 더 많다. ○, ×

⑤ 2010년에 비해 2015년에는 외국인과의 혼인 건수가 줄어들었다. ○, ×

⑥ 외국인과의 혼인 건수가 지속적으로 증가 추세에 있으므로 다문화 가정은 증가할 것이다. ○, ×

01 교육청

다음 글에서 필자가 강조하는 정보 사회의 문제점에 대한 대응 방안으로 가장 적절한 것은?

> 검색 결과에 순위를 매기거나 온라인 뉴스의 배열 순서를 결정하는 데 사람이 개입하지 않고 검색 알고리즘*에 맡기면 더 객관적일까? 알고리즘은 그 자체로는 가치 중립적으로 작동하지만 이를 설계한 기업의 이데올로기를 반영한다. IT 기업들은 알고리즘의 일부만을 공개하면서 복잡한 수식을 내세워 객관적인 것처럼 국민을 현혹한다. 이렇듯 우리가 볼 수 있는 것은 편향성이 내재된 알고리즘에 의해 선별되어 제공되는 정보들이다.
>
> *알고리즘 : 컴퓨터 프로그램에 있어서 실행 명령어들의 순서

① 정보의 취사선택 및 비판적 판단 능력을 기른다.
② 지적 재산권 및 사생활 보호의 중요성을 인식한다.
③ 정보 격차를 해소하기 위한 정보 인프라를 구축한다.
④ 유해 정보를 차단할 수 있는 제도적 장치를 마련한다.
⑤ 정보 기기에 중독되지 않도록 절제하는 노력을 기울인다.

02 수능

표는 (가), (나)를 적용하여 A~C의 일반적인 특징을 비교한 것이다. 이에 대한 설명으로 옳은 것은? (단, A~C는 각각 농업 사회, 산업 사회, 정보 사회 중 하나이다.)

비교 기준 \ 사회	A	B	C
(가)	+++	+	++
(나)	++	+++	+

* +의 개수가 많을수록 높음, 빠름, 강함을 의미함

① (가)가 '가정과 일터의 분리 정도'이면, A는 C보다 관료제 조직의 비중이 높다.
② (가)가 '구성원의 비대면 접촉 정도'이면, C는 B보다 확대 가족의 비중이 높다.
③ (나)가 '구성원 간의 익명성 정도'이면, A는 B보다 전자 상거래의 비중이 높다.
④ (가)가 '사회 변동의 속도'이면, (나)는 '사회의 다원화 정도'가 적절하다.
⑤ (나)가 '직업의 동질성 정도'이면, (가)는 '의사 결정의 분권화 정도'가 적절하다.

03 수능

밑줄 친 ㉠~㉢에 해당하는 그래프를 (가)~(다)에서 고른 것은?

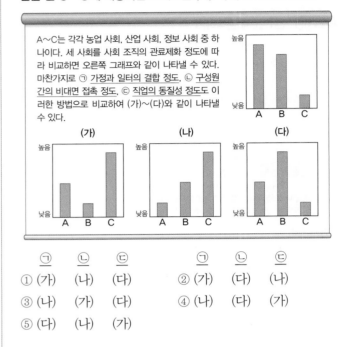

A~C는 각각 농업 사회, 산업 사회, 정보 사회 중 하나이다. 세 사회를 사회 조직의 관료제화 정도에 따라 비교하면 오른쪽 그래프와 같이 나타낼 수 있다. 마찬가지로 ㉠ 가정과 일터의 결합 정도, ㉡ 구성원 간의 비대면 접촉 정도, ㉢ 직업의 동질성 정도도 이러한 방법으로 비교하여 (가)~(다)와 같이 나타낼 수 있다.

	㉠	㉡	㉢			㉠	㉡	㉢
①	(가)	(나)	(다)		②	(가)	(다)	(나)
③	(나)	(가)	(다)		④	(나)	(다)	(가)
⑤	(다)	(나)	(가)					

04 평가원

그림은 A~C를 일반적인 특징에 따라 분류한 것이다. 이에 대한 옳은 설명을 〈보기〉에서 고른 것은? (단, A~C는 각각 농업 사회, 산업 사회, 정보 사회 중 하나이다.)

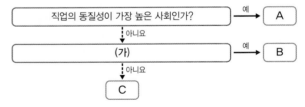

보기
ㄱ. (가)가 '전자 상거래 비중이 더 높은 사회인가?'라면, 기술의 발전 속도는 B>A>C로 나타난다.
ㄴ. (가)가 '면대면 접촉의 비중이 더 높은 사회인가?'라면, 일터와 가정의 분리 정도는 B>C>A로 나타난다.
ㄷ. (가)가 '소품종 대량 생산 방식이 더 보편적인 사회인가?'라면, 구성원 간 익명성의 정도는 B>A>C로 나타난다.
ㄹ. (가)가 '조직 내 의사 결정 권한의 분산 정도가 더 높은 사회인가?'라면, 사회적 관계 형성의 공간적 제약 정도는 A>C>B로 나타난다.

① ㄱ, ㄴ ② ㄱ, ㄷ ③ ㄴ, ㄷ ④ ㄴ, ㄹ ⑤ ㄷ, ㄹ

05 평가원

A~C의 일반적 특징에 대한 설명으로 옳은 것은? (단, A~C는 각각 농업 사회, 산업 사회, 정보 사회 중 하나이다.)

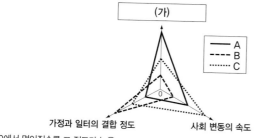

* 0에서 멀어질수록 그 정도가 높음

① A는 B보다 구성원 간 익명성 정도가 높다.
② A는 C보다 다품종 소량 생산의 비중이 크다.
③ B는 C보다 지식 산업을 통한 부가 가치 창출이 유리하다.
④ C는 B보다 직업의 동질성이 강하다.
⑤ (가)에는 '비대면 접촉의 정도'가 들어갈 수 있다.

06 수능

다음 A~C에 대한 옳은 설명을 〈보기〉에서 고른 것은? (단, A~C는 각각 농업 사회, 산업 사회, 정보 사회 중 하나이다.)

구분	사회의 특징
A	1차 산업을 기반으로 하며, 혈연과 지연으로 맺어진 공동체 구성원 간의 전인격적 관계가 지배적이다.
B	정보와 지식이 중요한 자원으로 인식되고, 인간의 주요 활동이 디지털 기술을 기반으로 이루어진다.
C	기술과 조직의 합리적 원리를 도입하여 대량 생산과 대량 소비의 경제 체제가 중심이 된다.

─ 보기 ─
ㄱ. 사회적 관계를 맺는 공간적 제약은 A가 B보다 크다.
ㄴ. 비대면 접촉에 의한 상호 작용 정도는 A가 C보다 작다.
ㄷ. 정보의 생산자와 소비자 간 경계는 B가 C보다 분명하다.
ㄹ. 가정과 일터의 분리 정도는 C가 B보다 작다.

① ㄱ, ㄴ   ② ㄱ, ㄷ   ③ ㄴ, ㄷ   ④ ㄴ, ㄹ   ⑤ ㄷ, ㄹ

07 교육청

다음 글의 저출산 문제를 보는 입장에 대한 옳은 설명을 〈보기〉에서 고른 것은?

우리 사회의 저출산 문제는 사회 전체에 큰 혼란을 초래할 것이다. 가족 제도의 비정상적인 작동이 교육 제도, 정치 제도 등 다른 사회 제도에 영향을 미칠 수밖에 없기 때문이다. 따라서 저출산 문제의 해결은 우리 사회 전체를 위해 매우 중요하다. 저출산 문제는 청년 취업난, 가족의 자녀 양육비 및 교육비 부담에 기인하고 있으므로 경기 회복과 이를 통한 가계 소득 증가가 바탕이 될 때 자연스럽게 해결될 수 있다.

─ 보기 ─
ㄱ. 갈등론의 관점에서 저출산 문제를 이해하고 있다.
ㄴ. 저출산 문제가 경제적 요인에 의해 발생했다고 본다.
ㄷ. 저출산 문제에 대한 의식 차원의 해결 방안을 제시하고 있다.
ㄹ. 사회 제도 간 유기적 관련성을 전제로 저출산 문제의 영향을 예측하고 있다.

① ㄱ, ㄴ   ② ㄱ, ㄷ   ③ ㄴ, ㄷ   ④ ㄴ, ㄹ   ⑤ ㄷ, ㄹ

08 교육청

다문화 사회를 보는 갑, 을의 입장에 대한 옳은 설명을 〈보기〉에서 고른 것은?

갑 : 우리 사회의 문화적 다양성을 높이려면 우리뿐만 아니라 이민족들도 자기 문화의 정체성을 지킬 수 있도록 배려해야 해.
을 : 이민족들이 증가하면서 우리 문화의 정체성이 훼손될 수 있어. 따라서 그들이 자신의 전통문화를 버리고 우리의 전통문화를 받아들이도록 유도해야 해.

─ 보기 ─
ㄱ. 갑은 문화 발전을 위해 우리 문화를 세계에 전파해야 한다고 주장한다.
ㄴ. 을은 우리 사회로 이주해 온 이민족의 문화를 우리 문화에 동화시키자는 입장을 취하고 있다.
ㄷ. 을과 달리 갑은 이민족과의 문화적 공존을 중시하고 있다.
ㄹ. 갑과 달리 을은 전통문화의 계승과 보존이 필요하다고 본다.

① ㄱ, ㄴ   ② ㄱ, ㄷ   ③ ㄴ, ㄷ   ④ ㄴ, ㄹ   ⑤ ㄷ, ㄹ

01

밑줄 친 ㉠~㉣에 대한 옳은 설명을 〈보기〉에서 고른 것은?

오늘날 지구촌은 국가 간에 사람, 물자, 기술, 생산 요소 등의 교류가 확대되면서 국경을 넘어 ㉠ 세계가 하나의 사회처럼 통합되는 과정에 놓여 있다. 이로 인해, 정치적 영역뿐만 아니라 ㉡ 경제적, ㉢ 사회·문화적 측면에서 다양한 변화 양상이 나타나고 있으며 각 영역에 대한 찬반 논쟁이 뜨겁다. 우리도 이러한 변화에 맞춰 ㉣ 적절한 대응 방안을 모색해야 할 것이다.

┌ 보기 ┐
ㄱ. 정보 통신 및 교통 기술의 발달이 ㉠에 기여하고 있다.
ㄴ. ㉡과 관련 국가 간 경쟁의 심화로 다국적 기업의 활동이 감소하고 있다.
ㄷ. ㉢에서는 다양한 문화 체험과 공유 기회의 감소 현상이 나타난다.
ㄹ. ㉣에는 문화 상대주의적 태도와 세계 시민 의식 함양 등이 있다.

① ㄱ, ㄴ ② ㄱ, ㄹ ③ ㄴ, ㄷ ④ ㄴ, ㄹ ⑤ ㄷ, ㄹ

02 고난도

두 자료는 A~C를 비교한 것이다. 이에 대한 옳은 설명만을 〈보기〉에서 있는 대로 고른 것은? (단, A~C는 각각 농업 사회, 산업 사회, 정보 사회 중 하나이다.)

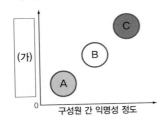

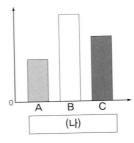

* 0에서 멀수록 그 정도가 높거나 증가함
** 막대 그래프의 높이가 높을수록 그 정도가 강하거나 높음

┌ 보기 ┐
ㄱ. B는 A보다 1인 가구의 비중이 높다.
ㄴ. C는 B에 비해 직업의 동질성 정도가 낮다.
ㄷ. A와 C는 B보다 비대면 접촉의 비중이 높다.
ㄹ. (가)에는 '일터와 가정의 결합 정도', (나)에는 '관료제 조직의 비중'이 적절하다.

① ㄱ, ㄴ   ② ㄴ, ㄷ   ③ ㄷ, ㄹ
④ ㄱ, ㄴ, ㄹ   ⑤ ㄱ, ㄷ, ㄹ

03

표는 (가)~(나)를 적용하여 A, B를 비교한 것이다. 이에 대한 설명으로 옳은 것은? (단, A, B는 각각 산업 사회, 정보 사회 중 하나이다.)

비교 기준 \ 사회	A	B
(가)	+++	++
(나)	++	+++

* +의 개수가 많을수록 높음, 빠름, 강함을 의미함

① A가 산업 사회이면, (가)에는 '사회 변동의 속도'가 적절하다.
② B가 정보 사회이면, (나)에는 '확대 가족의 비중'이 적절하다.
③ (가)가 '개인 정보 유출 가능성 정도'라면, A는 B에 비해 정보의 생산자와 소비자 간 구분이 뚜렷하다.
④ (나)가 '양방향 의사소통 정도'라면, B는 A에 비해 면대면 접촉의 비중이 높다.
⑤ (가)가 '다품종 소량 생산의 비중'이라면, (나)는 '사회 조직의 관료제화 정도'가 적절하다.

04 고난도

표는 갑국~병국 세 나라의 인구 관련 지표이다. 이에 대한 옳은 분석만을 〈보기〉에서 있는 대로 고른 것은?

(단위 : %)

구분	갑국 1995년	갑국 2015년	을국 1995년	을국 2015년	병국 1995년	병국 2015년
0~14세	15	15	30	20	16	10
15~64세	70	65	56	56	76	62
65세 이상	15	20	14	24	8	28

* 노년 부양비 : (65세 이상 인구/15~64세 인구)×100
** 유소년 부양비 : (0~14세 인구/15~64세 인구)×100
*** 노령화 지수 : (65세 이상 인구/0~14세 인구)×100

┌ 보기 ┐
ㄱ. 노령화 지수가 가장 큰 국가는 1995년에 갑국, 2015년에 병국이다.
ㄴ. 1995년 대비 2015년에 갑국~병국 모두 노년 부양비가 증가하였다.
ㄷ. 1995년 대비 2015년 을국과 달리 병국의 15~64세 인구 수는 감소하였다.
ㄹ. 1995년 대비 2015년에 갑국~병국 모두 유소년 부양비가 감소하였다.

① ㄱ, ㄴ   ② ㄱ, ㄷ   ③ ㄷ, ㄹ
④ ㄱ, ㄴ, ㄹ   ⑤ ㄴ, ㄷ, ㄹ

05

표는 갑국의 인구 관련 지표를 나타낸 것이다. 이에 대한 옳은 분석 및 추론을 〈보기〉에서 고른 것은? (단, 제시된 연도에 갑국의 15~64세 인구는 변동이 없다.)

(단위: 명, %)

구분	2005년	2015년	2025년
합계 출산율(명)	1.23	1.2	1.05
유소년 부양비(%)	30	20	10
노년 부양비(%)	10	12	20

* 합계 출산율 : 여성 1명이 가임 기간(15~49세)동안 낳을 것으로 예상되는 평균 출생아 수
** 유소년 부양비 : (0~14세 인구/15~64세 인구)×100
*** 노년 부양비 : (65세 이상 인구/15~64세 인구)×100
**** 2025년은 추정치임

보기

ㄱ. 일과 가정 양립을 위한 지원이 감소할 것이다.
ㄴ. 2005년에는 0~14세 인구 30명을 부양하는데 15~64세 인구는 100명이 필요하다.
ㄷ. 0~14세 인구 1명당 65세 이상 인구의 수는 2025년이 2015년보다 많다.
ㄹ. 전체 인구 중 65세 이상 인구가 차지하는 비율은 2025년이 2005년의 2배이다.

① ㄱ, ㄴ ② ㄱ, ㄷ ③ ㄴ, ㄷ ④ ㄴ, ㄹ ⑤ ㄷ, ㄹ

06

다문화 정책을 설명하는 (가), (나)에 대한 옳은 진술만을 〈보기〉에서 있는 대로 고른 것은?

(가)	(나)
무지개처럼 각각의 색깔을 인정해 조화를 이루어 내는 것이 인위적으로 하나의 색으로 통합하는 것보다 낫다고 보고, 한 그릇 안에 다양한 야채가 들어 있는 샐러드 볼(Salad Bowl)처럼 이주민들의 문화에 대한 인정과 공존을 추구한다.	금, 철, 구리 등 서로 다른 여러 금속을 용광로(Melting Pot)에 넣으면 모두 녹아 하나가 되는 것처럼 이주민들의 문화를 주류 사회의 문화와 가치에 완전히 동화시키려고 한다.

보기

ㄱ. (가)는 이주민을 통합의 주체로 인식한다.
ㄴ. 자국민들에게 이주민 문화 체험 학습 프로그램을 진행하는 것은 (가)와 관련된 정책이다.
ㄷ. (가)는 (나)에 비해 문화적 다양성 확보에 유리하다.
ㄹ. (나)는 (가)와 달리 문화 상대주의적 태도를 바탕으로 한다.

① ㄱ, ㄴ ② ㄱ, ㄹ ③ ㄴ, ㄷ
④ ㄱ, ㄴ, ㄷ ⑤ ㄴ, ㄷ, ㄹ

07

다음은 어느 학생이 작성한 연구 보고서 개요 중 일부이다. 이에 대한 옳은 설명만을 〈보기〉에서 있는 대로 고른 것은?

주제 : 전 지구적 차원의 문제와 그 해결 방안

Ⅰ. 서론 : 현대 사회의 변동 흐름과 전 지구적 문제 해결의 중요성
Ⅱ. 본론
 1. 실태 :   (가)
 2. 원인 :   (나)
 3. 해결 방안 :   (다)
Ⅲ. 결론 : (라) 지속 가능한 발전을 포함한 다양한 방안의 효과와 향후 과제 제시

보기

ㄱ. (가)에는 '식량 및 에너지 자원 부족 문제'는 들어갈 수 있으나 '전쟁과 테러 문제'는 해당되지 않는다.
ㄴ. (가)가 '사막화 현상 심화'라면, (나)에는 '삼림의 남벌과 농경지의 과잉 개발'이 들어갈 수 있다.
ㄷ. (가)가 '지구 온난화 심화'라면, (다)에는 '국제 사회의 유기적인 협력 체계 구축 필요'가 들어갈 수 있다.
ㄹ. (라)는 인간과 자연을 이분법적으로 사고하는 방식을 중시한다.

① ㄱ, ㄷ ② ㄱ, ㄹ ③ ㄴ, ㄷ
④ ㄱ, ㄴ, ㄹ ⑤ ㄴ, ㄷ, ㄹ

08

다음 수업 자료에 대해 바르게 설명한 학생을 〈보기〉에서 고른 것은?

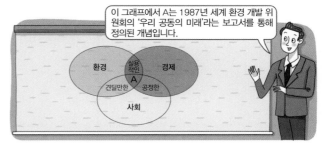

이 그래프에서 A는 1987년 세계 환경 개발 위원회의 '우리 공동의 미래'라는 보고서를 통해 정의된 개념입니다.

보기

ㄱ. 갑 : A는 미래 세대가 아닌 현재 세대의 필요를 충족시키는 발전 방식이야.
ㄴ. 을 : A는 전 지구적 차원의 협력보다는 자국의 이익 추구를 우선시하는 방식이라 볼 수 있어.
ㄷ. 병 : A는 환경과 경제의 조화를 넘어 사회적 형평성까지 고려한 발전 방식이야.
ㄹ. 정 : 재활용할 수 있는 제품을 설계하는 것도 A의 실천 사례라 볼 수 있어.

① ㄱ, ㄴ ② ㄱ, ㄷ ③ ㄴ, ㄷ ④ ㄴ, ㄹ ⑤ ㄷ, ㄹ

사회탐구 영역(사회·문화)

성명 [   ]   수험 번호 [   ] – [   ]

1. 밑줄 친 ㉠~㉣과 같은 현상의 일반적인 특징에 대한 질문에 모두 옳게 응답한 학생은?

㉠ 시베리아 영구 동토층의 토양 샘플에서 선충 2종이 발견되었는데 ㉡ 섭씨 20도 정도 온도에서 수 주 동안 관찰한 결과, ㉢ 생명 반응이 점차 나타나더니 움직이고 먹이 활동까지 했다고 한다. 선충이 어떻게 4만여 년의 동면을 깨고 소생할 수 있었는지는 앞으로 추가적인 연구가 필요한 상황이다. 이를 규명하면 ㉣ 극저온 냉동 상태를 이용한 의학이나 생물학, 우주 생물학 등 많은 분야에서 응용이 가능할 것으로 보인다.

질문 \ 학생	갑	을	병	정	무
㉠과 같은 현상은 존재 법칙을 따르는가?	×	×	○	○	○
㉡과 같은 현상은 경험적 자료를 바탕으로 연구할 수 있는가?	×	○	×	○	○
㉢과 같은 현상은 인간의 가치가 반영되어 나타나는가?	○	○	×	×	○
㉣과 같은 현상은 같은 조건 하에서는 항상 동일한 결과가 발생하는가?	×	○	○	×	○

(○ : 예, × : 아니요)

① 갑　② 을　③ 병　④ 정　⑤ 무

2. 그림은 개인과 사회의 관계를 바라보는 관점 A, B를 구분한 것이다. 이에 대한 옳은 설명만을 〈보기〉에서 있는 대로 고른 것은? (단, A와 B는 사회 명목론, 사회 실재론 중 하나이다.) [3점]

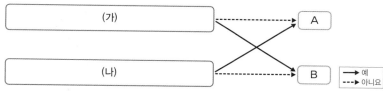

---보기---
ㄱ. (가)가 '사회는 개인들의 총합 그 이상인가?'라면 A는 사회 구조의 불가 항력성보다는 개인의 주체성을 중시한다.
ㄴ. (나)가 '사회가 개인으로 환원될 수 있는가?'라면 B는 A와 달리 사회 문제의 해결 방법으로 개인의 의식 개선을 중시한다.
ㄷ. A 관점이 사회는 개인들 간의 자유로운 계약에 의해 존재한다고 보는 사상과 맥락을 같이 한다면 (가)에는 '개인의 이익보다 사회의 이익을 우선하는가?'가 들어갈 수 있다.
ㄹ. B 관점이 사회를 하나의 유기체로 바라보는 사상과 맥락을 같이한다면 (나)에는 '사회 현상을 분석할 때 개인의 특성 파악 과정을 중시하는가?'가 들어갈 수 있다.

① ㄱ, ㄴ　② ㄱ, ㄷ　③ ㄴ, ㄹ
④ ㄱ, ㄷ, ㄹ　⑤ ㄴ, ㄷ, ㄹ

3. 밑줄 친 ㉠~㉤에 대한 옳은 설명을 〈보기〉에서 고른 것은?

연구자 갑은 청소년의 ㉠ 봉사 활동 참여도와 ㉡ 자아 존중감 사이의 관계를 연구하였다. 이를 위해 갑은 가설을 세운 후, 전국에서 중·고등학생 1,000명을 ㉢ 무작위로 추출하고 이들의 ㉣ 봉사 활동 시간, 봉사 활동의 진정성, 봉사 활동 횟수 등을 지수화하여 ㉤ 자료를 수집하였다. 수집된 자료의 분석 결과 봉사 활동 참여도가 높은 청소년일수록 자아 존중감이 높다는 유의미한 결과를 얻었다.

---보기---
ㄱ. ㉠은 독립 변수, ㉡은 종속 변수이다.
ㄴ. ㉢으로 인해 표본의 대표성이 확보되었다.
ㄷ. ㉣은 ㉠을 조작적으로 정의한 것이다.
ㄹ. ㉤은 가설 검증을 위해 필요한 2차 자료이다.

① ㄱ, ㄴ　② ㄱ, ㄷ　③ ㄴ, ㄷ　④ ㄴ, ㄹ　⑤ ㄷ, ㄹ

4. A~C 문화의 일반적인 특징에 대한 설명으로 옳지 않은 것은?

한 사회 구성원들이 전반적으로 공유하는 문화를 A 문화라고 한다. 반면 사회의 일부 구성원들만 공유하여 다른 구성원들과 구분되는 생활 양식을 B 문화라고 한다. B 문화는 이를 공유하는 구성원들의 정체성 형성에 기여하는 문화로서 그들에게 중요한 삶의 양식이 된다. B 문화 중에는 그 사회의 지배 문화에 저항하거나 대립하는 문화가 있는데, 이를 C 문화라고 한다.

① A 문화는 B 문화의 총합으로 설명할 수 없다.
② B 문화는 구성원 간의 연대 의식을 강화시킨다.
③ B 문화에는 A 문화의 문화 요소가 존재할 수 있다.
④ C 문화에 대한 규정은 시대와 장소에 따라 달라질 수 있다.
⑤ C 문화와 달리 B 문화는 사회 변화에 따라 A 문화가 되기도 한다.

5. 빈곤의 유형 A, B에 대한 설명으로 옳은 것은?

사회학자들은 빈곤을 두 가지 유형으로 구분한다. A는 최저 생활이라는 관념에 근거를 두고 있다. 사회적 생존에 필요한 기본적인 재화의 가격, 즉 최저 생계비에 근거해 빈곤선을 결정하는 것이다. 이 빈곤선보다 수입이 낮은 사람이나 가구를 빈곤 상태에 있다고 말한다. B는 다른 사람의 소득과 비교한 것인데, 대체로 중위 소득의 50% 미만의 사람이나 가구를 빈곤 상태로 정의한다.

① A의 기준선은 모든 사회에서 동일하게 나타난다.
② 후진국과 달리 선진국에서는 B가 문제되지 않는다.
③ A에 따른 빈곤율이 높아지면 B에 따른 빈곤율도 높아진다.
④ A와 B는 모두 객관적인 기준에 의해 분류되는 빈곤의 유형이다.
⑤ 최저 생계비와 중위 소득이 같을 경우 A와 B에 해당하는 빈곤층은 같다.

6. 사회 변동의 방향을 바라보는 밑줄 친 학자의 관점에 대한 질문에 옳게 응답한 학생은?

> 로스토우의 경제 발전 5단계설에 따르면, 모든 사회는 5단계를 거쳐 진보한다. 1단계는 전통 사회 단계, 2단계는 도약 준비 단계, 3단계는 도약 단계, 4단계는 성숙 단계, 5단계는 고도 대중 소비 단계이다. 이 다섯 단계를 거치며 모든 사회의 자본주의가 발전한다는 것이 로스토우의 주장이다.

질문 \ 학생	갑	을	병	정	무
다양한 경로의 사회 변동 양상을 설명할 수 있는가?	×	×	○	×	○
서구의 자문화 중심주의적 태도를 반영한 이론인가?	○	×	×	○	×
중·단기적인 사회 변동 과정을 설명하기 어려운가?	○	×	×	×	○
사회 변동은 곧 발전을 의미한다고 보는가?	×	○	○	○	○

(○:예, ×:아니요)

① 갑 　② 을 　③ 병 　④ 정 　⑤ 무

7. 표는 자료 수집 방법 A~D를 구분한 것이다. 이에 대한 설명으로 옳은 것은? (단, A~D는 각각 면접법, 실험법, 질문지법, 참여 관찰법 중 하나이다.) [3점]

구분	A	B	C	D
양적 자료를 수집하는 방법인가?	예	예	아니요	아니요
(가)	아니요	예	예	아니요

① (가)는 '인위적으로 통제된 상황에서 변수의 효과를 관찰하는 방법인가?'가 적절하다.
② (가)가 '언어적 상호 작용에 의한 자료 수집이 필수적인가?'라면 B는 질문지법이다.
③ (가)가 '자료 수집 시 연구 대상자의 응답이 필수 요건인가?'라면 A는 참여 관찰법, D는 실험법이다.
④ A가 질문지법이라면 (가)는 '다수를 대상으로 한 자료 수집에 주로 사용되는가?'가 적절하다.
⑤ C가 참여 관찰법이라면 (가)는 '연구자가 현상이 실제로 발생한 현지에 가서 연구해야 하는가?'가 적절하다.

8. 밑줄 친 ⊙~ⓐ에 대한 설명으로 옳은 것은?

> 평소 노래를 좋아하여 ⊙ 가수가 되고 싶었던 ⓒ 장남인 갑은 ⓒ 아버지의 갑작스런 사업 부도로 인해 경제적으로 어려워지면서 ⓔ 대학 진학을 포기하고 ⓜ 통신 회사에 입사하였다. 하지만, ⓑ 회사 생활에 만족하지 못하면서 회사를 계속 다닐지 가수를 준비할지 고민하였다. 결국 갑은 ⓐ 학원을 다니며 꾸준히 노래 실력을 쌓았고 TV 오디션 프로그램에 지원하였다.

① ⊙은 갑의 내집단이자 준거 집단이다.
② ⊙은 ⓒ, ⓒ과 달리 후천적으로 주어지는 지위이다.
③ ⓔ과 ⓜ은 모두 2차적 사회화 기관에 해당한다.
④ ⓑ은 갑의 역할 갈등에 해당한다.
⑤ ⓐ에서 갑은 비공식적 사회화 기관에서 재사회화를 하고 있다.

9. 갑, 을이 가진 문화 연구의 관점에 대한 옳은 설명을 〈보기〉에서 고른 것은? [3점]

> • 입시 문화를 연구하던 갑은 한국과 중국의 대학 입시 문화를 조사했다. 두 나라 모두 대학 입시에 온 국민이 열광하는 것, 시험을 치르는 친지를 격려하는 것은 비슷했다. 그러나 입시 문제 자체는 상당히 달랐다. 중국은 고전의 내용을 암기해야 풀 수 있는 문제가 많았지만, 한국은 교과서 내용과는 별도로 기출 문제를 연습해야 풀 수 있는 문제가 많았다.
>
> • 음식 문화를 연구하던 을은 일본의 젓가락이 길이가 짧고 뾰족한 것에 주목했다. 이유를 알아보니 일본은 섬 지방이기 때문에 생선이 많이 잡히고 생선에는 가시가 많아서 그것을 발라내기 위한 것이었다. 또한 가시가 있나 없나를 살피다 보니 작고 정밀한 부분에 관심을 갖게 되었고, 이러한 습관은 물건을 만드는 데에도 이어져 작고 정밀한 물건을 잘 만드는 기술을 가지게 되었다는 결론에 도달하였다.

〈보기〉
ㄱ. 갑의 관점은 서로 다른 문화 간의 공통점과 차이점을 파악하고자 한다.
ㄴ. 을의 관점은 다양한 문화 요소를 전체적인 맥락에서 이해하고자 한다.
ㄷ. 갑의 관점은 을의 관점과 달리 문화 요소 간의 상호 연관성을 중시한다.
ㄹ. 을의 관점은 갑의 관점과 달리 자문화를 객관적으로 인식하는 데 효과적이다.

① ㄱ, ㄴ 　　② ㄱ, ㄷ 　　③ ㄴ, ㄷ
④ ㄴ, ㄹ 　　⑤ ㄷ, ㄹ

10. 다음은 고등학생 갑의 여름 방학 계획표의 일부이다. 밑줄 친 ⊙~ⓑ에 대한 옳은 설명만을 〈보기〉에서 있는 대로 고른 것은? [3점]

구분	월	화	수	목	금	토
오전	⊙ 학교 방과 후 수업 수강					운동
오후	ⓒ 교내 자율 댄스 동아리 모임 참석 및 공연 연습					ⓜ 청소년 봉사 단체의 독거 노인 봉사 활동 참가
	ⓒ 미술 학원 실기 연습					
저녁	ⓔ 시민 단체가 주관한 기아 빈곤 퇴치 모금회 참가					ⓑ 가족과 영화 관람 및 식사

〈보기〉
ㄱ. ⊙과 ⓒ은 구성원들의 선택 의지에 의해 형성된 자발적 결사체이다.
ㄴ. ⊙, ⓒ, ⓔ은 ⓒ과 달리 과업 지향적인 사회 집단이다.
ㄷ. ⓒ, ⓔ, ⓜ은 ⊙, ⓑ과 달리 구성원의 가입과 탈퇴가 자유롭다.
ㄹ. ⓔ, ⓜ은 모두 친밀감을 바탕으로 형성된 2차 집단이다.

① ㄱ, ㄴ 　　② ㄱ, ㄹ 　　③ ㄴ, ㄷ
④ ㄱ, ㄷ, ㄹ 　　⑤ ㄴ, ㄷ, ㄹ

11. (가), (나)는 사회 불평등 현상을 설명하는 이론을 나타낸다. 이에 대한 옳은 설명을 〈보기〉에서 고른 것은? [3점]

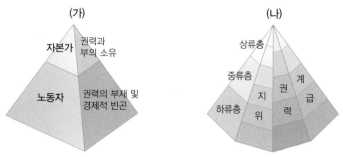

(가)

자본가 — 권력과 부의 소유

노동자 — 권력의 부재 및 경제적 빈곤

(나)

상류층
중류층
하류층
지위 권력 계급

━ 보기 ━
ㄱ. (가)는 사회 불평등 현상을 범주화하여 이해한다.
ㄴ. (나)는 동일 계층에 속한 사람들의 강한 귀속 의식을 강조한다.
ㄷ. (나)는 (가)에 비해 지위 불일치 현상을 설명하는 데 유리하다.
ㄹ. (가)와 (나)는 모두 경제적 요인이 사회 불평등의 원인이라고 본다.

① ㄱ, ㄴ   ② ㄱ, ㄷ   ③ ㄴ, ㄷ
④ ㄴ, ㄹ   ⑤ ㄷ, ㄹ

12. 대중 매체 A~C에 대한 설명으로 옳은 것은? (단, A~C는 각각 신문, 텔레비전, 누리 소통망 중 하나이다.)

• A는 B보다 정보의 복제와 재가공이 어렵다.
• B는 C보다 쌍방향적 정보 전달이 용이하다.
• C는 A보다 정보 전달의 속도가 느리다.

① A는 정보 확산 경로가 다양하다.
② B는 정보 이용자 간 상호 작용성이 뛰어나다.
③ C는 정보의 동시적 전달에 유리하다.
④ C에 비해 B는 깊이 있는 정보의 전달에 용이하다.
⑤ B에 비해 C는 정보 생산자와 소비자 간의 경계가 모호하다.

13. 표는 일탈 이론 A~C을 비교한 것이다. 이에 대한 설명으로 옳은 것은? (단, A~C는 각각 아노미 이론, 차별 교제 이론, 낙인 이론 중 하나이다.)

질문 　　　　　　　　　　 이론	A	B	C
(가)	아니요	예	아니요
일탈 행동의 원인을 거시적 관점에서 찾고 있는가?	예	아니요	아니요
(나)	㉠	㉡	㉢

① A는 일탈 행동이 불평등한 사회 구조에 기인한다고 본다.
② B, C와 달리 A는 범죄자가 되는 내면적 과정에 초점을 맞춘다.
③ (가)가 '2차적 일탈을 중시하는가?'라면 A와 달리 B는 일탈 행동의 객관적인 기준이 없다고 본다.
④ (가)가 '일탈 행동의 해결 방안으로 정상 집단과의 교류 강화를 중시하는가?'라면 C는 B와 달리 일탈 행동이 발생하는 상호 과정을 중시한다.
⑤ (나)가 '일탈 행동의 원인으로 사회 규범의 부재를 강조하는가?'라면 ㉠과 ㉡은 '예', ㉢은 '아니요'가 들어간다.

14. 다음 자료는 갑국의 노년 부양비와 유소년 부양비를 표로 나타낸 것이다. 이에 대한 옳은 분석을 〈보기〉에서 고른 것은? [3점]

(단위 : %)

연도	2010	2012	2014	2016	2018
노년 부양비	14.8	15.6	16.8	18.0	19.6
유소년 부양비	22.0	20.6	19.4	18.2	17.8

(통계청, 2018 장래 인구 추계)

* 노년 부양비 = 생산 가능 인구(15~64세)에 대한 노인 인구(65세 이상)의 비율
** 유소년 부양비 = 생산 가능 인구(15~64세)에 대한 유소년 인구(0~14세)의 비율
*** 총부양비 = 생산 가능 인구(15~64세)에 대한 유소년 인구(0~14세)와 노인 인구(65세 이상)의 합의 비율

━ 보기 ━
ㄱ. 2010년에는 생산 가능 인구 1명 당 유소년 인구 22명을 부양하였다.
ㄴ. 2010년에서 2018년까지는 5명 이상의 생산 가능 인구가 노인 인구 1명을 부양하였다.
ㄷ. 2016년의 총부양비는 36.2%이다.
ㄹ. 노년 부양비의 증가로 2010년에서 2018년까지 총부양비는 지속적으로 증가하였다.

① ㄱ, ㄴ   ② ㄱ, ㄷ   ③ ㄴ, ㄷ
④ ㄴ, ㄹ   ⑤ ㄷ, ㄹ

15. 갑, 을이 강조하는 연구 윤리에 대한 옳은 설명을 〈보기〉에서 고른 것은?

연구자는 연구 대상자의 사생활을 보호하고, 수집한 자료를 활용하기 전에 연구 대상자의 자발적인 동의를 얻어야 합니다.

연구자는 정직한 방법으로 자료를 수집해야 하며, 의도한 결론을 이끌어 내기 위해 자료를 왜곡하여 분석해서는 안 됩니다.

갑   을

━ 보기 ━
ㄱ. 연구 결과를 영리 목적으로 사용하는 것은 갑이 강조하는 연구 윤리에 어긋난다.
ㄴ. 연구 대상자에게 연구 참여에 대한 동의를 받지 않는 것은 갑이 강조하는 연구 윤리에 어긋난다.
ㄷ. 연구 의뢰자의 지시가 있더라도 자료를 조작하여 분석하는 것은 을이 강조하는 연구 윤리에 어긋난다.
ㄹ. 갑은 연구 결과의 활용과 관련해서, 을은 연구 대상자와 관련하여 지켜야 할 연구 윤리를 강조하고 있다.

① ㄱ, ㄴ   ② ㄱ, ㄷ   ③ ㄴ, ㄷ
④ ㄴ, ㄹ   ⑤ ㄷ, ㄹ

16. 사회 변동을 바라보는 갑, 을의 관점에 대한 설명으로 옳은 것은?
[3점]

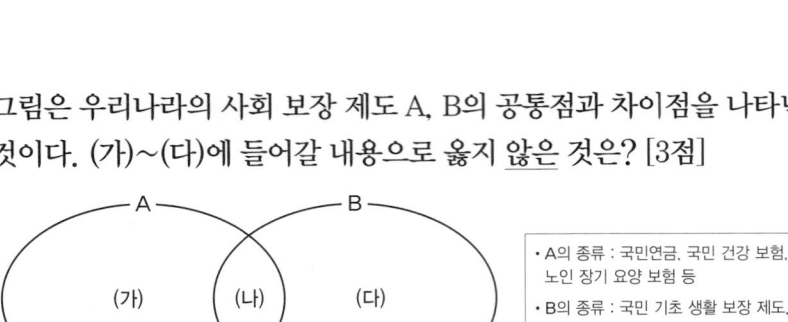

> 갑: 지배 계급은 기존의 사회 질서를 유지하려는 반면, 피지배 계급은 그에 저항하는 과정에서 불안과 갈등이 표출되어 사회가 변동하는 거야.

> 을: 사회에는 항상성이 있어 균형을 깨뜨리는 힘이 작용하면 새로운 균형을 찾아가는 방향으로 사회가 변화하는데 그 과정에서 사회 변동이 발생하는 거야.

① 갑의 관점은 점진적 사회 변동을 설명하기에 용이하다.
② 갑의 관점은 을의 관점과 달리 사회 변동을 구조적으로 설명한다.
③ 을의 관점은 급진적인 사회 변동 과정을 설명하기 어렵다.
④ 을의 관점은 갈등과 대립을 지나치게 강조한다는 한계를 지닌다.
⑤ 갑, 을의 관점 모두 사회가 단선적으로 진보한다고 본다.

17. 그림은 문화 변동의 요인을 구분한 것이다. A~C에 대한 설명으로 옳은 것은? (단, A~C는 각각 발명, 간접 전파, 자극 전파 중 하나이다.)

```
[문화 변동의 내재적 요인인가?] ----→ A
[외부 문화에서 아이디어를 얻어
새로운 문화를 만들었는가?] ----→ B
                              ----→ C
→ 예   ---→ 아니요
```

① 인터넷을 통한 한류의 확산은 A의 사례에 해당한다.
② B의 사례로 외국인 선교사에 의해 외래 종교가 전래된 것을 들 수 있다.
③ 태권도가 우리나라에서 처음 만들어진 것은 C의 사례에 해당한다.
④ 상호 인적 교류가 없는 지역 간에는 A, B를 통한 문화 변동이 이루어질 수 없다.
⑤ A~C는 모두 자문화의 정체성이 약화될 때 나타나는 현상이다.

18. 그림은 우리나라의 사회 보장 제도 A, B의 공통점과 차이점을 나타낸 것이다. (가)~(다)에 들어갈 내용으로 옳지 않은 것은? [3점]

```
   A            B
 (가)  (나)  (다)
```
• A의 종류 : 국민연금, 국민 건강 보험, 노인 장기 요양 보험 등
• B의 종류 : 국민 기초 생활 보장 제도, 의료 급여, 기초 연금 등

① (가) – 상호 부조의 원리가 적용된다.
② (가) – 누구나 동일한 보험료를 부담한다.
③ (나) – 소득 재분배 효과가 있다.
④ (나) – 금전적 지원을 원칙으로 한다.
⑤ (다) – 수혜자는 비용을 부담하지 않는다.

19. (가), (나)를 읽고 공통적으로 도출할 수 있는 내용을 〈보기〉에서 고른 것은? [3점]

> (가) 람사 협약의 정식 명칭은 '물새 서식처로서 국제적으로 중요한 습지의 보전에 관한 국제 협약'이다. 1971년 이란의 람사에서 채택된 습지에 관한 협약으로 자연 자원을 보전하고 현명하게 이용하기 위해 맺게 된 최초의 국제적인 정부 간 협약이다. 협약은 국경을 넘어 이동하는 물새를 국제 자원으로 규정하고 가입국에 습지를 보전하는 정책을 펴도록 의무화하고 있다.

> (나) 파리 기후 협정은 2015년 12월 12일 파리에서 열린 제21차 국제 연합(UN) 기후 변화 협약 본회의에서 195개 당사국이 채택한 협정이다. 산업화 이전 수준 대비 지구 평균 온도가 2℃이상 상승하지 않도록 온실가스 배출량을 단계적으로 감축하는 내용을 담고 있다.

〈보기〉
ㄱ. 전 지구적 문제의 해결 주체는 당사국으로 한정된다.
ㄴ. 전 지구적 문제의 해결은 국제적 공조를 필요로 한다.
ㄷ. 미래의 필요보다는 현재의 필요 충족을 극대화하기 위한 조치이다.
ㄹ. 한 국가의 구성원이 아닌 세계 시민으로서 전 지구적 문제에 접근하고 있다.

① ㄱ, ㄴ　　② ㄱ, ㄷ　　③ ㄴ, ㄷ
④ ㄴ, ㄹ　　⑤ ㄷ, ㄹ

20. 표는 성인 자녀 1명을 둔 가구주 100명을 대상으로 부모의 계층 대비 자녀의 계층 구성비를 조사한 것이다. 이에 대한 분석으로 옳은 것은? [3점]

부모 계층	상층(10명)			중층(30명)			하층(60명)		
자녀 계층 구성 비율	상층 (70%)	중층 (20%)	하층 (10%)	상층 (10%)	중층 (60%)	하층 (30%)	상층 (10%)	중층 (40%)	하층 (50%)

① 세대 간 상승 이동보다 하강 이동이 많다.
② 부모 세대 계층 대비 계층 세습 비율은 상층이 가장 높다.
③ 하층 대비 상층의 비율은 부모 세대가 자녀 세대보다 높다.
④ 중층 부모를 둔 하층 자녀는 중층 부모를 둔 상층 자녀의 4배이다.
⑤ 부모 세대의 계층 구조는 자녀 세대의 계층 구조에 비해 사회 통합에 유리하다.

※ 확인 사항
○ 답안지의 해당란에 필요한 내용을 정확히 기입(표기)했는지 확인하시오.

1. 밑줄 친 ㉠~㉣과 같은 현상의 일반적인 특징에 대한 설명으로 옳은 것은?

> 본격적인 피서가 시작된 이번 주말과 다음 주말까지 ㉠ 많은 인파가 해수욕장으로 몰릴 것으로 예상된다. 기상청 관계자는 내륙은 ㉡ 불안정한 기압골로 인해 오후에 소나기가 내려 기온이 일시적으로 떨어질 수 있으나 지속시간이 짧아 무더위를 식히기에는 역부족일 것이라며 연일 폭염으로 ㉢ 온열 질환자 발생 우려가 큰 만큼 ㉣ 건강 관리에 유의해야 한다고 당부했다.

① ㉠과 같은 현상은 특수성보다 보편성이 강조된다.
② ㉡과 같은 현상은 당위 법칙의 지배를 받는다.
③ ㉢과 같은 현상은 인간의 가치와 무관하게 나타난다.
④ ㉣과 같은 현상은 확률의 원리가 적용된다.
⑤ ㉠과 같은 현상은 ㉡과 같은 현상에 비해 인과 관계가 명확하다.

2. 다음 글에 나타난 사회·문화 현상을 보는 관점에 대한 설명으로 옳은 것은? [3점]

> 자동차를 살펴보면 엔진, 바퀴, 브레이크, 변속기 등과 기타 부품으로 이루어져 있다. 이 부품들 각각은 전체를 위한 하나의 기능을 한다. 이런 모든 부품이 함께 하나의 체계로 작동함으로써 자동차는 움직일 수 있는 것이다. 이는 사회에도 그대로 적용될 수 있다.

① 사회는 스스로 균형을 유지하려는 속성이 있다고 본다.
② 희소가치를 둘러싼 집단 간 이해관계의 대립을 강조한다.
③ 사회 변동을 위해서는 집단 간 갈등이 불가피하다고 본다.
④ 사회 규범은 특정 집단의 이해관계를 반영하고 있다고 본다.
⑤ 사회적 행위자의 능동적 사고와 자율적 행위의 측면을 강조한다.

3. A~C에 대한 설명으로 옳은 것은? (단, A~C는 각각 가족, 대학, 회사 중 하나이다.)

구분	A	B	C
기초적 수준의 사회화를 담당하는가?	아니요	예	아니요
사회화를 목적으로 설립되었는가?	예	아니요	아니요
(가)	㉠	㉡	㉢

① A와 달리 C는 공식적 사회화 기관에 해당한다.
② B는 A와 C에 비해 수단적이고 간접적인 접촉이 지배적이다.
③ C는 A, B와 달리 전문적 지식과 기능의 사회화를 담당한다.
④ ㉠, ㉢이 '예', ㉡이 '아니요'라면, (가)에는 '구성원의 본질 의지에 의해 형성된 집단인가?'가 들어갈 수 있다.
⑤ (가)가 '자발적 결사체인가?'라면, ㉠~㉢에는 모두 '아니요'가 들어간다.

4. 일탈 이론 A~C에 대한 설명으로 옳은 것은? (단, A~C는 각각 아노미 이론, 낙인 이론, 차별 교제 이론 중 하나이다.)

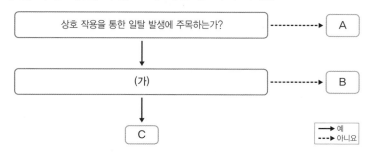

① A는 차별적인 제재가 일탈 행동의 원인이라고 본다.
② A는 일탈 행동의 해결 방법으로 정상적인 사회 집단과의 교류 강화를 강조한다.
③ A와 B는 거시적 관점, C는 미시적 관점에서 일탈의 원인을 찾고 있다.
④ (가)가 '일탈 행동을 규정하는 객관적 기준이 존재하는가?'라면 A와 달리 C는 일탈 행동의 원인으로 사회 규범의 부재를 강조한다.
⑤ (가)가 '일탈자와의 상호 작용을 통한 학습 과정을 중시하는가?'라면 B는 C와 달리 일탈 행동 자체보다 일탈 행동에 대한 사회적 반응을 중시한다.

5. 다음 글을 읽고 바르게 비판한 학생을 <보기>에서 고른 것은? [3점]

> 세계화는 국가 간의 상호 의존성이 증대되고 세계가 하나로 통합되는 현상을 말한다. 정치적으로는 민주주의 이외의 다양한 정치 체제가 공존하고, 경제적으로는 전 세계의 시장이 통합되면서 자유 무역이 확대되는 양상을 보인다. 사회적으로는 비정부 기구를 비롯한 다양한 자발적 결사체들이 행위 주체로 등장하고, 문화적으로는 세계 각 지역 생활 양식의 교류가 활발해진다.

> ─ 보기 ─
> 갑 : 세계화로 인해 세계가 하나로 통합되는 것은 맞지만 국경의 의미가 강화되고 국가 간의 상호 의존성은 낮아지고 있어.
> 을 : 정치적으로 민주주의 이외의 다양한 정치 체제가 공존하는 것이 아니라, 민주주의가 보편적 정치 체제로 확산되는 현상이 나타나고 있어.
> 병 : 경제적으로 세계 시장이 통합되는 것이 아니라 보다 다양하게 분화된 시장이 나타나고 있어.
> 정 : 비정부 기구가 중요한 행위 주체로 등장하는 것은 맞지만 자발적 결사체는 감소하는 양상이 나타나고 있어.
> 무 : 세계화로 인해 자문화의 정체성을 지키려는 노력을 하면서 오히려 교류가 감소해.

① 갑　　② 을　　③ 병　　④ 정　　⑤ 무

6. 그림은 사회 조직의 운영 방식 A, B를 비교한 것이다. 이에 대한 옳은 설명만을 〈보기〉에서 있는 대로 고른 것은? (단, A, B는 각각 관료제, 탈관료제 중 하나이다.) [3점]

```
        (가)
A  ←---→  (나)  ←---→  B
        (다)
              → 예
              --→ 아니요
```

─〈보기〉─
ㄱ. (가)가 '조직 운영에서 안정성보다 유연성을 중시하는가?'라면 A는 B에 비해 경력보다 업무 성과에 따른 보상을 강조한다.
ㄴ. (가)가 '의사 결정 권한의 분산보다 집중을 중시하는가?'라면 B는 A에 비해 정보 사회에 더 적합한 조직이다.
ㄷ. (나)가 '업무의 표준화 과정을 중시하는가?'라면 B에서는 A와 달리 공식적 통제 방식으로 갈등을 해결한다.
ㄹ. (다)에는 '조직 운영의 효율성을 추구하는가?'가 들어갈 수 있다.

① ㄱ, ㄴ   ② ㄱ, ㄷ   ③ ㄷ, ㄹ
④ ㄱ, ㄴ, ㄹ   ⑤ ㄴ, ㄷ, ㄹ

7. 다음 글에 나타난 사회 불평등 현상을 보는 관점에 부합하는 진술에 모두 옳게 응답한 학생은? [3점]

> 누군가가 재능을 타고났더라도 갈고닦을 기회가 주어지지 않으면 재능은 묻히기 마련이다. 그런데 현실적으로 모든 사람이 재능을 계발할 기회를 동등하게 누리는 것이 아니라, 부유한 집안의 자녀가 가난한 집안의 자녀보다 그럴 기회가 많다. 즉, 개인이 재능을 계발하여 발휘할 수 있느냐는 부모의 계층적 위치에 따라 결정된다.

질문＼학생	갑	을	병	정	무
사회 불평등은 필수 불가결하지 않다.	×	×	○	○	○
직업 간에는 기능적 중요성의 차이가 있다.	×	○	×	○	○
차등 분배에 대한 기대가 성취 수준의 향상에 기여한다.	○	○	×	○	○
사회의 일부 구성원만이 사회적 가치를 배분하는 기준에 합의하였다.	×	○	○	×	○

(○ : 예, × : 아니요)

① 갑   ② 을   ③ 병   ④ 정   ⑤ 무

8. 문화 변동의 양상 (가)~(다)에 대한 설명으로 옳은 것은? [3점]

문화 변동 양상	사례
(가)	외국의 형벌 제도가 도입되면서 기존의 무자비한 형벌은 없어졌다.
(나)	우리 사회에 천주교, 개신교, 불교 등 여러 종교가 함께 존재하고 있다.
(다)	서양식 침대와 온돌의 따스함이 결합된 온돌 침대가 인기를 얻고 있다.

① (가)는 강제적 문화 접변에 의해서만 나타난다.
② (나)는 문화 사대주의가 강할 때 주로 나타난다.
③ (다)에서는 고유문화의 정체성을 상실할 우려가 크다.
④ (가)보다 (나)에서 문화 지체 현상이 발생할 가능성이 크다.
⑤ (나)와 (다)의 구분 기준은 새로운 문화 요소의 생성 여부이다.

9. 갑, 을이 지닌 개인과 사회의 관계를 바라보는 관점에 대한 설명으로 옳은 것은?

① 갑의 관점은 전체가 개인의 총합이라고 본다.
② 을의 관점은 사회 문제 해결을 위한 개인의 의식 개혁을 강조한다.
③ 갑의 관점은 을의 관점과 달리 사회 현상은 개인의 자율적인 의지에 의해 만들어진다고 본다.
④ 을의 관점은 갑의 관점과 달리 개인에 대한 사회 제도의 구속성을 강조한다.
⑤ 갑과 을의 관점은 모두 사회 문제의 원인을 거시적 측면에서 파악하고 있다.

10. 다음 글을 통해 내릴 수 있는 결론으로 가장 적절한 것은? [3점]

> 남녀 차별을 개선하기 위해 헌법에 평등권을 규정하고, 일·가정 양립 지원에 관한 법률을 통해 직장에서의 남녀 차별을 금지하고 있다. 그러나 여성들은 취업에서 외모 지상주의, 승진에서 유리 천장 등의 성차별을 여전히 경험하고 있다. 장애인들 역시 장애인 고용 촉진법이나 차별 금지법이 존재하지만 사회적 편견으로 인해 고용에서 차별을 받고 있다. 한편 우리 사회는 국내에 체류하는 외국인 수가 200만 명을 넘어 본격적인 다문화 사회로의 진입을 눈앞에 두고 있다. 이에 따라 다문화 가족 지원법, 외국인 근로자 고용 등에 관한 법률을 제정하여 시행하고 있지만 여전히 다문화 가족에 대한 편견이나 이주 노동자의 인권 침해가 발생하고 있다.

① 사회적 소수자 우대 정책으로 인한 역차별 문제를 개선해야 한다.
② 사회적 소수자의 범위를 최소한으로 정하여 차별받는 구성원을 줄여야 한다.
③ 사회적 소수자에 대한 교육을 강화하여 사회적 소수자 스스로 자부심을 갖도록 한다.
④ 사회적 소수자 우대 정책을 강화하여 모든 사회생활에서 사회적 소수자가 우대받도록 한다.
⑤ 사회적 소수자에 대한 차별을 해소하기 위해서는 제도 개선뿐만 아니라 의식 개혁도 이루어져야 한다.

11. 사회 보장 제도의 유형 A~C에 대한 옳은 설명을 〈보기〉에서 고른 것은? (단, A~C는 각각 사회 보험, 공공 부조, 사회 서비스 중 하나이다.)

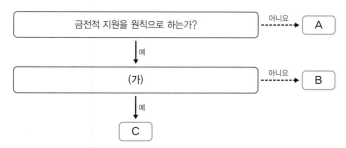

┌─ 보기 ─────────────────────────────────────┐
ㄱ. (가)에는 '소득 재분배 효과가 있는가?'가 들어갈 수 있다.
ㄴ. A는 B, C와 달리 국가의 재정 부담을 증대시킬 우려가 있다.
ㄷ. B가 강제 가입의 원칙이 적용되는 제도라면, C의 예로는 기초 연금이 있다.
ㄹ. (가)가 '사후 처방적 성격이 강한가?'라면, B는 C보다 수혜 대상자의 범위가 넓다.
└──┘

① ㄱ, ㄴ ② ㄱ, ㄷ ③ ㄴ, ㄷ
④ ㄴ, ㄹ ⑤ ㄷ, ㄹ

12. 다음은 현대 사회의 변동 과정을 도식화한 것이다. A에서 B로 변동하는 과정에 대한 설명으로 옳은 것은? [3점]

* 가상 물리 시스템 : 실제의 물리적인 시스템과 가상 공간의 소프트웨어 및 주변 환경을 실시간으로 통합하는 시스템

① 생산 과정에서 기계에 대한 의존도가 점차 낮아진다.
② 산업 분야의 혁명을 거듭할수록 혁명의 주기가 짧아진다.
③ 사회적 관계를 맺는 공간적 범위가 지속적으로 축소된다.
④ 1차 산업 중심 사회에서 2·3차 산업 중심 사회로 변모한다.
⑤ 부가 가치 창출에 있어 노동과 자본의 중요성이 점차 증가한다.

13. 문화 이해의 태도 A~C에 대한 설명으로 옳은 것은? (단, A~C는 각각 문화 사대주의, 문화 상대주의, 자문화 중심주의 중 하나이다.)

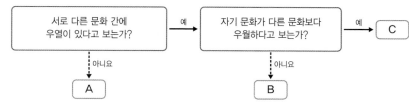

① 외국 브랜드의 맹목적 선호 풍조는 A의 사례이다.
② 연장자에게 악수를 청하는 외국인을 보고 무례하다고 비난하는 것은 B의 사례이다.
③ 외국의 특정 음식에 대해 그들의 생활 양식으로 이해하는 것은 C의 사례이다.
④ A는 극단적 상대주의에, C는 국수주의에 빠질 가능성이 높다는 비판을 받는다.
⑤ A와 달리 B와 C는 문화의 다양성 보존에 기여한다.

14. 갑, 을이 주장하는 연구 방법의 일반적인 특징에 대한 설명으로 옳은 것은? (단, 갑과 을은 각각 양적 연구 방법과 질적 연구 방법 중 하나이다.) [3점]

┌──┐
교사 : 이번 월드컵에서 어느 팀이 우승할 것 같은지 지난 시간에 배운 사회·문화 현상의 연구 방법과 관련지어 이야기해 볼까요?
갑 : A팀이 우승할 것 같아요. A팀의 승률이 85%이고, 예선전 때에도 가장 좋은 성적으로 본선에 진출했기 때문입니다.
을 : 어느 팀이 우승할 지 확실히 예측하기는 어려울 것 같아요. A팀이나 B팀 모두 팀원들 간의 상호 작용도 중요하고, 선수들 사이의 호흡이 잘 맞아야 합니다. 무엇보다 변수가 많을 수 있기 때문입니다.
└──┘

① 갑은 직관적 통찰을 통해 자료를 수집하려고 한다.
② 갑은 연구 대상자가 구성하는 세계를 이해하고자 한다.
③ 을은 개념에 대한 조작적 정의를 중시한다.
④ 갑은 을과 달리 사회·문화 현상의 규칙성을 도출하는 데 목적이 있다.
⑤ 을은 갑과 달리 경험적인 자료를 통한 연구를 중시한다.

15. 대중문화를 바라보는 갑~병의 견해에 대한 분석으로 옳지 않은 것은?

┌──┐
갑 : 요즘 텔레비전 채널도 많고, 인터넷도 연결되어 있어서 산촌에 사는 사람도 큰 비용 들이지 않고 수준 높은 문화를 즐길 수 있다.
을 : 텔레비전에서 어떤 음식이 몸에 좋다고 하면 금방 그 음식 재료가 다 팔린다. 그 음식이 자신의 몸에 실제로 맞는지는 생각도 안 한다.
병 : 뉴스 내용이 방송사나 신문사별로 너무 차이가 난다. 똑같은 사실도 제목을 다르게 정하니까 전혀 다른 내용으로 비친다.
└──┘

① 갑은 대중문화가 문화 향유의 대상을 확대시켰다는 점을 주장한다.
② 을은 대중문화가 개성을 상실한 획일화된 문화를 양산하고 있다고 본다.
③ 병은 대중문화가 여론 조작에 이용될 수 있는 위험성을 경계한다.
④ 갑과 달리 을은 대중문화가 상업적 이익을 목적으로 해서는 안 된다고 본다.
⑤ 을과 병은 대중문화를 비판적으로 수용해야 할 필요성을 말하고 있다.

16. 다음 글에 부각된 문화의 속성에 대한 설명으로 옳은 것은?

> 우리는 태어나면 한 살 먹었다고 한다. 그래서 12월 31일에 태어난 아이는 하루만 지나면 두 살이 된다. 법적으로는 1년이 되지 않았기 때문에 0세이다. 법률에서 말하는 나이는 만 나이이다. 그러나 보통 우리끼리는 몇 살이냐고 했을 때 만 나이를 말하지 않고 한국식 나이를 말하는 것으로 이해한다. 그러나 외국인들은 만 나이를 말하는 것으로 알고 동갑인줄로 생각하다가 자신보다 실제로는 어리다는 것을 깨닫고는 혼란스러워한다.

① 다음 세대의 문화는 이전 세대보다 풍부해지기 마련이다.
② 특정한 상황에서 상대방이 어떻게 행동할 것인지를 예측할 수 있게 한다.
③ 하나의 문화 요소가 변화하면 다른 문화 요소에도 연쇄적 변동이 나타난다.
④ 인간의 노력에 의하여 문화는 그 형태나 의미 등이 끊임없이 변화하게 된다.
⑤ 서로 다른 나라에서 자란 쌍둥이의 행동 양식이 차이가 나는 것은 이 속성의 사례로 볼 수 있다.

17. 밑줄 친 내용의 근거로 가장 적절한 것은? [3점]

> 우리 사회는 어느덧 판옵티콘(Panopticon)을 닮아가고 있다. 판옵티콘은 중앙에 높은 감시탑을 세우고 원 둘레를 따라 죄수의 일거수일투족을 감시할 수 있다. 죄수들은 감시탑이 보이지 않아 스스로 말과 행동을 조심한다. 1975년 프랑스 철학자 미셸 푸코는 <u>네트워크와 데이터베이스로 개인의 일상을 통제하는 현대 사회의 감시 및 통제 체계</u>를 판옵티콘에 비유하였다.

① 정보 사회에서는 정보 권력이 대중에게 분산된다.
② 정보 사회에서는 지식과 정보가 부가 가치를 창출한다.
③ 정보 사회에서는 권력에 대한 대중의 감시가 심화된다.
④ 정보 사회에서는 대중을 감시하는 주체를 파악하기 어렵다.
⑤ 정보 사회에서는 정보를 많이 소유할수록 감시에 쉽게 노출된다.

18. A, B는 각각 사회 변동 방향에 대한 서로 다른 관점이다. 이에 대한 옳은 분석을 〈보기〉에서 고른 것은?

> A는 인구가 늘어나고 환경이 변화함에 따라 사회 구조가 점점 더 복잡하게 분화되고 기능의 효율성이 점진적으로 증대된다고 본다. 또한 모든 사회는 상향적 진화뿐만 아니라 동일한 경로와 과정을 통해 변동한다고 주장한다. 반면, B는 사회가 항상 발전하는 것은 아니라고 본다.

┌─ 보기 ─────────────────────────────┐
ㄱ. A는 서구 제국주의를 정당화할 우려가 있다.
ㄴ. A는 문명이나 사회의 퇴보 가능성을 인정한다.
ㄷ. B는 사회 변동의 방향을 예측하고 대응하기 어렵다.
ㄹ. B는 A와 달리 사회 변동 과정을 단선적으로 제시한다.
└────────────────────────────────┘

① ㄱ, ㄴ   ② ㄱ, ㄷ   ③ ㄴ, ㄷ
④ ㄴ, ㄹ   ⑤ ㄷ, ㄹ

19. 갑~병이 선택한 자료 수집 방법의 일반적인 특징에 대한 설명으로 옳은 것은?

> 갑 : 청소년들의 여가 활용 방식에 대한 연구를 위해 구조화된 질문지를 작성하여 자료를 수집하였다.
> 을 : 누리 소통망(SNS)에서 나타나는 따돌림 현상의 문제점을 파악하기 위해 조사 대상자를 만나 필요한 것을 묻고 답변을 들으며 정보를 수집하였다.
> 병 : 젊은 세대의 특징을 연구하기 위해 젊은이들이 많이 모이는 장소를 방문해 직접 그들의 일상적인 삶과 문화를 체험하고 그곳에서 경험한 현상들을 토대로 분석을 시도하였다.

① 갑이 선택한 자료 수집 방법은 의사소통이 곤란한 집단에 유용하다.
② 을이 선택한 자료 수집 방법은 일상생활에 관한 생생한 자료를 수집하는 데 유용하다.
③ 병이 선택한 자료 수집 방법은 집단 간 비교 분석에 용이하다.
④ 갑이 선택한 자료 수집 방법은 을이 선택한 자료 수집 방법에 비해 시간과 비용 측면에서 더 효율적이다.
⑤ 갑과 을이 선택한 자료 수집 방법은 병이 선택한 자료 수집 방법에 비해 질적 연구에 적합하다.

20. 자료에 대한 옳은 분석을 〈보기〉에서 고른 것은? [3점]

> 표는 갑국의 세대 간 이동을 나타낸 것이다. A, B, C는 각각 상층, 중층, 하층 중 하나이며, 부모 세대는 피라미드형 계층 구조이다. 또한, 모든 부모의 자녀는 1명씩이다. 단, 상층 부모를 둔 중층 자녀와 중층 부모를 둔 상층 자녀의 수는 같다.

(단위 : %)

구분	계층 구성 비율		부모 계층 대비 자녀 계층 일치 비율
	부모 세대	자녀 세대	
A	60	30	30
B	10	10	70
C	30	60	50

┌─ 보기 ─────────────────────────────┐
ㄱ. 세대 간 상승 이동이 하강 이동보다 많다.
ㄴ. 계층 이동보다 계층이 세습된 비율이 더 높다.
ㄷ. 자녀 계층 대비 계층 일치 비율은 상층이 가장 크다.
ㄹ. 중층의 세대 간 이동의 경우, 상층으로의 이동이 하층으로의 이동의 10배이다.
└────────────────────────────────┘

① ㄱ, ㄴ   ② ㄱ, ㄷ   ③ ㄴ, ㄷ
④ ㄴ, ㄹ   ⑤ ㄷ, ㄹ

올쏘 실전 모의고사

사회탐구 영역 (사회·문화)

정답 및 해설

1회 정답

01 ④	02 ④	03 ②	04 ⑤	05 ④	06 ④	07 ②
08 ③	09 ①	10 ③	11 ②	12 ②	13 ②	14 ③
15 ③	16 ③	17 ②	18 ②	19 ④	20 ②	

01 자연 현상과 사회·문화 현상의 비교

자료 해설 제시문에서 ㉠, ㉢은 자연 현상, ㉡, ㉣은 사회·문화 현상에 해당한다.

선택지 분석
㉠ 정답 : ㉠은 자연 현상이므로 존재 법칙을 따른다.(○)
㉡ 정답 : ㉡은 사회·문화 현상인데, 자연 현상과 사회·문화 현상 모두 경험적 자료를 바탕으로 연구할 수 있다.(○)
ㄷ. 오답 : ㉢은 자연 현상인데, 자연 현상은 몰가치적이므로 인간의 가치가 반영되어 나타날 수 없다.(×)
ㄹ. 오답 : ㉣은 사회·문화 현상이다. 같은 조건 하에서 항상 동일한 결과가 발생하는 인과 법칙은 자연 현상의 특징이다.(×)
따라서 질문에 모두 옳게 응답한 학생은 정이다.

02 사회 명목론과 사회 실재론의 비교

자료 해설

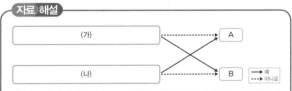

개인과 사회의 관계를 바라보는 관점에는 사회 명목론과 사회 실재론이 있다. 사회보다 개인을 더 중시하는 사회 명목론과 개인보다 사회를 더 중시하는 사회 실재론의 특징을 잘 구분해야 한다. 특히 제시된 자료에서는 주어진 질문 (가), (나)에 따라 A, B가 사회 명목론 또는 사회 실재론으로 달라지므로 이에 유의하여 문제를 해결해야 한다.

선택지 분석
㉠ 정답 : 사회가 개인들의 총합 이상이라고 보는 것은 사회 실재론이므로 A는 사회 명목론, B는 사회 실재론이 된다. 사회 구조의 구속성 또는 불가 항력성보다 개인의 주체성, 자율성, 능동성을 중시하는 것은 사회 명목론이다.
ㄴ. 오답 : 사회가 개인으로 환원될 수 있다고 보는 것은 사회 명목론이므로 A는 사회 명목론, B는 사회 실재론이 된다. 사회 문제의 해결 방법으로 사회 구조나 제도의 개선보다 개인의 의식 개선을 중시하는 것은 사회 명목론이다.
㉢ 정답 : 사회는 개인들 간의 계약에 의해 존재하고 계약이 해제되면 사회도 없어진다고 보는 사회 계약설은 사회 명목론의 근거가 된다. 따라서 (가)에는 사회 실재론에 해당하는 질문이 들어가야 하며 '개인의 이익보다 사회의 이익을 중시하는가?'가 들어갈 수 있다.
㉣ 정답 : 생물 유기체의 각 기관이 하나의 생명체를 이루듯이 사회도 각 구성 요소가 사회의 존속을 위해 분화된 역할을 하고 있다고 보는 사회 유기체설은 사회 실재론의 근거가 된다. 따라서 (나)에는 사회 명목론에 해당하는 질문이 들어가야 하며 '사회 현상을 분석할 때 개인의 특성 파악을 중시하는가?'가 들어갈 수 있다.

03 양적 연구 방법의 이해

자료 해설 제시문의 연구 방법은 양적 연구 방법으로 변수와 변수 간의 관계를 연구하는 것이 목적이다. 그리고 봉사 활동 참여도를 측정 가능한 지표로 바꾼 것은 개념의 조작적 정의에 해당한다.

선택지 분석
㉠ 정답 : 봉사 활동 참여도가 높은 청소년일수록 자아 존중감이 높다고 하였으므로 봉사 활동 참여도가 원인인 독립 변수, 자아 존중감이 결과인 종속 변수에 해당한다.
ㄴ. 오답 : 중·고등학생만을 대상으로 표본을 추출하였으므로 대표성이 확보되었다고 볼 수 없다.
㉢ 정답 : 봉사 활동 참여도를 측정 가능한 지표로 변환하였으므로 개념의 조작적 정의에 해당한다.
ㄹ. 오답 : 갑이 수집한 자료는 갑이 연구를 위해 직접 수집한 것이므로 1차 자료이다.

04 하위문화

자료 해설 A 문화는 주류 문화, B 문화는 하위문화, C 문화는 반문화이다.

선택지 분석
① 오답 : 하위문화를 모두 합한다고 해서 주류 문화가 되는 것은 아니다. 하위문화는 다양하게 존재하며 중복되기도 한다. 또한 주류 문화와는

전혀 다른 하위문화도 존재할 수 있다.
② 오답 : 하위문화는 주류 문화에서는 얻을 수 없는 다양한 욕구를 충족시켜 주고, 같은 하위문화를 공유하는 사람들에게는 소속감과 유대감을 높여 준다.
③ 오답 : 하위문화 내에서도 주류 문화의 요소가 존재한다. 예를 들어 우리나라 노인들이 공유하는 노인 문화 속에서도 우리나라 대부분의 사람들이 공유하는 주류 문화의 요소가 있기 마련이다.
④ 오답 : 어떤 문화가 반문화인지에 대한 규정은 시대나 사회에 따라 달라질 수 있다. 가톨릭은 유교적 신분 질서가 주류였던 조선 시대에는 반문화로서의 성격을 띠고 있었지만, 현재 우리나라에서는 반문화의 성격을 띠지 않는다. 그리고 특정 종교만을 국교로 인정하는 나라에서는 그 외의 다른 종교는 반문화로 볼 수 있다.
⑤ 정답 : 특정 집단이 공유하는 하위문화가 사회 변화에 따라 사회 구성원 대다수가 향유한다면 주류 문화가 될 수 있다. 또한 반문화도 사람들의 가치관이나 상황 변화에 따라 주류 문화가 될 수 있다.

05 절대적 빈곤과 상대적 빈곤

자료 해설 A는 절대적 빈곤, B는 상대적 빈곤이다. 절대적 빈곤은 인간으로서 최소한의 생활을 유지하는 데 필요한 자원이나 소득이 절대적으로 부족한 상태를 말하며, 일반적으로 최저 생계비를 기준으로 파악한다. 상대적 빈곤은 한 사회에서 다른 사람들보다 자원이나 소득을 상대적으로 적게 가져 사회 구성원 대부분이 누리는 생활수준을 영위하지 못하는 상태를 말한다. 우리나라는 중위 소득의 50%를 기준으로 그에 미달하는 경우 상대적 빈곤으로 본다.

선택지 분석
① 오답 : 절대적 빈곤의 기준선은 최저 생계비로 하는데, 최저 생계비는 나라마다 다르다.
② 오답 : 경제가 성장하여 사회의 전반적 생활수준이 향상되면, 절대적 빈곤보다 상대적 빈곤의 문제가 더 심각해지고 그로 인한 상대적 박탈감이 사회 문제가 될 수 있다. 따라서 선진국은 절대적 빈곤보다 상대적 빈곤이 문제가 된다.
③ 오답 : 절대적 빈곤율이 높아지더라도 사회의 전반적인 소득 분포가 균등해지면 상대적 빈곤율은 낮아질 수 있다.
④ 정답 : 절대적 빈곤은 최저 생계비로, 상대적 빈곤은 중위 소득의 50%로 측정한다. 두 측정치 모두 객관적 지표에 의한 것이다.
⑤ 오답 : 절대적 빈곤은 최저 생계비 미만 가구, 상대적 빈곤은 중위 소득의 50% 미만 가구가 해당한다. 따라서 절대적 빈곤율과 상대적 빈곤율이 같다면 최저 생계비와 중위 소득의 50%가 같다는 의미이다.

06 진화론

자료 해설 로스토우의 경제 발전 5단계론은 모든 사회의 자본주의가 동일한 단계를 거쳐 발전한다는 이론이다. 이는 사회 변동의 방향에 대한 관점 가운데 진화론에 부합하는 내용이다. 진화론은 단순한 원시 생명체가 복잡한 유기체로 진화한 것과 같이 사회 역시 단순한 사회에서 복잡하고 진화된 사회로 발전한다고 본다.

선택지 분석
④ 정답 : 진화론은 오직 단선적인 발전상만을 인정하므로 다양한 경로의 사회 변동 양상을 설명하기 어렵다. 또한 사회 발전의 기준이 서구 사회를 모델로 하고 있어 서구의 자문화 중심주의적 태도가 반영된 이론이라는 비판을 받는다. 중·단기적인 사회 변동 과정을 설명하기 곤란한 순환론과 달리 단기적으로도 발전 방향이나 양상을 예측할 수 있으며, 사회 변동이 곧 사회 발전을 의미한다고 본다.

07 자료 수집 방법의 이해

자료 해설

구분	A	B	C	D
양적 자료 수집 방법인가?	예	예	아니요	아니요
(가)	아니요	예	예	아니요

A, B는 양적 자료 수집 방법, C, D는 질적 자료 수집 방법이고, (가)에는 양적 연구 방법과 질적 연구 방법에 공통되는 질문이 들어가야 한다.

선택지 분석
① 오답 : 인위적으로 통제된 상황에서 변수의 효과를 관찰하는 자료 수집 방법은 실험법에만 해당하는 질문이므로 (가)에 적절하지 않다.
② 정답 : 언어적 상호 작용에 의한 자료 수집 방법이 필수적인 자료 수집 방법은 질문지법과 면접법인데, B는 양적 자료 수집 방법이므로 질문지법에 해당한다.
③ 오답 : 자료 수집 시 연구 대상자의 응답이 필수 요건인 자료 수집 방법은 질문지법과 면접법이다. 따라서 양적 자료 수집 방법인 A는 실험법, 질적 자료 수집 방법인 D는 참여 관찰법이 되어야 한다.

④ 오답 : 다수를 대상으로 한 자료 수집 방법에 주로 사용되는 자료 수집 방법은 질문지법이므로 (가)에 적절하지 않은 질문이다.
⑤ 오답 : 연구 대상자가 현상이 실제로 발생한 현지에 가서 연구해야 하는 자료 수집 방법은 참여 관찰법에만 해당되는 질문이므로 (가)에 적절하지 않은 질문이다.

08 지위와 역할 및 사회화 기관의 이해

자료 해설 지위, 역할, 역할 갈등, 1차적 사회화 기관과 2차적 사회화 기관, 공식적·비공식적 사회화 기관, 사회 집단 등 여러 가지 사회학적 개념을 실제 사례에 적용할 수 있는지 묻고 있다.

선택지 분석
① 오답 : 갑은 가수에 소속되어 있지 않으므로 내집단이 될 수 없으며 준거 집단에는 해당된다.
② 오답 : 가수와 아버지는 성취 지위이고, 장남은 귀속 지위로 선천적으로 주어지는 지위이다.
③ 정답 : 대학과 통신회사는 가족, 또래 집단 등과 같은 1차적 사회화 기관과는 달리 전문적인 사회화가 이루어지는 2차적 사회화 기관이다.
④ 오답 : ⑥은 역할끼리 충돌하는 상황으로 보기 어렵기 때문에 갑의 고민일 뿐 역할 갈등에 해당하지 않는다.
⑤ 오답 : 학원은 설립의 주된 목적이 사회화이므로 학교, 직업 훈련소 등과 같이 공식적 사회화 기관에 해당한다.

09 문화를 이해하는 관점

자료 해설 갑은 한국과 중국의 입시 문화를 연구하면서 공통점과 차이점을 알아보았다. 두 나라의 입시 문화를 비교하면서 연구했으므로 비교론적 관점에 해당한다. 을은 일본의 음식 문화를 연구하면서 일본의 젓가락 문화가 일본의 자연환경과 관련이 있으며, 또한 작고 정밀한 물건을 만드는 기술도 발전시키는 등 다양한 문화 요소와의 관련성을 알아보았으므로 총체론적 관점에 해당한다.

선택지 분석
㉠ 정답 : 갑의 관점은 비교론적 관점이다. 비교론적 관점은 서로 다른 문화 간의 유사성과 차이점을 분석하여 문화의 보편성과 특수성을 이해하려는 관점이다. 이를 통해 서로 다른 문화 간의 공통점과 차이점을 파악할 수 있다.
㉡ 정답 : 을의 관점은 총체론적 관점이다. 총체론적 관점은 문화의 여러 요소가 상호 유기적인 관계를 맺으면서 전체로서 하나의 문화를 이루고 있다는 점을 강조한다. 이 관점에서는 문화 요소 간의 관계를 전체적으로 살펴봄으로써 특정 문화 요소를 잘 이해할 수 있다고 본다.
ㄷ. 오답 : 문화 요소 간의 상호 연관성을 중시하는 것은 총체론적 관점이다. 비교론적 관점은 문화 요소의 보편성과 특수성을 강조한다.
ㄹ. 오답 : 자문화를 객관적으로 인식하는 데 효과적인 것은 비교론적 관점이다.

10 사회 집단과 사회 조직의 유형 구분

자료 해설 학교는 공식 조직, 2차 집단, 이익 사회, 공식적 사회화 기관, 2차적 사회화 기관에 해당한다. 교내 자율 댄스 동아리는 비공식 조직, 자발적 결사체, 이익 사회에 해당한다. 미술 학원은 공식적 사회화 기관, 공식 조직에 해당한다. 시민 단체는 자발적 결사체이며 공식 조직, 이익 사회에 해당한다. 청소년 봉사 단체는 자발적 결사체이며 이익 사회에 해당한다. 가족은 1차 집단이며 공동 사회이지만 공식 조직에 해당하지는 않는다.

선택지 분석
ㄱ. 오답 : 학교와 교내 자율 댄스 동아리는 구성원들의 선택 의지에 의해 형성된 이익 사회에 해당한다. 그러나 학교는 자발적 결사체가 아니다. 반면 교내 자율 댄스 동아리의 경우 학교 교육 과정의 일환으로 조직된 동아리라면 자발적 결사체로 볼 수 없으며, 공식적인 학교 교육 과정과 무관하게 학생들이 자율적으로 만든 동아리라면 자발적 결사체로 볼 수 있다.
㉡ 정답 : 학교, 미술 학원, 시민 단체는 과업 지향적인 공식 조직이고 교내 자율 댄스 동아리는 비공식 조직이다.
㉢ 정답 : 교내 자율 댄스 동아리, 시민 단체, 청소년 봉사 단체는 학교, 가족과 달리 구성원의 가입과 탈퇴가 자유로운 자발적 결사체이다.
ㄹ. 오답 : 가족은 친밀감을 바탕으로 형성된 1차 집단이고, 시민 단체는 2차 집단에 해당한다.

11 계급론과 계층론

자료 해설 (가)는 마르크스의 계급론, (나)는 베버의 계층론으로서 사회 불평등 현상을 설명하는 이론이다. 계급론에서는 사회 불평등 현상을 경제적 요인인 생산 수단(토지, 자본 등)의 소유 여부

에 따라 지배 계급과 피지배 계급으로 구분하여 설명한다. 계층론에서는 사회 불평등 현상을 경제적 측면뿐만 아니라 정치적 권력, 사회적 지위 등 다양한 측면에서 파악해야 한다고 본다.

선택지 분석

ㄱ. 오답 : (가)의 계급론은 사회 불평등 현상을 범주화하지 않고 생산 수단의 소유 여부에 따라 자본가 계급과 노동자 계급으로 구분한다. 사회 불평등 현상을 범주화하여 이해하는 것은 계층론이다.

ㄴ. 오답 : (나)의 계층론은 다양한 차원에서 사회 불평등 현상을 이해하고, 각각의 계층이 분명히 구분되는 것이 아니라 서열화된 범주로 이해하므로 동일한 계층이라고 해서 귀속 의식이 강하지 않다. 동일한 계급 간에 귀속 의식이 강하다고 보는 것은 계급론이다.

ㄷ. 정답 : 지위 불일치 현상은 경제적 지위가 높다고 하더라도 정치적 지위는 낮을 수 있는 것처럼 다양한 지위가 존재해야 가능하다. 계급론은 경제적 측면만을 기준으로 사회 불평등을 구분하기 때문에 지위 불일치 현상이 나타날 수 없지만, 계층론은 정치적 지위, 사회적 지위, 정치적 지위 등 다양한 측면에서 사회 불평등 현상을 이해하므로 지위 불일치 현상을 설명하는 데 유용하다.

ㄹ. 정답 : 계급론은 경제적 측면만으로 사회 불평등 현상을 설명하고, 계층론은 경제적 측면, 정치적 측면, 사회적 측면 등 다양한 요인에 의해 사회 불평등 현상을 설명한다. 따라서 계급론과 계층론 모두 경제적 측면을 포함한다.

12 대중 매체의 종류

자료 해설 정보의 복제와 재가공이 어려운 순서는 신문>텔레비전>누리 소통망이다. 쌍방향적 정보 전달이 용이한 것은 누리 소통망이다. 정보 전달의 속도가 느린 순서는 신문>텔레비전>누리 소통망이다. 따라서 B는 누리 소통망, C는 신문, A는 텔레비전이다.

선택지 분석

① 오답 : A(텔레비전)는 텔레비전에 나온 정보만 얻을 수 있으므로 정보 확산 경로가 단순하다.

② 정답 : B(누리 소통망)는 정보 생산자와 소비자 간의 경계가 모호하고, 정보 사용자끼리의 활발한 의사소통을 특징으로 하므로 정보 사용자 간 상호 작용성이 뛰어나다.

③ 오답 : C(신문)는 독자가 똑같은 시간대에 신문을 읽는 것은 아니므로 정보의 동시적 전달에 유리하지 않다.

④ 오답 : B(누리 소통망)에 비해 C(신문)는 깊이 있는 정보 전달에 용이하다.

⑤ 오답 : 정보 생산자와 정보 소비자의 경계가 모호한 것은 누리 소통망이다.

13 일탈 행동 이론의 이해

자료 해설 일탈 행동의 원인을 거시적 관점에서 찾고 있는 것은 아노미 이론이다. 따라서 A는 아노미 이론이고, 주어진 질문 (가)와 (나)에 따라 B와 C는 차별 교제 이론 또는 낙인 이론이 될 수 있으므로 이에 유의하여 문제를 해결해야 한다.

선택지 분석

① 오답 : 일탈 행동이 불평등한 사회 구조에 기인한다고 보는 것은 갈등론이다.

② 오답 : 범죄자 또는 일탈자가 되는 내면적 과정에 초점을 맞추는 것은 낙인 이론에 대한 설명이다.

③ 정답 : 2차적 일탈을 중시하는 것은 낙인 이론이므로 A는 아노미 이론, B는 낙인 이론이다. 낙인 이론은 일탈을 규정하는 사람이나 집단에 따라서 달라지므로 일탈을 규정하는 객관적 기준이 없다고 본다.

④ 오답 : 일탈 행동의 해결 방안으로 정상 집단과의 교류 강화를 중시하는 것은 차별 교제 이론이므로 B는 차별 교제 이론, C는 낙인 이론이 된다. 두 이론 모두 미시적 관점(상징적 상호 작용)에 근거하여 상호 작용을 중시한다.

⑤ 오답 : 일탈 행동의 원인으로 사회 규범의 부재를 강조하는 것은 뒤르켐의 아노미 이론이다. 따라서 ㉠은 '예', ㉡, ㉢은 '아니요'가 들어가야 한다.

14 노년 부양비와 유소년 부양비 분석

자료 해설 노년 부양비는 (65세 이상 인구/15~64세 인구)×100으로 구할 수 있고, 유소년 부양비는 (0~14세 인구/15~64세 인구)×100으로 구할 수 있다. 한편, 총부양비는 표에 직접 제시되어 있지는 않으나 같은 해에는 생산 가능 인구수가 같으므로 노년 부양비와 유소년 부양비를 합산한 값으로 계산 가능하다.

선택지 분석

ㄱ. 오답 : 2010년 유소년 부양비는 22.0%이다. 이는 생산 가능 인구 100명 당 유소년 인구 22명을 부양한다는 의미이다.

ㄴ. 정답 : 2010년에서 2018년까지 노년 부양비의 추이를 살펴보면 모두 20% 미만이다. 따라서 5명 이상의 생산 가능 인구가 노인 인구 1명을 부양한 것으로 볼 수 있다.

ㄷ. 정답 : 2016년 총부양비는 노년 부양비와 유소년 부양비의 합산 값으로 계산할 수 있다. 18.0+18.2=36.2 이므로 총부양비는 36.2%이다.

ㄹ. 오답 : 노년 부양비가 꾸준히 증가한 것은 사실이지만 유소년 부양비는 꾸준히 감소하였다. 총부양비를 구해 보면, 2010년 36.8, 2012년 36.2, 2014년 36.2, 2016년 36.2, 2018년에는 37.40이므로 지속적으로 증가한 것이라고 볼 수 없다.

15 연구 윤리의 이해

자료 해설 갑은 연구 대상자와 관련된 윤리로서 연구 대상자의 사생활을 보호하고 연구 대상자의 결정권을 보장해야 한다는 것을 강조하고 있다. 을은 자료 수집 및 분석과 관련된 윤리로서 자료 수집 과정과 분석 과정에서 연구자의 의도나 가치가 개입되면 안된다는 것을 강조하고 있다.

선택지 분석

ㄱ. 오답 : 갑은 연구 대상자 보호와 관련된 윤리를 강조하고 있으므로 연구 결과를 영리 목적으로 사용하는 것은 갑이 강조하는 연구 윤리와는 관련이 없다.

ㄴ. 정답 : 연구 대상자에게 연구 참여에 대한 동의를 받지 않는 것은 연구 대상자의 결정권을 침해하는 것이므로 갑이 강조하는 연구 윤리에 어긋난다.

ㄷ. 정답 : 을은 자료를 왜곡하여 분석하는 것을 금지하고 있으므로 연구 의뢰자의 지시가 있더라도 자료를 조작하여 분석하는 것은 을이 강조하는 연구 윤리에 어긋난다.

ㄹ. 오답 : 갑은 연구 대상자와 관련된 연구 윤리, 을은 연구 자료의 수집과 분석에 관한 연구 윤리를 강조하고 있다.

16 사회 변동을 설명하는 구조적 관점

자료 해설 사회 변동을 설명하는 구조적 관점에는 기능론적 관점과 갈등론적 관점이 있다. 기능론적 관점은 사회의 항상성을 강조하며, 균형이 깨졌을 때 새로운 균형을 찾아가는 과정이 사회 변동이라고 본다. 갈등론적 관점은 피지배 계급이 지배 계급에 도전하고 저항하는 과정에서 사회가 변동한다고 본다. 따라서 갑은 갈등론적 관점, 을은 기능론적 관점임을 알 수 있다.

선택지 분석

① 오답 : 점진적 사회 변동을 설명하기에 용이한 것은 기능론적 관점이다. 갈등론적 관점은 급진적 사회 변동을 설명하기에 용이하다.

② 오답 : 기능론적 관점과 갈등론적 관점 모두 사회 변동을 구조적으로 설명하는 관점이다.

③ 정답 : 기능론적 관점은 점진적 사회 변동을 설명하기에 용이하지만, 급진적 사회 변동은 설명하기 어렵다.

④ 오답 : 갈등과 대립을 지나치게 강조하는 관점은 갈등론적 관점이다.

⑤ 오답 : 사회가 단선적으로 진보한다고 보는 관점은 진화론적 관점에 해당한다.

17 문화 변동의 요인

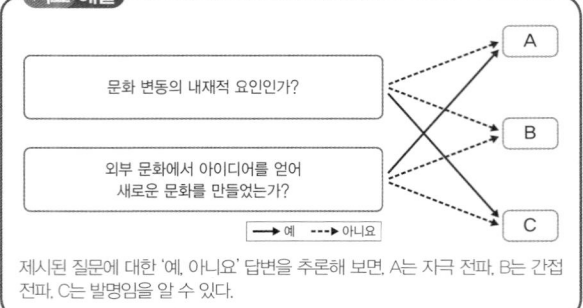

자료. 해설

문화 변동의 내재적 요인인가?

외부 문화에서 아이디어를 얻어 새로운 문화를 만들었는가?

→ 예   ⇢ 아니요

제시된 질문에 대한 '예, 아니요' 답변을 추론해 보면, A는 자극 전파, B는 간접 전파, C는 발명임을 알 수 있다.

선택지 분석

① 오답 : A는 자극 전파이다. 인터넷과 같은 대중 매체를 통한 문화의 변동은 간접 전파이다.

② 오답 : B는 간접 전파이다. 간접 전파는 책이나 영화, 인터넷과 같은 매개체를 통해 이루어지는 전파이다. 외국인 선교사에 의해 외래 종교가 전파된 것은 다른 문화와 직접 접촉하여 전파가 이루어지는 경우이므로 직접 전파의 사례이다.

③ 정답 : C는 발명이다. 발명은 이전에는 없었던 새로운 문화 요소를 만들어 내는 것으로 태권도가 우리나라에서 처음 만들어진 것을 예로 들 수 있다.

④ 오답 : 상호 인적 교류가 없더라도 인터넷 등의 매체를 통해 문화 변동이 일어날 수 있으며, 이러한 간접 전파를 통해 전해진 문화 요소에 자극을 받아 새로운 문화 요소가 만들어질 수도 있다(자극 전파).

⑤ 오답 : 문화 변동 요인 중에서 발명, 자극 전파, 간접 전파 등은 자문화의 정체성 약화와는 관련 없이 나타나는 문화 변동이다.

18 사회 보장 제도

자료 해설

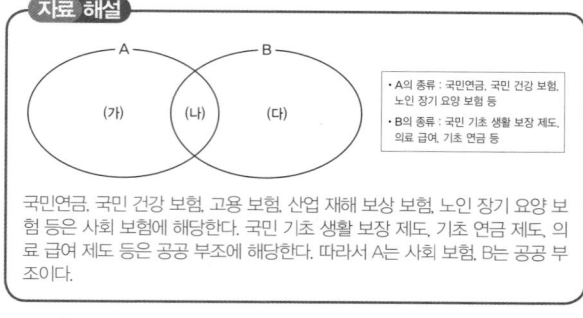

- A의 종류 : 국민연금, 국민 건강 보험, 노인 장기 요양 보험 등
- B의 종류 : 국민 기초 생활 보장 제도, 의료 급여, 기초 연금 등

국민연금, 국민 건강 보험, 고용 보험, 산업 재해 보상 보험, 노인 장기 요양 보험 등은 사회 보험에 해당한다. 국민 기초 생활 보장 제도, 기초 연금 제도, 의료 급여 제도 등은 공공 부조에 해당한다. 따라서 A는 사회 보험, B는 공공 부조이다.

선택지 분석

① 오답 : 사회 보험은 수혜자가 비용을 부담하여 재원을 마련했다가 사안이 발생하면 보험금을 받게 되므로 상호 부조의 원리가 적용된다.

② 정답 : 사회 보험의 보험료는 소득에 따라 차등 부과된다. 소득이 많으면 많은 보험료를 내야 한다.

③ 오답 : 사회 보험은 보장 수준에 관계없이 가입자의 부담 능력에 따라 보험료를 차등 징수하므로 어느 정도의 소득 재분배 효과가 있다. 공공 부조는 조세 부담 능력이 있는 국민이 낸 세금을 재원으로 저소득층을 지원하기 때문에 사회 보험보다 소득 재분배 효과가 크다. 결국 두 제도 모두 소득 재분배 효과가 있다.

④ 오답 : 사회 보험과 공공 부조는 모두 금전적 지원을 원칙으로 한다.

⑤ 오답 : 공공 부조는 수혜자가 최저 생활에 미치지 못하는 빈곤층이므로 비용을 부담하지 않는다.

19 환경 문제의 해결

자료 해설 (가), (나)에 나타난 람사 협약과 파리 기후 협정은 모두 환경 보호를 위해 체결한 것이다. 국제 사회에서 많은 국가들이 이 같은 협조를 하는 것은 환경 문제가 어느 한 국가 또는 당사국의 노력만으로는 해결하기 어렵기 때문이다. 특히 환경 문제의 경우 현재의 필요만이 아닌 미래의 필요까지 고려하여 접근해야 한다는 생각을 전제로 국제 사회의 협조가 이루어지고 있다.

선택지 분석

ㄱ. 오답 : 전 지구적 문제의 해결 주체는 당사국에 한정되지 않고 모든 국가가 함께 해결 주체가 되어야 한다.

ㄴ. 정답 : 전 지구적 문제의 해결은 어느 한 국가의 노력으로 해결되지 않으므로 국제 사회가 함께 노력해야 한다.

ㄷ. 오답 : 환경 문제는 지속 가능한 발전을 목표로 해결해야 한다. 지속 가능한 발전이란 현재의 필요와 미래의 필요를 동시에 고려하여 개발하는 것을 의미한다.

ㄹ. 오답 : 전 지구적 문제는 세계 시민 의식을 토대로 모두가 국제 사회의 일원임을 전제로 접근해야만 해결이 가능하다.

20 세대 간 계층 이동

자료 해설 부모 100명과 자녀 100명의 계층 이동과 세습 현황을 표로 정리하면 다음과 같다.

구분		부모			계
		상층	중층	하층	
자녀	상층	7	3	6	16
	중층	2	18	24	44
	하층	1	9	30	40
	계	10	30	60	100

선택지 분석

① 오답 : 세대 간 상승 이동은 33명(3+6+24), 하강 이동은 12명(2+1+9)이므로 세대 간 상승 이동이 더 많다.

② 정답 : 부모 세대 계층 대비 계층 세습 비율은 상층 70%, 중층 60%, 하층 50%이므로 상층이 가장 높다.

③ 오답 : 하층 대비 상층의 비율은 부모 세대는 10/60, 자녀 세대는 16/400이므로 자녀 세대가 더 높다.

④ 오답 : 중층 부모를 둔 하층 자녀는 9명, 중층 부모를 둔 상층 자녀는 3명이므로 3배이다.

⑤ 오답 : 부모 세대의 계층 구조는 하층이 가장 많은 피라미드형, 자녀 세대의 계층 구조는 중층이 가장 많은 다이아몬드형에 가깝다. 사회 통합에 유리한 계층 구조는 다이아몬드형 계층 구조이다.

2회 정답

01 ④	02 ①	03 ⑤	04 ⑤	05 ②	06 ④	07 ③
08 ⑤	09 ①	10 ⑤	11 ①	12 ①	13 ④	14 ④
15 ④	16 ②	17 ④	18 ②	19 ④	20 ②	

01 자연 현상과 사회·문화 현상의 비교

자료 해설 ㉠, ㉢, ㉣은 사회·문화 현상, ㉡은 자연 현상에 해당한다.

선택지 분석
① 오답 : 특수성보다 보편성이 강조되는 것은 자연 현상이다.
② 오답 : 당위 법칙의 지배를 받는 것은 사회·문화 현상이다.
③ 오답 : 사회·문화 현상은 가치 함축적이다. 인간의 가치와 무관하게 나타나는 현상은 자연 현상이다.
④ 정답 : 자연 현상은 확실성의 원리가 적용되지만 사회·문화 현상은 확률성의 원리가 적용된다.
⑤ 오답 : 사회·문화 현상보다 자연 현상이 인과 관계가 명확하다.

02 사회·문화 현상을 보는 기능론의 이해

자료 해설 제시문은 자동차 부품이 자동차를 움직이는 일정한 기능을 하는 것처럼 사회에서도 구성원들이 일정한 기능을 함으로써 사회가 유지, 존속된다는 입장이므로 기능론에 해당한다.

선택지 분석
❶ 정답 : 기능론에서는 사회는 스스로 균형을 유지하여 조화와 안정을 추구한다고 본다.
② 오답 : 희소가치를 둘러싼 집단 간 이해관계의 대립을 강조하는 것은 갈등론이다.
③ 오답 : 사회 변동을 위해서는 집단 간 갈등이 불가피하다고 보는 것은 갈등론이다.
④ 오답 : 사회 규범이 특정 집단인 지배 집단의 이해관계를 반영하고 있다고 보는 것은 갈등론이다.
⑤ 오답 : 사회적 행위자의 능동적 사고와 자율적 행위의 측면을 강조하는 것은 상징적 상호 작용론이다.

03 사회화 기관과 사회 집단의 유형 이해

자료 해설 제시된 자료에서 기초적 수준의 사회화를 담당하는 것은 1차적 사회화 기관이고, 사회화를 목적으로 설립한 기관은 공식적 사회화 기관이다. 따라서 A는 2차적 사회화 기관이자 공식적 사회화 기관이고, B는 1차적 사회화 기관이자 비공식적 사회화 기관이며, C는 2차적 사회화 기관이자 비공식적 사회화 기관이다. 결국 A는 대학, B는 가족, C는 회사임을 알 수 있다.

선택지 분석
① 오답 : 대학은 사회화를 목적으로 하는 공식적 사회화 기관이지만 회사는 가족과 같이 설립 목적은 따로 있지만 부수적으로 사회화가 이루어지는 비공식적 사회화 기관에 해당한다.
② 오답 : 가족은 대학 및 회사와 달리 대면적이고 전인격적 인간관계를 통해 기초적 사회화를 담당하는 1차 집단이다.
③ 오답 : 회사는 대학과 함께 전문적 지식과 기능의 사회화를 담당하는 2차적 사회화 기관이고, 가족은 기초적 수준의 사회화를 담당하는 1차적 사회화 기관이다.
④ 오답 : 대학과 회사는 특정한 목적을 달성하기 위해 선택 의지에 의해 결합된 이익 사회이고 가족은 구성원의 본질 의지에 의해 형성된 공동 사회이다.
⑤ 정답 : 가족, 회사, 대학은 가입과 탈퇴가 자유롭지 못하기 때문에 자발적 결사체가 아니므로 ㉠~㉢에는 '아니요'가 들어가야 한다.

04 일탈 행동 이론의 이해

자료 해설 상호 작용을 통한 일탈의 발생에 주목하는 것은 미시적 관점으로 낙인 이론과 차별 교제 이론이 있다. 따라서 A는 거시적(기능론적) 관점에 바탕을 둔 아노미 이론이다. 제시된 질문 (가)에 따라 B와 C에 낙인 이론 또는 차별 교제 이론이 다르게 들어갈 수 있으므로 이에 유의하면서 일탈 행동 이론의 특징을 잘 비교하여 문제를 해결해야 한다.

선택지 분석
① 오답 : 특정인의 행동에 대한 서로 다른 반응, 즉 차별적인 제재가 일탈 행동의 원인이라고 보는 것은 낙인 이론이다.
② 오답 : 일탈 행동의 해결 방안으로 정상적인 사회 집단과의 교류 강화를 강조하는 것은 차별 교제 이론이다.
③ 오답 : 아노미 이론은 거시적 관점, 차별 교제 이론과 낙인 이론은 미시적 관점에서 일탈의 원인을 찾고 있다.
④ 오답 : 일탈을 규정하는 객관적 기준이 없다고 보는 것은 낙인 이론이므로 B는 낙인 이론, C는 차별 교제 이론이다. 일탈 행동의 원

인으로 사회 규범의 부재를 강조하는 것은 아노미 이론이다.
⑤ 정답 : 일탈자와의 상호 작용을 통한 학습 과정을 중시하는 것은 차별 교제 이론이므로 B는 낙인 이론, C는 차별 교제 이론이다. 일탈 행동 자체보다 일탈 행동에 대한 사회적 반응을 중시하는 것은 낙인 이론이다.

05 세계화

자료 해설 제시문은 세계화의 의미와 양상에 대한 내용이다. 세계화는 삶의 공간이 국경을 넘어 전 지구로 확대되는 과정으로 국가 간의 상호 의존성이 증대되고 세계가 하나로 통합되는 현상을 말한다. 세계화로 인해 사람들은 한 국가의 성원을 넘어 세계 시민으로서 살아가며, 과거에 비해 물리적 공간이나 시간적 제약을 극복하는 것이 가능해진다.

선택지 분석
① 오답 : 세계화로 인해 국경의 의미가 약화되고, 국가 간의 상호 의존성은 증대된다.
❷ 정답 : 세계화로 인해 민주주의가 전 세계에 확산되어 보편적 정치 체제로 자리 잡고 있다.
③ 오답 : 경제적으로는 세계 시장이 하나로 통합되면서도 인접 국가들끼리 지역화 현상이 나타난다.
④ 오답 : 비정부 기구는 자발적 결사체의 한 유형이며, 세계화는 자발적 결사체의 증가에 영향을 미친다.
⑤ 오답 : 세계화로 인해 자문화의 정체성을 지키려는 노력을 할 수 있지만 교류가 감소한다고 보기는 어렵다.

06 관료제와 탈관료제 조직 비교

자료 해설 사회 조직 운영 방식에는 관료제와 탈관료제가 있다. 관료제는 업무의 표준화·전문화, 위계의 서열화, 경력에 따른 보상 체계, 하향식 의사 결정 구조 등의 특징을 갖는다. 하지만 빠르게 변화하는 환경에 신속하고 유연하게 대응하지 못해 비효율성이 증가하면서 탈관료제 조직과 같은 운영 방식이 등장하였다. 제시된 질문 (가)~(다)에 따라 A, B가 달라지므로 이에 유의하면서 두 조직의 특징을 잘 비교하여 문제를 해결해야 한다.

선택지 분석
㉠ 정답 : 사회 조직 운영에서 안정성보다 유연성을 중시하는 것은 탈관료제이므로 A는 탈관료제, B는 관료제이다. 따라서 탈관료제는 연공서열에 따른 보상보다는 업무 성과에 따른 보상을 강조한다.
㉡ 정답 : 의사 결정 권한의 분산보다 집중을 중시하는 것은 관료제이므로 A는 관료제, B는 탈관료제이다. 관료제는 산업 사회에서, 탈관료제는 정보 사회에서 더 적합한 조직이다.
ㄷ. 오답 : 업무의 표준화 과정을 중시하는 것은 관료제이므로 A는 탈관료제, B는 관료제이다. 관료제와 탈관료제 조직 모두 공식적 통제 방식을 사용한다.
㉣ 정답 : 관료제와 탈관료제 조직 모두 공식 조직으로 조직 운영의 효율성을 중시한다.

07 사회 불평등 현상을 보는 관점

자료 해설 제시문은 재능을 타고나더라도 부모가 이를 계발하여 발휘하도록 뒷받침할 능력이 되어야 자녀가 그 재능을 발휘할 수 있다는 주장이다. 즉, 부모의 계층적 지위가 자녀의 계층적 지위를 결정짓는다는 것이다. 결국 제시문은 사회 불평등 현상이 개인의 능력과 노력보다는 부모의 소득과 학력 등 가정 환경에 따라 결정된다는 점에서 갈등론적 관점에 해당한다고 볼 수 있다.

선택지 분석
정답 : 갈등론에서는 사회 불평등이 보편적으로 나타나는 현상이지만, 필수 불가결하지는 않다고 본다. 사회 불평등 현상을 지배 집단이 자신의 기득권을 유지하기 위해 사회적 자원을 불공정하게 분배한 결과이기 때문에 어쩔 수 없이 나타난 것이라고 주장한다.
오답 : 갈등론은 기능론과 다르게 직업의 기능적 중요도에 차이가 있음을 인정하지 않는다. 어떤 직업이 다른 직업보다 더 중요한지는 검증이 불가능하며, 단지 지배 집단이 자신들의 기득권을 유지하고 강화하기 위해 사회적으로 지위가 높거나 대우가 좋은 직업과 과업에 높은 가치를 부여한 것이라고 본다.
오답 : 차등 분배에 대한 기대가 성취 수준의 향상에 기여한다고 보는 것은 기능론의 입장이다. 갈등론에서는 사회적 희소 자원이 지배 집단에게 유리한 방향으로 불공정하게 분배된 것이라고 본다.
정답 : 갈등론에서는 사회의 일부 구성원인 지배 계층만이 자신들에게 유리한 방향으로 사회적 가치를 배분하는 기준에 합의하였다고 본다.

08 문화 변동의 양상

자료 해설 (가)는 문화 동화, (나)는 문화 병존, (다)는 문화 융합이다. 문화 동화는 외래문화가 지배적인 문화로 자리 잡게 되어 한 사회의 기존 문화 요소가 사라지고 정체성을 잃어버리는 현상

이다. 문화 병존은 한 사회의 문화 요소에 다른 사회의 문화 요소가 추가로 받아들여져 두 문화가 고유한 성격을 잃지 않고 함께 존재하는 현상이다. 문화 융합은 한 사회의 기존 문화가 외래문화와 접촉한 결과, 두 문화 요소의 성격을 지니면서도 두 문화 요소와는 다른 성격을 지닌 새로운 문화가 등장하는 현상을 말한다.

선택지 분석
① 오답 : 문화 동화가 반드시 강제적 문화 접변에 의해서만 나타나는 것은 아니다. 자문화에 대한 주체성이 약하거나 문화 사대주의가 강한 지역에서는 자발적 문화 동화 현상이 나타날 수 있다.
② 오답 : 문화 병존은 고유문화와 외래문화가 함께 존재하는 현상이다. 문화 사대주의가 강하면 고유문화가 없어질 가능성이 크므로 문화 동화를 초래할 수 있다.
③ 오답 : 문화 융합은 고유문화와 외래문화가 결합하여 제3의 문화가 생성되는 것인데 이때 고유문화의 정체성은 유지된다.
④ 오답 : 문화 지체 현상은 급속한 문화 변동 때문에 발생하는 것이다.
⑤ 정답 : 문화 병존은 여러 문화가 함께 존재하는 것이고, 문화 융합은 새로운 문화 요소가 생성된 것이다. 따라서 문화 병존과 문화 융합의 구분 기준은 새로운 문화 요소의 생성 여부이다.

09 사회 명목론과 사회 실재론의 관점 비교

자료 해설 저출산 현상이 심각해지는 이유에 대해 갑은 임신 및 출산 여성 노동자에 대한 사회적 차별과 현행 복지 정책의 한계를 언급함으로써 개인보다 사회를 중시하는 사회 실재론을 강조하고 있다. 반면 을은 젊은 세대를 중심으로 결혼과 출산에 대한 부정적인 가치관을 저출산의 주요 원인으로 제시함으로써 사회보다 개인을 중시하는 사회 명목론의 관점을 보이고 있다.

선택지 분석
① 오답 : 전체가 개인의 총합이라고 보는 것은 사회 명목론의 입장이다.
❷ 정답 : 사회 문제 해결을 위해 제도적 개선보다 개인의 의식 개혁을 강조하는 것은 사회 명목론의 입장이다.
③ 오답 : 사회 현상은 개인의 자율적인 의지에 의해 만들어진다고 보는 것은 사회 명목론의 입장이다.
④ 오답 : 개인에 대한 사회 제도의 구속성을 강조하는 것은 사회 실재론의 입장이다.
⑤ 오답 : 갑은 사회 문제의 원인을 거시적 관점에서 보고, 을은 미시적 관점으로 보고 있다.

10 사회적 소수자 차별 문제

자료 해설 제시문에서는 우리나라의 사회적 소수자인 여성, 장애인, 다문화 가족, 외국인 이주 근로자 등에 대한 차별 금지를 규정한 법률이 있음에도 불구하고 여전히 차별 의식이 남아 있어 고통받고 있는 현실을 설명하고 있다.

선택지 분석
① 오답 : 사회적 소수자 우대 정책으로 인해 일반인이 역차별을 받고 있다는 내용은 언급되어 있지 않다.
② 오답 : 사회적 소수자의 범위를 인위적으로 정하여 차별하는 것은 인권적인 측면에서 허용될 수 없다.
③ 오답 : 제시문에서는 사회적 소수자를 바라보는 일반인의 차별적인 시각이 문제라고 하고 있다. 사회적 소수자 스스로 자부심을 갖도록 요구하는 것은 올바른 해결책이 아니다.
④ 오답 : 사회적 소수자 우대 정책을 강화할 경우 일반인이 역차별을 받을 수 있고, 이로 인해 갈등이 더 심해질 수 있다.
⑤ 정답 : 사회적 소수자를 보호하기 위한 다양한 법률이 마련되어 있지만 아직도 이 문제가 개선되지 않는 것은 일반인의 인식이 부족하기 때문이다.

11 사회 보장 제도

자료 해설

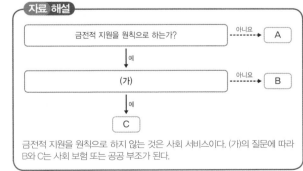

금전적 지원을 원칙으로 하지 않는 것은 사회 서비스이다. (가)의 질문에 따라 B와 C는 사회 보험 또는 공공 부조가 된다.

선택지 분석
ㄱ. 오답 : 소득 재분배 효과가 있는 것은 사회 보험과 공공 부조가 모두 해당된다. 따라서 (가)에는 '소득 재분배 효과가 있는가?'는 들어갈 수 없다.
ㄴ. 오답 : 사회 서비스는 비금전적 지원을 원칙으로 하므로 국가의 재정 부담을 증대시킬 우려가 적다.

ⓒ 정답 : 강제 가입의 원칙이 적용되는 제도는 사회 보험이다. B가 사회 보험이라면, C는 공공 부조이다. 기초 연금은 빈곤층 노인에게 지급하는 연금으로서 공공 부조에 해당한다.
ⓓ 정답 : (가)가 '사후 처방적 성격이 강한가?'라면, B는 사회 보험, C는 공공 부조이다. 사회 보험은 빈곤층을 제외한 모든 사람이 수혜 대상자이고, 공공 부조는 빈곤층만 수혜 대상자이다. 따라서 사회 보험의 수혜 대상자 범위가 공공 부조보다 넓다.

12 산업 사회와 정보 사회

자료 해설 제시된 자료는 산업화 이후 산업 혁명이 어떤 과정을 통해 진행되어 왔는지 보여 주고 있다. 증기 기관의 발명을 시작으로 대량 생산이 시작된 산업화 초기부터 정보 사회에서 사물 인터넷을 활용한 제4차 산업 혁명에 이르기까지의 과정을 나타내고 있다.

선택지 분석
① 오답 : 제1차 산업 혁명 이후로 생산 과정에 있어 어떤 기계를 중심으로 생산하는지에만 변화가 있을 뿐, 기계에 대한 의존도는 계속 높아지고 있다.
❷ 정답 : 제시된 자료를 통해 산업 분야의 혁명을 거듭할수록 혁명의 주기가 짧아지고 있음을 파악할 수 있다.
③ 오답 : 산업 사회에서 정보 사회로 갈수록 사회적 관계를 맺는 공간적 범위는 지속적으로 확대된다. 이는 인터넷을 활용하여 사회 구성원들이 시공간적 한계를 극복하고 다양한 사람들과 관계를 맺는 것이 가능해졌기 때문이다.
④ 오답 : 제1차 산업 혁명이 발생했을 때가 이미 산업 사회의 시작에 해당하므로 2차 산업 중심 사회에서 3차 산업 중심 사회로 변모했다고 보아야 한다.
⑤ 오답 : 노동과 자본이 부가 가치 창출에 있어 중요했던 시기는 산업 사회이다. 정보 사회에서는 지식과 정보가 부가 가치 창출의 주요 수단이 된다.

13 문화 이해의 태도

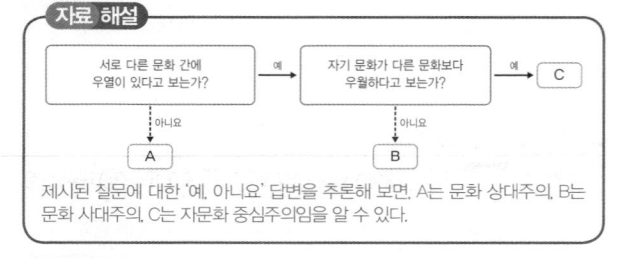

제시된 질문에 대한 '예, 아니요' 답변을 추론해 보면, A는 문화 사대주의, C는 자문화 중심주의임을 알 수 있다.

선택지 분석
① 오답 : A는 문화 상대주의이다. 문화 상대주의는 문화 간에 우열이 존재하지 않으며, 모든 문화는 각자 나름의 고유한 가치가 있다고 보는 태도이다. 외국 브랜드의 맹목적 선호 풍조는 문화 사대주의의 사례이다.
② 오답 : B는 문화 사대주의이다. 문화 사대주의는 특정 국가나 민족의 문화를 우월한 것으로 여기고 추종하며 자신이 속한 집단의 문화를 낮게 평가하는 태도를 말한다. 연장자에게 악수를 청하는 외국인을 보고 무례하다고 비난하는 것은 자문화 중심주의의 사례이다.
③ 오답 : C는 자문화 중심주의이다. 자문화 중심주의는 자기 문화만을 우수한 것으로 여기고 그것을 기준으로 다른 문화를 낮게 평가하는 태도를 말한다. 외국의 특정 음식에 대해 그들의 생활 양식으로 이해하는 것은 문화 상대주의의 사례이다.
❹ 정답 : 문화 상대주의를 너무 강조하면 인류의 보편적 가치를 침해하는 문화도 이해해야 한다는 입장으로까지 변질되면서 극단적 문화 상대주의가 나타날 수 있다. 또 자문화 중심주의는 자기 문화의 우수성만을 강조한 나머지 국수주의로 흐르거나 문화 제국주의로 변질될 수도 있다.
⑤ 오답 : 자문화 중심주의와 문화 사대주의는 특정 문화를 평가의 대상으로 삼고 있어 문화의 다양성 보존에 기여하지 못한다.

14 양적 연구 방법과 질적 연구 방법의 비교

자료 해설 갑은 승률, 예선전 성적 등으로 우승 가능성을 판단하므로 양적 연구 방법을 주장하고, 을은 팀원들 간의 상호 작용, 호흡 등을 강조하므로 질적 연구 방법을 주장한다.

선택지 분석
① 오답 : 직관적 통찰은 질적 연구 방법에서 주로 사용한다.
② 오답 : 질적 연구 방법은 연구 대상자가 구성하는 주관적 세계를 이해하려고 하는 것이 일반적이다.
③ 오답 : 개념의 조작적 정의를 통해 측정 가능한 지표로 바꾸어 수치화하려는 것은 양적 연구의 특징이다.
❹ 정답 : 양적 연구의 목적은 사회·문화 현상에 존재하는 규칙성을 찾아 미래를 예측하는 것이다.
⑤ 오답 : 양적 연구 방법과 질적 연구 방법 모두 경험적 자료를 통한 연구를 중시한다.

15 대중문화의 기능

자료 해설
갑 : 요즘 텔레비전 채널도 많고, 인터넷도 연결되어 있어서 산촌에 사는 사람도 큰 비용 들이지 않고 수준 높은 문화를 즐길 수 있다. ─ 문화 향유의 대상 확대
을 : 텔레비전에서 어떤 음식이 몸에 좋다고 하면 금방 그 음식 재료가 다 팔린다. 그 음식이 자신의 몸에 실제로 맞는지는 생각도 안 한다. ─ 문화의 획일성
병 : 뉴스 내용이 방송사나 신문사별로 너무 차이가 난다. 똑같은 사실도 제목을 다르게 정하니까 전혀 다른 내용으로 비친다. ─ 여론 조작의 가능성

선택지 분석
① 오답 : 갑은 과거 소수 특권층이 누리던 문화적 혜택을 다수가 누릴 수 있게 한다는 점을 주장하고 있다.
② 오답 : 을은 대중문화가 개성을 상실한 획일화된 문화를 양산할 수 있다는 것을 우려한다.
③ 오답 : 병은 같은 사실이라도 대중 매체에 따라 다르게 전달할 수 있기 때문에 대중문화가 여론 조작에 이용될 수 있는 위험성을 경계한다.
❹ 정답 : 갑과 을 모두 대중문화가 상업적 이익을 목적으로 해서는 안 된다고 주장하는 내용은 찾을 수 없다.
⑤ 오답 : 을과 병은 모두 대중문화를 비판적으로 수용해야 할 필요성을 말하고 있다.

16 문화의 속성

자료 해설 한국 사람들끼리 나이를 말할 때 만 나이를 말하지 않는다. 법적으로 사용하는 나이와 구분하여 우리 나이라고도 하는데 만 나이보다 보통 1~2살 많으며, 우리끼리는 서로 알아듣지만 외국인은 이해를 못한다. 즉, 문화의 공유성을 말하고 있다.

선택지 분석
① 오답 : 문화의 축적성을 말한다. 인간의 문화는 말과 문자를 통해 한 세대에서 다음 세대로 전승되고 시간이 지남에 따라 새로운 요소가 추가되면서 풍부해진다. 이처럼 문화는 오랜 시간과 역사에 걸쳐 누적된 지식과 경험의 결과물이다.
❷ 정답 : 한국 사람들끼리는 나이를 말하면 만 나이가 아님을 알고 있다. 즉 문화의 공유성을 말하고 있다. 한 사회 안에서 살아가는 사람들은 같은 문화를 공유하고 있기 때문에 서로의 행동을 이해하고 예측할 수 있으며, 원만한 사회생활을 할 수 있게 한다.
③ 오답 : 문화의 총체성을 말한다. 문화를 구성하는 각 요소는 상호 밀접한 관련을 맺고 있어서 한 요소의 변화가 다른 요소의 연쇄적 변화를 가져온다.
④ 오답 : 문화의 변동성을 말한다. 문화는 고정불변한 것이 아니라 기존의 문화 요소가 사라지거나 새로운 문화 요소가 나타나면서 그 형태와 내용이 끊임없이 변화한다.
⑤ 오답 : 서로 다른 나라에서 자란 쌍둥이의 행동 양식이 다른 것은 학습이 달랐기 때문이다. 즉, 문화의 학습성에 대한 설명이다.

17 정보 사회의 문제점

자료 해설 제시문에서는 판옵티콘의 원리를 설명하고, 그것이 어떤 점에서 정보 사회와 닮아 있는지 정보 사회의 특징과 연결하여 생각해 보도록 하고 있다. 죄수들이 '누가, 언제, 어떤 이유로' 자신들을 감시하는지 파악하기 어렵도록 설계된 판옵티콘처럼 정보 사회에서 대중은 자신들을 누가 어떤 이유로 어떤 방법을 통해 감시하는지 파악하기 어렵다. 이에, 미셸 푸코는 현대 정보 사회를 판옵티콘에 비유한 것이다.

선택지 분석
① 오답 : 정보 사회를 낙관하는 관점에 따르면, 정보 사회에서는 모든 대중에게 정보에 대한 접근이 허용되므로 정보 권력이 대중 전반에 분산된다고 본다. 그러나 비판하는 관점에 따르면 정보 사회에서 대중은 가치가 낮은 정보에만 쉽게 접근할 수 있고, 고급 정보에는 기득권층만이 접근하게 됨에 따라 불평등이 심화될 것이라고 전망한다.
② 오답 : 정보 사회에서는 자본이 부가 가치를 창출하는 산업 사회와 달리 지식과 정보가 부가 가치를 창출한다. 그러나 밑줄 친 내용을 뒷받침하기에 적절한 근거는 아니다.
③ 오답 : 정보 사회에서는 기본적으로 대중에 대한 정보 권력의 감시가 심화되기 마련이다. 그러나 다양한 언론 및 매체의 발달로 인해 역으로 불특정 다수의 대중이 권력을 감시하는 이른바 시놉티콘(Synopticon)도 존재한다. 그러나 밑줄 친 내용을 뒷받침하기에 적절한 근거라고 볼 수 없다.
④ 정답 : 정보 사회에서는 대중을 감시하는 주체가 다양하여 대중 스스로 누가, 언제, 어떤 목적으로 자신에 대한 정보를 수집하는지 일일이 파악하기 어렵다. 그러한 점에서 정보 사회는 판옵티콘과 닮아 있다

고 할 수 있다.
⑤ 오답 : 정보 사회에서 정보를 많이 보유하고 있다면 감시당하기 보다는 감시하는 주체가 될 가능성이 높다.

18 진화론과 순환론

자료 해설 사회 변동의 방향에 따라 진화론과 순환론으로 구분할 수 있다. A는 모든 사회는 동일한 경로를 통해 진화한다고 보는 진화론이며, B는 퇴보할 수 있다고 보는 순환론에 해당한다.

선택지 분석
❶ 정답 : 진화론은 사회 변동이 진보와 발전이라는 방향성을 지닌다고 보고 서구 사회가 가장 높은 수준의 사회라는 가정을 전제한다. 이로 인해 우월한 서구 사회가 열등한 다른 사회를 지배하는 것은 합당하다는 논리를 펼치는 데 진화론이 악용될 수 있다.
ㄴ. 오답 : 진화론은 서구 사회의 발전 과정이 모든 사회에서 공통적으로 나타나는 사회 변동 과정이라고 본다. 이는 문명이나 사회가 지속적으로 진화하고 발전한다고 보는 것이므로 퇴보 가능성을 인정하지 않는 관점에 해당한다.
ㄷ. 정답 : 순환론이 전제하는 순환 과정은 매우 오랜 기간에 걸쳐 일어나는 것이므로 특정 문명이 성립하고 발전, 쇠퇴, 멸망하기까지의 과정을 사후적으로 분석하는 데 그친다는 한계가 있다. 이는 미래 사회의 변동 방향을 예측하고 대응하는 데 불리함을 의미한다.
ㄹ. 오답 : 사회 변동 과정을 다양하게 인정하지 않고 단선적으로 제시하는 관점은 진화론이다.

19 자료 수집 방법의 이해

자료 해설 갑의 자료 수집 방법은 질문지법, 을의 자료 수집 방법은 면접법, 병의 자료 수집 방법은 참여 관찰법에 해당한다.

선택지 분석
① 오답 : 의사소통이 곤란한 집단에 유용한 자료 수집 방법은 참여 관찰법이다.
② 오답 : 일상생활에 관한 생생한 자료를 수집하는 데 유용한 자료 수집 방법은 참여 관찰법이다.
③ 오답 : 집단 간 비교 분석이 용이한 자료 수집 방법은 질문지법과 같은 양적 자료 수집 방법이다.
❹ 정답 : 질문지법은 면접법에 비해 시간과 비용 측면에서 더 효율적이다.
⑤ 오답 : 갑이 선택한 질문지법은 양적 자료 수집 방법이다.

20 세대 간 계층 이동

자료 해설 부모 세대가 피라미드형 계층 구조임에 착안하여 비율이 가장 많은 A가 하층임을 알 수 있다. C는 중층, B는 상층이다. 제시된 표를 토대로 세대 간 계층 이동표를 구성하면 다음과 같다.

구분		부모			계
		상층(B)	중층(C)	하층(A)	
자녀	상층(B)	7	3	0	10
	중층(C)	3	15	42	60
	하층(A)	0	12	18	30
	계	10	30	60	100

선택지 분석
❶ 정답 : 세대 간 상승 이동은 45%(3+0+42), 하강 이동은 15%(3+0+12)으로서 세대 간 상승 이동이 더 많다.
ㄴ. 오답 : 계층이 세습된 비율은 30%(7+15+18), 계층이 이동된 비율은 70%이다. 따라서 계층 이동이 계층 세습보다 많다.
ㄷ. 정답 : 자녀 계층 대비 계층 일치 비율은 상층은 70%(7/10), 중층이 25%(15/60), 하층이 60%(18/30)으로서 상층이 가장 크다.
ㄹ. 오답 : 부모 중층에서 자녀 상층으로의 이동은 3%, 부모 중층에서 하층으로의 이동은 12%로서 상층으로의 이동이 하층으로의 이동의 1/40이다.

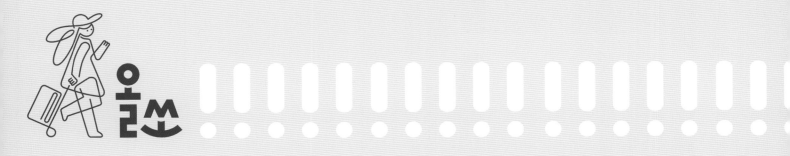

올쏘

고등 사회·문화

오개념을 바로잡는 친절한 해설

정답 및 해설

동아출판

all about society 올쏘

고등 **사회·문화**

올쏜

정답 및 해설

정답 및 해설

I 사회·문화 현상의 탐구

01 강 사회·문화 현상의 이해

기출 선지 변형 ○X

본문 006~009쪽

01 ① ○ ② × ③ × ④ ○ ⑤ × ⑥ × ⑦ ○

02 ① × ② × ③ ○ ④ ○ ⑤ × ⑥ × ⑦ × ⑧ ○

03 ① ○ ② × ③ × ④ ○ ⑤ ×

04 ① ×, ×, ○, × ② ○, ○, ×, ○ ③ ○, ○, ×, ○
④ ○, ○, ×, ○ ⑤ ○, ○, ○, ○ ⑥ ×, ×, ○, ×

05 ① ○ ② × ③ ○ ④ ○ ⑤ ○ ⑥ ○ ⑦ ○ ⑧ ×

06 ① × ② ○ ③ ○ ④ × ⑤ ○ ⑥ ○ ⑦ ×

07 ① × ② ○ ③ × ④ ○ ⑤ ○ ⑥ ⑦ ×

08 ① ○ ② ○ ③ ○ ④ × ⑤ ○ ⑥ × ⑦ ×

01 ① 지진은 자연 현상이지만 지진에 대한 대비는 사회·문화 현상이다.

② ㉠과 같은 사회·문화 현상은 당위 법칙, ㉡과 같은 자연 현상은 존재 법칙의 지배를 받는다.

③ 자연 현상과 사회·문화 현상 모두 인과 관계가 나타난다. 다만 자연 현상은 인과 관계가 분명하게 나타나는 필연성을, 사회·문화 현상은 예외가 존재하는 개연성을 가지고 있다.

④ ㉢과 같은 자연 현상은 몰가치적이며 ㉣과 같은 사회·문화 현상은 가치 함축적이다.

⑤ ㉠, ㉣은 사회·문화 현상이므로 둘 다 확률성의 원리가 적용된다.

⑥ ㉠은 사회·문화 현상이므로 가치 판단이 가능하지만 ㉢은 몰가치적인 자연 현상이다.

⑦ ㉠, ㉣과 같은 사회·문화 현상은 ㉡, ㉢과 같은 자연 현상과 달리 보편성과 특수성이 공존한다.

02 ① 자연 현상은 필연성과 확실성의 원리가 적용되므로 사회·문화 현상에 비해 미래 예측이 용이하다.

② 사회·문화 현상은 자연 현상과 달리 당위 법칙이 적용되고 자연 현상은 존재 법칙의 지배를 받는다.

③ 연구 과정에서 감정 이입적 기법을 활용할 수 있는 것은 인간의 의지나 가치가 개입된 사회·문화 현상이다.

④ 자연 현상은 인과 관계가 분명하게 나타나 법칙을 발견하기에 용이하다.

⑤ 자연 현상은 사회·문화 현상과 달리 단지 사실로 존재한다는 존재 법칙의 지배를 받는다.

⑥ 자연 현상뿐만 아니라 사회·문화 현상도 인과 관계가 나타나므로 연구 결과의 일반화가 가능하다.

⑦ 동일한 조건에서 동일한 결과가 나타나는 것은 자연 현상의 특징이다.

⑧ 사회·문화 현상과 자연 현상 모두 경험적 관찰을 통해 연구할 수 있다.

03 ① 동일한 조건하에서 동일 현상이 발생하는 것은 인과 관계가 분명한 자연 현상의 특징이므로 사회·문화 현상인 ㉠은 '아니요'로 응답해야 한다.

② 규범의 지배를 받아 나타나는 사회·문화 현상은 당위 법칙이 적용된다. 자연 현상인 ㉡은 '아니요'로 응답해야 한다.

③ 특수성과 보편성이 공존하는 것은 사회·문화 현상의 특징이므로 ㉠은 '예', ㉡은 '아니요'로 응답해야 한다.

④ 당위 법칙은 사회·문화 현상의 특징이므로 A에 들어갈 질문 내용으로, 존재 법칙은 자연 현상의 특징이므로 B에 들어갈 질문 내용으로 적절하다.

⑤ 사회·문화 현상은 인간의 가치가 개입되어 나타나므로 가치 판단이 가능하다. 자연 현상은 확실성의 원리가 적용되며, 확률의 원리는 사회·문화 현상에 적용된다.

04 ① 확실성의 원리는 자연 현상의 특징이므로 ㉠, ㉡, ㉣은 '×'이고, ㉢은 '○'이다.

② 당위 법칙의 적용은 사회·문화 현상의 특징이므로 ㉠, ㉡, ㉣은 '○'이고, ㉢은 '×'이다.

③ 가치 함축성은 사회·문화 현상의 특징이므로 ㉠, ㉡, ㉣은 '○'이고, ㉢은 '×'이다.

④ 특수성이 강조되는 것은 사회·문화 현상이므로 ㉠, ㉡, ㉣은 '○'이고, ㉢은 '×'이다.

⑤ 자연 현상과 사회·문화 현상 모두 과학적인 연구의 대상이 될 수 있으므로 ㉠, ㉡, ㉢, ㉣ 모두 '○'이다.

⑥ 통제된 실험과 예측이 용이한 것은 자연 현상이므로 ㉠, ㉡, ㉣은 '×'이고, ㉢은 '○'이다.

05 ① 행위자의 주체적 능동성을 중시하는 것은 미시적 관점인 상징적 상호 작용론이다.

② 사회 갈등과 투쟁을 사회 발전의 원동력으로 보는 것은 갈등론이다.

③ 갈등론은 불평등한 사회 구조의 변혁과 사회 변동의 불가피성을 강조한다.

④ 갈등론은 사회화를 현재의 불평등한 구조를 정당화하는 수단으로 본다.

⑤ 기능론은 사회 유지에 필요한 기능의 상호 의존성에 관심을 둔다.

⑥ 주관적인 상황 정의와 의미 부여를 중시하는 것은 미시적 관점인 상징적 상호 작용론이다.

⑦ 상징적 상호 작용론은 미시적 관점이고, 갈등론과 기능론은 거시적 관점이다. 미시적 관점인 상징적 상호 작용론은 사회가 개인에게 미치는 영향을 간과한다는 비판을 받는다.

⑧ 질서 유지 및 사회 통합을 중시하는 것은 기능론이다.

06 ① 사회 제도들 간의 유기적인 상호 의존성을 강조하는 것은 기능론이다.

② 상징적 상호 작용론은 개인들의 주관적인 상황 정의에 대한 이해를 중시한다.

③ 상징적 상호 작용론은 상징을 매개로 한 타인과의 상호 작용을 통해 개인의 자아가 형성된다고 주장한다.

④ 사회 구조에 초점을 맞추어 사회·문화 현상을 바라보는 것은 거시적 관점(기능론과 갈등론)에 대한 설명이다.

⑤ 권력, 명예, 부 등과 같은 사회적 희소가치를 둘러싼 지배 집단과 피지배 집단 간의 대립 관계에 주목하는 것은 갈등론이다.

⑥ 상징적 상호 작용론은 사회적 행위자의 능동적 사고와 자율적 행위의 측면을 강조한다.

⑦ 사회 통합에 있어서 사회화가 수행하는 역할을 부정하는 것은 갈등론이다.

07 ① 상황에 대한 개인의 주관적 의미 부여를 강조하는 것은 상징적 상호 작용론이므로 을의 관점이다.

② 기능론은 기득권의 이익을 대변하는 논리로 사용된다는 비판을 받는다.

③ 사회가 필연적으로 변화하며 집단 간 갈등을 변화의 동력으로 보는 것은 갈등론이므로 병의 관점이다.

④ 개인이 각자의 주관에 따라 다양한 사회상을 만들어 낸다고 보는 것은 상징적 상호 작용론이므로 을의 관점이다.

⑤ 갑이 취한 기능론적 관점은 사회 구성 요소의 기능과 역할을 사회적으로 합의된 것이라고 본다.

⑥ 병이 취한 갈등론적 관점은 사회 변동을 필연적인 것으로 본다.

⑦ 사회 문제를 설명하는 데 사회 구조적 요인을 중시하는 것은 거시적 관점으로 기능론과 갈등론이 이에 해당한다. 갑은 기능론, 병은 갈등론의 입장이며 을은 미시적 관점인 상징적 상호 작용론의 입장이다.

08 ① A는 상징적 상호 작용론이므로 사회·문화 현상의 의미가 개인마다 다르게 규정된다고 본다.

② B는 갈등론이므로 기존 사회 질서가 특정 집단의 이익 보호와 계급 재생산의 수단이 된다고 본다.

③ C는 기능론이므로 사회 문제의 해결을 위해 사회화와 도덕 교육을 강조한다.

④ 사회·문화 현상은 한 관점에서 분석하는 것보다 종합적으로 분석하는 것이 더 타당하다.

⑤ 개인의 행동을 상호 작용이 이루어지는 사회적 맥락 속에서 이해하려는 것은 상징적 상호 작용론이므로 (가)의 질문에 적절하다.

⑥ 사회가 스스로 균형을 유지하려는 속성을 지니고 있다고 보는 것은 기능론이다.

⑦ 미시적 관점(상징적 상호 작용론)에서는 인간을 자율을 지닌 능동적인 존재라고 보는 반면, 거시적 관점(기능론, 갈등론)에서는 수동적인 존재로 본다.

실전 기출 문제

본문 010~015쪽

01 ②	02 ⑤	03 ①	04 ④	05 ③	06 ②	07 ③	08 ③
09 ⑤	10 ③	11 ④	12 ③	13 ②	14 ⑤	15 ③	16 ④
17 ④	18 ③	19 ②	20 ⑤	21 ④	22 ③	23 ①	

---

01 자연 현상과 사회·문화 현상의 특징

자료 해설 제시문은 기후 변화에 따른 영향에 대한 설명이다. ㉠과 ㉢은 인간의 의도가 개입되지 않는 자연 현상이고, ㉡과 ㉣은 인간의 의도가 개입된 사회·문화 현상이다.

선택지 분석

① 오답: 자연 현상과 사회·문화 현상 모두 인과 관계가 나타난다. 다만 사회·문화 현상은 예외가 존재하기 때문에 그 인과 관계가 필연적인 것은 아니다.

❷ 정답: ㉡은 사회·문화 현상이고, ㉢은 자연 현상이다. 사회·문화 현상은 당위 법칙, 자연 현상은 존재 법칙을 따른다.

③ 오답: ㉠과 ㉢은 둘 다 자연 현상이므로 확실성의 원리가 적용된다. 확률의 원리가 적용되는 것은 사회·문화 현상이다.

④ 오답: ㉡과 ㉣은 둘 다 사회·문화 현상이므로 보편성보다 특수성이 강하게 나타난다.

⑤ 오답: ㉠과 ㉢은 자연 현상이므로 몰가치적이고, ㉡과 ㉣은 사회·문화 현상이므로 가치 함축적이다.

올쏘 만점 노트	자연 현상과 사회·문화 현상의 비교	
구분	자연 현상	사회·문화 현상
특성	• 몰가치성 • 존재 법칙 • 필연성과 확실성의 원리 • 보편성	• 가치 함축성 • 당위 법칙 • 개연성과 확률의 원리 • 보편성과 특수성의 공존
공통점	• 과학적인 연구의 대상이 됨 • 경험적 자료와 관찰을 통해 연구함 • 인과 관계가 나타남	

02 자연 현상과 사회·문화 현상의 특징

자료 해설 가치 함축성은 사회·문화 현상의 특징이기 때문에 A는 사회·문화 현상이고, B는 자연 현상이다. 따라서 (가)에는 자연 현상과 관련된 특징이 들어가야 한다.

선택지 분석

① 오답: 온실 효과로 빙하가 녹는 것은 자연 현상이므로 B의 사례에 해당한다.

② 오답: 보편성과 특수성이 공존하는 것은 사회·문화 현상의 특징이므로 A에 해당한다.

③ 오답: 확률의 원리는 사회·문화 현상의 특징이므로 A에 해당한다.

④ 오답: 존재 법칙의 적용은 자연 현상의 특징이므로 B에 해당한다.

❺ 정답: 반복과 재현의 가능성이 높은 것은 자연 현상의 특징이므로 (가)의 내용으로 적절하다.

03 자연 현상과 사회·문화 현상의 특징

자료 해설 제시문은 남아메리카 아마존강과 오리노코강 유역에 서식하는 분홍돌고래에 대한 설명이다. ㉠의 키워드인 '지역의 명물', ㉣의 키워드인 '사냥과 개발'을 통해 인간이 주체가 되는 사회·문화 현상임을 확인할 수 있고, ㉡과 ㉢은 돌고래의 특성에 대한 설명으로 자연 현상에 해당한다.

선택지 분석

❶ 정답: 당위 법칙의 지배를 받는 것은 사회·문화 현상이다.

② 오답: 자연 현상과 사회·문화 현상 모두 경험적 자료를 바탕으로 연구할 수 있다.

③ 오답 : 자연 현상은 보편성을 지니며, 사회·문화 현상은 보편성과 특수성이 함께 나타난다.
④ 오답 : ㉠, ㉣은 사회·문화 현상이므로 둘 다 가치 함축적이다.
⑤ 오답 : 자연 현상은 사회·문화 현상에 비해 확실성과 보편성이 강하므로 규칙 발견을 통한 상황 예측이 용이하다.

04 사회·문화 현상의 특징

자료 해설 갑국에서 집 전화는 부의 상징에서 필수품으로 변화하였고 인터넷 전화와 휴대 전화 등 다양한 통신 매체의 발달로 인해 보완적 통신 매체의 성격으로 바뀌었음을 알 수 있다. 을국에서 아파트는 빈민촌의 주거 형태에서 중산층의 주거지로, 최근에는 상류층의 부를 과시하는 대상으로 변화하였음을 알 수 있다. 즉 집 전화와 아파트의 사례를 통해 사회·문화 현상은 시간과 공간에 따라 변화하는 특성이 있음을 파악할 수 있다.

선택지 분석
① 오답 : 같은 조건에서 동일한 결과가 나타나는 것은 자연 현상의 특징이다.
② 오답 : 규칙 발견과 예측이 용이한 것은 자연 현상의 특징이다.
③ 오답 : 개연성과 확률의 원리는 사회·문화 현상의 특징이지만 두 사례에 나타난 특징은 아니다.
④ 정답 : 두 사례를 통해 사회적 상황과 시대에 따라 사회·문화 현상이 변화한다는 변동성과 특수성을 유추할 수 있다.
⑤ 오답 : 사회·문화 현상은 인간이 주체가 되므로 가치 함축적이고 예외가 존재한다. 하지만 제시문과는 관련이 없다.

05 자연 현상과 사회·문화 현상의 특징

자료 해설 제시문은 커피의 유래와 전파에 관한 내용이다. ㉠의 카페인의 영향은 인간의 의지나 가치가 개입되지 않은 자연 현상이고, ㉡과 ㉢은 인간의 의지에 따른 커피의 전파와 수요 증가에 대한 것으로 사회·문화 현상이다.

선택지 분석
① 오답 : ㉠은 자연 현상으로 몰가치적이다.
② 오답 : ㉡은 사회·문화 현상으로 당위 법칙의 지배를 받는다.
③ 정답 : ㉢은 사회·문화 현상으로 확률의 원리를 따른다.
④ 오답 : 자연 현상과 사회·문화 현상 모두 경험적 자료로 연구가 가능하다.
⑤ 오답 : 자연 현상은 확실성과 보편성을 가지고 있으므로 법칙 발견이 용이하다.

06 자연 현상과 사회·문화 현상의 특징

자료 해설 앵커는 지리산 반달가슴곰의 방사와 관련된 내용을 말하고 있다. ㉠의 '영상 공개', ㉡의 '추가 방사', ㉣의 '구역의 출입' 등의 키워드를 통해 ㉠, ㉡, ㉣은 인간의 의지와 가치가 개입된 사회·문화 현상임을 파악할 수 있다. 반면 ㉢은 반달곰의 생태에 관한 내용으로, 인간의 의지와 상관없이 나타나는 자연 현상이다.

선택지 분석
① 오답 : ㉠과 ㉡은 사회·문화 현상으로 가치 함축적이다.
② 정답 : ㉡은 사회·문화 현상이고, ㉢은 자연 현상이다. 사회·문화 현상은 당위 법칙, 자연 현상은 존재 법칙을 따른다.
③ 오답 : ㉢은 자연 현상이고 ㉣은 사회·문화 현상이다. 사회·문화 현상은 인간의 의지와 가치 판단에 따라 다르게 나타나기 때문에 개연성은 사회·

문화 현상의 특징이다.
④ 오답 : ㉢과 ㉣은 둘 다 사회·문화 현상이므로 확률의 원리가 적용된다. 예외가 존재하지 않는 필연성의 원리는 자연 현상의 특징이다.
⑤ 오답 : ㉠, ㉡, ㉣은 사회·문화 현상이고 ㉢은 자연 현상이다. 사회·문화 현상은 자연 현상에 비해 특수성이 강하게 나타난다.

07 자연 현상과 사회·문화 현상의 특징

자료 해설 기상 캐스터는 이른 벚꽃의 개화 시기에 따른 벚꽃 축제의 영향에 대해 이야기하고 있다. ㉠, ㉢은 벚꽃이 높은 기온에 영향을 받아 일찍 피었다는 내용이므로 자연 현상이며, ㉡, ㉣은 벚꽃 개화 시기 예측이 빗나가 벚꽃 축제에 차질이 생겼다는 내용이므로 사회·문화 현상에 해당한다. 특히 ㉡의 '예측', ㉣의 '축제 기간'을 통해 인간의 의지와 가치가 개입되어 있음을 파악할 수 있다.

선택지 분석
ㄱ. 오답 : ㉠은 자연 현상이므로 보편성을 지닌다. 특수성은 사회·문화 현상의 특징이다.
ㄴ. 정답 : ㉡의 키워드 '예측'을 통해 인간의 의지가 개입된 사회·문화 현상임을 알 수 있다.
ㄷ. 정답 : ㉡은 사회·문화 현상이고, ㉢은 자연 현상이다. 자연 현상은 필연성으로 인해 인과 관계가 분명하게 나타난다.
ㄹ. 오답 : ㉢은 자연 현상이고, ㉣은 사회·문화 현상이다. 자연 현상은 확실성의 원리, 사회·문화 현상은 확률의 원리를 따른다.

08 자연 현상과 사회·문화 현상의 특징

자료 해설 제시문은 노화 방지와 한계 수명에 대한 연구로, 당사슬에 대해 이야기하고 있다. ㉠의 '극복', ㉡의 '발견'을 통해 인간의 의지와 가치가 개입된 사회·문화 현상임을 파악할 수 있다. 반면 ㉢, ㉣은 인간의 의지와 상관없이 나타나는 당사슬의 기능에 대한 내용이므로 자연 현상이다.

선택지 분석
① 오답 : ㉠과 ㉡은 사회·문화 현상으로 가치 함축적이다.
② 오답 : ㉡은 사회·문화 현상이고, ㉣은 자연 현상이다. 사회·문화 현상은 자연 현상에 비해 특수성이 강하게 나타난다.
③ 정답 : ㉢은 자연 현상이고 ㉡은 사회·문화 현상이다. 사회·문화 현상은 당위 법칙, 자연 현상은 존재 법칙을 따른다.
④ 오답 : ㉠은 사회·문화 현상이고, ㉣은 자연 현상이다. 사회·문화 현상과 자연 현상 모두 경험적 자료를 통해 연구할 수 있다.
⑤ 오답 : ㉠, ㉡은 사회·문화 현상이고 ㉢, ㉣은 자연 현상이다. 사회·문화 현상은 인간의 의지와 가치 판단에 따라 다르게 나타나기 때문에 예외가 존재하는 개연성이 나타난다.

09 자연 현상과 사회·문화 현상의 특징

자료 해설 제시문은 철새의 이동에 관한 내용이다. ㉡의 '지칭', ㉢의 '분석' 등의 키워드를 통해 ㉡, ㉢은 인간의 의지나 가치가 개입된 사회·문화 현상임을 파악할 수 있다. 반면 인간의 의지나 가치와 상관없이 나타나는 ㉠, ㉣은 자연 현상이다. 첫 번째 질문에서 존재 법칙의 적용은 자연 현상의 특징이므로 '○'로 응답해야 한다. 두 번째 질문에서 경험적 자료를 바탕으로 한 연구는 자연 현상과 사회·문화 현상 모두 가능하다. 세 번째 질문에서 인간의 가치 반영은 가치 함축성을 뜻하며 이는 사회·문화 현상인 ⓒ의 특징이므로 'O'로 응답해야 한다. 네 번째 질문에서 같은 조건하에서는 항상 동일한 결과가 나오는 것은 확실성을 뜻하며 이는 자연 현상인 ⓔ의 특징이므로 'O'로 응답해야 한다.

선택지 분석

① 오답 : 갑은 첫 번째, 두 번째, 네 번째 질문에 대해 'O'로 응답해야 한다.
② 오답 : 을은 첫 번째 질문에 대해 'O'로 응답해야 한다.
③ 오답 : 병은 두 번째, 세 번째 질문에 대해 'O'로 응답해야 한다.
④ 오답 : 정은 네 번째 질문에 대해 'O'로 응답해야 한다.
⑤ 정답 : 무는 모든 질문에 바르게 응답하였다.

10 자연 현상과 사회·문화 현상의 특징

자료 해설 제시문은 멧돼지 출몰에 대한 앵커와 기자의 대화 내용이다. ㉠, ㉡은 인간의 의지나 가치가 개입되지 않은 사실과 멧돼지의 생태에 대한 내용이므로 자연 현상이다. ㉢의 '개발', ㉣의 '보존'이라는 키워드를 통해 인간의 의지와 노력이 개입되어 있음을 알 수 있다. 따라서 ㉢, ㉣은 사회·문화 현상이다.

선택지 분석

① 오답 : 몰가치성은 자연 현상의 특징이므로 ㉠, ㉡의 응답은 'O'이고, ㉢, ㉣의 응답은 '✕'이다.
② 오답 : 당위 법칙의 적용을 받는 것은 사회·문화 현상의 특징이므로 ㉠, ㉡의 응답은 '✕'이고, ㉢, ㉣의 응답은 'O'이다.
❸ 정답 : 확실성의 원리가 적용되는 것은 자연 현상의 특징이므로 ㉠, ㉡의 응답은 'O'이고, ㉢, ㉣의 응답은 '✕'이다.
④ 오답 : 보편성과 특수성이 공존하는 것은 사회·문화 현상의 특징이므로 ㉠, ㉡의 응답은 '✕'이고, ㉢, ㉣의 응답은 'O'이다.
⑤ 오답 : 자연 현상과 사회·문화 현상 모두 경험적 자료에 의해 연구할 수 있으므로 ㉠~㉣의 응답은 모두 'O'이다.

11 자연 현상과 사회·문화 현상의 특징

자료 해설 제시문은 AI 바이러스의 감염과 예방에 대한 내용이다. 인간의 의지나 가치와 상관없이 나타나는 ㉠, ㉡, ㉢은 자연 현상이다. 반면 ㉣은 키워드 '사육'을 통해 인간의 의지와 가치가 개입된 사회·문화 현상임을 파악할 수 있다. 첫 번째 질문에서 가치 함축성은 사회·문화 현상의 특징이므로 '✕'로 응답해야 한다. 두 번째 질문에서 같은 조건하에서는 항상 동일한 결과가 발생하는 것은 확실성의 원리를 뜻하며, 이는 자연 현상의 특징이므로 'O'로 응답해야 한다. ㉡은 자연 현상이므로 'O'로 응답해야 한다. 세 번째 질문에서 보편성과 특수성의 공존은 사회·문화 현상의 특징이므로 '✕'로 응답해야 한다. 네 번째 질문에서 당위 법칙은 사회·문화 현상의 특징이다. ㉣은 사회·문화 현상이므로 'O'로 응답해야 한다.

선택지 분석

① 오답 : 네 번째 질문에 대해 'O'로 응답해야 한다.
② 오답 : 첫 번째 질문과 세 번째 질문에 대해 '✕'로 응답하고 두 번째 질문과 네 번째 질문에 대해 'O'로 응답해야 한다.
③ 오답 : 두 번째 질문에 대해 'O'로, 세 번째 질문에 대해 '✕'로 응답해야 한다.
❹ 정답 : 모든 질문에 바르게 응답하였다.
⑤ 오답 : 첫 번째 질문에 대해 '✕'로, 두 번째 질문에 대해 'O'로 응답해야 한다.

12 사회·문화 현상을 바라보는 관점

자료 해설 첫 번째 질문은 갈등론에 대한 것이다. 이 질문을 통해 A와 B를 구분할 수 있으므로 A, B 중 하나는 갈등론이다. 두 번째 질문은 거시적 관점에 대한 것이다. 이 질문을 통해 A, C를 구분할 수 없으므로 A, C는 각각 기능론과 갈등론 중 하나이다. 따라서 두 질문의 공통인 A는 갈등론이고, B는 상징적 상호 작용론, C는 기능론이다.

선택지 분석

① 오답 : 사회의 각 부분이 상호 의존적인 관계에 있다고 보는 것은 기능론이다.
② 오답 : 사회의 안정보다 변동을 중시하는 것은 갈등론이다.
❸ 정답 : 기능론은 사회가 유기체와 유사한 특성을 지니고 있다고 본다.
④ 오답 : 사회 제도의 영향력을 중시하는 것은 거시적 관점의 특징이므로 기능론과 갈등론이 이에 해당한다.
⑤ 오답 : 개인의 행동은 상황에 대한 주관적 해석에 기초하여 이루어진다고 보는 것은 상징적 상호 작용론이다.

13 갈등론

자료 해설 제시문의 필자는 자본가 계층(지배 계층)이 사회 구조를 유지하기 위해 노동자 계층(피지배 계층)을 억압 및 착취하므로 빈곤 문제가 사라지지 않는다고 보았다. 이는 희소가치를 둘러싼 집단 간 이해관계의 대립을 강조하는 갈등론적 관점이다.

선택지 분석

① 오답 : 행위 주체인 개인의 능동성과 자율성을 강조하는 것은 상징적 상호 작용론이다.
❷ 정답 : 갈등론은 대립과 갈등을 사회 구조의 필연적 속성으로 본다.
③ 오답 : 사회가 스스로 균형을 유지하려는 속성을 지닌다고 보는 것은 기능론이다.
④ 오답 : 개인 간의 사회적 상호 작용을 통한 의미 부여를 중시하는 것은 상징적 상호 작용론이다.
⑤ 오답 : 사회 규범이 사회 구성원 전체의 합의를 통해 형성된다고 보는 것은 기능론이다.

14 상징적 상호 작용론

자료 해설 제시문에서는 다른 사람들에게 똑같이 들리는 아기의 울음소리에 대한 아기 엄마의 반응을 사례로 들어 상징적 상호 작용론을 설명하고 있다. 상징적 상호 작용론은 사회 현상을 개개인이 타인과 상호 작용 과정에서 주어진 상황을 분별하여 그에 적합하게 반응한 결과로 보고 있다.

선택지 분석

ㄱ. 오답 : 사회 제도가 특정 집단의 권력 유지에 기여한다고 보는 것은 갈등론이다.
ㄴ. 오답 : 사회 구성 요소들이 통합적이고 안정적인 구조를 지향한다고 보는 것은 기능론이다.
ㄷ. 정답 : 상징적 상호 작용론은 사회 현상을 사물이나 행위에 특정한 의미를 부여하고 공유하는 과정으로 본다.
ㄹ. 정답 : 상징적 상호 작용론은 행위 주체의 상황 정의를 통한 상호 작용을 바탕으로 사회생활이 이루어진다고 본다.

15 기능론과 갈등론

자료 해설 교훈은 앞으로의 행동이나 생활에 지침이 될 만한 것을 가르치기 위한 것으로, 사회의 가치가 반영되어 있다. 갑은 전체 사회의 가치가 반영된 교훈을 따라야 한다고 보고 있으므로 기능론적 관점인 반면, 을은 교훈을 지배 집단이 학생들에게 기존 사회 질서의 가치를 강요하기 위한 수단으로 인식하고 있으므로 갈등론적 관점이다.

선택지 분석

① 오답 : 개인의 능동성과 자율성을 강조하는 것은 상징적 상호 작용론이다.
② 오답 : 사회를 유기체로 간주하는 것은 갑의 기능론이다.
❸ 정답 : 갑은 기능론적 입장으로, 사회 변동보다 안정을 중시한다.
④ 오답 : 사회 문제를 병리적인 현상으로 간주하는 것은 갑의 입장인 기능론이다.
⑤ 오답 : 갑의 기능론적 관점과 을의 갈등론적 관점 모두 개인에 대한 사회 구조의 영향력을 중시하는 거시적 관점에 해당한다.

올쏘 만점 노트 │ 기능론

전제	사회는 유기체처럼 사회 구성 요소 간의 상호 의존적인 관계를 형성하고 있음
기본 입장	• 사회 구성원들이 공유하는 가치나 규범은 구성원 전체가 합의한 것임 • 사회 문제나 갈등은 사회 병리적 현상이며, 각 구성 요소가 주어진 역할을 제대로 수행하지 못했기 때문에 발생한다고 봄 • 문제가 되는 부분이 원래의 기능을 회복하면 사회는 다시 안정을 이룸 → 재사회화와 도덕 교육 강조
평가	• 사회 질서와 통합이 나타나는 사회·문화 현상을 설명하기에 적합함 • 사회 갈등이나 변동의 중요성을 간과하며, 혁명과 같은 사회 변동을 설명하기 어려움

16 기능론과 상징적 상호 작용론

자료 해설 (가)는 교칙이 학교라는 작은 사회의 안정과 통합을 증진하는 역할을 한다고 보고 있으므로 기능론이다. (나)는 교사와 학생 간의 상호 작용과 의미 부여를 강조하고 있으므로 상징적 상호 작용론이다.

선택지 분석

① 오답 : 기능론은 사회가 스스로 균형을 유지하려는 속성을 지닌다고 본다.
② 오답 : 상징적 상호 작용론은 개인이 상황에 부여한 의미에 기초하여 사회적 상황에 반응한다고 본다.
③ 오답 : 기능론은 사회가 유기체와 유사한 특성을 지니고 있음을, 상징적 상호 작용론은 인간이 의미를 추구하는 존재임을 가정한다.
❹ 정답 : 사회가 구성 요소 간의 상호 의존적 관계 형성을 통해 질서와 안정을 이룬다고 보는 것은 기능론이다.
⑤ 오답 : 사회 구조에 대한 분석을 통해 사회 현상을 이해하고자 하는 것은 거시적 관점이므로 (가)에 해당한다.

올쏘 만점 노트 │ 거시적 관점과 미시적 관점

구분	거시적 관점	미시적 관점
의미	사회 구조에 대한 분석을 통해 사회·문화 현상을 이해함	개개인이 타인과의 상호 작용을 통해 사회적 상황에 의미를 부여하고 공유함
관련 이론	기능론, 갈등론	상징적 상호 작용론

17 사회·문화 현상을 바라보는 관점

자료 해설 사회·문화 현상을 바라보는 관점은 크게 거시적 관점과 미시적 관점으로 나눌 수 있다. 거시적 관점에 해당하는 기능론과 갈등

론은 개개인의 행위를 초월하여 존재하는 사회 구조나 사회 제도 등에 초점을 두는 반면, 미시적 관점은 개인 간의 상호 작용과 인간의 행위에 담긴 의미에 초점을 두며, 상징적 상호 작용론이 이에 해당한다. 제시문에서 사회적 합의에 기초한 학교 교육이 사회 질서 유지에 기여한다고 보는 A의 관점은 기능론이고, 학생들이 학교와 학교 교육에 의미를 부여하고 해석하는 과정을 중시하는 B의 관점은 상징적 상호 작용론이다. 따라서 A와 B를 제외한 C는 갈등론이 된다.

선택지 분석

ㄱ. 오답 : 학교 교육이 지배 집단의 가치를 전수시킨다는 입장은 갈등론이다.
ㄴ. 정답 : 학교 교육에 대한 교사와 학생의 상호 작용과 의미 부여에 주목하는 것은 상징적 상호 작용론이다.
ㄷ. 오답 : 학교 교육이 사회에서 필요한 인력을 적재적소에 배치하는 데 기여한다고 보는 것은 기능론이다.
ㄹ. 정답 : A는 기능론, C는 갈등론이므로 거시적 관점이고, B는 미시적 관점인 상징적 상호 작용론이다.

18 사회·문화 현상을 바라보는 관점

자료 해설 세대 갈등의 원인에 대한 갑·을·병의 관점이 서로 다르게 나타나고 있다. 갑은 급격한 사회 변동으로 인해 세대 간의 역할 수행 체계가 무너져 구성원 간 상호 의존성이 약화되어 세대 갈등이 나타난다고 보고 있으므로 기능론의 입장이다. 을은 다양한 상황에 대한 개인들의 의미 부여의 차이가 세대 간에 더 크게 나타나며 세대 간 인식, 태도, 행동의 차이로 이어져 세대 갈등이 발생한다고 보고 있으므로 상징적 상호 작용론의 입장이다. 한편 병은 세대 갈등을 기성세대(지배 계층)와 젊은 세대(피지배 계층) 간의 갈등으로 보고 있으므로 갈등론의 입장이다.

선택지 분석

① 오답 : 상징을 통한 개인 간 상호 작용에 초점을 맞추는 것은 상징적 상호 작용론이다.
② 오답 : 사회 각 부분이 상호 보완적 역할을 수행한다고 보는 것은 기능론이다.
❸ 정답 : 병의 관점인 갈등론은 갈등을 사회 변동의 원동력으로 본다.
④ 오답 : 상징적 상호 작용론은 사회 구조가 개인에게 미치는 영향을 간과한다는 비판을 받는다.
⑤ 오답 : 능력에 따른 차등 보상의 필요성을 강조하는 것은 기능론이다.

19 사회·문화 현상을 바라보는 관점

자료 해설

(가) 청년 실업은 기성세대가 자신들에게 유리한 고용 구조를 만들고, 소외된 청년들에게 이를 따르도록 사회적으로 강제하는 과정에서 발생한다. → 갈등론

(나) 고용은 시장 구성원들의 자율적인 합의에 의해 만들어진 제도를 통해 효율적으로 이루어진다. 청년 실업은 고용 시장의 일시적인 부조화 현상일 뿐이다. → 기능론

(다) 청년 실업은 사회 구조적 요인에 의한 것이 아니라, 청년 개개인이 취업에 대해 중요한 의미를 부여하고 실업을 부정적 상황으로 정의함에 따라 사회 문제가 된다. → 상징적 상호 작용론

(가)~(다)는 청년 실업을 바라보는 다양한 관점의 주장이다. (가)는 기성세대(지배 집단)가 고용 구조를 자신의 집단에게 유리하게 만들어 청년 세대(피지배 집단)를 억압 및 착취한다고 보고 있으므로 갈등론이다. (나)는 청년 실업을 일시적인 부조화 현상인 사회 병리 현상으로 보고 있으므로 기능론이다. (다)는 청년 실업은 사회 구조적 문제가 아니라 사회 문제를 어떻게 정의하고 의미를 부여하느냐에 따라 달라질 수 있다고 보고 있으므로 상징적 상호 작용론이다.

선택지 분석

① 오답 : 사회 구조로부터 자유로운 능동적 개인에 초점을 두고 있는 것은 (다)의 상징적 상호 작용론이다.

② 정답 : (나)의 관점은 기능론으로, 사회에서 지배적으로 인정되는 규범을 따르는 것이 사회의 유지와 존속에 필수적이라고 본다.

③ 오답 : 특정 집단의 합의에 의한 사회 규범이 기존의 사회 구조를 유지시키는 역할을 한다고 보는 것은 (가)의 갈등론이다.

④ 오답 : 사회가 스스로 균형을 유지하려는 속성을 지니고 있다고 보는 것은 (나)의 기능론이다.

⑤ 오답 : 특정 현상에 대한 개인들의 인식에 따라 사회·문화 현상이 규정된다고 보는 것은 (다)의 상징적 상호 작용론이다.

20 사회·문화 현상을 바라보는 관점

자료 해설

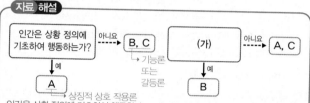

인간을 상황 정의에 기초하여 행동한다고 보는 관점은 상징적 상호 작용론이다. 따라서 A는 상징적 상호 작용론이고, B와 C는 갈등론과 기능론 중 하나이다. (가)의 물음에 따라 B와 C의 관점이 변할 수 있음에 유의하여 문제를 해결한다.

선택지 분석

ㄱ. 오답 : A는 상징적 상호 작용론으로, 미시적 관점에 해당한다. 사회 구조적 관점에서 사회·문화 현상을 분석하는 것은 거시적 관점이며, 기능론과 갈등론이 이에 해당한다.

ㄴ. 오답 : 사회 집단 간 상호 의존성을 강조하는 것은 기능론이므로 C는 기능론이다. 그런데 (가)에 '사회 문제를 병리적 현상으로 보는가?'가 들어가면, 기능론은 '예'로 답변할 것이므로 B가 된다.

ㄷ. 정답 : (가)에 '사회 유기체설을 바탕으로 하는가?'가 들어가면 B는 기능론이다. 기능론은 사회가 본질적으로 균형을 지향한다고 본다.

ㄹ. 정답 : (가)에 '사회 질서가 지배 집단의 필요를 반영하여 형성된다고 보는가?'가 들어가면 B는 갈등론, C는 기능론이다. 기능론은 기득권을 가진 지배 집단의 이익을 대변하는 논리로 악용될 수 있다.

21 사회·문화 현상을 바라보는 관점

자료 해설 주어진 표에서 질문에 대한 답변을 바탕으로 기능론, 갈등론, 상징적 상호 작용론을 찾아내는 문제이다. A, B, C의 이론이 고정되어 있지 않으므로 〈보기〉의 조건에 맞추어 하나씩 풀이해야 한다.

선택지 분석

ㄱ. 오답 : (가)의 질문에 대해 A와 C는 '예'라고 응답해야 한다. 하지만 인간을 능동적 주체로 전제하는 것은 상징적 상호 작용론에만 해당하는 내용이므로 A~C 중 하나만 '예'라고 응답할 수 있다.

ㄴ. 정답 : 사회 구성원의 주관적 상황 정의에 기초한 상호 작용을 중시하는 것은 상징적 상호 작용론이다. A가 '아니요'로 답하였으므로 B와 C 중 하나가

상징적 상호 작용론이다. 따라서 ㉠이 '예'이면 ㉡이 '아니요'이고, ㉠이 '아니요'이면 ㉡이 '예'이다.

ㄷ. 오답 : 개인의 행위를 강제하는 사회 체계를 중시하는 것은 기능론과 갈등론 모두 해당되는 내용이므로 '예'라는 응답이 2개 있어야 한다. 따라서 (다)의 질문으로 적절하지 않다.

ㄹ. 정답 : 갈등을 사회 변동의 원동력으로 보는 것은 갈등론이다. 이에 따르면 A는 기능론, B는 갈등론이 된다.

22 사회·문화 현상을 바라보는 관점

자료 해설 첫 번째 질문은 거시적 관점에서 대한 것이므로 '예'라고 응답한 (가)와 (다) 둘 중 하나는 기능론이고 나머지 하나는 갈등론이며, '아니요'라고 응답한 (나)는 상징적 상호 작용론이다. 두 번째 질문은 갈등론적 관점에 대한 것이므로 '예'라고 응답한 (가)는 갈등론이고, '아니요'라고 응답한 (다)는 기능론이다. 따라서 A에는 기능론과 관련된 질문이 들어가야 한다.

선택지 분석

① 오답 : 가족 구성원 간의 합리적인 선택을 통해 가족 관계의 안정이 유지된다고 보는 것은 기능론이다.

② 오답 : 가족 구성원 간의 상호 의존적인 역할 수행을 강조하는 것은 기능론이다.

③ 정답 : 가족 문제의 원인으로 갈등론은 가부장 제도의 폐해에, 기능론은 가족 구성원 간의 유대 약화에 주목한다.

④ 오답 : 가족 문제가 가족 구성원 간의 상호 작용 양상에 따라 각기 다르게 나타난다고 보는 것은 상징적 상호 작용론이다.

⑤ 오답 : 가족 구성원 간의 고착화된 불평등 관계에 대한 근본적인 개선은 갈등론적 관점에서 제시할 수 있는 가족 문제의 해결 방안이다. A에는 기능론적 관점에서 '예'라고 응답할 수 있는 질문이 적절하다.

23 상징적 상호 작용론

자료 해설 제시문에서 개인은 몸짓(행동=상징)에 반응하고 몸짓과 몸짓 사이의 관계에도 반응한다고 설명하고 있다. 이는 상징을 서로 주고받는 인간을 능동적인 존재로 바라보는 관점인 상징적 상호 작용론에 해당하는 내용이다. 첫 번째 진술에서 사회 구조를 중시한다는 것은 거시적 관점에 해당하므로 '×'로 응답해야 한다. 두 번째 진술에서 개인이 사회·문화 현상의 의미를 규정한다는 것은 상징적 상호 작용론의 주장이므로 '○'로 응답해야 한다. 세 번째 진술에서 부모와 자녀의 상호 작용을 통해 성 정체성이 형성된다는 것은 상징적 상호 작용론의 주장이므로 '○'로 응답해야 한다. 네 번째 진술에서 사회 변동을 사회 구성원들 간의 대립과 투쟁의 결과로 보는 것은 거시적 관점 중 갈등론의 주장이므로 '×'로 응답해야 한다.

선택지 분석

① 정답 : 갑은 상징적 상호 작용론의 입장에서 일관된 답을 하고 있다.

② 오답 : 을은 첫 번째 진술과 두 번째 진술에서는 상징적 상호 작용론, 세 번째 진술에서는 거시적 관점, 네 번째 진술에서는 갈등론의 입장이다.

③ 오답 : 병은 두 번째 진술에서 미시적 관점의 입장을 취하고 있다.

④ 오답 : 정은 네 번째 진술에서 갈등론의 입장을 취하고 있다.

⑤ 오답 : 무는 첫 번째 진술과 두 번째 진술에서는 거시적 관점, 세 번째 진술에서는 상징적 상호 작용론, 네 번째 진술에서는 기능론 또는 상징적 상호 작용론의 입장이다.

01 자연 현상과 사회·문화 현상의 특징

자료 해설 사회·문화 현상은 인간의 의지나 가치가 개입하여 나타나고, 자연 현상은 인간의 의지나 노력과는 상관없이 발생한다. ㉠은 사람이 생각한 것이므로 사회·문화 현상, ㉡의 잡초가 자라는 것은 인간의 의지나 가치에 따른 것은 아니므로 자연 현상, ㉢은 햇볕을 받아 얼굴이 탄 것이므로 자연 현상, ㉣은 인간의 감정이 개입된 것이므로 사회·문화 현상이다.

선택지 분석

① 오답 : 사회·문화 현상은 인간의 가치가 개입되므로 같은 조건에서도 다른 반응이 나타날 수 있다. 즉 예외가 존재하므로 확률성의 원리를 따른다. 확실성의 원리는 자연 현상에 적용된다.

② 오답 : 자연 현상은 일정한 원인이 있으면 반드시 결과가 발생하므로 인과 관계가 명확하다.

③ 오답 : 자연 현상은 언제 어디서나 동일한 결과가 나타나므로 보편성을 특징으로 한다. 사회·문화 현상에도 보편성이 있지만, 시대와 사회 상황에 따라 그 구체적인 모습이 다르게 나타나므로 특수성도 존재한다. 따라서 사회·문화 현상은 보편성과 특수성을 함께 지닌다.

❹ 정답 : 사회·문화 현상은 인간의 의지나 가치가 개입하여 발생하므로 가치 함축적인 반면, 자연 현상은 인간의 의지나 가치와 무관하게 발생하므로 몰가치적인 성격을 가진다.

⑤ 오답 : '마땅히 ~해야 한다.'와 같이 인간의 규범적 요구가 반영되어 나타난다는 점에서 사회·문화 현상은 당위 법칙이 적용된다. 자연 현상은 인간의 인식 여부와 상관없이 단지 자기 스스로의 원리에 의해 발생하는 것이므로 존재 법칙이 적용된다.

02 자연 현상과 사회·문화 현상의 관계

자료 해설 아르헨티나의 빙하가 무너져 내리는 현상은 자연 현상이고 이 광경을 구경하는 것은 사회·문화 현상이다. 빙하가 무너져 내리는 모습을 사람들이 구경하려고 모여들다 보니 자동차 등의 배기가스로 인해 이산화 탄소 배출량이 늘어나고, 이것이 지구 온난화 현상을 유발하여 빙하의 붕괴를 재촉하고 있다. 즉 사회·문화 현상과 자연 현상은 서로 영향을 미치고 있다.

선택지 분석

① 오답 : 자연 현상은 보편성, 사회·문화 현상은 보편성과 특수성의 공존을 특징으로 한다. 따라서 두 현상 모두 보편성을 특징으로 하지만 제시된 사례와는 관계가 없다.

② 오답 : 자연 현상은 같은 조건에서는 항상 같은 결과가 발생하므로 인과 관계가 명확하다. 반면에 사회·문화 현상은 예외가 존재하므로 인과 관계가 불분명한 경우가 많다. 그러나 제시된 사례와는 관계가 없다.

❸ 정답 : 빙하가 무너져 내리는 자연 현상을 구경하려고 사람들이 모여들어 지구 온난화 현상이 심각해지고 있다. 즉 사회·문화 현상과 자연 현상은 서로 영향을 미치고 있음을 알 수 있다.

④ 오답 : 사회·문화 현상은 보편성을 지니면서도 그 구체적인 내용은 시대와 장소에 따라 다르게 나타날 수 있으므로 특수성도 나타난다. 그러나 제시된 사례와는 관계가 없다.

⑤ 오답 : 자연 현상은 존재 법칙, 사회·문화 현상은 당위 법칙의 지배를 받지

만 제시된 사례와는 관계가 없다.

03 자연 현상과 사회·문화 현상의 특징

자료 해설 폭염 주의보는 일정한 온도 이상의 날씨가 지속될 때 기상청이 내리는 것이므로 ㉠은 사회·문화 현상이다. ㉡의 미세 먼지의 유입과 ㉢의 장마 전선의 분포는 인간의 의지나 가치가 개입된 것이 아니므로 자연 현상이다. 장맛비가 내리는 것은 자연 현상이지만 그것을 예측하는 것은 인간의 의지가 개입되므로 ㉣은 사회·문화 현상이다. 첫 번째 질문에서 개성성은 사회·문화 현상에서 나타나는 특징이므로 'O'로 응답해야 한다. 두 번째 질문에서 존재 법칙이 작용하는 것은 자연 현상의 특징이므로 'O'로 응답해야 한다. 세 번째 질문에서 가치 함축성은 사회·문화 현상의 특징이고, ㉢은 자연 현상이므로 '×'로 응답해야 한다. 자연 현상은 인간의 의지나 가치와 무관하게 발생하므로 몰가치적이다. 네 번째 질문에서 보편성과 특수성의 공존은 사회·문화 현상의 특징이므로 'O'로 응답해야 한다.

선택지 분석

❶ 정답 : 갑은 모두 바르게 응답하였다.

② 오답 : 을은 두 번째 질문에 'O'로 응답해야 한다.

③ 오답 : 병은 두 번째 질문을 제외하고 모두 틀리게 응답하였다.

④ 오답 : 정은 두 번째와 세 번째 질문에 틀리게 응답하였다.

⑤ 오답 : 무는 첫 번째 질문에 대해 'O'로 응답해야 한다.

04 사회 과학의 연구 경향

자료 해설 고령화 현상에 대한 대책을 세우려면 인구학, 의학, 법학, 경제학, 노동학 등 다양한 학문적 관점에서 함께 접근해야 한다. 사회·문화 현상은 다양한 분야가 상호 밀접한 관계를 맺고 있어 개별 학문을 연구하는 것만으로는 사회·문화 현상을 제대로 이해하기 어렵기 때문이다. 그래서 최근에는 사회·문화 현상을 총체적으로 이해하기 위해 개별 학문의 연구 성과를 종합하는 간학문적 탐구가 이루어지고 있다.

선택지 분석

① 오답 : 연역적 방법은 기존의 이론이나 결론으로부터 가설이나 연구 문제를 도출한 후 구체적 자료를 수집하는 방법이고, 귀납적 방법은 구체적인 자료 수집을 통해 새로운 결론을 도출하고 일반화를 이끌어 내는 과정이다. 모두 사회·문화 현상의 연구 과정에서의 모습이나 제시된 내용과는 관련이 없다.

② 오답 : 자연 과학의 연구 방법을 사회 과학에 접목해야 한다는 주장은 양적 연구 방법에서 강조한다. 제시된 내용과는 관련이 없다.

❸ 정답 : 고령화 현상은 전체 인구 중에서 노인 인구의 비중이 많아진다는 것으로, 오늘날에는 단순히 인구 문제가 아니고 노인의 여가 활동이나 경제 활동, 노인 건강 문제, 노인 범죄 문제 등 다양한 측면에서 접근해야 할 문제이다. 따라서 여러 학문을 종합하는 간학문적 관점의 탐구가 필요하다.

④ 오답 : 사회·문화 현상은 원인을 정확하게 진단해야 대책을 세울 수 있다.

⑤ 오답 : 사회 과학의 세분화·전문화를 강조하다 보면 어느 한쪽의 측면에서만 해결책을 찾게 된다. 이 경우 다른 측면에서 또 다른 문제점을 노출시키기 쉽다.

05 사회·문화 현상을 바라보는 관점

자료 해설 사회·문화 현상을 보는 관점 중 (가)는 기능론, (나)는 갈등론, (다)는 상징적 상호 작용론이다. 기능론은 사회도 유기체처럼 상호 의존적인 다양한 부분으로 구성되어 있고, 각 부분은 사회 전체가

합의한 규범에 따라 사회의 안정과 질서 유지에 필요한 기능을 수행한다고 본다. 갈등론은 사회적 희소가치를 획득한 지배 집단은 부와 권력을 이용하여 기존의 지배 관계를 유지하려고 하지만, 피지배 집단은 이에 도전하므로 사회에서 갈등과 대립은 항상 존재할 수밖에 없다고 본다. 상징적 상호 작용론은 인간은 각자의 상황 정의를 바탕으로 행위를 선택하고, 의미 전달의 수단으로서 상징을 활용하여 타인과 상호 작용을 한다고 본다.

선택지 분석

① 오답 : 기능론은 사회 질서와 통합, 안정을 중시하므로 혁명과 같은 급격한 사회 변동을 설명하기 어렵다.

❷ 정답 : 갈등론은 지배 집단의 행위를 불공정한 것으로 본다. 따라서 지배 집단의 이익에 저항하고 대립하는 피지배 집단의 입장을 대변한다. 지배 집단의 이익을 대변한다는 비판을 받는 것은 기능론이다.

③ 오답 : 상징적 상호 작용론은 일상생활에서 언어, 신호, 손짓 등과 같은 상징을 통해 이루어지는 개인들 간의 상호 작용에 주목한다.

④ 오답 : 갈등론은 지배 집단과 피지배 집단 간의 갈등과 대립이 비정상적인 현상이 아니라 사회의 본질적인 속성이며, 오히려 사회 변동과 사회 발전의 원동력이 된다고 본다.

⑤ 오답 : 기능론과 갈등론은 사회·문화 현상을 사회 구조나 제도 등을 중심으로 거시적 관점에서 바라본다. 반면 상징적 상호 작용론은 개인의 상징을 통한 상호 작용에 중점을 두고 미시적 측면에서 사회·문화 현상을 이해한다.

06 사회·문화 현상을 바라보는 관점

자료 해설

사회자 : 직장에서의 회식 문화에 대한 의견을 말씀해 주십시오.

갑 : 회식은 직장 동료 간의 사회적 관계를 형성·유지시켜 주는 기능을 합니다. 이를 통해 공적인 관계에도 긍정적인 영향을 주게 됩니다. → 기능론

을 : 직장인들에게 회식은 직장 상사가 부하 직원의 참석을 강제하면서 자신들의 지배 관계를 더욱 공고히 하려는 의도가 강합니다. → 갈등론

병 : 회식을 하면서 잘 몰랐던 직원들의 취미도 공유할 수 있고, 상사와의 관계도 원만해질 수 있습니다. 간혹 회식을 통해 다툼도 발생하지만 당사자가 그 상황을 어떻게 받아들이느냐가 중요한 것입니다. → 상징적 상호 작용론

선택지 분석

① 오답 : 사회 변동을 중시하는 것은 을의 관점인 갈등론이다.

② 오답 : 사회의 각 구성 요소가 자기의 역할을 제대로 수행하지 못해서 사회 문제가 발생한다고 보는 것은 갑의 관점인 기능론이다.

❸ 정답 : 병은 회식을 상징적 상호 작용론의 관점에서 보고 있다. 상징적 상호 작용론에서는 사회 제도나 사회 구조보다는 일상생활 속에서 나타나는 인간의 행위에 초점을 두고, 이러한 인간 행동의 동기에 대한 의미와 해석을 중시한다.

④ 오답 : 사회 구성 요소의 기능과 역할이 사회적으로 합의된 것이라고 보는 것은 기능론이다. 갈등론에서는 사회 각 부분의 기능과 역할은 지배 집단이 정당한 것으로 규정하거나 강제한 것으로 본다.

⑤ 오답 : 사회의 각 부분이 상호 유기적 관계를 맺고 있다고 보는 것은 갑의

관점인 기능론이다. 갈등론은 상호 대립 또는 갈등 관계를 강조한다.

07 갈등론

자료 해설 제시문에서 취업이 실력이나 능력에 의해 좌우되는 것이 아니라 경제 구조의 모순으로 구직자의 능력에 걸맞은 일자리를 충분히 공급해 주지 못하는 것이 문제임을 주장한다. 즉 취업 현실을 지배 집단의 기득권 유지와 경제 구조의 모순으로 보고 있으므로 갈등론의 입장이다.

선택지 분석

① 오답 : 행위 주체인 개인의 능동성과 자율성을 강조하는 것은 상징적 상호 작용론이다.

❷ 정답 : 갈등론에서는 사회적 희소가치를 획득한 지배 집단은 부와 권력을 이용하여 기존의 지배 관계를 유지하려고 하지만, 피지배 집단은 이에 도전하므로 사회에서 갈등과 대립은 항상 존재할 수밖에 없다고 본다. 따라서 대립과 갈등을 사회 구조의 필연적 속성으로 본다.

③ 오답 : 사회가 스스로 균형을 유지하려는 속성을 지닌다고 보는 것은 기능론이다.

④ 오답 : 개인 간의 사회적 상호 작용을 통한 의미 부여를 중시하는 것은 상징적 상호 작용론이다.

⑤ 오답 : 사회 규범이 사회 구성원 전체의 합의를 통해 형성된다고 보는 것은 기능론이다. 갈등론에서는 사회 규범은 지배 집단이 자기들에게 유리한 방향으로 만들어 일방적으로 강제하고 있다고 본다.

올쏘 만점 노트 · 갈등론

전제	사회는 사회적 희소가치를 둘러싼 사회 구성원 간의 갈등과 대립의 장(場)임
기본 입장	• 사회적 희소가치를 획득한 지배 집단은 부와 권력을 이용하여 기존의 지배 관계를 유지하려고 하지만, 피지배 집단은 이에 도전하므로 사회에서 갈등과 대립은 항상 존재할 수밖에 없음 • 사회 각 부분의 기능과 역할도 지배 집단이 정당한 것으로 규정하거나 강제와 억압을 통해 기정 사실로 된 것이며, 불평등을 재생산하는 도구에 불과함 • 갈등은 비정상적인 현상이 아니라 사회의 본질적인 속성이며, 오히려 사회 변화와 사회 발전의 원동력이 됨
평가	• 사회 구조 속에 존재하는 지배와 피지배의 관계와 갈등의 측면을 이해하는 데 유용함 • 사회 각 부분 간의 복잡한 관계를 지배와 피지배의 관계로 단순화하고, 사회에서 협동과 통합이 이루어지는 현실을 무시함

08 사회·문화 현상을 바라보는 관점

자료 해설 (가)에는 A의 특징에만 해당하는 질문이 들어가야 한다. (나)에는 A와 B의 특징에만 해당하면서 C의 특징이 아닌 질문이 들어가야 한다. 사회·문화 현상을 보는 관점 중에서 기능론과 갈등론은 거시적 관점, 상징적 상호 작용론은 미시적 관점이다.

선택지 분석

ㄱ. 오답 : A가 기능론이라면, (가)에는 기능론에만 해당하는 특징을 묻는 질문이 들어가야 한다. 하지만 행위 주체의 상황 정의를 중시하는 것은 상징적 상호 작용론에만 해당하는 특징이다.

ㄴ. 오답 : B가 갈등론이라면, (나)에는 A와 B의 공통된 특징을 묻는 질문이 들어가야 한다. 지배와 피지배의 관계를 강조하는 것은 갈등론의 특징에만 해당하므로 (나)에 들어갈 수 없다.

ⓒ 정답 : C가 상징적 상호 작용론이라면, A와 B는 각각 기능론과 갈등론 중 하나이다. 따라서 (나)에는 기능론과 갈등론의 공통점을 묻는 질문이 들어가야 한다. 기능론과 갈등론은 모두 거시적 관점에 해당한다.

ⓔ 정답 : 사회를 유기체와 비슷하다고 보는 것은 기능론이므로 A는 기능론, B와 C 중 하나는 상징적 상호 작용론이다.

올쏘 만점 노트   상징적 상호 작용론

전제	인간은 자율성을 지닌 능동적인 존재이며, 사물이나 행위에 주관적인 의미를 부여하는 행위의 주체임
기본 입장	• 사회 제도나 사회 구조보다는 일상생활 속에서 나타나는 인간의 행위에 초점을 둠 • 인간은 각자의 상황 정의를 바탕으로 행위를 선택하고, 의미 전달의 수단으로 상징을 활용하여 타인과 상호 작용함 • 사회·문화 현상은 사람들이 상징을 통해 작용한 결과로서 발생한 주관적인 의미가 담긴 현상임
평가	• 사회·문화 현상을 심층적으로 이해할 수 있음 • 개인의 행위에 영향을 미치는 사회 구조나 사회 제도와 같은 거시적 측면의 힘을 간과함

02 ❷ 사회·문화 현상의 탐구 방법

기출 선지 변형 OX   본문 018~021쪽

01 ① × ② ○ ③ ○ ④ × ⑤ ○ ⑥ ○ ⑦ ○ ⑧ ×
02 ① × ② ○ ③ ○ ④ × ⑤ ○
03 ① × ② ○ ③ ○ ④ × ⑤ ○ ⑥ × ⑦ ○ ⑧ ×
04 ① ○ ② × ③ × ④ ○ ⑤ ○ ⑥ ○ ⑦ × ⑧ ×
05 ① × ② ○ ③ ○ ④ ○ ⑤ ×
06 ① ○ ② ○ ③ × ④ ○ ⑤ ○ ⑥ × ⑦ × ⑧ ×
07 ① ○ ② ○ ③ × ④ ○ ⑤ × ⑥ × ⑦ ×
08 ① × ② ○ ③ ○ ④ × ⑤ × ⑥ ○ ⑦ ×

01 ① 감정 이입과 직관적 통찰을 통한 사회·문화 현상의 심층적 이해를 중시하는 연구 방법은 질적 연구 방법이다.

② 양적 연구 방법은 사회·문화 현상 연구에 자연 과학적 연구 방법을 사용한다.

③ 양적 연구 방법은 수치화·계량화된 자료의 통계적 분석을 중시한다.

④ 양적 연구 방법과 질적 연구 방법 모두 경험적 자료를 중시한다.

⑤ 일기나 편지와 같은 비공식적 자료는 질적 연구 방법에서 중시한다.

⑥ 질적 연구 방법은 양적 연구 방법에 비해 결론의 재생 가능성이 낮다.

⑦ 양적 연구 방법은 방법론적 일원론, 질적 연구 방법은 방법론적 이원론에 기초한다.

⑧ 양적 연구 방법은 연구자가 연구 대상으로부터 분리되어 연구자의 가치가 개입할 여지가 줄어들기 때문에 객관적이고 실증적인 연구가 가능하다.

02 ① 계량화된 자료의 분석을 통한 법칙 발견이 목적인 것은 양적 연구 방법이므로 (나)에 적절한 질문이다.

② 직관적 통찰과 감정 이입적 이해를 강조하는 것은 질적 연구 방법이므로 (가)에 적절한 질문이다.

③ 독립 변수와 종속 변수 간의 인과 관계를 파악하여 일반적인 법칙을 발견하고자 하는 것은 양적 연구 방법이므로 (나)에 적절한 질문이다.

④ A는 질적 연구 방법으로 방법론적 이원론을 전제하며 일반적으로 귀납적 과정을 통해 결론을 도출한다.

⑤ 인간 행위의 동기보다 행위 자체를 주된 분석 대상으로 삼는 것은 양적 연구 방법이므로 (나)에 적절한 질문이다.

03 ① 연구 대상자의 일상을 심층적으로 이해하는 데 유리한 것은 면접법이나 참여 관찰법과 같은 질적 자료 수집 방법이다.

② 질문지법은 표본의 대표성 확보를 중시하는 자료 수집 방법이다.

③ 면접법은 응답자와 연구자 간의 정서적 교감을 중시한다.

④ 질문지법은 참여 관찰법에 비해 시간과 비용 측면에서 효율적이다.

⑤ 참여 관찰법은 비구조화·비표준화된 자료 수집 방법이다.

⑥ 다수를 대상으로 대량의 자료를 수집하는 데 용이한 것은 질문지법이다.

⑦ 실험법은 연구 대상자와 연구 상황을 연구자의 의도에 따라 설계한다는 점에서 가장 엄격한 통제가 가해진다고 볼 수 있다.

⑧ 경험적 자료를 수집할 수 있는 것은 질문지법, 면접법, 실험법, 참여 관찰법 모두 가능하므로 (가)에는 A~D 자료 수집 방법이 모두 들어갈 수 있다.

04 ① 자료 수집 상황에 대해 가장 엄격한 통제가 가해지는 자료 수집 방법은 실험법이다.

② 예상하지 못한 상황에 대한 통제가 어려운 것은 참여 관찰법이다.

③ 자료의 계량화를 통해 정확하고 정밀한 연구가 가능한 자료 수집 방법은 질문지법이나 실험법이다.

④ 참여 관찰법은 질문지법이나 실험법에 비해 일상생활을 심층적으로 파악하기에 용이하다.

⑤ 질문지법이나 실험법과 같은 양적 자료 수집 방법은 면접법이나 참여 관찰법과 같은 질적 자료 수집 방법에 비해 분석 기준이 명확하고 통계 처리가 용이하다.

⑥ 면접법이나 참여 관찰법은 질문지법이나 실험법에 비해 연구자의 가치가 개입되기 쉽다.

⑦ A가 실험법, B가 질문지법이라면, (가)에는 실험법과 관련된 질문이 들어가야 한다. 다수를 대상으로 대량의 자료 수집에 유리한 수집 방법은 질문지법이므로 (가)에 적절한 질문이 아니다.

⑧ A~D은 모두 연구자가 조사를 통해 직접 수집·작성한 1차 자료를 활용하는 자료 수집 방법이다.

05 ① 인위적으로 통제된 상황에서 변수의 효과를 관찰하는 방법은 실험법에만 해당되는 특징이다. 따라서 A는 실험법, C는 질문지법으로 구분되지만 B와 D는 구분할 수 없으므로 (가)에 들어갈 질문으로 적절하지 않다.

② 언어적 상호 작용에 의한 자료 수집이 필수적인 것은 질문지법, 면접법이다. (가)의 질문에 대해 '예'에 해당하는 자료 수집 방법은 질문지법과 면접법이고, '아니요'에 해당하는 자료 수집 방법은 실험법과 참여 관찰법이다. 따라서 A는 질문지법, B는 면접법, C는 실험법, D는 참여 관찰법이다.

③ 자료 수집 시 연구 대상자의 응답이 필수 요건인 것은 질문지법, 면접법이다. (가)의 질문에 대해 '예'에 해당하는 자료 수집 방법은 질문지법과 면접법이고, '아니요'에 해당하는 자료 수집 방법은 실험법과 참여 관찰법이다. 따라서 A는 질문지법, B는 면접법, C는 실험법, D는 참여 관찰법이다.

④ 다수를 대상으로 한 자료 수집에 주로 사용되는 것은 질문지법에만 해당되는 특징이다. 따라서 A는 질문지법, C는 실험법으로 구분되지만 B와 D는 구분할 수 없으므로 (가)의 질문으로 적절하지 않다.

⑤ 연구자가 현상이 실제로 발생한 현지에 가서 연구해야 하는 것은 참여 관찰법이다. 따라서 B는 참여 관찰법, D는 면접법으로 구분되지만 A와 C는 구분할 수 없으므로 (가)의 질문으로 적절하지 않다.

06 ① '비행 친구와의 교제가 많을수록 비행 경험이 많아진다.'라는 가설에서 독립 변인은 '비행 친구와의 교제'이고, 종속 변인은 '비행 경험'이다.

② '비행 경험이 많을수록 비행 친구와의 교제가 많아진다.'라는 가설에서 독립 변인은 '비행 경험'이고, 종속 변인은 '비행 친구와의 교제'이다.

③ 실험 집단과 통제 집단은 실험법에서 사용하는 용어이다.

④ '자신의 비행 횟수'를 알아보기 위해 수집한 자료는 연구자가 연구를 위해 직접 수집한 1차 자료이다.

⑤ ㉠ 가설의 독립 변인이며, ㉡ 가설의 종속 변인인 '비행 친구와의 교제'는 추상적인 개념이다. 이를 측정하기 위해 '비행 경험이 있는 친구의 수'를 수치화하여 조작적으로 정의한 것이다.

⑥ 설문 조사에서 연구 대상자의 주관적 인식을 물을 수 있다.

⑦ 갑의 연구에서 청소년(모집단)에 대한 표본 집단은 전국의 고등학생 중 도시 지역의 남학생 500명과 농촌 지역의 여학생 500명이다. 이 연구의 표본 집단은 지역별·성별 측면에서 한쪽으로 치우쳐 있고, 청소년의 범위도 고등학생으로 한정되어 있다. 따라서 이 연구는 표본 집단의 대표성이 부족하여 연구 결과를 일반화할 수 없다.

⑧ 직관적 통찰을 통한 연구는 질적 연구 방법의 특징이다. 갑의 연구는 질문지법을 활용한 양적 연구 방법이다.

올쏘 만점 노트 **모집단의 대표성**

모집단은 연구하고자 하는 전체 집단으로, 표본의 수가 적거나 한쪽으로 치우쳐 있다면 대표성을 가지고 있다고 할 수 없다. 그러므로 모집단에 대한 표본 집단의 대표성이 없으면 가설이 검증되어도 일반화할 수 없다.

07 ① '인종에 대한 고등학생들의 편견'을 '인종 편견 태도 지수'로 개념의 조작적 정의 과정을 거쳤다.

② 독립 변인인 '◇◇ 교육 프로그램'과 종속 변인인 '인종에 대한 고등학생의 편견' 간의 인과 관계를 파악하고자 하였다.

③ '◇◇ 교육 프로그램'은 독립 변인이고, '인종에 대한 고등학생의 편견 완화'는 종속 변인이다.

④ '◇◇ 교육 프로그램'을 이수한 학생들은 실험 집단이고, 별도의 프로그램을 실시하지 않은 학생들은 통제 집단이다.

⑤ 1학년 전체 6개 학급을 대상으로 프로그램 실시 전과 후에 '인종 편견 태도 지수'를 각각 측정하였다. 따라서 사전 조사와 사후 조사는 실험 집단과 통제 집단 모두에서 이루어졌다.

⑥ 실험법을 활용한 양적 연구는 진행되었지만 질적 연구는 이루어지지 않았다.

⑦ '인종 편견 태도 지수'를 측정하기 위해 연구자가 직접 수집한 것이므로 1차 자료에 해당한다.

08 ① 연구 대상이 ○○ 지역에 거주하는 귀농인 100명으로 한정되어 있으므로 연구 결과를 일반화하기 어렵다.

② 가설에서 독립 변인은 '귀농 기간'이고, 종속 변인은 '삶의 만족도'이다.

③ 가설은 독립 변인과 종속 변인 간의 관계가 명확하게 설정되어 있다.

④ 연구 주제 선정에서는 연구자의 가치가 개입할 수 있다.

⑤ 연구 설계를 통해 양적 연구 방법의 탐구 절차를 따르고 있음을 알 수 있다. 양적 연구 방법은 방법론적 일원론을 전제하는 연구 방법이다.

⑥ '귀농의 기간'과 '귀농한 삶의 만족도'는 계량화가 가능한 변수들이다.

⑦ 연구 대상자들을 심층적으로 이해할 수 있는 것은 질적 연구 방법의 특징이다.

01 ②	02 ②	03 ③	04 ③	05 ④	06 ③	07 ①	08 ④
09 ①	10 ③	11 ⑤	12 ④	13 ②	14 ①	15 ⑤	16 ③
17 ⑤	18 ③	19 ③	20 ②	21 ②	22 ②	23 ③	24 ⑤

01 양적 연구 방법과 질적 연구 방법의 특징

자료 해설 제시문에서 설명하는 A는 양적 연구 방법이고, B는 질적 연구 방법이다. 양적 연구 방법은 계량화된 자료를 분석함으로써 인과 관계를 파악하고 사회·문화 현상의 규칙성을 찾아 일반화된 법칙을 이끌어 내고자 한다. 질적 연구 방법은 사회·문화 현상을 구성하는 인간 행위 속에 담긴 주관적 동기와 의미를 해석하고 이해하는 것을 목적으로 한다. 이를 위해 연구자는 직관적 통찰을 통한 인간의 내면에 대한 심층적인 이해가 필요하다.

선택지 분석
- ㉠ 정답 : 양적 연구 방법은 객관적이고 정밀한 연구에 적합하다.
- ㄴ. 오답 : 양적 연구 방법과 질적 연구 방법 모두 경험적 자료를 바탕으로 연구한다.
- ㉢ 정답 : 양적 연구 방법은 방법론적 일원론, 질적 연구 방법은 방법론적 이원론에 기초한다.
- ㄹ. 오답 : 양적 연구 방법은 인간의 행위를 내적 동기와 분리하여 연구하고, 질적 연구 방법은 인간 행위의 내적 동기를 탐구하기 위해 감정 이입적 이해를 추구한다.

02 양적 연구 방법과 질적 연구 방법의 특징

자료 해설 갑은 객관적인 실험과 계량적인 분석을 통해 사회·문화 현상의 규칙성과 법칙을 발견하고자 한다. 따라서 A에는 양적 연구 방법이 들어가야 한다. 반면 을은 연구자의 직관적 통찰을 통해 사회·문화 현상에 담긴 의미를 해석하고자 하므로 B에는 질적 연구 방법이 들어가야 한다.

선택지 분석
- ① 오답 : 연구자와 연구 대상자 간 정서적 교감을 중시하는 것은 질적 연구 방법이다.
- ❷ 정답 : 질적 연구 방법은 연구 대상자의 행위가 이루어지는 상황에 대한 맥락적 이해를 강조한다.
- ③ 오답 : 양적 연구 방법과 질적 연구 방법 모두 경험적 자료를 바탕으로 사회·문화 현상을 연구한다.
- ④ 오답 : 질적 연구 방법은 인간 행위의 동기에 관심을 가지며, 양적 연구 방법은 인간의 행위 자체를 주된 분석 대상으로 삼는다.
- ⑤ 오답 : 양적 연구 방법은 방법론적 일원론을, 질적 연구 방법은 방법론적 이원론을 전제한다.

03 질적 연구 방법의 특징

자료 해설 갑은 A 부족의 문신에 대한 연구를 위해 참여 관찰법을 활용하고 있다. 참여 관찰법은 연구자가 조사하고자 하는 연구 대상 집단에 직접 참여하여 현상을 보고 듣고 느끼면서 자료를 수집하는 방법이다. 이러한 참여 관찰법은 질적 연구를 진행할 때 주로 활용되는 자료 수집 방법 중 하나이다.

선택지 분석
- ㄱ. 오답 : 사회·문화 현상과 자연 현상이 본질적으로 같다고 보는 것은 방법론적 일원론으로, 양적 연구 방법의 전제이다.
- ㉡ 정답 : 질적 연구 방법은 연구자의 직관적 통찰을 통해 사회·문화 현상을 이해하고자 한다.
- ㉢ 정답 : 질적 연구 방법은 상황 맥락 속에서 사회·문화 현상이 지닌 의미에 대한 해석을 추구한다.
- ㄹ. 오답 : 개념의 조작적 정의를 통해 사회·문화 현상을 계량화하여 분석하고자 하는 것은 양적 연구 방법이다.

04 양적 연구 방법과 질적 연구 방법

자료 해설 표에서 연구 목적을 살펴보면, 사회·문화 현상에 내재한 법칙을 발견하는 것이 목적인 A는 양적 연구 방법, 사회·문화 현상에 대한 심층적 이해가 목적인 B는 질적 연구 방법임을 알 수 있다. 양적 연구 방법에서는 질문지법, 실험법과 같이 자료를 계량화할 수 있는 자료 수집 방법이 주로 활용된다. 한편 질적 연구 방법에서는 사회·문화 현상에 대한 심층적 이해를 목적으로 하므로 면접법, 참여 관찰법 등과 같은 자료 수집 방법이 주로 활용된다.

선택지 분석
- ① 오답 : 사회·문화 현상이 자연 현상과 본질적으로 다르다고 보는 것은 방법론적 이원론으로 질적 연구 방법의 전제이다.
- ② 오답 : 양적 연구 방법은 가설을 검증하여 결론을 도출한다.
- ❸ 정답 : 질적 연구 방법은 일기나 편지와 같은 비공식적 자료를 중시한다.
- ④ 오답 : ㉠에 들어갈 수 있는 자료 수집 방법은 연구 대상을 심층적으로 이해할 수 있는 면접법이나 참여 관찰법 등이다. 계량화된 자료를 수집하는 데 적합한 것은 양적 자료 수집 방법인 질문지법, 실험법 등이다.
- ⑤ 오답 : '객관적이고 정확한 연구의 어려움'은 질적 연구 방법의 한계이다. 양적 연구 방법의 한계는 인간의 주관적인 영역을 연구하기 어렵다는 것이다.

05 자료 수집 방법

자료 해설
- A와 달리 B에서는 언어적 상호 작용이 필수적이다. → 면접법, 질문지법
- B와는 달리 D에서는 연구 변수에 대한 인위적인 처치와 조작을 강조한다. → 실험법
- C와 달리 A는 □(가)□ (이)라는 장점이 있다.
- C, D는 모두 양적 연구에서 흔히 사용된다. → 실험법, 질문지법

이를 종합해 보면, 두 번째 특징에서 D가 실험법임을 알 수 있고, 네 번째 특징에서 C가 질문지법임을 알 수 있다. A와 B가 각각 면접법 또는 참여 관찰법이어야 하는데 첫 번째 특징에서 B가 면접법이므로 A는 참여 관찰법이 된다.

선택지 분석
- ① 오답 : 참여 관찰법은 연구자가 현장에 직접 참여하여 보고 듣고 느끼면서 자료를 수집하기 때문에 문맹자에게도 사용할 수 있다.
- ② 오답 : 기존 연구의 경향성 파악에 용이한 것은 문헌 연구법이다.
- ③ 오답 : 일상생활을 심층적으로 파악하기에 용이한 것은 면접법, 참여 관찰법과 같은 질적 자료 수집 방법이다.
- ❹ 정답 : 자료 수집 상황에 대한 통제 수준이 높은 순서대로 나열하면 실험법>질문지법>면접법>참여 관찰법이다.
- ⑤ 오답 : A는 참여 관찰법이고, C는 질문지법이므로 (가)에는 참여 관찰법의 장점이 들어가야 한다. 다수를 대상으로 자료를 수집하기에 용이한 것은 질문지법의 장점이다.

06 자료 수집 방법

자료 해설

연구 조건	적합한 자료 수집 방법
면대면 대화를 통해 깊이 있는 정보를 수집한다.	A = 면접법
일상생활에서 나타나는 연구 대상의 행동을 관찰한다.	B = 참여 관찰법
대규모 집단을 대상으로 계량화된 자료를 수집한다.	C = 질문지법
인위적으로 통제된 상황에서 변수의 효과를 관찰한다.	D = 실험법

선택지 분석

① 오답 : 예상하지 못한 변수의 통제가 어려운 것은 참여 관찰법이다.

② 오답 : 질문지법이 참여 관찰법보다 시간과 비용 측면에서의 효율성이 높다.

❸ 정답 : 질문지법은 설문지를 통해 자료를 수집해야 하므로 문맹자에게 사용하기 어렵다.

④ 오답 : 실험법은 변수 간의 인과 관계를 보다 명확하게 확인하기 위해 외부 변수가 영향을 주지 않도록 최대한 통제하여 자료를 수집한다. 면접법이 실험법보다 연구자의 주관적 가치 개입 가능성이 높다.

⑤ 오답 : 면접법과 참여 관찰법은 질적 연구, 질문지법과 실험법은 양적 연구에서 주로 사용된다.

07 자료 수집 방법

자료 해설 첫 번째 질문에서 질적 자료를 수집하는 데 용이한 것은 면접법과 참여 관찰법인데, B, C가 이에 해당한다. 두 번째 질문에서 언어적 상호 작용이 필수적인 자료 수집 방법은 질문지법과 면접법인데 C, D가 이에 해당된다. 따라서 두 질문에 공통된 C는 면접법이고, B는 참여 관찰법, D는 질문지법이므로 A는 실험법이다.

선택지 분석

❶ 정답 : 실험법은 실생활에 참여하여 직접 관찰하는 참여 관찰법보다 일상생활을 심층적으로 파악하기 어렵다.

② 오답 : 참여 관찰법은 예상치 못한 상황에 대한 통제가 어렵다.

③ 오답 : 면접법은 질문지법보다 조사 대상자로부터 깊이 있는 답변을 유도하기 용이하다.

④ 오답 : 질문지법은 대규모 집단을 대상으로 자료를 수집하기 쉽고 시간과 비용이 절약된다는 장점이 있다.

⑤ 오답 : 질적 자료 수집 방법(면접법, 참여 관찰법)이 양적 자료 수집 방법(질문지법, 실험법)보다 연구자의 편견이 개입될 가능성이 크다.

08 자료 수집 방법

자료 해설

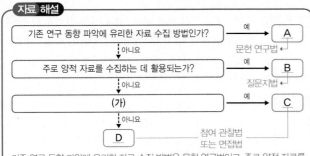

기존 연구 동향 파악에 유리한 자료 수집 방법은 문헌 연구법이고, 주로 양적 자료를 수집하는 데 활용되는 자료 수집 방법은 질문지법이다. 따라서 A는 문헌 연구법, B는 질문지법이다. (가)에 따라 C와 D는 각각 면접법과 참여 관찰법 중 하나가 된다.

선택지 분석

➊ 정답 : 질문지법은 다수를 대상으로 자료를 수집하기에 용이하다.

ㄴ. 오답 : 표준화 · 구조화된 도구를 사용하여 자료를 수집하는 것은 문헌 연구법이 아닌 질문지법이다.

ㄷ 정답 : 문헌 연구법은 기존의 연구 결과 및 통계 자료나 기록물을 참고하는 수집 방법이므로 면접법이나 참여 관찰법에 비해 시 · 공간적 제약을 적게 받는다.

ㄹ 정답 : (가)가 '언어적 상호 작용에 의한 자료 수집이 필수적인가?'라면, '예'라고 응답한 C는 면접법이고, D는 참여 관찰법이다. 참여 관찰법은 예상치 못한 상황에 대한 통제가 어렵다.

09 자료 수집 방법

자료 해설

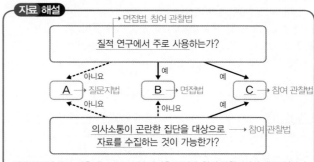

질적 연구에 주로 사용되는 자료 수집 방법은 면접법, 참여 관찰법이기 때문에 '아니요'라고 응답한 A는 질문지법이다. 면접법과 참여 관찰법 중 의사소통이 곤란한 집단을 대상으로 자료를 수집할 수 있는 방법은 참여 관찰법이기 때문에 C는 참여 관찰법, B는 면접법이다.

선택지 분석

➊ 정답 : 질문지법은 면접법에 비해 대량의 구조화된 자료를 얻는 데 유리하다.

② 오답 : 면접법과 참여 관찰법 모두 1차 자료를 얻는 데 사용된다.

③ 오답 : 참여 관찰법은 연구자가 연구하고자 하는 사회 · 문화 현상이 나올 때까지 기다려야 하므로 시간과 비용이 많이 든다.

④ 오답 : 면접법은 연구자와 연구 대상자 간 정서적 교감을 중시한다.

⑤ 오답 : 질문지법은 면접법이나 참여 관찰법에 비해 연구자의 주관이 개입될 가능성이 낮다.

10 자료 수집 방법

자료 해설

연구 내용	자료 수집 방법
→ 사전 검사와 사후 검사를 의미함	
폭력 예방 교육이 폭력성 감소에 미치는 효과를 교육 전후의 검사를 통해 측정	A → 실험법
청소년 1,000명을 대상으로 비행 친구 교제 여부와 비행 간의 상관관계 분석 → 다수의 사람에게 자료를 수집	B → 질문지법
가출 청소년의 가출 동기와 가출 후 생활 및 비행에 이르는 과정 이해 → 심층적 이해	C → 면접법

A는 두 변수에 대한 사전 검사와 사후 검사를 실시하므로 실험법, B는 청소년 1,000명을 대상으로 두 변수 간의 상관관계를 분석하는 연구이므로 질문지법, C는 가출 청소년의 행동에 대한 심층적인 이해를 토대로 연구해야 하므로 면접법이 적합하다.

선택지 분석

ㄱ. 오답 : 질적 자료를 수집하기에 용이한 것은 면접법이다.

ㄴ 정답 : 질문지법은 면접법에 비해 시간과 비용 측면에서 효율적이다.

ㄷ 정답 : 조사자의 주관적 가치가 개입될 가능성이 큰 것은 면접법이다.

ㄹ. 오답 : 자료 수집 상황에 대한 통제 정도가 높은 것은 실험법이다.

11 자료 수집 방법

자료 해설 청소년들의 팬덤 문화를 연구하기 위해 갑은 같은 학교 학생을 대상으로 설문 조사를 실시할 것이며, 을은 팬클럽에 가입하고 콘서트 현장에 직접 가서 보고 듣고 느끼는 점을 수집할 계획이다. 병은 최근의 언론 자료와 주요 연구 논문 등을 찾아 정리할 계획이다. 갑은 질문지법, 을은 참여 관찰법, 병은 문헌 연구법을 활용하여 자료를 수집할 것이다.

선택지 분석

① 오답 : 예상하지 못한 상황의 통제가 어려운 것은 참여 관찰법이다.
② 오답 : 시간과 공간의 제약을 적게 받는 것은 문헌 연구법이다.
③ 오답 : 실제성이 높은 생생한 자료를 확보하기 용이한 것은 연구자가 직접 참여하여 관찰하는 참여 관찰법이다.
④ 오답 : 참여 관찰법은 연구 대상에 대한 연구자의 감정 이입을 중시한다.
❺ 정답 : 질문지법과 참여 관찰법은 1차 자료를 수집하는 방법이고, 문헌 연구법은 2차 자료를 수집하는 방법이다.

12 자료 수집 방법

자료 해설 제시된 표는 자료 수집 방법과 일반적인 특징이 정해진 것이 아니라 주어진 상황에 따라 A~C가 바뀐다. 다만 표를 살펴보면, 일반적인 특징을 크게 (가)와 (나)로 구분할 수 있으므로 A와 B는 같은 성격의 자료 수집 방법이고, C는 A, B와는 다른 성격의 자료 수집 방법임을 유추할 수 있다.

선택지 분석

ㄱ. 오답 : A가 질문지법이고, (가)가 '독립 변수와 종속 변수의 관계를 검증하는 연구에 적합하다.'라면 B는 실험법, C는 면접법이다. 자료 수집 과정에서 연구자가 유연성이나 융통성을 발휘하기 용이한 것은 면접법이다. 따라서 (나)의 내용은 적절하지 않다.
ㄴ. 정답 : C가 면접법이고, (다)가 '인위적으로 상황을 통제함으로써 변수의 효과를 관찰하기에 용이하다.'라면 A는 실험법, B는 질문지법이다. 따라서 질문지법의 특징인 (라)는 '대규모 집단을 대상으로 한 자료 수집에 용이하다.'가 적절하다.
ㄷ. 오답 : (가)가 '연구 대상자와 언어를 매개로 한 상호 작용이 필수적이다.'라면, 질문지법과 면접법이 A와 B 중 하나이고 C는 실험법이 된다. (나)에는 실험법의 일반적인 특징이 들어가야 한다. 그러나 실제성이 높은 생생한 자료를 수집하기에 용이한 것은 참여 관찰법이므로 적절하지 않다.
ㄹ. 정답 : (나)가 '소수의 응답자로부터 깊이 있는 정보를 수집하기에 용이하다.'라면, C는 면접법이 된다. 따라서 (가)에는 질문지법과 실험법의 특징인 '수집된 자료를 통계적으로 처리하기에 용이하다.'가 적절하다.

13 질문지법과 면접법

자료 해설

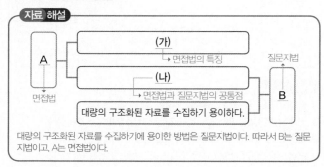

대량의 구조화된 자료를 수집하기에 용이한 방법은 질문지법이다. 따라서 B는 질문지법이고, A는 면접법이다.

선택지 분석

㉠ 정답 : 면접법은 조사 대상자와의 정서적 교감을 중시한다.
ㄴ. 오답 : 실제성이 높은 생생한 자료의 수집이 용이한 것은 면접법이다.
㉢ 정답 : 조사 대상자의 반응에 유연하게 대처할 수 있는 것은 면접법이므로 (가)에 들어가는 것이 적절하다.
ㄹ. 오답 : 인위적으로 통제된 상황에서 변수의 효과를 관찰하여 자료를 수집하는 것은 실험법이다. 실험법은 A, B 어디에도 해당하지 않는다.

14 참여 관찰법

자료 해설 연구자 갑은 자료의 실제성을 높이고자 ○○ 지역을 직접 다니며 참여 관찰법으로 자료를 수집하였다. 여기서 갑은 을이 질문지법으로 조사한 연구를 바탕으로 ○○ 지역을 선정하였으며 자신의 연구 결과와 을의 연구 결과를 비교하여 을의 결론에 반론을 제기하였다.

선택지 분석

㉠ 정답 : 갑은 을이 질문지법으로 조사한 자료를 연구 대상 선정과 연구 결론 도출에 활용하였으므로 갑의 연구에는 2차 자료가 활용되었다.
㉡ 정답 : 갑이 활용한 참여 관찰법은 실제성이 높은 생생한 자료를 수집하기에 용이하다.
ㄷ. 오답 : 구조화·표준화된 도구로 자료를 직접 수집하는 방법은 질문지법이다.
ㄹ. 오답 : 인위적으로 통제된 상황에서 변수의 효과를 관찰하는 방법은 실험법이다.

15 참여 관찰법을 활용한 질적 연구 방법

자료 해설 특정 지역의 문화와 그 지역 주민들의 폭력적 행동 양식 간의 관련성을 참여 관찰법을 활용하여 연구하였다. 또한 공식 통계 자료인 2차 자료를 활용하여 범죄율이 높은 지역과 낮은 지역에 거주하는 주민을 연구 대상으로 선정하였다.

선택지 분석

㉠ 정답 : 공식 통계로 확인된 폭력 범죄율이 높은 지역과 낮은 지역에 거주하는 주민을 연구 대상으로 선정하였다. 이 과정에서 계량화된 2차 자료가 활용되었다.
ㄴ. 오답 : 자료 수집 방법으로 참여 관찰법을 사용하였고, 이를 통해 폭력 범죄율이 높은 지역에서 폭력에 의존하게 되는 맥락적인 이유를 밝혀 그들만의 문화적 특징을 이해하게 되었으므로 이는 질적 연구이다.
㉢ 정답 : 질적 연구를 통해 계량화하기 어려운 인간 행위의 의미를 직관적 통찰을 통해 파악하였다.
㉣ 정답 : 생생한 자료를 얻기 위해 인위적 조작의 정도가 낮은 참여 관찰법을 통해 자료를 수집하였다. 인위적 조작 정도가 높은 것은 실험법이다.

16 질문지법을 활용한 양적 연구 방법

자료 해설 연구자 갑은 청소년의 문화·예술 활동 참여와 학교생활 만족도 간의 관계를 파악하기 위해 질문지법을 활용하여 연구하였다. 갑은 가설을 설정하고 자료를 수집하여 검증하는 과정을 거치는 양적 연구 방법을 사용하고 있다.

선택지 분석

① 오답 : 가설을 검증하기 위해 문화·예술 활동 참여 시간과 학생생활 만족도를 측정할 수 있는 다양한 문항으로 된 설문지를 제작하는 과정에서 개념의 조작적 정의가 이루어졌음을 알 수 있다.
② 오답 : 양적 연구 방법은 사회·문화 현상 연구에 자연 과학의 연구 방법을 적용하는 방법론적 일원론을 전제한다.

③ 정답 : 자료 분석 과정에서 연구자가 직관적 통찰을 활용하는 연구는 질적 연구 방법이다. 갑은 계량화된 경험적 자료를 통계적으로 분석하여 사회·문화 현상을 연구하는 양적 연구 방법을 사용하였다.

④ 오답 : 연구 가설을 검증하기에 적합한 질문지법을 활용하였다.

⑤ 오답 ; 갑은 △△ 지역에 거주하는 고등학생 500명을 표본으로 조사하였기 때문에 표본 집단이 모집단인 전체 청소년을 대표할 수 없다. 즉 표본 집단이 대표성을 갖추지 못하였으므로 연구 결과를 일반화하기 어렵다.

17 실험법

자료 해설 갑은 '또래 활동 프로그램이 청소년의 공격성을 약화시킨다.'라는 가설을 세우고 실험법을 활용하여 연구를 진행하였다. 공격성이 강한 남자 고등학생 100명을 각각 50명씩 실험 집단과 통제 집단으로 나누어 진행한 실험을 통해 수집한 자료를 분석하여 결론을 도출하였다.

선택지 분석

① 오답 : 가설과 똑같은 연구 결론이 도출되었으므로 기각되지 않는다.

② 오답 : 연구자가 실험법을 활용하여 직접 수집한 1차 자료를 분석하였다.

③ 오답 : 가설에서 독립 변인은 '또래 활동 프로그램'이고 종속 변인은 '청소년의 공격성'이다.

④ 오답 : 연구 대상은 공격성이 강한 남자 고등학생이었기 때문에 모든 청소년에게 일반화할 수는 없다.

⑤ 정답 : A 집단은 또래 활동 프로그램을 처치한 실험 집단, B 집단은 프로그램을 처치하지 않은 통제 집단이다.

올쏘 만점 노트   실험법

의미	인위적인 상황을 설정한 상태에서 어떤 변인을 의도적으로 조작함으로써 나타나는 변화를 측정하여 자료를 수집하는 방법
특징	• 똑같은 조건에 있는 대상자를 실험 집단과 통제 집단으로 구분함 • 실험 집단에는 일정한 실험을 하고, 통제 집단은 하지 않음 • 실험 집단과 통제 집단에 대해 결과를 분석하여 실험의 효과가 있었는지를 분석함
장점	인과 관계의 파악을 통해 법칙을 발견하는 데 유리함
단점	• 실험 과정에서 독립 변인 외에 다른 변인의 개입을 철저히 통제하기 어려움 • 통제된 상황에서의 결과가 현실에 그대로 적용된다고 단정할 수 없음 • 인간을 실험 대상으로 한다는 점에서 연구 윤리와 관련한 문제가 발생할 수 있음

18 실험법

자료 해설 갑은 '방관 효과'를 검증하기 위해 '방관자들이 있으면, 곤경에 처한 사람이 낯선 사람으로부터 도움을 받을 가능성이 줄어들 것이다.'라는 가설을 세우고 실험법을 활용하여 자료를 수집·분석하였다. 갑의 가설에서 '방관자들의 존재 여부'는 독립 변인이 되고, '타인에게 도움받을 가능성'은 종속 변인이 된다. 또한 연구 대상자만 있는 통제 집단과 연구 대상자와 방관자들이 함께 있는 실험 집단으로 나누어 자료를 수집하고 이를 분석하여 결론을 도출하였다.

선택지 분석

ㄱ. 오답 : 방관자가 없는 ㉠은 통제 집단이고, 방관자들이 함께 있는 ㉡은 실험 집단이다.

ㄴ. 정답 : 갑은 '방관자들이 있으면, 곤경에 처한 사람이 낯선 사람으로부터 도

움을 받을 가능성이 줄어들 것이다.'라는 가설을 세웠다. 갑의 가설에서 '방관자들의 존재 여부'는 독립 변인이 되고, '타인에게 도움받을 가능성'은 종속 변인이 된다.

ㄷ. 오답 : 실제성이 높은 현장 자료를 얻기 용이한 자료 수집 방법은 참여 관찰법이다.

ㄹ. 정답 : 실험법은 연구자가 설정한 상황을 바탕으로 연구 대상자에게 나타나는 변화를 측정하는 자료 수집 방법이다.

올쏘 만점 노트   실험법의 주요 개념

실험 집단	원인에 해당하는 독립 변인을 처치한 집단
통제 집단 (비교 집단)	실험 집단과 비교하기 위해 독립 변인을 처치하지 않은 집단
독립 변인	어떤 현상이나 결과에 영향을 주는 변인
종속 변인	다른 변인이 변함에 따라 함께 변화하는 변인
사전 조사	독립 변인을 처치하기 전에 하는 조사
사후 조사	독립 변인을 처치한 후에 하는 조사

19 질문지법, 참여 관찰법

자료 해설 갑은 소득 수준과 물질주의 가치관(독립 변수)이 행복감(종속 변수)에 미치는 영향을 검증하기 위해 질문지법을 활용하여 자료를 수집·분석하여 결론을 도출하였다. 을은 참여 관찰법을 실시하여 '행복감(독립 변수)이 높으면 학교 활동에 적극적으로 참여(종속 변수)한다.'라는 결론을 도출하였다. 병은 갑과 을의 연구 결과를 종합하여 결론을 도출하였다.

선택지 분석

① 오답 : 갑의 연구에서 ㉠의 '행복감'은 종속 변수이지만, 을의 연구에서 ㉤의 '행복감'은 독립 변수이다.

② 오답 : 갑의 연구에서 표본은 '30세 이상 성인'이 아니라 그중 설문 조사를 실시한 1,000명이다.

③ 정답 : 갑의 연구에서 '월평균 수입 정도'는 소득 수준에 대한 개념의 조작적 정의이고, '삶에서 돈이 중요하다고 생각하는 정도'는 물질주의 가치관에 대한 개념의 조작적 정의이다.

④ 오답 : 갑이 설정한 가설은 제시문에 나와 있지 않으므로 가설의 수용 여부는 알 수 없다. 가설의 수용 여부와 상관없이 세웠던 가설의 검증 결과로 부(−)의 관계를 확인했다고 볼 수 있다.

⑤ 오답 : 병은 갑과 을의 연구 결과를 종합하여 결론을 도출하는 귀납적 연구 과정을 활용하였다.

20 질문지법

자료 해설

◎ 연구 주제 : 고등학생의 스포츠 활동과 행복 간의 관계 연구

◎ 연구 가설 : ㉠ 스포츠 활동 참여도가 고등학생의 생활 만족도
　　　　　　　↑독립 변수(원인)　　　　↑종속 변수(결과)
　　　에 긍정적 영향을 미칠 것이다.
　↑양적 연구
　방법

◎ 자료 수집　　　↑특정 지역에 한정되어 있으며 여자 고등학생이
　　　　　　　　　　빠져 있어 표본의 대표성이 없음
• 조사 대상 : ㉡ A 지역 남자 고등학생 1,000명

• 조사 내용 : ㉢ 학교생활 만족도, 교우 관계 만족도, 주당 스
　　　포츠 활동 참여 시간　↑개념의 조작적 정의
　　　　　　　　　　　　　　(추상적 개념 → 구체적 개념)

• 자료 수집 방법 : ㉣ 질문지법 → 양적 연구 방법

◎ 자료 분석 결과

주당 스포츠 활동 참여 시간	만족도 평균(5점 만점)	
	학교생활	교우 관계
2시간 미만	3.4	3.2
2시간 이상 ~5시간 미만	4.1	4.1
5시간 이상	4.6	4.7

선택지 분석

ㄱ 정답 : 연구 가설에서 '스포츠 활동 참여도'는 독립 변수이고, '고등학생의 생활 만족도'는 종속 변수이다.

ㄴ 오답 : 이 연구에서 모집단은 고등학생인데 조사 대상은 특정 지역의 남자 고등학생이다. 따라서 표본 집단은 모집단에 대한 대표성이 없다.

ㄷ 정답 : 독립 변수인 스포츠 활동 참여도는 '주당 스포츠 활동 참여 시간'으로, 종속 변수인 생활 만족도는 '학교생활 만족도', '교우 관계 만족도'로 구체화시켰다. 이처럼 양적 연구 방법은 추상적인 개념을 측정 가능한 개념으로 구체화하는 개념의 조작적 정의가 이루어진다.

ㄹ 오답 : 질문지법에서는 통계 처리를 통한 가설 검증을 위해 연구 대상자에게 주관적 인식을 물어볼 수 있다.

21 질문지법

자료 해설 갑은 고등학생의 건전한 인성 형성과 봉사 활동의 관계를 연구하기 위해 질문지법을 활용하여 양적 연구를 진행하였다. 갑은 추상적인 개념인 '건전한 인성 형성'을 타인 배려 정도, 관용 정신 정도 등과 같은 구체적인 지수로 만들어 설정하고 봉사 활동 시간에 따라 두 집단으로 나누어 측정한 후, 이 두 집단을 비교 · 분석하여 결론을 도출하였다.

선택지 분석

① 오답 : 연구 주제를 선정하는 단계에서는 연구자의 가치가 개입된다.

② 오답 : 고등학생은 모집단이 되고, 무작위로 추출한 고등학생 1,000명은 표본 집단이다. 하지만 질문지법은 통제 집단과 실험 집단으로 나누어 조사하지 않으므로 ⑩을 실험 집단으로 볼 수 없다.

③ 정답 : 갑은 추상적인 개념인 '건전한 인성 형성'을 타인 배려 정도, 관용 정신 정도 등과 같은 구체적인 지수로 만들어 측정하였다. 갑의 연구에서 '봉사 활동'은 독립 변인이 되고 '건전한 인성 형성'은 종속 변인이 된다. 따라서 갑은 종속 변인인 '건전한 인성 형성'을 조작적으로 정의하였음을 알 수 있다.

④ 오답 : 사전 조사를 통해 기존의 연구 동향을 파악하는 자료 수집 방법은 문헌 연구법이다.

⑤ 오답 : 갑의 가설은 연구 과정을 거쳐 검증되었으나 수용되지는 않았음을 알 수 있다.

올쏘 만점 노트   질문지법

의미	미리 작성해 놓은 질문지를 조사 대상자에게 제시하여 얻은 응답을 바탕으로 자료를 수집하는 방법
특징	• 다수의 사람에게 같은 내용의 질문과 응답 항목을 제시하는 구조화된 도구를 사용함 • 대규모의 모집단에서 표본을 선정하여 자료를 수집 · 분석한 후 그 결과를 모집단에 일반화함
장점	• 다수를 대상으로 대량의 자료를 수집하는 데 유리함 • 분석 기준이 명확하고 통계 처리가 용이함
단점	• 문맹자에게 활용하기 곤란함 • 무성의한 응답, 악의적인 응답 가능성을 배제할 수 없음

22 질문지법

자료 해설 제시된 연구는 청소년 비행에 부모와의 친밀도 및 비행 친구와의 교제가 미치는 영향을 검증하기 위하여 1차적으로 선행 연구 자료를 분석하였고, 2차적으로는 질문지법을 활용한 양적 연구 방법을 선택하였다.

선택지 분석

ㄱ 정답 : 선행 연구에서는 2차 자료를, 설문 조사에서는 연구자가 직접 조사하여 수집한 1차 자료를 활용하였다.

ㄴ 오답 : '부모와의 친밀도가 높을수록 비행을 덜 저지를 것이다.'라는 가설은 부모와의 대화 시간과 비행 경험 유무를 통해 검증된다.

ㄷ 정답 : 주당 1시간 이상 접촉하는 친구 중에 비행을 저지른 친구가 있는지의 여부를 통해 비행 친구와의 교제를 구체적으로 측정하고자 한다.

ㄹ 오답 : 부모와의 대화 시간의 많고 적음과 비행 친구의 유무는 비행 경험 사례의 수치에 영향을 미치지 않는다. 따라서 분석 결과는 ㄴ과 ㄷ을 지지하는 근거로 활용될 수 없다.

23 실험법

자료 해설 갑의 연구 가설은 '놀이 프로그램이 초등학생의 자아 존중감에 영향을 줄 것이다.'일 것이다. 여기서 놀이 프로그램은 독립 변인이고 자아 존중감은 종속 변인이다. 또한 갑은 통제 집단과 실험 집단으로 나누어 사전 검사와 사후 검사를 진행하는 실험법을 활용하여 자료를 수집하였다.

선택지 분석

ㄱ 오답 : 초등학생은 모집단이지만 A 초등학교 학생 모두가 표본은 아니다.

ㄴ 정답 : 자아 존중감은 종속 변인이고, 놀이 프로그램은 독립 변인이다.

ㄷ 정답 : 1반 학생과 2반 학생들을 연구 대상으로 선정하여 사전 검사를 진행하였다. 그리고 1반 학생들에게는 놀이 프로그램을 실시하지 않았으므로 1반 학생들은 통제 집단이고, 놀이 프로그램을 실시한 2반 학생들은 실험 집단이다.

ㄹ 오답 : 사전 검사와 사후 검사는 종속 변인에서 나타나는 변화를 파악하기 위한 검사이다.

24 질문지법을 활용한 양적 연구 방법

자료 해설

◎ 연구 주제 : 중 · 고등학생의 게임 몰입이 주변 사람과의 대화에 미치는 영향

◎ 연구 가설   → 조사 내용에서 '친구와의 대화 정도'를 살펴보면 〈가설 2〉와 관련 있음을 유추할 수 있음

〈가설 1〉 게임을 적게 할수록 부모와 대화는 많을 것이다.

〈가설 2〉 （가）

◎ 자료 수집   질문지법 ←

• 조사 방법 : 중 · 고등학생 1,000명을 무작위 선정하여 설문 조사

• 조사 내용 : ㉠ 게임 시간 정도, ㉡ 부모와 대화 정도, 친구와 대화 정도   → 변인에 대한 개념의 조작적 정의

◎ 자료 분석 결과 : 자료 분석 결과는 아래 표와 같고, 부모와 대화 정도 및 친구와 대화 정도는 게임 시간 정도에 따라 통계적으로 유의미한 차이가 있는 것으로 나타났다.

대화 정도 \ 게임 시간 정도		많음	중간	적음
부모와 대화 많음	친구와 대화 많음	78	100	120
	친구와 대화 적음	52	70	80
부모와 대화 적음	친구와 대화 많음	172	100	A
	친구와 대화 적음	48	B	C

(단위 : 명)

* 무응답이나 복수 응답 없음.
** A+B=C=3A

응답한 학생의 수를 모두 합하면 1,000명이 되어야 함

선택지 분석

ㄱ. 오답 : 질문지법을 활용했으므로 실험 집단과 통제 집단이 나타나지 않는다.

ㄴ. 오답 : 분석 결과에 따르면 게임 시간의 정도와 부모와의 대화 정도는 부(-)의 관계가 나타난다.

ㄷ. 정답 : 자료에서 A+B+C는 전체 1,000명에서 A~C를 제외한 나머지 응답자를 뺀 180명이다. 따라서 'A+B=C=3A' 등식이 성립하려면 A는 30, B는 60, C는 90이다. 부모와 대화 정도가 적은 응답자는 500명이고, 친구와의 대화 정도가 적다는 응답자는 400명으로 전자가 후자보다 많다.

ㄹ. 정답 : 게임 시간 정도가 적을수록 친구와 대화 많음의 수가 감소하는 것으로 보아 '게임을 적게 할수록 친구와 대화는 많을 것이다.'라는 가설은 기각된다.

킬러 예상 문제

본문 028~031쪽

01 ⑤　02 ③　03 ④　04 ②　05 ①　06 ①　07 ②　08 ①
09 ③　10 ①　11 ④　12 ⑤　13 ③　14 ②　15 ②　16 ②

01 양적 연구 방법

자료 해설 여성 1,000명을 대상으로 가설 검증, 통계 처리 등의 연구 과정을 거치므로 양적 연구 방법이다. 양적 연구 방법은 경험적 자료를 계량화하고, 이를 통계적으로 분석하여 사회·문화 현상에 대한 일반적인 법칙을 찾아내고자 한다.

선택지 분석

① 오답 : 양적 연구 방법은 경험적 자료를 수치화하여 측정하고, 이를 통계적으로 분석한다. 연구자의 직관적 통찰에 의해 자료를 수집하는 것은 질적 연구 방법이다.

② 오답 : 양적 연구 방법은 연구자의 주관적 판단이 아니라 계량화한 경험적 자료를 통계적으로 분석하는 것을 중시한다.

③ 오답 : 양적 연구 방법은 사회·문화 현상에 존재하는 일반적인 법칙을 찾아내는 것이 목적이다. 인간의 행위 동기에 대한 심층적 이해를 목적으로 하는 것은 질적 연구 방법이다.

④ 오답 : 양적 연구 방법에서는 사회·문화 현상에도 자연 현상과 같은 인과 관계가 나타나므로 실험이나 측정과 같은 자연 과학의 연구 방법을 사회·문화 현상의 연구에도 그대로 적용할 수 있다고 본다. 사회·문화 현상은 자연 현상과 본질적으로 다르므로 연구 방법도 달리해야 한다고 주장하는 것은 질적 연구 방법이다.

⑤ 정답 : 양적 연구 방법은 사회·문화 현상에 존재하는 독립 변인과 종속 변인 간의 관계를 파악하고 이를 일반화하여 법칙을 정립하고자 한다.

올쏘 만점 노트　양적 연구 방법

전제	사회·문화 현상에도 자연 현상과 같은 인과 관계가 나타나므로 실험이나 측정과 같은 자연 과학의 연구 방법을 사회·문화 현상의 연구에도 그대로 적용할 수 있음(방법론적 일원론)
특징	• 경험적 자료를 계량화하고, 이를 통계적으로 분석하여 일반적인 법칙을 찾아내고자 함 • 추상적인 개념이나 용어를 측정 가능하도록 구체화하는 과정인 개념의 조작적 정의를 거침
장점	• 정확하고 정밀한 연구가 가능함 • 일반화된 법칙을 발견함으로써 사회·문화 현상을 설명하거나 예측할 수 있음
단점	계량화가 어려운 인간의 주관적 영역을 탐구하기 어려움

02 양적 연구 방법과 질적 연구 방법

자료 해설 (가)는 고등학생의 가족과의 대화 시간이라는 변인과 스마트폰 중독이라는 변인 간의 관계를 계량화된 자료로 수집한 후, 이를 통계적으로 처리·분석하여 법칙을 발견하려는 것이므로 양적 연구 방법이다. (나)는 스마트폰에 중독된 고등학생 5명의 학교생활을 관찰하고 심층 면접하면서 그들의 스마트폰 중독 양상을 이해하려는 것이므로 질적 연구 방법이다.

선택지 분석

① 오답 : (가)의 양적 연구 방법은 계량화된 자료를 통해 객관적으로 증명할 수 있는 과학적 지식의 발견을 중시한다. 연구자의 직관적 통찰을 통한 의미의 해석을 중시하는 것은 질적 연구 방법이다.

② 오답 : (나)의 질적 연구 방법은 사회·문화 현상과 자연 현상은 본질적으로 다르다고 전제하기 때문에 자연 과학과는 다른 방법으로 사회·문화 현상을 탐구해야 한다고 주장한다. 사회·문화 현상과 자연 현상 간의 동질성을 강조하는 것은 양적 연구 방법이다.

③ 정답 : 양적 연구 방법은 사회·문화 현상을 객관적으로 관찰하고 측정할 수 있도록 추상적인 개념이나 용어를 구체화하는 과정을 거치는데, 이를 개념의 조작적 정의라 한다.

④ 오답 : 경험적 자료는 사회·문화 현상에서 발견할 수 있는 모든 자료를 말한다. 따라서 양적 연구 방법과 질적 연구 방법 모두 경험적 자료를 바탕으로 연구한다.

⑤ 오답 : 방법론적 이원론은 자연 과학의 연구 방법과 사회·문화 현상의 연구 방법은 달라야 한다는 것으로, 질적 연구 방법에서 주장한다. 방법론적 일원론은 자연 과학의 연구 방법을 사회·문화 현상의 연구에도 그대로 적용할 수 있다고 보는 것으로, 양적 연구 방법에서 주장한다.

올쏘 만점 노트　질적 연구 방법

전제	사회·문화 현상과 자연 현상은 본질적으로 다르기 때문에 자연 과학과는 다른 방법으로 사회·문화 현상을 탐구해야 함(방법론적 이원론)
특징	• 개인이 처한 상황이나 사회적 맥락 등을 고려하고, 연구 대상의 관점에서 현상을 이해하기 위해 직관적 통찰과 감정 이입적 이해를 추구함 • 인간 행위의 의미를 깊이 탐구할 수 있는 일기, 편지, 대화록, 관찰 일지 등의 비공식적 자료를 중시함
장점	• 계량화하기 어려운 영역을 연구할 수 있음 • 연구 대상을 심층적으로 이해할 수 있음
단점	• 연구 과정에서 연구자의 주관이 개입될 가능성이 큼 • 연구 결과를 일반화하기 어려움

정답 및 해설 😄

03 양적 연구 방법과 질적 연구 방법

자료 해설

연구 방법	사례
A 질적 연구	• 북한 탈출 주민의 남한 정착 과정 연구 • 감정 노동자가 직장생활에서 겪는 인권 침해의 다양한 사례 연구
B 양적 연구	• 독서 경험과 학업 성적 간의 관계 연구 • 귀농 기간이 귀농인의 삶의 만족도에 미치는 영향에 관한 연구

```
(가) ──예──→ A
     └─아니요─┐
(나) ──아니요─┘
     └──예──→ B
```

북한 탈출 주민의 남한 정착 과정과 감정 노동자의 인권 침해의 다양한 사례를 연구하기 위해서는 사회·문화 현상 속에 담긴 주관적 동기와 의미를 해석하고 심층적으로 이해하여야 한다. 반면 독서 경험과 학업 성적 간의 관계, 귀농 기간과 삶의 만족도의 관계를 연구하기 위해서는 계량화한 자료를 분석하여 변인 간의 관계를 입증해야 한다. 따라서 A는 질적 연구 방법, B는 양적 연구 방법이다.
(가)에 대한 응답이 '예'이면 A, '아니요'이면 B로 움직이므로 (가)에는 질적 연구 방법과 관련된 질문이 들어가야 한다. (나)에 대한 응답이 '예'이면 B, '아니요'이면 A로 움직이므로 (나)에는 양적 연구 방법과 관련된 질문이 들어가야 한다.

선택지 분석

ㄱ. 오답 : (가)에는 질적 연구 방법에 해당하는 질문이 들어가야 하는데, 결과의 분석에서 통계 처리를 기본으로 하는 것은 양적 연구 방법이므로 들어갈 질문으로 적절하지 않다.

ㄴ. 정답 : 질적 연구 방법에서는 사회·문화 현상을 구성하는 인간의 행위 속에 담긴 주관적 동기와 의미를 해석하고 이해하고자 한다.

ㄷ. 오답 : (나)에는 양적 연구 방법에 해당하는 질문이 들어가야 하는데 직관적 통찰과 감정 이입적 이해를 강조하는 것은 질적 연구 방법이므로 들어갈 질문으로 적절하지 않다.

ㄹ. 정답 : 양적 연구 방법에서는 통계적 분석을 중시하므로 연구자의 가치가 개입되는 것을 경계한다.

04 질적 연구 방법

자료 해설 갑은 청소년의 연예인 팬덤 현상을 파악하기 위해 청소년 3명과 접촉하여 깊이 있는 대화를 나누어 자료를 수집하고 이를 통해 연예인 팬덤 현상이 청소년의 삶에 어떤 의미를 가지는지를 이해하고자 한다. 즉 인간의 행위 속에 담긴 주관적 동기와 의미를 해석하고 이해하고자 질적 연구 방법을 계획하였다.

선택지 분석

① 오답 : 질적 연구 방법에서는 자연 과학에 사용하던 연구 방법을 사회·문화 현상의 연구에 그대로 사용해서는 안 된다고 주장한다. 즉 사회·문화 현상의 연구 방법과 자연 현상의 연구 방법은 달라야 한다고 보는 방법론적 이원론을 전제한다.

② 정답 : 질적 연구 방법에서는 인간의 행위에 담긴 의미와 동기를 이해하기 위해 연구자의 직관적 통찰을 바탕으로 심층적인 이해를 해야 한다고 주장한다. 직관적 통찰이란 연구자의 지식과 판단 능력에 의존하여 감각적으로 현상의 의미를 파악하는 것이다.

③ 오답 : 질적 연구 방법은 계량화되지 않은 자료를 가지고 직관적 통찰과 감정 이입적 이해를 통해 현상을 파악하는 것이므로 연구자의 주관이 개입되어 있어 연구 결과를 일반화하기가 어렵다.

④ 정답 : 연구 과정에서 잠정적 결론인 가설의 검증을 중시하는 것은 양적 연

구 방법이다. 질적 연구 방법에서는 인간 행위 속에 담긴 동기와 의미를 이해하는 것이 목적이므로 가설을 필요로 하지 않는다.

⑤ 오답 : 자료를 통계 분석함으로써 변인 간 인과 관계를 파악하고자 하는 것은 양적 연구 방법이다.

05 양적 연구 방법과 질적 연구 방법

자료 해설 개별 사례에 대한 의미 해석을 중시하는 것은 질적 연구 방법이고, 사회·문화 현상에 존재하는 법칙 발견에 중점을 두는 것은 양적 연구 방법이다. 따라서 (가)는 질적 연구 방법, (나)는 양적 연구 방법이다. 그리고 A에는 질적 연구 방법과 양적 연구 방법의 공통된 특징에 대해 묻는 질문이 들어가야 한다.

선택지 분석

❶ 정답 : (가)는 질적 연구 방법이다. 이는 인간 행위의 의도나 동기를 이해해야 한다는 입장으로, 방법론적 이원론을 전제한다. 방법론적 이원론은 사회·문화 현상에는 자연 현상과 달리 인간의 의도나 동기가 담겨 있으므로 자연 과학과는 다른 방법으로 연구해야 한다는 입장이다.

② 오답 : (나)는 양적 연구 방법이다. 양적 연구 방법은 자료를 계량화하여 통계 처리를 한 후 변인 간의 관계를 분석한다. 따라서 연구자의 가치관이 개입되는 것을 최대한 차단한다. 연구자의 직관적 통찰을 중시하는 것은 질적 연구 방법이다.

③ 오답 : 연구 결과를 일반화하기에 용이한 것은 양적 연구 방법이다. 질적 연구 방법은 수집한 자료 자체에 연구자의 가치가 개입되어 있으므로 연구 결과를 일반화하기가 어렵다.

④ 오답 : 양적 연구 방법과 질적 연구 방법은 모두 경험적 자료를 바탕으로 한다.

⑤ 오답 : 연구 결과의 분석에서 통계 처리가 기본인 것은 양적 연구 방법이다. A에는 양적 연구 방법과 질적 연구 방법의 공통적인 특징인 '경험적 자료를 바탕으로 연구하는가?'라는 질문이 들어갈 수 있다.

06 양적 연구 방법과 질적 연구 방법

자료 해설

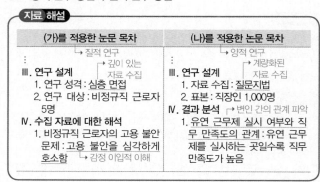

(가)를 적용한 논문 목차	(나)를 적용한 논문 목차
↳ 질적 연구	↳ 양적 연구
⋮ ↳ 깊이 있는 자료 수집	⋮ ↳ 계량화된 자료 수집

Ⅲ. 연구 설계
  1. 연구 성격 : 심층 면접
  2. 연구 대상 : 비정규직 근로자 5명
Ⅳ. 수집 자료에 대한 해석
  1. 비정규직 근로자의 고용 불안 문제 : <u>고용 불안을 심각하게 호소함</u> ↳ 감정 이입적 이해
	Ⅲ. 연구 설계
	  1. 자료 수집 : 질문지법
	  2. 표본 : 직장인 1,000명
	Ⅳ. 결과 분석 ↳ 변인 간의 관계 파악
	  1. 유연 근무제 실시 여부와 직무 만족도의 관계 : 유연 근무제를 실시하는 곳일수록 직무 만족도가 높음

선택지 분석

❶ 정답 : (가)의 질적 연구 방법에서는 연구자의 지식과 판단 능력에 근거한 직관적 통찰이 활용된다.

❷ 정답 : (나)의 양적 연구 방법에서는 계량화된 자료를 분석하여 변인 간의 관계를 검증하고자 한다.

ㄷ. 오답 : 계량화를 통한 통계적 분석이 용이한 것은 양적 연구 방법이다.

ㄹ. 오답 : 질적 연구 방법은 사회 속에서 개인이 처한 상황 등을 고려하여 인간 행동의 의미와 동기를 연구자의 감정에 이입시켜 이해하는 방식이므로 정확하고 정밀한 연구가 어렵다. 이에 비해 양적 연구 방법은 계량화된 자료를 통계·분석함으로써 정확하고 정밀한 연구가 가능하다.

07 자료 수집 방법

자료 해설

(가)의 그림은 인터넷에서 자료를 찾는 모습이고, (나)의 그림은 연구자가 연구 대상자에게 질문을 나누어 주는 모습이며, (다)의 그림은 연구 대상자에게 심층적으로 질문하는 모습이다. 따라서 (가)는 문헌 연구법, (나)는 질문지법, (다)는 면접법이다.

선택지 분석

① 오답 : (가)는 문헌 연구법으로, 도서관에 가거나 인터넷 등으로 문헌을 찾아 자료를 수집하므로 시간과 비용이 적게 든다.

② 오답 : (나)의 질문지법은 구조화된 질문지를 배부하여 응답을 받아 분석하는 것이므로 연구자의 주관적 가치가 개입될 가능성이 낮다.

❸ 정답 : (다)의 면접법은 연구자가 연구 대상자에게 연구 주제를 설명하고 연구 주제와 관련하여 질문하는 형태로 진행한다. 이 과정에서 추가적인 질문을 할 수 있어 심층적인 자료 수집에 적합하다.

④ 오답 : 질문지법은 구조화된 질문지를 배부하여 응답하게 하므로 연구 대상자와의 신뢰 관계 형성이 크게 중요한 것은 아니다. 그러나 면접법에서는 연구 대상자가 자연스럽고 편안한 분위기에서 면접을 해야 깊이 있는 답변을 하게 되므로 연구자와 연구 대상자와의 신뢰 관계 형성이 중요하다.

⑤ 오답 : 문헌 연구법은 양적 연구와 질적 연구에 모두 사용할 수 있다. 질문지법은 양적 연구에, 면접법은 질적 연구에 주로 활용된다.

08 질문지법

자료 해설

갑 : 저는 '학교 독서실 운영이 학생들의 실력 향상에 기여하는가?'를 연구 주제로 하여 변인 간의 상관관계를 알아보려고 합니다. 이를 위해 학교 독서실에서 공부한 학생 중 성적이 향상된 학생들을 대상으로 구조화된 질문지를 활용하여 자료를 수집할 예정입니다.
→ 표본을 성적이 향상된 학생으로만 한정하여 대표성이 부족함

교사 : 좋은 주제이긴 하지만 발표 내용을 들어보니 우려되는 측면이 있군요.

선택지 분석

❶ 정답 : '학교 독서실 운영이 학생들의 실력 향상에 기여하는가?'를 알아보려면 학교 독서실에서 공부한 학생들과 그렇지 않은 학생들을 모두 표본으로 추출해야 한다. 그런데 갑은 독서실에서 공부한 학생들 중 성적이 향상된 학생만을 대상으로 조사하고자 하기 때문에 표본의 대표성이 낮아 연구 결과를 일반화하기가 어렵다.

② 오답 : 구조화된 질문지를 사용하여 자료를 수집할 계획이므로 자료 수집 과정에서 연구자의 주관이 개입될 위험이 거의 없다.

③ 오답 : 학교 독서실 운영과 학생들의 실력 향상 간의 상관관계를 알아보는 데 있어서 표본을 통해 수집한 자료를 통계적으로 분석하고 그 결과를 일반화하는 것은 적절한 방법이다.

④ 오답 : 예상치 못한 상황을 통제하기가 어려운 것은 참여 관찰법이다.

⑤ 오답 : 인간을 대상으로 하여 윤리적 문제가 발생하기 쉬운 것은 실험법이다.

09 자료 수집 방법

자료 해설

• A와 C의 공통적인 특징 : 연구자의 주관적 가치가 개입될 가능성이 높다.
→ 면접법과 참여 관찰법

• B와 구분되는 C의 특징 : 자료 수집 상황에 대한 통제가 어렵다.
→ 참여 관찰법

A, B, C는 질문지법, 면접법, 참여 관찰법 중 하나이다. A와 C의 공통점을 통해 A, C가 각각 면접법과 참여 관찰법 중 하나임을 알 수 있고, B와 구분되는 C만의 특징을 통해 C가 참여 관찰법임을 알 수 있다. 따라서 A는 면접법, B는 질문지법, C는 참여 관찰법이다.

선택지 분석

① 오답 : 윤리적 문제의 발생 가능성이 높은 것은 실험법이다.

② 오답 : 면접법과 참여 관찰법 모두 자료 수집 과정에서 연구자의 가치가 개입될 수 있다. 어느 것이 더 개입될 수 있는지는 그 당시의 상황에 따라 다르다.

❸ 정답 : 질문지법은 질문 문항이 구조화되어 있어 비교적 짧은 시간에 다수의 대상에게서 자료를 얻을 수 있기에 시간과 비용을 줄일 수 있다. 참여 관찰법은 연구하고자 하는 현상이 발생하는 장소에 가서 직접 관찰해야 하므로 시간과 비용이 많이 든다.

④ 오답 : 참여 관찰법은 연구 대상자의 행위에 연구자가 개입하지 않아야 하는 것이 원칙이다. 이에 비해 면접법은 연구자와 연구 대상자가 대화로 편안한 분위기에서 연구를 진행하므로 연구자의 융통성 발휘 정도가 높다.

⑤ 오답 : 집단 간 비교 분석이 용이한 것은 질문지법이나 실험법이다. 참여 관찰법과 면접법은 모두 질적 연구 방법에서 주로 활용되는 방법으로, 집단 간 비교 분석이 어렵다.

10 자료 수집 방법

자료 해설

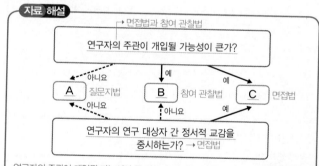

연구자의 주관이 개입될 가능성이 큰 자료 수집 방법은 참여 관찰법과 면접법이므로 A는 질문지법이다. 연구자와 연구 대상자 간의 정서적 교감을 중시하는 자료 수집 방법은 면접법이다. 따라서 C는 면접법이고, B는 참여 관찰법이다.

선택지 분석

❶ 정답 : 질문지법은 구조화된 질문지 문항에 연구 대상자가 표기하도록 하여 계량화된 자료를 수집할 수 있다.

② 오답 : 질문지법은 이미 구조화된 질문지에 기입하게 하는 방법이므로 피상적인 결과만 얻을 수 있다. 이에 비해 면접법은 오랜 시간 대화를 통해 인간 행위의 의미를 깊이 있게 이해할 수 있다.

③ 오답 : 참여 관찰법과 면접법 모두 문맹자에게서도 자료를 수집할 수 있다.

④ 오답 : 면접법은 연구 대상자와 만나서 오랜 시간 동안 깊이 있는 대화를 해야 자료를 수집할 수 있지만, 질문지법은 이미 구조화된 질문지에 응답한 내용을 통계·분석하므로 질문지법이 면접법에 비해 자료 수집 과정에서 시간과 비용이 적게 든다.

⑤ 오답 : 자료의 실제성이란 현재 상황이 발생하고 있는 현장의 모습을 말한다. 자료의 실제성을 확보하기에 유리한 것은 참여 관찰법이다.

정답 및 해설 ⏥

11 자료 수집 방법

자료 해설 (가)는 연구자가 원주민들과 함께 생활하면서 그들의 결혼 문화를 관찰하여 자료를 수집했으므로 참여 관찰법, (나)는 취업을 하지 못한 청년 5명을 대상으로 심리 상태를 깊이 있게 질문하여 자료를 수집했으므로 면접법이다.

선택지 분석

① 오답 : 참여 관찰법과 면접법은 모두 구조화된 틀이 없으므로 분석의 기준이 명확하지 않다.

② 오답 : 무성의한 응답이 나올 수 있는 것은 질문지법이다. 참여 관찰법은 일어나는 현상을 있는 그대로 기록하는 것이고, 면접법은 구체적인 내용을 다시 물어볼 수 있으므로 무성의한 응답은 나오기 어렵다.

③ 오답 : 문맹자에게 실시하기 어려운 것은 질문지법이다.

❹ 정답 : 참여 관찰법은 관찰 현상을 기록하는 과정에서 연구자의 주관이 개입될 가능성이 있으며, 면접법은 연구 대상자와 대화를 나누는 과정에서 연구자의 편견이 개입될 가능성이 있다.

⑤ 오답 : 변인 간의 인과 관계를 파악하기에 적합한 것은 실험법이나 질문지법이다. 참여 관찰법과 면접법은 연구 대상자의 행동을 심층적으로 이해하기에 적합하다.

올쏘 만점 노트   면접법과 참여 관찰법

구분	면접법	참여 관찰법
의미	연구 대상자를 만나서 나눈 대화 내용을 통해 자료를 수집하는 방법	연구자가 연구 대상자와 함께 생활하면서 직접 관찰하여 자료를 수집하는 방법
공통점	• 질적 연구 방법에서 주로 활용됨 • 연구자의 주관이 개입할 수 있음	
장점	• 심층적인 내용을 깊이 있게 질문할 수 있음 • 보충 설명으로 응답의 정확성을 높일 수 있음	• 언어 소통이 어려운 대상에게도 활용할 수 있음 • 자료의 실제성을 확보, 생생한 자료 수집이 가능함
단점	연구 목적에 적합한 소수의 전형적인 대상자를 선정하기가 어려움	• 관찰하는 현상이 나타날 때까지 기다려야 함 • 예측하기 어려운 변수의 등장 가능성이 있음

12 질문지 작성의 유의점

자료 해설

1. 귀하는 시사 문제에 관심이 많습니까?
　　① 예　　　　　② 아니요
　　　↳ 시사 문제에 대한 정의가 불명확함

2. 귀하가 시사 문제 중에서 가장 관심 있는 분야는 무엇입니까?
　　① 정치　　　② 경제　　　③ 국제
　　　↳ 관심 분야에 대한 선택지가 포괄적이지 않음

3. 귀하는 시사 문제와 관련하여 하루에 신문을 어느 정도 보는 편입니까?
　　① 1시간 미만　　　② 1시간 이상~2시간 미만
　　③ 2시간 이상　　　④ 보지 않는다.

선택지 분석

ㄱ. 오답 : 특별히 인간의 존엄성을 해치거나 개인의 사생활을 침해하는 등의 윤리 문제가 발생하는 문항은 없다.

ㄴ. 오답 : 설문 내용 중에 연구자가 특정 응답을 유도하는 문항은 없다.

ㄷ. 정답 : 1번 질문에서 시사 문제가 구체적으로 무엇을 말하는지가 애매하다.

ㄹ. 정답 : 2번 질문에서 시사 문제 중 관심 있는 분야가 3개만 언급되어 있다. 다른 분야에 관심이 있는 사람은 선택할 수가 없으므로 선택지가 포괄적이지 않다.

올쏘 만점 노트   질문지 작성 시 유의점

① 질문은 명료하여 조사 대상자들이 똑같은 의미로 해석할 수 있어야 한다.

② 질문에 조사자의 주관적 가치나 이해관계가 개입되어서는 안 된다.

③ 하나의 질문에는 한 가지 내용만 물어야 한다.

④ 질문의 응답 항목이 상호 배타적이어서 중복이 발생하지 않도록 해야 한다.

⑤ 질문의 응답 항목은 포괄성을 갖추어 조사 대상자가 선택할 수 있는 응답 항목이 있어야 한다.

13 자료 수집 방법

자료 해설

교사 : 다문화 가족의 문제에 대한 자료 수집 계획을 발표해 봅시다.

갑 : 신문 기사와 통계 자료 등을 찾아 다문화 가족의 실태와 문제점을 파악해 볼 예정입니다. ↳ 문헌 연구법

을 : 다문화 가족과 함께 생활하며 그들이 겪는 문제점은 무엇인지 관찰해 볼 계획입니다. ↳ 참여 관찰법

병 : 구조화된 설문 문항을 작성하여 다문화 가족들을 대상으로 설문 조사를 실시해 보겠습니다. ↳ 질문지법

정 : 다문화 가족들을 만나 직접 대화를 나누면서 그들이 어떤 문제점을 겪고 있는지 알아보겠습니다. ↳ 면접법

선택지 분석

① 오답 : 갑의 자료 수집 방법인 문헌 연구법은 기존 연구 동향을 파악하는 데 적합하다. 실제성 있는 자료 수집에 적합한 것은 참여 관찰법이다.

② 오답 : 을의 자료 수집 방법인 참여 관찰법은 연구자가 연구 대상자의 행위를 그대로 기록하는 것이므로 가상의 상황을 설정하지 않는다. 가상의 상황을 설정하여 인위적인 처치를 행하는 것은 실험법이다.

❸ 정답 : 병의 자료 수집 방법인 질문지법은 분석 기준이 명확하고 통계 처리가 용이하여 비교 분석 연구에 적합하다.

④ 오답 : 정의 자료 수집 방법인 면접법은 연구자가 연구 대상자를 직접 면접하여 자료를 수집하는 방법이므로 1차 자료 수집을 중시한다. 2차 자료 수집을 중시하는 것은 문헌 연구법이다.

⑤ 오답 : 문헌 연구법은 참여 관찰법에 비해 시간과 비용이 적게 든다.

올쏘 만점 노트   문헌 연구법

의미	이미 존재하는 자료(1차 자료)를 활용하여 필요한 정보를 수집하는 방법
특징	• 양적 연구와 질적 연구에서 모두 활용되며, 2차 자료 수집에 활용되는 경우가 많음 • 관련 연구 동향을 파악하여 연구 문제나 가설을 설정할 때 많이 사용함
장점	• 직접 조사하는 것에 비해 시간과 비용을 절약할 수 있음 • 시·공간적으로 접근이 어려운 사회·문화 현상에 대한 자료를 수집할 때 용이함
단점	• 문헌의 신뢰성이 떨어지면 연구의 신뢰도에 문제가 발생할 수 있음 • 문헌을 해석하는 과정에서 연구자의 주관적 판단이나 가치가 개입할 우려가 있음

14 질문지법과 면접법

자료 해설

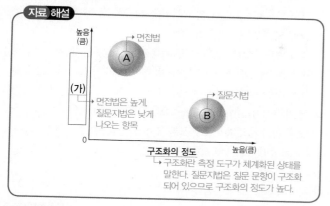

높음(큼) ↑ 면접법 · A

(가) ← 면접법은 높게, 질문지법은 낮게 나오는 항목

질문지법 · B

구조화의 정도 → 높음(큼)

└→ 구조화란 측정 도구가 체계화된 상태를 말한다. 질문지법은 질문 문항이 구조화되어 있으므로 구조화의 정도가 높다.

선택지 분석

- ㄱ. 정답 : (가)에는 면접법은 높고, 질문지법은 낮게 나올 수 있는 항목이 들어가야 한다. 면접법은 연구자가 연구 대상자와 대화를 통해 자료를 수집하므로 연구자의 가치 개입 정도가 높다.
- ㄴ. 오답 : 면접법은 질문지법에 비해 시간과 비용이 많이 든다.
- ㄷ. 정답 : 질문지법은 구조화된 질문 문항의 결과를 이용하므로 통계적 분석이 용이하다. 면접법은 연구 대상자와의 대화를 통해 얻어 낸 자료를 토대로 인간 행동의 심층적인 이해를 목적으로 한다.
- ㄹ. 오답 : 면접법과 질문지법은 모두 연구자가 직접 연구 대상자에게서 자료를 수집하므로 이때 수집한 자료는 1차 자료이다. 이미 수집된 1차 자료를 토대로 2차 자료를 수집하는 것은 문헌 연구법이다.

15 실험법

자료 해설

연구자 갑은 <u>웃음 치료 프로그램</u>이 직장인의 <u>직장 생활 만족도</u>에
           └→독립 변인┘   └종속 변인┘
어떤 영향을 주는지 알아보고자 하였다. 갑은 직장인 100명을 선발하여 50명씩 A, B 두 집단으로 나누고, A 집단에는 프로그램을
              └→직장 만족도 점수가 비슷해야 함 └→실험 집단
적용하고, B 집단에는 적용하지 않았다. 6개월 후 직장 생활 만족
            └→통제 집단
도를 조사한 결과 A 집단은 점수가 현저하게 높아졌지만 B 집단은
약간 떨어졌다.   └→웃음 치료 프로그램의 효과가 나타남

선택지 분석

- ① 오답 : 실험법은 인위적인 상황을 설정한 상태에서 어떤 변인을 의도적으로 조작함으로써 나타나는 변화를 측정하여 자료를 수집하는 방법이다.
- ② 정답 : 갑은 웃음 치료 프로그램이 직장인의 직장 생활 만족도에 미치는 영향을 연구하고자 통제 집단과 실험 집단으로 나누어 실험하는 실험법을 사용하였다. 실험법은 실험 조건을 엄격히 통제하기 때문에 연구 대상자와의 정서적 교감을 중시하지 않는다. 연구 대상자와의 정서적 교감을 중시하는 것은 면접법이다.
- ③ 오답 : 실험법은 독립 변인과 종속 변인 간의 인과 관계를 보여 주는 자료를 얻을 수 있다. 제시된 연구에서 '웃음 치료 프로그램의 실시'는 독립 변인이고, '직장 생활 만족도'는 종속 변인이다.
- ④ 오답 : 웃음 치료 프로그램을 실시한 A 집단은 독립 변인이 처치된 실험 집단이다. B 집단은 A 집단과의 직장 생활 만족도 비교를 위해 프로그램을 실시하지 않은 통제 집단이다.
- ⑤ 오답 : 실험법은 독립 변인 이외의 변인이 종속 변인에 미치는 영향을 철저히 차단해야 한다. 그래야 독립 변인이 종속 변인에 미치는 효과를 알 수 있다.

16 자료 수집 방법

자료 해설

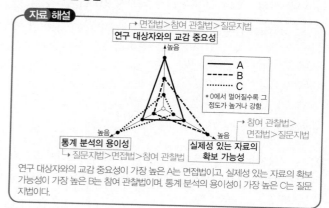

└→ 면접법>참여 관찰법>질문지법
연구 대상자와의 교감 중요성
높음
    —— A
    ---- B
    ······ C
* 0에서 멀어질수록 그 정도가 높거나 강함

└→ 참여 관찰법>
    면접법>질문지법

높음 · 통계 분석의 용이성   실제성 있는 자료의 확보 가능성 · 높음
└→질문지법>면접법>참여 관찰법

연구 대상자와의 교감 중요성이 가장 높은 A는 면접법이고, 실제성 있는 자료의 확보 가능성이 가장 높은 B는 참여 관찰법이며, 통계 분석의 용이성이 가장 높은 C는 질문지법이다.

선택지 분석

- ① 오답 : A의 면접법은 연구자가 비교적 적은 수의 인원을 대상으로 깊이 있는 정보를 얻고자 할 때 사용한다. 대규모를 대상으로 자료를 수집하기에 용이한 것은 질문지법이다.
- ② 정답 : B의 참여 관찰법은 연구자가 조사하고자 하는 연구 대상 집단에 직접 참여하여 현상을 보고 듣고 느끼면서 자료를 수집하는 방법이다. 참여 관찰법은 관찰 도중에 예상하지 못한 일이 발생할 경우 상황 변화에 유연하게 대처하기가 어렵다.
- ③ 오답 : C의 질문지법은 조사하려는 내용을 질문지로 만들어 조사 대상자에게 나누어 주고 답변을 하게 한 후, 이를 바탕으로 자료를 수집하는 방법이다. 질문지는 문자로 되어 있으므로 문맹자에게는 실시할 수 없다.
- ④ 오답 : 질문지법은 구조화된 조사 도구인 질문지를 사용하기 때문에 자료를 수집할 때 연구자의 가치 개입을 줄일 수 있다. 그러나 참여 관찰법은 관찰 현상을 기록하는 과정에서 연구자의 가치나 편견이 개입될 가능성이 있다.
- ⑤ 오답 : 면접법과 질문지법을 동일 연구에서 함께 사용할 수 있다. 예를 들어 질문지법으로 어떤 현상을 1차적으로 조사한 다음 특정 원인에 대해 좀 더 자세한 정보를 알기 위해 면접법을 실시할 수도 있다.

정답 및 해설

03 ❷ 사회·문화 현상의 탐구 절차와 윤리

기출 선지 변형 O X

본문 032~033쪽

01 ① ○ ② ○ ③ × ④ ○ ⑤ × ⑥ ×
02 ① × ② ○ ③ × ④ × ⑤ × ⑥ ○
03 ① × ② ○ ③ × ④ ○ ⑤ ○ ⑥ × ⑦ ○
04 ① × ② ○ ③ ○ ④ ×

01 ① 1 모둠의 가설에서 독립 변인은 가구 소득이다. 따라서 가구 소득별 인터넷 이용 시간을 알아야 하므로 가구 소득이 높은 지역과 낮은 지역 모두 조사해야 한다.
② 3 모둠의 가설에서 독립 변수는 '세대와 성별'이므로 연령 및 성별에 따른 인터넷 이용 시간을 조사해야 한다.
③ 남성의 사회 경제적 지위를 나타낼 수 있는 요소에는 직업, 소득 등이 있다. 따라서 남성의 소득별 인터넷 이용 시간은 2 모둠에서 필요한 자료이다.
④ 4 모둠의 가설에서 독립 변인은 '거주 지역과 학력 정도'이다. 따라서 농촌 지역과 도시 지역 고학력자의 인터넷 이용 시간뿐만 아니라 농촌 지역과 도시 지역 저학력자의 인터넷 이용 시간도 조사해야 한다.
⑤ 5 모둠의 가설에서 독립 변인은 '정보 취약 계층 중에서의 소득 정도'이다. 정보 취약 계층에는 저소득층과 노인층뿐만 아니라 장애인, 저학력자 등 다양한 계층이 속해 있으므로 모든 변인들의 인터넷 이용 시간을 조사해야 한다.
⑥ 1 모둠~5 모둠의 종속 변인은 모두 '인터넷 이용 시간'이다.

02 ① 사회·문화 현상을 보는 관점이 다양할 수 있음을 인정해야 하는 것은 개방적 태도이다.
② 객관적 태도를 유지하기 위해서는 사회·문화 현상을 탐구할 때 주관적 가치와 이해관계를 배제해야 한다.
③ 해당 사회의 특수성과 문화적 맥락을 고려해야 하는 것은 상대주의적 태도이다.
④ 사회·문화 현상의 복잡성을 인정하고 그 현상 이면의 원인을 파악하려는 태도는 성찰적 태도이다.
⑤ 연구 주제를 결정하고 가설을 설정할 때에는 연구자의 가치가 개입될 수 있다.
⑥ 연구의 객관성을 유지하기 위해서는 연구 결과를 왜곡하거나 한쪽으로 치우친 결론을 도출하지 않아야 한다.

03 ① 제시된 연구에서 청소년은 모집단이지만 ⓒ은 표본 집단이 아니다. 표본 집단은 ⓒ 중에서 무작위로 선정된 연구 대상자 300명이다.
② 추상적인 개념을 측정 가능하도록 개념의 조작적 정의가 이루어지는 단계는 (가)의 연구 설계 단계이다.
③ ⓔ은 문헌 연구법이다. 연구 대상자와 연구자 간 친밀성이 중시되는 것은 면접법이다.
④ 문헌 연구법은 최근 연구 동향이나 연구 성과를 살펴보기에 용이하

기 때문에 모든 연구자들이 활용할 수 있는 방법이다.
⑤ 양적 연구 방법은 질적 연구 방법에 비해 한정된 수의 변인에 집중하여 가설을 검증하기에 용이하다.
⑥ 질적 연구 방법은 귀납적 연구 과정을 통해 결론을 도출하는 반면, 양적 연구 방법은 설정한 가설을 검증하는 과정을 통해 결론을 도출하는 연역적 연구 과정을 거친다.
⑦ 이 연구 과정은 '(마) 선행 연구 검토 단계 → (다) 가설 설정 단계 → (가) 연구 설계 단계 → (라) 자료 수집 단계 → (나) 가설 검증 단계'의 순서로 진행되는 것이 적절하다.

04 ① 설문 조사에 반드시 응답하도록 한 경우는 조사 대상자의 자발적 참여 원칙에 어긋난다.
② 연구 대상자의 신원을 제3자가 파악할 수 있도록 보고서를 작성한 경우는 사생활 침해에 해당한다.
③ 면접 대상자들이 면접 중단을 요구했음에도 면접을 진행한 것은 연구 대상자의 자발적인 동의를 구하지 않은 경우이다.
④ 연구 결과와 함께 연구 대상의 개인 정보를 제공한 경우는 사생활 침해에 해당한다.

실전 기출 문제

본문 034~035쪽

01 ⑤ **02** ③ **03** ④ **04** ⑤ **05** ⑤ **06** ① **07** ③

01 가설 검증과 자료 수집

자료 해설 • A 모둠의 자료에서 핵가족은 1세대 가구와 2세대 가구 중 (한)부모와 미혼 자녀로 이루어진 가구를 의미한다. 따라서 (한)부모와 자녀로 구성된 2세대 가구 중 자녀의 혼인 여부를 알아야 핵가족의 비율을 구할 수 있으므로 A 모둠이 수집한 자료는 적절하지 않다.
• B 모둠에서는 기혼자의 연령별·성별 가사 노동 시간에 대한 자료를 수집해야 하는데 주어진 자료에는 성별에 따른 가사 노동 시간이 없으므로 적절하지 않다.
• C 모둠에서는 도시와 농촌의 1인 가구의 비율을 비교하고 있으므로 1인 가구를 파악할 수 있는 '가구 구성원 수별 가구 수' 자료가 필요하다.
• D 모둠에서는 맞벌이 가정과 외벌이 가정의 부부 간 대화 시간을 비교하고 있으므로 제시된 자료인 '기혼자와 그 배우자 각각의 직업 유무'에서 맞벌이와 외벌이 가정을 파악할 수 있다.

선택지 분석
① 오답 : A 모둠, B 모둠 모두 가설을 검증하기 위한 자료가 적절하지 않다.
② 오답 : A 모둠은 가설을 검증하기 위한 자료가 적절하지 않다.
③ 오답 : B 모둠은 가설을 검증하기 위한 자료가 적절하지 않다.
④ 오답 : B 모둠은 가설을 검증하기 위한 자료가 적절하지 않다.
❺ 정답 : C 모둠, D 모둠 모두 가설을 검증하기 위한 자료가 적절하다.

02 가설의 요건

자료 해설 제시된 표는 가설의 요건 4가지를 따져서 적합한 사례를 찾는 문제이다. (가)는 검증의 필요성이 없는 사례이고, (나)는 검증을 할 수 없는 사례이며, (다)는 검증의 필요성과 가능성은 있으나 두 변수 간의 관계 설정이 명확하지 않은 사례이다. (라)는 가설 요건이 모두 충족된 사례이다.

선택지 분석

ㄱ. 오답 : '고소득 가구일수록 삶의 만족도가 높을 것이다.'라는 가설은 가설 요건을 모두 충족하고 있으므로 (라)의 사례로 적합하다.

ㄴ. 오답 : 검증의 필요성과 가능성은 있으나, 두 변수가 제대로 갖추어져 있지 않으며 두 변수 간의 관계 설정이 명확하지 않은 사례이다.

ㄷ. 정답 : '학력 수준과 결혼에 대한 만족도는 관련이 있을 것이다.'라는 가설은 검증의 필요성과 가능성은 있으나, 어떤 관련이 있는지 변수 간의 관계 설정이 명확하지 않으므로 (다)의 사례에 적합하다.

ㄹ. 정답 : '여자는 이혼에 대하여 더 허용적인 태도를 보일 것이다.'라는 가설은 가설 요건을 모두 충족하므로 (라)의 사례에 적합하다.

> **올쏘 만점 노트** 가설의 요건
> - **명료성** : 독립 변수와 종속 변수 간의 인과 관계가 명확하게 드러나도록 서술해야 한다.
> - **검증 가능성** : 과학적인 연구 방법을 통해 경험적으로 검증 가능한 진술이어야 한다.
> - **가치 중립성** : 가치가 개입된 당위적 진술은 객관적 관찰이 불가능하므로 가설은 사실과 관련된 진술이어야 한다.
> - **검증 필요성** : 인과 관계가 확실하고 당연한 사실은 검증할 필요가 없으므로 두 변인 간의 관계를 연구할 가치가 있어야 한다.

03 양적 연구 방법의 탐구 절차

자료 해설 제시된 연구의 가설에서 독립 변수는 '부모의 경제 수준'과 '부모의 인터넷 이용 형태'이고 종속 변수는 '고등학생의 인터넷 이용 형태'이다. 이 연구는 질문지법을 활용하여 자료를 수집하고 분석하여 결론을 도출하는 양적 연구 방법을 따르고 있다. 연구 과정을 살펴보면, (가)는 가설 설정 단계, (나)는 자료 수집 단계, (다)는 연구 설계 단계, (라)는 가설 검증 단계이다. 따라서 (가) – (다) – (나) – (라) 순서로 연구가 진행되어야 한다.

선택지 분석

① 오답 : 독립 변수는 '부모의 경제 수준'과 '부모의 인터넷 이용 형태'이고, 종속 변수는 '고등학생의 인터넷 이용 형태'이다. 따라서 ㉠, ㉡은 모두 독립 변수에 해당한다.

② 오답 : 이 연구에서 모집단은 A 지역 고등학생이며, 표본 집단은 부모도 응답 가능한 300명이다.

③ 오답 : '부모의 경제 수준'과 '부모의 정보 지향적 인터넷 이용 정도'라는 추상적 개념을 계량화하기 위해 ㉠의 '월평균 소득'과 '인터넷 이용 시간 중 정보 검색 시간 비중'으로 조작적 정의를 거쳤다.

④ 정답 : '가설이 검증되었다.'라는 것은 가설의 수용만을 의미하지는 않는다. 수집한 자료를 분석한 결과 유의미하지 않은 가설은 기각되고 유의미한 가설은 수용된다.

⑤ 오답 : 제시된 연구는 양적 연구 방법에 따른 것으로, '가설 설정 → 연구 설계 → 자료 수집 → 가설 검증'의 단계를 거친다. 따라서 (가)-(다)-(나)-(라) 순서로 연구가 진행되었다.

> **올쏘 만점 노트** 양적 연구 방법의 탐구 절차
>
>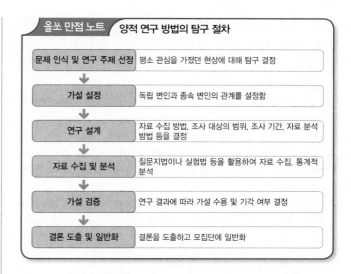
>
> | | |
> |---|---|
> | 문제 인식 및 연구 주제 선정 | 평소 관심을 가졌던 현상에 대해 탐구 결정 |
> | 가설 설정 | 독립 변인과 종속 변인의 관계를 설정함 |
> | 연구 설계 | 자료 수집 방법, 조사 대상의 범위, 조사 기간, 자료 분석 방법 등을 결정 |
> | 자료 수집 및 분석 | 질문지법이나 실험법 등을 활용하여 자료 수집, 통계적 분석 |
> | 가설 검증 | 연구 결과에 따라 가설 수용 및 기각 여부 결정 |
> | 결론 도출 및 일반화 | 결론을 도출하고 모집단에 일반화 |

04 가치 중립과 가치 개입

자료 해설 사회·문화 현상을 과학적으로 탐구한다는 것은 연구자의 주관적 가치를 배제하고 객관적인 증거에 입각하여 가치 중립적으로 탐구하는 것을 의미한다. 하지만 가치 함축적인 사회·문화 현상을 연구자가 주관적 가치를 완전하게 배제하고 연구하기는 쉽지 않기 때문에 연구 단계에 따라 가치 개입의 허용이나 가치 중립의 유지 여부가 달라진다. 제시문의 (가)에는 가치 중립, (나)에는 가치 개입이 들어간다.

선택지 분석

ㄱ. 오답 : 개념의 조작적 정의는 연구 설계 단계에서 이루어지는데 이 단계에서는 가치 개입이 허용된다.

ㄴ. 정답 : 가설의 진위 여부를 확인할 때에는 연구의 객관성을 유지해야 하고 사실의 왜곡을 방지하기 위해 가치 중립이 지켜져야 한다.

ㄷ. 정답 : 다양한 자료 수집 방법 중 어떤 방법을 선택할지 결정하는 단계에서는 연구자의 가치가 개입된다.

ㄹ. 정답 : 가설을 설정하는 단계에서는 연구자의 가치가 개입될 수 있다.

05 개방적 태도

자료 해설 제시문은 인간이 발견하거나 발명한 수학적 원리가 항상 완벽한 것이 아닌 것처럼 지식의 불완전성이 사회·문화 현상을 연구할 때에도 적용된다고 강조하고 있다. 이는 사회·문화 현상을 탐구할 때 필요한 개방적 태도를 설명하는 것이다.

선택지 분석

ㄱ. 오답 : 모든 사회적 요인 간의 관계를 종합적으로 고려해야 한다는 것은 종합적(총체적) 태도이다.

ㄴ. 오답 : 사회적 맥락을 고려하여 사회·문화 현상을 연구해야 한다는 것은 상대주의적 태도이다.

ㄷ, ㄹ. 정답 : 자신의 연구가 완전한 것이 아니라 언제든지 새로운 이론에 의해 비판과 지적을 받을 수 있음을 인정하고 이를 겸허하게 수용하는 자세가 개방적 태도이다.

06 연구자가 지켜야 할 연구 윤리

자료 해설 갑은 자료 수집 단계에서 결혼에 호의적인 미혼자만을 대상으로 조사하여 독신세 도입에 찬성한다는 왜곡된 결과가 도출되었다. 또한 수집한 자료의 결과를 연구 이외의 목적으로 활용하였고 연구

정답 및 해설

대상자의 개인 정보를 유출하여 사생활을 침해하였다. 한편 을은 자료 수집 후 자의적으로 자료를 선별하여 분석함으로써 왜곡된 결과를 발표하였다.

선택지 분석

❶ 정답 : 갑의 연구는 결혼에 호의적인 미혼자만을 대상으로 조사했기 때문에 독신세 도입에 찬성하는 쪽의 결과가 높게 나왔다. 즉 갑은 자료 수집 단계에서 의도적으로 왜곡된 자료를 수집하였다.

❷ 정답 : 을의 연구는 특정 기업의 주식 관련 자료를 수집한 후 주가 상승을 예측한 자료만 분석하였다. 즉 을은 자료 분석 단계에서 고의로 자료를 선별하여 분석하였다.

ㄷ. 오답 : 을은 결과 발표 단계에서 자신의 이익을 추구하기 위해 수집한 자료의 일부를 은폐하고 왜곡된 자료를 분석하여 자신이 원하는 결과를 도출하였다.

ㄹ. 오답 : 갑은 결혼 정보 회사를 운영하는 친구에게 연구 결과 및 연구자의 개인 정보 자료를 제공하는 등 연구 이외의 목적으로 활용하였다.

07 연구자가 지켜야 할 연구 윤리

자료 해설 제시된 대화에서 갑은 연구에 대한 고지 의무 및 사전 동의 등 연구 대상자와 관련한 윤리 원칙에 대해 이야기 하고 있다. 한편 을은 가치 개입이나 왜곡 등과 같이 연구 과정에서 일어날 수 있는 문제점을 지적하고 있다.

선택지 분석

ㄱ. 오답 : 공동 연구 성과를 단독 연구 성과로 발표하는 것은 연구 과정에서의 윤리 원칙에 어긋난다.

❷ 정답 : 연구 대상자에게 연구 참여에 대한 사전 동의를 받지 않은 것은 갑이 강조한 연구 대상자와 관련한 윤리 원칙에 어긋난다.

❷ 정답 : 연구 의뢰자의 이익을 위해 자료를 조작하여 분석하는 것은 을이 강조한 연구 과정에서의 윤리 원칙에 어긋난다.

ㄹ. 오답 : 갑은 자료를 수집하기 전 단계에서 지켜야 할 연구 윤리를 강조하고 있으며, 을은 자료 수집 및 분석 단계에서 지켜야 할 연구 윤리를 강조하고 있다.

킬러 예상 문제

본문 036~039쪽

| 01 ③ | 02 ② | 03 ⑤ | 04 ⑤ | 05 ② | 06 ③ | 07 ② | 08 ④ |
| 09 ③ | 10 ④ | 11 ① | 12 ② | 13 ② | 14 ① | 15 ② | 16 ⑤ |

01 양적 연구 방법의 탐구 절차

자료 해설

갑은 봉사 활동 프로그램이 청소년의 사회성을 강화시킬 것이라는
　　　　　→ 독립 변인　　　　　→ 종속 변인
가설을 세우고 연구를 하였다. 갑은 사회성이 약한 남자 고등학생
　　→ 양적 연구 방법
100명을 뽑아 각각 50명씩 A 집단과 B 집단으로 구분하였다. 이후
　　　　　　　→ 두 집단의 사회성 점수가 비슷해야 함
8주 동안 A 집단에는 봉사 활동 프로그램을 적용하고, B 집단에는
　　　　　　→ 실험 집단　　　　　　　　　　→ 통제 집단
프로그램을 적용하지 않았다. 그 결과 A 집단 학생들의 사회성이
크게 증가하였고, B 집단에서는 거의 변화가 없었다.
　　　　　　　　　　　　　　　　→ 가설 수용

선택지 분석

① 오답 : 갑의 실험에서 가설은 봉사 활동 프로그램이 청소년의 사회성을 강화시킨다는 것이다. 프로그램을 실시한 A 집단 학생들의 사회성이 크게 증가하였고, 실시하지 않은 B 집단에서는 거의 변화가 없었으므로 봉사 활동 프로그램이 청소년의 사회성을 강화시켰다고 볼 수 있다. 따라서 가설은 수용되었다.

② 오답 : 갑은 자신이 직접 실험을 통해 자료를 수집하였으므로 이때 얻은 자료는 1차 자료이다.

③ 정답 : 독립 변인은 어떤 현상의 원인이 되는 변인이다. 이 연구는 봉사 활동 프로그램이 청소년의 사회성을 강화시키는지를 알아보는 것이었으므로 독립 변인은 봉사 활동 프로그램이다.

④ 오답 : 모집단은 청소년인데 청소년에는 중학생, 학교에 다니지 않는 청소년, 여학생도 포함되어 있다. 그러나 갑은 남자 고등학생 100명만을 상대로 실험하였으므로 표본이 모집단을 대표하지 못하기 때문에 검증된 가설을 모든 청소년에게 일반화하기는 어렵다.

⑤ 오답 : 프로그램을 적용한 A 집단은 실험 집단, 비교를 위해 프로그램을 적용하지 않은 B 집단은 통제 집단이다.

02 양적 연구 방법의 탐구 절차

자료 해설

　　　　　　　　┌→ 표본 집단
(가) 전국에 걸쳐 ⊙ 직장인 1,000명을 무작위로 선정하여 설문 조
　　　　　　　　　　　　　　　　　　　　　　　　　질문지법↙
　　사를 실시하였다. → 자료 수집 단계(질문지법 활용)
　　　　　┌→ 모집단
(나) ⓒ 직장인의 사내 동아리 활동이 업무 스트레스 감소에 영향을
　　미칠 것이라는 잠정적 결론을 설정하였다. → 가설 설정 단계
　　　　　　　　　　　　　　　　　　　　┌→ 독립 변인
(다) 직장인의 업무 스트레스 감소를 위해 ⓒ 사내 동아리 활동을
　　적극 지원할 것을 사용자측에 제안하였다. → 결론 도출 후 제안 단계
(라) 설문 조사 분석 결과, 사내 동아리 활동이 활발할수록 ⓔ 업무
　　스트레스 감소 정도가 통계적으로 유의미하게 나타남을 확인
　　하였다. → 가설 검증 단계(가설 수용)
　　　└→ 종속 변인

선택지 분석

① 오답 : 직장인의 사내 동아리 활동과 업무 스트레스 감소와의 관계를 알아보는 연구이므로 직장인이 모집단이다. 전국에 걸쳐 선정한 직장인 1,000명은 실제 연구 대상이므로 표본 집단이다.

❷ 정답 : 사내 동아리 활동이 원인에 해당하므로 독립 변인이고, 업무 스트레스 감소 정도는 결과이므로 종속 변인이다.

③ 오답 : (다)에서 연구자는 업무 스트레스 감소를 위해 사내 동아리 활동을 적극 지원해 줄 것을 제안하였으므로 자료 분석 결과 사내 동아리 활동이 업무 스트레스 감소에 영향을 주었다는 것이 밝혀졌음을 알 수 있다.

④ 오답 : (라)에서 사내 동아리 활동이 활발할수록 업무 스트레스가 감소했다는 통계 수치를 통해 사내 동아리 활동이라는 독립 변인과 업무 스트레스 감소 정도라는 종속 변인 간 정(+)의 관계가 나타났음을 알 수 있다.

⑤ 오답 : 양적 연구는 연구 주제 선정 - 가설 설정 - 연구 설계 - 자료 수집 - 자료 분석 - 가설 검증 - 결론 도출 및 제안의 순서로 진행된다. 따라서 제시된 연구는 (나) - (가) - (라) - (다) 순서로 진행된다.

03 양적 연구 방법의 탐구 절차

자료 해설 갑이 활용한 자료 수집 방법은 실험법이다. '자전거 출퇴근'이라는 독립 변인과 '직장인의 건강'이라는 종속 변인 간의 관계를 알아보고자 하였다. 가설을 설정하고 실험 집단과 통제 집단을 정하여 실험 처치를 하였고, 실험 집단의 건강이 향상되었다는 연구 결과를 얻었다.

선택지 분석

① 오답 : 자전거 출퇴근은 직장인의 건강에 영향을 미치는 원인에 해당하므로 독립 변인이다. 직장인의 건강은 결과에 해당하므로 종속 변인이다.

② 오답 : 주제 선정 단계에서 연구자는 평소 관심을 가졌던 분야에 대해 문제를 인식하고 연구 주제를 선정하기 때문에 연구자의 주관적 가치가 개입할 수밖에 없다.

③ 오답 : 연구 대상자 100명은 표본 집단이고, 모집단은 직장인 전체이다.

④ 오답 : A 집단에게는 6개월 동안 자전거 출퇴근이라는 실험 처치를 했으므로 실험 집단에 해당한다. B 집단은 A 집단의 실험 처치 결과를 비교하기 위해 독립 변인의 적용을 통제한 통제 집단이다.

❺ 정답 : 실험 결과, 실험 집단에 해당하는 직장인의 건강이 향상되었고, 통제 집단의 건강은 향상되지 않았으므로 '자전거 출퇴근이 직장인의 건강을 향상시킨다.'라는 가설이 수용되었음을 알 수 있다.

04 가치 중립과 가치 개입

자료 해설 사회 · 문화 현상을 탐구할 때 연구자는 주관적인 가치와 이해관계를 배제하는 가치 중립의 태도를 지녀야 한다. 특히 연구 주제가 선정된 이후 자료를 수집하거나 수집한 자료를 분석하고 결론을 내리는 과정에서는 연구자의 가치나 이해관계를 엄격하게 배제하는 가치 중립이 필요하다. 하지만 연구 과정에서 문제를 인식하고 연구 주제를 선정하는 단계나 결론에 따라 정책을 제안하는 등 연구 결론의 활용 단계에서는 연구자의 가치 개입이 이루어지게 된다.

선택지 분석

ㄱ – ⓒ : 청소년들의 비속어 사용이 심각함을 인식하고 이를 연구 주제로 선정한 것은 문제 인식 및 주제 선정 단계로, 연구자의 주관적인 가치가 개입되기 마련이다.

ㄴ – ⓒ : 가설을 설정하는 단계에서는 연구자의 연구 의도가 반영되어 가치 개입이 이루어진다.

ㄷ – ㉠ : 통계 자료를 수집하는 단계에서는 연구자의 가치가 개입되면 연구 결과에 영향을 미쳐 결과를 왜곡할 수 있다. 따라서 가치가 개입되어서는 안 된다.

ㄹ – ㉠ : 연구 결과를 분석하는 단계에서는 나타난 결과를 있는 그대로 분석해야 한다.

올쏘 만점 노트 연구 과정에서의 가치 개입과 가치 중립

- 문제 인식 및 연구 주제 선정
- 가설 설정
- 연구 방법 선택 및 연구 설계
- 자료 수집 및 분석·해석
- 가설 검증 및 결론 도출
- 연구 결과의 활용

☐ 가치 개입 ▨ 가치 중립

연구자가 주관적 가치를 가진 인간이라는 점에서 사회 · 문화 현상을 연구할 때 가치 중립의 자세는 매우 중요하다. 그런데 가치 중립의 필요성은 연구 과정에 따라 다르게 나타날 수 있다. 연구 주제의 선정이나 가설 설정, 연구 설계, 연구 결과의 활용 과정에서는 연구자의 가치 개입이 인정될 수 있다. 이 과정에서는 연구자의 관심이나 가치 판단이 반영되기 마련인데, 그것이 연구 결과의 객관성을 근본적으로 훼손하는 것은 아니기 때문이다. 그러나 자료 수집과 분석 과정, 가설 검증과 결론 도출 과정에서는 연구자의 가치 중립이 필수적이다. 이 과정에서 연구자의 주관적 가치가 개입되면 연구 결과가 왜곡될 수 있다.

05 가설의 요건

자료 해설

(가) 결혼 기피 풍조가 확산되면 초혼 연령이 높아지고 혼인율이 떨어질 것이다. → 당연한 현상이므로 가설 설정이 필요 없음

(나) 범죄율이 높은 지역일수록 주민 간 공동체 의식 정도는 낮을 것이다. → 변인 간의 관계가 명확하므로 가설 요건을 갖추고 있음

(다) 바람직한 정치 발전을 위해서는 정치인의 계파 형성 관습부터 없애야 한다. → 연구자의 가치가 개입되어 있음

(라) 스승에 대한 존경심이 강할수록 학교생활 만족도가 클 것이다. → 가설의 요건을 갖추고 있음

선택지 분석

㉠ 정답 : 결혼 기피 풍조가 확산되면 초혼 연령이 높아지고 혼인율이 떨어지는 것은 당연한 일이다. 즉 검증의 필요성이 없으므로 가설로서 부적절하다.

ㄴ. 오답 : '범죄율이 높은 지역'은 독립 변인, '주민 간 공동체 의식 정도'는 종속 변인이다. 두 변인 간의 인과 관계가 명확하므로 가설로서 적절하다.

㉢ 정답 : '바람직한 정치 발전', '정치인', '계파' 등의 의미가 애매하다. 또한 '계파 형성 관습부터 없애야 한다.'라고 주장하는 것은 연구자의 가치가 개입되어 있으므로 가설로서 부적절하다.

ㄹ. 오답 : '스승에 대한 존경심'과 '학교생활 만족도'는 개념의 조작적 정의를 통해 측정 가능하므로 가설로서 적절하다.

06 질적 연구 방법의 탐구 절차

자료 해설 제시된 연구는 면접법을 활용한 질적 연구이다. 질적 연구 방법은 양적 연구 방법과 달리 가설 설정 단계가 없다. 즉 1단계는 문제 인식 및 주제 선정 단계, 2단계는 연구 설계 단계, 3단계는 자료 수집 및 해석 단계, 4단계는 결론 도출 단계로 이루어진다.

선택지 분석

① 오답 : 이 사례에서는 1단계가 문제 인식 단계로, 연구자는 고령 은퇴자의 다양한 사회적 관계망을 알아보기로 하였다.

② 오답 : 제시된 자료는 질적 연구 방법의 절차이므로 가설 설정이 필요하지 않다. 가설 설정은 양적 연구 방법에서 이루어진다.

❸ 정답 : (가)는 연구 설계 단계이다. 이 단계에서는 자료 수집 방법, 연구 기간, 연구 대상자의 선정 등을 계획한다.

④ 오답 : 수집된 자료를 토대로 해석하는 것은 4단계이다. 연구자는 자녀들과 친밀한 관계망을 형성하고 있는 은퇴자들은 삶의 만족도가 높다고 해석하였다.

⑤ 오답 : 개념의 조작적 정의는 추상적인 개념을 측정 가능하도록 재정의하는 것인데 양적 연구 방법에서 필요하다.

올쏘 만점 노트 질적 연구 방법의 탐구 절차

문제 인식 및 연구 주제 선정	가설을 세우지 않음
연구 설계	자료 수집 방법, 조사 대상의 범위, 조사 기간 등을 결정
자료 수집 및 해석	면접법, 참여 관찰법 등을 활용하여 자료 수집, 직관적 통찰과 감정 이입적 이해로 해석
결론 도출	자료를 바탕으로 해석한 행위자의 주관적 세계가 가지는 의미를 종합하여 결론 도출

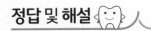

07 양적 연구 방법의 탐구 절차

자료 해설

갑은 신문 활용 교육이 논술 실력에 미치는 영향을 알아보기 위해
└ 독립 변인   └ 종속 변인
○○ 고등학교 1학년 두 학급을 대상으로 표와 같은 계획을 세워
실험을 하였다. 두 학급의 학생 수는 25명으로 같다.
└ 실험법으로 자료 수집   └ 통제 집단   └ 실험 집단

구분	1학년 1반	1학년 2반
공통적인 조치	(가) 논술 실력 시험·사후 검사 실시	
서로 다른 조치	(나)	(다)

실험 결과, 1학년 1반과 달리 1학년 2반은 논술 점수에 의미 있는
향상이 나타나 가설을 수용하였다.
└ 가설 검증 단계(가설 수용)

선택지 분석

① 오답 : 갑은 실험법을 통해 변인 간의 관계를 파악하고자 하였으므로 양적
연구 방법을 사용하였다. 양적 연구 방법은 자연 과학에 사용하던 연구 방
법을 그대로 사회 과학 연구에도 적용할 수 있다는 방법론적 일원론을 전
제한다.

❷ 정답 : 실험 결과, 1학년 2반이 논술 점수에서 의미 있는 향상이 나타나 가
설을 수용했으므로 1학년 2반에게 신문 활용 교육이 실시되었음을 알 수
있다. 따라서 1학년 2반은 실험 집단, 1학년 1반은 통제 집단이다.

③ 오답 : 실험의 결과를 정확히 알기 위해서는 다른 조건을 통제해야 한다. 실
험하기 전에 1학년 1반과 2반에 논술 실력에 대한 사전 검사를 실시하여
비슷한 점수가 나와야 한다. 이후 1학년 2반에만 신문 활용 교육을 실시한
후 다시 두 반에 논술 실력에 대한 사후 검사를 실시하여 점수 차이가 있는
지를 알아보아야 한다. 따라서 (가)에는 '논술 실력에 대한 검사를 2회 실시
한다.'가 들어갈 수 있다.

④ 오답 : 통제 집단인 1학년 1반에는 신문 활용 교육을 실시하지 않아야 한다. 신
문 활용 교육이 논술 실력 향상에 영향을 주는지를 알아야 하기 때문이다.

⑤ 오답 : 실험 집단인 1학년 2반에는 신문 활용 교육을 실시하여 논술 점수의
향상이 있었는지를 확인한다.

08 질적 연구 방법의 탐구 절차

자료 해설 갑은 면접법을 활용하여 고등학생들의 아르바이트에 관
한 자료를 수집하였다. 그리고 심층적 이해를 통해 연구 결과를 도출하
는 질적 연구 방법이므로 가설 설정 단계가 없으며, 연구자의 감정 이
입적 이해와 직관적 통찰이 이루어졌다.

선택지 분석

① 오답 : (가)는 문제 인식 및 연구 주제 선정 단계이다. 이 단계에서는 연구자
가 평소 관심을 가진 분야를 선택할 것이므로 연구자의 가치가 개입한다.

② 오답 : (나)는 연구 설계 단계로, 연구 대상, 연구 기간, 자료 수집 방법 등을
선택한다. 갑은 면접법을 통해 자료를 수집했으므로 질적 연구 방법을 사
용했다. 변수 간의 관계를 정한 가설을 설정하는 것은 양적 연구 방법에서
필요하다.

③ 오답 : (다)는 자료 수집 단계이다. 갑은 고등학생 10명을 대상으로 면접법
을 통해 자료를 수집하였다.

❹ 정답 : (라)는 자료 해석 단계로, 갑은 자료 수집 결과를 살펴보면서 자기 나
름대로의 지식과 경험을 통해 고등학생의 아르바이트는 단순히 '돈을 벌기
위한 수단'이나 '진로나 직업에 대한 경험'이 아니라 '살아 있는 사회 경험'
으로 보아야 한다고 해석하였다. 즉 연구자의 직관적 통찰을 통해 자료를
해석한 것이다.

⑤ 오답 : (마)는 결론 도출 단계로, 자료를 바탕으로 해석한 행위자의 주관적 세
계가 가지는 의미를 종합하여 결론을 도출한다. 또한 연구 대상을 이해하는
새로운 관점을 제시하거나 대안적 이론을 제안하기도 한다. 질적 연구 방법
에서는 자료가 계량화되어 있지 않으므로 일반화를 추구하는 것은 어렵다.

09 성찰적 태도

자료 해설 갑은 학생들이 너무 이른 시간에 등교하다 보니 아침잠이
부족해서 학교에서도 잠자기 바쁜데 조기 등교는 너무 비능률적이라고
주장한다. 그런데도 을은 조기 등교가 우리 학교의 전통이기 때문에 다
시 생각해 볼 필요가 없다고 주장한다. 이처럼 사회·문화 현상을 보이
는 그대로 수용하고 당연시하면 사회·문화 현상의 의미를 제대로 파
악하기 어렵다. 사회·문화 현상을 수동적으로 받아들이지 않고 현상
의 내면에 담긴 의미나 인과 관계가 무엇인지를 궁금해 하며 이를 파악
하고자 하는 태도를 성찰적 태도라고 한다. 을에게는 이러한 성찰적 태
도가 필요하다.

선택지 분석

① 오답 : 연구 과정에서 객관적 사실과 주관적 가치를 구분하여 탐구해야 한
다는 것은 객관적 태도이다.

② 오답 : 사회·문화 현상과 관련된 모든 요인 간의 관계를 종합적으로 파악
해야 한다는 것은 을에게 필요한 태도로 가장 적절한 내용은 아니다.

❸ 정답 : 을은 학생의 조기 등교가 우리 학교의 전통이라는 것 때문에 이 현상
을 수동적으로 받아들이고 있다. 을에게는 전통이라도 수동적으로 받아들
이지 않고 현상의 내면에 담긴 의미나 인과 관계가 무엇인지를 궁금해 하
며 이를 파악하고자 하는 성찰적 태도가 필요하다.

④ 오답 : 특수한 사회·문화 현상이 지닌 고유한 가치와 의미를 그 사회의 맥
락에서 이해해야 한다고 보는 것은 상대주의적 태도이다.

⑤ 오답 : 사회·문화 현상 탐구 시 자신의 연구 결과에 대한 다른 연구자의 비
판을 허용해야 한다는 것은 개방적 태도이다. 갑에 대해 을이 비판을 허용
하지 않는다는 내용은 없다.

10 개방적 태도와 상대주의적 태도

자료 해설 • (가)에서 갑이 A의 주장에 대해 근거를 들어 비판하자
A는 자신의 주장을 수정하였다. A는 자신의 연구 결과에 관한 비판
과 새로운 주장의 가능성을 허용했으므로 개방적 태도를 가졌음을
알 수 있다.

• (나)에서 을은 B국이 우리나라보다 행복도 순위가 높은 현상을 B국
국민의 입장에서 연구해야 한다고 주장하였다. 을은 사회·문화 현
상을 연구할 때 그 현상이 나타나는 사회의 특수성을 인식하고 그 현
상이 지닌 고유한 가치와 의미를 그 사회의 맥락에서 이해하는 상대
주의적 태도를 가졌음을 알 수 있다.

11 객관적 태도

자료 해설

○○○ 교수님께   → 이해관계가 존재함
며칠 동안 고민해 본 결과 이번 연구 프로젝트에 참여하지 않기로 했
습니다. 저희 아버지께서 컴퓨터 게임 회사를 경영하시는데, 제가 컴
퓨터 게임과 청소년 폭력성 간의 관계를 연구하는 팀의 대표를 맡는
것은 적절하지 않다고 생각하기 때문입니다.
└ 냉정한 제3자의 입장에서 연구하기가 어려움

❶ 정답 : 편지를 쓴 이는 아버지와의 이해관계 때문에 연구 프로젝트 참여를 거절하였다. 그가 참여하고자 하는 연구 프로젝트는 컴퓨터 게임과 청소년 폭력성 간의 관계인데 아버지가 컴퓨터 게임 회사를 경영하고 있어 아버지 회사의 경영을 고려하다 보면 냉철한 제3자의 입장에서 연구하기가 어려울 수 있다고 본 것이다. 이러한 태도를 객관적 태도라고 한다.

② 오답 : 사회·문화 현상을 있는 그대로 받아들이기보다는 그 이면의 의미를 살펴보거나, 연구 진행 과정이 제대로 수행되고 있는지 되짚어 보려는 태도는 성찰적 태도이다.

③ 오답 : 자신의 주장과 다른 주장이 존재할 수 있음을 인정하여 비판을 허용해야 한다는 것은 개방적 태도이다.

④ 오답 : 과학적 연구의 결론이라도 언제든지 바뀔 수 있으므로 잠정적인 진리로만 인식해야 한다는 것은 개방적 태도이다.

⑤ 오답 : 사회·문화 현상은 그것이 발생한 상황적 맥락이나 사회적 배경 속에서 이해해야 한다는 것은 상대주의적 태도이다.

올쏘 만점 노트 연구 태도

객관적 태도	• 연구자가 자신의 주관이나 선입견 및 이해관계를 배제하고 제3자의 입장에서 사실을 있는 그대로 관찰하는 태도 • 연구자가 탐구 과정에서 객관적이지 않은 태도를 지닌다면, 사회·문화 현상을 정확히 인식할 수 없으며 연구 결과는 왜곡될 수밖에 없음
개방적 태도	• 자신의 주장과 다른 주장이 존재할 수 있음을 인정하고, 자신의 주장에 대한 비판을 허용하며 타당성이 있는 다른 주장을 받아들이는 태도 • 어떤 주장이라도 이것이 경험적으로 실증될 때까지는 이를 가설로서만 받아들이며, 타인의 비판적인 주장과 새로운 입장에 대해 수용적인 태도를 지녀야 함
상대주의적 태도	• 특정한 사회·문화 현상을 탐구하면서 해당 사회의 배경과 특수성을 고려하는 태도 • 연구자는 사회·문화 현상이 지닌 특수성을 고려하여 그 현상이 발생한 특정 맥락이나 배경 속에서 사회·문화 현상을 인식하고 탐구해야 함
성찰적 태도	• 사회·문화 현상을 보이는 그대로 받아들이기보다 현상의 이면에 담겨 있는 의미를 이해하고, 그것의 발생 원인이나 결과 등에 관하여 적극적이고 능동적으로 살펴보려는 태도 • 아무런 의문이나 반성 없이 사회·문화 현상이나 연구 과정을 무조건 수용하면 그 발생 원인이나 의미를 제대로 파악하기 어려움

12 사회·문화 현상의 연구 태도

자료 해설 갑은 을의 주장이 지닌 문제점을 지적하면서 다른 근거를 제시하고 있으며, 우리나라의 특수성을 고려하여 저출산 문제를 연구해야 한다고 주장하고 있다.

선택지 분석

❶ 정답 : 갑은 우리나라의 특수성을 고려하여 저출산 문제를 연구해야 한다고 주장하고 있다. 즉 상대주의적 태도에 기초한 연구를 제안하고 있음을 알 수 있다.

ㄴ. 오답 : 사회·문화 현상을 제3자의 입장에서 연구해야 한다는 것은 객관적 태도로, 갑과 을의 대화를 통해서는 찾을 수 없는 내용이다.

❸ 정답 : 을은 갑의 비판적이고 새로운 주장을 무조건 거부하고 자신의 의견만이 진리라고 주장한다는 점에서 개방적 태도가 결여되어 있음을 알 수 있다.

ㄹ. 오답 : 을은 갑이 출산율에 영향을 미치는 다른 요인들을 말하였음에도 그것이 타당성을 지니고 있다고 보지 않고 자신의 입장만을 고수하고 있다.

13 연구 윤리

자료 해설 연구 시 발생할 수 있는 윤리적 문제는 크게 연구 대상자와 관련한 윤리, 연구 과정에서의 윤리, 연구 결과 활용에서의 윤리로 나누어 볼 수 있다. (가)에서는 면접 도중 연구 대상자가 면접 중단을 요구하는데 이를 들어주지 않았다. 이는 연구 대상자의 자발적 참여 원칙을 어긴 것으로 연구 과정에서 인권 침해가 발생한 것이다. (나)에서는 을이 연구 결과로 얻은 연구 대상자의 명단을 회사 측에 보고함으로써 연구 대상자의 익명성이 보장되지 않고 개인 정보가 유출되어 사생활이 침해되었다.

선택지 분석

ㄱ. 정답 : (가)에서 갑은 면접 도중 연구 대상자가 면접 중단을 요구하는데 이를 들어주지 않았다. 이는 연구 대상자의 자발적 참여 원칙을 어긴 것이다.

ㄴ. 오답 : (가)에서 갑이 어떤 연구 결과를 얻었는지는 제시되지 않았다. 또 연구 목적 이외의 용도로 연구 결과를 사용했다는 내용은 언급되어 있지 않다.

ㄷ. 정답 : (나)에서 을이 연구 결과 얻은 연구 대상자의 명단을 회사 측에 보고함으로써 연구 대상자의 익명성을 보장하지 않았다.

ㄹ. 오답 : (나)에서 을이 연구 결과 작성 과정에서 일부 사실을 누락시켰다는 내용은 찾을 수 없다.

올쏘 만점 노트 연구 윤리

연구 대상자와 관련한 윤리	• **자발적 참여 보장** : 연구 대상자에게 사전에 연구 목적과 과정에 관하여 알리고 연구 대상자로부터 연구에 참여하겠다는 동의를 얻어야 함 • **익명성 보장** : 연구 대상자의 사생활을 보호하야 하며, 수집한 자료를 연구 목적 이외의 용도로 활용해서는 안 됨 • **인권 보호** : 연구 대상자에게 해로운 영향을 미치거나 수치심을 주는 등의 인권 침해를 하지 말아야 함
연구 과정에서의 윤리	• 연구 과정에서 자료 분석 결과를 조작하거나 다른 사람의 연구물을 도용 또는 표절해서는 안 됨 • 특정한 답변을 유도하거나 자신이 원하는 결과에 도움이 될 만한 조사 대상자만을 골라 조사하는 것도 연구 결과를 왜곡함
연구 결과 활용에서의 윤리	연구자는 자신의 연구 결과가 비윤리적으로 활용될 소지가 있는지를 반드시 점검해 보아야 함

14 연구 윤리

자료 해설 제시문에서는 연구자가 연구 대상자에게 미리 연구 참여의 동의를 받아야 한다는 점을 강조하고 있다. 즉 자발적 참여를 보장해야 한다는 것이다. 연구자는 연구 대상을 선정할 때 자발적인 참여를 위해 사전에 허락을 받아야 하고, 연구 대상에게 연구 목적과 방법을 알려 주어야 하며 연구 목적을 속이고 자료를 수집해서는 안 된다. 표의 첫 번째 진술은 연구 대상자의 자발적 참여가 보장되어야 한다는 내용이며, 두 번째 진술은 연구 대상자의 자발적 참여를 위해 연구 대상자에게 연구 목적과 과정 등 연구 정보를 자세히 알려 주어야 한다는 내용이므로 제시문의 내용과 일치한다. 세 번째 진술은 연구 대상자에 의한 연구 주제의 왜곡을 막아야 한다는 내용으로, 연구 대상자의 동의를 얻는 것과 관련이 없다. 네 번째 진술은 연구자의 가치 중립성과 관련된 내용이므로 연구 대상자의 동의를 얻는 것과 관련이 없다.

선택지 분석

❶ 정답 : 갑은 모두 바르게 표시하였다.

② 오답 : 을은 첫 번째와 세 번째 진술에 바르게 표시하였다.

③ 오답 : 병은 두 번째와 네 번째 진술에 바르게 표시하였다.

④ 오답 : 정은 첫 번째 진술에만 바르게 표시하였다.

⑤ 오답 : 무는 두 번째 진술에만 바르게 표시하였다.

15 연구 윤리

자료 해설 갑이 미국 정부의 핵무기 개발을 끝까지 반대한 것은 핵무기가 인류에게 큰 피해를 주었음을 인식하고 있었기 때문이다. 연구자는 자신의 연구 결과가 사회 다수에게 피해를 주지는 않는지 항상 성찰해야 한다.

선택지 분석

① 오답 : 갑은 핵무기의 개발이 인류의 발전이 아니라 멸망을 가져온다고 확신했기 때문에 개발을 반대한 것이다. 인류의 발전을 위한 연구라고 하더라도 피해를 줄 수 있다면 규제해야 할 것이다.

❷ 정답 : 갑은 자신의 연구 결과가 많은 사람의 생명을 침해하는 데 활용되는 것을 보고 깊은 죄책감을 느껴 이후 핵무기 개발을 반대하였다. 이를 통해 갑은 연구 결과의 활용에 대한 비판적 성찰의 과정이 필요하다고 주장할 것임을 알 수 있다.

③ 오답 : 갑은 연구 결과의 적용에 대한 책임으로부터 연구자는 자유롭지 않다고 볼 것이다.

④ 오답 : 갑은 연구 결과의 활용에 있어서 연구자는 자신의 연구 결과가 인류에게 어떤 영향을 줄 것인지를 판단해야 하므로 가치 개입이 필요하다는 것을 강조할 것이다.

⑤ 오답 : 제시문에서 타인의 연구 결과에 대한 활용 문제는 언급하고 있지 않다. 갑의 대답은 알 수 없다.

16 연구 윤리

자료 해설 갑은 전기 장치를 눌러서 상대방에게 고통을 주는 실험을 실시하였다. 실제로 고통을 주는 전기 장치가 아니었기 때문에 상대방은 고통을 느끼지 않았지만, 이로 인해 실험자는 상대방에게 고통을 주었다는 죄책감을 가졌다. 이 실험은 실험에 참여한 사람을 속였다는 점, 남에게 피해를 주었다고 알게함으로써 죄책감을 오랫동안 간직하게 했다는 점에서 연구 윤리 측면의 문제점을 가진다.

선택지 분석

① 오답 : 연구 대상자의 명단을 공개했다는 내용은 찾아볼 수 없다.

② 오답 : 연구 목적은 권위에 대한 무조건적인 복종인데 이 연구 결과를 악용했다는 내용은 없다.

③ 오답 : 연구 결과를 축소 또는 과장했다는 내용은 찾아볼 수 없다.

④ 오답 : 연구 결과의 공표로 연구 대상자의 인권을 침해한 것이 아니다. 연구 대상자를 속였고, 남에게 고통을 주는 방법을 사용하게 했다는 것이 문제점이다.

❺ 정답 : 갑은 실험에 참가한 사람에게 연구 주제를 다르게 말하는가 하면, 고통을 느끼는 척 연기를 하게 하면서도 그 사실을 알려주지 않는 등 연구 과정을 속였고, 또 남을 괴롭히는 실험에 참여함으로써 오랫동안 죄책감에 시달리게 했다는 점에서 비윤리적인 연구 방법을 사용하였다.

인의 희생을 정당화할 우려가 있다.

개인과 사회 구조

04 ② 사회적 존재로서의 인간

기출 선지 변형 OX

본문 040~043쪽

01 ① × ② × ③ ○ ④ ○ ⑤ ○
02 ① × ② ○ ③ ○ ④ × ⑤ ○
03 ① ○ ② × ③ × ④ ○ ⑤ ×
04 ① ○ ② ○ ③ × ④ ○ ⑤ ○ ⑥ ○ ⑦ ×
05 ① ○ ② ○ ③ × ④ ○ ⑤ ○ ⑥ × ⑦ ×
06 ① × ② ○ ③ ○ ④ ○ ⑤ ○ ⑥ ○ ⑦ ○
07 ① ○ ② × ③ × ④ ○ ⑤ ○ ⑥ × ⑦ ○
08 ① ○ ② ○ ③ × ④ ○ ⑤ ○ ⑥ × ⑦ ×
09 ① ○ ② ○ ③ ○ ④ × ⑤ ○ ⑥ × ⑦ ×

01 ① 집단의 속성을 개개인 속성의 총합으로 보는 것은 사회 명목론이다.
② 사회는 개인의 목표를 실현시켜 주는 수단에 불과하다는 입장은 사회 명목론이다.
③ 개인의 의식과 행위는 사회에 의해 규정된다는 것은 사회 실재론의 입장이다.
④ 사회 구속력이 개인의 자유 의지보다 우위에 있다고 보는 입장은 개인보다 사회를 중시한 사회 실재론이다.
⑤ 사회 실재론에서는 사회 문제를 해결하기 위해 의식 개혁보다 제도 개선이 중요하다고 본다.

02 ① 사회를 개인과 달리 영속성을 가진 존재로 보는 것은 사회 실재론이다.
② 개인들에 의해 사회 규범이 형성되고 변화한다고 보는 것은 개인의 자유 의지를 중시하는 입장이므로 사회 명목론이다.
③ 사회 명목론은 개인의 발전이 곧 사회의 발전이라고 본다.
④ 사회를 하나의 유기체로 바라보는 것은 사회 실재론이다.
⑤ 사회 명목론은 개개인의 자유 의지를 중요시하므로 극단적인 개인주의에 빠질 가능성이 있다.

03 ① 사회 명목론은 사회가 개인들의 속성으로 환원될 수 있다고 본다.
② 사회 실재론은 개인보다 사회를 더 중요하게 생각하므로 사회 명목론과 달리 개인에 대한 사회 구조의 영향력을 중시한다.
③ 사회 명목론은 개인들이 옳다고 믿기 때문에 사회 규범이 존재한다고 본다.
④ 사회 실재론은 개인이 사회 속에서만 존재 의미를 갖는다고 본다.
⑤ 사회 실재론은 사회 문제의 원인을 사회 구조나 제도에서 찾는 반면, 사회 명목론은 개인의 의식 구조나 성향에서 찾는다.

04 ① 사회 실재론은 개인의 능동성보다 사회 규범의 구속성을 중시한다.
② 사회 실재론은 개인보다 사회를 우선시하기 때문에 전체를 위한 개인의 희생을 정당화할 우려가 있다.
③ 사회 실재론은 개인보다 사회를 더 중시하기 때문에 사회 현상의 분석 단위로서 개인의 의식, 심리 상태 등을 간과한다는 비판을 받을 수 있다.
④ 사회 명목론은 사회를 개인의 총합으로 보기 때문에 사회는 실체가 없는 허구적 개념에 불과한 것으로 본다.
⑤ 사회 실재론과 달리 사회 명목론은 개인들 간의 합의에 따라 사회가 움직인다고 본다.
⑥ '사회 문제를 해결하기 위해 제도적 개입보다 개인의 의식 변화를 강조하는가?'라는 질문에 대해 사회 명목론은 '예'라고 응답해야 한다. 이는 A의 질문으로 적절하다.
⑦ '사회가 개인으로 환원될 수 있다고 보는가?'라는 질문에 대해 사회 명목론은 '예'라고 응답해야 한다. 이는 A의 질문으로 적절하다.

05 ① 갑은 미시적 관점에서 사회화 과정을 바라봄으로써 개인의 능동성·주체성·자율성을 강조한다.
② 갑은 상징적 상호 작용론인 미시적 관점에서, 을은 기능론인 거시적 관점에서 사회화를 바라보고 있다.
③ 사회화를 통해 기존의 계층 구조를 재생산한다고 보는 입장은 갈등론이다.
④ 을은 기능론적 관점에서 사회화의 내용을 구성원 모두가 합의한 것으로 본다.
⑤ 을은 기능론적 관점이므로 사회화를 개인이 사회에 적응하기 위해 사회적 요구를 학습하는 과정으로 본다.
⑥ 사회화를 기득권 집단의 이익에 부합하는 방식으로 운영하고 억압하는 수단으로 보는 입장은 갈등론이다.
⑦ 사회 구조가 개인의 사회화에 미치는 영향력을 강조하는 입장은 거시적 관점이므로 을에만 해당하는 진술이다.

06 ① ㉠은 공식적 사회화 기관이다. 1차적 사회화 기관은 가족과 같이 기초적 사회화가 이루어지는 사회화 기관을 의미한다.
② 비공식적 사회화 기관에는 회사, 또래 집단, 대중 매체 등이 있다.
③ 정서적인 부분의 사회화를 담당하는 것은 1차적 사회화 기관이다.
④ 또래 집단은 비공식적 사회화 기관이지만 1차적 사회화 기관에 해당한다.
⑤ 전문적 사회화를 담당하는 것은 2차적 사회화 기관이다.
⑥ 공식적·비공식적 사회화 기관 모두 성인기의 재사회화를 담당할 수 있다.
⑦ 현대 사회에서는 공식적 사회화 기관과 비공식적 사회화 기관 모두 중요하기 때문에 그 영향을 비교하여 우위를 가릴 수 없다.

07 ① 기업에서는 직업 생활에 필요한 지식이나 기술과 태도를 배우고 새로운 지위가 주어질 경우 이에 알맞은 역할을 수행해야 하기 때문에 재사회화 과정이 요구된다.
② 개인 간 또는 집단 간에 간접적 접촉이 활발해지면서 그 영향력이 확대되는 사회화 기관은 대중 매체이다.
③ 가족은 기업이나 대학교보다 개인의 인성 형성에 더 중요한 역할을 한다.

④ 대학교는 공식적 사회화 기관으로서 사회화 과정 및 내용의 체계성 정도가 강하다.

⑤ 현대 사회가 급변하면서 대학교는 직장 생활에 대비하는 예기 사회화 기능이 강화되기도 한다. 예기 사회화란 미래에 얻게 될 역할을 잘 수행하기 위해 그 역할을 얻기 전에 재사회화를 하는 것을 의미한다.

⑥ 산업 사회가 되면서 가족에 비해 기업이나 대학교에서의 사회화 역할이 증대되었다.

⑦ 가족은 비공식적 사회화 기관이고, 대학교는 공식적 사회화 기관이다.

08 ① 교육연수원은 교사들을 교육하는 공식적 사회화 기관이며 갑은 '스마트 교실'이라는 새로운 교육 시스템에 적응하기 위하여 교육연수원에서 재사회화를 경험하고 있다.

② 교사의 꿈을 실현한 갑에게 학교는 준거 집단인 동시에 소속 집단이다.

③ 갑은 자녀라는 귀속 지위와 교사라는 성취 지위 사이에 역할 갈등을 겪고 있다.

④ 요리 학원은 사회화를 목적으로 설립한 것이므로 공식적 사회화 기관이다. 을은 미래의 다른 직장에서 적응하기 위해 요리 학원을 다니며 예기 사회화를 경험하고 있다.

⑤ 을은 직장 생활에 만족하지 못하고 요리사가 되고 싶어 하므로 준거 집단과 소속 집단이 일치하지 않는다.

⑥ 갑은 자녀라는 귀속 지위와 교사라는 성취 지위 사이에 역할 갈등을 겪고 있고, 을은 역할 갈등이 아닌 심리적인 고민을 하고 있다.

⑦ 갑은 교육 현장의 변화에 적응하기 위해 새로운 기술과 지식을 습득하고 있고, 을은 미래에 얻게 될 역할을 잘 수행하기 위해 기술과 지식을 습득하고 있다.

09 ① 해외 구단에서 계약 해지를 통보받은 것은 축구 선수 갑이 자신의 역할 수행을 제대로 하지 못한 것에 대한 제재에 해당한다.

② 향후 거취에 대한 고민은 상충되는 두 개의 역할로 인한 고민이 나타나 있지 않으므로 역할 갈등에 해당하지 않는다.

③ 감독과 아버지는 후천적으로 획득한 성취 지위이다.

④ ☆☆축구협회는 비공식적 사회화 기관이고, 이 축구협회에서 받은 지도자 연수는 예기 사회화에 해당한다.

⑤ 갑은 현재 국가 대표팀에 소속되어 있지 않으므로 국가 대표팀은 갑의 내집단이 될 수 없으나 준거 집단은 될 수 있다.

⑥ 국가 대표팀은 갑의 준거 집단이지만 초기 사회화가 이루어지는 1차적 사회화 집단은 아니다.

⑦ ☆☆축구협회와 국가 대표팀은 모두 비공식적 사회화 기관이면서 2차 집단이다.

실전 기출 문제
본문 044~049쪽

01 ①	02 ②	03 ①	04 ①	05 ③	06 ④	07 ⑤	08 ③
09 ①	10 ⑤	11 ②	12 ①	13 ②	14 ⑤	15 ①	16 ⑤
17 ②	18 ②	19 ②, ⑤		20 ②	21 ③	22 ①	23 ④
24 ③							

01 사회 실재론

자료 해설 제시문에서 '개인은 조직의 독특한 특성으로부터 자유로울 수 없다.'라고 했으므로 개인보다 사회를 더 중시하는 사회 실재론임을 유추할 수 있다.

선택지 분석

ㄱ, ㄴ 정답 : 사회 실재론은 개인보다 사회를 더 중시하므로 개인은 사회에 의해 구조화된 행동을 하며 사회 속에서만 존재 의미를 갖는다고 본다.

ㄷ, ㄹ 오답 : 사회보다 개인을 더 중시하는 사회 명목론에서는 사회는 개인의 자율적인 의지에 의해 형성되고 개인의 속성에 의해 사회의 속성이 결정된다고 본다.

올쏘 만점 노트	사회 실재론
의미	사회는 개인들로 환원될 수 없는 독자적인 특성을 가진 실체라고 보는 관점
특징	• 사회는 개인의 합 이상의 의미를 가짐 • 사회를 연구할 때 사회 구조나 사회 제도 등에 초점을 둠 • 사회 문제의 해결책으로 사회 구조나 제도의 개선을 강조함
장점	사회가 개인에게 미치는 영향을 잘 설명함
단점	• 개인의 자율성을 경시함 • 개인이 사회에 미치는 영향력을 간과하기 쉬움

02 사회 실재론

자료 해설 제시문은 농업 사회에서 조혼과 다산은 노동력의 재생산을 위해 일반적인 현상이었지만, 현대 사회에서는 전문 교육과 훈련에 따라 초혼 연령이 높아지고 출산율은 낮아지게 되는 현상이 나타나고 있음을 설명하고 있다. 즉, 사회 실재론적 관점에서 개인적인 결혼과 출산 계획도 사회 구조적인 영향을 크게 받고 있음을 지적하고 있다.

선택지 분석

ㄱ 정답 : 개인이 사회 속에서만 존재 의미를 갖는다는 것은 사회를 떠나 개인은 살 수 없고 사회가 개인의 의미를 규정하는 존재임을 의미한다. 따라서 이는 사회 실재론적 입장이다.

ㄴ 오답 : 사회 명목론에서 사회는 단순히 개인의 합이기 때문에 사회는 개인으로 환원된다고 설명한다.

ㄷ 정답 : 사회의 독자성에 대한 설명으로, 사회 실재론의 입장이다.

ㄹ 오답 : 개인의 능동성이 사회 규범의 구속성보다 우선한다고 보는 것은 개인이 사회보다 우위에 있음을 의미하므로 이는 사회 명목론의 입장이다.

03 사회 명목론

자료 해설 대화에서 갑과 을은 도덕을 바라보는 입장이 서로 다르다. 갑은 도덕은 개인의 양심이 아닌 사회적 환경에서 나온다고 생각하는 반면, 을은 개인 각자가 가지고 있는 선하고 옳은 덕목들이 모아져 사회적 도덕이 된다고 본다. 그러므로 갑은 사회 실재론적 입장, 을은 사회 명목론적 입장이다.

선택지 분석

① 정답 : 개인의 속성이 사회의 속성을 결정한다고 보는 것은 사회 명목론이다.

② 오답 : 사회 실재론은 사회를 개인의 외부에서 독자적으로 작동한다고 본다.

③ 오답 : 사회 실재론에서 사회적 사실은 개인적 행위의 총합보다 크므로 환원될 수 없다고 본다.

④, ⑤ 오답 : 사회 실재론에서 개인은 사회에 의해 구조화된 행동을 하며, 집단 전체와의 관련 속에서만 존재 의미를 지니게 된다.

04 사회 실재론과 사회 명목론

자료 해설 사회 속 개인을 수동적인 존재로 바라보는 (가)는 개인보다 사회를 더 우선시하는 사회 실재론이다. 반면, 사회보다 개인의 주체성과 능동성을 강조한 (나)는 사회 명목론이다.

선택지 분석

❶ 정답 : 사회 실재론은 사회가 개인의 외부에서 독자적으로 작동한고 본다.
② 오답 : 사회 실재론은 개인이 사회에 의해 구조화된 행동을 한다고 본다.
③ 오답 : 사회 명목론은 사회 현상은 개인의 자율적인 의지에 의해 만들어진다고 본다.
④ 오답 : 사회 실재론은 개인은 사회 속에서만 존재 의미를 가질 수 있다고 본다.
⑤ 오답 : 개인의 자율성이 사회 규범의 구속성보다 우선한다고 보는 것은 사회 명목론에만 해당되는 진술이다.

05 사회 명목론에 대한 비판

자료 해설 제시문에서 필자는 사회에 대해 구성원의 개인적인 특성을 기반으로 분석하고 사회 구조가 개인의 행동과 특성을 집합한 결과라는 점을 전제로 하는 사회 명목론을 비판하고 있다. 그러므로 A에는 사회 명목론과 관련된 내용이 들어가야 한다.

선택지 분석

ㄱ. 오답 : 사회 실재론에서 사회적 사실은 개인적 행위의 합보다 크기 때문에 다시 환원될 수 없다고 본다.
ㄴ. 정답 : 사회 명목론은 사회보다 개인을 중시하므로 개인의 능동성이 사회의 구속성보다 우선한다고 본다.
ㄷ. 정답 : 사회 명목론은 개인의 자유 의지에 의해 사회 규범이 형성되고 존재한다고 본다.
ㄹ. 오답 : 개인이 집단 전체와의 관련 속에서 존재 의미를 갖는다는 것은 개인은 사회를 떠나 살 수 없고 사회가 개인의 의미를 규정하는 존재임을 의미한다. 이는 사회 실재론적 입장이다.

06 사회 실재론

자료 해설 '사회는 개인들로 환원하여 설명할 수 없다.'라는 입장은 사회 실재론이다. 교사는 사회 실재론의 관점에서 성별 평균 초혼의 연령이 증가하는 원인을 학생들에게 묻고 있다. 갑은 그 원인을 결혼은 필수라고 생각하지 않는 개인의 가치관에서, 병은 개인적 가치 추구를 중시하는 경향에서 찾고 있다. 갑과 병은 사회 현상의 원인을 개인의 의식에서 찾고 있다는 점에서 사회 명목론의 입장이다. 반면, 을은 경기 침체로 인한 취업난, 정은 주택 가격 폭등으로 신혼집 마련의 어려움을 원인으로 지적하고 있다. 을과 정은 사회 현상의 원인을 개인의 외부에 존재하는 사회적 요인에서 찾고 있다는 점에서 사회 실재론의 입장이다.

선택지 분석

① 오답 : 갑은 사회 명목론적 입장, 을은 사회 실재론적 입장이다.
② 오답 : 갑, 병 모두 사회 명목론적 입장이다.
③ 오답 : 을은 사회 실재론적 입장, 병은 사회 명목론적 입장이다.
❹ 정답 : 을, 정 모두 사회 실재론적 입장이다.
⑤ 오답 : 병은 사회 명목론적 입장, 정은 사회 실재론적 입장이다.

07 사회 실재론과 사회 명목론

자료 해설 개인과 사회의 관계를 바라보는 관점에는 사회 실재론과 사회 명목론이 있다. A는 사회가 개인의 단순한 합 이상이며 구성원 개개인의 특성만으로 설명할 수 없는 독특한 특성을 가진 실체로 보는 사회 실재론이고, B는 사회 명목론이다. 따라서 첫 번째 물음에 대해 A는 '예', B는 '아니요'라고 응답해야 한다.

선택지 분석

① 오답 : A는 사회 실재론, B는 사회 명목론이므로 ㉠은 '예', ㉡은 '아니요'가 적절하다.
② 오답 : 사회 규범은 개인이 옳다고 믿기에 존재한다고 보는 것은 사회 명목론이다.
③ 오답 : 전체를 위한 개인의 희생을 정당화할 우려가 있는 것은 사회 실재론이다.
④ 오답 : 사회 문제의 해결책으로 사회 실재론은 제도 개선, 사회 명목론은 의식 개혁을 강조한다.
⑤ 정답 : '사회를 개인으로 환원하여 설명할 수 있다고 보는가?'의 물음에 대해 사회 실재론은 '아니요', 사회 명목론은 '예'라고 응답해야 하므로 (가)의 질문으로 적절하다.

08 사회 실재론과 사회 명목론

자료 해설 '사회를 개인의 속성과 구별되는 독립적 실체로 보는가?'라는 첫 번째 질문에 대해 '예'라고 응답한 A는 사회 실재론이고, '아니요'라고 응답한 B는 사회 명목론이다. 따라서 (가)에는 사회 실재론과 관련된 질문, (나)에는 사회 명목론과 관련된 질문이 들어가야 한다.

선택지 분석

ㄱ. 오답 : A는 사회 실재론이며, 사회가 개인의 총합에 불과하다고 보는 것은 사회 명목론이다.
ㄴ. 정답 : 사회 명목론은 개인이 사회를 변화시킬 수 있는 자율성을 지닌 주체라고 본다.
ㄷ. 정답 : (가)의 '개인의 사고와 행동에 미치는 사회 구조의 영향력을 강조하는가?'라는 질문에 '예'라고 응답하면 사회 실재론이다. A는 사회 실재론이므로 적절한 질문이다.
ㄹ. 오답 : (나)의 '사회 문제의 발생 원인을 개인적 측면보다 제도적 측면에서 찾는가?'라는 질문에 '예'라고 응답하면 사회 실재론이다. B는 사회 명목론이므로 (나)의 질문이 적절하지 않다.

09 사회화를 바라보는 관점

자료 해설 갑은 사회화가 사회의 유지와 통합에 기여하는 순기능을 강조하고 있으므로 기능론적 입장인 반면, 을은 사회화의 과정에서 지배 집단의 가치가 반영되어 사회 불평등이 재생산된다고 주장하므로 갈등론적 입장이다.

선택지 분석

ㄱ. 정답 : 기능론에서는 사회화의 내용이 사회 전체적으로 합의된 것이라고 본다.
ㄴ. 정답 : 갈등론에서는 사회화를 통해 기존의 계층 구조가 재생산된다고 본다.
ㄷ. 기능론과 갈등론 모두 거시적 관점이며, 거시적 관점은 사회 구조가 개인의 사회화에 미치는 영향력을 강조한다.
ㄹ. 기능론적 입장인 갑과 갈등론적 입장인 을 모두 거시적 관점이다. 사회화가 타인과의 상호 작용을 통해 자아를 형성하는 과정이라고 보는 것은 상징적 상호 작용론인 미시적 관점이다.

10 사회화 기관

자료 해설 A는 가족, B는 또래 집단, C는 학교이다. 가족은 가장 기본적이면서 영향력이 큰 사회화 기관이며, 또래 집단은 청소년기에 큰 영향을 주는 1차적 사회화 기관이다. 한편, 학교는 사회화 자체를 목적으로 형성된 공식적 사회화 기관이자 2차적 사회화 기관이다.

선택지 분석

① 오답 : 가족은 언어나 기초적 생활 방식을 습득하는 원초적 사회화가 이루어지는 기관이며, 학교는 아동기 이후 사회적 가치와 규범, 지식 등의 학습이 이루어지는 2차적 사회화 기관이다.
② 오답 : 1차 집단은 구성원 간에 직접적인 대면 접촉이 이루어지는 집단, 2차 집단은 특정한 목적을 달성하기 위해 구성원 간에 간접적·수단적인 만남이 이루어지는 집단을 의미한다. 따라서 가족과 또래 집단은 1차 집단이고, 학교는 2차 집단이다.
③ 오답 : 가족은 공동 사회에 해당한다.
④ 오답 : 가족과 또래 집단 모두 비공식적 사회화 기관이다.
❺ 정답 : 가족과 또래 집단은 1차적 사회화 기관, 학교는 2차적 사회화 기관에 해당한다.

11 사회화 기관

자료 해설 제시문에서는 산업체의 요구를 반영한 강좌가 개설되는 등 대학교의 변화에 대해 이야기하고 있다. 여기서 대학교는 2차적 사회화 기관인 동시에 공식적 사회화 기관이며, 기업은 2차적 사회화 기관인 동시에 비공식적 사회화 기관이다.

선택지 분석

❶ 정답 : 대학교는 공식적 사회화 기관이며, 기업은 비공식적 사회화 기관이다.
ㄴ. 오답 : 기업에서 필요한 내용을 대학교 강좌로 개설하는 등의 변화는 미래의 직장 생활에 대비하는 예기 사회화의 기능을 강화한 것이다.
❸ 정답 : 연수 과정을 통해 전문적인 사회화, 즉 2차적 사회화가 이루어진다.
ㄹ. 오답 : 대학의 변화에 비판적인 사람들은 대학교의 본래 기능을 2차적 사회화로 보고 있다.

12 사회화 기관

→ 첫 번째 질문에 대해 '예'라고 답하면 공식적 사회화 기관이고, '아니요'라고 답하면 비공식적 사회화 기관이다.

자료 해설

질문 \ 사회화 기관	(가)	(나)	(다)
사회화를 목적으로 설립되었는가?	예	아니요	아니요
기초적 수준의 사회화를 담당하는가?	아니요	아니요	예

→ 두 번째 질문에 대해 '예'라고 답하면 1차적 사회화 기관이고, '아니요'라고 답하면 2차적 사회화 기관이다.

(가)는 공식적 사회화 기관이면서 2차적 사회화 기관이고, (나)는 비공식적 사회화 기관이면서 2차적 사회화 기관이며, (다)는 비공식적 사회화 기관이면서 1차적 사회화 기관이다.

선택지 분석

㉠ – (가) : 대학은 사회화를 목적으로 설립된 공식적 사회화 기관인 동시에 2차적 사회화 기관이다.
㉡ – (나) : '○○난민 지원 센터'는 사회화가 주목적인 아닌 비공식적 사회화 기관인 동시에 2차적 사회화 기관이다.
㉢ – (나) : 신문은 비공식적 사회화 기관인 동시에 2차적 사회화 기관이다.
㉣ – (다) : 가족은 비공식적 사회화 기관인 동시에 기초적·원초적 수준의 사회화를 담당하는 1차적 사회화 기관이다.

13 사회화와 사회 집단의 이해

자료 해설 (가)의 일기에서 갑은 소속 집단인 의과 대학과 준거 집단

인 구호단체 간의 불일치와 아들로서의 역할 갈등이 나타나 있다. (나)의 일기에서 갑은 내집단과 준거 집단이 일치하고 있으며 해외 파견과 관련하여 고민하고 있다.

선택지 분석

① 오답 : (나)뿐만 아니라 (가)에도 아들이라는 귀속 지위가 나타나 있다.
❷ 정답 : (가)에서는 갑의 소속 집단인 의과 대학과 준거 집단인 구호단체 간에 불일치가 나타났으나, (나)에는 갑의 내집단과 준거 집단이 일치하고 있다.
③ 오답 : (가)에서 학점을 위한 봉사 활동 참여, (나)에서 해외 파견 활동가 교육은 갑의 역할 행동이다.
④ 오답 : (가)의 의과 대학, (나)의 기관 연수원 모두 공식적 사회화 기관이다.
⑤ 오답 : (가)에서는 아들로서의 역할 갈등이 나타나 있는 반면, (나)에서는 여자 친구와의 심리적 고민이 나타나 있다.

14 사회화, 지위와 역할

자료 해설 아나운서가 꿈인 갑에게 ○○방송사는 준거 집단이자 내집단이었으나 진로에 대한 고민 끝에 방송국을 그만두고 연기자로 전향하면서 내집단과 준거 집단도 바뀌게 되었다. 갑은 연기자로서의 역할 수행을 잘 하여 대중의 인기라는 보상을 받았고, 현재는 연기뿐만 아니라 자원봉사자로도 활동하고 있다.

선택지 분석

① 오답 : 현재 갑은 ○○방송사에서 근무를 하고 있지 않으므로 내집단이 아니며, 준거 집단으로도 보기 어렵다.
② 오답 : ㉡은 갑이 겪었던 역할 갈등이 아니라 진로에 대한 고민이다.
③ 오답 : 연기자가 되기 위해 갑이 어디서 재사회화를 경험하였는지에 대한 내용은 제시문에서 찾을 수 없다.
④ 오답 : 대중의 인기는 연기자로서의 갑의 역할 행동에 대한 보상이다.
❺ 정답 : 자원봉사자는 개인의 능력 또는 노력에 의해 후천적으로 얻은 지위이므로 성취 지위에 해당한다.

15 사회화 기관, 사회적 지위와 역할

자료 해설
→ 비공식적 사회화 기관, 2차적 사회화 기관
• IT 회사의 앱 개발 팀장인 갑은 자신이 개발한 앱으로 인해 많은 부와 명예를 누리고 있다. 갑은 첫 출산을 앞두고 예비 부모 교
→ 갑의 역할 행동에 대한 보상
실에 참석하면서 남편과 자녀 양육 분담을 계획하였다. 하지만
→ 예기 사회화
남편의 갑작스러운 해외 발령으로 자녀 양육에 대해 남편과 갈
→ 갑의 개인적 갈등
등을 겪었다.
→ 비공식적 사회화 기관, 2차적 사회화 기관
• 가난한 집안의 장남인 을은 원하던 회사에 합격해 입사 전 신입
사원 연수를 받았다. 입사 이후 회사 생활에 회의를 느낀 을은 회
→ 예기 사회화
사를 계속 다닐지 창업을 할지 고민하다가, 동료와 함께 창업 후
→ 을의 개인적 갈등
경영인상을 수상하는 등 기업의 대표로서 승승장구하고 있다.
→ 을의 역할 행동에 대한 보상

선택지 분석

ㄱ. 오답 : 갑, 을 모두 역할 수행에 따른 보상을 받았다.
ㄴ. 오답 : 장남인 을과 기업의 대표로서의 을의 역할이 서로 충돌하는 내용은 없기 때문에 역할 갈등으로 보기 어렵다. 을이 회사를 계속 다닐지 말지, 창업을 할지 말지에 대한 고민 또한 역할 갈등이 아니다.
❸ 정답 : 갑은 예비 부모 교실, 을은 신입 사원 연수를 통해 예기 사회화를 경험하였다.
❹ 정답 : 갑, 을 모두 회사라는 비공식적 사회화 기관에서 일하고 있다. 회사는

이윤 추구를 목적으로 설립되지만 부수적으로 사회화도 이루어지기 때문에 비공식적 사회화 기관이다.

16 사회화와 관련된 용어들

자료 해설 기자와 영화배우 갑 간의 인터뷰 내용이다. 갑은 공연 관람 동아리 활동을 통해 연극배우의 꿈을 가지게 되었고 공식적인 사회화 기관인 ◇◇대학교 연극학과에 입학하여 꿈을 키우려 했으나 영화 주연 배우로 발탁되면서 입학을 포기하였다. 영화배우로서 성공하여 □□영화제에서 신인상도 받고 △△ 독립 영화제 집행 위원장까지 맡게 되었다. 하지만 집행 위원장과 영화배우 간의 역할 갈등을 겪고 있다.

선택지 분석

① 오답 : 신인상은 갑의 역할 행동에 대한 보상이다.

② 오답 : 대학은 사회화를 목적으로 세운 공식적 사회화 기관이지만, 동아리는 부수적으로 사회화가 이루어지는 비공식적 사회화 기관이다.

③ 오답 : 연극배우는 그 당시 갑이 이루고자 했으나 획득한 지위가 아니므로 성취 지위로 보기 어렵다.

④ 오답 : 갑은 연극학과에 합격했지만 입학을 포기했으므로 연극학과에서 재사회화를 경험하지 않았다.

❺ 정답 : 집행 위원장으로서의 역할과 출연한 영화의 배우로서의 역할이 충돌하여 역할 갈등이 발생하였다.

> **올쏘 만점 노트** **역할 행동의 제재와 보상**
>
> 보상 또는 제재는 역할이 아니라 실제로 역할을 수행하는 역할 행동에 따라서 주어지는 것이기 때문에 역할에 대한 보상 및 제재는 문장 자체가 틀린 표현이다.

17 인간의 사회화

자료 해설

갑은 건축가가 되기를 원하는 아버지의 뜻에 따라 ㉠ 건축학과에 진학했지만, 요리에 관심을 갖게 되면서 졸업 후 외식 사업에 뛰어들었다. 한때는 매출 부진으로 인해 자신이 세운 회사의 ㉡ 대표 이사 자리에서 해임되기도 했지만, 이후 재기를 도모하여 현재는 여러 브랜드를 소유할 정도로 ㉢ 사람들에게 널리 인정받는 ㉣ 기업인이 되었다. 또한, 갑은 꿈을 찾는 청소년을 위해 ㉤ 청소년 수련원에 후원금을 내고 있다. 최근에는 경쟁 관계에 있는 두 개의 ㉥ 방송사 프로그램에서 동시에 출연 제의를 받고 ㉦ 어느 쪽을 선택할지 고민하는 중이다.

선택지 분석

① 오답 : 갑의 아버지는 갑이 건축가가 되기를 원하지만 그렇다고 건축학과가 아버지의 준거 집단이면서 내집단인지는 알 수 없다.

❷ 정답 : ㉡은 기업인으로서의 역할 행동에 대한 제재이며, ㉢은 기업인으로서의 역할 행동에 대한 보상이다.

③ 오답 : 청소년 수련원은 앞으로 얻게 될 지위에 요구되는 역할을 미리 학습하는 2차적 사회화 기관이다.

④ 오답 : 건축학과와 청소년 수련원은 공식적 사회화 기관이고, 방송사는 비공식적 사회화 기관이다.

⑤ 오답 : ㉦은 복수의 성취 지위로 인한 역할 갈등이 아니라 선택에 따른 고민이다.

18 사회화, 지위와 역할

자료 해설

유명 연예인인 어머니의 반대에도 불구하고, 배우가 되고 싶었던 갑은 ㉠ 연예인 2세라는 것을 숨기고 ㉡ A인터넷 쇼핑몰에서 모델로 일하며 ㉢ 연기 학원에서 연기와 노래를 배우고 있었다. 갑은 스스로 인지도를 높이기 위해 ㉣ 시청자 평가단의 투표 결과에 따라 ㉤ 가수 데뷔가 결정되는 ㉥ TV 프로그램에 지원하여 치열한 경쟁 과정을 통해 가수로 데뷔하였다. 인기가 높아지자 갑은 가수로 계속 활동해야 할지 가수를 그만두고 원래 계획했던 배우로 전향해야 할지 ㉦ 고민이다.

선택지 분석

① 오답 : 연예인 2세는 선천적·자연적으로 주어지는 귀속 지위이고, 가수는 개인의 능력과 노력에 의해 획득한 성취 지위이다.

❷ 정답 : A인터넷 쇼핑몰은 비공식적 사회화 기관, 연기 학원은 전문적인 사회화가 이루어지는 2차적 사회화 기관이다.

③ 오답 : 시청자 평가단은 갑이 소속되어 있지 않기 때문에 갑의 외집단이 될 수 있지만 준거 집단은 아니다.

④ 오답 : TV 프로그램에 지원하는 것은 새롭게 배우는 재사회화로 보기 어렵다.

⑤ 오답 : 역할 갈등은 역할끼리 대립되거나 충돌되는 상황이 있어야 하는데, 가수와 배우 중에서 고민하는 것은 역할 간의 대립이 나타나 있지 않는 진로 선택의 고민이다.

19 사회화와 관련된 개념들

자료 해설

장발장은 ㉠ 조카를 위해 ㉡ 빵을 훔친 죄로 ㉢ 교도소에 들어갔다. 그는 출소한 이후 사람들로부터 냉대를 받는다. 신부의 도움으로 갱생의 길을 걷던 그는 불미스러운 일에 휘말려 ㉣ 그를 체포했던 자베르 경감에게 다시 쫓기는 신세가 되고 만다. 신분을 숨긴 채 살면서 사업에 성공하고, 작은 도시의 ㉤ 시장까지 지내게 된다. 시장으로서 ㉥ 사람들에게 존경을 받던 그는 다른 사람이 자기 대신 누명을 쓰게 되자 죄책감에 ㉦ 고민하다 결국 자신이 장발장임을 밝힌다.

선택지 분석

① 오답 : 교도소는 전문적인 사회화가 이루어지는 2차적 사회화 기관이다.

❷ 정답 : 장발장은 역할 간의 대립이 아니라 죄책감에 심리적 고민을 하고 있다.

③ 오답 : 조카는 선천적·자연적으로 주어지는 귀속 지위이고, 시장은 개인의 능력과 노력에 의해 획득한 성취 지위이다.

④ 오답 : 장발장은 시장으로서의 역할을 잘 수행하였기 때문에 사람들로부터 존경이라는 보상을 받았다.

❺ 정답 : ㉡은 장발장의 역할 행동이지만, ㉣은 자베르 경감의 역할 행동에 해당한다.

20 사회화와 관련된 개념들

자료 해설 재사회화와 예기 사회화, 성취 지위와 귀속 지위, 역할과 역할 행동, 역할 갈등에 대한 개념을 정리해야 한다.

선택지 분석

① 오답 : 갑은 청소년 단체 가입을 포기하였으므로 청소년 단체에서 예기 사

회화를 경험하였는지는 알 수 없다.

❷ 정답: '전교학생회장'과 '아내' 모두 성취 지위이다.

③ 오답: ⓒ은 갑의 역할이 아니라 역할 행동, ⓑ은 을의 역할 행동이다.

④ 오답: '◇◇고등학교'는 사회화를 목적으로 설립된 공식적 사회화 기관, 교육부는 2차적 사회화 기관이다.

⑤ 오답: 을은 아버지와 교사 간 역할 갈등을 경험하였으나, 갑은 학생회와 청소년 단체 중 선택의 문제에서 갈등한 것이다.

21 사회화와 관련된 개념들

자료 해설 갑에게 사회교육과는 내집단이지만 본인이 원하는 준거 집단이 아니기 때문에 학업에 흥미를 잃었으나, 교육 동아리 활동을 통해 교육에 대한 보람을 느껴 학업에 열중한 결과 성적 최우수상이라는 보상을 받았다. 여기서 사회교육과, 미술 대학은 공식적·2차적 사회화 기관인 반면, 교육 봉사 동아리는 사회화가 부수적으로 이루어지는 비공식적 사회화 기관이다.

선택지 분석

① 오답: 사회교육과는 아동기 이후 사회적 가치와 규범 등의 사회화가 이루어지는 기관이므로 2차적 사회화 기관이다. 교육 봉사 동아리는 비공식적 사회화 기관이다.

② 오답: 미술 대학은 공식적 사회화 기관이나, 갑이 소속되어 있지 않으므로 내집단은 아니다.

❸ 정답: 갑은 사회교육과에 진학하여 사회교육과가 소속 집단이 되었으나, 본인이 원하는 준거 집단과의 불일치로 학업에 흥미를 잃었다.

④ 오답: ⓔ은 갑의 진로 선택에 대한 고민이며, 이는 개인이 해결해야 할 문제이다.

⑤ 오답: 성적 최우수상은 갑의 역할 행동에 대한 보상에 해당한다.

22 사회화와 관련된 개념들

자료 해설

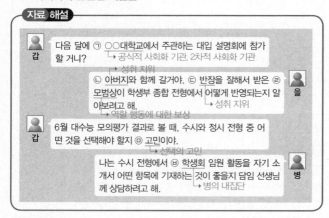

선택지 분석

❶ 정답: ○○대학교는 사회화를 목적으로 설립된 공식적 사회화 기관이고, 전문적인 사회화가 이루어지는 2차적 사회화 기관이다.

② 오답: 아버지와 반장 모두 후천적으로 획득되는 성취 지위이다.

③ 오답: 모범상은 을의 역할 행동에 대한 보상이다.

④ 오답: 갑의 고민은 선택에 대한 고민이므로 역할 갈등이 아니다.

⑤ 오답: 학생회는 병의 내집단이지만, ○○대학교는 갑, 을 모두 속해 있지 않으므로 소속 집단이 아니다.

23 지위와 역할, 사회 집단

자료 해설 교사인 갑이 연극 동아리 활동에서 맡은 주인공은 사회적

지위가 아니며, 연기에 대한 고민도 역할 갈등이 아님을 주의해야 한다. 한편 을의 △△김씨종친회 총무와 □□환경연대는 개인의 노력에 의해 획득할 수 있는 성취 지위이며, 을은 두 지위에 따른 역할 간의 충돌로 인해 역할 갈등을 겪고 있다.

선택지 분석

① 오답: 연극 동아리는 갑의 내집단이며, 이익 사회이다.

② 오답: ⓒ의 주인공은 연극에서 맡은 역할이지, 연극 동아리에서의 성취 지위는 아니다.

③ 오답: △△김씨종친회 총무는 개인의 노력에 의해 획득할 수 있는 성취 지위이다.

❹ 정답: 학교, □□환경연대는 과업 지향적인 공식 조직이다.

⑤ 오답: 갑의 고민은 자신이 맡은 역할에 대한 고민이다. 을의 고민은 종친회 총무와 환경연대의 상임위원으로서 맡은 역할이 겹쳐서 갈등하고 있으므로 역할 갈등에 해당한다.

24 지위와 역할

자료 해설 제시문에서 밑줄 친 ⓐ~ⓗ의 내용을 지위, 역할, 역할 행동, 역할 갈등의 개념에 맞춰 정리하면 다음과 같다.

구분	제갈량	마속
지위	–	ⓑ 선봉장을 맡은
역할	ⓐ 작전을 총괄 ⓕ 군의 기강을 바로잡는	ⓒ 위나라 대군의 공격을 막기
역할 행동	ⓖ 참형에 처하라고 명령했다.	ⓓ 지시를 듣지 않고 ⓔ 산 위에다 진을 쳤다.
역할 갈등	ⓗ 울면서 마속을 참살한다.	–

선택지 분석

ㄱ. 오답: 작전을 총괄하는 것은 제갈량의 지위가 아니라 역할에 해당한다.

ㄴ. 정답: 역할은 지위에 따라 기대되는 행동 양식을 뜻한다. 제갈량은 지휘관으로서 작전을 총괄하고 군의 기강을 바로 잡는 역할을 해야 하며, 마속은 선봉장으로서 위나라 대군의 공격을 막는 역할을 해야 한다.

ㄷ. 정답: 역할 행동은 역할을 실제로 수행하는 구체적 행동을 의미한다. 제갈량이 실제로 행동한 것은 군의 기강을 잡기 위해 실제로 마속을 참형에 처하라는 명령을 내린 것이고, 마속은 제갈량의 명령을 어기고 산 위에 진을 친 것이다.

ㄹ. 오답: 제갈량의 지시를 따르지 않은 마속의 행동은 역할 갈등이 아니라 잘못된 역할 행동이다.

킬러 예상 문제

본문 050~053쪽

01 ② 02 ① 03 ③ 04 ① 05 ④ 06 ③ 07 ⑤ 08 ③
09 ⑤ 10 ④ 11 ② 12 ① 13 ④ 14 ② 15 ① 16 ①

01 사회 구조의 특징

자료 해설 제시문은 친구가 갑자기 나이에 걸맞지 않은 말투와 행동을 한다면 모두 의아하게 생각할 것이라는 내용이다. 우리가 친구들과 대화할 때 쓰는 말투는 이미 사회적으로 정해진 것이다. 개인의 행위는 개인이 좌우할 수 없는 사회 구조의 영향을 받아 이루어진다는 점에서, 사회 구조는 개인의 사고와 행위를 강제하는 외적인 힘이라고 할 수 있다.

[선택지] 분석

① 오답 : 사회 구조는 사회를 구성하는 개별 구성원이 바뀌어도 쉽게 바뀌지 않고 계속 유지되는 지속성과 안정성을 갖는다.

❷ 정답 : 제시문에서 친구가 아침에 인사했을 때 친구들이 당혹감을 느끼게 되는 것은 사회적으로 구조화된 틀에 벗어난 말투 때문이다.

③ 오답 : 50대의 연령층에게는 자연스러운 말투이지만 10대의 청소년들에게는 부자연스러운 말투라는 표현에서 사회 규범은 연령에 따라 동일하게 적용된다고 보기 어렵다.

④ 오답 : 개인의 말투와 행동 등은 그 사회 구조의 영향을 받기 마련이다. 개인이 자신의 자율적인 의지만으로 행동하는 것은 아니다.

⑤ 오답 : 사회 구성 요소들은 사회의 유지와 존속에 필요한 기능을 수행하고 있지만 제시문에서 강조하는 내용은 아니다.

02 사회 구조의 특징

[자료] 해설 우리나라의 고등학생이라면 대학 입시 제도의 영향을 받을 수밖에 없고, 남자라면 반드시 병역을 마쳐야 한다는 것 등은 개인이 사회 구조의 영향력에서 자유로울 수 없음을 뜻한다. 이처럼 사회 구조는 일상생활 속에서 구성원의 행동을 규제한다.

[선택지] 분석

❶ 정답 : 대학 입시 제도와 병역 문제는 모두 사회 구조에 해당한다. 우리나라의 학생이나 남자라면 반드시 이러한 사회 구조의 영향력을 받을 수밖에 없다. 따라서 사회 구조는 구성원의 행동을 규제한다.

② 오답 : 개인 간 상호 작용이 지속되어 사회적 관계가 형성되고 이러한 사회적 관계가 정형화되어 사회 구조가 된다. 그러나 제시문에서는 이러한 사회 구조의 형성 과정을 언급하고 있지 않다.

③ 오답 : 사회 구조는 구성원의 자유 의지가 아니라 개인의 사회적 관계가 정형화되어 형성된다.

④ 오답 : 사회 구조는 한번 형성되면 쉽게 변화하지 않지만 제시문과는 관련성이 없다.

⑤ 오답 : 개인도 사회 구조에 영향을 미칠 수 있으며, 사회 구성원의 행위에 따라 사회 구조가 변동하기도 한다. 그러나 제시문의 내용과는 관련이 없다.

03 사회 구조의 변동 가능성

[자료] 해설 제시문은 교육에 대한 사람들의 가치관이 변화하였기 때문에 오늘날 의무 교육이 보편화되었고, 회사보다는 가족이 더 소중하다는 가치관이 확산되었기 때문에 회사들도 직원들이 가족과 함께 할 수 있도록 제도 개선에 노력을 기울였다는 내용이다. 즉 사회 구조도 사람들의 가치관 변화에 따라 변화할 수 있다는 것이다.

[선택지] 분석

① 오답 : 사회 구조는 역사적으로 전승되고 축적되지만 제시문과는 거리가 멀다.

② 오답 : 사회 구조는 개인이 행동할 수 있는 범위나 방향을 정해 주는 사회적 틀로 작용하면서 개인의 행동 선택에 영향을 미친다. 그러나 제시문은 개인의 가치관의 변동으로 사회 구조가 변화한다는 내용이다.

❸ 정답 : 사회 구조는 한번 형성되면 쉽게 바뀌지 않는다. 그러나 사회 구성원의 가치관이나 규범 등이 변화한다면 사회 구조도 그에 맞게 변화할 수밖에 없다.

④ 오답 : 구성원들의 지속적인 상호 작용으로 사회적 관계가 형성되고 이러한 사회적 관계가 정형화되면 사회 구조가 형성되지만, 제시문과는 관련이 없다.

⑤ 오답 : 사회 구조는 구성원이 바뀌어도 변화하지 않는 지속성을 갖고 있지만, 제시문과는 관련이 없다.

[올쏘 만점 노트] **사회 구조의 특징**

- **사회 구조의 지속성** : 사회 구조는 사회 구성원이 바뀌어도 쉽게 바뀌지 않고 유지된다.
- **사회 구조의 안정성** : 사회 구성원은 지속적인 상호 작용의 결과로 형성된 일정한 사회적 행동 양식, 즉 구조화된 행동을 따르기 때문에 안정적인 사회적 관계를 유지할 수 있다.
- **사회 구조의 변동 가능성** : 사회 구성원의 행동이나 가치, 규범 등이 변할 때, 사회 구조의 성격이 달라질 수 있다.
- **사회 구조의 강제성** : 사회 구조는 사회 구성원의 의지와는 상관없이 어떤 특정한 행동을 하도록 구속할 수 있다.

04 개인과 사회를 보는 관점

[자료] 해설

갑 : 이번 지방자치 선거에서 모두 ☆☆당 후보만 찍었어. ☆☆당의 정책 공약이 마음에 들었거든. — 사회 실재론의 입장↲

을 : 난 후보가 속한 정당은 관심두지 않았어. 후보 개인의 실력이나 도덕성을 가장 중시했어. — 사회 명목론의 입장↲

[선택지] 분석

❶ 정답 : 갑은 후보 개인보다는 그 후보가 속한 정당을 중시했다. 이는 사회 실재론의 입장으로서 개인은 사회의 그림자에 불과하다고 본다.

② 오답 : 을은 후보자 개인의 실력이나 도덕성을 중시했으므로 사회 명목론의 입장이다. 사회 명목론에서 사회는 개인이 모인 집단에 불과하므로 사회는 개인의 특성으로 환원된다고 본다.

③ 오답 : 사회에 대한 개인의 종속성을 강조하는 것은 사회 실재론이다.

④ 오답 : 사회 문제의 해결책으로 개인의 의식 개선을 강조하는 것은 사회 명목론이다.

⑤ 오답 : 사회 실재론은 사회를 생명을 가진 유기체로 인식하는 사회 유기체설을 바탕으로 한다. 반면 사회 명목론은 사회는 개인들 간의 계약으로 이루어진 집단으로 보는 사회 계약설을 바탕으로 한다.

05 사회 실재론

[자료] 해설 학자 A는 저출산 현상의 원인을 아이의 양육비와 교육비의 부담뿐만 아니라 취업의 어려움 등에 기인하여 자신도 어쩔 수 없이 저출산을 선택할 수밖에 없는 사회 구조 때문으로 보고 있다. 즉, 개인의 자율 의지와는 관계없이 사회 구조의 영향 때문이라는 것이므로 학자 A는 사회 실재론의 입장을 주장하고 있다.

첫 번째 진술에서 사회 실재론은 사회가 개인의 외부에 실제로 존재하고, 개인의 특성과는 다른 사회 자체의 독자적인 특성이 있다고 본다. 두 번째 진술에서 사회 문제의 해결책으로 개인의 의식 개혁을 강조하는 것은 사회 명목론이다. 사회 실재론은 사회 제도 개선을 사회 문제의 해결책으로 제시한다. 세 번째 진술에서 사회 실재론만을 중시하면 개인의 자율성과 능동성을 무시하고 개인이 사회에 미치는 영향력을 간과하기 쉽다. 네 번째 진술에서 사회 실재론은 사회·문화 현상을 이해할 때 사회 제도나 집단 등 사회 구조적 요인에 주목하기 때문에 사회가 개인의 행동에 어떤 영향을 미치는지 잘 설명할 수 있다.

[선택지] 분석

① 오답 : 갑은 네 번째 진술에만 바르게 평가하였다.

② 오답 : 을은 두 번째와 세 번째 진술에 대해 바르게 평가하였다.

③ 오답 : 병은 모든 진술에 대해 틀리게 평가하였다.

❹ 정답 : 정은 모든 진술에 대해 바르게 평가하였다.

⑤ 오답 : 무는 첫 번째와 세 번째 진술에 대해 바르게 평가하였다.

06 사회 실재론과 사회 명목론

자료 해설

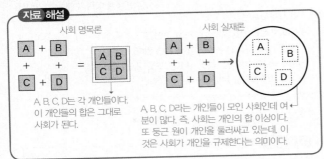

사회 명목론

A + B
+   +   = | A | B |
C + D | C | D |

A, B, C, D는 각 개인들이다. 이 개인들의 합은 그대로 사회가 된다.

사회 실재론

A + B
+   +   →
C + D

| A | | B |
| C | | D |

A, B, C, D라는 개인들이 모인 사회인데 여 분이 많다. 즉, 사회는 개인의 합 이상이다. 또 둥근 원이 개인을 둘러싸고 있는데, 이 것은 사회가 개인을 규제한다는 의미이다.

선택지 분석

ㄱ. 오답 : 사회 명목론에 따르면 사회는 개인의 단순한 집합체일 뿐이고, 실제로 존재하는 것은 개인뿐이다. 또한 개인은 자신의 의지에 따라 행동하고 사회의 구속을 받지 않는다고 본다.

ㄴ. 정답 : 사회 명목론에서 사회는 개인의 행복과 자유를 추구하기 위한 단순한 수단일 뿐이라고 주장한다.

ㄷ. 정답 : 사회 실재론은 사회 · 문화 현상을 이해하거나 사회 문제를 해결하기 위해서는 구성원 개인의 특성보다는 사회 구조나 제도를 탐구해야 한다고 본다.

ㄹ. 오답 : 사회 실재론은 사회가 개인의 외부에 실제로 존재하고, 개인의 특성과는 다른 사회 자체의 독자적인 특성이 있다고 본다. 따라서 집단의 특성은 구성원 개개인의 특성으로 환원하여 설명할 수 없다고 본다.

07 개인과 사회의 관계를 보는 관점

자료 해설 A, B가 각각 사회 실재론과 사회 명목론 중의 하나이므로 (가)와 (나)의 질문에 따라 달라진다. 사회 실재론은 사회가 개인의 외부에 실제로 존재하고, 개인의 특성과는 다른 사회 자체의 독자적인 특성이 있다고 보는 관점이다. 사회 실재론에 따르면 사회는 개인의 단순한 합 이상의 실체이고, 개인에게 큰 영향력을 행사한다. 따라서 개인은 단지 사회를 이루는 구성 요소에 불과하고, 사회 구성원인 개인의 사고나 행위는 사회의 영향에서 벗어날 수 없다고 본다. 사회 명목론은 사회가 개인의 외부에 별도로 존재하는 것이 아니라, 단순히 이름만으로 존재한다고 보는 관점이다. 사회 명목론에 따르면 사회는 개인의 단순한 집합체일 뿐이고, 실제로 존재하는 것은 개인뿐이다. 또한 개인은 자신의 의지에 따라 행동하고 사회의 구속을 받지 않는다고 본다.

선택지 분석

ㄱ. 오답 : A가 사회 실재론이라면, (가)에는 '사회 문제의 해결책으로 사회 제도의 개선을 강조하는가?'가 들어가야 한다. 의식 개혁을 강조하는 것은 사회 명목론이다.

ㄴ. 오답 : B가 사회 명목론이라면, (나)에 '사회는 개인들이 모여 있는 집합체에 붙여진 이름에 불과한가?'가 들어갈 수 있다. 사회가 개인과는 다른 실체를 가진 존재라고 보는 것은 사회 실재론이다.

ㄷ. 정답 : (가)에 '사회의 특성이 개인의 특성으로 환원된다고 보는가?'가 들어간다면 A는 사회 명목론, B는 사회 실재론이다. 사회 실재론은 사회는 생명을 지닌 유기체와 같다고 보는 사회 유기체설을 바탕으로 한다.

ㄹ. 정답 : (나)에 '사회는 개인의 사고와 행위를 구속한다고 보는가?'가 들어간다면 A는 사회 명목론, B는 사회 실재론이다. 사회 명목론은 개인의 자유와

권리를 강조하므로 지나칠 경우 극단적 이기주의로 흐를 수 있는 위험이 있다.

올쏘 만점 노트   사회 명목론

의미	사회는 개인의 단순한 집합체이며, 실제로 존재하는 것은 개인이라고 보는 관점
특징	• 사회는 개인의 합에 불과함 • 사회를 연구할 때 개인의 특성과 행위에 초점을 둠 • 사회 문제의 해결책으로 개인의 의식 개혁을 강조함
장점	개인의 자유 의지에 기초한 능동적인 행동을 잘 설명함
단점	• 사회 제도나 사회 구조가 개인의 행위에 미치는 영향력을 간과할 수 있음 • 개인의 이익만이 강조되어 극단적 이기주의를 초래할 우려가 있음

08 사회화

자료 해설

→ 가족은 비공식적인 사회화 기관이며 원초적 사회화 기관임

08:00 식구들과 함께 식사하면서 자녀들과 가벼운 대화를 나눔

10:00 퇴직한 은사님을 찾아뵙고 은사님이 일군 포도밭을 구경함. 퇴직 후의 삶을 설계하는 데 많은 도움을 받음
        → 모방과 동일시의 과정

16:00 중국 지사 근무에 대비하여 ○○학원에 가서 중국어 강의를 수강함   → 예기 사회화   ○○공식적 사회화 기관

20:00 귀가 후, TV 뉴스를 통해 지방 선거 결과를 시청함
        → 대중 매체로서 비공식적 사회화 기관

선택지 분석

① 오답 : 중국어 강의 수강은 미래의 중국 지사 근무를 대비하기 위한 것이므로 예기 사회화의 사례이다.

② 오답 : 퇴직한 은사님이 가꾸는 포도밭을 구경하고 퇴직 후의 삶을 설계하는 데 도움을 얻었다는 것은 은사님의 생활 모습을 모방하거나 동일시하는 방식으로 사회화 과정을 경험하고 있는 것이다.

❸ 정답 : 제시된 자료에서 공식적 사회화 기관은 중국어를 가르치는 ○○학원이다. 그런데 갑은 이 학원에서 중국어를 수강하는 목적이 미래에 다가올 중국 지사 근무를 대비하기 위한 것이므로 예기 사회화에 해당한다. 재사회화는 이미 변화된 환경에 적응하기 위한 것이다. 여기서는 재사회화 과정이 제시되어 있지 않다.

④ 오답 : 갑은 가족과 함께 아침 식사를 하면서 자녀들과 가벼운 대화를 나누었으므로 비공식적 사회화 기관에서 정서적 만족을 얻었다고 볼 수 있다.

⑤ 오답 : TV는 대중 매체로서 비공식적 사회화 기관이며, 이를 통해 지방 선거 결과라는 정보를 습득하였다.

09 사회화의 유형

자료 해설 (가)는 노인들의 스마트폰 활용 교육을 통해 새로운 사회 변화에 적응하기 위한 모습이므로 재사회화의 사례이고, (나)는 예비 부부를 대상으로 하는 결혼 준비 교육에 대한 내용으로 예기 사회화의 사례이다.

선택지 분석

① 오답 : 재사회화는 어떤 변화를 겪는 도중에 그 변화에 적응하기 위해 사회화가 전개된다. 반면, 예기 사회화는 어떤 변화를 겪기 전에 그 변화에 미리 대비하는 것이다.

② 오답 : (가), (나)의 사례 모두 공식적 사회화 기관이지만, 재사회화와 예기

사회화는 사회화 기관이 구분되어 있지 않다. 필요할 경우에는 직장이나 대중 매체 등 비공식적 사회화 기관에서도 담당한다.

③ 오답 : 기본적인 습관 형성에 중점을 두는 것은 어렸을 때 가족에 의해 이루어지는 원초적 사회화이다.

④ 오답 : 재사회화에 비해 예기 사회화 과정이 반드시 체계적인 것은 아니다.

❺ 정답 : 사회 변화가 급속할수록 그 변화에 적응하기 위해 재사회화가 필요하고, 또 그 변화에 미리 대비하기 위해 예기 사회화도 필요하다.

올쏘 만점 노트 — 사회화의 유형

구분	재사회화	예기 사회화
의미	사회 변화에 적응하기 위해 새로운 가치, 규범, 기술 등을 내면화하는 과정	미래에 속하게 될 집단에서 요구하는 행동 양식을 미리 준비하는 과정
사례	은퇴 노인들의 스마트폰 교육, 교도소에서 이루어지는 재소자에 대한 교육 등	대학교 신입생 예비 교육, 신입 사원 연수 등

10 사회화를 바라보는 관점

자료 해설 사회화를 바라보는 관점 중에서 (가)는 상징적 상호 작용론, (나)는 기능론, (다)는 갈등론이다.

선택지 분석

① 오답 : 상징적 상호 작용론은 사회화를 사회 구성원 간 상징을 활용한 상호 작용을 통해 자아를 형성하는 과정이라고 본다. 사회화가 기득권층의 이익을 강화하는 수단이라고 보는 것은 갈등론이다.

② 오답 : 기능론은 사회화의 내용이 모든 사회 구성원에 의해 합의되었다고 본다. 사회화의 내용이 일부 계층에 의해 합의되었다고 보는 것은 갈등론이다.

③ 오답 : 갈등론은 사회화를 지배 집단이 자신의 이익을 유지하기 위해 필요한 규범이나 가치를 내면화시키는 과정이라고 본다. 사회화 과정에서 개인의 능동성을 강조하는 것은 상징적 상호 작용론이다.

❹ 정답 : 기능론은 개인이 사회에 적응하기 위해, 그리고 사회의 유지와 존속을 위해 사회화가 필요하다고 보는 것이므로 사회화를 통한 사회 통합의 기능을 중시한다.

⑤ 오답 : 기능론과 갈등론은 사회화 과정에서 사회 구조와 제도를 중시하므로 거시적인 관점이고, 상징적 상호 작용론은 개인의 능동적인 역할을 중시하므로 미시적 관점에 해당한다.

11 사회화 기관

자료 해설

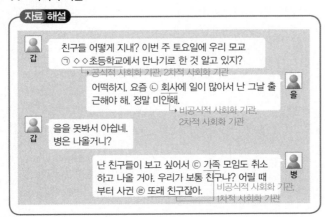

갑: 친구들 어떻게 지내? 이번 주 토요일에 우리 모교 ㉠◇◇초등학교에서 만나기로 한 것 알고 있지?
→공식적 사회화 기관, 2차적 사회화 기관

을: 어떡하지. 요즘 ㉡ 회사에 일이 많아서 난 그날 출근해야 해. 정말 미안해.
→비공식적 사회화 기관, 2차적 사회화 기관

갑: 을을 못봐서 아쉽네. 병은 나올거니?

병: 난 친구들이 보고 싶어서 ㉢ 가족 모임도 취소하고 나올 거야. 우리가 보통 친구니? 어릴 때부터 사귄 ㉣ 또래 친구잖아.
→비공식적 사회화 기관, 1차적 사회화 기관

선택지 분석

㉠ 정답 : 학교는 사회화를 목적으로 설립하여 체계적·인위적으로 형성된 공식적 사회화 기관이다.

ㄴ. 오답 : 원초적 사회화는 기본적인 생활 습관 형성을 의미하므로 가족이 대표적인 사회화 기관이다.

㉢ 정답 : 가족은 사람이 태어나서 최초로 접하게 되는 사회화 기관이다.

ㄹ. 오답 : 또래 집단은 비슷한 나이 또래의 친구들로서 아이들은 또래 집단과 어울리면서 자연스럽게 집단생활의 규칙이나 질서 의식을 학습하게 되고, 서로의 행동 발달에 영향을 주고받는다. 하지만 사회화 자체가 목적이 아니므로 비공식적 사회화 기관이다.

12 사회화의 유형, 지위와 역할

자료 해설

┌→공식적 사회화 기관, 2차적 사회화 기관
㉠ ○○고등학교 가정 통신문

진로의 날 행사 안내
┌→예기 사회화
안녕하십니까? ㉡ 신입생 오리엔테이션을 했던 것이 엊그제 같은데 벌써 여름방학이 다가옵니다. 학부모님의 ㉢ 가정에 행복이 깃
비공식적 사회화 기관, 1차적 사회화 기관
들기 빕니다. 본교에서는 학생들의 ㉣ 진로 설계를 도와주고자 ㉤
→선배 직업인으로서의 역할 행동 →예기 사회화
자신의 직업에서 나름대로 보람을 갖고 생활하는 ㉥ 선배 직업인
성취 지위
을 초청하여 해당 직업에 대한 안내를 하는 행사를 갖게 되었습니다. 진로 문제로 ㉦ 고민하고 있는 학생들에게 다소나마 도움이
→진로 선택의 고민
되었으면 하는 마음입니다.

선택지 분석

❶ 정답 : 고등학교는 사회화를 주된 목적으로 하는 공식적 사회화 기관이지만, 가정은 사회화 자체가 목적이 아니므로 비공식적 사회화 기관이다.

② 오답 : 신입생 오리엔테이션은 학교생활을 위한 준비, 진로 설계는 장래의 직업 선택 등과 관련된 준비이므로 모두 예기 사회화에 해당한다.

③ 오답 : 자신의 직업에서 보람을 갖고 생활하는 선배들의 모습은 역할 행동이다. 모든 선배들이 자신의 직업에서 보람을 갖고 생활하는 것은 아니므로 역할이라고 볼 수는 없다.

④ 오답 : 청소년, 노인은 귀속 지위이지만, 선배 직업인은 저절로 얻어지는 것이 아니라 자신의 노력에 의해 후천적으로 얻어지는 성취 지위이다.

⑤ 오답 : 진로에 대한 고민 그 자체는 역할 갈등이 아니다.

13 지위와 역할

자료 해설

┌→귀속 지위
• 1990년 2월 6일, 2남 중 ㉠ 장남으로 출생
• A고등학교 ㉡ 학생회장 역임 →성취 지위
• ㉢ B대학교 교육학과 입학 공식적 사회화 기관, 2차적 사회화 기관
                              →갑의 역할 행동
• B대학교 2학년 : B대학교 ㉣ 교육 연구 동아리에서 활동
• B대학교 3학년 : 우수 동아리 활동 사례로 선정되어 ㉤ 총장상 수상
                      갑의 역할 행동에 대한 보상←

선택지 분석

㉠ 정답 : 장남은 갑의 능력이나 노력과는 관계없이 가지게 되는 귀속 지위이고, 학생회장은 갑의 의지나 노력을 통해 후천적으로 얻게 된 것이므로 성취 지위이다.

㉡ 정답 : 학교는 사회화를 목적으로 설립되었으므로 공식적 사회화 기관이다.

ㄷ. 오답 : 학생이라고 해서 반드시 동아리 활동을 해야 하는 것은 아니다. 갑이 교육 연구 동아리에 가입하여 활동하는 것은 모든 학생에게 기대되는 역할이 아니라 갑이 스스로 행한 역할 행동이다.

㉣ 정답 : 갑은 교육 연구 동아리에 가입하여 열심히 활동한 역할 행동에 대한 사회적 평가로 총장상 수상이라는 보상을 받은 것이다.

올쏘 만점 노트 | 지위, 역할, 역할 행동

구분	특징
지위	• 의미 : 사회적 관계에서 개인이 차지하는 위치 • 귀속 지위 : 태어나면서부터 결정되어 있는 지위 ⓓ 성별, 인종 등 • 성취 지위 : 개인의 의지나 노력에 의해 후천적으로 얻게 되는 지위 ⓓ 엄마, 아빠, 사장 등
역할	사회적 지위에 대해 기대되는 일정한 행동 방식
역할 행동	• 의미 : 개인이 지위에 따른 역할을 실제로 수행하는 것 • 특징 : 역할은 동일하지만 역할 행동은 개인에 따라 다르게 이루어짐 • 보상과 제재 : 개인이 사회적 기대에 부응하는 역할 행동을 할 경우 보상을 받고, 사회적 기대에 어긋나는 역할 행동을 할 경우 제재를 받음

14 지위와 역할

자료 해설

면접관 : 경찰을 지원하게 된 동기는 무엇인가요?

갑 : 경찰관인 ㉠ 아버지의 모습을 보고 느낀 점이 많았습니다. 아버지는 항상 ㉡ 자신보다는 국민을 위해 봉사하는 삶을 살았습니다.
→ 성취 지위, 갑의 준거 집단
→ 성취 지위
→ 갑의 아버지의 역할 행동

면접관 : 공부하면서 어려운 점은 없었나요?

갑 : 국어는 그런대로 쉬웠는데 ㉢ 수학이 가장 어려웠습니다. 인터넷 강의를 통해 꾸준히 노력한 결과 점차 ㉣ 수학 성적이 올라갔습니다.
→ 갑의 역할 행동에 대한 보상

면접관 : 경찰이 된다면 어떤 분야에서 일하고 싶은가요?

갑 : 청소년을 선도하는 분야에서 일하고 싶습니다. ㉤ 방황하는 청소년을 잘 선도해서 올바른 길을 갈 수 있도록 하고 싶습니다.

선택지 분석

① 오답 : 아버지는 결혼을 하고 자녀를 낳기로 선택해야 얻을 수 있는 지위이므로 성취 지위이다.

❷ 정답 : 자신보다는 국민을 위한 삶을 살았다는 것은 경찰관 모두의 역할이 아니라 갑의 아버지가 행한 역할 행동이다.

③ 오답 : 역할 갈등은 두 가지 이상의 역할이 서로 상충하는 것을 말한다. 갑은 수학 공부가 단순히 자신에게 어려웠다는 점만 말하고 있으므로 역할 갈등의 사례로 볼 수 없다.

④ 오답 : 갑의 수학 성적이 오른 것은 갑의 역할 행동에 따른 보상이다.

⑤ 오답 : 방황하는 모든 청소년이 역할 갈등을 겪고 있다고는 볼 수 없다.

15 역할 행동에 대한 보상과 제재

자료 해설

제60조 [수상의 종류] ① 공로상 : 교내·외 생활에서 학교의 명예를 드높인 공이 현저한 학생에게 수여한다.
→ 역할 행동에 대한 보상

제68조 [징계의 종류] ① 다음의 행위를 한 학생은 학생을 등교시켜 생활지도부와 담임교사의 지도 아래 학교 내에서 봉사 활동을 하게 한다.
→ 역할 행동에 대한 제재

　　1. 학교나 교사, 교직원의 정당한 지도에 불응하거나 불손한 언행을 한 경우 ……

선택지 분석

❶ 정답 : 학생으로서의 역할을 충실히 수행한 역할 행동은 공로상이라는 보상을 받고, 학생으로서의 역할을 제대로 수행하지 않은 역할 행동은 징계라는 제재를 받는다. 즉, 역할 행동에 따라 보상과 제재가 주어진다.

② 오답 : 학생생활 규정 자체를 예기 사회화로 볼 수 없으며, 또 제시된 자료에서 역할 갈등을 찾아볼 수 없다.

③ 오답 : 제시된 자료에서 역할 갈등이 발생한다는 내용은 찾아볼 수 없다. 또한 역할 갈등을 해결하기 위해 보상과 제재가 필요한 것은 아니다.

④ 오답 : 동일한 지위에 기대되는 역할은 동일하다. 하지만 역할 행동은 개인마다 다르다.

⑤ 오답 : 제시된 자료에서 재사회화를 경험했는지는 판단할 수 없다.

16 역할 갈등

자료 해설
→ 비공식적 사회화 기관, 2차적 사회화 기관

• 갑은 A회사에 다니는 직장 여성이다. 한 달 전 딸이 다니는 유치원에서 재롱 잔치가 열렸지만 회사 일이 겹쳐 재롱 잔치 참석 여부를 고민하다가 참석하지 못하였다. 딸은 회사 일을 마치고 집에 온 갑을 보고 자기만 부모님이 오지 않았다면서 저녁 내내 울었다.
→ 공식적 사회화 기관
→ 역할 갈등
→ 2차적 사회화 기관, 비공식적 사회화 기관
→ 예기 사회화

• 을은 B회사에 합격해 입사 전 신입 사원 연수를 받았다. 입사 이후 회사 생활에 회의를 느낀 을은 회사를 계속 다닐지 창업을 할지 고민하다가, 가족의 도움을 받아 창업을 했는데, 회사 다닐 때 월급의 10배의 이익을 올리고 있다.
→ 선택의 고민
→ 역할 행동에 대한 보상

선택지 분석

㉠ 정답 : 갑은 엄마로서의 지위에서 기대되는 역할과 회사원으로서의 지위에서 기대되는 역할 사이에서 충돌을 빚고 있었으므로 역할 갈등을 겪었다. 을의 고민은 단순히 직업 선택의 문제이다.

㉡ 정답 : 을이 B회사에 입사하기 전에 받은 신입 사원 연수 교육은 예기 사회화의 사례이다.

ㄷ. 오답 : 을이 창업을 해서 직장을 다닐 때의 월급보다 10배의 이익을 올린 것은 역할 행동에 대한 보상이다.

ㄹ. 오답 : 갑의 A회사와 을의 B회사는 모두 사회화 자체를 목적으로 하지 않으므로 비공식적 사회화 기관이다.

05 ㉮ 사회 집단과 사회 조직

01 ① 자신이 소속된 집단은 '소속 집단'이다. 내집단은 그 집단에 소속되어 있으면서 소속감 또는 공동체 의식이 있어야 한다.

② 내집단과 외집단 간의 갈등은 내집단 내의 갈등을 완화시켜 결속을 강화시킬 수 있다.

③ 사회가 전문화되고 복잡해질수록 2차 집단이 증가하고 있으며 영향력도 커지고 있다.

④ C는 공동 사회, D는 이익 사회이다.

⑤ 1차 집단에는 가족, 마을 등이 속하며 이 집단들은 원초적 사회화를 담당하지만 사회화 자체를 목적으로 형성되지는 않는다.

⑥ 공식적·수단적 접촉이 이루어지는 2차 집단은 모두 인위적으로 결합한 이익 사회에 해당한다.

⑦ 1차 집단은 도덕, 관습 등과 같은 비공식적 통제가 일반적이고, 2차 집단은 법, 규칙 등과 같은 공식적 통제가 일반적이다.

⑧ 가족은 공동 사회이면서 1차 집단에 해당하고, 학교는 이익 사회이면서 2차 집단에 해당한다.

02 ① 공식 조직에서는 주로 수단적이고 간접적 접촉이 이루어진다.

② 공식 조직은 공식적인 규약과 절차에 따른 상호 작용을 강조한다.

③ 공식 조직 내 비공식 조직의 활성화로 인해 업무 공정성이 저해되기도 한다.

④ 공식 조직은 조직의 성격에 따라 상향식 의사 결정 과정이 지배적일 수도 있고, 하향식 의사 결정 과정이 지배적일 수도 있다. 반면, 비공식 조직은 소규모 집단으로 상향식 의사 결정 과정이 주로 나타난다.

⑤ 비공식 조직은 공식 조직의 존재를 전제로 하는 자발적 결사체이다.

⑥ A, B 모두 선택적 의지에 따라 결합된 이익 사회이다.

⑦ 회사는 공식 조직의 사례, 회사 내 동호회는 비공식 조직의 사례가 될 수 있다.

03 ① 아이돌 그룹은 갑의 준거 집단이지만 실제 소속된 적이 없기 때문에 내집단으로 보기 어렵다. 내집단은 실제 소속되어 있으면서 소속감을 가지고 있어야 한다.

② ☆☆☆의 팬클럽은 가입과 탈퇴가 자유로운 자발적 결사체이며 선택 의지에 따라 인위적으로 만들어진 이익 사회이다.

③ 댄스 모임은 ☆☆☆의 팬클럽과 같이 친밀감과 관심사가 같은 사람들이 모여 만든 자발적 결사체이다. 구성원의 지위와 역할이 명확

히 규정되고 정해진 절차에 따라 목적을 추구하는 조직은 공식 조직이다.

④ '예선 탈락'은 갑의 역할 행동에 대한 제재이고 '공개 오디션에 합격'은 역할 행동에 대한 보상이다.

⑤ ◇◇단체는 이익 사회이면서 공식 조직이므로 전인격적 인간관계를 바탕으로 하는 1차 집단의 성격으로 보기 어렵다.

⑥ △△기획사와 ◇◇단체는 특정 목적을 가지고 구성원의 지위와 역할, 절차가 규정된 2차 집단이자 이익 사회이다.

⑦ ◇◇단체와 △△기획사는 갑이 실제로 소속되어 있는 소속 집단이다. 아이돌 그룹은 준거 집단이기는 하나 실제 소속된 적이 없으므로 외집단으로 볼 수 있다.

04 ① '사회의 보편적 이익 달성을 목적으로 하는가?'라는 질문은 공식 조직에 대한 것으로 정부 조직, 시민 단체 모두 해당된다.

② '집단의 명시적 목표보다 인간관계가 더 중시되는가?'라는 질문은 비공식 조직인 회사 내 동호회만 해당된다.

③ '조직의 목표 달성을 위해 명시적 규약과 체계화된 업무 수행 방식을 갖추고 있는가?'라는 질문은 공식 조직에 대한 것으로, 정부 조직과 시민 단체 모두 해당된다.

④ '가입과 탈퇴가 자유로운가?'라는 질문은 자발적 결사체에 대한 물음으로 시민 단체, 회사 내 동호회 모두 해당된다. 따라서 (가)의 질문으로 적절하다.

⑤ '공동의 목표나 이해관계를 추구하기 위해 자발적으로 결성하였는가?'는 자발적 결사체에 대한 질문으로, 시민 단체와 회사 내 동호회 모두 해당된다. 따라서 (가)의 질문으로 적절하다.

⑥ '공식 조직 내에서 개인적인 관심과 취미에 따라 결합되었는가?'는 비공식 조직에 대한 질문으로, 회사 내 동호회가 해당된다.

⑦ '구성원 간의 전인격적 인간관계가 형성되는가?'는 1차 집단에 대한 질문이므로 해당되는 사회 집단이 없다.

05 ① 자발적 결사체는 1차 집단의 성격과 2차 집단의 성격이 공존하여 나타나기도 한다.

② 공식 조직은 비공식 조직에 비해 조직의 규모가 크고, 구성원이 이질적이다.

③ 공식 조직은 형식적·수단적인 인간관계가 지배적으로 나타난다.

④ 공식 조직은 특정 목적을 달성하기 위한 권한의 수직적인 위계 서열이 뚜렷하다.

⑤ 공식 조직은 비공식 조직에 비해 구성원에 대한 공식적 통제의 정도가 강하다.

⑥ 구성원의 의지와 무관하게 자연 발생적으로 형성된 집단은 공동 사회를 의미하는데, 자발적 결사체와 비공식 조직은 이익 사회에 해당한다.

⑦ 과업 지향적인 사회 집단은 공식 조직이다.

06 ① 갑은 ○○방송국에 소속되어 있지 않기 때문에 내집단으로 보기 어렵다.

② '소속된 기획사의 봉사 동아리'와 '연예인 야구단'은 공통의 관심사나 목표를 가지고 자발적으로 결성된 자발적 결사체이면서 선택적 의지

에 의해 형성된 이익 사회이다.

③ 사회 집단은 결합 의지에 따라 공동 사회와 이익 사회로 구분할 수 있는데, '국세청'과 '연예인 야구단'은 이익 사회에 속한다.

④ '국세청'과 '△△대학교 총학생회'는 공식 조직인 반면, '소속된 기획사의 봉사 동아리'는 비공식 조직이다.

⑤ 전인격적 인간관계를 중시하는 것은 공동 사회이다. '가족'은 공동 사회이면서 1차 집단이지만 '△△대학교 총학생회'는 이익 사회이면서 2차 집단이다.

⑥ '가족'은 공동 사회이지만 '연예인 야구단'은 이익 사회이다.

⑦ 제시된 사회 집단 중 가족을 제외하고는 모두 이익 사회이다. 가족은 구성원의 본능적 의지에 의해 자연 발생적으로 형성된 공동 사회이다.

⑧ ㉠~㉎의 사회 집단과 사회 조직 중 ○○방송국, 국세청, △△대학교 총학생회는 공식 조직이다.

07 ① 관료제 조직은 경력에 따라 승진과 보수가 결정되므로 무사 안일주의로 인한 비효율성이 나타나기도 한다.

② 관료제는 탈관료제에 비해 업무 담당자의 재량권이 제한된다.

③ 관료제와 탈관료제 모두 공식적 통제 방식으로 갈등을 해결한다.

④ 탈관료제는 세부적인 업무 절차와 내용도 자체적으로 결정되기 때문에 외부 환경 변화에 유연하게 대처하기가 용이하다.

⑤ 탈관료제는 관료제에 비해 업무 결정권이 분산되며 구성원의 창의성이 발휘되기가 더 용이하다.

⑥ 탈관료제는 관료제에 비해 상향식 의사 결정과 수평적 의사소통이 더 중시된다.

⑦ A기업과 B기업 모두 과업 수행을 목적으로 형성된 사회 조직이므로 2차적 관계가 지배적이다.

08 ① 관료제는 조직의 운영에서 유연성보다 안정성을 중시한다.

② 관료제는 산업 사회의 등장과 함께 나타난 사회 조직의 형태이며, 탈관료제는 관료제의 문제점을 개선하고 정보 사회에 맞춘 사회 조직의 형태이다.

③ 탈관료제는 규약에 따른 과업 수행보다 창의적 과업 수행을 중시한다.

④ 관료제와 탈관료제 모두 효율적인 과업 수행을 지향한다.

⑤ 관료제는 소수의 상층부에 권력이 집중되어 있다.

실전 기출 문제

본문 058~063쪽

01 ②	02 ③	03 ③	04 ③	05 ①	06 ⑤	07 ⑤	08 ⑤
09 ⑤	10 ⑤	11 ⑤	12 ④	13 ②	14 ⑤	15 ①	16 ⑤
17 ②	18 ④	19 ④	20 ①	21 ④	22 ②	23 ②	24 ③

01 1차 집단과 2차 집단

자료 해설 선생님과 갑의 대화에서 갑은 동료 부대원들이 인간적이고 친밀하게 대해 주었다는 오빠의 말을 듣고 군대를 A집단으로 판단하고 있었으나, 선생님께서는 군대를 과업을 위한 간접적·수단적 만남이 중심이 되는 집단으로 판단하였다. 이를 통해 선생님은 접촉 방식

에 따른 사회 집단의 사례를 물어보았음을 유추할 수 있다. 따라서 A집단은 1차 집단, B는 2차 집단임을 알 수 있다.

선택지 분석

① 오답 : '구성원의 결합 의지'에 따라 공동 사회와 이익 사회로 구분된다. ㉠에는 접촉 방식이 들어가야 한다.

❷ 정답 : 1차 집단에서는 2차 집단과 달리 주로 비공식적인 통제가 이루어진다.

③ 오답 : 자발적 결사체는 1차 집단과 2차 집단의 성격이 혼재되어 나타날 수 있다.

④ 오답 : 2차 집단에는 가입과 탈퇴가 자유로운 집단도 있고, 학교, 회사 등과 같이 어려운 집단도 있다.

⑤ 오답 : A는 1차 집단, B는 2차 집단이다.

올쏘 만점 노트 — 사회 집단의 분류

분류 기준	분류	특징
접촉 방식	1차 집단	• 구성원 간 대면 접촉과 친밀감을 바탕으로 전인격적인 관계를 맺는 집단 • 도덕·관습 등 비공식적 통제가 대부분임
	2차 집단	• 구성원 간 간접적 접촉과 수단적인 만남을 바탕으로 결합된 집단 • 규칙·법률 등의 공식적 통제가 일반적임
결합 의지	공동 사회	• 구성원의 무의도적이고 본능적인 의지에 의해 자연적으로 발생한 집단 • 구성원의 관계가 대체로 친밀하며 가입과 탈퇴가 자유롭지 못함
	이익 사회	• 구성원의 선택 의지에 따라 형성된 집단 • 이해관계를 중심으로 인간관계 형성, 가입과 탈퇴가 자유로움
소속감	내집단	• 자기 자신이 속해 있으면서 그 집단의 성원이라는 의식을 가진 집단 • 자아 정체성 형성, 판단 및 행동의 기준을 학습함
	외집단	• 자신이 속해 있지 않고 이질감이나 적대감을 갖는 집단 • 외집단의 존재로 내집단의 성격이 파악되고 집단의 결속이 강화됨

02 사회 집단의 분류

자료 해설

질문 \ 분류	(가)	(나)	(다)
선택 의지로 결합되는가? → 이익 사회	예	아니요	예
가입과 탈퇴가 자유로운가? → 자발적 결사체	예	아니요	아니요
공식적 조직 목표와 명시적 규범에 의해 운영되는가? → 공식 조직	아니요	아니요	예

(가)는 이익 사회이며 자발적 결사체이지만 공식 조직은 아니다. (나)는 공동 사회이지만 자발적 결사체와 공식 조직은 아니다. (다)는 이익 사회이며 공식 조직이지만 자발적 결사체는 아니다.

선택지 분석

㉠ – (다) : 대기업은 이익 사회이면서 공식 조직이나, 자발적 결사체는 아니다.

㉡ – (나) : 가족은 본능적 의지에 의해 결합된 공동 사회이며, 자발적 결사체와 공식 조직은 아니다.

㉢ – (가) : ○○동 조기 축구회는 이익 사회이면서 자발적 결사체이나, 공식 조직은 아니다.

㉣ : 시민 단체는 이익 사회이면서 자발적 결사체이며, 공식 조직이므로 (가)~(다)에 해당하지 않는다.

03 사회 집단의 유형

자료 해설 질문 (가)에 대해 시민 단체와 사내 동호회는 해당되며, 가족과 학교는 해당되지 않는다. 반면, 질문 (나)에 대해 학교, 시민 단체는 해당되며, 가족, 사내 동호회는 해당되지 않는다. 그림에서 제시된 사회 집단의 성격을 구분해 보면 다음과 같다.

가족	공동 사회, 1차 집단
시민 단체	이익 사회, 자발적 결사체, 공식 조직
학교	이익 사회, 2차 집단, 공식 조직
사내 동호회	이익 사회, 자발적 결사체, 비공식 조직

따라서 시민 단체와 사내 동호회는 자발적 결사체이면서 이익 사회이며, 시민 단체와 학교는 공식 조직이면서 이익 사회이다.

선택지 분석

ㄱ. 오답 : 학교가 2차 집단이기 때문에 '2차 집단인가?'라는 질문에 대해 학교도 포함되어야 한다.

ㄴ. 정답 : 시민 단체와 사내 동호회는 가입과 탈퇴가 자유로운 자발적 결사체인 반면, 가족과 학교는 가입과 탈퇴가 자유롭지 못하다. 따라서 (가)에 들어갈 질문으로 적절하다.

ㄷ. 정답 : 시민 단체와 학교는 뚜렷한 목적을 달성하기 위해 구성원의 지위와 역할이 명확하고 공식적 절차와 규범을 갖춘 공식 조직이므로 (나)에 들어갈 질문으로 적절하다.

ㄹ. 오답 : 사내 동호회는 이익 사회이기 때문에 '이익 사회인가?'라는 질문에 대해 사내 동호회도 포함되어야 한다.

04 공식 조직과 비공식 조직

자료 해설 제시문에서 A는 조직의 목표 달성을 위해 업무의 절차와 내용을 규정하고 구성원들의 지위와 역할을 구분하는 공식 조직이고, B는 공식 조직 내에서 개인적인 취미나 공통의 관심사를 중심으로 모인 비공식 조직이다.

선택지 분석

① 오답 : 공통의 관심사나 목표를 바탕으로 자발적으로 결성되는 것은 비공식 조직이다.

② 오답 : 비공식 조직의 구성원은 공식 조직에 속하기는 하지만 구성원 모두가 공식 조직을 준거 집단으로 생각하지는 않는다.

❸ 정답 : B의 구성원은 A에서와는 다른 지위와 역할을 지닌다.

④ 오답 : 공식 조직, 비공식 조직 모두 이익 사회에 해당한다.

⑤ 오답 : 이익 집단, 시민 단체 모두 공식 조직에 해당한다.

05 사회 집단의 범주

자료 해설

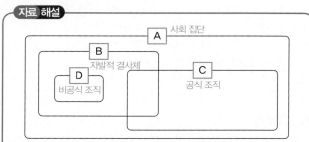

* 그림에 나타난 사회 집단의 관계는 개념상의 관계를 의미함
** A~D는 각각 사회 집단, 공식 조직, 비공식 조직, 자발적 결사체 중 하나임

사회 집단은 가장 큰 범주이며, 비공식 조직은 자발적 결사체 내에 존재하기 때문에 B는 자발적 결사체, D는 비공식 조직이다. 또한 자발적 결사체는 시민 단체 등과 같이 공식 조직도 일부 포함하므로 C는 공식 조직이다.

선택지 분석

ㄱ – D : ㄱ은 비공식 조직에 대한 설명이다. 비공식 조직은 공식 조직을 전제로 하며, 자발적 결사체 안에 포함되므로 D이다.

ㄴ – A : ㄴ은 사회 집단에 대한 설명이다. 사회 집단은 가장 큰 범주이므로 A에 해당한다.

ㄷ – B : ㄷ은 자발적 결사체에 대한 설명이므로 B이다.

ㄹ – C : ㄹ은 공식 조직에 대한 설명이다. 공식 조직 중에는 시민 단체, 이익 집단과 같이 자발적 결사체의 성격을 지닌 사회 집단이 있으므로 공식 조직은 자발적 결사체 B와 겹치는 부분이 생긴다.

06 사회 집단과 사회 조직

자료 해설 구성원의 결합 의지에 따라 공동 사회와 이익 사회로 나뉜다. 공동 사회는 구성원의 의지와 무관하게 자연 발생적으로 형성된 집단이며, 이익 사회는 특정한 목적을 위해 인위적으로 형성된 집단이다. 공식 조직은 공식적인 목표와 과업을 효율적으로 달성하기 위해 형성된 조직이며, 공식 조직 내에서 친밀한 인간관계를 바탕으로 취미, 관심사 등에 의해 형성된 조직이다. 따라서 (가)는 공동 사회, (나)는 공식 조직, (다)는 이익 사회, (라)는 비공식 조직이다.

선택지 분석

① 오답 : 자발적인 동기로 결합된 집단은 자발적 결사체인데, 자발적 결사체는 이익 사회에 해당한다.

② 오답 : 공식적인 규칙과 절차가 적용되는 것은 공식 조직인데, 공식 조직은 이익 사회에 포함된다.

③ 오답 : 공식 조직의 구성원 모두 비공식 조직에 가입하는 것은 아니다.

④ 오답 : 전인격적 인간관계를 중시하는 것은 공동 사회이다.

⑤ 정답 : 공식 조직과 비공식 조직 모두 특정한 목적을 위해 형성된 조직으로 이익 사회에 해당한다.

07 사회 집단과 사회 조직의 유형

자료 해설 쿨리는 사회 집단을 구성원의 접촉 방식에 따라 1차 집단과 2차 집단으로 구분하였고, 퇴니스는 결합 의지에 따라 공동 사회와 이익 사회로 구분하였다. 한편, 공통 관심과 목표를 가진 사람들이 자발적으로 만든 집단은 자발적 결사체라 한다. 따라서 A는 1차 집단, B는 2차 집단, C는 이익 사회, D는 공동 사회, E는 자발적 결사체이다.

선택지 분석

① 오답 : 특정 목적을 달성하기 위한 인간관계가 주로 나타나는 것은 2차 집단이다.

② 오답 : 구성원의 가입과 탈퇴가 자유로운 것은 자발적 결사체이다.

③ 오답 : 형식적·공식적 인간관계는 2차 집단과 이익 사회에서 나타난다.

④ 오답 : 1차 집단과 공동 사회는 도덕적·관습적 제재, 2차 집단과 이익 사회는 법적 제재가 적용된다.

⑤ 정답 : 시민 단체와 이익 집단은 모두 이익 사회이면서 자발적 결사체이다.

08 사회 집단과 사회 조직

자료 해설 'A의 성립은 B를 전제로 한다.'라는 문장에서 A는 비공식 조직이고, B는 공식 조직임을 알 수 있다. 사회 집단을 결합 의지에 따라 공동 사회와 이익 사회로 나누는데 공식 조직과 비공식 조직은 모두 이익 사회에 해당한다. 따라서 C는 이익 사회이다.

① 오답 : 대학 내 홍보 부서와 대학은 모두 공식 조직에 해당한다.
② 오답 : 가족은 공동 사회, 종친회는 이익 사회이다.
③ 오답 : 공식 조직은 비공식 조직에 비해 공식적 규범에 대한 의존도가 높다.
④ 오답 : 공식 조직은 그 성격에 따라 상향식 의사 결정 과정이 지배적일 수도 있고, 하향식 의사 결정 과정이 지배적일 수도 있다. 비공식 조직은 소규모 집단으로 상향식 의사 결정 과정이 주로 나타난다.
⑤ 정답 : 공식 조직과 비공식 조직 모두 구성원의 특정 목적을 위해 인위적으로 만들어진 이익 사회이다.

09 사회 집단과 사회 조직

자료 해설 구성원 간 접촉 방식에 따라 1차 집단과 2차 집단으로 나누어진다. A는 과업 지향적이고 수단적 인간관계이므로 2차 집단, B는 1차 집단이다. 또한 사회 집단 중 목표와 경계가 뚜렷하고 규범과 절차가 체계화된 집단 C는 공식 조직이고, 공식 조직 내에 친밀한 인간관계를 바탕으로 자발적으로 형성된 집단 D는 비공식 조직이다.

선택지 분석
① 오답 : 1차 집단은 비공식적 제재가 일반적이다.
② 오답 : 노동조합은 2차 집단이면서 공식 조직이다.
③ 오답 : 또래 집단은 1차 집단이지만 공식 조직은 아니다.
④ 오답 : 비공식 조직은 자발적 결사체로서 가입과 탈퇴가 자유롭다.
⑤ 정답 : 비공식 조직은 공식 조직의 과업 효율성을 향상시키는 데 기여한다.

10 사회 집단과 사회 조직의 유형

자료 해설 제시된 자료에 나타난 사회 집단과 사회 조직의 유형을 정리해 보면 다음과 같다.

⊙ 동네 조기 축구회	이익 사회, 자발적 결사체
ⓒ 시민 단체	이익 사회, 자발적 결사체, 공식 조직
ⓒ ○○기업 내 산악 동호회	이익 사회, 자발적 결사체, 비공식 조직
② 가족	공동 사회, 1차 집단
ⓜ 종친회	이익 사회, 자발적 결사체

선택지 분석
ㄱ. 오답 : '시민 단체'는 이익 사회이면서 공식 조직이다.
ㄴ. 오답 : '○○기업 내 산악 동호회'는 비공식 조직이다.
ㄷ. 정답 : '가족'은 공동 사회이고, '종친회'는 이익 사회이다.
ㄹ. 정답 : ⊙, ⓒ, ⓒ, ⓜ은 모두 자발적 결사체이다.

11 사회 집단과 사회 조직의 유형

자료 해설 제시문에 나타난 사회 집단과 사회 조직의 유형을 정리해 보면 다음과 같다.

⊙ 법학 전문 대학원	이익 사회, 공식 조직
ⓒ ○○시민 연대	이익 사회, 자발적 결사체, 공식 조직
ⓒ 야구 동호회	이익 사회, 자발적 결사체, 비공식 조직
② 노동조합	이익 사회, 자발적 결사체, 공식 조직
ⓜ 음악 학원	이익 사회, 자발적 결사체
ⓗ 가족	공동 사회, 1차 집단

선택지 분석
① 오답 : '법학 전문 대학원'은 공동의 목표나 관심사를 가진 사람들의 자발적

참여로 결성된 자발적 결사체가 아니다.
② 오답 : '가족'은 구성원의 본능적 의지에 의해 자연 발생적으로 형성된 공동 사회이다. 선택 의지에 의해 형성된 집단은 이익 집단이다.
③ 오답 : '법학 전문 대학원', '노동조합' 모두 특정 목적 달성을 위한 지위와 역할이 명확한 공식 조직이다.
④ 오답 : 구성원 간 직접적 접촉을 통한 전인격적 관계에 기초한 집단은 1차 집단으로 '가족'이 이에 해당한다.
⑤ 정답 : '야구 동호회'는 공식 조직 내에서 구성원 간의 친밀한 인간관계에 바탕을 두고 형성된 비공식 조직이다.

12 사회 집단과 사회 조직의 유형

자료 해설 밑줄 친 ⊙~ⓗ 사회 집단과 사회 조직의 유형을 정리해 보면 다음과 같다.

⊙ A대학	이익 사회, 공식 조직
ⓒ 학과 내 농구 동아리	이익 사회, 자발적 결사체, 비공식 조직
ⓒ 가족	공동 사회, 1차 집단
② □□시민 연대	이익 사회, 자발적 결사체, 공식 조직
ⓜ ○○기업	이익 사회, 공식 조직
ⓗ 고등학교 동문회	이익 사회, 자발적 결사체, 공식 조직

선택지 분석
① 오답 : '가족'은 1차 집단, 공동 사회이므로 도덕, 관습 등의 비공식적 수단에 의한 통제가 일반적이다.
② 오답 : '○○기업'은 구성원들의 의지와 선택에 따라 형성된 이익 사회이다.
③ 오답 : 'A대학'은 공식 조직이고, '학과 내 농구 동아리'는 비공식 조직이므로, 'A대학'보다 '학과 내 농구 동아리'에서 구성원 간 친밀한 대면 접촉이 이루어진다.
④ 정답 : '학과 내 농구 동아리'는 비공식 조직이면서 1차 집단의 성격이 강하고, '□□시민 연대'는 공식 조직이면서 2차 집단의 성격이 강하다.
⑤ 오답 : '학과 내 농구 동아리', '□□시민 연대', '고등학교 동문회' 모두 자발적 결사체에 해당한다.

13 사회 집단과 사회 조직의 유형

자료 해설 가족의 주간 일정표에 나타난 사회 집단과 사회 조직의 유형을 정리해 보면 다음과 같다.

	교육청	이익 사회, 공식 조직
갑	대학원	이익 사회, 공식 조직
	시민 단체	이익 사회, 자발적 결사체, 공식 조직
	가족	공동 사회, 1차 집단
을	사내 야구 동호회	이익 사회, 자발적 결사체, 비공식 조직
	노동조합	이익 사회, 자발적 결사체, 공식 조직
	가족	공동 사회, 1차 집단
병	청소년 봉사 단체	이익 사회, 자발적 결사체
	학급	이익 사회, 공식 조직
	가족	공동 사회, 1차 집단

선택지 분석
ㄱ. 정답 : '시민 단체'와 '학급'은 모두 선택적 의지에 따라 인위적으로 결합한 이익 사회에 해당한다.
ㄴ. 오답 : 갑의 '시민 단체', 을의 '사내 야구 동호회'와 '노동조합', 병의 '청소년 봉사 단체'는 자발적 결사체이므로 갑~병은 자발적 결사체에 모두 소속되어 있다.

ㄷ. 오답 : 을의 '사내 야구 동호회'만 비공식 조직이므로 병은 비공식 조직에 소속되어 있지 않다.

ㄹ. 정답 : 갑~병 모두 공동 사회인 '가족'에 속해 있으며, 갑의 '대학원'과 '시민 단체', 을의 '노동조합', 병의 '학급'은 모두 공식 조직이므로 갑~을을 모두 공식 조직에 속해 있다.

14 다양한 자발적 결사체

자료 해설

→ 자발적 결사체의 공통적 특징과 관련된 질문임

질문	응답	예	아니요
(가)		B	A, C
(나)		A, B, C	–
(다)		A, C	B

A, C는 B와는 구별되는 비슷한 특징을 가진 자발적 결사체임

제시된 표는 자발적 결사체 중 친목 집단, 이익 집단, 시민 단체를 (가)~(다)의 질문을 통해 분류한 것이다. (가), (다)의 질문을 통해 자발적 결사체 중에서도 A, C는 비슷한 성격의 사회 집단이고 B는 A, C와 구별되는 특징을 가진 자발적 결사체임을 알 수 있다.

선택지 분석

① 오답 : '가입과 탈퇴가 자유로운가?'라는 질문은 자발적 결사체의 종류와 관계없이 A~C 모두 '예'라고 응답해야 하므로 (가)의 질문으로 적절하지 않다.

② 오답 : 본질 의지에 의해 자연 발생적으로 형성된 집단은 공동 사회이다. '본질 의지에 의해 자연 발생적으로 형성된 집단인가?'라는 (나)의 질문에 A~C 모두 '아니요'로 응답해야 하므로 적절하지 않다.

③ 오답 : '공통의 관심사나 목표를 가지고 결성한 집단인가?'라는 질문은 자발적 결사체의 종류와 관계없이 A~C 모두 '예'라고 응답해야 하므로 (다)의 질문으로 적절하지 않다.

④ 오답 : A와 C가 각각 시민 단체와 친목 단체 중 하나라면, B는 이익 집단이다. '사회 다원화에 기여하는가?'라는 질문에 A~C 모두 '예'라고 응답하므로 이는 (가)의 질문으로 적절하지 않다.

⑤ 정답 : B가 친목 집단이라면, A, C는 각각 시민 단체와 이익 집단 중 하나이다. 과업 지향적인 집단은 공식 조직을 의미하므로 A, C는 '예'로, B는 '아니요'로 응답해야 한다. 따라서 '과업 지향적인 집단인가?'는 (다)의 질문으로 적절하다.

올쏘 만점 노트 자발적 결사체

의미	공동의 목적을 이루기 위하여 구성원이 자발적으로 결성한 단체 → 사회의 다원화, 사회의 욕구 증대 등으로 인해 등장
특징	• 구성원들의 자발적 참여로 운영 : 공식 조직에 비해 가입 · 탈퇴가 자유로움 • 1차적 관계와 2차적 관계가 공존함
종류	친목 집단, 이익 집단, 시민 단체 등
장점	• 구성원의 긴장감 해소와 정서적 만족감 형성 • 조직에의 소속감 부여와 자아 정체감 형성에 기여 • 공동 문제에 대한 관심 유발과 사회 변동의 기반 마련 • 시민 사회의 활성화 · 다원화 촉진
단점	• 배타적 특권을 가진 집단이 될 경우 정치적 영향력을 강화시켜 집단의 이익과 국민 전체의 이익이 충돌할 수 있음 • 규모의 확대로 비민주적 운영과 관료제화 가능성

15 내집단과 외집단, 준거 집단

자료 해설 〈자료 1〉에 나타난 사회 집단을 내집단과 외집단으로 분류하여 정리해 보면, 내집단은 ○○팀의 팬클럽, □□대학교, 대학 내 야구 동아리이며, 외집단은 △△팀이다.

선택지 분석

ㄱ. 정답 : 갑에게 대학 내 야구 동아리는 자발적 결사체로, 대면 접촉, 전인격적 관계를 형성하는 1차 집단적 성격을 갖는다.

ㄴ. 정답 : ○○팀의 팬클럽은 갑이 소속감을 가지고 활동하는 내집단이다.

ㄷ. 오답 : 갑은 □□대학교에 다니고 있으므로 소속 집단이며 내집단이다. △△팀은 외집단이다.

ㄹ. 오답 : 갑의 소속 집단 중 □□대학교는 준거 집단이 아니다.

16 사회 집단과 사회 조직의 범주

자료 해설

〈자료 1〉에서 밑줄 친 ㉠~㉢의 사회 집단을 〈자료 2〉의 그림을 바탕으로 분류하여 정리하면 다음과 같다.

㉠ ○○팀	이익 사회
㉡ 팬클럽	이익 사회, 자발적 결사체
㉢ □□대학교	이익 사회, 공식 조직
㉣ 대학 내 야구 동아리	이익 사회, 자발적 결사체, 비공식 조직

선택지 분석

① 오답 : A는 이익 사회, C는 비공식 조직에 해당한다.

② 오답 : '팬클럽'은 이익 사회, 자발적 결사체에 해당되지만 공식 조직에는 해당되지 않는다.

③ 오답 : '□□대학교'는 공식 조직, 이익 사회에 해당한다.

④ 오답 : '대학 내 야구 동아리'는 이익 사회, 자발적 결사체, 비공식 조직에 해당된다.

⑤ 정답 : '○○팀'은 이익 사회, '팬클럽'은 자발적 결사체, '대학 내 야구 동아리'는 비공식 조직에 해당한다.

17 사회 집단 – 가족과 회사

자료 해설 제시된 그림에서 A, B에 해당하는 가족과 회사의 유형을 정리하면 다음과 같다.

가족	공동 사회, 1차 집단
	1차적 사회화 기관, 비공식적 사회화 기관
회사	이익 사회, 2차 집단, 공식 조직
	2차적 사회화 기관, 비공식적 사회화 기관

선택지 분석

ㄱ. 정답 : (가)의 질문에서 자연발생적으로 형성된 집단은 공동 사회를 의미하므로 A는 가족, B는 회사이다.

ㄴ. 오답 : (나)의 질문에서 구성원의 지위와 책임이 명확하게 정해져 있다는 것은 공식 조직이므로 B는 회사이고, A는 가족이다. 가족은 공통의 관심사에 따라 자발적으로 결성된 자발적 결사체가 아니다.

ㄷ. 정답 : (나)의 질문에서 구성원 간 수단적 · 형식적 관계는 공식 조직의 특성이므로 B는 회사이고, A는 가족이다. 회사는 주로 공식적 규범을 통해 구성원을 통제한다.

ㄹ. 오답 : (가)의 질문에서 원초적 사회화를 담당하는 기관은 가족이므로 A는

가족, B는 회사이다. 가족과 회사 모두 주 목적은 따로 있고 부수적인 사회
화가 이루어지는 비공식적 사회화 기관이다.

18 사회 집단과 사회 조직의 유형

자료 해설 사회 집단은 결합 의지에 따라 공동 사회와 이익 사회, 접
촉 방식에 따라 1차 집단과 2차 집단, 소속감에 따라 내집단과 외집단
으로 분류할 수 있다. 한편, 사회 조직은 공식 조직과 비공식 조직으로
구분된다.

가족	공동 사회, 1차 집단
회사	이익 사회, 2차 집단, 공식 조직
시민 단체	이익 사회, 자발적 결사체, 공식 조직

선택지 분석

ㄱ. 오답 : 1차 집단은 구성원 간의 전인격적 인간관계가 형성된다. 회사가 A라
면, (가)의 질문으로 적절하지 않다 .

ㄴ. 정답 : 공동 사회는 집단의 결합 자체가 집단 형성의 목적이다. 따라서 '가
족'이 B라면, (다)의 질문에 '예'로 응답하므로 적절하다.

ㄷ. 오답 : '시민 단체'는 공식 조직이기 때문에 '비공식 조직에 해당하는가?'라
는 (나)의 질문으로 적절하지 않다.

ㄹ. 정답 : '회사'는 '가족'과 '시민 단체'와 달리 자발적 결사체에 해당한다. 따라
서 '자발적 결사체에 해당하는가?'라는 (다)의 질문으로 적절하다.

19 관료제

자료 해설 A는 관료제이다. 관료제는 산업화 이후 사회 규모가 커지
면서 복잡한 과업을 신속하게 처리하고 대규모 조직을 효율적으로 운
용하기 위해 등장하였다. 업무의 분화와 전문화, 규약과 절차에 따른
업무 처리, 엄격한 위계 질서, 연공서열에 따른 보상 체계 등을 특징으
로 한다.

선택지 분석

ㄱ. 오답 : 다품종 소량 생산 체제는 정보 사회의 특징이며, 관료제는 사회 변화
에 신속하고 능동적으로 대응하기에 한계가 있다.

ㄴ. 정답 : 관료제에서는 표준화된 업무 처리로 인해 창의성이나 융통성 발휘가
제한되기도 한다.

ㄷ. 오답 : 수평적 의사소통을 중시하고 과업에 따라 조직 형태를 바꾸는 유연
성이 높은 것은 탈관료제의 특징이다.

ㄹ. 정답 : 관료제에서는 공개경쟁을 통해 지위를 획득할 수 있으며 연공서열에
따라 승진과 보상이 보장된다.

20 관료제와 탈관료제

자료 해설 A조직은 관료제 조직에 대한 설명이고, B조직은 탈관료
제 조직에 대한 설명이다.

선택지 분석

❶ 정답 : 관료제와 탈관료제 모두 조직 운영의 효율성을 강조한다.

② 오답 : 관료제는 소수의 상층부에 권력이 집중되고, 탈관료제는 수평적 조
직 체제를 이룬다.

③ 오답 : 관료제는 주로 하향식 의사 결정 방식, 탈관료제는 상향식 의사 결정
방식을 따른다.

④ 오답 : 관료제는 연공서열에 따른 승진과 보상을 중시하고, 탈관료제는 성
과급이나 연봉제를 통해 개인의 성취동기와 사기를 높인다.

⑤ 오답 : 관료제는 산업 사회 이후 사회 규모가 커지면서 등장하였다. 한편 탈
관료제는 정보 사회의 등장에 따라 창의적인 사고와 행동이 중시되고, 정

보 매체를 통한 의사소통이 빠르게 진행되어 정보의 공유가 확대되면서 발
달하였다.

21 관료제와 탈관료제

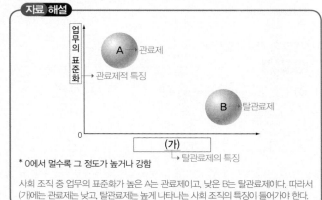

자료 해설 사회 조직 중 업무의 표준화가 높은 A는 관료제이고, 낮은 B는 탈관료제이다. 따라서 (가)에는 관료제는 낮고, 탈관료제는 높게 나타나는 사회 조직의 특징이 들어가야 한다.

선택지 분석

① 오답 : 수평적인 의사 결정 구조가 지배적인 사회 조직은 탈관료제이다.

② 오답 : 업무의 전문화와 세분화를 강조하는 것은 관료제이다.

③ 오답 : 관료제와 탈관료제 모두 효율적인 업무 수행을 지향한다.

④ 정답 : 관료제는 연공서열에 따른 보상을 중시한다.

⑤ 오답 : '업무 수행 과정의 예측 가능성'은 관료제가 높고, 탈관료제는 낮으므
로 (가)에는 부적절하다.

22 사회 조직의 유형

자료 해설 의사 결정 권한이 분산되어 있는 A는 탈관료제이고, 규약
절차와 경력을 중시하는 B는 관료제이다. 공식 조직 내에서 친밀한 인간
관계에 바탕으로 두고 자발적으로 결성한 C는 비공식 조직에 해당한다.

선택지 분석

① 오답 : 기업의 노동조합은 공식 조직에 해당한다.

❷ 정답 : 관료제와 탈관료제는 모두 공식 조직이므로 공식적 제재를 통해 구
성원을 통제한다.

③ 오답 : 탈관료제는 관료제에 비해 상향식 의사 결정 방식을 강조한다.

④ 오답 : 구성원들의 가입과 탈퇴가 자유로운 것은 자발적 결사체의 특징이
며, 비공식 조직은 자발적 결사체에 해당한다. 탈관료제와 관료제는 모두
공식 조직이다.

⑤ 오답 : 구성원 간 수단적 만남과 간접적 접촉이 이루어지는 것은 공식 조직
이다. 비공식 조직은 구성원 간 목적적 만남과 직접적 접촉이 이루어진다.

23 관료제와 탈관료제

자료 해설 ○○기업은 A조직의 문제점을 개선하기 위해 B조직으로
개편하였다. A조직은 환경 변화에 따른 대응 한계점, 하향식 의사 결정
구조, 연공서열에 따른 보상 체계 등을 특징으로 하는 관료제이고, B조
직은 팀제의 조직 형태, 상향식 의사 결정 구조, 성과급이나 연봉제를
통한 개인의 성취동기 향상 등을 특징으로 하는 탈관료제이다. 따라서
ⓒ에는 탈관료제의 특징이 들어가야 한다.

선택지 분석

① 오답 : 하향식 의사 결정 구조에서는 소수에 의한 의사 결정 권한의 독점과
남용 문제가 나타날 수 있다.

❷ 정답 : 경력에 따른 승진과 보상 체계로 인한 무사 안일주의는 능력과 업무

성과를 고려한 차등적 보상 체계의 도입으로 개선할 수 있다.

③ 오답 : ⓒ에는 탈관료제의 내용이 들어가야 한다. '위계의 서열화와 명확한 권한 및 책임 부여'는 관료제의 특징이다.

④ 오답 : A조직, B조직 모두 공식 조직이므로 구성원 간 2차적 관계가 지배적이다.

⑤ 오답 : 구성원 간 자유로운 의사소통이 이루어지는 것은 탈관료제의 특징이다.

24 관료제와 탈관료제

자료 해설

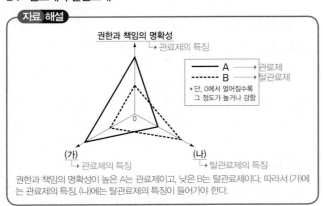

권한과 책임의 명확성이 높은 A는 관료제이고, 낮은 B는 탈관료제이다. 따라서 (가)에는 관료제의 특징, (나)에는 탈관료제의 특징이 들어가야 한다.

선택지 분석

① 오답 : 업적에 따른 보상을 더 중시하는 것은 관료제이다.

② 오답 : 관료제는 산업 사회의 등장과 함께 나타난 사회 조직의 형태이며, 탈관료제는 관료제의 문제점을 개선하고 정보 사회로의 변화에 대응하고자 등장한 사회 조직의 형태이다.

❸ 정답 : 관료제, 탈관료제 모두 공식 조직이므로 조직 운영의 효율성을 추구한다.

④ 오답 : '조직 운영의 유연성'은 탈관료제의 특징이므로 (나)에 적합하다.

⑤ 오답 : '업무의 표준화'는 관료제의 특징이므로 (가)에 적합하다.

킬러 예상 문제

본문 064~065쪽

01 ⑤ 02 ④ 03 ⑤ 04 ④ 05 ③ 06 ② 07 ① 08 ④

01 사회 집단의 요건

자료 해설 축구장에 모인 관중이나 공연장을 찾은 사람들은 두 사람 이상이고 나름대로 소속감은 있으나 지속적으로 상호 작용을 하는 것이 아니므로 사회 집단이라고 할 수 없다. 사회 집단이 되려면 두 사람 이상, 소속감, 지속적인 상호 작용이 필요하다. 따라서 붉은 악마나 특정 가수의 팬클럽은 지속적인 상호 작용을 하는 자발적 결사체로서 사회 집단에 해당한다.

선택지 분석

① 오답 : 사회 집단이라고 해서 모두 엄격한 규칙에 의해 움직이는 것은 아니다.

② 오답 : 구성원 간 지위와 역할이 명확히 세분화된 것은 사회 집단 중에서 사회 조직에 해당한다.

③ 오답 : 사회 집단은 그 집단의 특성에 따라 의사소통이 수평적이기도 하고 수직적이기도 하다.

④ 오답 : 그 집단이 지향하는 가치관을 공유하고 있는 것을 소속감이라고 한다. 축구장의 관중이나 공연장의 관객들도 모였을 때는 소속감을 갖고 있으므로 소속감은 붉은 악마나 특정 가수의 팬클럽과 구분되는 특징이 아니다.

⑤ 정답 : 붉은 악마나 특정 가수의 팬클럽은 지속적인 상호 작용을 하는 자발적 결사체로서 사회 집단에 해당한다.

> **올쏘 만점 노트** **사회 집단의 요건**
>
> 사람은 태어나면서부터 크고 작은 사회 집단에 속하여 다른 사람 또는 집단과 다양한 사회적 관계를 맺으며 살아간다. 사회 집단은 같은 집단의 구성원이라는 정체성을 가지고 지속적으로 상호 작용하는 사람들의 무리를 말한다. 사회 집단의 성립 요건은 다음과 같다.
> 첫째, 둘 이상의 사람으로 구성된다.
> 둘째, 구성원들의 상호 작용이 지속적으로 이루어진다.
> 셋째, 구성원들이 집단에 대한 소속감을 지니고 있다.

02 자발적 결사체

자료 해설

목표가 뚜렷하며 공공의 이익 추구◀

제1조 본 단체는 우리 사회의 경제 정의와 사회 정의를 실현하기 위한 평화적 시민운동을 전개함을 목적으로 한다. → 시민 단체

제3조 본 단체의 목적에 동의하여 본 단체의 사업에 참여하고자 하는 자로서 회원 명부에 등록한 자는 본 단체의 회원이 된다.

제6조 본 단체는 총회, 중앙 위원회, 상임 집행 위원회로 구성된다. → 조직의 구성이 체계적임   → 가입과 탈퇴가 자유로움

선택지 분석

❏ 정답 : 자발적 결사체는 공통의 관심사나 목표를 가진 사람들이 자발적으로 형성한 사회 집단이다. 자발적 결사체가 많아질수록 사회의 각계각층의 요구를 정책에 반영할 수 있는 기회가 많아져 사회의 다원화와 민주화에 기여한다.

ㄴ. 오답 : 자발적 결사체는 구성원의 선택적 의지에 따라 자발적으로 결성한 사회 집단이다. 본능적인 결합 의지에 따라 이루어진 것은 가족이나 친족 등이다.

ⓒ 정답 : 제1조에서 이 시민 단체의 목표는 경제 정의와 사회 정의를 실현하는 것이다. 자발적 결사체 중에서 시민 단체는 조직의 목표가 뚜렷하다.

ⓔ 정답 : 제3조를 통해 이 단체의 조직 구성이 체계적임을 알 수 있다.

03 사회 집단의 분류

자료 해설

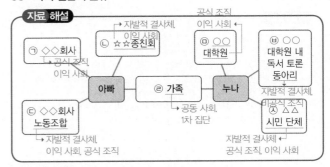

선택지 분석

❏ 정답 : ◇◇회사와 ○○대학원은 모두 2차 집단으로서 구성원 간 간접적 접촉과 수단적 만남을 특징으로 한다.

ⓛ 정답 : ◇◇회사 노동조합과 △△시민 단체는 공통적인 관심을 갖는 사람들끼리 만든 자발적 결사체로서 특정한 목적이 있고, 일정한 조직을 갖춘 공

식 조직이다.

ㄷ. 오답 : ☆☆종친회는 해당되는 씨족의 구성원들이 모여서 자발적으로 결성한 자발적 결사체이면서 선택적 의지에 의해 형성된 이익 사회이다. ○○대학원 내 독서 토론회는 비공식 조직이며, 선택적 의지에 의해 형성된 이익 사회이다.

ㄹ 정답 : 제시된 자료에서 비공식 조직은 ○○대학원이라는 공식 조직 내에 형성된 독서 토론 동아리뿐이다.

04 사회 집단의 분류

자료 해설

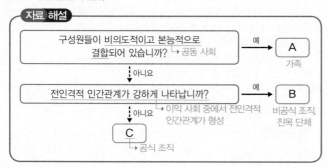

선택지 분석

① 오답 : 구성원들이 비의도적이고 본능적으로 결합된 것은 공동 사회이다. 공동 사회는 구성원의 가입과 탈퇴가 자유롭지 않다.

② 오답 : B는 이익 사회인데도 구성원 간 전인격적 인간관계가 강하게 나타나는 사회 집단이다. 주로 자발적 결사체 중에서 비공식 조직이나 친목 집단 등이 이에 해당한다. 이러한 사회 집단은 목표 지향적이기보다는 친밀한 인간관계 형성에 중점을 둔다.

③ 오답 : C는 이익 사회로서 전인격적 인간관계가 거의 나타나지 않으므로 공식 조직이 이에 해당한다. 공식 조직은 조직의 목표 달성을 위해 업무의 절차와 내용을 규정하고 구성원의 지위와 역할이 뚜렷하다.

❹ 정답 : A는 공동 사회이므로 가족이 이에 해당한다. B는 이익 사회이면서도 전인격적인 인간관계가 나타나므로 비공식 조직인 회사 내의 동호회가 이에 해당한다.

⑤ 오답 : 자발적 결사체는 이익 사회이고, 그 중에서 친목 집단이나 비공식 조직은 전인격적인 인간관계가 나타나기도 하므로 B에 해당한다. 자발적 결사체 중에서 시민 단체나 이익 집단은 공식 조직에 해당하므로 C에 해당한다. 따라서 자발적 결사체는 B나 C에 해당될 수 있다.

05 사회 집단의 분류

자료 해설

- A와 B는 C에 속해 있다. → C가 가장 넓은 개념임
- C는 결합 의지에 의한 사회 집단의 분류 중 하나이다.
- A는 B를 전제로 성립되므로 A의 구성원은 항상 B의 구성원이 된다. → 공동 사회와 이익 사회로 구분
- A는 친목이나 취미 공유로 1차적 인간관계가 많이 나타나지만 B에서는 목표와 과업 달성이 주요 목표이다. → A는 비공식 조직, B는 공식 조직

세 번째와 네 번째 진술에서 A는 비공식 조직이고, B는 공식 조직임을 유추할 수 있다. 비공식 조직과 공식 조직을 포함하는 넓은 개념인 C는 이익 사회이다.

선택지 분석

① 오답 : A는 친목이나 취미 공유가 목적이므로 비공식 조직이다. 시민 단체는 공식 조직이다.

② 오답 : B는 목표와 과업 달성이 주요 목표이므로 공식 조직이다. 공식 조직

중에서는 시민 단체와 같이 공익 실현이 주된 목적인 것도 있지만 노동조합이나 회사와 같이 공익이 아닌 집단의 특정한 이익을 추구하는 조직도 있다.

❸ 정답 : 비공식 조직도 자발적 결사체에 해당하므로 가입과 탈퇴가 자유롭다.

④ 오답 : 비공식 조직은 공식 조직 내에서 형성된다. 따라서 공식 조직이 먼저 성립된 이후에 비공식 조직이 성립된다.

⑤ 오답 : 비공식 조직, 공식 조직, 이익 사회 모두 구성원의 선택적 의지에 의해 형성된다.

06 사회 집단의 분류

자료 해설 (가)는 선택 의지로 결합되어 있으면서도 친밀한 대면 접촉이 나타나므로 자발적 결사체 중에서 친목 집단에 해당한다. (나)는 선택 의지가 아닌 본능적 의지에 의해 결합되며 친밀한 대면 접촉이 나타나는 공동 사회이다. (다)는 선택 의지에 의해 결합되어 있으면서도 친밀한 대면 접촉이 나타나고, 공식 조직의 구성원만이 가입할 수 있으므로 비공식 조직이다.

선택지 분석

㉠ : ○○회사는 이익 사회이면서 공식 조직이며, 수단적·간접적 접촉을 특징으로 하는 2차 집단이므로 (가)~(다)에 모두 해당하지 않는다.

㉡ – (가) : 아파트 조기 축구회는 이익 사회이고 자발적 결사체로서 친밀한 대면 접촉을 특징으로 하지만 비공식 조직은 아니다.

㉢ – (다) : 학교 내 등산 동아리는 이익 사회이며 구성원 간의 친밀한 대면 접촉을 하는 비공식 조직이다.

㉣ – (나) : 가족은 본능적 의지에 의해 형성된 공동 사회이며 친밀한 대면 접촉을 하지만 비공식 조직은 아니다.

07 관료제와 탈관료제

자료 해설

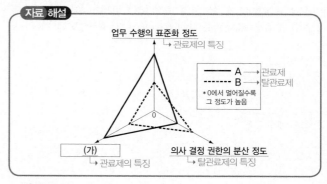

선택지 분석

❶ 정답 : A는 관료제, B는 탈관료제이므로 (가)에는 관료제의 특징이 들어가야 한다. 관료제는 조직 내의 지위가 권한과 책임에 따라 위계 서열화되어 있으므로 업무를 수행할 때 책임 소재가 분명하여 불필요한 갈등 발생을 막을 수 있다.

❷ 정답 : 정보 사회에서는 다양한 정보를 공유하고 신속한 의사소통을 통해 변화하는 환경에 빠르게 적응해야 하는 것이 필요하므로 탈관료제가 적합하다.

ㄷ. 오답 : 탈관료제에서는 연공서열주의에서 벗어나 목표 달성을 중심으로 능력과 성과를 평가하여 승진과 임금 수준을 결정하므로 개인의 성취동기와 사기를 높일 수 있다.

ㄹ. 오답 : 목적 달성을 위해 만든 규칙과 절차에 지나치게 집착하여 본래의 목적을 소홀히 하는 것을 목적 전치 현상이라고 하는데, 이 현상은 관료제에서 자주 나타난다.

올쏘 만점 노트 관료제의 특징 및 기능

특징	순기능	역기능
과업의 전문화	업무의 효율적 처리를 위해 각자 분담한 일만을 처리함	개인이 창의성·상상력을 발휘하기 어려움
위계의 서열화	• 과업의 효율적·신속한 처리 • 상사와 부하 직원 간 불화가 적음	• 소수에 권력 집중(비민주적) • 최고 결정자의 판단 능력에 조직의 운명이 좌우됨
엄격한 규약과 절차	• 자신의 역할 파악 용이 • 업무 처리의 객관성 • 업무의 지속성과 안정성	• 경직성(융통성이 낮음) • 목적 전치 현상 • 인간 소외 현상
연공 서열주의	조직이 안정적으로 유지됨	무사 안일주의

08 탈관료제

자료 해설

> ☆☆ 상품을 개발하기 위한 별도의 조직
- 조직 구성 : ☆☆ 상품 개발팀(10명) → 한시적으로 운영됨
- 활동 기간 : 2018년 4월 1일~2018년 9월 30일
- 운영 방법 : 구성원들이 원래의 부서에서 오전 근무하고, 오후에는 ☆☆ 상품 개발팀에서 근무
- 의사 결정 방식 : 구성원들끼리 토의하여 결정하면 바로 시행함
  → 수평적인 의사소통 방식

선택지 분석

① 오답 : A회사가 ☆☆ 상품의 개발을 목표로 한시적으로 만든 것이므로 이 팀은 탈관료제 조직이다. 이것은 여러 부서에 근무하는 사람들로 구성되어 ☆☆ 상품의 개발이라는 하나의 목표를 위해 일하므로 부서 간 업무 경계가 명확하지 않다.

② 오답 : 조직 운영의 예측 가능성을 높이는 것은 관료제이다. 관료제는 업무가 문서에 의해 표준화되어 있으므로 조직 운영의 예측 가능성이 높다.

③ 오답 : 업무의 표준화는 관료제의 특징이다.

❹ 정답 : 탈관료제는 구성원 간의 의사소통 방식이 수평적이고 신속한 의사 결정이 가능하여 환경 변화에 능동적으로 대응할 수 있다.

⑤ 오답 : 지위에 따른 권한과 책임을 명확히 하는 것은 관료제이다.

06 ❷ 일탈 행동의 이해

기출 선지 변형 O X

본문 066~067쪽

01 ① × ② ○ ③ ○ ④ × ⑤ × ⑥ ○
02 ① ○ ② ○ ③ × ④ ○ ⑤ × ⑥ × ⑦ ○ ⑧ ○
03 ① ○ ② ○ ③ × ④ × ⑤ × ⑥ ○
04 ① ○ ② ○ ③ ○ ④ ○ ⑤ × ⑥ ○ ⑦ ×

01 ① 일탈을 규정하는 객관적 기준이 존재하지 않는다고 전제하는 것은 낙인 이론이다.

② 아노미 이론은 거시적 관점이기 때문에 일탈자가 되어 가는 내면적 과정보다 일탈 행동의 구조적 원인에 초점을 맞춘다.

③ 규범의 안정을 중시하는 기능론에서는 규범을 깨는 행위를 일탈로 간주하기 때문에 머튼의 아노미 이론은 기능론적 관점에 해당한다.

④ 급변하는 사회 변동으로 인해 일탈 행동이 증가한다고 보는 것은 뒤르켐의 아노미 이론이다. 머튼의 아노미 이론과 뒤르켐의 아노미 이론은 둘 다 기능론적·거시적 관점이기는 하나 일탈의 원인과 그 해결 방안이 서로 다르므로 주의해야 한다.

⑤ 자신의 행위에 대한 타인의 부정적 시선을 내재화한 결과로 일탈 행위가 발생한다고 보는 것은 낙인 이론이다.

⑥ 아노미 이론에서는 경기 침체가 장기화되면 일자리가 줄어들기 때문에 실업자들은 생활 유지라는 목표를 달성하기 위해 생계형 범죄가 증가한다고 본다.

02 ① 낙인 이론은 미시적 관점으로 일탈 행동이 발생하는 과정에 초점을 맞춘다.

② 낙인 이론에서는 일탈 행동을 정의하는 객관적인 기준이 없다고 본다.

③ 일탈 행동 자체보다 일탈 행동을 하게 만드는 사회적 평가를 더 강조하는 것은 낙인 이론이다.

④ 뒤르켐의 아노미 이론에서는 사회의 지배적이고 객관적인 기준이 없을 경우, 가치관의 혼란으로 일탈 행위가 발생한다고 주장하고 있다. 그러므로 무엇이 옳고 그른지에 대한 객관적인 기준이 부재하기 때문에 청소년 문제가 발생한다고 본다.

⑤ 사소한 사회적 무질서를 방치하는 것이 더 큰 일탈을 초래한다고 보는 것은 깨어진 유리창 이론이다.

⑥ 차별 교제 이론은 범죄자가 환경적 요인에 의해 후천적으로 결정된다고 본다.

⑦ '근묵자흑(近墨者黑)', '친구 따라 강남 간다.' 등의 사자성어와 속담은 차별 교제 이론과 관련이 깊다. 이는 주위 환경에 따라 사람이 변할 수 있다는 것을 비유한 말이다.

⑧ 낙인 이론과 차별적 교제 이론은 미시적 관점이고, 아노미 이론은 거시적 관점이다. 따라서 미시적 관점인 낙인 이론과 차별 교제 이론은 일탈 행동이 발생하는 상호 작용의 과정을 중시한다.

03 ① 낙인 이론은 일탈 행동이 타인과의 상호 작용에서 비롯된다고 본다.

② 낙인 이론은 미시적 관점이고, 아노미 이론은 거시적 관점이다. 따

라서 낙인 이론은 일탈 행동의 구조적 원인보다는 일탈자가 되어 가는 내면적 과정에 초점을 둔다.

③ 불평등한 사회 구조와 계급 갈등으로 일탈 행동이 발생한다고 보는 것은 갈등론이다.

④ 낙인 이론과 차별 교제 이론 모두 미시적 관점에서 일탈 행동의 원인을 파악하고 있지만 낙인 이론은 일탈 행동에 대한 사회적 반응에 주목하는 것과 달리, 차별 교제 이론은 타인과의 상호 작용을 통해 일탈 행동이 학습된다고 본다.

⑤ 아노미 이론은 거시적 관점이고, 낙인 이론과 차별 교제 이론은 미시적 관점이다.

⑥ (가)에는 아노미 이론과 관련된 질문이 들어가야 한다. 아노미 이론은 거시적 관점이고, 낙인 이론과 차별 교제 이론은 미시적 관점이기 때문에 '일탈 행동의 원인을 사회 구조적 차원에서 파악하고 있는가?'는 (가)에 들어갈 수 있다.

04 ①, ② 뒤르켐은 사회적 규범의 부재를 일탈 행동의 원인으로 보기 때문에 지배적인 규범 정립을 일탈 행동의 해결 방안으로 제시한다. 또한, 일탈자에 대한 재사회화를 강조한다.

③, ④ 낙인 이론은 최초의 일탈에 대한 주위 사람들의 부정적인 반응이 2차적 일탈을 초래한다고 본다. 따라서 일탈 행동에 대한 규정을 신중하게 할 필요가 있다고 강조한다.

⑤ 사회적으로 주어진 목표 달성에 대한 압박감이 일탈 행동을 유발한다고 보는 것은 머튼의 아노미 이론이다.

⑥ 차별 교제 이론은 아노미 이론과 달리 일탈 행동을 타인과의 상호 작용의 산물로 본다.

⑦ 일탈 행동의 해결 방안으로 사회의 불평등한 구조의 근본적인 변화를 강조하는 것은 갈등론이다.

실전 기출 문제
본문 068~071쪽

01 ④ **02** ④ **03** ② **04** ⑤ **05** ④ **06** ④ **07** ③ **08** ②
09 ⑤ **10** ⑤ **11** ② **12** ② **13** ② **14** ⑤ **15** ③

01 아노미 이론

자료 해설 제시문에서 갑국 국민들은 모두 부를 추구하지만 부를 얻을 수 있는 제도적 기회가 없어 일탈 행동이 증가하였다. 이는 문화적 목표와 합법적 수단 사이의 괴리로 일탈 행동이 발생한다고 보는 머튼의 아노미 이론이다.

선택지 분석
① 오답 : 차별적인 제재를 일탈 행동의 원인으로 보는 것은 낙인 이론이다.
② 오답 : 일탈자가 되어 가는 내면적 과정에 초점을 두는 것은 낙인 이론이다.
③ 오답 : 일탈 행동을 규정하는 객관적 기준이 없고 상황에 따라 다르게 규정된다고 보는 것은 낙인 이론이다.
❹ 정답 : 머튼의 아노미 이론은 목표와 수단의 괴리에서 일탈 행동의 원인을 찾는다.

---

⑤ 오답 : 일탈 행동은 특정 집단과의 교류를 통해 학습된다고 보는 것은 차별 교제 이론이다.

> **올쏘 만점 노트** **두 가지 아노미 이론**
>
> **(1) 뒤르켐의 아노미 이론**
> ① 원인 : 한 사회를 지배하고 있는 규범이나 가치가 붕괴되고, 그에 따른 대안적인 규범이 마련되지 않아 가치관의 혼란이 일어난 경우
> ② 대책 : 사회적 통제와 규범의 강화, 일탈자에 대한 재사회화
> **(2) 머튼의 아노미 이론**
> ① 원인 : 사회적 목표와 그 목표를 달성하기 위한 합법적 수단 간의 괴리가 발생한 경우
> ② 대책 : 문화적 목표에 도달할 기회의 제공
> **(3) 두 이론의 공통점** : 기능론적 관점, 거시적 관점

02 일탈 이론

자료 해설 (가)는 낙인 이론, (나)는 머튼의 아노미 이론, (다)는 차별 교제 이론이다.

선택지 분석
① 오답 : 사회의 지배적 가치와 규범을 사회화하지 못함으로써 일탈 행동이 발생한다고 보는 것은 뒤르켐의 아노미 이론이다.
② 오답 : 일탈 행동의 발생에 있어 타인과의 상호 작용을 통한 학습 과정을 강조하는 것은 차별 교제 이론이다.
③ 오답 : 일탈 행동을 초래하는 사회 구조의 영향력을 강조하는 것은 거시적 관점인 아노미 이론이다. 차별 교제 이론은 미시적 관점이다.
❹ 정답 : 낙인 이론은 일탈 행동이 행동의 속성에 의해서가 아니라 그에 대한 사회적 반응에 의해 규정된다고 본다.
⑤ 오답 : 지배 집단의 기득권 보호를 위한 사회 제도 때문에 일탈 행동이 발생한다고 보는 것은 갈등 이론이다.

03 아노미 이론과 낙인 이론

자료 해설 사회자의 질문에 대해 갑은 물질적 목표와 제도적 수단 사이의 괴리를, 을은 사람들의 부정적 인식과 사회적 반응의 결과를 일탈의 원인이라고 주장한다. 따라서 갑은 머튼의 아노미 이론, 을은 낙인 이론이다.

선택지 분석
① 오답 : 일탈 행동이 타인과의 상호 작용에서 비롯된다고 보는 것은 미시적 관점인 낙인 이론이다.
❷ 정답 : 낙인 이론은 부정적 자아가 형성되어 일탈 행동이 반복된다고 본다.
③ 오답 : 낙인 이론은 일탈 행동을 미시적 관점에서 바라보고 있다.
④ 오답 : 낙인 이론은 일탈을 규정하는 객관적 기준이 존재하지 않는다고 본다.
⑤ 오답 : 일탈 행동에 대한 대책으로 강력한 사회 통제를 강조하는 것은 무규범이나 가치관의 혼란을 일탈의 원인으로 보는 뒤르켐의 아노미 이론이다.

04 일탈 이론의 원인과 해결 방안

자료 해설

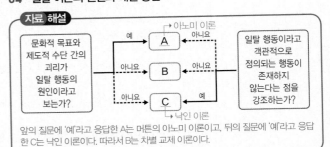

앞의 질문에 '예'라고 응답한 A는 머튼의 아노미 이론이고, 뒤의 질문에 '예'라고 응답한 C는 낙인 이론이다. 따라서 B는 차별 교제 이론이다.

선택지 분석

① 오답 : 법 위반에 대한 우호적 가치의 습득을 일탈 행동의 원인으로 보는 것은 차별 교제 이론이다.

② 오답 : 불평등한 사회 구조와 그로 인한 집단 간의 갈등을 일탈 행동의 원인으로 보는 것은 갈등론이다.

③ 오답 : 사소한 사회적 무질서를 방치하는 것이 더 큰 일탈 행동을 초래한다고 보는 것은 깨어진 유리창 이론이다.

④ 오답 : 낙인 이론은 최초의 일탈에 대한 주위 사람들의 부정적 반응이 2차적 일탈을 초래하므로 일탈 행동에 대한 규정을 신중하게 할 필요가 있음을 강조한다.

❺ 정답 : 차별 교제 이론은 일탈 행동의 해결 방안으로 정상적인 사회 집단과의 상호 작용 촉진을 제시한다.

올쏘 만점 노트   깨어진 유리창 이론

1982년 제임스 윌슨(James Wilson)과 조지 켈링(George Kelling)이 발표한 이론으로, 이는 깨진 유리창처럼 사소한 것들을 방치해 두면 나중에는 큰 범죄로 이어진다는 범죄 심리학 이론이다. 예를 들어 건물 주인이 건물의 깨진 유리창을 그대로 방치해 두면, 지나가는 행인들은 그 건물을 관리를 포기한 건물로 판단하고 돌을 던져 나머지 유리창까지 모조리 깨뜨린다. 그리고 나아가 그 건물에서는 절도나 강도 같은 강력 범죄가 일어날 확률도 높아진다. 즉, '깨어진 유리창 이론'은 깨진 유리창과 같은 작은 부분이 도시 전체를 무법천지와 같이 망칠 수도 있음을 뜻한다.

05 낙인 이론

자료 해설 제시문에서 일탈 행동은 그 행동이 발생하는 상황과 여건에 따라 사람들에 의해 규정된다고 본다. 이는 일탈을 규정하는 객관적인 기준이 없다고 보는 낙인 이론이다.

선택지 분석

① 오답 : 급격한 사회 변동으로 인해 일탈 행동이 증가한다고 보는 것은 뒤르켐의 아노미 이론이다.

② 오답 : 낙인 이론은 자신에 대한 타인들의 기대를 부정해서 일탈 행동이 발생한다는 것이 아니라 부정적 자아가 형성되어 일탈이 반복적으로 일어난다고 본다.

③ 오답 : 사회적으로 주어진 목표 달성에 대한 압박감이 일탈 행동을 유발한다고 보는 것은 머튼의 아노미 이론이다.

❹ 정답 : 낙인 이론은 어떤 행동이 일탈 행동인지보다 어떤 과정으로 일탈 행동이 반복되는지에 초점을 맞춘다.

⑤ 오답 : 낙인 이론은 일탈 행동이 규정되는 상황 맥락을 고려해야 일탈 행동을 객관적으로 이해할 수 있다고 본다.

올쏘 만점 노트   낙인 이론

일탈 행동의 원인	• 특정 행위에 대해 다른 사람들이 일탈자로 낙인찍음으로써 행위자는 그 낙인에 맞추어 자신의 정체성을 형성하게 됨 • 1차적 일탈 행동에 대해 낙인이 가해지면 2차적 일탈로 이어짐
일탈 행동의 대책	• 부정적인 낙인을 자제해야 함 • 사회 구성원들의 올바른 정체성 확립을 위한 재사회화가 이루어져야 함

06 일탈 이론

자료 해설 범죄의 재발 원인에 대한 사회자의 질문에 대해 갑은 교도소에서 수감자와 같이 지내는 동안 범죄 기술과 행위를 학습하게 된다

고 보며, 을은 범죄자들이 출소하여도 사회 생활에서 목표와 수단이 괴리되면서 다시 범죄를 저지르게 된다고 본다. 병은 범죄자에 대한 주변의 따가운 시선으로 자신을 범죄자로 인식하면서 범죄를 저지르게 된다고 본다. 따라서 갑은 차별 교제 이론, 을은 아노미 이론, 병은 낙인 이론의 관점에서 범죄 행위를 바라보고 있다.

선택지 분석

① 오답 : 차별 교제 이론은 일탈 행동의 원인을 일탈 집단과의 상호 작용 과정에서 찾는다.

② 오답 : 아노미 이론은 일탈 행동의 구조적 원인에, 낙인 이론은 일탈자가 되어 가는 내면적 과정에 초점을 둔다.

③ 오답 : 낙인 이론은 특정 행위를 일탈 행동으로 규정하는 객관적 기준이 없고 상황이나 사람들의 평가에 따라 상대적이라고 본다.

❹ 정답 : 차별 교제 이론과 낙인 이론은 미시적 관점에서 타인들과의 상호 작용이 일탈 발생 과정에 미치는 영향을 중시한다.

⑤ 오답 : 낙인 이론은 1차적 일탈에 대한 부정적 낙인이 2차적 일탈을 초래한다고 본다.

07 '문제아'를 바라보는 일탈 이론

자료 해설 (가)는 '문제아' 친구와의 상호 작용을 통해 일탈 행동을 학습한다고 보는 차별 교제 이론, (나)는 규칙을 위반한 자를 '문제아'라고 주변 사람들이 인식하면 일탈이 발생한다고 보는 낙인 이론, (다)는 학업 성적과 대입이라는 목표에 부합하지 못하는 학업 부진아들을 위한 합법적 수단이 부족하여 학업 포기로 인한 일탈이 생긴다고 보는 머튼의 아노미 이론이다.

선택지 분석

① 오답 : 차별적인 제재를 일탈 행동의 원인으로 보는 것은 낙인 이론이다.

② 오답 : 문화적 목표와 제도적 수단 간의 괴리를 일탈 행동의 원인으로 보는 것은 머튼의 아노미 이론이다.

❸ 정답 : 아노미 이론은 일탈 행동의 원인을 거시적 측면에서 찾는다.

④ 오답 : 최초 일탈보다 일탈 행동의 반복에 초점을 맞추는 것은 낙인 이론이다.

⑤ 오답 : 일탈 행동에 대한 사회적 반응을 중시하는 것은 낙인 이론이다.

08 일탈 이론의 분류

자료 해설

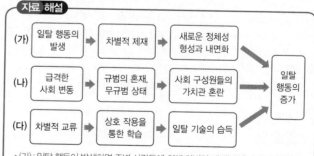

• (가) : 일탈 행동이 발생하면 주변 사람들에 의해 차별적 제재(낙인)가 가해져 부정적 자아가 형성되어 일탈 행동이 증가한다. → 낙인 이론
• (나) : 급격한 사회 변동으로 무규범 상태인 아노미 현상이 일어나 사회 구성원들의 가치관 혼란으로 일탈 행동이 일어난다. → 뒤르켐의 아노미 이론
• (다) : 일탈자와의 상호 작용 속에서 일탈 행위나 기술을 학습하면서 일탈 행동이 일어난다. → 차별 교제 이론

선택지 분석

① 오답 : 차별적인 접촉이 일탈을 학습하는 계기가 된다고 보는 것은 차별 교제 이론이다.

❷ 정답 : 뒤르켐의 아노미 이론은 일탈에 대한 대책으로 사회적 합의를 통한

규범의 정립을 강조한다.

③ 오답 : 일탈 행동이 문화적 목표와 제도적 수단 간의 괴리에서 비롯된다고 보는 것은 머튼의 아노미 이론이다.

④ 오답 : 일탈을 규정하는 객관적인 기준이 존재하지 않는다는 것을 전제로 하는 것은 낙인 이론이다.

⑤ 오답 : 불평등한 사회 구조와 계급 갈등으로 일탈 행동이 발생한다고 보는 것은 갈등론이다.

09 일탈 이론의 원인과 해결 방안

자료 해설 (가)는 머튼의 아노미 이론, (나)는 낙인 이론, (다)는 차별 교제 이론이다.

선택지 분석

① 오답 : 낙인 이론은 최초의 일탈에 대한 주위 사람들의 부정적인 반응이 2차적 일탈을 초래한다고 보기 때문에 일탈 규정에 대한 신중한 접근을 강조한다.

② 오답 : 일탈 행동의 해결 방법으로 일탈자에 대한 사회 통제와 규제 강화 방안의 마련을 강조하는 것은 뒤르켐의 아노미 이론이다.

③ 오답 : 낙인 이론은 일탈 행동의 원인을 차별적인 제재에서 찾는다.

④ 오답 : 아노미 이론은 거시적 관점이므로 일탈 행동의 원인을 사회 구조적 차원에서 찾는다.

❺ 정답 : 낙인 이론과 차별 교제 이론은 미시적 관점이므로 아노미 이론과 달리 타인들과의 상호 작용이 일탈 발생 과정에 미치는 영향을 중시한다.

10 일탈 이론의 원인과 대책

자료 해설 A는 급격한 사회 변동과 전통적 규범의 통제력 약화로 인해 일탈이 발생한다고 보는 아노미 이론이다. B는 일탈의 대책으로 정상적인 사회 집단과의 상호 작용 촉진을 제시하고 있으므로 차별 교제 이론이고, C는 최초의 일탈에 대한 주위 사람들의 부정적 반응이 2차적 일탈을 초래하므로 일탈 행동에 대한 규정을 신중하게 할 필요가 있음을 강조하는 낙인 이론이다.

선택지 분석

① 오답 : '문화적 목표를 달성하기 위한 합법적 수단의 부족'은 아노미 이론에서 강조한다.

② 오답 : '일탈자로부터 일탈 행동의 모방'은 차별 교제 이론에서 주목한다.

③ 오답 : '대립하는 집단 간 갈등 해소'는 갈등론의 해결 방안이다.

④ 오답 : 아노미 이론은 낙인 이론과 달리 일탈 행동을 규정하는 객관적 기준이 있다고 본다.

❺ 정답 : 차별 교제 이론은 아노미 이론과 달리 미시적 관점으로서 타인과의 상호 작용이 일탈 행동에 미치는 영향을 중시한다.

11 일탈 이론

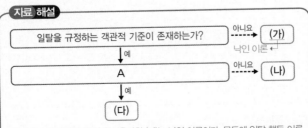

자료 해설

첫 번째의 질문에 '아니요'라고 응답한 (가)는 낙인 이론이다. 문두에 일탈 행동 이론을 아노미 이론, 낙인 이론, 차별 교제 이론으로 한정되어 있지 않으므로 A 질문에 따라 (나)와 (다)에는 갈등 이론, 깨어진 유리창 이론, 기능론 등도 해당될 수 있음에 유의해야 한다.

선택지 분석

① 오답 : 무규범 상태를 일탈 행동의 원인으로 보는 것은 아노미 이론이다.

❷ 정답 : '일탈 행동을 일탈자와의 상호 작용을 통한 학습의 결과로 보는가?'는 미시적 관점에 대한 질문이므로 '아니요'라고 응답한 (나)는 아노미 이론이고, (다)는 차별 교제 이론과 같이 미시적 관점과 관련된 이론들이 들어간다.

③ 오답 : '일탈 행동 자체보다 그에 대한 사회적 반응에 주목하는가?'에 대해 '예'라고 응답한 (다)는 낙인 이론이다.

④ 오답 : '목표와 수단 간의 괴리가 일탈 행동의 원인인가?'는 아노미 이론에 대한 질문이므로 '예'라고 응답한 (다)는 아노미 이론이고, (나)에는 여러 이론이 해당될 수 있다. 하지만 부정적 낙인이 2차적 일탈을 초래한다고 보는 것은 (가)의 낙인 이론이므로 적절하지 않다.

⑤ 오답 : '집단 간 이해관계의 대립이 일탈 행동의 원인인가?'에 대해 '예'라고 응답한 (다)는 갈등론이다. 갈등론은 거시적 관점, 낙인 이론은 미시적 관점에서 일탈을 설명하므로 적절하지 않다.

12 일탈 이론과 관련된 연구

자료 해설 (가)는 일탈은 특정 행위에 대한 사회적 반응에 의해 규정되며 그 결과 부정적 자아 정체성이 형성되어 2차적 일탈 행위가 일어난다고 보는 낙인 이론이고, (나)는 일탈자와의 상호 작용을 통해 일탈 행동이 학습된다고 보는 차별 교제 이론이며, (다)는 일탈의 원인을 문화적 목표와 합법적 수단 사이의 괴리로 보는 머튼의 아노미 이론이다.

선택지 분석

① 오답 : 낙인 이론은 낙인으로 인해 형성된 부정적 자아를 상담을 통해 긍정적 자아로 바꾸게 된다면 일탈 행동을 멈출 수 있다고 본다.

❷ 정답 : 비행 청소년이 영화 속 갱단을 준거 집단으로 삼아 그들의 가치를 내면화할 경우 일탈 행위가 강화되었다는 것은 일탈 행위를 학습한 것이다. 이는 일탈의 학습성을 강조한 차별 교제 이론에 적합하다.

③ 오답 : 비행 친구들과의 밀접한 접촉을 강조하고 있으므로 차별 교제 이론과 관련이 깊다.

④, ⑤ 오답 : 경기 침체가 장기화되면 일자리가 줄어들기 때문에 실업자들은 생활 유지라는 목표를 달성하기 위해 생계형 범죄가 증가한다. 이는 문화적 목표와 합법적 수단 간의 괴리에 주목한 머튼의 아노미 이론과 관련이 깊다. 이런 문제를 해결하기 위해서는 생활비 지원 정책 등 수단을 지원해 주거나 기회를 확대하는 방법이 있다.

13 일탈 이론

자료 해설 (가)는 사회적 목표와 수단 간의 괴리로 인해 일탈이 발생한다는 입장, (나)는 일탈자로 규정되면 일탈자의 정체성을 가지고 지속적인 일탈 행동을 저지른다는 입장, (다)는 일탈자와의 상호 작용을 통해 법 위반에 대한 우호적 태도가 형성된다는 입장이다. 따라서 (가)는 아노미 이론, (나)는 낙인 이론, (다)는 차별 교제 이론이다.

선택지 분석

① 오답 : 지배 집단의 통제와 착취를 정당화하는 불평등 구조가 일탈 행동의 원인이라고 보는 것은 갈등론이다.

❷ 정답 : 낙인 이론은 일탈이 행위의 속성에 의해서가 아니라 그에 대한 사회적 반응에 의해 규정된다고 본다.

③ 오답 : 차별적 제재를 일탈 행동의 원인으로 보는 것은 낙인 이론이다.

④ 오답 : 일탈에 대한 대책으로 사회적 합의를 통한 규범의 정립을 강조하는 것은 뒤르켐의 아노미 이론이다.

⑤ 오답: 낙인 이론은 사회의 지배적 가치의 존재를 부정하고 일탈 행동을 규정하는 객관적 기준은 없다고 본다.

14 일탈 이론

자료 해설 사회 계층과 범죄율이 부(−)의 관계라는 것은 '사회 계층이 낮을수록 범죄율은 높아진다.'라는 의미이다. 이 주장에 대해 (가)는 계층마다 부를 획득하기 위한 합법적 수단이 차등적으로 분포되어 있어 하위 계층은 목표와 수단 간의 괴리가 크기 때문에 일탈 행동이 증가한다고 본다. (나)는 상위 계층보다 하위 계층의 일탈자에게 더 엄격한 규범이 적용되는 차별적 반응으로 부정적 자아가 형성되어 이들에게 일탈 경력이 강화된다고 본다. (다)는 일탈 행위자들과의 지속적인 접촉으로 인해 일탈의 행동 양식이 습득된다고 본다. 따라서 (가)는 머튼의 아노미 이론, (나)는 낙인 이론, (다)는 차별 교제 이론이다.

선택지 분석

① 오답: 불평등한 사회 구조와 계급 간 갈등을 일탈 행동의 근본 원인으로 보는 것은 갈등론이다.

② 오답: 일탈 행동이 비행 집단과의 교류로 인한 잘못된 사회화에서 비롯된다고 보는 것은 차별 교제 이론이다.

③ 오답: 사회의 지배적인 규범이 약화되거나 해체될 때 일탈 행동이 증가한다고 보는 것은 뒤르켐의 아노미 이론이다.

④ 오답: 아노미 이론은 낙인 이론과 달리 일탈 행동의 원인을 거시적 관점에서 바라본다.

❺ 정답: 차별 교제 이론은 아노미 이론과 달리 일탈 행동을 타인과의 상호 작용의 산물로 본다. 낙인 이론과 차별 교제 이론은 상징적 상호 작용론으로 미시적 관점이고, 아노미 이론은 기능론으로 거시적 관점이다.

15 일탈 이론

자료 해설 제시된 표는 질문에 따라 A, B, C의 이론이 변할 수 있으므로 〈보기〉의 내용을 꼼꼼하게 대입하여 분석해야 한다.
낙인 이론과 차별 교제 이론은 상징적 상호 작용론으로 미시적 관점에서 일탈을 바라본다는 공통점이 있으며, 아노미 이론은 기능론으로 거시적 관점에서 일탈을 바라본다.

선택지 분석

ㄱ. 오답: A가 아노미 이론, B가 차별 교제 이론이라면, C는 낙인 이론이다. '타인들과의 상호 작용이 일탈 발생 과정에 미치는 영향을 중시하는가?'는 미시적 관점에 해당하는 질문이므로 A는 '아니요', B는 '예', C는 '예'로 응답해야 한다.

ㄴ. 정답: B가 낙인 이론, C가 아노미 이론이라면, A는 차별 교제 이론이다. '일탈자와의 접촉 차단을 일탈에 대한 대책으로 보는가?'는 차별 교제 이론에서 제시하는 일탈 행위의 해결책이므로 (가)의 질문으로 적절하다.

ㄷ. 오답: '사회 규범의 통제력 회복을 일탈에 대한 대책으로 보는가?'라는 질문에 '예'라고 답한 A는 아노미 이론이 된다. 하지만 (나)에 '일탈의 원인으로 구조적인 요인을 강조하는가?'라는 질문에 대해 아노미는 '예'로 응답해야 하는데 제시된 표에는 '아니요'로 불일치한다.

ㄹ. 정답: (가)가 '일탈 행동에 대한 부정적 반응을 일탈의 원인으로 보는가?'라는 질문에 '예'라고 답한 A는 낙인 이론이고 (다)가 '문화적 목표에 도달할 기회 제공을 일탈에 대한 대책으로 보는가?'라는 질문에 '예'라고 답한 B는 아노미 이론이다. 따라서 C는 차별 교제 이론이다.

올쏘 만점 노트 | 일탈 이론

이론		일탈 행동의 원인과 대책
아노미 이론	뒤르켐의 아노미 이론	급속한 사회 변동으로 인한 가치관의 혼란 → 사회 규범의 통제력 회복
	머튼의 아노미 이론	문화적 목표와 제도적 수단의 불일치 → 목표 달성을 위한 적합한 수단 제공
차별 교제 이론		타인과의 상호 작용 과정에서의 학습 → 일탈자와 접촉 차단, 정상적인 사회 집단과의 교류 확대
낙인 이론		1차적 일탈에 대한 낙인으로 인한 2차적 일탈 → 사회적 낙인에 대한 신중한 접근

킬러 예상 문제

본문 072~073쪽

01 ① 　02 ④ 　03 ④ 　04 ③ 　05 ② 　06 ⑤ 　07 ④ 　08 ④

01 일탈 행동의 특징

자료 해설 사무실에서 담배를 피우던 것이 과거에는 일탈 행동이 아니었지만 지금은 일탈 행동으로 간주된다. 이를 통해 일탈 행동은 시대와 장소에 따라 달리 규정되는 상대성을 지님을 알 수 있다.

선택지 분석

❶ 정답: 일탈 행동으로 규정되는 행위의 기준은 시대나 지역적 상황, 사람들의 가치관에 따라 달라진다. 즉, 일탈 행동은 시대와 장소에 따라 달리 규정되는 상대성을 지닌다.

② 오답: 목표와 수단의 괴리가 일탈 행동의 원인이 된다는 주장은 머튼의 아노미 이론이다. 제시문과는 관련이 없다.

③ 오답: 일탈 행동은 무규범 상태에서 발생할 가능성이 높다는 주장은 뒤르켐의 아노미 이론이다. 제시문과는 관련이 없다.

④ 오답: 일탈로 규정되면 사회적 비난이나 박해를 받을 수 있다는 것은 당연한 사실이지만 제시문에서 강조하는 것은 아니다.

⑤ 오답: 제시문은 사무실에서의 흡연을 과거에는 일탈 행동으로 인식하지 않았다는 것이지, 구성원의 의식이 개선되어 일탈 행위가 크게 줄어들었다는 의미는 아니다.

올쏘 만점 노트 | 일탈 행동의 상대성

일탈 행동을 판단하는 기준은 시대나 상황, 사회나 집단에 따라 다를 수 있다. 1970년대에는 남성들의 장발이 금지되었지만 오늘날 우리 사회에서 이를 문제 삼는 사람은 거의 없다. 또한 길거리가 아닌 수영장에서 비키니를 입는 것이나 흉기를 휘두르는 강도에게 경찰이 권총으로 상해를 입혀 제압하는 경우를 일탈 행동이라고 하지 않는다. 즉 어떤 행위가 일탈 행동인지 여부는 한 개인이 구체적으로 무엇을 했는지보다 그 행위가 어떠한 상황에서 발생하였는지, 그 사회의 구성원이 그것을 어떻게 보는지에 따라 결정된다.

정답 및 해설

02 차별 교제 이론

자료 해설

- **조사 대상** : 마약 밀매범 → 일탈자와의 접촉으로 일탈 행동을 학습함
- **면담 내용** : 어릴 적에 저는 무일푼이었습니다. 돈을 마련해 볼 목적으로 마약을 거리에서 팔기 시작하였습니다. 그때 나이가 지긋한 한 선배가 제게 다가와 마약 판매 기법을 알려 주기 시작하였습니다. 순식간에 저는 마약 판매로 몇 백 달러씩을 벌게 되었고, 이렇게 번 돈은 저에게 큰 재산이 되었습니다. 이후로 저는 새롭게 이 분야에 뛰어드는 후배들에게 친절하게 마약 파는 방법을 알려 주고 있습니다.
  → 차별 교제 이론

선택지 분석

① 오답 : 제시문에서는 차별 교제 이론을 적용하여 마약 밀매범의 일탈 행동에 주목하고 있다. 즉, 일탈자와의 잦은 접촉을 통해 일탈 행동을 학습하는 과정에 초점을 맞춘다. 문화적 목표를 달성할 수 있는 제도적 수단의 미비에 주목하는 것은 머튼의 아노미 이론이다.

② 오답 : 일탈 행동이 발생하는 원인을 사회적 통제력의 약화에서 찾는 것은 뒤르켐의 아노미 이론이다. 이 이론에서는 급격한 사회 변동으로 인한 규범의 부재나 혼재 상태를 아노미로 규정하고 사회가 이러한 아노미 상태에 빠질 때 일탈 행동이 증가한다고 설명한다.

③ 오답 : 특정 행위를 일탈 행동으로 규정하는 객관적 기준이 없다고 보는 것은 낙인 이론이다.

④ 정답 : 차별 교제 이론은 일탈 행동을 하는 집단이나 개인과 접촉함으로써 일탈 행동을 저지르는 방법을 자연스럽게 배워 일탈자가 된다는 이론이다. 즉, 일탈자와의 지속적인 상호 작용을 통해 자신도 점차 일탈자가 되어가는 과정을 중시한다.

⑤ 오답 : 특정 행동에 대한 사회적 평가와 규정에 의해 일탈 행동이 나타난다고 보는 것은 낙인 이론이다.

올쏘 만점 노트 : 차별 교제 이론

일탈 행동의 원인	• 한 개인이 일탈 행위자 또는 일탈 집단과 지속적으로 교류하면서 사회 규범을 무시하고 일탈 행위자가 됨 • 일탈 행동을 하는 사람들과의 상호 작용을 통해 학습된 결과임
일탈 행동의 대책	• 일탈 집단과의 접촉 및 교류 차단 • 정상적인 사회 집단과의 상호 작용 촉진

03 낙인 이론

자료 해설
제시문에서는 똑같은 일탈 행동을 했는데도 사회적 반응은 다를 수 있다는 점을 강조한다. 명문대 재학생의 행위에 대해서는 가볍게 넘어가고, 막노동을 하는 젊은이에게는 범죄자라는 꼬리표를 붙이는 것은 낙인 이론을 바탕으로 한 주장이다.

선택지 분석

① 오답 : 일탈자와의 접촉 차단을 대책으로 제시하는 것은 차별 교제 이론이다.

② 오답 : 낙인 이론에서는 일탈 행동을 객관적으로 규정하는 기준은 없다고 전제한다. 어떤 행위에 대해 어떻게 규정하는가에 따라 그 행위가 일탈 행동이 될 수도 있고 아닐 수도 있다.

③ 오답 : 낙인 이론은 사회 구조나 제도의 문제점 때문에 일탈 행동이 발생하는 것이 아니라, 주변 사람들의 낙인 때문에 발생하는 것이라고 주장하므

로 미시적 관점에서 일탈 행동을 설명하는 이론이다.

④ 정답 : 낙인 이론은 특정 행위를 한 사람에 대해 주변 사람들이 부정적인 평가를 내려 일탈자라고 낙인을 가하면, 그 사람은 일탈자라는 정체성을 형성하여 계속 일탈 행위를 하게 된다고 본다. 따라서 특정 행동에 대한 주변 사람들의 반응에 초점을 맞춘다.

⑤ 오답 : 낙인 이론은 특정 행동에 대한 주변 사람들의 낙인이 일탈 행동을 초래한다고 주장하므로 신중한 낙인과 구성원이 올바른 정체성을 회복할 수 있도록 도와주는 재사회화를 일탈 행동에 대한 대책으로 강조한다. 문화적 목표와 이를 달성할 수 있는 제도적 수단과의 괴리에서 일탈 행동이 발생한다고 보는 것은 머튼의 아노미 이론이다.

04 일탈 행동 이론

자료 해설

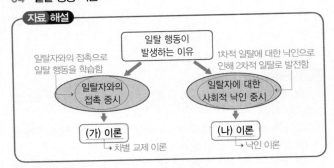

선택지 분석

ㄱ. 오답 : (가)는 차별 교제 이론이다. 이 이론에 의하면 일탈 행동은 개인이 일탈자와 접촉하면서 그들의 문화와 행동을 학습하여 사회화한 결과라고 본다. 일탈 행동에 대한 사회적 반응을 중시하는 것은 낙인 이론이다.

ㄴ. 정답 : (나)의 낙인 이론에서는 일탈을 규정하는 객관적 기준이 존재하지 않는다고 본다. 즉, 일탈 행동의 본질을 그 자체의 특별한 속성에서 찾지 않고 그와 상호 작용하는 주변 사람들에 의한 낙인에서 찾는다.

ㄷ. 정답 : 낙인 이론은 일탈 행동 자체보다는 낙인 여부가 후속 일탈 행동에 더 큰 영향을 미친다고 본다. 범죄의 학습 가능성에 주목하는 것은 차별 교제 이론이다.

ㄹ. 오답 : 차별 교제 이론에서는 일탈자와의 접촉 차단을, 낙인 이론에서는 신중한 낙인을 대책으로 제시한다. 지배적 규범의 확립은 뒤르켐의 아노미 이론에서 제시하는 대책이다.

05 일탈 행동 이론

자료 해설
(가)에서 갑은 쿠데타라는 사회적 대사건을 겪으면서 지배적인 규범이 없어지고 가치관의 붕괴로 인해 절도와 강도를 일삼는 등 일탈 행동을 하였다. 지배적인 규범의 미비에 따른 가치관의 혼란으로 일탈 행동이 발생하는 것을 말하므로 뒤르켐의 아노미 이론이다. (나)는 을이 마을의 가게에서 빵을 훔친 1차적 일탈 행동을 했는데, 가게 주인과 주변 사람들의 사회적 반응으로 2차적 일탈로 발전해 가는 과정이 나타나 있으므로 낙인 이론이다.

선택지 분석

ㄱ. 정답 : (가)는 뒤르켐의 아노미 이론으로서 급격한 사회 변동으로 기존의 지배적인 규범이나 가치관이 무너지면서 가치관이 혼란한 '무규범 상태'에서 일탈 행동이 발생한다고 주장한다.

ㄴ. 오답 : (나)는 낙인 이론으로서 어떤 개인이나 집단의 행위를 다른 사람들이 일탈이라고 규정하면 그 행위가 곧 일탈 행동이 된다고 보는 이론이다. 따라서 일탈 행동을 객관적으로 규정하는 기준은 없다고 본다.

ㄷ. 정답 : 아노미 이론은 사회의 지배적인 규범의 붕괴라는 거시적 관점에서

일탈 행동을 설명하고 있지만, 낙인 이론은 개인의 낙인이라는 미시적 관점에서 일탈 행동을 설명하고 있다.

ㄹ. 오답 : 낙인 이론에서는 신중한 낙인을 일탈 행동의 대책으로 제시한다. 사회 규범의 통제력 회복은 아노미 이론에서 제시하는 대책이다.

06 일탈 행동 이론

자료 해설 갑은 학교 폭력을 일삼는 친구들과 어울리면서 폭력에 대해 죄의식을 느끼지 않게 되었음이 일탈 원인이라고 한다. 이것은 일탈자와의 잦은 접촉이 일탈 행동을 일으킨다는 차별 교제 이론에 근거하고 있다. 을은 사회적 규범의 미비로 인해 옳고 그름을 분별하지 못해 학교 폭력이 일어난다고 보고 있다. 즉, 사회의 지배적 규범의 미비로 인한 가치관의 붕괴가 일탈 행동의 원인이라고 보고 있으므로 뒤르켐의 아노미 이론에 근거한다. 병은 최초의 일탈에 대해 주변 사람들이 폭력배로 낙인찍어 어쩔 수 없이 폭력을 행사하게 된다는 주장으로 낙인 이론에 근거한다.

선택지 분석

① 오답 : 갑은 차별 교제 이론에 입각해서 학교 폭력을 바라보고 있다. 차별 교제 이론은 일탈자와의 잦은 접촉으로 일탈을 학습했다고 본다. 무규범 상태에서 일탈 행동이 발생했다고 보는 것은 뒤르켐의 아노미 이론이다.

② 오답 : 을은 뒤르켐의 아노미 이론에 입각해서 학교 폭력을 바라보고 있다. 뒤르켐의 아노미 이론은 지배적인 규범이 미비되어 가치관의 혼란을 겪는 아노미 상태에서 일탈 행동이 발생한다고 본다. 일탈 행동에 대한 부정적 반응이 2차적 일탈을 초래한다고 보는 것은 낙인 이론이다.

③ 오답 : 병은 낙인 이론에 입각해서 학교 폭력을 바라보고 있다. 낙인 이론에서는 일탈 행동을 규정하는 객관적 기준이 존재하지 않으며 어떤 행위에 대한 사회적 반응을 강조한다.

④ 오답 : 갑은 차별 교제 이론의 관점에서 일탈자와의 접촉 차단을 대책으로 강조한다. 사회 규범의 통제력 회복은 뒤르켐의 아노미 이론에서 강조하는 대책이다.

❺ 정답 : 뒤르켐의 아노미 이론은 사회 규범의 미비나 사회 변동 등 거시적 관점에서 일탈 행동을 설명한다. 반면 차별 교제 이론은 일탈자와의 상호 작용, 낙인 이론은 특정 행위에 대한 주변인의 낙인 등 미시적 관점에서 일탈 행동을 설명한다.

07 일탈 행동 이론

자료 해설

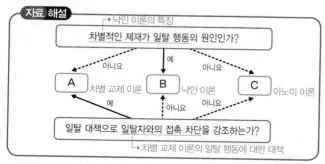

└→ 낙인 이론의 특징
차별적인 제재가 일탈 행동의 원인인가?
아니요 — 예 — 아니요
A 차별 교제 이론 / B 낙인 이론 / C 아노미 이론
예 — 아니요 — 아니요
일탈 대책으로 일탈자와의 접촉 차단을 강조하는가?
└→ 차별 교제 이론의 일탈 행동에 대한 대책

선택지 분석

㉠ 정답 : A는 일탈 대책으로 일탈자와의 접촉 차단을 강조하므로 차별 교제 이론이다. 차별 교제 이론에서는 일탈 행동을 일탈자와의 잦은 접촉으로 일탈 행동을 학습한 결과물로 본다.

㉡ 정답 : B는 어떤 행위에 대해 차별적인 제재인 낙인을 규정하느냐에 따라 일탈 행동이 될 수도 있고, 안 될 수도 있다는 것이므로 낙인 이론이다. 낙인 이론에서는 1차적 일탈에 대한 낙인을 통해 2차적 일탈로 발전하는 과

정에 주목한다.

㉢ 정답 : 목표와 수단의 불일치로 일탈 행동이 발생한다고 보는 것은 머튼의 아노미 이론이다.

ㄹ. 오답 : 급격한 사회 변동 시기에 일탈 행동이 더 자주 발생한다고 보는 것은 뒤르켐의 아노미 이론이다. 사회 변동이 급격히 이루어지면 지배적인 규범의 약화와 가치관의 혼란이 따르기 때문이다.

08 낙인 이론

자료 해설

┌→ 사회적 낙인
• 일탈을 범한 사람에 대한 사회적 반응에만 지나치게 초점을 맞춘 나머지 최초의 일탈이나 범죄의 원인을 설명하지 못한다.
• 두 사람이 일탈자라는 냉대를 동일하게 받았음에도 한 사람은 일탈을 계속하고 다른 사람은 일탈을 하지 않은 경우를 설명하지 못한다.
└→ 낙인 이론의 한계

제시문은 낙인 이론의 한계를 제시하며 이를 반박하고 있다. 따라서 A 이론은 낙인 이론이다.

선택지 분석

① 오답 : 가치관의 혼란 상태인 아노미 상태에서 일탈 행동이 발생한다고 보는 것은 뒤르켐의 아노미 이론이다.

② 오답 : 사회 규범의 통제력 회복을 일탈 억제 대책으로 제시하는 것은 뒤르켐의 아노미 이론이다.

③ 오답 : 타인과의 상호 작용을 통해 일탈 행동이 학습된다고 보는 것은 차별 교제 이론이다.

❹ 정답 : 낙인 이론에서는 객관적인 일탈 행동 기준이 존재하지 않는다고 본다. 사람들이 상호 작용을 하면서 어떤 행위를 일탈 행동으로 정의하고, 어떤 집단을 일탈 집단으로 분류하는지, 또 어떤 과정을 거쳐 개인 또는 집단이 일탈자로 규정되는지에 주목한다.

⑤ 오답 : 문화적 목표와 제도적 수단 간의 괴리를 일탈 행동의 원인으로 보는 것은 머튼의 아노미 이론이다.

III 문화와 일상생활

07 ② 문화의 이해

기출 선지 변형 OX

본문 074~077쪽

01 ① ○ ② × ③ × ④ ○ ⑤ ○ ⑥ ○ ⑦ ×
02 ① × ② ○ ③ × ④ × ⑤ ○ ⑥ ○ ⑦ ○ ⑧ ○
03 ① × ② ○ ③ × ④ ○ ⑤ × ⑥ ○ ⑦ ○
04 ① × ② ○ ③ × ④ ○ ⑤ × ⑥ ○ ⑦ × ⑧ ×
05 ① × ② ○ ③ ○ ④ × ⑤ × ⑥ × ⑦ ×
06 ① × ② × ③ ○ ④ ○ ⑤ × ⑥ × ⑦ ×
07 ① × ② ○ ③ × ④ × ⑤ ○ ⑥ × ⑦ ○ ⑧ ×
08 ① × ② × ③ × ④ × ⑤ ○ ⑥ ○

01 ① ㉠에서의 '문화'는 한 사회나 집단에서 나타나는 의식주, 가치 및 규범, 사고방식 등 인간의 모든 생활 양식을 가리키는 넓은 의미의 문화이다.

② ㉠에서의 '문화'는 청소년 문화에서의 '문화'와 같이 넓은 의미로 사용된 것이다.

③ ㉡은 예술로, 인간이 자신의 감정이나 상상을 다른 사람들과 공유하게 함으로써 정신적 풍요로움을 얻는 데 기여한다. 사회 구성원의 행동을 통제하는 문화 요소는 규범이다.

④ ㉡은 비물질문화에, ㉣은 물질문화에 해당한다.

⑤ ㉢에서의 문화는 '문화 시민'에서의 문화와 같이 고상하거나 세련된 것, 고급스러운 것을 의미하는 좁은 의미로 사용되었다.

⑥ ㉣은 기술로, 인간의 욕구 충족을 가능하게 하고 삶을 영위하기 위해 필요한 문화 요소이다.

⑦ ㉣은 기술이다. 사회 구성원이 지닌 태도나 신념의 옳고 그름을 판단하는 데 사용되는 문화 요소는 가치이다.

02 ① 문화는 타고나는 것이 아니라 습득하는 것이라는 진술은 학습성을 의미한다.

② 문화는 상징을 통해 다음 세대로 전달·계승된다는 진술은 축적성을 의미한다.

③ 문화는 고정된 것이 아니라 지속적으로 변화한다는 진술은 변동성을 의미한다.

④ 문화는 새로운 문화 요소가 추가되어 점점 더 풍부해진다는 진술은 축적성을 의미한다.

⑤ 문화는 한 사회의 구성원 다수가 공통적으로 가지고 있는 생활 양식으로 공유성이 나타나므로 사회 구성원 간 원활한 상호 작용의 토대가 된다.

⑥ 문화는 총체성의 속성을 가지므로 한 부분의 변동이 다른 부분에 영향을 주어 변동을 일으킨다.

⑦ 문화의 공유성으로 인해 사고와 행동의 동질성을 형성하여 특정 상황에서 상대방의 행동 방식을 예측할 수 있다.

⑧ 문화는 여러 구성 요소들이 상호 유기적으로 결합된 총체성이 나타나 부분이 아닌 전체로서 의미를 갖기 때문에 문화 요소 간에 서로 영향을 미친다.

03 ① ㉠에는 문화의 공유성이 나타나 있다. 한 문화 요소의 변화가 다른 문화 요소에 연쇄적 변화를 가져오는 속성은 총체성이다.

② ㉡을 통해 문화가 후천적으로 습득된다는 학습성을 알 수 있다.

③ ㉡에는 문화의 학습성이 나타나 있다. 문화가 세대 간 전승을 통해 복잡하고 다양해진다는 것은 문화의 축적성이다.

④ ㉢에는 변동성이 나타나 있으므로 기존의 문화 요소가 소멸되거나 새로운 문화 요소가 나타나기도 함을 보여 준다.

⑤ ㉢을 통해 문화의 변동성과 공유성을 알 수 있다. 문화 요소가 다른 문화 요소와 관련을 맺으며 하나의 전체를 형성한다는 것은 총체성이다.

⑥ ㉠, ㉢ 모두 문화가 구성원의 사고와 행동을 구속한다는 문화의 공유성이 나타나 있다.

⑦ ㉢에는 ㉠과 달리 문화 현상이 고정된 것이 아니라 지속적으로 변화함을 보여 주는 변동성이 나타나 있다.

04 ① (가)는 학습성이다. 문화의 공유성 때문에 서로 다른 문화 체계를 구분할 수 있다.

② 사회화는 사회 구성원이 그 사회의 가치, 규범 체계 등을 배우는 과정이므로 (가)의 학습성과 관련 있다.

③ (나)는 총체성이다. 문화의 축적성으로 인해 인류 문명의 발달이 가능하였다.

④ 문화 요소들의 연쇄적인 변동을 설명하는 데에는 (나) 총체성이 적합하다.

⑤ 문화가 세대 간 전승을 통해 더욱 풍부해지는 것은 문화의 축적성 때문이다. (다)는 공유성이다.

⑥ 우리나라는 2월에 졸업식이 있어서 2월에 꽃다발을 들고 다니는 사람들을 보면서 졸업식을 떠올린다. 이는 (다) 공유성을 보여 주는 사례가 된다.

⑦ 스마트폰의 확산으로 인해 나타난 대학생들의 일상생활 변화는 (나) 총체성과 변동성을 보여 주는 사례이다. (다)는 공유성이다.

⑧ (나) 총체성이 아닌 (다) 공유성으로 인해 한 사회 구성원 간 원활한 상호 작용이 가능해진다.

05 ① 특정 지역의 문화 요소 간의 유기적 관계에 초점을 두는 것은 을의 관점이다.

② 갑은 자문화의 특징을 타 문화와 비교하여 파악하는 데 유용한 비교론적 관점을 가지고 있다.

③ 을은 총체론적 관점을 가지고 있으므로 다양한 문화 요소를 전체적인 맥락에서 이해하고자 한다.

④ 모든 문화는 고유한 가치를 지닌다고 보는 것은 상대론적 관점이다.

⑤ 사회적 맥락을 고려하여 문화를 이해하는 데 기여하는 것은 상대론적 관점이다.

⑥ 문화의 보편성을 찾는 것에 초점을 두는 것은 비교론적 관점이다.

⑦ 자문화를 객관적으로 인식하는 데 효과적인 것은 갑이 가진 비교론

적 관점이다.

06 ① 외국 브랜드 제품에 대한 맹목적인 선호 풍조는 타 문화를 추종한다는 점에서 문화 사대주의에 해당한다.

② 사회적 환경과 맥락을 고려한 문화 이해를 강조하는 것은 문화 상대주의이다. B는 자문화 중심주의이다.

③ 외국인의 행동을 자기 문화의 기준으로 평가하고 있다는 점에서 자문화 중심주의에 해당한다.

④ 외국의 음식 문화를 그 사회의 맥락에서 존중한다는 점에서 문화 상대주의에 해당한다.

⑤ 문화의 고유한 가치를 존중하는 것은 문화 상대주의이다. A, B는 모두 문화의 고유한 가치를 무시한다.

⑥ 문화 사대주의와 자문화 중심주의는 문화를 평가의 대상으로 간주한다.

⑦ 자문화 중심주의는 국수주의에, 문화 상대주의는 극단적 상대주의에 빠질 가능성이 높다는 비판을 받는다.

07 ① 갑의 태도는 을, 병의 태도와 달리 문화 간에 우열이 존재하지 않는다고 본다.

② 갑은 문화의 의미와 가치를 그것이 발생한 사회의 맥락 속에서 파악하는 문화 상대주의 태도를 가지고 있다.

③ 을은 자문화를 가장 우수하게 여기므로 타 문화를 수용하지 않으려 한다.

④ 을의 태도는 자기 문화에 대한 자부심을 높여 문화 정체성을 강화할 수 있다.

⑤ 문화 상대주의는 자문화 중심주의보다 문화의 다양성 확보에 유리하다.

⑥ 을의 태도는 병의 태도와 달리 집단 구성원의 결속력을 높이는 데 기여한다.

⑦ 을, 병의 태도는 모두 문화 간의 우열을 인정하므로 특정 사회의 문화를 기준으로 타 문화를 평가할 수 있다고 본다.

⑧ 을의 태도는 갑, 병의 태도와 달리 구성원들의 소속감을 고취시키지만 국제적 고립을 초래하기도 한다.

08 ① 문화의 다양성을 발전 수준의 차이로 보는 것은 문화 절대주의적 태도(자문화 중심주의, 문화 사대주의)이다.

② B가 자문화 중심주의면, C는 문화 사대주의이다. 문화의 다양성 보존에 기여하는 것은 문화 상대주의이다.

③ C가 문화 사대주의면, B는 자문화 중심주의이다. 타 문화 수용에 적극적인 것은 문화 사대주의이다.

④ 문화를 해당 사회의 맥락에서 이해하는 것은 문화 상대주의이므로 (가)에 "문화를 해당 사회의 맥락에서 이해하는가?"가 들어갈 수 없다.

⑤ 자문화의 정체성을 상실할 우려가 높은 것은 문화 사대주의이다. 따라서 (가)에 "자문화의 정체성을 상실할 우려가 높은가?"가 들어가면 B는 문화 사대주의이고, C는 자문화 중심주의이다.

⑥ (가)에 "구성원의 결속과 사회 통합에 기여하는가?"가 들어가면 B는 자문화 중심주의이다. 자문화 중심주의는 타 문화 수용 시 문화적 마찰이 발생할 가능성이 크다.

01 ④	02 ④	03 ③	04 ④	05 ④	06 ①	07 ⑤	08 ②
09 ②	10 ④	11 ④	12 ④	13 ④	14 ①	15 ①	16 ①
17 ④	18 ④	19 ⑤	20 ④	21 ③	22 ⑤	23 ②	24 ①

01 문화 관련 개념에 대한 이해

자료 해설 민족 문화, 대중문화, 청소년 문화, 지역 문화 등 한 사회나 집단에서 나타나는 의식주, 가치 및 규범, 사고방식 등 인간의 모든 생활양식을 의미하는 문화는 '넓은 의미의 문화'이다. 문화 공연, 문화인, 문화 상품권 등 고상하거나 발전되고 세련된 것을 의미하는 문화는 '좁은 의미의 문화'이다.

선택지 분석

ㄱ. 오답 : 반문화는 지배 문화에 저항하고 대립하는 문화를 말한다. 제시문에서 이민자 집단의 문화가 갑국의 주류 문화에 대항하는 반문화의 성격을 가지고 있는지 알 수 없다.

ㄴ. 정답 : '이민자 집단의 문화'에서 문화는 생활 양식을 의미하므로 넓은 의미의 문화이다. '문화인'에서 문화는 고상한 것을 의미하므로 좁은 의미의 문화에 해당한다.

ㄷ. 오답 : 음악은 예술에 속하는 관념 문화로, 비물질문화로 분류할 수 있다. 요리는 삶을 영위하기 위해 필요한 기술로서 물질문화로 분류할 수 있다.

ㄹ. 정답 : 과거 하위문화였던 재즈나 블루스가 주류 문화로 변화한 것을 통해 문화의 변동성을 알 수 있다.

02 문화 관련 개념에 대한 이해

자료 해설

㉠ 하우사 족에게는 출산 후 2년간 임신을 금하는 관습이 있다. 부
 └→ 하우사 족이 공유하고 있는 문화이다. ┌→ 2년간 임신을 금하는 이유이다.
 족 여성들의 영양 상태가 나빠 ㉡ 출산 직후에 또 임신하면 단백질 결핍증으로 사망할 위험이 높기 때문에 그들을 보호하려는 것이다. 한편 하우사 족은 결혼한 여성이 이혼하지 않고도 다른 남자와 결혼할 수 있는 ㉢ 혼인 문화를 갖고 있다. 만약 부인이 남편을 버
 └→ 생활 양식을 가리키는 넓은 의미의 문화이다.
 리고 다른 남자에게 가면 남편은 빨리 처가로 달려가 부인을 데려다 달라고 요구해야 한다. 그러지 않으면 ㉣ 그 여자는 다른 남자의 배우자로 공인되는데, 원래 남편과의 혼인도 유지되므로 ㉤ 일처이부제가 인정되는 것이다.
 └→ 하우사 족 내부에서 인정된다는 의미이므로 문화의 공유성을 보여 준다.
 ┌→ 혼인 제도와 같은 사회 제도는 문화 요소 중 규범이다.

선택지 분석

① 오답 : 관습은 구성원 다수가 공유하는 생활 양식이자 삶의 방식이다.

② 오답 : 출산 후 2년간 임신을 금하는 관습은 여성을 보호하기 위한 것이므로 그 사회의 사회적 맥락 속에서 의미와 가치를 지니고 있다.

③ 오답 : '혼인 문화'에서의 문화는 삶의 양식이라는 넓은 의미의 문화에 해당하는 반면, '문화 시설'에서의 문화는 좁은 의미의 문화에 해당한다.

④ 정답 : 공인된다는 것은 사회 구성원 다수가 가지는 사고방식임을 의미하므로 문화의 공유성을 보여 준다. 새로운 문화 요소가 추가되어 문화가 풍부해지는 것은 문화의 축적성과 관련 있다.

⑤ 오답 : 일처이부제는 혼인 제도로서 사회 구성원의 행동을 통제하는 규범에 해당한다.

03 문화 관련 개념에 대한 이해

자료 해설 동아프리카 키쿠유 족의 인사법에 대해 소개하고 있다. 상대방의 손바닥에 침을 뱉어 반가움을 표시하는 이들의 인사법은 물이 귀한 지역에서 수분을 함께 나눈다는 뜻으로 이해할 수 있으며, 주술의 의미도 포함되어 있다.

선택지 분석

① 오답 : 인사법은 구성원들 간에 공유하는 행위의 기준이라는 점에서 문화 요소 중 규범에 해당한다.

② 오답 : '인사 문화'에서의 문화는 행동 양식이므로 문화가 넓은 의미로 사용되었다.

❸ 정답 : 키쿠유 족의 인사법을 더럽다거나 상대방의 기분을 고려하지 않는다고 생각하는 것은 자신의 관점에 따른 평가이다. 자문화 중심주의는 문화를 이해의 대상이 아닌 평가의 대상으로 본다.

④ 오답 : 타 문화를 통해 자신의 문화를 객관적으로 바라보는 관점은 비교론적 관점이다. 키쿠유 족의 인사법을 물이 귀한 지역에서 수분을 함께 나눈다는 뜻으로 이해하는 것은 상대론적 관점이다.

⑤ 오답 : 인사 문화는 제도 문화에 해당하고 주술은 관념 문화에 해당하므로 모두 비물질문화이다.

올쏘 만점 노트 물질문화와 비물질문화

물질문화	사람들이 삶을 영위하기 위해 만들고 사용하는 인공물이나 그것을 제작·사용하는 기술을 통틀어 일컬음 ⓔ 의식주, 도구, 기계 등
비물질문화	사회적 행동 양식을 규정하는 각종 규범과 제도(제도 문화), 인간의 존재 의미와 지적 욕구를 충족시켜 주는 사고 방식 및 가치 체계(관념 문화)를 통틀어 일컬음

04 문화 관련 개념에 대한 이해

자료 해설

김치를 빼놓고는 한국의 ㉠ 음식 문화를 논할 수 없다. ㉡ 우리나라 사람은 밥을 먹을 때면 자연스럽게 김치를 찾는다. 또한 식당에서 라면을 주문할 때도 당연히 ㉢ 빨간 김치가 반찬으로 나올 것이라고 기대한다. 이는 ㉣ 어릴 때부터 우리 입맛이 김치에 익숙해졌기 때문이다. 그런데 우리 민족이 처음부터 지금과 같은 김치를 먹었던 것은 아니다. 문헌에 따르면 본래 우리의 김치는 고춧가루가 들어가지 않은 백김치였다. 임진왜란을 거치면서 고추가 전래되고 ㉤ 김치를 담그는 데 고춧가루가 양념으로 들어가면서 지금과 같은 김치를 먹게 되었다. …(후략)…

> ㉠ 생활양식을 뜻하는 넓은 의미의 문화이다.
> ㉡ 우리나라 사람들이 공유하는 문화이므로 공유성을 알 수 있다.
> ㉢ 사람들의 필요에 의해 만들어진 물질문화이다.
> ㉣ 김치가 익숙해진 것은 김치를 먹는 문화를 학습한 결과이다.
> ㉤ 백김치가 빨간 김치로 변하였으므로 문화의 변동성을 알 수 있다.

선택지 분석

① 오답 : '음식 문화'에서의 문화는 생활 양식이라는 점에서 넓은 의미의 문화에 해당한다.

② 오답 : 우리나라 사람이 밥을 먹을 때 자연스럽게 김치를 찾는 것은 한 사회의 구성원이 동일한 생활 양식을 공유하고 있음을 보여 준다.

③ 오답 : 태도나 신념의 옳고 그름을 판단하는 데 사용되는 문화 요소는 가치이다. 빨간 김치는 하나의 조리 방법으로서 기술에 해당한다.

❹ 정답 : 우리나라 사람들이 외국인과 다르게 김치에 익숙한 것은 김치라는 음식 문화를 후천적으로 학습한 결과이다.

⑤ 오답 : 서로 다른 문화 요소가 한 사회에 공존하는 것은 문화 공존이다. 고추라는 문화 요소가 전해진 후 고유의 백김치와 만나 빨간 김치라는 이전과 다른 문화 요소가 형성된 것은 서로 다른 두 문화가 만나 제3의 문화를 형성하는 문화 융합에 해당한다.

05 문화 관련 개념에 대한 이해

자료 해설

인도네시아 토라자 부족은 ㉠ 대부분의 사회와 마찬가지로 부모가 죽으면 고인을 떠나보내는 의식을 치른다. 그런데 이 부족의 ㉡ 장례 문화에는 독특한 점이 있다. ㉢ 장례식을 치를 때 물소를 잡는 고유한 풍습이 있다는 점이다. 부족 사람들에게 물소는 고인이 저세상으로 갈 때 타고 가는 교통 수단이라는 의미인 동시에 저세상에서의 편안한 생활을 보장해 주는 재산으로 여겨진다. 만약 ㉣ 죽은 자의 자녀들이 물소를 잡지 않으면 그들은 부족 사회에서 지탄의 대상이 된다. 한편 장례식에서 부족 사람들은 ㉤ 고인의 가족과 화해하는 의식을 가지는데, 이 의식은 부족 사회의 결속력을 높이는데 중요한 역할을 한다.

> ㉠ 대부분의 사회에서 나타나므로 문화의 보편성을 알 수 있다.
> ㉡ 생활 양식을 가리키는 넓은 의미의 문화이다.
> ㉢ 고유한 풍습은 문화의 특수성으로 설명할 수 있다.
> ㉣ 물소를 잡지 않는 행위는 사회가 공유하고 있는 문화를 어기는 것이다.
> ㉤ 의식은 사회 유지를 위해 만들어진 하나의 제도로서 비물질문화에 해당한다.

선택지 분석

① 오답 : 대부분의 사회에서 장례 문화가 존재한다는 점에서 문화의 보편성을 파악할 수 있다.

② 오답 : 장례 문화와 청소년 문화에서의 '문화'는 생활 양식을 의미하므로 넓은 의미의 문화에 해당한다.

③ 오답 : 한 사회의 구성원이 동일한 풍습을 향유한다는 점에서 문화의 공유성이 나타난다.

❹ 정답 : 물소를 잡지 않을 경우 주변 사람들의 지탄의 대상이 되는 이유는 구성원 다수가 공통으로 가지고 있는 사고방식에 어긋나는 행동이기 때문이다. 이는 문화의 공유성을 보여 준다.

⑤ 오답 : 장례와 관련된 의식은 사회를 유지하기 위해 만들어진 하나의 제도로서 비물질문화에 해당한다.

06 문화 관련 개념에 대한 이해

자료 해설 최근 10대들이 사용하는 급식체에 대해 갑과 을이 대화를 나누고 있다. 그 내용을 살펴보면 갑은 그들만의 집단 연대 의식을 형성하고 이를 강화하는 데 급식체라는 언어 문화가 기여한다고 본다. 을은 급식체 확산이 스마트폰 사용과 관련되어 있으며, 급식체가 세대 간 소통을 단절시키고 우리 언어를 파괴하므로 언어 예절을 통해 이를 바로잡아야 한다고 주장한다.

선택지 분석

❶ 정답 : 갑은 10대들이 그들만의 언어 문화를 통해 집단 연대 의식을 형성·강화한다고 여기므로 같은 문화를 공유하는 집단 구성원의 소속감을 높인다고 본다.

② 오답 : 을은 급식체의 확산과 스마트폰의 사용이 상호 연관되어 있다고 본다.

③ 오답 : 갑이 급식체를 주류 문화의 가치에 저항하는 반문화로 인식하고 있는지의 여부를 알 수 없다.

④ 오답 : '언어 문화'에서의 문화는 넓은 의미, '문화 시민'에서의 문화는 좁은 의미로 사용되었다.

⑤ 오답 : 급식체는 언어이므로 비물질문화에 해당한다.

07 문화의 속성

자료 해설

> 뉴기니의 ○○ 부족 사회에서 남자는 아름답고 예술적인 것을 추구하는 존재로서, 여자는 공적인 일을 경영하고 추진하는 존재로서 각각 역할을 수행한다. 만약 ① 그와 반대로 성 역할을 구분하는 사회의 구성원이 ○○ 부족을 만나 함께 생활한다면 어색함을
> └→ 문화는 한 사회의 구성원 다수가 공통적으로 가지고 있는 생활 양식이라는 공유성을 알 수 있다.
> 느낄 것이다. 이것은 성 역할이 하나의 문화로서 사회마다 다르다는 것을 의미한다. 사실 ⓒ 타고난 특성에서 기인한다고 생각하는 성 역할도 사회 속에서 후천적으로 획득된다. 최근 우리 사회에서
> └→ 문화는 선천적으로 나타나는 행동이 아니라 후천적으로 학습된다는 학습성을 알 수 있다.
> 는 성역할에 대한 인식의 변화와 함께 성 평등 관련 제도의 도입, 여성의 경제적 지위 향상 등 다양한 요인에 의해 전통적인 성 역할 문화에 큰 변화가 일어나고 있다. ⓒ 이는 결혼 문화와 가족 형태에도 영향을 미치고 있다.
> 문화는 여러 구성 요소들이 상호 유기적으로 결합된 하나로서의 총체이므로 한 부분의 변동이 다른 부분에 연쇄적인 변동을 가져온다는 총체성을 알 수 있다.

선택지 분석

① 오답 : 문화가 계승되고 발전하는 현상임을 나타내는 속성은 문화의 축적성이다.

② 오답 : 한 문화 요소의 변화가 다른 문화 요소에 연쇄적 변화를 가져오는 속성은 문화의 총체성이다.

③ 오답 : 시간의 흐름에 따라 기존 문화 요소가 사라지거나 변화함을 보여 주는 속성은 문화의 변동성이다.

④ 오답 : 특정 상황에서 상대방의 행동 방식을 예측할 수 있는 속성은 문화의 공유성이다.

❺ 정답 : 문화의 총체성이란 문화를 구성하는 요소들이 상호 유기적으로 결합된 하나의 총체임을 의미하는 속성이다.

08 문화의 속성

자료 해설 A국에서 기혼 여성은 두건을 착용해야 하고 A국 사람들은 두건이 갖는 상징의 의미를 이해하고 있다. B국에서 남성은 맨손으로 음식을 집어 먹는데, B국 사람들은 그러한 행위의 의미를 인식하고 있다. 두 사례 모두 문화의 공유성이 부각되어 있다.

선택지 분석

❶ 정답 : 문화의 공유성 때문에 사회 구성원들은 서로의 행동을 이해하고 원활한 상호 작용을 할 수 있다.

ㄴ. 오답 : 새로운 요소가 추가되어 문화가 보다 풍부해짐을 보여 주는 것은 문화의 축적성이다.

ⓒ 정답 : 문화의 공유성으로 인해 구성원 간에 사고와 행동의 동질성을 형성하여 타인의 행동을 예측하고 이해할 수 있게 해 준다.

ㄹ. 오답 : 인간이 새로운 환경에 적응하는 과정에서 문화가 변동하는 것은 문화의 변동성이다.

09 문화의 속성

자료 해설 첫 번째 사례에서 주니 족이 절제의 미덕을 중시한다는 것에서 문화의 공유성을, 어릴 때부터 집단의 행동 규범을 따라야 한다는 것에서 문화의 학습성을 찾을 수 있다. 두 번째 사례에서 야노마모 족에게 근본적이고 중요한 관심사는 "누가 진짜 인간인가?"라는 것이라

는 내용에서 문화의 공유성을, 선조들로부터 구전되어 오는 그들의 기원 신화가 있다는 것에서 문화의 학습성을 찾을 수 있다.

선택지 분석

❶ 정답 : 문화는 타고나는 것이 아니라 습득되는 것이라는 속성은 문화의 학습성이다.

ㄴ. 오답 : 문화는 정적인 상태로 머물지 않고 발전하거나 퇴보한다는 속성은 문화의 변동성이다.

ⓒ 정답 : 문화는 사회 구성원 간 원활한 상호 작용의 토대가 된다는 속성은 문화의 공유성이다.

ㄹ. 오답 : 문화는 새로운 문화 요소가 추가되어 점점 더 풍부해진다는 속성은 문화의 축적성이다.

10 문화의 속성

자료 해설

> 갑국의 ○○는 면발을 물에 끓여 먹던 △△에서 유래한 것이다. ○○는 ① 기름에 튀겨 면발을 가공하는 기술이 △△에 접목되어 새
> 기술이 접목되어 만들어졌다는 것에서 축적성과 변동성을 찾을 수 있다.
> 롭게 만들어진 것이다. ⓒ 쌀 위주의 식생활을 하는 갑국에서 밀가
> 쌀을 주식으로 하는 문화를 공유하므로 공유성을 찾을 수 있다.
> 루 음식인 ○○가 처음에는 국민들의 관심을 끌지 못했다. 그러나 국민들은 ○○를 ⓒ 간편하게 먹을 수 있다는 것을 알게 되었고,
> 후천적으로 습득한 문화이므로 학습성을 찾을 수 있다.
> 갑국 정부는 쌀 부족으로 인한 식량 문제를 해결하기 위해 분식을 장려하였다. 이제 ○○는 ② 국민 대다수가 즐겨 먹는 음식이 되었
> 다. 그 사회 구성원이 공유하는 문화가 되었으므로 공유성과 변동성을 찾을 수 있다.

선택지 분석

ㄱ. 오답 : 전승된 문화를 바탕으로 새로운 문화가 창출된다는 것을 보여 주는 부분은 ①이다.

ⓛ 정답 : 갑국 국민들은 쌀 위주의 식생활을 하여 처음에는 ○○에 관심을 가지지 않았으나 ○○이 먹기 쉬운 음식이라는 것을 알게 되었다. 이를 통해 후천적인 학습으로 얻어진 것임을 알 수 있다.

ㄷ. 오답 : 기존의 음식 문화인 △△에 기름에 튀겨 면발을 가공하는 기술이 접목되어 ○○이 만들어진 것에서도 변동성을 찾을 수 있다.

② 정답 : ⓒ, ②은 갑국의 구성원 대다수가 공통적으로 가지고 있는 생활 양식이라는 점에서 공유성을 찾을 수 있다.

11 문화의 속성

자료 해설 ①은 임산부 카드가 전에 없었는데 새로 생겼음을 보여 주므로 문화의 변동성을 알 수 있다. ⓒ은 임산부 카드를 목에 걸고 있는 사람은 노약자석에 앉아도 된다는 것을 모두가 알고 있다는 의미이므로 문화의 공유성을 알 수 있다.

선택지 분석

ㄱ. 오답 : 문화의 각 요소가 상호 연관되어 있음을 보여 주는 속성은 문화의 총체성이다.

ⓛ 정답 : 기존의 문화 요소가 소멸되거나 새로운 문화 요소가 나타나기도 한다는 속성은 문화의 변동성이다.

ㄷ. 오답 : 문화가 세대 간 전승을 통해 복잡하고 다양해진다는 속성은 문화의 축적성이다.

② 정답 : 문화를 통해 상대방의 행동을 예측하고 그에 대응하여 사회 질서 유지에 기여할 수 있다는 속성은 문화의 공유성이다.

정답 및 해설

12 문화의 속성

자료 해설 (가)의 경우 A국에 목축업이 도입되었다는 부분에서 변동성이, 유제품과 육류를 즐기는 식생활을 누린다는 점에서 공유성이, 음식 문화가 의복 문화와 주거 문화에 영향을 미치고 있다는 점에서 총체성이 부각되어 있다. (나)의 경우 B국 사람들은 고향을 방문한다는 점에서 공유성이, 개인주의의 영향으로 타지로 여행 가는 문화가 형성되었다는 점에서 총체성이, 명절의 의미가 퇴색되었다는 점에서 변동성이 부각되어 있다.

선택지 분석
- ㉠ 정답 : 문화의 공유성으로 인해 같은 사회의 구성원들은 서로 상대방의 행동을 예측하고 대응할 수 있다.
- ㉡ 정답 : 문화의 변동성은 문화에 새로운 요소가 추가되거나 기존 요소가 소멸되는 속성이다.
- ㉢ 정답 : 문화의 총체성으로 인해 한 부분의 변동이 다른 부분에 영향을 주어 변동을 일으킨다.
- ㄹ. 오답 : 후대에 문화가 계승되면서 보다 풍부한 요소를 갖게 된다는 속성은 문화의 축적성이다.

13 문화의 속성

자료 해설 A국에서 남는 음식을 제공하는 사람이 이를 얻어 가는 걸인에게 고마움을 표시하는 것은 식량이 풍족하게 생산되나 음식을 오래 보관하기 곤란한 것과 관련이 있다. B 민족의 화장 문화는 이동 생활로 인해 무덤을 지속적으로 관리하지 못한다는 것과 관련이 있다. 두 사례는 문화의 속성 중 총체성을 보여 준다.

선택지 분석
- ㄱ. 오답 : 문화는 상징을 통해 다음 세대로 전달·계승된다는 속성은 문화의 축적성이다.
- ㄴ. 정답 : 문화는 여러 요소들이 유기적으로 결합된 하나의 체계라는 속성은 문화의 총체성이다.
- ㄷ. 오답 : 문화는 시간의 흐름에 따라 기존 요소가 사라지거나 변화한다는 속성은 문화의 변동성이다.
- ㄹ. 정답 : 문화는 부분이 아닌 전체로서 의미를 갖기 때문에 문화 요소 간에 서로 영향을 미친다는 속성은 문화의 총체성이다.

14 문화 이해의 관점

자료 해설 갑은 주택이 경제적 의미뿐만 아니라 사회적 성향, 자연조건, 자원 등과 상호 유기적인 관계를 맺고 있다는 사실을 규명하였으므로 총체론적 관점을 가지고 있다. 을은 남태평양의 섬에서 나타나는 선물 문화를 비교하여 공통점과 차이점을 파악하였으므로 비교론적 관점을 가지고 있다.

선택지 분석
- ㉠ 정답 : 총체론적 관점은 문화가 부분이 아닌 전체로서의 의미를 갖는다고 본다.
- ㉡ 정답 : 비교론적 관점은 문화의 비교를 통해 보편성과 특수성을 파악하고자 한다.
- ㄷ. 오답 : 자문화를 보다 객관적으로 파악할 수 있도록 하는 것은 비교론적 관점이다.
- ㄹ. 오답 : 모든 문화는 그 사회의 맥락 속에서 고유한 가치를 가진다고 보는 것은 상대론적 관점이다.

올쏘 만점 노트 : 각 문화 이해 관점의 연구 방법

비교론적 관점	서로 다른 문화를 비교하면서 공통점과 차이점을 파악함
총체론적 관점	특정 문화 요소를 이해하기 위해서 다른 문화 요소나 전체와의 관련 속에서 문화의 의미를 파악함
상대론적 관점	해당 문화를 향유하는 사회 구성원들의 입장에서 문화의 고유한 의미를 파악함

15 문화 이해의 관점

자료 해설
- (가) 벌레를 섭취하는 ○○족의 음식 문화가 그들의 자연환경, 관습, 정치 제도 등 다양한 문화 요소들과 어떤 관련을 맺고 있는지 전체적으로 연구하였다. → 총체론적 관점이다.
- (나) 벌레를 섭취하는 ○○족의 음식 문화를 해당 사회의 문화적 전통과 사회적 맥락 속에서 연구하여 부족한 단백질 보충이라는 그 사회 나름의 합리적 근거를 찾아내었다. → 상대론적 관점이다.

선택지 분석
- ㉠ 정답 : 특정 문화 요소가 다른 문화 요소와 어떤 관련을 맺고 있는지를 이해하는 총체론적 관점을 가지면 문화에 대한 편협하고 왜곡된 이해를 방지할 수 있다.
- ㉡ 정답 : 상대론적 관점은 해당 사회의 문화를 그 문화를 향유하는 사회 구성원의 입장에서 이해한다.
- ㄷ. 오답 : 총체론적 관점과 상대론적 관점 모두 문화를 평가의 대상으로 인식하지 않는다.
- ㄹ. 오답 : 서로 다른 문화 간 비교를 통해 자기 문화를 객관적으로 이해하는 데 유용한 것은 비교론적 관점이다.

16 문화 이해의 관점

자료 해설 (가)에서는 세계 각지의 장례 문화를 조사하여 공통점과 차이점을 연구하였으므로 비교론적 관점이 나타나 있다. (나)에서는 ○○족의 장례 문화가 다른 문화 요소들과 어떻게 연관되어 있는지를 연구하였으므로 총체론적 관점이 나타나 있다.

선택지 분석
- ㉠ 정답 : 비교론적 관점은 자문화의 특징을 타 문화와 비교하여 파악하는 데 유용하다.
- ㉡ 정답 : 총체론적 관점은 문화가 부분이 아닌 전체로서의 의미를 갖는 생활 양식임을 중시한다.
- ㄷ. 오답 : 사회적 맥락을 고려하여 해당 사회 구성원의 입장에서 문화의 고유한 의미를 파악하는 것은 상대론적 관점이다.
- ㄹ. 오답 : 문화 간의 비교를 통해 문화의 보편성과 특수성을 찾는 데 주안점을 두는 것은 비교론적 관점이다.

17 문화 이해의 관점

자료 해설 문화 현상이 해당 사회의 문화적 전통과 사회적 맥락에 의해 형성된 것임을 고려해야 한다는 것은 상대론적 관점이다. 상대론적 관점에서는 외부인에게는 낯선 문화 현상이더라도 그 사회 나름의 합리적인 근거가 있음을 인정한다.

선택지 분석

① 오답 : 비교론적 관점은 다른 문화를 거울삼아 자기 문화를 파악하는 데 유용하다.
② 오답 : 문화를 단절 없이 연속적으로 발전하는 과정으로 파악하는 것은 진화론이다.
③ 오답 : 총체론적 관점은 문화 요소 간의 연관성을 강조한다.
④ 정답 : 상대론적 관점은 해당 문화를 향유하는 사회 구성원의 관점에서 문화의 의미를 파악해야 함을 강조한다.
⑤ 오답 : 비교론적 관점은 보편적 문화 현상을 바탕으로 특정 현상의 객관적 의미를 파악한다.

18 문화 관련 개념에 대한 이해

자료 해설

A국에는 사냥 후 감사의 마음으로 동물의 피를 나누어 마시는 오랜 ㉠ 풍습이 있다. B국에서 온 갑, 을, 병은 여행 중 이러한 낯선 광경을 함께 목격하게 되었다. 갑은 불쾌감을 느끼며 혐오스럽고 미개한 풍습이라고 주장했다. 반면 을은 A국의 고유한 ㉡ 문화는
└▸ 타 문화를 업신여기고 있으므로 자문화 중심주의이다.
나름의 사회적 맥락이 반영된 것이기에 존중해야 된다고 보았다.
└▸ 사회적 맥락에서 문화를 이해하므로 문화 상대주의이다.
이에 대해 병은 고유한 문화의 존중보다는 생명체 존중이라는 보편적 가치가 우선되어야 한다고 말했다.
└▸ 보편적 가치를 무시하는 극단적 문화 상대주의를 비판하고 있다.

선택지 분석

① 오답 : 풍습은 비물질문화이다.
② 오답 : ㉡에서의 '문화'는 생활 양식이라는 넓은 의미의 문화이다.
③ 오답 : 갑이 A국의 풍습을 혐오스럽고 미개하다고 비판한 것으로 보아, 갑은 문화 간 우열을 인정하고 있다.
④ 정답 : 을이 가진 문화 이해 태도는 문화 상대주의이다. 문화 상대주의는 각 사회 문화의 고유한 가치를 인정하기 때문에 문화의 다양성 확보에 유리하다.
⑤ 오답 : 병은 극단적 문화 상대주의를 옹호하는 것이 아니라 경계하고 있다.

19 문화 관련 개념에 대한 이해

자료 해설 파르테논 신전은 오랜 기간 축적되어 온 고대 아테네인들의 지혜와 건축 기술로 완성된 건축 문화의 대표 사례이다. 파르테논 신전에서 물질문화인 기술과 비물질문화인 예술을 찾을 수 있으며, 각 문화 요소들이 서로 연결되어 하나의 전체로서 존재하는 문화의 총체성을 알 수 있다.

선택지 분석

㉠ 정답 : 파르테논 신전이 아테네인들의 지혜가 오랜 기간 집약되어 형성되었다는 것은 문화는 전승되면서 더욱 풍부해진다는 문화의 축적성을 보여 준다.
ㄴ. 오답 : '건축 문화'에서 문화는 생활 양식이라는 넓은 의미로 사용된 것이지만, '문화 시설'에서 문화는 고상하거나 세련된 것이라는 좁은 의미로 사용된 것이다.
㉢ 정답 : 기술은 물질문화이고, 예술은 비물질문화이다.
㉣ 정답 : 파르테논 신전이 아테네의 국력과 기술력 그리고 뛰어난 예술 정신이 결합되어 만들어졌다는 것은 문화의 총체성을 보여 준다.

20 문화를 이해하는 태도

자료 해설 갑은 각 사회의 특수성을 고려하여 문화를 이해하는 문화

상대주의 태도를, 을은 내가 속한 사회의 문화를 기준으로 다른 문화를 판단하는 자문화 중심주의 태도를, 병은 타 문화를 추종하는 문화 사대주의 태도를 가지고 있다.

선택지 분석

① 오답 : 자문화 중심주의는 국수주의를 초래하고 문화 제국주의로 변질될 가능성이 높다.
② 오답 : 해당 사회의 맥락에서 문화를 바라보는 문화 상대주의는 모든 문화가 동등한 가치를 지닌다고 본다.
③ 오답 : 서로 다른 문화를 비교하여 문화 간의 공통점과 차이점을 찾는 비교론적 관점은 자문화를 보다 객관적으로 이해하는 데 용이하다.
④ 정답 : 문화 상대주의와 달리 자문화 중심주의와 문화 사대주의는 문화를 평가의 대상으로 바라보며 우열을 판단한다.
⑤ 오답 : 자문화 중심주의와 문화 사대주의 모두 다문화 사회에서 문화 갈등을 초래할 수 있다.

21 문화를 이해하는 태도

자료 해설 갑은 A 부족이 우리나라를 본받아야 한다고 말하므로 자문화 중심주의 태도를 가지고 있다. 을은 각 사회의 문화는 나름의 가치와 의미가 있다고 여기므로 문화 상대주의 태도를 가지고 있다.

선택지 분석

① 오답 : 자문화 중심주의는 자신이 속한 사회의 문화가 다른 사회의 문화에 비해 우수하다고 생각한다.
② 오답 : 자문화의 정체성을 상실할 우려가 있다는 비판을 받는 태도는 문화 사대주의이다.
③ 정답 : 자문화 중심주의는 문화 상대주의와 달리 특정 사회의 문화를 기준으로 다른 문화를 평가할 수 있다고 본다.
④ 오답 : 자문화 중심주의는 국수주의로 변질될 수 있다는 비판을 받는다.
⑤ 오답 : 문화 상대주의는 자문화 중심주의와 달리 문화의 다양성 보존에 기여한다.

22 문화를 이해하는 태도

자료 해설 갑과 을은 자기 문화를 타 문화보다 우월하게 생각하는 자문화 중심주의 태도를 가지고 있다. 병은 문화 간에 우열을 따지는 것이 옳지 않다고 여기므로 문화 상대주의 태도를 가지고 있다.

선택지 분석

ㄱ. 오답 : 타 문화를 배척하고 자문화를 우수하다고 생각하는 자문화 중심주의는 자국의 문화 정체성을 강화시킨다.
ㄴ. 오답 : 문화를 평가가 아닌 이해의 대상으로 보는 것은 문화 상대주의이다. 자문화 중심주의는 문화를 이해가 아닌 평가의 대상으로 본다.
㉢ 정답 : 문화 상대주의는 문화를 사회적 맥락 및 역사적 상황과 연결시켜 파악한다.
㉣ 정답 : 자문화 중심주의는 문화 상대주의와 달리 문화의 다양성을 저해할 수 있다.

23 문화를 이해하는 태도

자료 해설 갑의 태도는 해당 문화의 특수성과 사회적 맥락을 고려하여 문화를 이해하는 문화 상대주의이다. 을은 인류의 보편적 가치를 훼손하는 것도 모두 인정하는 극단적 문화 상대주의를 경계하고 있다. 병의 태도는 자문화를 타 문화보다 더 우월하게 생각하는 자문화 중심주의이다.

정답 및 해설

선택지 분석

① 오답 : 문화 상대주의는 문화 간에 우열을 가리지 않는다.

❷ 정답 : 동물을 죽이는 것이 인류의 보편적 가치를 훼손하는 것은 아닌지 검토해야 한다는 을의 주장은 극단적 문화 상대주의를 경계하는 태도이다.

③ 오답 : 자기 문화를 다른 문화보다 우월하게 생각하는 자문화 중심주의는 자문화를 객관적으로 파악하기 어려운 태도이다.

④ 오답 : 해당 사회의 맥락을 고려하여 이해하는 문화 상대주의는 문화 다양성 보존에 유리한 태도이다.

⑤ 오답 : 다른 문화보다 자기 문화를 더 우월하게 생각하는 자문화 중심주의는 자문화의 정체성을 보존하는 데 유리한 태도이다.

24 문화를 이해하는 태도

자료 해설

자기 문화와 다른 문화를 대할 때 ┌─▶문화 상대주의이다. (가) 은/는 해당 문화의 관점에서 그 의미와 가치를 파악하려고 노력한다. 이와 달리 (나) 은/는 자기 문화의 관점을 내세워 다른 문화가 지닌 가 └─▶자문화 중심주의이다. ┌─▶문화 사대주의이다. 치를 낮게 평가한다. 한편, (다) 은/는 다른 문화를 우월하게 보고 자기 문화의 가치를 평가 절하한다.

선택지 분석

❶ 정답 : 문화 다양성 유지를 용이하게 하는 것은 서로 다른 문화의 가치를 인정하는 문화 상대주의이다.

② 오답 : 문화 사대주의는 다른 문화의 수용에 적극적이다.

③ 오답 : 자문화 중심주의는 자기 문화의 주체성 형성에 도움이 된다.

④ 오답 : 자문화 중심주의는 타 문화, 문화 사대주의는 자문화의 고유한 가치를 존중하지 않는다.

⑤ 오답 : 자문화 중심주의, 문화 사대주의는 문화 상대주의와 달리 문화를 평가의 대상으로 간주한다.

킬러 예상 문제

본문 084~087쪽

01 ② 02 ③ 03 ② 04 ③ 05 ④ 06 ① 07 ② 08 ④
09 ④ 10 ③ 11 ③ 12 ⑤ 13 ① 14 ④ 15 ⑤ 16 ②

01 인간의 문화 창조

자료 해설 제시문에는 인도네시아의 전통 가옥인 통고난의 구조 및 설계가 무더운 기후를 잘 이겨낼 수 있도록 이루어졌음이 나타나 있다. 기후에 따라 독특한 가옥 문화가 나타나는 것을 통해 인간의 문화 창조 능력과 함께 문화가 자연환경의 제약을 극복하는 과정에서 생겨난 것임을 파악할 수 있다.

선택지 분석

㉠ 정답 : 인간은 동물과 달리 문화를 창조하는 능력이 있다. 자연환경에 맞게 고유한 형태의 가옥을 발달시킨 것을 통해 파악할 수 있다.

ㄴ. 오답 : 문화는 인간이 자연환경의 제약을 극복하고 적응하는 과정에서 창조되고 발전하였다.

㉢ 정답 : 문화는 인간이 자연환경으로 인한 제약을 극복하는 과정에서 인위적으로 만들어지는 산물이다. 인도네시아의 통고난 또한 무덥고, 해충 및 짐

승이 자주 출몰하는 특유의 자연환경을 극복하기 위해 만들어 낸 가옥 구조이다.

ㄹ. 오답 : 인간의 행위 중 본능에 따른 행위나 유전적 요인에 의한 행위 등은 문화의 범주에 포함되지 않는다.

02 문화의 의미와 속성

자료 해설 제시문에는 국수가 중국으로부터 전파된 문화 요소라는 것과 그렇게 전파된 국수가 지역마다 각기 다른 모습으로 발달하였음이 나타나 있다. 이를 통해 국수라는 음식 문화의 보편성과 특수성을 동시에 확인할 수 있다.

선택지 분석

① 오답 : 문화가 사회 구성원들의 원활한 소통을 가능하게 하는 것은 대다수의 사회 구성원에게 공유되기 때문이다. ㉠을 통해 문화의 축적성을 엿볼 수 있지만 문화의 공유성을 찾기 어렵다.

② 오답 : '음식 문화'에서의 문화와 '국수 문화'에서의 문화는 모두 생활 양식의 총체를 가리키는 넓은 의미로 사용되었다.

③ 정답 : 북쪽 지방은 추운 기후와 척박한 토양이라는 자연 조건으로 인해 칡, 옥수수, 메밀과 같은 작물의 재배가 주로 이루어지고, 남쪽 지방은 따뜻한 기후와 비옥한 토양으로 인해 밀 등의 재배가 주로 이루어져 국수 역시 해당 재료를 활용하게 되었음이 나타나 있다. 이는 문화 요소가 유기적으로 연결되어 서로 영향을 미치는 속성인 문화의 총체성을 엿볼 수 있는 내용이다.

④ 오답 : ㉢, ㉣ 모두 국수 문화라는 점에서 문화의 보편성을, 지역에 따라 각기 다른 재료를 활용한 국수가 발달했다는 점에서 문화의 특수성을 엿볼 수 있다.

⑤ 오답 : 기존에 존재하지 않던 문화 요소가 새롭게 생겨나는 것은 발명이다. 그러나 ㉠에 우리나라의 국수 문화가 중국에서 직접 전파되었음이 나타나 있다.

03 문화의 속성

자료 해설 제시문 속 학자는 동양인과 서양인의 생각하는 방식의 차이가 결과적으로 행위의 차이를 만들어 냄을 실험을 통해 밝혀냈다. 이는 결국 동양인과 서양인은 서로 다른 문화를 공유하고 있다는 의미이다. 또한 그와 같은 공유는 문화를 학습함으로써 가능하다는 것이 미국과 중국의 교과서 내용을 통해 제시되고 있다. 미국의 교과서에서는 딕이라는 개인에게 주목하는 문장이 제시되는 반면, 중국의 교과서에서는 형과 동생의 관계에 주목하는 문장이 제시되었다.

선택지 분석

㉠ 정답 : 상징을 통해 다음 세대로 문화가 전달되고 계승되는 것은 문화의 학습성과 관련되어 있다. 필자는 미국과 중국의 교과서 내용을 통해 서양과 동양의 어린이들에게 해당 문화권의 사고관이 학습된다고 보고 있다.

ㄴ. 오답 : 부분적인 문화 요소들이 모여 전체로서 하나의 체계를 이루는 것은 문화의 총체성과 관련 있다.

㉢ 정답 : 특정 상황에서 상대방의 행동 방식이나 사고의 방향을 예측할 수 있는 것은 상대방과 문화를 공유하고 있기 때문이다.

ㄹ. 오답 : 부분적인 문화 요소의 변동이 다른 부분에 영향을 주어 변동을 일으키는 것은 문화의 총체성 때문이다.

04 문화의 속성

자료 해설 섬유 산업의 성장을 시작으로 교통수단으로서 철도가 발달하고, 대량의 화물 수송이 이루어지게 된 사례를 통해 문화 일부 요소의 변동이 연쇄적으로 다른 요소의 변동을 야기함을 파악할 수 있다. 즉, 문화의 총체성이 나타나 있다.

선택지 분석

① **오답**: 시간의 흐름에 따라 문화의 형태나 의미가 변화하는 것은 문화의 변동성을 의미한다.

② **오답**: 문화의 공유성으로 인해 사회 구성원들의 사고 및 행동이 동질적으로 나타나게 된다.

❸ **정답**: 문화는 여러 문화 구성 요소들이 상호 유기적으로 결합된 하나의 총체이므로 일부가 변하면 그와 연결된 다른 부분도 함께 변하게 된다. 이는 문화의 총체성 때문이다.

④ **오답**: 특정 상황에서 상대방의 사고나 행동 방식을 예측할 수 있는 것은 해당 문화를 공유하고 있기 때문이다.

⑤ **오답**: 문화가 후대로 계승되면서 점점 풍성해지는 것은 문화의 축적성으로 인해 나타나는 특성이다.

올쏘 만점 노트 | 문화의 총체성과 문화의 연쇄 변동

문화의 부분 요소는 독립적으로 존재하는 것이 아니라 유기적으로 연결되어 전체를 이루는데, 이를 문화의 총체성이라고 한다. 양성평등 의식이 확산되면서 여성의 교육 수준이 높아지고, 여성의 교육 수준 향상은 여성의 사회 진출을 더욱 활발하게 하였다. 여성의 사회 진출이 활발해지자 초혼 연령이 증가하였고, 초혼 연령이 증가하자 출산율이 저하되었다. 이처럼 문화의 모든 부분 요소는 유기적으로 연결되어 있어 일부 요소가 변하면 그와 연결된 다른 요소도 함께 변동하게 된다.

05 문화의 속성과 문화 이해의 관점

자료 해설 미국의 한 인류학자는 미국 청소년 문화와 사모아의 청소년 문화를 비교하였다. 이와 같이 서로 다른 두 문화의 공통점과 차이점을 찾아내어 문화를 보다 객관적으로 바라보는 관점을 비교론적 관점이라고 한다. 비교론적 관점은 여러 문화가 공통점을 지님과 동시에 환경적·사회적·역사적 맥락 속에서 각기 다른 특수한 형태로 발달한다고 보고 문화 간의 공통점과 차이점을 찾아내는 관점이다.

선택지 분석

ㄱ. **오답**: 문화를 평가할 수 있다고 여기는 것은 문화 절대주의로, 자문화 중심주의와 문화 사대주의가 있다. ㉠이 문화 절대주의 태도를 가지고 있다고 보기 어렵다.

ㄴ. **정답**: 비교론적 관점은 문화의 보편성과 특수성을 전제로 하는 관점이다.

ㄷ. **오답**: '사모아의 문화'에서 '문화'는 생활 양식의 총체를 가리키므로 넓은 의미의 문화이다. 그러나 '문명'은 좁은 의미로서의 문화에 해당한다.

ㄹ. **정답**: 문화 인류학자가 두 문화권 청소년 문화의 차이를 알아보기 위해 문화 전반을 살펴본 것은 문화의 부분 요소가 총체적으로 연결되어 있기 때문이다.

06 문화의 속성

자료 해설 제시문에서는 지역별로 기후적 특성에 따라 김치가 어떤 특징을 지니는지 설명하고 있다. 이는 같은 김치라 해도 자연환경과의 연관성 속에서 서로 다르게 발달함을 보여줌으로써 문화의 총체성을 엿볼 수 있게 한다.

선택지 분석

❶ **정답**: 부분적인 문화 요소가 모여 전체 문화로서 하나의 체계를 이루는 것은 문화의 총체성에 대한 내용이다.

② **오답**: 문화는 후천적으로 습득되는 산물이라는 점에서 학습성이 나타난다.

③ **오답**: 기존의 문화 요소 가운데 일부가 사라지고 새로운 문화 요소가 추가됨에 따라 문화는 지속적으로 변화하고 발전하는 변동성을 띤다.

④ **오답**: 문화는 세대를 거쳐 후대에 전승됨에 따라 보다 풍성해지는데, 이는 문화의 축적성 때문이다.

⑤ **오답**: 특정 문화 요소를 해당 문화의 구성원들이 공유함으로써 원활한 상호 작용의 토대가 된다. 이는 문화의 공유성 때문이다.

올쏘 만점 노트 | 문화의 속성

공유성	문화는 한 사회의 구성원들이 공통으로 가지는 생활 양식임
축적성	문화는 인간의 학습 능력과 상징체계에 의해 다음 세대로 축적되고 계승됨
총체성	문화는 각 영역들이 서로 밀접한 관계를 맺으며 전체를 이룸
학습성	문화는 유전적으로 물려받는 것이 아니라 사회화 과정을 거쳐 후천적으로 학습됨
변동성	문화는 고정 불변하는 것이 아니라 문화 요소가 추가 또는 소멸됨에 따라 지속적으로 변함

07 문화의 의미와 요소, 속성

자료 해설 정보 통신 기술의 발달과 함께 등장한 일본의 독특한 장례 문화를 소개하고 있다. 문화는 유형에 따라 물질문화와 비물질문화로 구분할 수 있다. 인간이 욕구 충족을 위해 만들고 사용하는 인공물이나 기술은 모두 물질문화에 포함된다. 반면, 그와 대비되는 제도나 관념과 관련하여 형성되는 문화는 모두 비물질문화에 포함된다.

선택지 분석

ㄱ. **정답**: 기술은 비가시적인 것이지만 물질문화 생산의 주요 수단이므로 물질문화에 포함된다.

ㄴ. **오답**: 장례 문화에서 '문화'는 예술의 특정 분야나 현대적인 것을 의미하는 좁은 의미로서의 문화가 아닌 생활 양식의 총체를 의미하는 넓은 의미로서 사용되었다.

ㄷ. **정답**: 장례는 제도 문화에 해당된다. 제도 문화는 사회적 행동 양식을 통제하는 규범 및 의식을 의미하는 것으로 비물질문화의 대표 유형이다.

ㄹ. **오답**: 실제 토지가 아닌 스마트폰에 가상 묘지를 조성하는 것을 통해 과거의 전통적인 묘지 조성 방식에 기술이 더해져 새로운 유형의 묘지 조성 방식이 생겨났음을 알 수 있다. 이를 통해 문화가 변동한다는 것, 문화가 축적된다는 것, 문화 요소가 유기적으로 연결되어 있다는 것을 확인할 수 있다.

08 문화의 속성

자료 해설

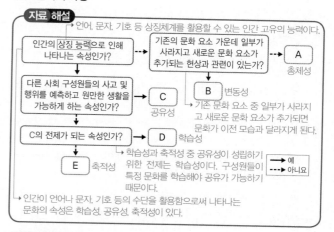

선택지 분석

① **오답**: 본능에 따른 행위가 문화에 포함되지 않는 것은 문화의 학습성 때문이다.

정답 및 해설

② 오답 : 쌍둥이라도 서로 다른 환경에서 자라면 소통하기 어려운 것은 문화의 학습성 때문이다.

③ 오답 : 한 문화 요소가 변동하면 다른 문화 요소가 연쇄적으로 변동하는 현상은 모든 문화 요소가 유기적으로 연결되어 있는 문화의 총체성 때문이다.

❹ 정답 : 짐승에 의해 길러진 인간이 인간다운 삶을 살 수 없는 것은 인간 사회에서 필요로 하는 지식이나 기능을 습득하지 못하였기 때문이다. 이는 문화가 학습의 산물임을 말해 주는 것이므로 문화의 학습성으로 설명할 수 있다.

⑤ 오답 : 모든 문화 요소가 상호 유기적으로 연결되어 있어 나타나는 속성은 문화의 총체성이다.

09 문화 이해의 관점

자료 해설 제시문에는 우루무치가 과거에 교역의 중심지가 된 배경을 살펴보기 위해 지형에서부터 어떤 산업이 발달하였고, 그것이 교역의 거점 도시로 성장하는 데 어떤 영향을 미쳤는지를 분석한 내용이 나타나 있다. 이처럼 교역의 중심지로서 우루무치를 알아보기 위해 지형, 중심 산업 등과의 연관성 속에서 유기적으로 살펴보는 것은 총체론적 관점이다.

선택지 분석

① 오답 : 문화의 발전 수준에 차이가 있다고 보는 관점은 문화에 우열이 있다고 여기는 태도에 기인한다. 자문화 중심주의와 문화 사대주의가 여기에 해당한다.

② 오답 : 자문화를 객관적으로 인식하는 데 효과적인 관점은 비교론적 관점으로, 자문화와 타 문화의 공통점과 차이점을 비교함으로써 가능하다.

③ 오답 : 모든 문화에 공통점과 차이점, 즉 보편성과 특수성이 존재한다고 보는 관점은 비교론적 관점이다.

❹ 정답 : 총체론적 관점은 문화가 부분이 아닌 전체로서의 의미를 갖는다고 보므로 일부 문화 요소에 대해 알아보더라도 그를 둘러싼 다양한 문화 요소 간의 유기적 연관성을 파악하려고 노력한다.

⑤ 오답 : 여러 문화를 비교함으로써 문화 간에 공유되는 보편성을 파악하는 관점은 비교론적 관점이다.

10 문화 이해의 관점

자료 해설 갑은 인도의 결혼 문화를 다른 나라의 결혼 문화와 비교하여 조사하려고 하며, 을은 인도의 결혼 문화를 다양한 문화 요소들과의 연관성 속에서 파악하려고 한다. 즉, 갑은 비교론적 관점으로, 을은 총체론적 관점으로 인도의 결혼 문화를 조사하려고 한다.

선택지 분석

ㄱ. 오답 : 문화가 부분이 아닌 전체로서의 의미를 갖는다고 보는 관점은 총체론적 관점이다.

ㄴ. 정답 : 비교론적 관점은 문화 간의 비교를 통해 객관적으로 문화를 이해하는 데 유리하다.

ㄷ. 정답 : 모든 문화 요소가 유기적으로 연결되어 있음을 전제로 하는 관점은 총체론적 관점이다.

ㄹ. 오답 : 모든 문화에 보편성과 특수성이 있음을 전제로 하여 공통점과 차이점을 비교하는 것은 비교론적 관점이다.

11 문화를 이해하는 태도

자료 해설 교사는 고대 아스텍 사람들의 인신공양 문화를 소개하고 이에 대한 견해를 묻고 있다. 갑은 인신공양 문화가 오늘날의 정서에는 맞지 않으나 그 고유성을 인정해야 한다고 주장하는 반면, 을은 인간 생명의 존엄성을 훼손하는 문화이므로 해당 문화를 존중해서는 안 된

다고 주장한다. 갑은 인간 생명의 존엄성을 훼손하는 문화마저도 존중해야 한다고 보는 극단적 문화 상대주의 입장이고, 을은 기본적으로 문화 상대주의를 취하고 있으나 인류 보편 기준에 부합하는 문화인지 아닌지를 구분해야 한다고 보는 입장임을 알 수 있다.

선택지 분석

① 오답 : 극단적 문화 상대주의는 문화 상대주의에서 심화된 문화 이해 태도이므로 문화의 특수성을 중시하는 입장이다.

② 오답 : 문화 상대주의는 문화를 평가할 수 없는 성격의 것으로 본다.

❸ 정답 : 극단적 문화 상대주의도 모든 문화는 존중되어야 한다는 입장이므로 문화 다양성 보존에 기여한다.

④ 오답 : 을은 문화를 '생활 양식의 총체'로 여기고 있으므로 넓은 의미의 문화로 이해하였다.

⑤ 오답 : 을의 태도에서 자문화를 객관적으로 파악하기 위해 노력한 모습을 찾기 어렵다.

12 문화를 이해하는 태도

자료 해설 갑은 우리 문화만이 우수하다고 여기는 자문화 중심주의를 비판하면서 특정 타 문화를 무조건 수용해야 한다는 문화 사대주의를 표방하고 있다. 한편, 을은 문화의 특수성 및 상대성을 강조하며 문화 상대주의를 지향하고 있다.

선택지 분석

① 오답 : 갑이 비판하는 것은 '우리 문화만이 우수하다고 여기는 태도'이다. 따라서 자문화 중심주의를 비판하고 있음을 알 수 있다.

② 오답 : 갑의 태도는 문화 사대주의에 해당하고, 을의 태도는 문화 상대주의에 해당하므로 을이 문화에 우열이 없다고 본다.

③ 오답 : 을은 갑의 문화 사대주의를 비판하고 있다.

④ 오답 : 국제적 고립을 초래할 수 있는 태도는 자문화 중심주의이다.

❺ 정답 : 문화 상대주의는 문화의 획일화를 방지하여 문화 다양성 보존 및 문화 창조와 변화에 기여한다.

13 문화를 이해하는 태도

자료 해설 제시문에서는 서양의 원근법은 사물을 바라보고 표현하는 하나의 방식일 뿐 그것만이 옳은 것은 아님을 강조하고 있다. 사물을 바라보고 표현하는 방식은 후천적으로 학습되는 것으로, 문화권에 따라 다양하게 존재할 수 있으므로 다양한 방식을 인정하고 받아들이는 문화 상대주의 태도가 필요함을 강조하고 있다.

선택지 분석

ㄱ. 정답 : 서양의 원근법과 함께 동양화에서 사물을 바라보고 표현하는 방식을 제시하고 있다.

ㄴ. 정답 : 사물을 바라보고 표현하는 방식이 문화권에 따라 다르다는 것은 후천적으로 학습된 결과물임을 보여 준다.

ㄷ. 오답 : 서양의 원근법만이 정답이 아니라는 것을 강조하고 있지만, 서양의 원근법이 서양 문화가 우월하다는 인식에 기초한다는 근거를 찾을 수 없다.

ㄹ. 오답 : 제시문에 직접적으로 드러나 있지는 않지만 사물을 바라보고 표현하는 방식이 다양하게 존재할 수 있다는 점을 강조하고 있으므로 자기 문화를 비판 없이 당연시하는 태도는 자칫 자문화 중심주의로 이어질 수 있음을 추론할 수 있다.

14 문화를 이해하는 태도

자료 해설 오리엔탈리즘과 옥시덴탈리즘 모두 동서양이 각자의 문화를 기준으로 다른 문화를 열등한 것으로 취급하는 자문화 중심주의

에 해당한다. 자문화 중심주의는 문화에 우열이 있다고 보는 태도로, 국제적 고립을 자초하고 자문화의 발전을 더디게 할 수 있는 문제점이 있다.

선택지 분석

① 오답 : 자문화의 정체성을 상실할 우려가 큰 문화 이해 태도는 문화 사대주의이다.

② 오답 : 오리엔탈리즘과 옥시덴탈리즘 모두 자문화 중심주의에 해당하므로 둘 다 제국주의를 합리화하는 수단으로 활용될 수 있다.

③ 오답 : 문화를 해당 사회의 맥락 속에서 이해해야 한다고 보는 태도는 문화 상대주의이다.

❹ 정답 : 자문화 중심주의는 문화 간의 우열을 가리므로 문화를 평가할 수 있는 성격의 것으로 본다.

⑤ 오답 : 인류의 보편 가치를 훼손하는 문화마저도 이해하고자 하는 태도는 극단적 문화 상대주의이다.

올쏘 만점 노트 | 문화 이해 태도의 순기능과 역기능

자문화 중심주의	순기능	사회 통합 및 자문화의 정체성 보존에 기여함
	역기능	국제적 고립을 초래할 수 있으며 문화 제국주의의 명분으로 악용될 수 있음
문화 사대주의	순기능	선진 문물의 수용에 용이함
	역기능	자문화의 정체성을 상실할 우려가 있음

15 문화를 이해하는 태도

자료 해설

질문	(가)	(나)	(다)	(라)
타 문화의 수용을 거부하는가? → 자문화 중심주의의 특징이다.	아니요	아니요	아니요	예
문화에 우열이 있다고 보는가? → 자문화 중심주의와 문화 사대주의의 특징이다.	아니요	예	아니요	예
인류 보편 가치 실현을 저해할 가능성이 있는가? → 문화 상대주의를 제외한 모든 문화 이해 태도에 잠재되어 있는 문제점이다.	아니요	예	예	예
자문화의 정체성 상실 우려가 있는가? → 문화 사대주의의 특징이다.	아니요	예	아니요	아니요

따라서 (가)는 문화 상대주의, (나)는 문화 사대주의, (다)는 극단적 문화 상대주의, (라)는 자문화 중심주의이다.

선택지 분석

① 오답 : 문화 상대주의는 문화 다양성 보존에 기여한다.

② 오답 : 문화 상대주의와 극단적 문화 상대주의 모두 문화를 평가할 수 없는 성격의 것이라 본다.

③ 오답 : 국수주의로 흐를 우려가 있는 태도는 자문화 중심주의이다.

④ 오답 : 다른 문화와 갈등을 빚기 쉬운 태도는 자문화 중심주의이다.

❺ 정답 : 자문화 중심주의는 자문화의 우수성을 지나치게 강조하므로 문화 제국주의를 합리화하는 근거로 작용할 수 있다.

16 문화의 속성과 문화 이해 태도

자료 해설 글쓴이는 티베트인들의 독특한 인사법을 역사적 배경을 토대로 설명하고 있다. 따라서 모든 문화는 해당 문화를 둘러싼 역사적, 환경적 맥락 속에서 파악해야 한다고 여기는 문화 상대주의 태도를 취하고 있음을 알 수 있다.

선택지 분석

㉠ 정답 : 문화권마다 다양한 인사법이 존재한다는 점에서 문화의 보편성을, 티베트인들만의 고유한 인사법이 존재한다는 점에서 문화의 특수성을 엿볼 수 있다.

ㄴ. 오답 : 특정 문화를 우스꽝스럽다고 여기는 태도는 문화의 우열을 가려 낼 수 있다고 여기는 문화 절대주의 태도라 할 수 있다.

㉢ 정답 : 티베트인들이 모자를 올리고 혀를 내밀며 인사를 함으로써 특정한 의미를 주고받는 것은 학습을 통해 인사의 의미를 공유한 것이므로 문화의 학습성과 공유성을 파악할 수 있다.

ㄹ. 오답 : 자문화의 정체성을 위협할 수 있는 태도는 문화 사대주의이다. 글쓴이는 문화 상대주의 태도를 가지고 있다.

08 ❷ 현대 사회의 문화 양상

기출 선지 변형 ○ X

본문 088~091쪽

01 ① ○ ② × ③ ○ ④ × ⑤ ○ ⑥ × ⑦ ×
02 ① × ② ○ ③ ○ ④ ○ ⑤ × ⑥ × ⑦ ○
03 ① ○ ② × ③ × ④ × ⑤ × ⑥ × ⑦ ×
04 ① × ② ○ ③ × ④ × ⑤ × ⑥ × ⑦ ○ ⑧ ○ ⑨ ×
05 ① × ② ○ ③ × ④ × ⑤ ○ ⑥ × ⑦ ×
06 ① × ② × ③ × ④ × ⑤ × ⑥ × ⑦ ○ ⑧ ○
07 ① ○ ② ○ ③ ○ ④ ○ ⑤ ○ ⑥ × ⑦ ×
08 ① × ② × ③ ○ ④ ○ ⑤ × ⑥ × ⑦ ○

01 ① 사회가 다원화되고 복잡해질수록 다양한 집단이 존재하므로 하위문화는 다양해진다.
② 하위문화는 기존의 지배적인 문화를 대체하기도 한다.
③ 반문화를 공유하는 구성원은 주류 문화의 문화 요소 중 일부를 공유한다.
④ 하위문화, 주류 문화는 모두 문화를 향유하는 구성원들 공통의 정체성 형성에 기여한다.
⑤ 하위문화는 주류 문화와 다른 독특한 가치와 규범을 갖기도 한다.
⑥ 반문화의 성격이 없는 하위문화도 주류 집단에 의해 일탈로 규정되기도 한다.
⑦ 하위문화와 주류 문화는 모두 사회에 따라 상대적으로 규정될 수 있다.

02 ① 반문화와 하위문화의 총합이 전체 문화가 되는 것은 아니다.
② 반문화는 사회 혼란을 초래하지만, 세대 문화는 사회 변동에 기여할 수도 있고 그렇지 않을 수도 있다.
③ 반문화를 구분하는 기준은 주류 문화의 기준을 어떻게 규정하느냐에 따라 상대적이다.
④ 반문화는 기존 주류 문화에 저항하고 대립하는 특징을 보인다.
⑤ 반문화와 세대 문화 모두 전체 사회에 문화 다양성을 제공한다.
⑥ 반문화와 세대 문화 모두 해당 집단 구성원들의 소속감을 강화시킨다.
⑦ 반문화와 세대 문화 모두 그 문화를 향유하는 구성원들의 욕구 충족에 기여한다.

03 ① 하위문화를 모두 합하면 주류 문화가 되는 것은 아니므로, 주류 문화는 하위문화의 총합으로 설명할 수 없다.
② 주류 문화는 사회 구성원 대다수가 향유하는 문화이므로 하위문화에는 주류 문화의 문화 요소가 존재한다.
③ 주류 문화와 대립하여 사회 안정을 저해하는 것은 반문화이다.
④ 한 사회에서 주류 문화, 하위문화, 반문화는 모두 공존할 수 있다.
⑤ 반문화의 성격이 없는 하위문화도 집단 간 갈등을 초래하여 사회 통합을 저해할 수 있다.
⑥ 사회가 다원화되면 반문화가 주류 문화로 수렴되기보다 더 다양해진다.
⑦ 반문화도 사회 변화에 따라 주류 문화가 되기도 한다.

04 ① 정보 유통의 신속성은 영상 매체가 인쇄 매체보다 높다.
② 정보 생산자의 전문성은 인쇄 매체가 영상 매체보다 높다.
③ 정보 활용과 공유 가능성은 뉴 미디어가 인쇄 매체보다 높다.
④ 정보 전달의 양방향성은 뉴 미디어가 인쇄 매체보다 높다.
⑤ 정보 확산 경로의 다양성은 뉴 미디어가 인쇄 매체보다 높다.
⑥ 정보 검색과 활용의 신속성은 뉴 미디어가 인쇄 매체보다 높다.
⑦ 정보 전달의 속도는 뉴 미디어가 영상 매체보다 높다.
⑧ 정보 생산자의 익명성은 뉴 미디어가 영상 매체보다 높다.
⑨ 정보 생산자와 소비자 간 경계의 명확성은 영상 매체가 뉴 미디어보다 높다.

05 ① 서적(인쇄 매체)보다 TV(영상 매체)가 생동감 있는 정보를 전달할 수 있다.
② TV(영상 매체)보다 SNS(뉴 미디어)가 정보 복제와 재가공의 용이성이 높다.
③ TV(영상 매체)와 달리 SNS(뉴 미디어)는 정보에 대한 수용자의 즉각적 반응을 확인할 수 있다.
④ SNS(뉴 미디어)는 서적(인쇄 매체)에 비해 정보 확산의 시·공간적 제약이 작다.
⑤ SNS(뉴 미디어)에서는 정보를 생산하는 자가 정보를 소비하기도 하여 정보 생산자와 소비자 간의 경계가 모호하다.
⑥ SNS(뉴 미디어)를 통해 제공되는 정보는 수용자가 원하는 시간에 볼 수 있으므로 정보 획득의 동시성이 나타나지 않는다.
⑦ 서적(인쇄 매체), TV(영상 매체), SNS(뉴 미디어) 모두 대중 조작의 도구로 활용될 수 있다.

06 ① 뉴 미디어에 비해 인쇄 매체는 정보 확산의 시·공간적 제약이 크다.
② 뉴 미디어는 인쇄 매체와 달리 정보의 동시적 전달이 가능하다.
③ 정보 재가공의 용이성은 뉴 미디어가 인쇄 매체보다 높다.
④ 정보 전달자와 수용자 간의 상호 작용성은 뉴 미디어가 인쇄 매체보다 높다.
⑤ 매체에 대한 수용자의 영향력은 양방향성을 특징으로 하는 뉴 미디어가 더 높다.
⑥ 시청각 정보 제공의 용이성은 뉴 미디어가 인쇄 매체보다 높다.
⑦ 정보 생산자의 전문성은 인쇄 매체가 뉴 미디어보다 높다.
⑧ 정보 생산자와 소비자 간 경계의 명확성은 인쇄 매체가 뉴 미디어보다 높다.

07 ① 신문은 정보 생산과 관리에 있어 전문성이 나타난다.
② 뉴 미디어는 다른 대중 매체에 비해 정보 생산자의 익명성이 사회 문제가 되기 쉽다.
③ 신문은 TV에 비해 정보의 확산 속도가 느린 매체이다.
④ 인터넷에서는 신문과 달리 정보 생산자와 정보 소비자가 명확하게 구분되지 않는다.
⑤ 인터넷에서는 라디오와 달리 비동시적인 정보 소비가 가능하다.
⑥ 대중이 정보 생산자인 동시에 소비자인 것은 인터넷에만 해당된다.
⑦ 신문, 라디오, TV는 산업 사회에서, 인터넷은 정보 사회에서 지배적인 매체이다.

08 ① (가)에서 대중 매체가 사회의 다양성을 증진시킬 것으로 보는지 알 수 없다.

② (나)는 정보를 수용하는 대중의 주체적 인식 능력을 강조한다.

③ (가)는 대중 매체가 수동적인 대중의 사고와 판단을 지배한다고 보기 때문에 대중 조작을 설명하는 데 (나)보다 적합하다.

④ (가)는 (나)와 달리 대중 매체가 제공하는 정보를 대중이 무비판적·수동적으로 수용할 우려를 제시한다.

⑤ (가)는 (나)와 달리 정보 수용자를 수동적인 존재로 본다.

⑥ (가)와 (나)에는 대중 매체의 역기능과 순기능에 대한 내용이 제시되어 있지 않다.

⑦ (가)와 (나)를 통해 대중이 대중 매체를 비판적으로 수용하는 자세를 가져야 함을 알 수 있다.

실전 기출 문제

본문 092~097쪽

01 ③　02 ④　03 ③　04 ①　05 ①　06 ⑤　07 ③　08 ①
09 ④　10 ④　11 ⑤　12 ④　13 ①　14 ④　15 ④　16 ⑤
17 ①　18 ⑤　19 ④　20 ①　21 ⑤　22 ③　23 ⑤　24 ④

---

01 하위문화와 반문화

자료 해설

반문화의 성격이 없는 하위문화↘

반문화↗　　　　　전체 문화↗

구분	A	B	C
한 사회 내에서 일부 구성원들만 공유하는 문화인가? →하위문화를 의미한다.	예	예	아니요
한 사회의 지배적인 문화를 거부하거나 저항하는 문화인가? →반문화를 의미한다.	예	아니요	아니요

선택지 분석

① 오답 : 반문화와 반문화의 성격이 없는 하위문화 모두 기존의 지배적인 문화를 대체하기도 한다.

② 오답 : 반문화와 반문화의 성격이 없는 하위문화 모두 주류 집단에 의해 일탈로 규정되기도 한다.

❸ 정답 : 반문화를 공유하는 구성원은 전체 문화의 문화 요소 중 일부를 공유한다.

④ 오답 : 반문화와 반문화의 성격이 없는 하위문화, 전체 문화는 모두 문화를 향유하는 구성원들 공통의 정체성 형성에 기여할 수 있다.

⑤ 오답 : 반문화와 반문화의 성격이 없는 하위문화, 전체 문화는 모두 사회에 따라 상대적으로 규정될 수 있다.

---

02 주류 문화와 하위문화

자료 해설　A 문화는 부르주아지들만 가지고 있는 문화로 하위문화에 해당한다. B 문화는 주류 문화에 저항하고 대항하는 반문화에 해당한다. C 문화는 중세 봉건제적 문화를 대체한 전체 문화에 해당한다.

선택지 분석

ㄱ. 오답 : 전체 문화와 대립하여 사회 안정을 저해하는 것은 반문화이다.

ㄴ. 정답 : 사회 변동에 따라 전체 문화가 하위문화가 되기도 하고, 하위문화가

전체 문화가 되기도 한다.

ㄷ. 오답 : 한 사회에서 전체 문화, 하위문화, 반문화는 모두 공존할 수 있다.

ㄹ. 정답 : 한 사회의 하위문화를 모두 더한다고 해서 전체 문화가 되는 것은 아니다.

---

03 반문화와 세대 문화

자료 해설　히피문화는 주류 문화에 저항하고 대립하는 반문화의 대표적인 사례이다. 따라서 A 문화는 반문화이다. B는 하위문화 중에서 일정 범위의 연령층이 공유하는 문화인 세대 문화이다.

선택지 분석

① 오답 : 반문화와 세대 문화 모두 전체 사회에 문화 다양성을 제공한다.

② 오답 : 주류 문화에 저항하고 대립하는 특징을 보이는 것은 반문화이다.

❸ 정답 : 하위문화를 구분하는 기준은 전체 문화의 기준을 어떻게 규정하느냐에 따라 달라지므로 상대적이다.

④ 오답 : 반문화는 사회 혼란을 초래하지만, 세대 문화는 사회 변동에 기여할 수도 있고 그렇지 않을 수도 있다.

⑤ 오답 : 반문화와 세대 문화의 총합이 전체 문화가 되는 것은 아니다. 수많은 하위문화를 모두 더한다 해도 전체 구성원이 공유하는 문화 요소가 나타날 수는 없기 때문이다.

---

04 전체 문화와 하위문화

자료 해설

(가) 인터넷 및 스마트폰의 보급으로 누구나 온라인 게임을 손쉽게
└→인간 생활에 필요한 기술이며 물질문화이다.
접할 수 있게 되었다. 이제 온라인 게임은 청소년뿐만 아니라 중장년층 및 노년층까지 전 세대가 즐기는 대중적 문화가 되었
└→하위문화가 전체 문화가 되었다.　└→청소년 세대만 공유하는 하위문화이다.
다.

(나) 최근 청소년들은 그들끼리만 통하는 언어를 사용한다. 인터넷 용어를 축약하여 표현하거나, 자음만으로 의사를 표현하는 등의 방법으로 신조어와 은어를 만들어 사용한다. 기성세대가 청소년들의 언어문화를 이해하지 못하여, 세대 간 의사소통의 장애가 발생하고 있다.
└→청소년 세대와 기성세대 간 이질성이 심화된 결과이다.

선택지 분석

❶ 정답 : (가)는 과거 청소년 집단의 문화였던 온라인 게임이 기술 발전으로 누구나 쉽게 접근할 수 있게 되어 전 세대가 즐기는 대중적 문화, 즉 전체 문화가 되었음을 보여 주고 있다.

② 오답 : (나)에서는 청소년의 언어 문화라는 하위문화로 인해 기성세대와의 의사소통에 장애가 발생하고 있다. 즉, 청소년 세대와 기성세대 간의 이질성이 심화되고 있다.

③ 오답 : 문화 지체 현상은 물질문화와 비물질문화 간 변동 속도의 차이에 따른 부조화 현상으로, (가)와 (나)에 나타나 있지 않다.

④ 오답 : (나)에서 청소년 문화를 주류 문화에 저항하는 반문화로 보기 어렵다.

⑤ 오답 : (가)만 특정 집단의 문화가 기존의 주류 문화를 대체한 사례로 볼 수 있다.

올쏘 만점 노트　하위문화의 기능

순기능	전체 사회에 역동성과 다양성을 제공하고, 특정 집단의 정체성을 형성함으로써 구성원의 소속감 고취에 기여하며, 사회 구성원에게 다양한 욕구 충족의 기회를 제공함
역기능	집단 간 갈등을 초래하여 사회 통합을 저해할 우려가 있음

정답 및 해설

05 전체 문화, 하위문화, 반문화

자료 해설

한 사회 구성원들이 전반적으로 공유하는 문화를 A 문화라 한다.
└→ 전체 문화이다. └→ 하위문화이다.
반면 사회의 일부 구성원들만 공유하여 다른 구성원들과 구분되는
생활양식을 B 문화라고 한다. B 문화는 이를 공유하는 구성원들의
정체성을 알려 주는 문화로서 그들에게 중요한 삶의 양식이 된다.
B 문화 중에는 그 사회의 지배 문화에 저항하거나 대립하는 문화
가 있는데, 이를 C 문화라 한다.   반문화이다.←┘

선택지 분석

❶ 정답 : 하위문화를 모두 합해도 전체 문화가 되는 것은 아니므로 전체 문화
는 하위문화의 총합으로 설명할 수 없다.

② 오답 : 전체 문화는 사회 구성원 대다수가 향유하는 문화이므로, 하위문화
에는 전체 문화의 문화 요소가 존재한다.

③ 오답 : 반문화를 포함하는 하위문화는 집단 간 갈등을 초래하여 사회 통합
을 저해할 수 있다.

④ 오답 : 사회가 다원화되면 반문화가 더 다양해진다.

⑤ 오답 : 반문화를 포함하는 하위문화는 사회 변화에 따라 전체 문화가 되기
도 한다.

06 하위문화의 기능

자료 해설 '스웨그'는 자유 분방함과 개성을 지향하는 젊은이들에게
큰 호응을 얻었다고 하였으므로 청년층의 하위문화라고 할 수 있다.
'스낵 컬처'는 일부 소비자들이 향유하는 하위문화이다. 따라서 두 사례
모두 하위문화를 보여 주고 있다.

선택지 분석

① 오답 : 제시된 사례는 한 사회의 구성원 전체가 따르는 지배적인 문화에 저
항하고 도전하는 반문화의 사례가 아니다.

② 오답 : 문화 지체 현상은 물질문화와 비물질문화 간 변동 속도의 차이에서
발생하는 부조화 현상으로, 제시된 사례에는 나타나 있지 않다.

③ 오답 : 제시된 사례에는 대중문화의 질적 저하 문제가 나타나 있지 않다.

④ 오답 : 제시된 사례에서는 특정 집단의 문화가 기존의 주류 문화를 대체하
는 현상을 찾을 수 없다.

❺ 정답 : 일부 구성원이 공유하는 생활 양식, 즉 하위문화가 문화 다양성에 기
여할 수 있음을 보여 주고 있다.

07 하위문화와 반문화

자료 해설

문화는 사회마다 다를 뿐 아니라 같은 사회 내에서도 다양한 양상
으로 나타난다. 한 사회 내의 특정 집단 구성원들만이 공유하는 문
└→ 하위문화이다.   └→ 반문화이다.
화가 있는데, 이를 A 문화라고 한다. 또한, 주류 문화에 반대하고
적극적으로 도전하는 양상을 보이는 B 문화도 있다. B 문화는 때
로는 지배 집단에 의해 일탈로 규정되기도 한다.

선택지 분석

① 오답 : 하위문화의 총합이 전체 문화는 아니다.

② 오답 : 사회가 복잡해질수록 다양한 하위문화가 나타나는 경향이 있다.

❸ 정답 : 반문화를 가지고 있는 구성원들도 그 사회의 구성원이므로 반문화에
서도 전체 문화와 공통적인 요소를 찾을 수 있다.

④ 오답 : 반문화는 사회 변동을 지향한다.

⑤ 오답 : 반문화를 포함하는 하위문화는 사회에 따라 상대적으로 규정된다.

올쏘 만점 노트 반문화

의미	한 사회의 지배적인 문화에 저항하거나 대립하는 문화
특징	• 하위문화의 한 유형으로 볼 수 있음 • 시대와 사회에 따라 그 규정이 달라짐
기능	• 순기능 : 기존 주류 문화를 대체하면서 사회 변동을 가져오기 도 함 • 역기능 : 집단 간 갈등을 조장하여 사회 혼란을 초래함

08 전체 문화 요소와 하위문화 요소

자료 해설

〈A국에 존재하는 음식 문화 요소〉

a는 A국의 모든 지역에서 나타나므로 전체 문화 요소이다.

구분	갑 지역	을 지역	병 지역
T시기	ⓐⓑ	ⓐⓒ	ⓐⓓ
T+1시기	a, b, c	a, c	a, c, d

b는 갑 지역에서만, c는 을 지역에서만, d는 병 지역에서만 나타나고 있으므로 b, c, d는
A국의 하위문화 요소이다.

선택지 분석

㉠ 정답 : T 시기에 음식 문화 요소 a는 A국의 갑, 을, 병 지역 모두에 존재하므
로 전체 문화 요소이다.

㉡ 정답 : T+1 시기에 음식 문화 요소 b는 A국 중에서 갑 지역에만 존재하므
로 A국의 하위문화 요소이다.

ㄷ. 오답 : T 시기와 T+1 시기에 A국의 음식 문화 요소는 a, b, c, d로 동일하다.

ㄹ. 오답 : T 시기에는 A국의 세 지역이 음식 문화 요소 a만을 공유하고 있지만,
T+1 시기에는 a, c를 공유하고 있으므로 T+1 시기가 T 시기에 비해 세 지
역 간 음식 문화의 동질성이 더 강하다.

09 대중 매체의 특징 비교

자료 해설

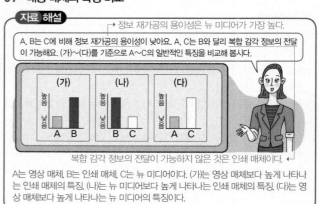

└→ 정보 재가공의 용이성은 뉴 미디어가 가장 높다.

A, B는 C에 비해 정보 재가공의 용이성이 낮아요. A, C는 B와 달리 복합 감각 정보의 전달
이 가능해요. (가)~(다)를 기준으로 A~C의 일반적인 특징을 비교해 봅시다.

(가) / (나) / (다)

복합 감각 정보의 전달이 가능하지 않은 것은 인쇄 매체이다.

A는 영상 매체, B는 인쇄 매체, C는 뉴 미디어이다. (가)는 영상 매체보다 높게 나타나
는 인쇄 매체의 특징, (나)는 뉴 미디어보다 높게 나타나는 인쇄 매체의 특징, (다)는 영
상 매체보다 높게 나타나는 뉴 미디어의 특징이다.

선택지 분석

① 오답 : 정보 유통의 신속성은 영상 매체가 인쇄 매체보다 높다.

② 오답 : 정보 전달의 양방향성은 뉴 미디어가 인쇄 매체보다 높다.

③ 오답 : 정보 확산 경로의 다양성은 뉴 미디어가 인쇄 매체보다 높다.

❹ 정답 : 정보 생산자의 익명성은 뉴 미디어가 영상 매체에 비해 높다.

⑤ 오답 : 정보 생산자와 소비자 간 경계의 명확성은 영상 매체가 뉴 미디어보
다 높다.

10 대중 매체의 특징 비교

자료 해설
→ 뉴 미디어의 특징이다.

'정보의 생산자와 소비자 간 경계가 모호한가?'라는 질문을 통해 A
와 B를 구분할 수 있다. 하지만 '시청각 정보 제공이 가능한가?'라
└→ 영상 매체와 뉴 미디어의 특징이다. ←┘
는 질문으로는 B와 C를 구분할 수 없다. 표는 대중 매체 A~C를
대중 매체의 특징 (가), (나)를 기준으로 비교한 것이다.

대중 매체의 특징	비교 결과
(가)	인쇄 매체 ─Ⓐ＞Ⓑ → 뉴 미디어
(나)	뉴 미디어 ─Ⓑ＞Ⓒ → 영상 매체

선택지 분석

① 오답 : 뉴 미디어가 인쇄 매체보다 정보 전달의 신속성이 크다.

② 오답 : 정보 획득 시 사용 가능한 감각의 다양성은 뉴 미디어가 인쇄 매체보
다 크다.

③ 오답 : 뉴 미디어가 인쇄 매체보다 정보 전달 시 문맹자의 정보 접근 가능성
이 크다.

④ 정답 : 뉴 미디어가 영상 매체보다 정보의 복제와 재가공이 용이하다.

⑤ 오답 : 정보 전달자와 수용자 간 구분의 명확성은 영상 매체가 뉴 미디어보
다 크다.

11 대중 매체의 특징 비교

자료 해설 정보 생산자와 정보 소비자 간의 경계가 뚜렷하지 않은 A
는 뉴 미디어이고, 시각 정보를 제공하지 않는 C는 음성 매체이다. 따
라서 B는 영상 매체이다. (가)에는 뉴 미디어만 '예'라는 답을 할 수 있
는 질문이 들어가야 한다.

선택지 분석

① 오답 : 뉴 미디어는 대중 매체 중에서 정보 확산의 시·공간적 제약이 가장
작다.

② 오답 : 영상 매체보다 음성 매체는 청각 정보에 대한 의존도가 높다.

③ 오답 : 뉴 미디어는 영상 매체, 음성 매체와 달리 양방향 정보 전달이 가능
하다.

④ 오답 : 대중 매체는 음성 매체, 영상 매체, 뉴 미디어 순으로 등장하였다.

❺ 정답 : '정보 수용자에 의한 정보 수정 및 재가공이 용이한가?'의 질문에 뉴
미디어는 '예'의 답을 할 수 있다.

12 대중 매체의 특징 비교

자료 해설

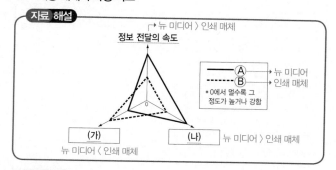

선택지 분석

ㄱ. 오답 : 뉴 미디어는 인쇄 매체보다 정보 확산의 시·공간적 제약이 작다.

ㄴ. 정답 : 인쇄 매체는 정보 생산자와 소비자 간의 경계가 뚜렷하다. 반면 뉴
미디어는 정보 소비자가 정보를 생산할 수도 있으므로 경계가 불분명하다.

ㄷ. 오답 : '정보 전달자와 수용자 간의 상호 작용성'은 뉴 미디어가 인쇄 매체보
다 크므로 (가)에 들어갈 수 없다.

ㄹ. 정답 : 뉴 미디어는 정보의 수집·생산·재가공이 인쇄 매체에 비해 더 용이
하다.

올쏘 만점 노트   정보 생산자와 정보 수용자

대중 매체에 대해 정보를 만들어 내는 사람과 정보를 받아들이는 사람을
구별할 수 있다. 정보 생산자는 새로운 정보를 만들어 내는 주체이며, 이
를 직접 대중 매체를 통해 전달한다. 정보 수용자는 대중 매체를 통해 정
보 생산자가 만들어 낸 정보를 선택하여 수용하는 주체이다. 전통적 대중
매체는 비교적 정보 생산자와 정보 수용자의 경계가 뚜렷하나, 뉴 미디어
에서는 정보 생산자와 정보 수용자 간의 경계가 뚜렷이 구분되지 않는다.

13 대중 매체의 특징 비교

자료 해설 정보의 생산자와 소비자 간 경계의 명확성은 전통적 영상
매체(TV)가 뉴 미디어보다 크게 나타난다. 따라서 A는 뉴 미디어이고,
B는 전통적 영상 매체이다.

선택지 분석

❶ 정답 : 생활 정보를 획득하는 데 이용하는 비율은 A(뉴 미디어)가 B(전통적
영상 매체)보다 높다. 뉴 미디어는 양방향 매체이고 전통적 영상 매체는 일
방향 매체이다.

② 오답 : 전문 정보를 획득하는 데 이용하는 비율은 B(전통적 영상 매체)가
A(뉴 미디어)보다 높다. 정보 재가공이 용이한 매체는 뉴 미디어이다.

③ 오답 : A(뉴 미디어)를 이용하여 생활 정보를 획득한 건수와 전문 정보를 획
득한 건수는 주어진 비율만으로 파악하기 어렵다.

④ 오답 : B(전통적 영상 매체)를 이용하여 '경제' 정보를 획득한 비율과 '국제
정세' 정보를 획득한 비율이 77%로 같지만, 모든 응답자가 중복되었다고
단정하기 어렵다.

⑤ 오답 : A(뉴 미디어) 이용 비율과 B(전통적 영상 매체) 이용 비율 간의 차이
는 생활 정보 획득에서보다 전문 정보 획득에서 더 작다.

14 대중 매체의 특징 비교

자료 해설 청각 정보에 의존하는 정도가 가장 높은 A는 라디오, 정
보 전달의 시·공간적 제약이 가장 큰 B는 종이 신문, 정보의 복제 및
재가공 용이성이 가장 높은 C는 인터넷, D는 TV이다.

선택지 분석

① 오답 : 종이 신문이 라디오에 비해 깊이 있는 정보 전달이 용이하다.

② 오답 : 인터넷이 종이 신문에 비해 정보의 확산 경로가 다양하다.

③ 오답 : TV는 정보 생산자의 전문성이 높은 대중 매체이다.

❹ 정답 : TV는 종이 신문과 달리 생중계가 가능하므로 정보를 실시간으로 전
달할 수 있다.

⑤ 오답 : 인터넷이나 TV는 종이 신문이나 라디오와 달리 복합 감각 정보를 전
달할 수 있다.

15 대중 매체의 특징 비교

자료 해설 심층적인 정보 전달에 유리한 A는 신문이고, 양방향 전달
에 유리한 B는 뉴 미디어이다. 각 매체별 이용률은 복수 응답으로 답한
결과이다.

선택지 분석

① 오답 : 신문의 신뢰도는 49점으로 청각 정보를 활용한 라디오의 신뢰도인

38점보다 높지만 시각 정보를 활용한 텔레비전의 신뢰도 66점보다 낮다.

② 오답 : 뉴 미디어는 텔레비전보다 정보의 생산자와 소비자 간의 경계가 뚜렷하지 않다.

③ 오답 : 텔레비전은 정보 전달의 동시성이 높은 특징이 있다. 그러나 라디오는 시각 정보를 제공할 수 없다.

④ 정답 : 이용률 대비 신뢰도는 청각 정보만 전달하는 라디오의 38/20가 인쇄 매체인 신문의 49/31보다 높다.

⑤ 오답 : 뉴 미디어를 이용한다고 응답한 비율은 75%이다. 신문, 텔레비전, 라디오를 함께 이용한다고 응답한 비율은 중복 응답이 가능하므로 최대 20%이다.

올쏘 만점 노트 │ 정보 전달 및 정보 수용의 동시성

정보 전달의 동시성은 정보가 대중 매체를 통해서 동일한 시기에 전달되는 정도를 말한다. 신문에 비해 라디오는 전파를 통해서 일시에 같은 정보를 전달하므로 정보 전달의 동시성이 높다고 할 수 있다. 정보 수용의 동시성은 해당 정보를 대중 매체를 통해서 동일한 시기에 받아들이는 정도를 말한다. 신문에 비해 TV는 해당 수신기를 시청하고 있는 사람들에게 동시에 정보가 전달되므로 정보 수용의 동시성이 높다고 할 수 있다.

16 대중 매체의 특징 비교

자료 해설

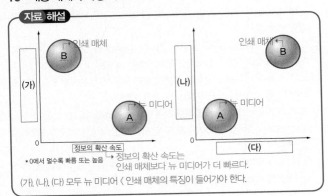

(가), (나), (다) 모두 뉴 미디어 < 인쇄 매체의 특징이 들어가야 한다.

선택지 분석

① 오답 : 인쇄 매체가 뉴 미디어에 비해 정보 확산의 시·공간적 제약이 크다.

② 오답 : 뉴 미디어는 인쇄 매체와 달리 정보의 동시적 전달이 가능하다.

③ 오답 : 정보 재가공의 용이성은 뉴 미디어가 인쇄 매체보다 높다.

④ 오답 : 시청각 정보 제공의 용이성은 뉴 미디어가 인쇄 매체보다 높다.

❺ 정답 : 정보 생산자와 소비자 간 경계의 명확성은 인쇄 매체가 뉴 미디어보다 높다.

17 대중 매체의 특징 비교

자료 해설 첫 번째 도표에서 '정보의 심층성'은 종이 신문이 가장 높으므로, B는 종이 신문이 될 수 없다. 두 번째 도표에서 '정보 전달의 신속성'은 종이 신문이 가장 낮으므로 C는 종이 신문이 될 수 없다. 따라서 B가 종이 신문이고, A와 C는 각각 라디오와 TV 중 하나이다.

선택지 분석

ㄱ. 정답 : 종이 신문은 문자로 표현되므로 문맹자의 정보 접근이 어렵다.

ㄴ. 정답 : 종이 신문이 TV보다 먼저 등장하였다.

ㄷ. 오답 : 정보 전달과 수용의 동시성이 높은 것은 라디오와 TV이다. (가)에는 종이 신문이 높게 나타나는 특징이 들어가야 한다.

ㄹ. 오답 : 복합 감각 정보의 전달 가능성은 TV가 높고 종이 신문은 낮다. (나)에는 종이 신문이 높게 나타나는 특징이 들어가야 한다.

18 대중 매체의 특징 비교

자료 해설

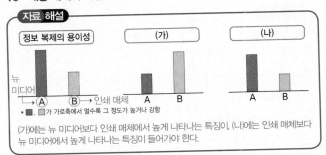

(가)에는 뉴 미디어보다 인쇄 매체에서 높게 나타나는 특징이, (나)에는 인쇄 매체보다 뉴 미디어에서 높게 나타나는 특징이 들어가야 한다.

선택지 분석

① 오답 : 정보의 생산자와 소비자 간 경계가 뚜렷한 것은 인쇄 매체이다.

② 오답 : 인쇄 매체와 달리 뉴 미디어는 인터넷을 통해 정보를 동시에 전달할 수 있다.

③ 오답 : 정보의 전달자와 수용자 간 상호 작용이 활발한 것은 뉴 미디어이다.

④ 오답 : 인쇄 매체보다 뉴 미디어가 시청각 정보 제공이 용이하므로 '시청각 정보 제공의 용이성'은 (가)에 적절하지 않다.

⑤ 정답 : 뉴 미디어는 인터넷을 기반으로 다양한 매체들이 결합하여 나타나므로 인쇄 매체보다 정보 확산 경로가 다양하다.

19 대중 매체의 특징 비교

자료 해설 정보 전달의 양방향성이 높은 A는 뉴 미디어이고, 시청각 정보를 제공할 수 없는 B는 인쇄 매체이다. 따라서 C는 영상 매체이다.

선택지 분석

① 오답 : 뉴 미디어보다는 인쇄 매체가 정보 확산의 시·공간적 제약이 크다.

② 오답 : 인쇄 매체보다 영상 매체의 정보 전달 속도가 빠르다.

③ 오답 : 영상 매체보다는 뉴 미디어가 정보 재가공이 용이하다.

④ 정답 : 가장 먼저 등장한 대중 매체는 인쇄 매체이며, 인쇄 매체의 이용률은 성인이 24.2%, 10대 청소년이 21.5%로 성인이 더 높다.

⑤ 오답 : 10대 청소년과 성인의 전체 응답자 수를 알 수 없으므로 이용률만으로 이용한 사람의 수를 비교할 수 없다.

20 대중 매체의 특징 비교

자료 해설

→ 뉴 미디어의 특징이다.

• A는 B, C보다 정보 전달의 양방향성이 높다.

• C는 B와 달리 시청각 정보를 제공한다.
→ 영상 매체와 뉴 미디어의 특징이다.

따라서 A는 인터넷(뉴 미디어), B는 서적(인쇄 매체), C는 TV(영상 매체)이다.

질문	갑	을	병	정	무
A가 B보다 정보 확산의 시·공간적 제약이 큰가? → 인터넷 < 서적	×	×	○	○	×
B가 A보다 문맹자의 정보 접근성이 높은가? → 인터넷 < 서적	×	×	×	○	○
C가 B보다 정보 전달의 속도가 빠른가? → 서적 < TV	○	○	×	×	×
A, B 모두 정보의 비동시적 소비가 가능한가? → 인터넷, 서적 모두 가능	○	×	○	×	×

(○ : 예, × : 아니요)

선택지 분석

❶ 정답 : 갑은 4개의 질문에 모두 옳게 답하였다.

② 오답 : 을은 네 번째 질문에 예(○)로 답해야 하는데 아니요(×)로 답하였다.

③ 오답 : 병은 첫 번째 질문에 아니요(×)로 답해야 하는데 예(○)로 답하였다. 세 번째 질문에 예(○)로 답해야 하는데 아니요(×)로 답하였다.

④ 오답 : 정은 첫 번째 질문에 아니요(×)로 답해야 하는데 예(○)로 답하였다. 두 번째 질문에 아니요(×)로 답해야 하는데 예(○)로 답하였다. 세 번째 질문에 예(○)로 답해야 하는데 아니요(×)로 답하였다. 네 번째 질문에 예(○)로 답해야 하는데 아니요(×)로 답하였다.

⑤ 오답 : 무는 두 번째 질문에 아니요(×)로 답해야 하는데 예(○)로 답하였다. 세 번째 질문에 예(○)로 답해야 하는데 아니요(×)로 답하였다. 네 번째 질문에 예(○)로 답해야 하는데 아니요(×)로 답하였다.

21 대중 매체의 특징 비교

자료 해설

다음 질문에 해당하는 대중 매체 A, B, C를 쓰시오.

	질문	답란
①	가장 먼저 등장한 매체는? → 인쇄 매체	C
②	시청각 정보 제공이 가능한 매체는? → 영상 매체와 뉴 미디어	A, B
③	정보의 재가공이 가장 용이한 매체는? → 뉴 미디어	A

따라서 A는 뉴 미디어, B는 영상 매체, C는 인쇄 매체이다.

선택지 분석

ㄱ. 오답 : 뉴 미디어와 영상 매체 모두 여론 조작의 가능성이 있다.

ㄴ. 오답 : 영상 매체는 인쇄 매체에 비해 정보 전달의 속도가 빠르다.

ⓒ 정답 : 인쇄 매체는 뉴 미디어에 비해 정보 확산에 있어서 시·공간적 제약이 크다.

ⓔ 정답 : 뉴 미디어는 영상 매체와 인쇄 매체에 비해 정보 생산자와 소비자 간 경계가 모호하다.

22 대중 매체를 수용하는 태도

자료 해설 (가)에서는 대중이 수동적이므로 대중 매체가 대중의 사고와 판단을 지배할 수 있다고 본다. (나)에서는 대중이 주체적 인식 능력이 있으므로 대중 매체가 제공하는 정보를 능동적·비판적으로 수용할 수 있다고 본다.

선택지 분석

① 오답 : (가)에서 대중 매체가 사회의 다양성을 증진시킬 것으로 보는지 알 수 없다.

② 오답 : (나)는 정보를 수용하는 대중의 주체적 인식 능력을 강조한다.

❸ 정답 : (가)는 대중의 수동성으로 인해 대중 매체가 대중의 사고와 판단을 지배한다고 보기 때문에 대중 조작을 설명하는 데 (나)보다 적합하다.

④ 오답 : (가)는 (나)와 달리 정보 수용자를 수동적인 존재로 본다.

⑤ 오답 : (가)와 (나)에는 대중 매체의 역기능과 순기능에 대해 제시되어 있지 않다.

23 대중 매체의 문제점

자료 해설 자료의 신문과 라디오는 일방향적 대중 매체이며, '과감하게 과장하고 여러 번 반복해서 지속적으로 말하면 대중이 믿게 될 것'이라는 부분에서 대중 조작을 파악할 수 있다.

선택지 분석

ㄱ 정답 : 신문과 라디오라는 일방향적 대중 매체를 활용하여 여론을 왜곡할 수 있다.

ㄴ 정답 : 신문과 라디오를 활용하여 대중 조작을 하는 등 기득권 집단의 이익을 옹호하기 위한 도구로 사용될 수 있다.

ㄷ. 오답 : 상업주의도 대중 매체의 역기능에 해당하지만 제시된 사례와 관련이 없다.

ㄹ 정답 : 일방향적 대중 매체는 일방적으로 정보를 전달함으로써 대중을 수동적인 존재로 만들 수 있다.

> **올쏘 만점 노트** 대중 매체의 역기능
>
> • 대중 조작 : 정보를 은폐, 왜곡, 과장하거나 허위 정보를 제공하여 의도적으로 대중의 관심이나 사고방식을 특정한 방향으로 유도하는 행위나 시도를 의미한다.
> • 대중 매체의 상업성 : 대중 매체는 보다 많은 사람들이 접하고 이용함으로써 그 가치가 높아지고 이윤이 창출된다. 따라서 대중 매체는 이윤을 추구하여 경제적 효용을 높이려는 상업성을 띠고, 이 때문에 선정적이거나 폭력적인 문화를 양산하여 문화의 질적 저하를 가져올 수 있다.

24 대중 매체의 비판적 수용

자료 해설

우리는 대중 매체를 통해 세상을 바라본다. 그런데 언론의 보도 내용이 모든 것을 있는 그대로 보여 주는 것은 아니다. 뉴스 가치에
└→ 언론의 보도 내용이 상황에 따라 달라질 수 있음을 의미한다.
따라 어떤 사건의 보도 여부와 그 비중이 달라질 수 있기 때문이다. 뉴스 가치는 기자 개인의 성향, 언론사의 방침, 언론사의 외적 환경 등으로 인해 다양하게 해석되어 결정된다. → 그러므로 대중 매체가 제공하는 정보를 능동적·비판적으로 수용하는 자세가 필요하다.

선택지 분석

ㄱ. 오답 : 대중 매체는 사회 문제에 대해 중립적이지 못하고 상황에 따라 입장이 달라질 수 있다.

ⓛ 정답 : 대중 매체에서 얼마나 비중 있게 다루는가에 따라 특정 사건의 중요도는 달라질 수 있다.

ㄷ. 오답 : 언론의 보도 내용을 결정하는 요인으로 기자 개인의 성향, 언론사의 방침, 언론사의 외적 환경 등을 제시하고 있으나 시청자의 선호도는 언급하지 않았다.

ㄹ 정답 : 대중 매체가 전달하는 내용을 비판적이고 능동적으로 수용할 필요가 있음을 보여 준다.

킬러 예상 문제

본문 098~099쪽

01 ② 02 ③ 03 ④ 04 ① 05 ④ 06 ② 07 ② 08 ④

01 하위문화의 특징

자료 해설 제시문에는 제주도에만 존재하는 이사 풍습인 '신구간'이 소개되어 있다. 신구간은 제주도라는 특정 지역에만 존재하는 지역 문화로서 하위문화의 한 종류라 할 수 있다.

선택지 분석

ㄱ 정답 : 신구간은 제주도라는 특정 지역의 구성원들만이 공유하는 문화이므로 지역 문화에 해당한다. 이처럼 주류 문화에 속한 구성원들 가운데 일부 구성원들만이 향유하는 문화를 하위문화라고 한다.

ㄴ. 오답 : 주류 문화에 대안을 제시하는 문화는 주류 문화를 거부하거나 따르

정답 및 해설 🦷

지 않는 반문화이다.

◉ 정답 : 제주도민은 대한민국이라는 전체 사회의 문화에 속한 구성원임과 동시에 제주도 문화라는 하위문화에 속한 구성원이기도 하다.

ㄹ. 오답 : 신구간이라는 제주도의 풍습이 형성된 배경을 이와 관련한 속설이 후대에 전해지는 것으로 설명하고 있다. 이를 통해 문화 요소가 상징을 통해 후대에 전승되는 속성, 즉 문화의 축적성과 학습성을 파악할 수 있다.

> **올쏘 만점 노트** **주류 문화와 하위문화**
>
> | 주류 문화 | 한 사회의 구성원들 대다수가 공통적으로 향유하는 문화 |
> |---|---|
> | 하위문화 | 한 사회 내에서 지역, 성별, 세대, 계층 등에 따라 구분되는 특정 집단만이 누리는 문화로 지역 문화, 세대 문화, 청소년 문화, 반문화 등이 있음 |

02 하위문화와 반문화

자료 해설 (가)는 탄광촌에서의 금기를, (나)는 아미시라는 미국 내 공동체를 통해 하위문화를 설명하고 있다. 탄광촌에서의 금기는 '탄광촌'이라는 특수한 공간에서만 통하는 것으로, 해당 문화를 공유하는 사람들이라면 지켜야 하는 사항이다. 탄광촌 금기를 통해 하위문화가 해당 문화의 구성원들 사이에서 공유되고 그들의 사고 및 행위를 구속할 수 있음을 알 수 있다. (나)에 제시된 아미시라는 공동체의 경우 경쟁을 거부하고 자신들만의 가치관에 따라 교육하고 살아가는 것을 통해 미국이라는 사회의 주류 문화를 거부하는 반문화적 성격을 엿볼 수 있다.

선택지 분석

① 오답 : (가), (나) 모두 하위문화에 해당하므로 해당 문화 구성원들의 소속감 및 유대감을 강화시킬 수 있다.

② 오답 : 모든 하위문화에는 주류 문화 요소가 존재한다.

❸ 정답 : 미국 사회에서는 경쟁을 당연시하고 그에 부합하는 가치를 아이들에게 교육하는 데 반해, 아미시에서는 경쟁을 거부하고 공동체 의식을 강조하고 있으므로 주류 문화에 반하는 가치를 지향하고 있음을 파악할 수 있다.

④ 오답 : 모든 하위문화는 해당 문화 구성원들의 사고 및 행위를 구속하는 측면이 있다.

⑤ 오답 : (가), (나) 문화 모두 하위문화로서 전체 사회에 문화적 역동성을 제공하지만, 하위문화가 사회 통합에 기여한다고 보기는 어렵다. 특히 반문화의 경우 사회 통합을 저해할 가능성이 높다.

03 다양한 문화의 양상

자료 해설 한 사회의 구성원들 대부분이 향유하는 문화를 주류 문화라고 한다. 그리고 그 구성원들 가운데 일부가 집단을 형성하여 자신들만의 문화를 공유하기도 하는데, 이를 하위문화라고 한다. 그리고 하위문화 가운데 주류 문화에 저항하고 대립하는 문화를 반문화라고 한다. 따라서 A는 주류 문화, B는 하위문화, C는 반문화이다.

선택지 분석

ㄱ. 오답 : 한 사회에 다양한 하위문화가 존재한다고 해서 해당 사회의 모든 하위문화를 합한 것이 주류 문화라고 볼 수는 없다. 주류 문화가 다양한 하위문화로 구성되는 것은 아니기 때문이다.

ㄴ. 정답 : 사회 변동에 의해 하위문화나 반문화였던 것이 주류 문화가 되기도 한다. 남녀 차별이 주류 문화였던 시대에는 남녀평등을 주장하는 문화가 반문화였으나, 오늘날에는 주류 문화가 된 것을 예로 들 수 있다.

ㄷ. 오답 : 반문화는 하위문화의 한 종류라 볼 수 있으나, 하위문화는 주류 문화의 한 종류라 볼 수 없다.

ㄹ. 정답 : 하위문화나 반문화를 공유하는 집단은 주류 문화의 문화 요소를 공유한다. 그러나 주류 문화 집단이 하위문화나 반문화의 문화 요소를 공유하지는 않는다.

04 다양한 문화의 양상

자료 해설 자료는 19세기 말 동학에 대해 설명하고 있다. 19세기 말은 신분제에 기초한 사회였으므로 사람이 곧 하늘임을 주장하고 만인의 평등을 신봉한 동학은 하위문화이자 반문화였음을 파악할 수 있다.

선택지 분석

❶ 정답 : 신분제에 기초한 사회에서 만인의 평등을 신봉했다는 것은 주류 문화를 거부하고 저항했음을 보여 준다. 따라서 동학이 반문화적 성격을 띠고 있음을 알 수 있다.

② 오답 : 주류 문화를 무엇으로 설정하느냐에 따라 하위문화가 상대적으로 규정될 수 있는 것은 사실이나, 제시된 동학을 사례로 설명하기 어려운 내용이다.

③ 오답 : 처음에는 주류 문화였던 것이 하위문화나 반문화가 될 수 있다. 남성 중심적 가치관이 주류 문화였다가 양성평등 의식이 강화되면서 일부 하위문화 집단이나 반문화 집단에서만 추구되는 것을 예로 들 수 있다. 그러나 제시된 사례를 통해서는 설명하기 어려운 내용이다.

④ 오답 : 모든 하위문화가 주류 문화에 의해 일탈로 규정되는 것은 아니다. 하위문화 중에서도 주류 문화에서 지향하는 가치에 위배되는 가치를 지향하는 하위문화가 일탈로 규정될 가능성이 높다.

⑤ 오답 : 반문화의 구성원 또한 주류 문화를 공유하는 구성원이 될 수 있다. 주류 문화를 구성하는 구성원 가운데 일부가 주류 문화에서 지향하는 가치를 거부하면서 반문화가 형성되기 때문이다.

> **올쏘 만점 노트** **반문화의 상대성**
>
> 반문화는 상대적으로 규정되는 성격을 띤다. 즉, 한 사회에서는 반문화적 성격으로 규정되는 하위문화가 다른 사회에서는 그렇지 않을 수 있다. 반문화는 시간적으로도 상대적으로 규정될 수 있다. 과거에는 법적으로 단속 대상이 되었던 반문화가 오늘날에는 합법적 문화가 된 것이 그 예이다. 이처럼 반문화는 시·공간적 상대성을 띤다.

05 대중문화의 형성 배경

자료 해설 ㉠은 다수의 사람들이 함께 즐기고 누리는 문화, 즉 대중문화이다. ㉡에는 대중문화의 형성 배경이 들어갈 수 있다. 대중문화가 형성된 것은 산업화로 인한 부의 축적, 의무 교육 제도 확산, 보통 선거 제도 확립, 대중 매체 보급 등을 들 수 있다.

선택지 분석

ㄱ. 오답 : ㉠은 다수의 사람들이 함께 즐기고 향유하는 문화이므로 대중문화이다. 대다수의 사람들이 향유하는 문화는 하위문화가 아닌 그 사회의 주류 문화로 인정된다.

ㄴ. 정답 : 의무 교육 제도의 확산은 대중의 교육 수준을 향상시키고 문화적 욕구가 상승하는 데 영향을 주므로 대중문화의 형성 배경이 될 수 있다.

ㄷ. 오답 : 대중문화가 형성되던 당시는 산업화 시기였다. 정보화는 산업화가 상당히 진전된 이후에 나타난 사회 변화이다.

ㄹ. 정답 : ㉢에는 대중 매체가 사회 전반에 보급되면서 매체를 통한 문화 상품의 생산 및 판매가 촉진되었음이 나타나 있다. 이는 대중 매체가 문화 상품의 대량 생산 및 대량 소비를 가능하게 하고, 많은 사람들이 소비하는 문화 상품을 탄생시켰음을 의미한다. 많은 사람들이 소비하는 문화 상품은 곧 대다수의 사람들이 향유하는 문화, 즉 대중문화가 된다.

070 정답 및 해설

올쏘 만점 노트 대중문화의 형성 배경

- 산업화로 대량 생산 체제가 형성되어 다수가 누릴 수 있는 문화가 형성 되었다.
- 의무 교육 제도의 도입 및 확산으로 대중의 지적 수준이 향상되었다.
- 보통 선거 제도의 도입 및 확립으로 대중의 지위가 향상되었다.
- 대중 매체가 발달하여 대중문화의 생산 및 보급이 가속화되었다.

06 대중 매체의 특징 비교

자료 해설 → 문맹자의 접근이 용이하려면 시각이 아닌 다른 감각 기관을 활용한 정보 수집이 가능해야 한다.

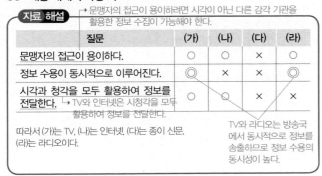

질문	(가)	(나)	(다)	(라)
문맹자의 접근이 용이하다.	○	○	×	○
정보 수용이 동시적으로 이루어진다.	◎	×	×	◎
시각과 청각을 모두 활용하여 정보를 전달한다.	○	○	×	×

→ TV와 인터넷은 시청각을 모두 활용하여 정보를 전달한다.

따라서 (가)는 TV, (나)는 인터넷, (다)는 종이 신문, (라)는 라디오이다.

TV와 라디오는 방송국에서 동시적으로 정보를 송출하므로 정보 수용의 동시성이 높다.

선택지 분석

① 오답 : TV와 라디오 모두 청각적 정보를 활용한다.
❷ 정답 : 인터넷은 종이 신문에 비해 정보 생산자와 소비자 간 경계가 모호하다. 인터넷에서는 누구나 정보를 생산할 수 있기 때문이다.
③ 오답 : 종이 신문이 TV와 달리 정보 생산자의 전문성이 높다고 볼 수 없다. TV 역시 정보 생산자에게 높은 전문성이 요구되기 때문이다.
④ 오답 : 정보의 복제 및 재가공이 가장 용이한 매체는 인터넷이다.
⑤ 오답 : 정보 생산자와 소비자 간 상호 정보 전달이 용이하다는 것은 양방향적 정보 전달이 이루어진다는 의미로, 인터넷이 가장 용이하다.

07 대중문화의 특징

자료 해설 제시문에서는 스낵 컬처에 대해 소개하고 있다. 짧은 시간에 부담 없이 즐길 수 있는 새로운 형식의 문화 소비 경향을 의미하는 스낵 컬처는 스마트 기기의 대중화로 새롭게 등장하였다. 대중문화는 대중 매체에 의해 대중에게 공유되어 형성되므로, 대중 매체의 발달상과 밀접한 연관을 가진다.

선택지 분석

㉠ 정답 : 스마트 기기의 발달 및 대중화로 인해 새로운 형태의 문화가 등장한 사례로 스낵 컬처를 들고 있다.
ㄴ. 오답 : IP TV처럼 전통적인 대중 매체가 뉴 미디어와 결합하는 양상이 현실에서 나타나고 있지만, 제시문에는 드러나 있지 않다.
ㄷ. 오답 : 대중문화가 특정 정치 세력에 의해 여론 조작의 수단으로 악용될 수 있는 것은 사실이나, 제시문을 통해서는 파악할 수 없다.
㉣ 정답 : 보편적으로 대중문화가 많은 사람들에게 비슷한 문화를 공유하게 함으로써 문화를 획일화하는 측면이 강조되지만, 스낵 컬처의 경우 대중문화가 문화 다양성을 어떻게 증대시킬 수 있는지 보여 준다.

08 대중문화의 역기능과 해결 방안

자료 해설 제시문의 '한 도시, 한 책 읽기' 운동은 대중문화의 상업성, 향락성, 획일성 등을 극복하고 대중이 적극적으로 문화를 형성하기 위한 노력이라고 볼 수 있다.

선택지 분석

①, ③ 오답 : 대중문화는 판매를 목적으로 생산되는 경우가 많으므로 필연적으로 질적 저하가 나타나게 된다. '한 도시, 한 책 읽기' 운동은 생산적이고 건전한 독서와 토론 문화를 형성하여 질 낮은 대중문화가 양산되는 문제점을 극복할 수 있다.
② 오답 : 대중문화가 대중에게 일방적으로 영향력을 행사하면 대중은 단지 수동적 소비자에 머무를 수밖에 없다. '한 도시, 한 책 읽기'는 독서 및 토론 과정을 통해 지역 구성원들이 자발적으로 소통함으로써 대중의 적극성을 높일 수 있다.
❹ 정답 : 특정 세력이 대중 매체를 소유하거나 통제권을 독점하여 왜곡된 정보를 유포하고 대중을 조작할 가능성이 있다. 그러나 제시문의 '한 도시, 한 책 읽기'는 그에 대한 대안으로 보기 어렵다.
⑤ 오답 : 대중문화가 대중을 획일화할 수 있는데, '한 도시, 한 책 읽기' 운동을 통해 지역 사회 구성원들이 다양한 의견을 나누고 소통하는 지역 공동체를 만들어가면서 문화 다양성 약화를 막을 수 있다.

09 ② 문화 변동의 이해

기출 선지 변형 O X

본문 100~103쪽

01 ① × ② ○ ③ × ④ × ⑤ × ⑥ ○
02 ① ○ ② × ③ × ④ × ⑤ × ⑥ ○ ⑦ ×
03 ① × ② × ③ × ④ × ⑤ × ⑥ × ⑦ ○ ⑧ ○
04 ① ○ ② × ③ ○ ④ × ⑤ × ⑥ ○
05 ① × ② ○ ③ ○ ④ ○ ⑤ × ⑥ × ⑦ ○
06 ① × ② ○ ③ × ④ × ⑤ × ⑥ × ⑦ ○
07 ① × ② ○ ③ ○ ④ × ⑤ ○ ⑥ ○ ⑦ ○ ⑧ × ⑨ × ⑩ ×
08 ① × ② × ③ ○ ④ × ⑤ ○ ⑥ ×

01 ① 존재하지 않던 문화 요소를 새롭게 만들어 낸 것은 발명이므로 ⓒ은 발견이며, 인쇄술은 발명의 사례이다.
② (나)가 '문화 요소가 매체에 의해 전달되었는가?'이면, ㉣은 간접 전파이다. 통신 기술이 발달할수록 간접 전파를 통한 문화 변동이 더 용이하게 나타날 수 있다.
③ 활은 발명의 사례인데, 존재하고 있었으나 알려지지 않았던 문화 요소를 찾아낸 것은 발견이다.
④ 전쟁을 통해 유럽에 전파된 설탕은 직접 전파의 사례이다.
⑤ 외국인 선교사에 의해 외래 종교가 전래된 것은 직접 전파의 사례이다. ⑪은 자극 전파이다.
⑥ 자극 전파는 다른 사회에서 아이디어를 얻어 새로운 문화 요소를 발명하는 것이다.

02 ① 물질문화, 비물질문화 모두 발명을 통해 만들어질 수 있다.
② 특정 종교의 창시는 존재하지 않던 새로운 문화 요소를 만든 경우이므로 발명에 해당한다.
③ 상호 인적 교류가 없는 집단들 간에도 매체를 통한 간접 전파에 의해 문화 변동이 이루어질 수 있다.
④ 직접 전파, 간접 전파는 모두 자극 전파의 원인이 될 수 있다.
⑤ 문화 변동 요인인 A~E는 모두 문화 지체 현상을 초래할 수 있다.
⑥ 전파(직접 전파, 간접 전파, 자극 전파)는 문화 변동의 외재적 요인이다.
⑦ 한류 드라마의 인기로 한국어를 배우려는 외국인이 늘어난 사례는 간접 전파에 해당한다.

03 ① ㉠, ⑪은 모두 직접 전파의 사례이다.
② ⓒ은 자발적 문화 접변인지 강제적 문화 접변인지 정확하게 파악하기 어렵다.
③ 대중화되었다는 것에서 미국 내 문화 수용자들이 적극적으로 문화를 받아들였음을 알 수 있다.
④ 외부의 문화 요소에서 아이디어를 얻어 발명이 이루어진 것이 아니기 때문에, ⓒ과 ㉣ 모두 자극 전파의 사례가 아니다.
⑤ 타타르 족의 음식과는 다른 형태를 띤 햄버거가 나타난 것을 문화 동화로 볼 수 없다.

⑥ 문화 정체성을 상실한 결과는 문화 동화이며, 미군의 햄버거가 우리나라에 전해지는 과정을 문화 동화로 볼 수 없다.
⑦ 햄버거는 외부에서 전파된 문화 요소이고, 밥은 우리의 문화 요소이다. 라이스 버거는 외부의 문화 요소와 우리의 문화 요소가 결합되어 나타난 것으로, 문화 융합의 사례이다.
⑧ 한국에서 라이스 버거가 개발된 것은 자극 전파로 인한 문화 변동이며, 자극 전파는 외재적 요인에 의한 문화 변동이다.

04 ① A국 언어가 B국에 들어와 문화 변동이 일어났으므로 외재적 요인에 의한 문화 변동이다.
② C국에서는 자발적 문화 접변이 나타났다.
③ B국에서 A국 언어가 널리 쓰이면서 B국 언어를 사용하지 않게 되었다는 점에서 B국에서는 문화 동화가 나타났다. C국에서는 A국 언어와 C국 언어가 함께 사용되었다는 점에서 문화 공존이 나타났다.
④ B국과 C국 모두 직접 전파로 인한 문화 변동이 일어났다.
⑤ C국에서 외래문화와의 접촉으로 문화 요소 간의 융합이 이루어진 문화 융합의 내용은 나타나 있지 않다.
⑥ 강제적 문화 접변은 문화 동화를 목적으로 한다. B국에서는 문화 동화가, C국에서는 문화 공존이 나타났다.

05 ① (가)는 발견, (나)는 직접 전파, (다)는 발명이다.
② 갑국은 문화 요소 △를 발견, 문화 요소 ◇를 발명하였다. 발견과 발명은 모두 내재적 문화 변동 요인이다.
③ 새로운 문화 요소를 찾아내는 것은 발견이다. 을국은 문화 요소 ☆를 발견하였다.
④ 갑국에서 발명을 통해 나타난 문화 요소는 ◇이다. 병국에서도 발명을 통해 ◇가 나타났다.
⑤ 갑국에서 발견을 통해 나타난 문화 요소는 △이다. 병국에서는 직접 전파를 통해 문화 요소 △이 나타났다.
⑥ 을국에서는 자국의 문화 요소 ☆과 갑국의 문화 요소 △가 공존하고 있으며, 병국에서도 자국의 문화 요소 ◇와 갑국의 문화 요소 △가 공존하고 있다.
⑦ A에서는 ◇라는 문화 요소가 소멸되고 △와 ㅁ라는 새로운 문화 요소가 추가되었다. B에서는 ㅁ라는 문화 요소가 소멸되고 ☆라는 새로운 문화 요소가 추가되었다.

06 ① (가)에서 청소기를 개발한 것은 발명에 해당하므로 발명에 의한 문화 변동이 나타났다.
② 영상 매체를 통해 전파된 경우는 매개체를 통한 간접 전파 사례이다.
③ 문화 지체 현상은 물질문화와 비물질문화 간 변동 속도의 차이 때문에 발생하는데, (나)에서는 비물질문화만 나타나 있다.
④ (다)에서는 외재적 요인에 의한 문화 변동이 나타났다.
⑤ 자료에 명확히 드러나 있지 않으나 (나)와 (다) 모두 자발적 문화 접변으로 보인다.
⑥ (나)는 간접 전파, (다)는 직접 전파를 보여 주는 사례이다. 문화 동화와 문화 공존은 문화 변동의 결과로 나타나는 모습이다.
⑦ 세계화가 진행되면 문화 교류가 활발해지므로 내재적 요인보다 외재적 요인에 의한 문화 변동이 더 많이 나타난다.

07 ① (나)는 직접 전파가 아니라 자극 전파이다.

② 발명은 문화 변동의 내재적 요인이고, 자극 전파와 직접 전파는 문화 변동의 외재적 요인이다.

③ 다른 나라의 종교 교리와 체계를 응용하여 신흥 종교를 만든 것은 자극 전파의 사례가 된다.

④ 갑국에서 (나)로 인해 ☆이 나타났지만 기존의 문화 요소 ○과 □가 계속 남아 있으므로 문화 동화가 나타났다고 볼 수 없다.

⑤ (다) 이후 을국에서 나타난 문화 요소 ◎는 갑국의 문화 요소인 ○와 을국의 문화 요소인 ●가 결합하여 나타난 제3의 문화 요소이므로 을국에서는 (다)로 인해 문화 융합이 나타났다.

⑥ 갑국에서 창조된 문화 요소는 □이고, 을국에서는 직접 전파 이후 □이 등장하였다.

⑦ 을국에서는 1차 변동 때 자극 전파로 인해 △라는 문화 요소가 등장하고, 2차 변동 이후 등장한 □는 갑국에서 직접 전파된 문화 요소이다.

⑧ 을국에서는 (다)에 의해 문화 융합이 나타났지만, 강제적 문화 접변의 결과인지는 알 수 없다.

⑨ 타 문화로부터 아이디어를 얻어 새로운 문화 요소가 만들어진 것은 자극 전파이며, 갑국과 을국 모두 자극 전파로 인한 문화 변동을 겪었다.

⑩ 갑국과 을국 모두 새로운 문화 요소가 생겨났지만 을국에서만 문화 융합이 일어났다.

08 ① 서양의 결혼 예식과 전통 폐백 의례가 결합된 현재 한국의 결혼식은 문화 융합의 사례이다.

② 문화 동화는 강제적 문화 접변과 자발적 문화 접변 모두에서 나타날 수 있다. B국의 문화 변동 결과가 강제적 문화 접변에 의해 나타났는지 알 수 없다.

③ B국에서는 갑국의 문화 요소만 남고 B국의 문화가 사라졌는데, 자발적 문화 접변에 의한 것이라면 이는 갑국 문화 요소를 자국 문화 요소보다 우수하다고 인식한 결과이다.

④ 한국에서 전통시장과 별도로 온라인 쇼핑몰이 자리 잡은 것은 문화 공존의 사례이다.

⑤ A국에서는 문화 공존이, C국에서는 문화 융합이 나타나 있으므로 두 나라에서는 문화 접변 후에도 자문화 요소가 유지되고 있다.

⑥ A국, B국, C국 모두 외래문화 요소를 수용하였다.

실전 기출 문제
본문 104~107쪽

01 ①   **02** ②   **03** ①   **04** ④   **05** ④   **06** ②   **07** ④   **08** ④

09 ②   **10** ②   **11** ⑤   **12** ②   **13** ③   **14** ④   **15** ③   **16** ④

01 문화 관련 개념에 대한 이해

자료 해설

노예 해방 이후에도 미국 흑인들의 삶은 고달팠다. 이들은 삶의 애환을 음악에 담아 표현하였는데 이것이 ⊙ 블루스이다. 한편 미국 서부 지역에서는 백인들을 중심으로 ⓒ 웨스턴 뮤직이 출현하였다.
→ 블루스와 웨스턴 뮤직은 미국 문화의 하위문화이다.
백인들은 ⓒ 블루스를 '인종 음악'이라고 부르면서 천대하였고, 자
→ 흑인과 백인 사이에 나타난 문화 갈등이다.
신들의 음악과 철저히 구분하였다. 그러나 1950년대 무렵 흑인과 백인의 음악은 각각의 색채가 모두 담긴 ⓔ 새로운 음악 장르인 로
→ 흑인 음악과 백인 음악이 결합하여 새로운 음악 장르가 나타난 문화 융합의 사례이다.
큰롤로 발전되었다. 당시 로큰롤은 ⑩ 통속적이고 즉흥적이라는
→ 새로운 문화 요소가 받아들여지기까지 갈등이 있었음을 알 수 있다.
이유로 비난받는 경우도 있었으나, 이후 ⑭ TV와 라디오를 통해 전 세계로 급속히 진출하면서 대중문화의 한 줄기를 이루었다.
→ 매체를 통해 간접 전파되는 모습이다.

선택지 분석

❶ 정답: 블루스는 미국의 흑인 집단에서, 웨스턴 뮤직은 미국의 백인 집단에서 나타난 것이므로 모두 미국 사회의 하위문화였다.

② 오답: 백인들이 블루스를 천대한 것은 물질문화와 비물질문화 간 변동 속도의 차이 때문에 나타난 부조화 현상이 아니다.

③ 오답: 새로운 음악 장르인 로큰롤이 발전한 것은 문화 융합 사례이다.

④ 오답: 음악은 물질문화가 아니라 비물질문화이다.

⑤ 오답: TV와 라디오를 통한 전파로 나타난 문화 변동은 자발적 문화 접변일 가능성이 크다.

02 문화 변동 요인

자료 해설

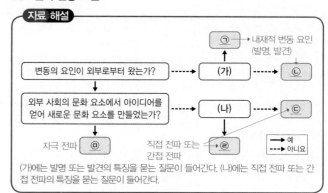

(가)에는 발명 또는 발견의 특징을 묻는 질문이 들어간다. (나)에는 직접 전파 또는 간접 전파의 특징을 묻는 질문이 들어간다.

선택지 분석

① 오답: 존재하지 않던 문화 요소를 새롭게 만들어 낸 것은 발명이므로 (가)가 '존재하지 않던 문화 요소를 새롭게 만들어 냈는가?'라면 ⓒ은 발견이다. 인쇄술은 발명의 사례이다.

❷ 정답: (나)가 '문화 요소가 매체에 의해 전달되었는가?'이면, ⓔ은 간접 전파이다. 통신 기술이 발달할수록 간접 전파를 통한 문화 변동이 더 용이하게 나타날 수 있다.

③ 오답: 활은 발명의 사례인데, (가)에 '존재하고 있었으나 알려지지 않았던 문화 요소를 찾아냈는가?'가 들어가면 ⊙은 발견이 되므로 적절하지 않다.

④ 오답: 전쟁을 통해 유럽에 전파된 설탕은 직접 전파의 사례이다. (나)에 '문화 요소의 전달이 직접 이루어졌는가?'가 들어가면 ⓒ은 간접 전파이므로 적절하지 않다.

⑤ 오답: 외국인 선교사에 의해 외래 종교가 전래된 것은 직접 전파의 사례이다. ⑩은 자극 전파이다.

03 문화 변동 요인

자료 해설

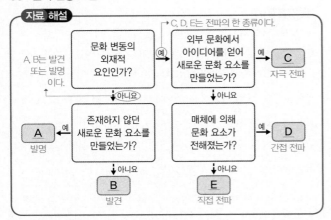

선택지 분석

❶ 정답 : 물질문화, 비물질문화 모두 발명을 통해 만들어질 수 있다.

② 오답 : 특정 종교의 창시는 존재하지 않던 새로운 문화 요소를 만든 경우이므로 발명에 해당한다.

③ 오답 : 상호 인적 교류가 없는 집단들 간에도 매체를 통한 간접 전파에 의해 문화 변동이 이루어질 수 있다.

④ 오답 : 직접 전파, 간접 전파는 모두 자극 전파의 원인이 될 수 있다.

⑤ 오답 : 문화 변동 요인 A~E는 모두 문화 지체 현상을 초래할 수 있다.

올쏘 만점 노트 문화 전파의 구분

직접 전파	문화 요소를 제공하는 사회와 그것을 수용하는 사회 구성원들 간의 직접적인 접촉 과정에서 문화 요소가 전달되어 정착되는 현상
간접 전파	문화 요소를 제공하는 사회와 그것을 수용하는 사회 구성원들 간의 직접적인 접촉이 아닌 매개체를 통해 간접적으로 문화 요소가 전달되어 정착되는 현상
자극 전파	서로 다른 문화 체계 간에 문화 요소와 관련된 추상적인 개념이나 아이디어가 전파되어 새로운 문화 요소의 등장을 자극하는 현상

04 문화 변동 양상

자료 해설

구분	문화 변동 양상	
의복	• 전통 의복을 서구식으로 개량한 새로운 의복 등장 • 개량 의복과 서구 의복의 혼재	← 새로운 요소가 나타났으므로 문화 융합이다.
음식	• 전통 음식과 외래 음식이 결합된 새로운 음식 등장 • 주변국의 음식 및 조리법 도입으로 전통식과 외래식 혼재	
주거	• 전통 가옥 형태 유지 → 서로 다른 문화가 같이 존재 • 신분에 따른 가옥 규모 제한 폐지 하므로 문화 공존이다. → 규칙이나 제도는 비물질문화이다.	

선택지 분석

① 오답 : 의복 분야에서는 문화 융합과 문화 공존이 나타났다. 자기 문화의 정체성 상실은 문화 동화에서 나타난다.

② 오답 : 음식 분야에서 문화 변동이 발생한 요인은 전파이다. 발견은 그 사회 내부에 존재하고 있었던 문화 요소를 찾아내는 것으로, 문화 변동의 내재적 요인이다.

③ 오답 : 주거 분야에서 물질문화와 비물질문화 간 변동 속도 차이로 나타나는 문화 지체 현상을 찾을 수 없다.

④ 정답 : 의복, 음식 분야에서는 문화 융합과 문화 공존이 발생하였으나, 주거 분야에서는 가옥 구조에 문화 변동이 나타나지 않았다.

⑤ 오답 : 주거 분야에서 물질문화의 변동은 없었고, 신분에 따른 가옥 규모 제한을 폐지하였다는 점에서 가옥과 관련한 비물질문화의 변동이 나타났다.

05 문화 변동 요인과 결과

자료 해설 외부 사회의 문화 요소에서 아이디어를 얻어 새로운 문화 요소가 등장한 A는 자극 전파이다. 매개체에 의해 문화 요소의 전달이 이루어진 B는 간접 전파이고, C는 직접 전파이다. 또한 기존 문화의 정체성이 남아 있는 것은 문화 공존과 문화 융합이므로 (다)는 문화 동화이다. 외래 문화 요소가 변형되지 않은 상태로 정착되는 것은 문화 공존과 문화 동화이므로 (가)는 문화 공존, (나)는 문화 융합이다.

선택지 분석

① 오답 : 다른 나라의 종교 교리와 체계를 응용하여 만든 신흥 종교는 자극 전파이고, 신흥 종교가 기존 종교를 대체한 것은 문화 동화이다.

② 오답 : 새로운 정보 통신 기술을 개발한 것은 발명에 해당한다.

③ 오답 : 케이팝은 주로 대중 매체를 통해 전달되므로 매개체에 의한 간접 전파 사례이다. 그러나 외국인이 한국어를 배우러 한국에 와서 정착한 것을 문화 동화로 보기 어렵다.

④ 정답 : 식민 지배 과정에서 나타난 문화 변동이므로 그 요인은 직접 전파이고, 식민 지배한 나라의 언어와 자국의 전통 언어를 공용어로 사용하는 것은 문화 공존에 해당한다.

⑤ 오답 : 교역을 통한 문화 변동은 직접 전파이고, 이웃 나라의 특정 음료가 교역을 통해 자국민이 즐겨 마시는 음료가 된 것은 문화 공존에 해당한다.

06 문화 변동 요인과 양상

자료 해설

→ 강제적 문화 접변이 이루어졌다.
• A국이 B국을 정복하여 문화 이식 정책을 시행한 결과, B국에서는 A국 언어가 널리 쓰이게 되면서 B국 언어를 더 이상 사용하지 않게 되었다.
→ 문화 동화가 이루어졌다.
→ 자발적 문화 접변이 이루어졌다.
• A국에 유학하여 A국 언어를 학습한 C국의 상류층 자녀들은 귀국 후에도 A국 언어를 사용하였다. 이후 A국 언어가 확산되면서 C국에서는 A국 언어도 널리 쓰이게 되었다.
→ 문화 공존이 이루어졌다.

선택지 분석

㉠ 정답 : A국 언어가 B국에 들어와 문화 변동이 일어났으므로 외재적 요인에 의한 문화 변동이다.

ㄴ. 오답 : A국에서는 강제적 문화 접변, C국에서는 자발적 문화 접변이 나타났다.

㉢ 정답 : A국 언어가 널리 쓰이고 B국 언어를 사용하지 않게 되었다는 점에서 B국에서는 문화 동화가 나타났다. C국에서는 A국 언어와 C국 언어가 함께 사용되었다는 점에서 문화 공존이 나타났다.

ㄹ. 오답 : B국과 C국 모두 직접 전파로 인한 문화 변동이 일어났다.

올쏘 만점 노트 강제성 및 자발성에 따른 문화 접변 양상의 구분

강제적 문화 접변	정복 등과 같은 상황에서 물리적 강제력에 기초하여 지배적 입장에 있는 사회의 문화 요소가 피지배 사회에 강제적으로 이식되어 나타나는 문화 변동
자발적 문화 접변	바람직하거나 필요하다고 느껴 스스로 다른 사회의 문화 요소를 자기 사회의 문화 체계 속으로 받아들임으로써 나타나는 문화 변동

07 문화 변동 요인

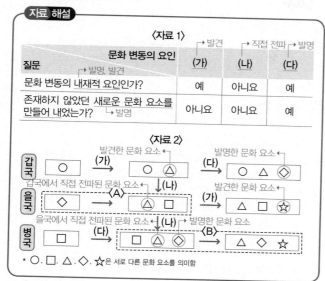

〈자료 1〉

질문	문화 변동의 요인	(가)→발견	(나)→직접 전파	(다)→발명
문화 변동의 내재적 요인인가? →발명, 발견		예	아니요	예
존재하지 않았던 새로운 문화 요소를 만들어 내었는가? →발명		아니요	아니요	예

〈자료 2〉

* ○·□·△·◇·☆은 서로 다른 문화 요소를 의미함

선택지 분석

- ㄱ 정답 : A에서는 ◇라는 문화 요소가 소멸되고 △와 □라는 새로운 문화 요소가 추가되었다. B에서는 □라는 문화 요소가 소멸되고 ☆라는 새로운 문화 요소가 추가되었다.
- ㄴ 정답 : 갑국에서 발명을 통해 나타난 문화 요소는 ◇이다. 병국에서도 발명을 통해 ◇가 나타났다.
- ㄷ 정답 : 갑국에서 발견을 통해 나타난 문화 요소는 △이다. 병국에서는 직접 전파를 통해 문화 요소 △이 나타났다.
- ㄹ. 오답 : 을국에서는 자국의 문화 요소 ☆과 갑국의 문화 요소 △가 공존하고 있으며, 병국에서도 자국의 문화 요소 ◇와 갑국의 문화 요소 △가 공존하고 있다.

08 문화 변동 양상

우리나라의 문화 요소인 온돌과 다른 나라의 문화 요소인 침대가 결합하여 새로운 문화 요소인 온돌 침대를 만들어 낸 것은 문화 융합의 사례이다.

선택지 분석

- ㄱ 정답 : 우리나라의 온돌과 서양식 침대 문화가 결합하여 탄생한 온돌 침대는 문화 융합의 사례이다.
- ㄴ 정답 : 온돌 침대는 문화 요소 중 자연을 인간 생활에 유용한 형태로 변화시키고 가공하는 능력 혹은 수단인 기술에 해당한다.
- ㄷ 정답 : 문화 융합은 외재적 요인인 전파에 의해 나타난 문화 변동 양상이다.
- ㄹ. 오답 : 온돌 침대는 새롭게 만들어진 문화이지만 그 속에 우리나라 문화 요소인 온돌이 유지되고 있으므로 우리 문화의 정체성을 상실했다고 보기 어렵다.

> **올쏘 만점 노트 │ 문화 융합**
>
> • 의미 : 한 사회에서 다른 사회로 문화가 전파되어 어느 문화에도 속하지 않았던 제3의 문화가 나타나는 것
> • 사례 : 우리나라의 불교가 토착 신앙과 융합된 것, 인도의 불교 문화와 고대 그리스의 헬레니즘 문화가 융합되어 간다라 문화가 생겨난 것

09 문화 변동 양상

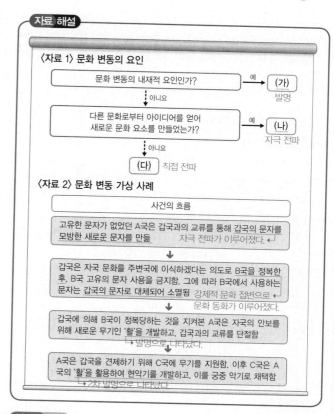

〈자료 1〉 문화 변동의 요인

〈자료 2〉 문화 변동 가상 사례

선택지 분석

- ① 오답 : A국은 갑국의 문자를 모방한 새로운 문자를 만들었기 때문에 자극 전파에 의해 문화 변동이 나타났다.
- ② 정답 : 갑국의 정복에 의해 B국에서 사용하는 문자가 갑국의 문자로 대체되어 소멸하였다. 따라서 B국에서는 직접 전파에 의한 문화 동화가 나타났다.
- ③ 오답 : C국에서 강제적 문화 접변이 일어났는지는 알 수 없고, 활을 활용하여 현악기를 개발한 것은 발명에 의한 문화 변동이다.
- ④ 오답 : A국의 활과 C국의 현악기는 모두 발명에 의한 문화 변동이다.
- ⑤ 오답 : A국에서만 자극 전파가 나타났고, C국에서는 나타나지 않았다. 또한 A국에서 자극 전파로 인한 문화 공존이 나타났는지 알 수 없다.

> **올쏘 만점 노트 │ 발명의 종류**
>
>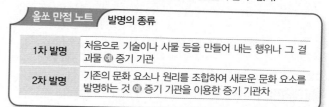
>
> | 1차 발명 | 처음으로 기술이나 사물 등을 만들어 내는 행위나 그 결과물 예 증기 기관 |
> |---|---|
> | 2차 발명 | 기존의 문화 요소나 원리를 조합하여 새로운 문화 요소를 발명하는 것 예 증기 기관을 이용한 증기 기관차 |

10 문화 변동 요인

(가)의 청소기를 개발한 것은 발명의 사례이다. (나)의 영상 매체를 통해 K-POP이 전파된 것은 간접 전파의 사례이다. (다)의 해외 각국에서 태권도를 가르쳐 태권도 문화가 확산된 것은 직접 전파의 사례이다.

선택지 분석

- ① 오답 : (가)에서 청소기를 개발한 것은 발명에 해당하므로 발명에 의한 문화 변동이 나타났다.
- ② 정답 : (나)에서 영상 매체를 통해 전파된 경우는 매개체를 통한 간접 전파 사례이다.

③ 오답 : (다)에서는 직접 전파라는 외재적 요인에 의한 문화 변동이 나타났다.

④ 오답 : K-POP과 태권도가 전파된 것은 전쟁이나 정복을 통한 강제적 문화 접변으로 보기 어렵다. 자발적 문화 접변에 가깝지만 자료에 명확히 드러나 있지 않다.

⑤ 오답 : (나)는 간접 전파, (다)는 직접 전파를 보여 주는 사례이다.

11 문화 변동 요인과 양상

자료 해설

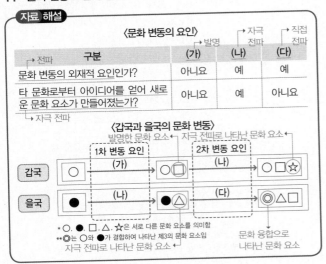

선택지 분석

ㄱ. 오답 : (나)는 직접 전파가 아니라 자극 전파이다.

ㄴ. 정답 : (다) 이후 을국에서는 ◎이라는 문화 요소가 나타났는데, ◎은 갑국의 문화 요소인 ○와 을국의 문화 요소인 ●가 결합하여 나타난 제3의 문화 요소라는 점에서, 을국에서는 (다)로 인해 문화 융합이 나타났다.

ㄷ. 정답 : 갑국에서 창조된 문화 요소는 □이고, 을국에서는 직접 전파 이후 □이 등장한다. 이를 통해 갑국에서 창조된 문화 요소가 을국으로 전달되었음을 알 수 있다.

ㄹ. 정답 : 을국에서는 1차 변동 때 자극 전파로 인해 △라는 문화 요소가 등장하였다. 을국은 갑국과만 교류하므로 △는 갑국에서 아이디어를 얻어 발명된 문화 요소이다. 즉, 을국은 1차 변동에서 갑국의 영향을 받았다. 그리고 2차 변동 이후 등장한 ◎는 갑국의 문화 요소와 을국의 문화 요소가 결합하여 나타난 제3의 문화 요소이고, 2차 변동 이후 등장한 □는 갑국에서 직접 전파된 문화 요소이다. 즉, 을국은 2차 변동에서도 갑국의 영향을 받았다.

12 문화 변동 요인과 양상

자료 해설 정략혼인과 사람들의 왕래에 의해 두 왕실의 문화가 교류하는 것은 직접 전파에 해당한다. A국의 요리법과 B국의 요리 재료가 결합된 새로운 음식은 문화 융합의 사례이다.

선택지 분석

① 오답 : ㉠과 ㉡은 모두 사람들이 직접 접촉하여 이루어진 직접 전파이며, 전파는 문화 변동의 외재적 요인이다.

❷ 정답 : A국 왕실의 음식 문화를 B국의 상류층 대다수가 향유하므로 하위문화라고 할 수 있지만, 그 사회의 지배적인 문화에 저항하는 반문화라고 볼 수는 없다.

③ 오답 : A 양식이 사람들의 왕래를 통해 B국에 자연스럽게 형성되었다는 점에서 자발적 문화 접변으로 볼 수 있다.

④ 오답 : 음식 문화의 '문화'는 넓은 의미의 문화이다. 문화에 대한 평가적 의미가 내포되어 있는 것은 좁은 의미의 문화이다.

⑤ 오답 : 두 문화가 만나 새로운 문화가 만들어지는 것은 문화 융합의 사례이다.

13 문화 접변의 결과

자료 해설 ○○국에서 고유 언어와 외래 언어를 모두 공용어로 사용하는 것은 문화 공존의 사례이므로 A는 문화 공존이다. 서로 다른 두 문화가 결합하여 새로운 문화를 형성하는 B는 문화 융합이다.

선택지 분석

ㄱ. 오답 : 외래문화 요소에서 영감을 얻어 새로운 문화 요소를 만들어 내는 것은 자극 전파이므로 (가)에 적절하지 않다.

ㄴ. 정답 : 전통적인 온돌 문화와 외래의 침대 문화가 혼합된 돌침대가 만들어진 것은 문화 융합의 사례가 될 수 있으므로 (나)에 적절하다.

ㄷ. 정답 : 문화 공존에서는 자국의 문화 요소가 존재하며, 문화 융합 또한 자국의 문화 요소가 남아 있으므로 (다)에 적절하다.

ㄹ. 오답 : 외래문화의 자발적 수용 여부가 구분 기준이 되는 것은 강제적 문화 접변과 자발적 문화 접변이다.

14 문화 변동 양상과 결과

자료 해설 갑국과 교류한 후 A국에서는 갑국과 A국 문화 요소가 모두 존재하므로 문화 공존, B국에서는 갑국의 문화만 남아 있으므로 문화 동화, C국에서는 갑국의 문화 요소와 C국의 문화 요소가 혼합된 문화 요소가 생겨났으므로 문화 융합이 나타났다.

선택지 분석

① 오답 : 서양의 결혼 예식과 전통 폐백 의례가 결합된 현재 한국의 결혼식은 문화 융합의 사례이다.

② 오답 : 문화 동화는 강제적 문화 접변과 자발적 문화 접변 모두에서 나타날 수 있다.

③ 오답 : 한국에서 전통 시장과 별도로 온라인 쇼핑몰이 자리 잡은 것은 문화 공존의 사례이다.

④ 정답 : A국에서는 문화 공존이, C국에서는 문화 융합이 나타나 있으므로 문화 접변 후에도 두 나라에서는 자문화 요소가 유지되고 있다.

⑤ 오답 : A, B, C국 모두 외래문화 요소를 수용하였다.

15 문화 변동 요인과 양상

자료 해설
㉠ 중국과의 접촉을 통해 우리나라에 한자가 전래된 것은 대략 기
└→ 직접 전파로 비물질문화가 전래되었다. └→ 자극 전파의 사례이다.
원전 2세기경으로 추정된다. 이후 ㉡ 우리나라에서는 한자의 음과
훈을 빌려 표기하는 이두를 만들어 사용했지만 불편함이 있었다.
조선 시대에 이르러 세종대왕이 우리말에 맞는 ㉢ 한글을 창제
└→ 발명의 사례이다.
하여 비로소 우리 고유의 글자를 사용하게 되었다. ㉣ 한글은 한때
사대부 등에 의해 경시되기도 했지만 오늘날 여러 나라에서 가르칠
└→ 문화 사대주의 태도가 나타났다.
정도로 그 위상이 높아졌다. 특히 최근에는 한류의 인기에 힘입어
㉤ 동남아 지역에서 한국어 교육 수요가 증가하고 있다.
└→ 자발적 문화 접변이 이루어지고 있다.

선택지 분석

① 오답 : 한자는 비물질문화에 해당한다. 중국과의 접촉을 통해 한자가 전래된 것은 직접 전파로 볼 수 있다.

② 오답 : 전통적으로 계승된 온돌의 원리를 활용하여 현대식 바닥 난방 장치를 만든 것은 2차 발명으로 내재적 요인에 의한 문화 변동이다. 이두는 외

재적 요인(자극 전파)에 의한 문화 변동이다.
❸ 정답 : 한글 창제는 발명이며, 발명은 내재적 요인에 의한 문화 변동이다.
④ 오답 : 한글이 사대부 등에 의해 경시된 것은 물질문화와 비물질문화 간 변동 속도의 차이에서 발생한 문화 지체 현상이 아니라 문화 사대주의 태도 때문이다.
⑤ 오답 : 동남아 지역에서 한국어 교육 수요가 증가하는 것은 자발적 문화 접변에 해당하나, 이를 통해 문화 동화가 이루어졌는지는 알 수 없다.

16 문화 변동 요인

자료 해설 사회 내부의 요인에 의해 나타나는 A는 발명이다. 외재적 문화 변동의 요인은 전파이며, 전파 중에서 다른 문화로부터 아이디어를 얻어 새로운 문화 요소를 만드는 B는 자극 전파이다. 매체에 의해 문화 변동이 나타나는 C는 간접 전파이고, D는 직접 전파이다.

선택지 분석

① 오답 : 다른 나라에서 전파된 기성 종교의 교리와 체계에 새로운 생각이 더해져 신흥 종교를 창시한 것은 자극 전파의 사례이다.
② 오답 : 한류 드라마를 통해 한국어가 전파되는 것은 간접 전파의 사례이다.
③ 오답 : 독일에서 구텐베르크가 인쇄 기술을 만들어 낸 것은 발명의 사례이다.
❹ 정답 : 서아시아 지역의 커피가 교역을 통해 유럽에 전해진 것은 직접 전파의 사례이다.
⑤ 오답 : 미국에서 처음 배구가 고안된 것은 발명의 사례이고, 미국인 선교사가 한국 청년들에게 배구를 지도한 것은 직접 전파의 사례이다.

올쏘 만점 노트	문화 변동의 요인
내재적 요인	존재하지 않았던 기술이나 사물 등을 만들어 내는 '발명'과 존재해 왔으나 알려져 있지 않았던 사물이나 원리 등을 찾아내는 '발견'을 통해 문화가 변동할 수 있음
외재적 요인	외부 문화 요소가 사회 구성원들 간의 직접적 접촉에 따라 전해지는 '직접 전파', 매개체를 통해 전달되는 '간접 전파', 다른 사회의 문화 요소로부터 아이디어를 얻어 새로운 문화 요소가 등장하는 '자극 전파'를 통해 문화가 변동할 수 있음

킬러 예상 문제

본문 108~109쪽

01 ① 02 ② 03 ① 04 ③ 05 ③ 06 ④ 07 ② 08 ③

01 문화 변동 요인과 양상

자료 해설 일본의 목판화인 우키요에가 유럽에 도자기 포장지로 전해진 이후 당시 많은 프랑스 화가들이 우키요에에 관심을 보이고 자신의 화풍에 적용하였다. 이는 '도자기 포장지'라는 매개체에 의해 문화가 전파된 간접 전파의 사례이다.

선택지 분석

➊ 정답 : 고갱의 '브르타뉴의 여인들'은 기존의 화풍을 따르면서도 우키요에의 영향을 받아 검은 윤곽선이 부각되었다. 이는 서로 다른 두 문화 요소가 만나 제3의 문화 요소가 생겨나는 문화 융합의 사례라 할 수 있다.
➋ 정답 : 우키요에가 도자기 포장지로 전파되었으므로 이는 매개체에 의해 문화 요소가 전파되는 간접 전파에 해당한다.

ㄷ. 오답 : 제시문만 보고는 프랑스 화가들에게서 문화 사대주의적 태도가 나타났는지 확인할 수 없다.
ㄹ. 오답 : 만국박람회 이후 프랑스 화가들의 화풍에 나타난 변화는 외부로부터 전파된 문화 요소에 의한 것이므로 외재적 요인에 의한 문화 변동이라고 할 수 있다.

02 문화 변동 양상

자료 해설 일본이 5세기 이후 백제와 교류하면서 많은 영향을 받았음이 제시문에 드러나 있다. 학자나 승려, 유민 등에 의해 백제의 문화가 일본에 전해진 것으로 보아 직접 전파가 이루어졌음을 알 수 있다.

선택지 분석

① 오답 : 문화 수용자의 의지에 반하여 이루어지는 문화 접변은 강제적 문화 접변이다. 제시문에서 강제적 문화 접변이 이루어졌음을 확인할 수 있는 근거는 제시되어 있지 않다.
❷ 정답 : 백제 출신의 학자, 승려, 유민 등에 의해 문화 요소가 전달되었다는 내용에서 직접 전파를 통해 전해진 문화 요소가 정착되어 '백제 마을'이 조성되었음을 알 수 있다.
③ 오답 : 반문화는 주류 문화가 지향하는 가치를 거부하는 하위문화이다. 백제 문화가 반문화로서 존재하였는지 여부는 제시문에서 확인할 수 없다.
④ 오답 : 5세기 이후 백제 문화로부터 영향을 받아 기둥을 세우고 흙벽과 지붕이 있는 집을 지었음을 확인할 수 있다. 그런데 이러한 주거 문화가 서로 다른 두 문화가 접촉하여 기존의 두 문화와는 다른 새로운 문화가 생겨나는 문화 융합의 사례에 해당하는지는 제시문을 통해 알 수 없다.
⑤ 오답 : 문화 지체 현상은 물질문화의 변동 속도는 빠른 데 비해 비물질문화의 변동 속도는 느려 부조화가 발생하는 것을 말한다. 일본의 주거 형태가 백제 문화의 영향을 받아 변동한 것은 사실이나 이를 문화 지체 현상으로 보기는 어렵다.

03 문화 변동 요인과 양상

자료 해설

(가) 피지에서 식민지 통치를 위해 유럽의 문명을 이식하며 모든 남
↳ 강제적 문화 접변이 일어났다.
자와 여자에게 교회와 같은 공공장소에서 영국 왕실의 의병대가 착용한 것과 유사한 치마를 만들어 입게 하였다. 그 결과 지금도 피지인들은 공적인 자리에서는 항상 치마를 입어야 전통
↳ 전통 의상이 사라지고 치마를 입는 문화에 동화되었다.
에 맞고 예의를 지키는 것으로 생각한다.
(나) 체로키 인디언들은 백인들과 접촉하기 전까지는 고유의 문자가 없었다. 그런데 이 부족의 한 인디언이 백인들과 접촉하면서 영어에서 아이디어를 얻어 체로키 문자를 고안해 냈다.
↳ 자발적 문화 접변과 자극 전파가 나타나 있다.

선택지 분석

➊ 정답 : 식민지 통치 과정에서 유럽이 피지에 강제적으로 유럽 문명을 이식했으므로 강제적 문화 접변이 이루어졌음을 알 수 있다.
➋ 정답 : 유럽 문명이 이식되는 과정에서 피지의 전통 의상 대신 영국 왕실의 의병대가 착용한 치마를 착용하게 되었으므로 전통문화 요소가 외래문화 요소에 의해 대체되었음을 확인할 수 있다.
ㄷ. 오답 : (가)는 강제적 문화 접변, (나)는 자극 전파로 문화가 변동하였다. 따라서 (가), (나) 모두 문화 체계 외부적 요인에 따라 문화가 변동한 사례이다.
ㄹ. 오답 : 외부 사회의 필요와 의지에 따라 이루어진 문화 접변은 강제적 문화 접변이다. (나)에서 인디언들이 백인과 접촉하고 해당 문화 요소를 수용한 것이 강제적이었다는 내용이 없으므로 강제적 문화 접변이라 볼 수 없다.

04 문화 변동 요인

자료 해설 (가)는 문화 변동의 요인이 내부에 존재하면서도 없던 것을 새로이 만들어 내는 것은 아니므로 발견, (나)는 없던 것을 새로이 만들어 내는 것이므로 발명, (다)는 문화 변동의 외재적 요인이면서 다른 문화 요소로부터 아이디어를 얻어 새로운 문화가 창조되는 것도 아니고, 그렇다고 매개체에 의해 문화 요소가 전해지는 것도 아니므로 직접 전파, (라)는 매개체에 의해 문화 요소가 전해지는 것이므로 간접 전파, (마)는 다른 문화 요소로부터 아이디어를 얻어 새로운 문화가 창조되는 것이므로 자극 전파에 해당한다.

선택지 분석

① 오답 : 인터넷이 발달하여 전자 상거래가 크게 증가한 것은 발명에 따른 문화 변동의 사례이다.

② 오답 : 불의 사용으로 각종 질병으로부터 해방된 것은 인간이 불을 발견하였기 때문에 가능한 일이었다.

❸ 정답 : 동인도 회사에 의해 홍차가 직접 전해진 것이므로 직접 전파에 해당한다.

④ 오답 : 미군들에 의해 프라이드 치킨이 전해진 것은 사람에 의해 문화 요소가 직접 전해지는 직접 전파의 사례이다.

⑤ 오답 : 드라마를 통해 문화 요소가 전해지는 것은 매개체를 통한 문화 전파이므로 간접 전파의 사례이다.

05 문화 변동 요인과 양상

자료 해설 제시문에는 미국인의 일상생활 속에 자리 잡은 수많은 문화 요소들이 사실상 외부에서 전파된 문화 요소임이 나타나 있다. 즉, 문화 전파가 한 나라의 문화 변동에 얼마나 지대한 영향을 미칠 수 있는지 보여 주고 있다. 문화 전파는 문화 변동의 외재적 요인이며, 오늘날 문화 변동의 가장 큰 요인으로 작용하고 있다.

선택지 분석

ㄱ. 오답 : 발명과 발견은 문화 변동의 중요한 요인에 해당하지만, 제시문은 문화 요소의 전파를 통한 문화 변동에 중점을 두고 있다.

ㄴ. 정답 : 미국이 외부 문화 체계로부터 다양한 문화 요소를 수용하여 자문화로 정착시킨 사례이므로 문화 전파와 수용이 문화를 풍성하게 하고 발전하게 함을 파악할 수 있다.

ㄷ. 정답 : 미국의 생활 양식으로 자리 잡은 다양한 문화 요소가 사실은 다른 문화권에서 발명된 문화 요소였다는 사실을 통해 한 사회의 발명은 외부 문화권으로 전파되어 문화 변동을 야기함을 파악할 수 있다.

ㄹ. 오답 : 외부로부터 전해진 문화 요소에 의해 전통문화 요소가 대체되는 문화 동화가 발생하면 자문화의 정체성이 약해진다. 그러나 제시된 사례 속에서 문화 동화를 도출하기는 어렵다.

올쏘 만점 노트 **문화 접변의 결과**	
문화 동화	한 사회의 문화가 다른 사회의 문화 체계 속에 완전히 흡수되어 자문화의 정체성을 상실하는 현상 예 청나라를 세운 만주족이 한족 문화에 동화된 것
문화 공존	서로 다른 사회의 문화가 한 사회의 문화 체계 속에서 고유성을 간직한 채 나란히 존재하는 현상 예 중국에 살면서 한국의 전통문화를 지키는 조선족
문화 융합	외래문화와 기존 문화가 결합하여 새로운 성격을 가진 제3의 문화가 생겨나는 현상 예 불교와 무속 신앙이 결합하여 나타난 우리나라 사찰의 칠성각과 산신각

06 문화 변동 결과

자료 해설

갑국은 병국과의 접촉을 통해 자국의 문화 요소를 그대로 간직하면서 문화 융합으로 새로운 문화 요소를 보유하게 되었고, 병국은 자국의 문화 요소를 상실하고 갑국의 문화 요소로 대체되었다.

구분	갑국	을국	병국
T년	○	□	●
T+5년	○, ◉	□, ☆	○
T+10년	○, ◉, ☆	○, ◉	○, ▲

갑국은 을국의 문화 요소를 수용하면서도 자국의 문화 요소를 그대로 간직하였고, 을국은 갑국의 문화 요소를 수용하고 자국의 문화 요소를 모두 상실하였다.

외부 문화 체계와의 접촉 없이 생겨난 문화 요소이므로 발명이나 발견 등의 내재적 요인에 의해 생겨난 새로운 문화 요소임을 알 수 있다.

선택지 분석

① 오답 : T년~T+5년 사이에 갑국과 병국이 문화 접촉을 한 결과 갑국의 ○과 병국의 ●이 결합하여 갑국에서는 ◉이 문화 융합으로 나타났다. 반면, 병국은 자문화 요소인 ●이 갑국의 문화 요소인 ○으로 대체되었으므로 문화 동화가 나타났음을 알 수 있다.

② 오답 : T년~T+5년에는 갑국과 병국의 문화 접촉이 있었으므로 사실상 을국은 외재적 요인에 의한 문화 변동이 이루어지지 않았다고 보아야 한다. 그런데 을국의 문화 요소가 □에서 □, ☆로 변화했으므로 이는 내재적 요인, 즉 발명이나 발견에 의한 문화 변동으로 보아야 한다.

③ 오답 : T+10년에 갑국에서는 을국과의 문화 접촉으로 인해 자국의 문화 요소인 ○, ◉말고도 ☆가 함께 존재하고 있다. 즉 문화 공존이 나타나고 있음을 파악할 수 있다.

❹ 정답 : 을국은 T+5년에는 내재적 요인에 따른 문화 변동을 경험하였고, T+10년에는 문화 동화를 경험하였다. 병국은 T+5년에 문화 동화를 경험하였다. 을국과 병국 모두 문화 융합을 경험하지는 않았다.

⑤ 오답 : 을국은 T+5년에는 내재적 요인에 따른 문화 변동을 경험하였고, T+10년에는 문화 동화를 경험하였으므로 내재적 요인과 외재적 요인에 의한 문화 변동을 모두 경험하였다. 병국은 T+5년에는 문화 동화를, T+10년에는 내재적 요인에 의한 문화 변동(▲)을 경험했으므로 병국 역시 외재적 요인과 내재적 요인에 의한 문화 변동을 모두 경험하였다.

07 문화 변동 과정의 부작용

자료 해설 (가)는 가치관 변화로 인해 기존의 가치 및 규범이 붕괴하였으나 새로운 규범 및 가치관이 확립되지 못하여 혼란이 나타나는 아노미 현상이다. (나)는 물질문화의 변동 속도에 비해 비물질문화의 변동 속도가 느려 부조화가 발생하는 문화 지체 현상이다.

선택지 분석

ㄱ. 정답 : 아노미 현상은 사회 구성원 간의 합의에 기초한 가치관 및 규범을 확립함으로써 어느 정도 해결 가능하다.

ㄴ. 오답 : (가)는 아노미 현상, (나)는 문화 지체 현상이다. 비물질문화의 변동 속도를 물질문화의 변동 속도가 따라잡지 못해 발생하는 부조화는 기술 지체 현상이다.

ㄷ. 정답 : (나)는 물질문화(드론)의 변동 속도가 비물질문화(드론 사용 시 요구되는 윤리 및 규범)의 변동 속도에 비해 빨라 문화 지체 현상이 발생하고 있는 사례이다.

ㄹ. 오답 : (나)가 물질문화의 변동에 따라 나타난 현상이라면 (가)는 가치관의 변화로 인한 것인데, 부모 부양 의무에 대한 가치관 변화에 외부 문화, 특히

서구 문화와의 접촉이 영향을 미치지 않았다고 보기 어렵다. 따라서 (가)가 다른 문화와의 접촉으로 발생한 부작용이 아니라고 판단할 만한 근거가 없다.

08 문화 변동 과정에서 필요한 태도

자료 해설 제시문에는 라다크가 서구화되는 과정에서 나타난 부작용이 제시되어 있다. 서구 문물이 유입됨으로써 공동체가 붕괴되고 구성원들의 행복도가 낮아졌으며, 경제적 자립도가 저하된 모습을 통해 다른 문화와 접촉하는 것 자체가 문화 발전으로 이어지는 것은 아니라는 점을 보여 준다.

선택지 분석

① 오답 : 문화 전파는 문화 다양성 증가에 기여할 수 있다. 그러나 제시된 사례는 오히려 반대로 문화가 획일화되는 경우에 가깝다.

② 오답 : 외래문화에 대한 편견이 자문화의 발전을 저해하는 것은 사실이나 제시된 사례를 통해 도출할 수 있는 내용은 아니다.

❸ 정답 : 자발적 문화 접변을 하더라도 자문화에 대한 정체성이 약하면 타 문화에 쉽게 동화되어 정체성을 상실하게 된다. 따라서 주체적인 문화 수용 태도가 중요함을 도출할 수 있다.

④ 오답 : 자문화의 정체성 확립을 위해 외래문화와의 접촉을 지양하는 것은 오히려 자문화의 발전을 더디게 할 수 있다.

⑤ 오답 : 비물질문화가 발달해도 물질문화가 뒷받침되지 못하면 부작용이 발생할 수 있으나, 제시된 사례와는 직접적인 연관이 없다.

정답 및 해설

IV 사회 계층과 불평등

10 ② 사회 불평등 현상과 사회 계층의 이해

기출 선지 변형 O X

본문 110~113쪽

01 ① × ② ○ ③ ○ ④ ○ ⑤ × ⑥ ○ ⑦ ○
02 ① × ② ○ ③ ○ ④ × ⑤ ○ ⑥ ×
03 ① ○ ② × ③ × ④ ○ ⑤ ○ ⑥ ○ ⑦ ○
04 ① × ② × ③ ○ ④ ○ ⑤ ○ ⑥ ○
05 ① × ② ○ ③ × ④ ○ ⑤ × ⑥ ○
06 ① × ② ○ ③ ○ ④ × ⑤ ○ ⑥ ×
07 ① × ② ○ ③ × ④ × ⑤ ○ ⑥ ○ ⑦ × ⑧ ×

01 ① 동일한 경제적 위치에 기반한 강한 귀속 의식, 즉 계급 의식은 계급 이론에서 강조된다.

② 계층 이론은 다양한 요인에 의한 희소가치의 불평등한 분배 상태를 범주화하여 설명하며, 계층이 연속적이고 복합적으로 나타나는 서열화임을 강조한다.

③ 다양한 기준으로 계층을 구분한 계층 이론은 지위 불일치 현상을 설명하는 데 적합하다.

④ 계급 이론은 경제적 요인이 다른 모든 사회 불평등을 결정한다고 보는 일원론적 시각이다.

⑤ 여러 요인에 의해 나타나는 현대 사회의 계층화 현상을 설명하는 데는 계층 이론이 더 적합하다.

⑥ 두 이론 모두 사회 계층화 현상이 시대와 사회를 초월하여 일반적으로 나타나는 현상이라고 본다.

⑦ 계급 이론과 계층 이론 모두 사회 불평등 현상에 경제적 요인이 작용한다고 본다.

02 ① 기능론적 관점에서는 개인의 사회적 기여도를 반영하여 희소가치가 분배된다고 본다.

② 기능론적 관점에서는 희소가치의 차등 분배가 개인에게 성취동기를 부여하고 경쟁을 유발함으로써 사회적 효율성을 높인다고 본다.

③ 기능론적 관점에서는 희소가치의 차등 분배 수준과 개인의 성취동기가 정(+)의 관계에 있다고 본다.

④ 갈등론적 관점은 희소가치의 차등 분배로 나타나는 사회적 불평등 현상이 사회 통합을 저해한다고 본다.

⑤ 갈등론적 관점에서는 부모의 계층과 자녀의 사회적 성공 가능성 사이에 정(+)의 관계가 있다고 본다.

⑥ 개인의 성취동기가 지위 변동에 미치는 영향력을 간과한다는 한계가 있는 것은 갈등론적 관점이다.

03 ① A 사회에서 부모가 중층인 사람의 비율은 50%이고, 그 중 부모와 자녀가 중층인(계층이 고착화된) 비율은 30%이다. 따라서 부모가 중층인 사람 중에서 세대 간에 계층이 고착화된 비율은 60%이다.

② A 사회에서 부모 세대와 자녀 세대는 모두 다이아몬드형 계층 구조

이다.

③ B 사회에서 빈곤이 대물림된 사람은 부모와 자녀 모두 하층인 경우로 20%이다.

④ B 사회에서는 부모 세대에 피라미드형 계층 구조였는데, 자녀 세대에 다이아몬드형 계층 구조로 변화하였다. 다이아몬드형 계층 구조가 피라미드형 계층 구조보다 더 안정적이다.

⑤ B 사회의 세대 간 상승 이동은 32%, 세대 간 하강 이동은 5%로 세대 간 상승 이동이 세대 간 하강 이동보다 더 많다.

⑥ A 사회에서 세대 간 수직 이동이 나타난 경우는 상승 이동 35%, 하강 이동 28%로 총 63%이다. 반면 B 사회에서 세대 간 수직 이동이 나타난 경우는 상승 이동 32%, 하강 이동 5%로 총 37%이다.

⑦ A 사회와 B 사회 모두 상승 이동과 하강 이동이 일어났으므로 계층 이동이 자유로운 개방적 계층 구조를 가지고 있다.

04 ① A는 중층, B는 하층, C는 상층이다.

② 기본 표에서 세대 간 이동으로 다른 계층에서 유입된 비율은 상층 14%(6+8), 중층 32%(4+28), 하층 6%(0+6)이다.

③ 기본 표에서 부모 세대 상층에서 자녀 세대 하층으로 세대 간 하강 이동을 한 경우는 없다.

④ 기본 표에서 세대 간 상승 이동을 한 사람의 수는 42%(6+8+28)이고, 세대 간 하강 이동을 한 사람의 수는 10%(4+0+6)이므로 4배 이상이다.

⑤ 자녀 세대의 계층 중 부모 세대와 계층이 일치하는 비율(대물림 비율)은 상층 30%(6/20), 중층 36%(18/50), 하층 80%(24/30)이다.

⑥ 부모 세대는 상층 10%, 중층 30%, 하층 60%인 피라미드형 계층 구조이고, 자녀 세대는 상층 20%, 중층 50%, 하층 30%인 다이아몬드형 계층 구조이다.

05 ① 세대 간 하강 이동한 자녀의 비율은 45%, 세대 간 상승 이동한 자녀의 비율은 15%이다. 세대 간 하강 이동한 자녀가 세대 간 상승 이동한 자녀의 3배이다.

② 자녀 세대 계층 대비 계층 대물림 비율은 상층 100%(10/10), 중층 50%(15/30), 하층 25%(15/60)으로 상층이 가장 높고 하층이 가장 낮다.

③ 중층으로 세대 간 상승 이동한 자녀의 비율은 15%이고, 하강 이동한 자녀의 비율은 0%이다. 따라서 중층으로 세대 간 상승 이동한 자녀와 하강 이동한 자녀의 수는 같지 않다.

④ 중층 부모를 둔 자녀는 45%, 하층 부모를 둔 자녀는 15%가 세대 간 계층 이동을 하였다. 이를 통해 세대 간 계층 이동을 한 사람의 수는 중층 부모를 둔 자녀가 하층 부모를 둔 자녀의 3배임을 알 수 있다.

⑤ 부모 세대와 자녀 세대 간에 계층 대물림 비율은 40%(10+15+15)이다.

⑥ 자녀 세대의 계층 구조는 상층 10%, 중층 30%, 하층 60%로 피라미드형 계층 구조이다.

06 ① 제시된 조건을 보면 다른 계층에서 중층으로 세대 간 이동한 경우만 구조적 이동이고, 그 외는 개인적 이동이다. 개인적 이동은 20%(16+4)이고 구조적 이동은 36%(6+30)이다.

② 부모 세대 계층 대비 계층 대물림 비율은 상층 40%(4/10), 중층 80%(24/30), 하층 26.7%(16/60)로, 하층이 가장 낮다.

③ 중층으로의 세대 간 이동에서 상승 이동은 30%, 하강 이동은 6%이다.

④ 세대 간 이동 비율은 56%이고 계층이 대물림된 비율은 44%(4+24+16)이다.

⑤ 자녀 세대 중층 중 부모도 중층인 비율은 24%이다.

⑥ 부모 세대와 자녀 세대 간에 계층 이동 비율은 상승 이동 46%(2+14+30)이고, 하강 이동은 10%(6+0+4)으로 56%이다.

07 ① 피라미드형 계층 구조에서도 세대 간 이동이 가능하다.

② 다이아몬드형 계층 구조는 중층이 상층과 하층의 완충 역할을 하여 중층보다 하층이 많은 피라미드형 계층 구조보다 사회 통합에 유리하다.

③ 피라미드형은 부분 불평등형 계층 구조이고, 다이아몬드형은 부분 평등형 계층 구조이다.

④ 계층 이동 가능성에 따라 개방적 계층 구조와 폐쇄적 계층 구조로 분류한다.

⑤ 정보 사회에 대하여 비관적인 입장을 취하는 사람들은 정보 격차 등으로 인해 중층의 비율이 현저히 낮아지고 소수의 상층과 다수의 하층으로 구성되는 모래시계형 계층 구조가 될 것으로 본다.

⑥ 세대 간 이동과 세대 내 이동은 이동 범위에 따라 구분되는 사회 이동이다.

⑦ 상승 이동은 중층과 하층에서 나타나고, 하강 이동은 상층과 중층에서 나타난다.

⑧ 한 개인은 세대 간 이동과 세대 내 이동을 동시에 경험할 수 있다.

실전 기출 문제

본문 114~119쪽

01 ① **02** ① **03** ② **04** ① **05** ⑤ **06** ② **07** ① **08** ②
09 ① **10** ③ **11** ② **12** ④ **13** ⑤ **14** ③ **15** ④ **16** ③
17 ③ **18** ④ **19** ④ **20** ② **21** ① **22** ④ **23** ④

---

01 계급 이론과 계층 이론

자료 해설

A는 자본주의 체제에서 돈, 기계, 원료 등과 같은 생산 수단의 소유 여부를 기준으로 사회 불평등 현상을 설명한다. 한편 B는 사회
└▸ A는 계급 이론이다.   └▸ B는 계층 이론이다.
불평등의 층위가 사회적·정치적 차원에서도 발생한다고 주장하며, 현대 사회에서 나타나는 다양한 차원의 불평등을 근거로 제시한다.

선택지 분석

❶ 정답 : 계층 이론은 계층이 연속적이고 복합적으로 나타나는 서열화임을 강조한다.

② 오답 : 계급 이론은 계층 간 수직 이동이 극히 제한적이라고 보는 반면, 계층 이론은 계층 간 수직 이동이 자유롭다고 본다.

③ 오답 : 계급 이론과 계층 이론 모두 경제적 요인에 의해 계층화가 발생한다고 본다.

④ 오답 : 계급 이론은 동일한 계층에 속한 구성원 간의 연대 의식이 강하다

고 본다.

⑤ 오답 : 계층 이론은 한 사람의 지위가 계층화의 여러 차원에 따라 달라질 수 있다고 본다. 즉, 지위 불일치 현상이 나타날 수 있다고 여긴다.

02 계급 이론과 계층 이론

자료 해설 제시문에서 A 이론은 계급을 결정하는 요인으로 생산 수단의 소유 여부, 소득이나 부의 크기, 지위나 파당 등을 들고 있다. 따라서 A 이론은 계층 이론이다.

선택지 분석

ㄱ 정답 : 계층 이론은 계급, 지위, 권력 가운데 어느 한 측면에서의 서열과 다른 측면에서의 서열이 서로 일치하지 않는 현상인 지위 불일치의 가능성을 인정한다.

ㄴ 정답 : 계층 이론은 사회 불평등 현상을 경제적 계급, 정치적 파당, 사회적 지위 등 다차원적인 측면에서 파악한다.

ㄷ. 오답 : 동일 집단 구성원 간의 강한 연대 의식을 강조하는 것은 계급 이론이다.

ㄹ. 오답 : 사회 불평등 현상을 불연속적으로 구분되어 있는 상태로 보는 것은 계급 이론이다.

올쏘 만점 노트 지위 불일치

계급, 위신, 권력의 각 측면에서 나타나는 계층 서열에서 개인의 위치가 서로 다른 현상을 가리킨다. 예를 들어 어떤 개인이 계급 측면에서는 상층에 해당하지만 위신 측면에서는 중층에 해당한다면, 그는 계층 구조 내에서 지위 불일치 상태에 있다.

03 계급 이론과 계층 이론

자료 해설

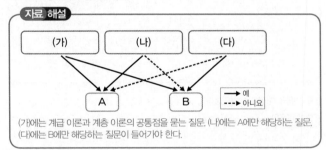

(가)에는 계급 이론과 계층 이론의 공통점을 묻는 질문, (나)에는 A에만 해당하는 질문, (다)에는 B에만 해당하는 질문이 들어가야 한다.

선택지 분석

ㄱ 정답 : 계급 이론과 계층 이론 모두 사회 불평등 현상의 원인으로 경제적 요인을 고려하므로 '사회 불평등 현상의 원인으로 경제적 요인을 고려하는가?'는 (가)에 들어갈 수 있다.

ㄴ. 오답 : A가 계층 이론이면 B는 계급 이론이다. 사회 불평등 현상을 불연속적인 위계화로 파악하는 것은 계급 이론이다.

ㄷ 정답 : A가 계급 이론이면 B는 계층 이론이다. 사회 불평등 현상의 발생 원인을 다원론적 관점으로 보는 것은 계층 이론이다.

ㄹ. 오답 : B가 계층 이론이면 A는 계급 이론이다. 지위 불일치 현상을 설명하기에 적합한 것은 계층 이론이다.

올쏘 만점 노트 계급과 계층 개념의 유용성과 한계

• 계급 : 산업화 초기의 불평등 현상을 설명하는 데 유용하나, 계층화를 설명하는 것이 아니라 사회 구조를 변혁시키는 데 목적을 둔다.

• 계층 : 다원화된 현대 사회의 불평등 현상을 설명하는 데 유용하지만 대립과 갈등 관계를 설명하기에는 어려움이 있다.

04 계급 이론과 계층 이론

자료 해설 불연속적·이분법적 관계로 계층화 현상을 설명하는 A는 계급 이론이고, 연속적·서열적 관계로 계층화 현상을 설명하는 B는 계층 이론이다. (가)에는 계급 이론에만 해당하는 내용, (다)에는 계층 이론에만 해당하는 내용, (나)에는 계급 이론과 계층 이론의 공통점이 들어가야 한다.

선택지 분석

❶ 정답 : 계급 이론은 동일 계층 집단 구성원 간 연대 의식, 즉 계급 의식을 강조한다.

② 오답 : 현대 사회의 다양한 계층 분화를 설명하기에 용이한 것은 계층 이론이다. 따라서 해당 내용은 (다)에 적절하다.

③ 오답 : 경제적 불평등이 정치적 불평등을 결정한다고 보는 것은 계급 이론이다. 따라서 해당 내용은 (가)에 적절하다.

④ 오답 : 사회 계층화 현상의 원인을 단일 요인으로 설명하는 것은 계급 이론이다. 따라서 해당 내용은 (가)에 적절하다.

⑤ 오답 : 사회 계층화 현상에서 귀속적 요인의 영향력을 중시하는 것은 갈등론이다.

올쏘 만점 노트 계급 이론과 계층 이론

구분	계급 이론(칼 마르크스)	계층 이론(막스 베버)
정의	계급은 생산 수단을 둘러싸고 나타나는 위계 구조에서 공통의 위치를 차지하는 사람들의 집합체	계층은 다양한 요인에 의해 공통의 서열상 위치를 갖는 사람들의 집합체
기준	생산 수단의 소유 여부 → 경제적 요인이 다른 모든 사회 불평등을 결정함(일원론)	계급, 위신, 권력상의 위치 → 경제적 요인, 사회적 요인, 정치적 요인 등 다양한 요인에 의해 사회 불평등이 발생함(다원론)
특징	불연속적·이분법적으로 계급을 구분하고, 계급에 대한 개인의 소속감이나 연대 의식을 중시함	다양한 요인에 의한 희소가치의 불평등한 분배 상태를 범주화하고, 계층이 연속적이고 복합적으로 나타나는 서열화임을 강조함

05 계급 이론과 계층 이론

자료 해설 부(경제적 요인), 명예(사회적 요인), 권력(정치적 요인) 등 다양한 요인에 따라 상층, 중층, 하층으로 구분하는 다원론적 관점은 계층 이론이다. 생산 수단의 소유 여부에 따라 자본가 계급과 노동자 계급으로 구분하는 일원론적 관점은 계급 이론이다. 따라서 (가)는 계층 이론, (나)는 계급 이론이다.

선택지 분석

ㄱ. 오답 : 동일한 경제적 위치에 기반한 강한 귀속 의식, 즉 계급 의식은 계급 이론에서 강조된다.

ㄴ. 오답 : 불평등한 상태를 자본가 계급과 노동자 계급으로 이분법적인 구분을 하는 것은 계급 이론이다.

ㄷ. 정답 : 계층 이론은 계층을 나누는 기준이 여러 가지이기 때문에 지위 불일치 현상을 설명하는 데 적합하지만, 계급 이론은 계급을 나누는 기준이 생산 수단의 소유 여부라는 한 가지이기 때문에 지위 불일치 현상을 설명하는 데 적합하지 않다.

ㄹ. 정답 : 계급 이론은 사회 불평등 현상을 경제적 요인으로만 설명하며, 계층 이론은 경제적 요인 이외에 사회·정치적 요인까지 더하여 설명한다. 따라서 두 이론 모두 사회 불평등 현상에 경제적 요인이 작용한다고 여긴다는 점에서 공통점을 가진다.

06 계급 이론과 계층 이론의 적용

자료 해설

〈갑의 분류〉

구분	생산 수단 소유 여부
자본가	A
노동자	B, C, D

→ 경제적 요인으로만 지배 계급(자본가)과 피지배 계급(노동자)으로 분류하고 있으므로 계급 이론이다.

→ 다양한 기준으로 상층, 중층, 하층으로 분류하고 있으므로 계층 이론이다.

〈을의 분류〉

구분	경제적 요인 (계급)	정치적 요인 (권력)	사회적 요인 (지위)
상층	A	A, C	C
중층	B, C	D	A, B
하층	D	B	D

선택지 분석

① 오답 : 을의 분류에 따르면, 경제적 요인과 정치적 요인 및 사회적 요인에서 일관성 있게 동일 계층에 속한 조사 대상자가 없다. 즉, 모든 대상자가 지위 불일치 상태에 있다.

❷ 정답 : 을의 분류에서 상층에 속한 대상자는 A와 C인데, 갑의 분류에서는 A만이 자본가에 속한다.

③ 오답 : 사회 불평등 현상을 이분법적으로 파악하는 것은 계급 이론의 입장을 취한 갑이다.

④ 오답 : 다차원적 측면에서 사회 불평등 현상을 파악하는 것은 계층 이론의 입장을 취한 을이다.

⑤ 오답 : 생산 수단의 소유 또한 경제적 요소라는 점에서, 갑의 계급 이론과 을의 계층 이론은 모두 경제적 요소가 반영되어 있다.

07 계급 이론과 계층 이론

자료 해설 생산 수단의 소유 여부로 사회 불평등 현상을 설명하는 (가)는 계급 이론이다. 사회 불평등 현상을 경제적, 정치적, 사회적 요인들의 상호 작용을 통한 위계로 설명하는 (나)는 계층 이론이다.

선택지 분석

❶ 정답 : 계급 이론에서는 지배 계급과 피지배 계급이 이분법적으로 나누어진다고 본다. 따라서 서로 다른 경제적 지위에 있는 집단 간의 위계가 불연속적이라고 설명한다.

② 오답 : 불평등한 분배 상태를 이분법적으로 구분하는 것은 계급 이론이다.

③ 오답 : 현대 사회의 지위 불일치 현상을 설명하기에 용이한 것은 계층 이론이다.

④ 오답 : 서로 다른 계층에 속한 구성원 간의 적대감이 강하다고 보는 것은 계급 이론이다.

⑤ 오답 : 계급 이론에서는 사회 불평등을 경제적 요인으로만 설명하지만, 계층 이론에서는 사회 불평등을 경제적 요인, 정치적 요인, 사회적 요인을 고려하여 설명한다.

08 베버의 계층 이론

자료 해설 베버의 계층 이론에서 계층은 다양한 요인에 의해 공통의 서열상 위치를 갖는 사람들의 집합체이다. 경제적·사회적·정치적 요인에 의해 상층, 중층, 하층으로 구분하는데, 자신이 어느 계층에 속한다고 여기는 주관적 계층 의식과 실제 계층 사이에 차이가 나타날 수 있다.

① 오답 : 을은 권력과 위신에서 주관적 계층 의식과 실제 계층이 일치하지 않는다.

❷ 정답 : 병의 실제 계층은 재산(경제적 측면), 권력(정치적 측면), 위신(사회적 측면)이 모두 상층이나, 주관적 계층 의식에 따르면 재산과 위신이 중층으로 나타나므로 병은 자신의 계층적 위치를 실제보다 낮게 평가한다.

③ 오답 : 갑과 을의 주관적 계층 의식은 세 측면 모두에서 일치하지 않는 것으로 보아, 계급적 연대 의식을 공유한다고 말할 수 없다.

④ 오답 : 갑은 재산에서 하층이지만 권력에서 상층이고, 을은 재산에서 상층이지만 권력에서 중층이다. 갑과 을의 권력 차이가 재산 차이에서 비롯되었다고 말할 수 없다.

⑤ 오답 : 병은 재산, 권력, 위신에서 모두 상층이므로, 지위 불일치가 나타나지 않았다.

09 계층 이론

자료 해설 → 베버의 계층 이론이다.

사회는 재산, 권력, 위신에 기초하여 계층화된다. 재산의 차이는 '계급'을, 권력의 차이는 '파당'을, 위신의 차이는 '지위 집단'을 만들어 낸다. 어떤 사람이 이들 중 한두 가지 차원에서 상층에 속하더라도 나머지 다른 차원에서는 하층에 속할 수 있다. → 지위 불일치 현상이다.

ㄱ 정답 : 계층 이론에서는 계층을 나누는 기준으로 재산, 권력, 위신 등을 제시하고 있는데, 이는 다원론적 관점에서 사회 계층화 현상을 바라보고 있음을 보여 준다.

ㄴ 정답 : 어떤 사람이 재산을 기준으로는 상층이나, 권력을 기준으로는 하층이 될 수 있다는 점에서 계층 이론은 지위 불일치 현상을 설명하기 용이하다.

ㄷ 오답 : 동일한 계층적 위치에 속한 구성원 간의 귀속 의식은 계급 이론에서 강조한다.

ㄹ 오답 : 계급 이론은 계급을 이분법적으로 나눈다. 즉, 사회의 모든 계급을 자본가 아니면 노동자로 본다는 점에서 계급 이론은 사회 계층화 현상을 불연속적으로 구분되어 있는 상태로 파악한다.

10 계층 구조와 사회 이동

자료 해설 〈세대별 계층 간 상대적 비율〉에서 부모 세대는 계층 간 상대적 비율이 중층 5, 상층 1, 하층 4이므로 상층 10%, 중층 50%, 하층 40%이다. 자녀 세대는 계층 간 상대적 비율이 중층 5, 상층 2, 하층 3이므로 상층 20%, 중층 50%, 하층 30%이다. 〈계층 대물림 및 이동 인구 비율〉에서 부모 세대와 자녀 세대가 모두 중층인 경우를 A라 할 때, 비율을 적용하면 상층에서 대물림된 경우는 0.2A, 하층에서 대물림된 경우는 0.6A이다. 또 아래 표의 ①+②를 B라 할 때, 부모가 상층이면서 자녀는 중층 또는 하층인 경우는 0.2B이고, 부모가 하층이면서 자녀는 상층 또는 중층인 경우는 B이다.

(단위:%, 명)

구분		부모 세대			계
		상층	중층	하층	
자녀 세대	상층	0.2A	①	B	20
	중층	0.2B	A		50
	하층		②	0.6A	30
계		10	50	40	100

부모 중층은 ①+②+A, 즉 B+A로 구성되고, 부모 하층은 0.6A+B로 구성된다. A+B=50이고 0.6A+B=40이므로 A와 B는 동일하게 25명이 된다. 이를 바탕으로 세대 계층 이동 기본 표를 만들 수 있다.

(단위:%, 명)

구분		부모 세대			계
		상층	중층	하층	
자녀 세대	상층	5	①	25	20
	중층	5	25		50
	하층		②	15	30
계		10	50	40	100

ㄱ 오답 : 부모 계층이 자녀에게 대물림된 사람의 수는 상층 5명, 중층 25명, 하층 15명이다. 부모 세대 계층 대비 계층 대물림 비율은 상층은 50%(5/10), 중층은 50%(25/50), 하층은 37.5%(15/40)이므로 하층이 가장 낮다.

ㄴ 정답 : 부모 세대는 상층이 10명, 중층이 50명, 하층이 40명이다. 자녀 세대는 상층이 20명, 중층이 50명, 하층이 30명이다. 부모 세대와 자녀 세대 모두 다이아몬드형 계층 구조이다.

ㄷ 정답 : 부모와 자녀는 각각 100명이다. 기본 표에서 계층이 대물림된 사람은 45명(5+25+15)이고, 계층 이동한 사람은 계층이 대물림된 사람을 제외한 55명이다. 따라서 계층 이동한 사람이 계층이 대물림된 사람보다 많다.

ㄹ 오답 : 부모가 하층이었던 자녀 중에 상승 이동한 사람 수는 25명이고, 부모가 상층이었던 자녀 중에 하강 이동한 사람은 5명이므로 5배이다.

11 사회 불평등 현상을 바라보는 관점

자료 해설 사회의 기여도에 따라 차등 분배를 해야 한다는 주장은 사회 불평등 현상을 바라보는 기능론적 관점의 입장이다. 기능론에 따르면 사회적 지위나 직업에는 중요도에 따른 위계 체계가 존재하며, 중요도에 따라 차등 보상이 이루어져야 한다.

① 오답 : 기능론에 따르면 사회 불평등 현상은 보편적이고 불가피하다.

❷ 정답 : 기능론은 사회적 기여를 많이 하는 중요한 지위나 직업이 있고, 그렇지 않은 지위나 직업이 있다고 여긴다.

③ 오답 : 지배 집단과 피지배 집단 간의 대립 관계에 주목하는 것은 갈등론이다.

④ 오답 : 부모의 경제적 지위와 자녀의 사회적 성공 가능성이 양(+)의 관계를 갖는다고 보는 것은 갈등론이다.

⑤ 오답 : 기능론에 따르면 희소가치의 차등 분배 수준과 개인의 성취 동기는 양(+)의 관계를 갖는다.

12 세대 간 계층 이동에 대한 분석

자료 해설 〈세대 별 계층 간 상대적 비율〉을 통해 부모 세대와 자녀 세대의 계층 비율을 구하면 다음과 같다. 부모 세대의 경우 상층+하층/전체 계층 = 1/2이므로, 중층이 50%이다. 상층/중층+하층 = 1/4이므로, 상층 20%이고 하층 30%이다. 자녀 세대의 경우, 상층+하층/전체 계층 = 4/5이므로, 중층이 20%이다. 상층/ 중층+하층 = 1/3이므로, 상층 25%이고 하층 55%이다. 〈자녀 세대 계층 대비 부모와 자녀 계층 일치의 상대적 비율〉과 단서의 상층 부모를 둔 하층 자녀 인구와 하층 부모를 둔 중층 자녀 인구의 비는 2:1임을 결합하여 세대 간 계층 이동 결과를 표로 나타내면 다음과 같다.(단, 하층 부모를 둔 중층 자녀 인구를 a라고 한다.)

(단위 : %)

구분		부모 세대			계
		상층	중층	하층	
자녀 세대	상층	5			25
	중층	b	10	a	20
	하층	2a		20	55
계		20	50	30	100

5+b+2a=20이고 b+10+a=20이므로, a와 b는 각각 5이다. 이를 표에 대입하여 세대 간 계층 이동 결과를 완성한 기본 표는 다음과 같다.

(단위 : %)

구분		부모 세대			계
		상층	중층	하층	
자녀 세대	상층	5	15	5	25
	중층	5	10	5	20
	하층	10	25	20	55
계		20	50	30	100

선택지 분석

① 오답 : 세대 간 계층 일치 비율은 35%(5+10+20)이고, 세대 간 계층 이동 비율은 65%이다.

② 오답 : 부모 세대 계층 대비 부모와 자녀의 계층 일치 비율의 경우 상층은 5/20, 중층은 10/50, 하층은 20/30이다. 상층이 중층보다 크다.

③ 오답 : 부모 세대 계층 대비 자녀와 부모의 계층 불일치 비율의 경우 상층은 15/20, 중층은 40/50, 하층은 10/30이다. 상층이 하층보다 크다.

④ 정답 : 부모 세대 하층에서 자녀 세대 상층으로 이동한 인구는 5명이고, 자녀 세대 중층으로 이동한 인구도 5명이다.

⑤ 오답 : 부모 세대의 계층 구조는 중층의 비율이 가장 큰 다이아몬드형이고, 자녀 세대의 계층 구조는 중층의 비율이 가장 작은 모래시계형이다.

13 사회 불평등 현상을 바라보는 관점

자료 해설 관점 A는 사회 불평등 현상의 발생 원인을 사회적 역할의 중요도에 따른 보상의 차등 분배로 보는 기능론적 관점이다. 관점 B는 희소가치의 배분 방식이 권력 유지를 위한 기득권 집단의 결정에 의해 이루어진다고 보는 갈등론적 관점이다.

선택지 분석

① 오답 : 지배와 피지배 관계에 주목하는 것은 갈등론적 관점이다.

② 오답 : 갈등론적 관점과 달리 기능론적 관점에서는 사회 불평등 현상을 불가피한 것으로 본다.

③ 오답 : 개인의 성취동기가 지위 변동에 미치는 영향력은 기능론적 관점에서 강조된다.

④ 오답 : 개인의 능력 차이에 따른 보상의 차등 분배는 기능론적 관점에서 강조된다.

⑤ 정답 : 기능론적 관점에 따르면 사회 구성원의 합의에 따른 개인의 능력과 노력을 기준으로 하여 희소가치가 배분되며, 이러한 보상 제도는 개인이 최선의 기능을 다하게 함으로써 사회의 효율적 운영에 기여한다.

14 세대 간 계층 이동에 대한 분석

자료 해설 〈자료 1〉에서 A는 중층, B는 하층, C는 상층임을 알 수 있고, 그 비율은 각각 50%, 30%, 20%임도 알 수 있다. 〈자료 2〉의 자녀 세대 계층 대비 부모 세대와 자녀 세대의 계층 불일치 비율과 부모 세대 계층 대비 부모 세대와 자녀 세대의 계층 일치 비율, 상층 부모를

둔 중층 자녀 인구는 하층 부모를 둔 상층 자녀 인구의 3배라는 내용을 종합하여 세대 간 계층 이동 결과를 표로 나타내면 다음과 같다. (단, 하층 부모를 둔 상층 자녀 인구를 a라고 한다.)

(단위 : %)

구분		부모 세대			계
		상층	중층	하층	
자녀 세대	상층(C)	12		a	20
	중층(A)	3a	5	b	50
	하층(B)			15	30
계		30	20	50	100

3a+5+b=50이고 a+b+15=50이므로, a는 5이고 b는 30이다. 이를 표에 적용하여 세대 간 계층 이동 결과를 완성한 기본 표는 다음과 같다.

(단위 : %)

구분		부모 세대			계
		상층	중층	하층	
자녀 세대	상층	12	3	5	20
	중층	15	5	30	50
	하층	3	12	15	30
계		30	20	50	100

선택지 분석

① 오답 : 하층 대비 상층의 비율은 부모 세대가 60%(30/50), 자녀 세대가 67%(20/30)로 자녀 세대가 더 높다.

② 오답 : 세대 간 상승 이동한 비율은 38%(3+5+30)이고, 세대 간 하강 이동한 비율은 30%(15+3+12)로, 상승 이동한 비율이 하강 이동한 비율보다 높다.

③ 정답 : 중층 부모를 둔 하층 자녀는 12명으로 중층 부모를 둔 상층 자녀인 3명의 4배이다.

④ 오답 : 부모 세대의 계층 구조는 모래시계형이고, 자녀 세대의 계층 구조는 다이아몬드형이므로 자녀 세대의 계층 구조가 사회 통합에 더 유리하다.

⑤ 오답 : 자녀 세대 계층 대비 세대 간 이동을 경험하지 않은 비율은 상층 12/20, 중층 5/10, 하층 15/30으로, 상층이 가장 높다.

15 세대 간 계층 이동에 대한 분석

자료 해설 부모 세대의 계층 구조는 다이아몬드형이고, A는 C보다 높은 계층이며 부모 세대의 계층 구성비에서 A는 B와 C를 합한 것의 1.5배이다. 이를 통해 A가 중층, B가 상층, C가 하층이고 중층 비율은 60%이며, 상층과 하층을 합한 것은 40%임을 알 수 있다. 〈세대 간 계층별 구성 비율의 상대적 비〉에서 자녀 세대의 경우 중층은 30%, 상층은 부모 세대 상층과 그 비율이 같고 하층은 부모 세대 하층 비율의 2배임을 알 수 있다. 부모 세대 상층과 하층의 비율을 각각 b와 c라고 하면, b+c=40, b+2c=70이 성립한다. 이를 통해 b와 c의 값을 구하면 b는 10이고 c는 30이다. 따라서 부모 세대 계층 구성비는 상층 : 중층 : 하층=10 : 60 : 30이고, 자녀 세대 계층 구성비는 상층 : 중층 : 하층=10 : 30 : 60이다. 갑국의 세대 간 계층 이동 기본 표는 다음과 같다.

(단위 : %)

구분		부모 세대			계
		상층(B)	중층(A)	하층(C)	
자녀 세대	상층(B)	10	0	0	10
	중층(A)	0	15	15	30
	하층(C)	0	45	15	60
계		10	60	30	100

ㄱ. 오답 : 세대 간 하강 이동한 자녀는 45명(0+0+45), 세대 간 상승 이동한 자녀는 15명(0+0+15)이다. 세대 간 하강 이동한 자녀가 세대 간 상승 이동한 자녀의 3배이다.

ㄴ. 정답 : 자녀 세대 계층 대비 계층 대물림 비율은 상층 100%(10/10), 중층 50%(15/30), 하층 25%(15/60)로 상층이 가장 높고 하층이 가장 낮다.

ㄷ. 오답 : 중층으로 세대 간 상승 이동한 자녀는 15명, 하강 이동한 자녀는 0명이다.

ㄹ. 정답 : 세대 간 이동을 한 사람 중에서 중층 부모를 둔 자녀는 45명, 하층 부모를 둔 자녀는 15명이므로 3배이다.

16 세대 간 계층 이동 현황에 대한 분석

자료 해설 자녀 계층 구성비는 상층 : 중층 : 하층 = 1 : 6 : 3이고 자녀 상층 10%의 80%, 자녀 중층 60%의 60%, 자녀 하층 30%의 20%는 부모와 계층이 일치한다. 또한 계층 대물림 비율을 토대로 부모 계층 구성비를 계산하여 다음과 같은 기본 표를 만들 수 있다.

(단위 : %)

구분		부모 세대			계
		상층	중층	하층	
자녀 세대	상층	8	㉠	14	10
	중층	12	36		60
	하층		㉡	6	30
계		20	60	20	100

다만, ㉠과 ㉡의 값은 알 수 없다.

① 오답 : 세대 간 상승 이동은 최대 16%(㉠은 최대 2%이다.)이고, 세대 간 하강 이동은 최소 34%(㉡은 최소 22%이다.)이다. 따라서 세대 간 상승 이동보다 세대 간 하강 이동이 더 많다.

② 오답 : 부모 세대의 상층, 중층, 하층은 각각 20%, 60%, 20%이므로 다이아몬드형 계층 구조를 보인다.

③ 정답 : 부모 세대 상층의 하강 이동은 12%, 부모 세대 하층의 상승 이동은 14%이다.

④ 오답 : 부모 세대와 자녀 세대의 중층은 각각 60%이다.

⑤ 오답 : 부모 세대와 자녀 세대의 계층 유지 비율은 50%(8+36+6)이다. 따라서 세대 간 계층 이동 비율도 50%가 된다.

17 계급 이론과 계층 이론

자료 해설 A, B가 계급 이론인지 계층 이론인지는 (가)~(다)에 어떤 질문이 들어가느냐에 따라 달라진다. 주어진 질문에 대해 계층 이론과 계급 이론이 각각 어떤 대답을 할 수 있는지 따져본다.

① 오답 : (가)에 "지위 불일치 현상을 설명할 수 있는가?"가 적절하면 A는 계급 이론이다.

② 오답 : (나)에 "계층을 일원론적 관점에서 구분하는가?"가 적절하면 A는 계급 이론이다.

③ 정답 : 계급 이론은 자본가 또는 노동자 계급이라는 계급 의식을 중시하지만, 계층 이론은 계급 의식을 중시하지 않는다. 따라서 (나)가 "동일한 경제적 위치에 있는 집단 구성원이 갖는 강한 귀속 의식을 중시하는가?"이면 A는 계급 이론, B는 계층 이론이다.

④ 오답 : "불평등의 원인을 희소가치의 차등 분배에서 찾는가?"에 대해 계급 이론과 계층 이론은 모두 "예"라고 답해야 한다. 다만 계층 이론은 사회 구성원들이 합의하여 희소가치의 차등 배분이 이루어진다고 여기는 반면, 계급 이론은 특정 집단의 합의에 의하여 희소가치의 차등 배분이 이루어진다고 여긴다.

⑤ 오답 : "사회 불평등을 연속적인 서열로 파악하는가?"와 "사회 이동의 개방성이 크다고 보는가?" 모두 계층 이론은 "예"라고 답할 수 있다.

18 세대 간 계층 이동에 대한 분석

자료 해설 (나)를 보면 자녀 세대 상층 25%의 60%, 중층 50%의 30%, 하층 25%의 80%가 부모와 계층이 일치한다. 따라서 계층 대물림 비율은 상층 15%(0.25×0.6×100), 중층 15%(0.5×0.3×100), 하층 20%(0.25×0.8×100)이다. (가)를 통해 계층 대물림 비율이 부모 세대에서 차지하는 비율을 따져보면 부모 세대의 계층 구조는 상층 20%, 중층 30%, 하층 50%임을 알 수 있다. 부모 세대 상층에서 자녀 세대 하층으로의 이동이 발생하지 않았다는 조건을 적용하여 다음과 같은 세대 간 계층 이동 분석 표를 만들 수 있다.

(단위 : %)

구분		부모 세대			계
		상층	중층	하층	
자녀 세대	상층	15	10	0	25
	중층	5	15	30	50
	하층	0	5	20	25
계		20	30	50	100

㉠ 정답 : 세대 간 이동 비율은 50%(상승 이동 40%+하강 이동 10%)이다.

㉡ 정답 : 세대 간 하강 이동한 자녀는 10명, 상승 이동한 자녀는 40명으로 상승 이동한 자녀가 더 많다.

ㄷ. 오답 : 부모 세대의 계층 구조는 피라미드형 계층 구조이고 자녀 세대의 계층 구조는 다이아몬드형 계층 구조이다. 다이아몬드형 계층 구조보다 피라미드형 계층 구조에서 사회 통합의 필요성이 더 크다.

ㄹ. 정답 : 부모 세대 하층에서 자녀 세대 상층으로의 세대 간 이동은 '0'이므로 세대 간 이동은 발생하지 않았다.

19 세대 간 계층 이동에 대한 분석

자료 해설

(가) 갑국의 1970년 계층 구조 현황

(단위 : %)

구분		자녀 세대 계층			계
		상층	중층	하층	
부모 세대 계층	상층	6	2	2	10
	중층	24	17	19	60
	하층	4	1	25	30
계		34	20	46	100

→ 세대 간 하강 이동
→ 세대 간 상승 이동 → 계층 대물림

(나) 갑국의 1970년 자녀 세대 중 2000년에도 계층을 유지한 비율

→ 계층 유지 또는 하강 이동만 가능하다.

상층 ▨▨▨▨▨ 50
→ 계층 유지 상승 이동 하강 이동이 모두 가능하다.
중층 ▨▨▨▨▨▨▨▨ 80
하층 ▨▨▨▨▨ 50
→ 계층 유지 또는 상승 이동만 가능하다.

0   100(%)

- ㄱ 정답 : 세대 간 상승 이동은 29%(24+4+1), 세대 간 하강 이동은 23%(2+2+19)로 세대 간 상승 이동이 더 많다.
- ㄴ 정답 : 자녀 세대를 기준으로 세대 간 이동을 경험한 비율은 상층의 경우 82.4%(28/34), 중층의 경우 15%(3/20), 하층의 경우 45.7%(21/46)로 중층이 가장 낮다.
- ㄷ. 오답 : 부모 세대를 기준으로 계층 대물림 비율은 상층의 경우 60%(6/10), 중층의 경우 28.3%(17/60), 하층의 경우 83.3%(25/30)로 중층이 가장 낮고 하층이 가장 높다.
- ㄹ 정답 : 1970년과 비교하여 2000년 자녀 세대 상층의 계층 유지 비율이 50%이므로, 전체의 17%에 해당하는 상층이 세대 내 하강 이동을 하였다(1970년대 자녀 세대 상층은 전체의 34%임). 자녀 세대 하층의 계층 유지 비율은 50%이므로 전체의 23%에 해당하는 하층이 세대 내 상승 이동을 하였다. 자녀 세대 중층의 계층 유지 비율은 80%이므로 중층 중 세대 내 상승 또는 하강 이동한 비율은 전체의 4%이다. 전체의 4%에 해당하는 중층이 모두 세대 내 하강 이동을 하였다고 가정하더라도, 세대 내 하강 이동 비율의 최대값은 전체의 21%가 된다. 따라서 세대 내 상승 이동을 한 사람이 세대 내 하강 이동을 한 사람보다 많다.

20 세대 간 계층 이동에 대한 분석

자료 해설 〈세대별 계층의 상대적 비율〉을 통해 부모 세대(상층+중층 : 하층 = 80 : 20)와 자녀 세대(상층 : 중층+하층=15 : 85)의 계층 비율을 파악할 수 있다. 〈세대 간 계층 이동 현황〉에서 자녀 세대 계층 대비 부모와 자녀의 계층 일치 비율은 상층이 60%이므로 부모 세대와 자녀 세대가 모두 상층인 비율은 9%(15×0.6)이다. 부모 계층 대비 부모와 자녀의 계층 불일치 비율이 하층은 65%이므로 부모 세대는 하층이면서 자녀 세대가 상층 또는 중층인 비율은 13%(20×0.65)이다. 자녀 세대 하층 대비 부모와 자녀의 계층 일치 비율은 20%이므로 자녀 세대 하층은 35%(자녀 세대 하층 비율×0.2=7)이고, 자녀 세대 중층은 50%이다. 계속해서 자녀 세대 중층의 66%가 계층 대물림되므로 부모 세대가 중층이면서 자녀 세대도 중층인 경우는 33%(50×0.66)이고, 부모 세대 중층의 비율에서 계층이 대물림된 비율은 60%이므로 부모 세대 중층은 55%(부모 세대 중층 비율×0.6=33)이다. 또한 부모 세대 상층에서 자녀 세대 중층으로 이동한 인구와 부모 세대 상층에서 자녀 세대 하층으로 이동한 인구는 같다는 조건이 있다. 이를 바탕으로 다음과 같이 세대 간 이동 표를 만들 수 있다.

(단위 : %)

구분		부모 세대			계
		상층	중층	하층	
자녀 세대	상층	9	2	4	15
	중층	8	33	9	50
	하층	8	20	7	35
계		25	55	20	100

① 오답 : 세대 간 계층 유지 비율은 49%(9+33+7)이고, 세대 간 계층 이동 비율은 51%로 계층 이동 비율이 더 크다.
② 정답 : 부모 세대 하층(20%) 대비 부모와 자녀가 모두 하층(7%)인 비율은 7/20이고, A는 자녀 세대 하층/상층+중층이므로 7/13(35/15+50)이다. 따라서 부모 세대 하층 대비 부모와 자녀가 모두 하층인 비율은 A보다 작다.
③ 정답 : 부모 세대 중층(55%) 대비 부모 세대가 중층이고 자녀 세대가 하층

(20%)인 비율은 20/55=4/110이고, B는 부모 세대 상층/중층+하층이므로 1/3(25/55+20)이다. 따라서 부모 세대 중층 대비 부모 세대가 중층이고 자녀 세대가 하층인 비율은 B보다 크다.
④ 오답 : 자녀 세대 계층 대비 부모와 자녀의 계층 불일치 비율은 상층 40%(6/15), 중층 34%(17/50), 하층 80%(28/35)로 하층이 가장 크다.
⑤ 오답 : 부모 세대 상층에서 자녀 세대 하층으로 이동한 인구는 8명이고, 부모 세대 하층에서 자녀 세대 중층으로 이동한 인구는 9명이다.

21 세대 간 계층 이동에 대한 분석

자료 해설 〈계층의 상대적 비〉에 따르면 부모 계층의 상층 : 중층 : 하층 = 10 : 60 : 30이고, 본인의 최초 계층의 상층 : 중층 : 하층 = 10 : 50 : 40이며, 본인의 현재 계층의 상층 : 중층 : 하층 = 20 : 30 : 50이다. 〈계층 일치 비율〉의 A를 적용하여 부모 계층과 본인 현재 계층 이동(세대 간 이동) 결과를 다음 표와 같이 나타낼 수 있다.

(단위 : %)

구분		부모 계층			계
		상층	중층	하층	
본인 현재 계층	상층	8	6	6	20
	중층	0	30	0	30
	하층	2	24	24	50
계		10	60	30	100

〈계층 일치 비율〉의 B를 적용하여 본인 최초 계층과 본인 현재 계층 이동(세대 내 이동) 결과를 다음 표와 같이 나타낼 수 있다.

(단위 : %)

구분		본인 최초 계층			계
		상층	중층	하층	
본인 현재 계층	상층	10	10	0	20
	중층	0	26	4	30
	하층	0	14	36	50
계		10	50	40	100

세대 간 이동(㉠)과 세대 내 이동(㉡)의 경험 유무를 표로 나타내면 다음과 같다.

(단위 : %)

구분		세대 간 이동(㉠)		계
		경험함	경험하지 않음	
세대 내 이동 (㉡)	경험함	A	B	28
	경험하지 않음	C	D	72
계		38	62	100

❶ 정답 : A+B=28, B+D=62이므로, A=D−34가 된다. '㉠과 ㉡을 모두 경험한 가구주(A)'의 비율은 '㉠과 ㉡ 중 어느 하나도 경험하지 않은 가구주(D)'의 비율보다 34%p가 적다.
② 오답 : A+B=28, A+C=38이므로, C=B+10이 된다. '㉠을 경험하고 ㉡은 경험하지 않은 가구주(C)'의 비율은 '㉠을 경험하지 않고 ㉡은 경험한 가구주(B)'의 비율보다 10%p가 많다.
③ 오답 : 세대 내 하강 이동은 14%(0+0+14), 세대 내 상승 이동도 14%(10+0+4)로 같다.
④ 오답 : 현재 계층이 중층인 가구주 중 최초의 계층이 상층인 경우는 없고, 중층인 경우는 26%, 하층인 경우는 4%이다.
⑤ 오답 : 가구주의 현재 계층 구조는 피라미드형이고, 부모의 계층 구조는 다

이아몬드형이다. 다이아몬드형 계층 구조가 사회 통합에 유리하다.

22 세대 간 계층 이동에 대한 분석

자료 해설 (가)의 세대별 계층 간 상대적 비율을 통해 1대의 상층 : 중층 : 하층 = 10% : 30% : 60%이고, 2대의 상층 : 중층 : 하층 = 20% : 60% : 20%이며, 3대의 상층 : 중층 : 하층 = 30% : 20% : 50%임을 알 수 있다. (나)의 계층 이동 결과를 보고 세대 간 계층 이동 결과 표를 아래와 같이 나타낼 수 있다.

〈1대에서 2대로의 이동〉

(단위 : %)

구분		1대			계
		상층	중층	하층	
2대	상층	8	ⓒ	ⓜ	20
	중층	ⓐ	14	ⓗ	60
	하층	ⓛ	ⓔ	12	20
계		10	30	60	100

〈2대에서 3대로의 이동〉

(단위 : %)

구분		2대			계
		상층	중층	하층	
3대	상층	18	ⓒ	ⓔ	30
	중층	ⓐ	16	ⓕ	20
	하층	ⓑ	ⓓ	18	50
계		20	60	20	100

선택지 분석

① 오답 : 2대의 계층 구조는 다이아몬드형, 3대의 계층 구조는 모래시계형에 가깝다. 따라서 2대의 계층 구조가 사회 통합에 더 유리하다.

② 오답 : 1대에서 2대로의 세대 간 이동의 경우, 하층의 상승 이동(ⓜ+ⓗ)이 48%이다. 상승과 중층이 모두 하강(ⓐ+ⓛ+ⓔ)한다고 하더라도 그 비율이 최대 18%이므로, 상승 이동이 하강 이동보다 많다.

③ 오답 : ⓒ는 12, ⓓ는 32이다(④ 선택지 풀이 참고). 세대 간 상승 이동은 14%, 세대 간 하강 이동은 34%이므로, 하강 이동이 상승 이동보다 많다.

④ 정답 : 2대에서 3대로의 계층 이동에서 ⓐ+16+ⓕ는 20이 되어야 하는데 상층의 하강 이동은 2%, 하층의 상승 이동은 2%이므로, ⓐ와 ⓕ에 모두 2가 들어가야만 20이 나올 수 있다. 이 경우 ⓑ와 ⓔ는 0이므로, 상층에서 하층으로의 이동과 하층에서 상층으로의 이동은 모두 나타나지 않았다.

⑤ 오답 : 상층 부모를 둔 사람 중 하강 이동을 한 비율은 1대에서 2대는 2/10, 2대에서 3대는 2/200이므로 같지 않다.

올쏘 만점 노트 계층 구조와 사회 통합 및 안정 가능성

피라미드형 계층 구조에 비해 다이아몬드형 계층 구조는 사회 통합 및 안정의 실현에 유리하다. 다이아몬드형 계층 구조가 나타나는 사회는 사회적 희소가치가 비교적 평등하게 분배되어 있어 계층 간 갈등 발생 가능성이 낮다. 또한 현 체제에 대하여 만족하고 안정을 바라는 중층의 비율이 가장 높아 사회 불안 요인이 적은 편이며, 중층은 하층과 상층의 극단적인 충돌을 조정해 주는 완충 장치가 된다.

23 세대 간 계층 이동에 대한 분석

자료 해설 부모 세대 계층 비율을 구하기 위해, 부모 상층을 a, 부모 중층을 b, 부모 하층을 c라고 하자. a/b+c=1/4, c/a+b=1/4이므로, a : b : c=1 : 3 : 1이 된다. 따라서 부모 세대 계층 구성 비율은 상층 20%,

중층 60%, 하층 20%이다. 자녀 세대 계층의 상대적 비율에서 상층/중층+하층=3/7이므로, 자녀 상층은 30%이고 중층과 하층의 합은 70%이다. 그리고 부모 세대 하층의 세대 간 상승 비율은 3/10이고 부모 세대 하층에서 자녀 세대 상층으로의 이동은 없으므로, 부모 세대 하층에서 자녀가 하층인 경우는 전체의 14%이고, 자녀가 중층인 경우는 전체의 6%가 된다. 부모 세대 상층의 하강 이동 비율은 9/10이므로, 부모 상층 중 자녀도 상층을 유지한 비율은 전체의 2%이다. 부모 세대 중층의 세대 간 하강 이동 비율은 11/30이므로, 부모 중층 중 자녀가 하층인 경우는 전체의 22%이다. 이 결과를 표로 나타내면 다음과 같다.

(단위 : %)

구분		부모 세대			계
		상층	중층	하층	
자녀 세대	상층	2	ⓐ	0	30
	중층	ⓛ	ⓒ	6	ⓜ
	하층	ⓔ	22	14	ⓗ
계		20	60	20	100

따라서 ⓐ은 28, ⓔ은 10, ⓛ은 4(자녀 세대 중층에서 부모와 자녀의 계층 일치 비율(10%)과 불일치 비율은 1 : 1이므로 일치해야 한다.), ⓔ은 14, ⓜ은 20, ⓗ은 50이 된다. 이 결과를 표로 나타내면 다음과 같다.

(단위 : %)

구분		부모 세대			계
		상층	중층	하층	
자녀 세대	상층	2	28	0	30
	중층	4	10	6	20
	하층	14	22	14	50
계		20	60	20	100

선택지 분석

① 오답 : 부모 세대에서는 다이아몬드형, 자녀 세대에서는 모래시계형 계층 구조가 나타났다. 따라서 자녀 세대에서 사회 통합의 필요성이 높아졌다.

② 오답 : 자녀 세대 계층 대비 부모와 자녀의 계층 일치 비율은 상층이 6.7%(2/30), 중층이 50%(10/20), 하층이 28%(14/50)로 중층이 가장 높다.

③ 오답 : 부모 세대 계층 대비 자녀와 부모의 계층 불일치 비율은 상층이 90%(18/20), 중층이 83.3%(50/60), 하층이 30%(6/20)로 상층이 하층보다 높다.

④ 정답 : A는 50/500이고, 부모 세대 상층과 하층의 합 대비 부모 세대 중층의 상대적 비율은 60/400이므로 A가 더 작다.

⑤ 오답 : B는 14/30(=28/60)이고, 부모 세대 상층 대비 부모 상층에서 자녀 하층으로의 세대 간 이동 비율은 14/200이므로 B가 더 작다.

킬러 예상 문제

본문 120~123쪽

01 ② 02 ⑤ 03 ③ 04 ④ 05 ④ 06 ④ 07 ⑤ 08 ④
09 ③ 10 ② 11 ③ 12 ⑤ 13 ② 14 ④ 15 ③ 16 ④

01 다양한 사회 불평등 현상

자료 해설 (가)는 권력의 소유와 행사의 차이로 나타나는 정치적 불평등, (나)는 소득이나 재산 등의 차이로 인한 경제적 불평등, (다)는 명

정답 및 해설

예, 교육 수준, 지식 소유 등의 차이로 인해 생활수준과 기회의 차이가 나타나는 사회·문화적 불평등에 해당한다.

선택지 분석

- ㄱ 정답 : 시민 혁명 이후에 전개된 노동자, 농민들의 참정권 획득 운동은 정치적 불평등을 둘러싼 갈등이 표출된 것이다.
- ㄴ 오답 : 정치적 불평등뿐만 아니라 경제적 불평등도 사회·문화적 불평등을 유발하는 원인이 될 수 있다.
- ㄷ 오답 : 사회적 불평등은 개인 및 집단의 서열화가 특징이므로 사회·문화적 불평등도 서열화를 발생시킨다.
- ㄹ 정답 : 사회 불평등 현상은 자원의 희소성으로 인해 나타나며, 정도의 차이만 있을 뿐 모든 사회에서 나타난다.

02 사회 불평등 현상을 바라보는 관점

자료 해설

구분	A	B
← 기능론이 높고 갈등론은 낮다.		
개인의 노력과 계층 이동 가능성 사이의 상관 관계	+++	+
(가) → 갈등론이 높고 기능이 낮은 내용이 들어가야 한다.	+	+++

개인의 노력과 계층 이동 가능성 사이의 상관관계는 기능론이 높고, 갈등론이 낮으므로 A는 기능론, B는 갈등론임을 알 수 있다.

선택지 분석

- ① 오답 : 기능론은 사회 발전을 위해 차등 분배가 필요하다는 입장이므로 희소가치의 분배 수준이 균등해질수록 사회적 효율성이 낮아진다고 본다.
- ② 오답 : 갈등론은 희소가치가 차등 분배될수록 갈등이 높아진다고 보는 입장이므로 희소가치의 차등 분배 수준과 사회 갈등 정도 사이에 정(+)의 관계가 있다고 본다.
- ③ 오답 : 부모의 계층과 자녀의 사회적 성공 가능성 사이의 상관관계에 대해 기능론은 낮다고 보고, 갈등론은 높다고 본다.
- ④ 오답 : 개인의 성취동기와 희소가치의 차등 분배 수준 사이의 상관관계에 대해 기능론은 높다고 보고, 갈등론은 낮다고 본다.
- ⑤ 정답 : 기능론은 개인의 타고난 귀속적 요인이 사회 불평등에 미치는 영향을 낮게 보고, 갈등론은 높게 보기 때문에 (가)에는 '개인의 귀속적 요인이 사회 불평등에 미치는 영향'이 적절하다.

03 사회 불평등 현상을 바라보는 관점

자료 해설 갑은 최고 경영자가 연봉 결정에 권력을 행사할 수 있는 지위에 있기 때문에 높은 연봉을 받는 것이라고 보기 때문에 갈등론, 을은 최고 경영자의 역량이 중요하고 근로자의 능력으로 대체할 수 없기 때문에 높은 연봉을 받는 것이라고 보기 때문에 기능론에 해당한다.

선택지 분석

- ㄱ 오답 : 균등 분배가 성취동기를 저하시킨다고 보는 것은 기능론이다.
- ㄴ 정답 : 기능론은 사회의 발전을 위해서는 불균등 분배가 필요하다고 여기기 때문에 사회 불평등 현상을 불가피한 것으로 본다.
- ㄷ 정답 : 갈등론은 지배 집단의 피지배 집단에 대한 억압과 착취로 인해 사회 불평등이 발생한다고 보기 때문에 개인의 타고난 귀속적 요인이 사회 불평등에 미치는 영향력을 기능론에 비해 중시한다.
- ㄹ 오답 : 사회적 희소가치의 배분 기준이 지배 집단과 같은 특정 집단의 합의에 의해 결정된다고 보는 것은 갈등론이다.

04 사회 불평등 현상을 바라보는 관점

자료 해설 자동차의 엔진과 와이퍼의 기능적 중요도에 차이가 있는 것처럼 사회에서 사람들이 맡은 일의 기능적 중요도에 따라 다른 보상

이 주어져야 한다고 주장하고 있으므로 기능론의 관점에 해당한다.

선택지 분석

- ㄱ 오답 : 기능론은 균등 보상 체계가 사회 발전을 저하시킨다고 본다.
- ㄴ 정답 : 기능론은 희소가치의 분배 기준이 사회적으로 합의된 것이므로 그에 따른 불평등 분배가 정당하다고 본다.
- ㄷ 오답 : 기능론은 사회 불평등 현상이 보편적이며 필수 불가결하다고 보지만, 갈등론은 사회 불평등 현상이 보편적이지만 필수 불가결하지는 않다고 본다.
- ㄹ 정답 : 기능론은 사회적으로 중요한 기능을 수행하는 일에 더 큰 보상을 함으로써 인재가 중요한 기능을 수행하는 일을 할 수 있도록 유도한다고 여긴다.

05 계급 이론과 계층 이론

자료 해설 A, B는 질문 (가)~(다)에 따라 계급 이론과 계층 이론 중 하나가 될 수 있다.

선택지 분석

- ① 오답 : 계급 이론은 이원론적 관점에서 지배 계급과 피지배 계급으로 구분하기 때문에 A가 계급 이론이면 "계층을 다원론적 관점에서 구분하는가?"는 (가)에 적절하지 않다.
- ② 오답 : 계층 이론은 지위 불일치 현상을 설명하는 데 적절한 이론이므로 A가 계층 이론이면 "지위 불일치 현상을 설명할 수 있는가?"는 (나)에 적절하지 않다.
- ③ 오답 : 동일한 경제적 위치에 있는 집단 구성원 간에 강한 귀속 의식을 중시하는 것은 계급 이론이므로 (나)가 "동일한 경제적 위치에 있는 집단 구성원이 갖는 강한 귀속 의식을 중시하는가?"이면, B는 계급 이론이다.
- ④ 정답 : 계급 이론과 계층 이론 모두 불평등의 발생 원인을 희소가치의 차등 분배에서 찾는다. 따라서 (다)에 "불평등의 발생 원인을 희소가치의 차등 분배에서 찾는가?"가 적절하다.
- ⑤ 오답 : (가)가 "사회 불평등을 연속적인 서열로 파악하는가?"이면 A는 계층 이론, B는 계급 이론이다. 계층 이론은 사회 이동이 자유롭다고 보고 계급 이론은 사회 이동이 자유롭지 않다고 보기 때문에 (나)에 "사회 이동이 자유롭다고 보는가?"는 적절하지 않다.

06 계급 이론과 계층 이론

자료 해설 질문 (가), (다)를 통해 A, B는 계급 이론 또는 계층 이론으로 구분할 수 있고, 질문 (나)에는 계급 이론과 계층 이론에 공통되는 질문이 들어갈 수 있다.

선택지 분석

- ㄱ 오답 : 사회 불평등 현상을 불연속적인 위계화로 파악하는 것은 계급 이론이므로 A가 계층 이론이라면, (가)에는 '사회 불평등 현상을 불연속적인 위계화로 파악하는가?'가 들어갈 수 없다.
- ㄴ 정답 : 사회 불평등 현상의 발생 원인을 다원론적 관점에서 보는 것은 계층 이론이다. 따라서 (다)에 '사회 불평등 현상의 발생 원인을 다원론적 관점으로 보는가?'가 들어가면 A에 대해 '아니요'라는 답변이 가능하므로 적절한 질문이다.
- ㄷ 오답 : 계층론은 지위 불일치 현상을 설명하기에 적합하므로 B가 계층 이론이라면 (가)에는 '지위 불일치 현상을 설명하기에 적합한가?'가 들어갈 수 없다.
- ㄹ 정답 : 계층 이론, 계급 이론 모두 사회 불평등 현상의 원인으로 경제적 요인을 고려하므로 (나)에는 '사회 불평등 현상의 원인으로 경제적 요인을 고려하는가?'가 들어갈 수 있다.

07 계층 이론

자료 해설 제시문은 사회 불평등이 경제적 요인, 정치적 요인, 사회적 요인에 따라 발생하며, 지위 불일치 현상이 나타날 수 있다고 보는 입장이다. 즉 사회 불평등 현상을 계층 이론으로 설명하고 있다.

선택지 분석

ㄱ. 오답 : 계층 이론은 계층을 다층으로 구분하여 이해하는 입장이므로 중간 계급의 존재를 인정한다.

ㄴ. 오답 : 단절적 이분법으로 계급을 구분하여 경제적 위치에 따른 집단 내 연대 의식을 강조하는 것은 계급 이론이다.

ㄷ. 정답 : 계층 이론은 계급 이론과 달리 계층이 다양한 기준에 따라 나누어지기 때문에 연속적으로 서열화되어 있다고 본다.

ㄹ. 정답 : 계층 이론은 다양한 기준으로 사회 불평등이 나타날 수 있다고 설명하므로 위계를 결정하는 기준이 다원적이라고 본다.

08 계급 이론과 계층 이론

자료 해설 (가)는 사회 불평등은 경제적 요인이 결정적이라고 보는 입장이므로 계급 이론, (나)는 지위 불일치 현상이 나타날 수 있다고 보는 입장이므로 계층 이론이다.

선택지 분석

ㄱ. 정답 : 계급 이론은 계층 이론에 비해 동일한 경제적 위치에 있는 계급 구성원 사이에 강한 귀속 의식이 있음을 강조한다.

ㄴ. 정답 : 계급 이론은 계층 이론과 달리 지배 계급과 피지배 계급 사이에 단절적으로 계급이 구분된다고 설명한다.

ㄷ. 오답 : 계층 이론은 다양한 기준으로 사회 불평등이 나타날 수 있다고 설명하므로 지위 불일치 현상을 설명하기에 적절하다.

ㄹ. 정답 : 계층 이론과 계급 이론 모두 경제적 요인이 사회 불평등 현상의 원인이 된다는 점을 인정한다.

09 사회 이동의 유형

자료 해설

갑 : 대기업 회장의 아들이었으나 스스로 승계를 포기하고 평범한 삶을 살고 있다. → 개인적 이동, 세대 간 이동, 하강 이동

을 : 백정의 자식으로 태어났으나 갑오개혁을 통해 평민이 되었다. → 세대 간 이동, 상승 이동, 구조적 이동

병 : 대농장을 소유한 지주였으나 혁명으로 전 재산을 몰수당하여 빈민으로 전락하였다. → 구조적 이동, 하강 이동

정 : 9급 공무원으로 시작하여 성실하게 노력한 결과 고위 공무원이 되었다. → 개인적 이동, 상승 이동

선택지 분석

① 오답 : 병은 구조적 이동을 경험하였고 정은 경험하지 않았다. 갑은 개인적 이동을 경험하였고 을은 경험하지 않았다.

② 오답 : 갑은 세대 간 이동을 경험하였고 정은 경험하지 않았다. 병은 상승 이동을 경험하지 않았고 정은 경험하였다.

③ 정답 : 을과 정은 상승 이동을 경험하였고, 을과 병은 구조적 이동을 경험하였다.

④ 오답 : 을과 병은 개인적 이동을 경험하지 않았고 갑과 정은 경험하였다.

⑤ 오답 : 을은 개인적 이동을 경험하지 않았다. 갑은 세대 간 이동을 경험하였고 병은 경험하지 않았다.

10 세대 간 계층 이동에 대한 분석

자료 해설 제시문을 분석하면 부모 세대의 계층 구성 비율은 상층 :

중층 : 하층 = 2 : 3 : 5이고, 부모 세대 계층 기준 부모와 자녀의 계층이 일치하는 비율과 자녀 세대 계층 기준 부모와 자녀의 계층이 일치하는 비율을 표로 나타내면 다음과 같다.

(단위 : %)

구분		부모 세대			계
		상층	중층	하층	
자녀 세대	상층	15	10	0	25
	중층	5	15	30	50
	하층	0	5	20	25
계		20	30	50	100

선택지 분석

① 오답 : 부모의 계층을 세습한 자녀의 비율은 50%(15+15+20)이다.

② 정답 : 자녀 세대의 중층 비율은 50%, 부모 세대의 중층 비율은 30%로 자녀 세대가 부모 세대보다 높다.

③ 오답 : 세대 간 상승 이동은 40%(10+30), 세대 간 하강 이동은 10%(5+5)로 상승 이동이 하강 이동의 4배이다.

④ 오답 : 부모 세대 하층에서 자녀 세대 상층으로 이동한 사람은 없다.

⑤ 오답 : 피라미드형인 부모 세대보다 다이아몬드형인 자녀 세대의 계층 구조가 사회 통합에 유리하다.

11 세대 간 계층 이동에 대한 분석

자료 해설

(가) 세대별 계층 구성 현황 → 상층 + 중층이 부모 세대는 40%, 자녀 세대는 70%이다.

구분	부모 세대	자녀 세대
중층 이상 비율(%)	40	70
중층 이하 비율(%)	85	80

→ 중층 + 하층이 부모 세대는 85%, 자녀 세대는 80%이다.

(나) 자녀 세대 계층별 수직 이동 경험 비율

구분	자녀 세대 중 상승 이동 경험 비율(%)	자녀 세대 중 하강 이동 경험 비율(%)
상층	60	0
중층	64	6
하층	0	40

→ 자녀 세대 상층 중에서 40%, 중층 중에서 30%, 하층 중에서 60%는 부모의 계층을 대물림하였다.

(가) 세대별 계층 구성 현황을 통해 부모 세대는 상층이 15%, 중층이 25%, 하층이 60%이고, 자녀 세대는 상층이 20%, 중층이 50%, 하층이 30%임을 알 수 있다. (나) 자녀 세대 계층별 수직 이동 경험 비율을 통해 자녀 세대의 계층 대물림 비율이 상층은 40%, 중층은 30%, 하층은 60%임을 알 수 있다. 이를 바탕으로 다음과 같은 세대 간 계층 이동 분석 표를 만들 수 있다.

(단위 : %)

구분		부모 세대			계
		상층	중층	하층	
자녀 세대	상층	8	2	10	20
	중층	3	15	32	50
	하층	4	8	18	30
계		15	25	60	100

선택지 분석

ㄱ. 오답 : 부모 세대의 계층 구조는 피라미드형이다. 하지만 부모 세대 계층의 수직 이동 여부를 알 수 없어 단순히 계층 구조만으로 개방적인지 폐쇄적

정답 및 해설

인지 여부를 파악할 수 없다.
- ㄴ 정답 : 부모 세대 하층은 60%, 부모 세대 상층은 15%이므로 하층이 상층의 4배이다.
- ㄷ 정답 : 부모가 상층이고 자녀가 하층인 사람의 비율은 4%이다.
- ㄹ. 오답 : 세대 간 상승 이동한 사람의 비율은 44%(2+10+32), 세대 간 하강 이동한 사람의 비율은 15%(3+4+8)이다. 따라서 세대 간 상승 이동한 사람의 비율은 세대 간 하강 이동한 사람의 3배를 넘지 못한다.

12 세대 간 계층 이동에 대한 분석

자료 해설 부모 세대의 계층 구성비가 상층 : 중층 : 하층=1 : 3 : 6이라고 하였으므로〈세대 간 계층별 구성 비율의 상대적 비〉를 분석하면 자녀 세대의 계층 구성비는 상층 : 중층 : 하층=2 : 5 : 3임을 알 수 있다. 〈자녀 세대를 기준으로 조사한 계층별 세대 간 이동 비율〉을 분석하여 표로 나타내면 다음과 같다.

(단위 : %)

구분		부모 세대			계
		상층	중층	하층	
자녀 세대	상층	2	0	18	20
	중층	8	24	18	50
	하층	0	6	24	30
계		10	30	60	100

선택지 분석

- ㄱ. 오답 : 상층인 부모를 둔 자녀 중 중층인 사람도 있다.
- ㄴ 정답 : 부모 세대 기준 계층 대물림 비율은 상층 20%(2/10), 중층 80%(24/30), 하층 40%(24/60)로 중층이 가장 높다.
- ㄷ 정답 : 세대 간 상승 이동한 사람의 비율은 36%(18+18), 세대 간 하강 이동한 사람의 비율은 14%(8+6)로 상승 이동한 비율이 높다.
- ㄹ 정답 : 부모 세대 중층 비율은 30%, 자녀 세대 중층 비율은 50%로 자녀 세대 중층 비율이 높다.

13 계층 이동에 대한 분석

자료 해설 상층 이동과 하강 이동이 나타난 A는 중층, 상승 이동만 나타난 B는 하층, 하강 이동만 나타난 C는 상층이다. 1980년의 계층 비율은 상층 20%, 중층 40%, 하층 40%이다. 2010년의 계층 비율은 상층이 30%, 중층이 40%, 하층이 30%이다. 이를 활용하여 표로 나타내면 다음과 같다.

(단위 : %)

구분		1980년 계층			계
		상층(C)	중층(A)	하층(B)	
2010년 계층	상층(C)	4	6	20	30
	중층(A)	16	20	4	40
	하층(B)	0	14	16	30
계		20	40	40	100

→대각선은 계층을 세습한 사람의 비율, 대각선의 윗부분은 세대 간 상승 이동한 사람의 비율, 대각선 아랫 부분은 세대 간 하강 이동한 사람의 비율이다.

선택지 분석

- ㄱ 정답 : 2010년 중층 중 세대 내 수직 이동을 경험한 비율은 20/40으로 중층의 50%이다.
- ㄴ. 오답 : 어느 시기의 계층 구조가 더 개방적인지 여부는 계층 구조만으로는 알 수 없다.

- ㄷ 정답 : 1980년 계층 대비 2010년에 각 계층별로 계층적 지위가 유지된 비율은 상층 20%(4/20), 중층 50%(20/40), 하층 40%(16/40)로 중층이 하층보다 높다.
- ㄹ. 오답 : 상층에서 하층으로의 세대 내 이동은 나타나지 않았으나 하층에서 상층으로의 세대 내 이동은 20%로 나타났다.

14 세대 간 계층 이동에 대한 분석

자료 해설 (가) 세대별 계층 간 상대적 비율을 분석하면 부모 세대의 계층 구성 비율은 상층 : 중층 : 하층=3 : 3 : 4이고, 자녀 세대 계층 구성 비율은 상층 : 중층 : 하층=1 : 2 : 1이다. (나) 부모 세대 계층별 자녀와 계층이 다른 사람의 비율을 분석하면 계층을 세습한 사람의 상대적 비는 상층 1/3, 중층 2/3, 하층 1/2임을 알 수 있다. 또한 조건에서 부모 세대 상층에서 자녀 세대 하층으로 이동한 사람은 없다. 이를 토대로 세대 간 계층 이동 분석 표로 나타내면 다음과 같다.

(단위 : %)

구분		부모 세대			계
		상층	중층	하층	
자녀 세대	상층	10	5	10	25
	중층	20	20	10	50
	하층	0	5	20	25
계		30	30	40	100

선택지 분석

- ① 오답 : 부모 세대 계층 대비 계층 대물림 비율은 중층 20/30, 하층, 20/40으로 중층이 더 높다.
- ② 오답 : 전체를 100명이라고 가정할 때 세대 간 이동으로 다른 계층에서 유입된 사람은 상층 15명(5+10), 중층 30명(20+10), 하층 5명(0+5)으로 중층이 가장 많다.
- ③ 오답 : 전체를 100명이라고 가정할 때 부모 세대 중층 중 자녀가 상층인 사람과 자녀가 하층인 사람은 5명으로 동일하다.
- ④ 정답 : 자녀 세대 중층 중 수직 이동을 경험한 사람은 30/50으로 과반수이다.
- ⑤ 오답 : 상층에서 중층으로 세대 간 이동한 인구는 20명, 하층에서 중층으로 세대 간 이동한 인구는 10명으로 상층에서 중층으로 이동한 인구가 더 많다.

15 세대 간 계층 이동에 대한 분석

자료 해설
→자녀 세대에서 세대 간 하강 이동을 한 사람이 없는 A는 상층이고, 계층을 대물림한 비율은 20%이다.

A에는 세대 간 상승 이동한 사람의 비율이 80%이고, 세대 간 하강 이동한 사람은 없다. B에는 세대 간 상승 이동한 사람은 없고, 세대 간 하강 이동한 사람의 비율이 70%이다. C에는 세대 간 상승 이

→자녀 세대에서 세대 간 상승 이동을 한 사람이 없는 B는 하층이고, 계층을 대물림한 비율은 30%이다.

동한 사람의 비율이 50%이고, 세대 간 하강 이동한 사람의 비율이 10%이다. 단, 자녀 세대의 계층 구성비는 상층 : 중층 : 하층 = 1 : 3 : 1이다. →C는 중층이고 40%는 계층을 대물림하였다.

자료를 분석하여 세대 간 계층 이동 현황을 표로 나타내면 다음과 같다.

(단위 : %)

구분		부모 세대		
		상층	중층	하층
자녀 세대	상층(A)	20	80	
	중층(C)	10	40	50
	하층(B)	70		30

ㄱ. 오답 : A는 상층이다. 신분제 사회에서는 하층인 B의 비율이 가장 높다.

ㄴ. 정답 : 하층인 B에서 계층을 대물림한 사람의 비율은 30%이다.

ㄷ. 정답 : 자녀 세대의 계층 구조는 다이아몬드형이고 중층인 C의 계층 대물림 비율이 가장 높으므로 계층을 대물림한 사람도 C에서 가장 많다.

ㄹ. 오답 : 하층인 B보다 중층인 C의 비율이 높을수록 사회 통합에 유리하다.

16 세대 간 계층 이동에 대한 분석

자료 해설 부모 세대의 계층 구조가 피라미드형이므로 A는 하층, B는 상층, C는 중층임을 알 수 있다. 따라서 부모 세대의 계층 구성 비율은 상층 : 중층 : 하층=1 : 3 : 6이다. 마찬가지로 자녀 세대의 계층 구성 비율은 상층 : 중층 : 하층=1 : 3 : 1임을 알 수 있다. 〈자녀 세대 계층 대비 부모와 자녀 계층 일치의 상대적 비율〉을 활용하여 계층 이동 분석 표를 다음과 같이 만들 수 있다.

(단위 : %)

구분		부모 세대			계
		상층(B)	중층(C)	하층(A)	
자녀 세대	상층(B)	㉠ 4	2	14 ㉡	20
	중층(C)	6	24	30	60
	하층(A)	㉢ 0	4	16	20
계		10	30	60	100

㉠은 계층을 세습한 사람의 비율, ㉡은 세대 간 상승 이동한 사람의 비율, ㉢은 세대 간 하강 이동한 사람의 비율이다.

ㄱ. 정답 : 세대 간 상승 이동은 46%(2+14+30), 세대 간 하강 이동은 10%(6+0+4)이므로 세대 간 상승 이동이 세대 간 하강 이동의 4배보다 많다.

ㄴ. 정답 : 부모 세대 계층 대비 계층 대물림 비율은 상층 40%(4/10), 중층 80%(24/30), 하층 약 26%(16/60)로 하층에서 가장 낮다.

ㄷ. 오답 : 세대 간 계층 대물림을 한 사람의 비율은 44%(4+24+16), 세대 간 계층 이동을 한 사람의 비율은 56%로 세대 간 계층 이동을 한 사람이 더 많다.

ㄹ. 정답 : 자녀 세대에서 부모와 계층이 일치하는 사람 대비 불일치하는 사람의 비는 상층 4(16/4), 중층 1.5(36/24), 하층 0.25(4/16)로 상층이 가장 높다.

11 ② 다양한 불평등 양상

기출 선지 변형 O X

본문 124~125쪽

01 ① × ② × ③ × ④ × ⑤ ○ ⑥ ○
02 ① ○ ② ○ ③ ○ ④ × ⑤ ○ ⑥ ×
03 ① ○ ② × ③ × ④ ○ ⑤ × ⑥ × ⑦ ○
04 ① ○ ② ○ ③ × ④ × ⑤ × ⑥ ○ ⑦ ×

01 ① 사회적 소수자 우대 정책으로 인한 역차별 문제는 자료에 나타나 있지 않다.
② 사회적 소수자는 상대적으로 규정되나 이러한 내용은 자료에 나타나 있지 않다.
③ 사회적 소수자에 대한 차별이 개인적 능력 차이 때문이라는 내용은 자료에 나타나 있지 않다.
④ 사회적 소수자에 대한 차별을 해소하기 위해서 사회 구성원의 인식이 변화되어야 함을 알 수 있다.
⑤ 관련 법 시행을 제도 개선으로 볼 수 있으며, 사회적 의식 개혁도 함께 이루어져야 함을 주장한다.
⑥ 장애인과 여성을 보호하기 위한 제도적 장치가 마련되어 있음에도 차별 문제가 해소되지 않는 까닭으로 사회 구성원의 인식이 변화하지 않는 것을 지적하고 있다.

02 ① 2013년 '15~64세 기혼 여성 인구 변화율' 값이 −2이므로 2012년보다 2013년에 15~64세 기혼 여성의 수가 감소하였다.
② 경력 단절 여성의 비율은 2011년과 2015년이 20%로 같지만 15~64세 기혼 여성의 수가 2011년에 2015년보다 더 많으므로 경력 단절 여성의 수는 2011년이 2015년보다 많다.
③ 결혼으로 인한 경력 단절 여성의 비율은 2011년(47%)부터 2015년(37%)까지 지속적으로 감소하였다.
④ 임신·출산으로 인한 경력 단절 여성의 비율은 2011년과 2014년 모두 20%이지만, 15~64세 기혼 여성의 수는 2011년이 2014년보다 더 많다. 따라서 임신·출산으로 인한 경력 단절 여성의 수는 2011년이 더 많다.
⑤ 기혼 여성 수 감소보다 육아로 인한 경력 단절 여성의 수가 더 빠르게 증가하고 있으므로 육아로 인한 경력 단절 여성의 수가 가장 많은 해는 2015년이다.
⑥ 결혼, 임신·출산, 육아 이외에 다른 이유로 경력이 단절된 여성의 비율이 2011년 8%, 2012년 4%이지만 해당 연도의 15~64세 기혼 여성의 수가 다르므로 그 수는 두 배가 아니다.

03 ① 상대적 빈곤의 기준을 적용하면 기본적인 의식주가 충족된 사람이라도 빈곤층에 포함될 수 있다.
② 최저 생계비를 높게 설정하면 절대적 빈곤선이 높아지므로 절대적 빈곤율이 높아진다.
③ 소득의 불평등 현상을 설명하는 데 활용되는 것은 상대적 빈곤이다.
④ 현대 사회에서는 상대적 빈곤과 절대적 빈곤 모두 사회 문제로 인식한다.

⑤ 상대적 빈곤율과 절대적 빈곤율은 측정하는 기준이 다르기 때문에 서로 영향을 주는지 알 수 없다.
⑥ 절대적 빈곤층에 해당하는 사람이 상대적 빈곤층에 속할 수 있으므로 절대적 빈곤율과 상대적 빈곤율을 더한 것이 전체 빈곤율이 되지 않는다.
⑦ 상대적 빈곤과 절대적 빈곤은 객관화된 기준에 의해 분류되는 객관적 빈곤 개념이다.

04 ① 절대적 빈곤 가구는 최저 생계비 미만의 가구를 의미하므로 이들 소득의 합이 전체 가구의 소득에서 차지하는 비율은 7.5%가 되지 않는다.
② 2011년 농촌에서 절대적 빈곤 가구의 비율은 12%, 상대적 빈곤 가구의 비율은 15%이므로 절대적 빈곤 가구는 모두 상대적 빈곤 가구에 속한다.
③ 도시와 농촌 모두에서 상대적 빈곤율이 높아졌으므로 소득 불평등이 심화되는 경향이 나타났다.
④ 도시에서 가구 소득이 최저 생계비 이상이면서 중위 소득의 50% 미만인 가구는 상대적 빈곤 가구이지만 절대적 빈곤 가구에는 속하지 않는 가구이다. 2010년과 2011년 모두 도시의 '상대적 빈곤율 − 절대적 빈곤율'은 절대적 빈곤율의 2배를 넘지 않는다.
⑤ 전체 도시 가구 수가 제시되지 않았으므로 상대적 빈곤 가구 수와 절대적 빈곤 가구 수를 알 수 없다.
⑥ 2010년과 2011년 모두 전체 가구의 상대적 빈곤율이 절대적 빈곤율보다 높으므로 중위 소득 대비 최저 생계비 비율은 50% 미만이다.
⑦ 2011년 농촌 가구의 상대적 빈곤율이 절대적 빈곤율보다 높으므로 중위 소득은 같은 해 최저 생계비의 2배 이상이다.

실전 기출 문제

본문 126~129쪽

01 ① **02** ⑤ **03** ⑤ **04** ⑤ **05** ④ **06** ③ **07** ② **08** ③
09 ③ **10** ① **11** ④ **12** ① **13** ⑤ **14** ③ **15** ⑤

01 사회적 소수자 차별 문제

자료 해설 갑은 여성 우위 문화가 지배적인 B 국으로 이주한 뒤 사회적 소수자가 되었다. 을은 소수 민족을 차별하는 D 지역으로 이주하면서 사회적 소수자가 되었다. 이를 통해 사회적 소수자가 되는 기준은 상대적임을 알 수 있다.

선택지 분석
❶ **정답** : 사회적 소수자가 되는 것은 그 사회나 지역의 기준에 따라 달라지므로 상대적임을 알 수 있다.
② **오답** : 사회적 소수자는 수적으로 열세에 있기보다는 정치·경제·사회적 측면에서 권력의 열세에 놓인 집단을 의미한다.
③ **오답** : 성별에 따른 차별이 출신에 따른 차별보다 강한지는 제시문을 통해 알 수 없다.

④ 오답 : 사회적 소수자에 대한 차별은 주류 집단의 정체성을 약화시키는지는 제시문을 통해 알 수 없다.

⑤ 오답 : 사회적 소수자 집단에서 벗어나려면 성취 지위의 변화가 필수적인지는 제시문을 통해 알 수 없다.

> **올쏘 만점 노트**   사회적 소수자의 특성
>
> 사회적 소수자는 수적으로 반드시 소수(少數)를 의미하는 것은 아니다. 주류 집단에 비해 권력, 재산 등의 사회적 자원 획득에서 불리한 위치에 있으며, 소수자 집단의 성원이라는 이유만으로 사회적 차별의 대상이 된다. 자신들이 주류 집단으로부터 차별받는 집단의 구성원이라는 인식이 있으며, 시대, 장소, 소속 집단의 범주 등에 따라 사회적 소수자에 해당하는지의 여부가 달라진다.

02   사회적 소수자 차별 문제

자료 해설   우리 사회의 소수자인 장애인과 여성을 보호하기 위한 법이 제정되어 시행되고 있지만 사회 구성원의 인식이 바뀌지 않아서 차별 문제가 해소되지 않고 있음을 보여 준다.

선택지 분석

① 오답 : 역차별이란 사회적 소수자를 보호하기 위한 제도적 장치로 인해 일반인들이 오히려 차별을 받는 현상인데, 그러한 내용은 제시문에 나타나 있지 않다.

② 오답 : 사회적 소수자는 법을 통한 제도적 인정 여부에 따라 상대적으로 규정된다는 내용은 제시문에 나타나 있지 않다.

③ 오답 : 사회적 소수자에 대한 차별은 개인적 능력 차이가 집합적 차별로 전환된 결과라는 내용은 제시문에 나타나 있지 않다.

④ 오답 : 사회적 소수자에 대한 차별을 해소하기 위해서는 문화 동질성 형성보다 다양성 존중이 더 중요하지만 이러한 내용은 제시문에 나타나 있지 않다.

⑤ 정답 : '장애인 차별 금지법'과 '남녀 고용 평등과 일·가정 양립 지원에 관한 법률'은 제도 개선으로 볼 수 있으며, 여전히 사회적 소수자 차별 문제가 해소되지 않는 원인으로 사회적 인식 및 의식 개혁이 이루어지지 않고 있음을 지적한다.

03   지역별, 계층별 교육 불평등 현상 분석

자료 해설   제시된 표를 분석하여 참과 거짓을 판단할 수 있는 진술을 찾는 문제이다. 꼭 참이 아니라 거짓이더라도 검증할 수 있는 진술은 정답이 되는 것이다.

선택지 분석

ㄱ. 오답 : 월평균 가구 소득이 주어져 있지 않기 때문에 '월평균 가구 소득 중에서 학생 1인당 월평균 교육비가 차지하는 비율'을 파악하기 어렵다. 따라서 진위 여부를 판단할 수 없는 진술이다.

ㄴ. 정답 : 2010년에 비해 2013년 농촌 지역의 학생 1인당 월평균 교육비가 감소했기 때문에 '2010년부터 2016년까지 농촌 지역에서 학생 1인당 월평균 교육비가 지속적으로 증가하였다.'는 진술은 거짓이다.

ㄷ. 정답 : 2010년과 2016년 모두 하층에서 상층으로 올라갈수록 학생 1인당 월평균 교육비가 증가하기 때문에 '2010년과 2016년 모두에서 계층 수준과 학생 1인당 월평균 교육비는 정(+)의 관계이다.'는 진술은 참이다.

ㄹ. 정답 : 제시된 모든 연도에서 학생 1인당 월평균 교육비의 전체 평균값이 도시 지역보다 농촌 지역 학생 1인당 월평균 교육비에 더 가깝다. 따라서 '제시된 모든 연도에서 농촌 지역 학생이 도시 지역 학생보다 많다.'는 진술은 참이다.

04   성 불평등 문제

자료 해설   제시문은 '유리 천장'과 '유리벽'이 의미하는 내용을 설명하면서 여성이 조직 내에서 승진과 업무 분담 시 남성에 비해 차별적 대우를 받고 있음을 말하고 있다. 이러한 성 불평등 현상을 해소하기 위해서는 개인의 의식 개혁과 사회 제도 개선이 함께 이루어져야 한다.

선택지 분석

ㄱ 정답 : 직장 내 양성 평등 문화의 확산은 성차별 현상을 완화하는 데 기여한다.

ㄴ. 오답 : 남성과 여성의 개인적 능력 차이가 아닌 구조적 요인에 의해 성차별이 나타나고 있다.

ㄷ 정답 : 유리벽은 여성이 핵심 업무로부터 분리되는 현상을 말한다. 따라서 특정 성에 대한 차별이 구조적으로 나타나고 있다.

ㄹ 정답 : 유리 천장과 유리벽 현상이 제거되면 사회적 자원이 남성과 여성에게 공정하게 분배될 가능성이 높아질 것이다.

> **올쏘 만점 노트**   성 불평등 양상
>
> | | |
> |---|---|
> | 경제적 측면 | 성별에 따른 취업 및 승진 제한, 성별 임금 격차 등 |
> | 정치적 측면 | 정치인, 고위 관리직 등 사회적 권한이 강한 직종에 여성의 진출 저조 등 |
> | 사회·문화적 측면 | 일상생활의 성차별적 관념과 언행, 대중문화에 의한 왜곡된 성 의식의 재생산 등 |

05   성 불평등 문제

자료 해설   제시된 표에서 연도별 남녀 정규직과 비정규직의 합은 각각 100%이다. 또한 남자 전체 수와 여자 전체 수를 알지 못하기 때문에 기본적으로 비율만으로 남자와 여자의 수를 비교하기 어렵다.

선택지 분석

ㄱ. 오답 : 2014년 비정규직 근로자 비율은 남자가 26.6%, 여자가 39.9%로 남자가 더 적지만 남자 전체 수와 여자 전체 수를 알지 못하기 때문에 그 비율에 해당하는 수를 비교할 수 없다.

ㄴ 정답 : 2015년 전체 근로자 중 정규직 비율은 무조건 59.8%~73.5% 사이 값을 가진다. 왜냐하면 전체 수와 상관없이 평균값이 59.8%를 넘기 때문이다.

ㄷ. 오답 : 2013년과 2015년 남자 비정규직 근로자의 비율은 26.5%로 같다. 그러나 남자 근로자 수가 2013년 이후 지속적으로 증가한다고 했으므로 남자 비정규직 근로자 수는 2015년이 2013년보다 더 많다.

ㄹ 정답 : 2013년~2015년 모든 연도에서 여자 근로자 중 정규직 비율이 50%를 넘기 때문에 여자 근로자의 과반수는 정규직이다.

06   절대적 빈곤과 상대적 빈곤

자료 해설

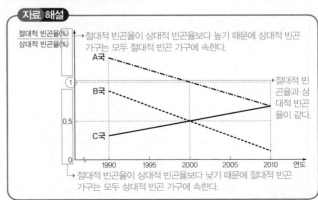

선택지 분석

ㄱ. 오답 : 1990년부터 2000년까지 B국에서 절대적 빈곤율/상대적 빈곤율 값은 작아지고 있다. 이는 절대적 빈곤 가구 수의 증가율보다 상대적 빈곤 가구 수의 증가율이 크기 때문이므로 B국의 상대적 빈곤 가구 수는 증가하였다. 1990년부터 2000년까지 C국에서 절대적 빈곤율/상대적 빈곤율 값은 커지고 있다. 이는 상대적 빈곤 가구 수가 감소하거나 절대적 빈곤 가구 수의 증가율보다 상대적 빈곤 가구 수의 증가율이 더 작기 때문이므로 C국의 상대적 빈곤 가구 수가 감소했다고 볼 수 없다.

ㄴ. 오답 : 1990년부터 2010년까지 A국에서 절대적 빈곤율/상대적 빈곤율의 값은 작아지고 있다. 이는 절대적 빈곤 가구 수의 증가율보다 상대적 빈곤 가구 수의 증가율이 더 높기 때문이다.

ㄷ. 정답 : 1995년부터 2010년까지 B국에서 절대적 빈곤율/상대적 빈곤율은 1보다 작다. 이는 절대적 빈곤 가구 수가 상대적 빈곤 가구 수보다 작기 때문이다. 따라서 중위 소득의 1/2(상대적 빈곤선)이 최저 생계비(절대적 빈곤선)보다 크다.

ㄹ. 정답 : 2005년부터 2010년까지 A, B, C국 모두 절대적 빈곤율/상대적 빈곤율은 1보다 작다. 이는 절대적 빈곤율이 상대적 빈곤율보다 작기 때문이며, 따라서 절대적 빈곤 가구는 모두 상대적 빈곤 가구에 속한다.

07 절대적 빈곤과 상대적 빈곤

자료 해설

↳ A는 절대적 빈곤이며, 최저 생계비를 기준선으로 한다.

A는 인간이 최소한의 생활을 유지하기 어려운 상태로서, 주로 자원이나 소득이 부족한 상태를 의미한다. 우리나라에서는 A를 측정하기 위한 기준선으로 ___(가)___ 을/를 활용한다. B는 개인이 다른 사람에 비해 자원이나 소득이 결핍되어 사회 구성원 다수가 누리는

↳ B는 상대적 빈곤이며, 중위 소득의 50%를 기준선으로 한다.

생활을 영위하지 못하는 상태를 의미한다. 우리나라에서는 B를 측정하기 위한 기준선으로 ___(나)___ 을/를 활용한다.

선택지 분석

① 오답 : 절대적 빈곤이나 상대적 빈곤 모두 객관적 기준을 가지고 있다.

② 정답 : 상대적 빈곤은 다른 사람들과 비교하여 결정되기 때문에, 기본적인 의식주가 충족된 가구라도 빈곤 가구에 포함될 수 있다.

③ 오답 : 소득 불평등 정도는 상대적 빈곤을 통해 일정 부분 파악할 수 있다.

④ 오답 : 절대적 빈곤 가구가 상대적 빈곤 가구에, 상대적 빈곤 가구가 절대적 빈곤 가구에 포함될 수 있기 때문에 두 빈곤율의 합이 나라 전체의 빈곤율이라고 말할 수 없다.

⑤ 오답 : (가)는 최저 생계비, (나)는 중위 소득의 50%이다.

올쏘 만점 노트 절대적 빈곤과 상대적 빈곤

구분	절대적 빈곤	상대적 빈곤
의미	객관적으로 정해진 최소한의 생활 수준을 유지하는 데 필요한 자원이 부족한 상태	사회 구성원 대다수가 누리는 생활 수준을 영위하지 못하는 상태
우리나라 기준	정부가 정한 최저 생계비에 미치지 못하는 상태	소득 수준이 중위 소득의 50% 미만인 상태
해당 가구	가구 소득이 최저 생계비 미만인 가구	가구 소득이 중위 소득의 50% 미만인 가구

08 절대적 빈곤과 상대적 빈곤

자료 해설 표에는 갑국과 을국의 절대적 빈곤 가구 수(A) 대비 상대

적 빈곤 가구 수(B)의 변화가 나타나 있다. 이를 통해 각국의 절대적 빈곤 가구 수(비율)와 상대적 빈곤 가구 수(비율)를 비교할 수 있다.

선택지 분석

① 오답 : B/A가 0.25라는 것은 절대적 빈곤 가구 수가 상대적 빈곤 가구 수의 4배라는 것을 의미할 뿐, 절대적 빈곤선이 상대적 빈곤선의 4배임을 의미하지 않는다.

② 오답 : 2000년 을국의 B/A는 2이므로 상대적 빈곤 가구 수가 절대적 빈곤 가구 수의 2배이다. 따라서 절대적 빈곤 가구는 모두 상대적 빈곤 가구에 해당한다.

❸ 정답 : 절대적 빈곤선은 최저 생계비이며, 상대적 빈곤선은 중위 소득의 50%이다. 제시문의 조건에 따르면 최저 생계비는 지속적으로 증가하였다. 이는 2005년 대비 2010년에 갑국에서 절대적 빈곤선이 높아졌음을 의미한다. 그리고 2005년에는 절대적 빈곤 가구와 상대적 빈곤 가구의 수가 같다. 이는 절대적 빈곤선과 상대적 빈곤선이 일치하거나 거의 일치함을 의미한다. 그리고 2010년에는 갑국에서 상대적 빈곤 가구가 절대적 빈곤 가구보다 더 많다. 이는 2010년에 중위 소득 50% 미만이 최저 생계비보다 더 높음을 의미한다. 따라서 2005년 대비 2010년에 갑국에서는 절대적 빈곤선과 상대적 빈곤선이 모두 높아졌다.

④ 오답 : 2010년 을국의 B/A는 0.50이므로 절대적 빈곤 가구 수가 상대적 빈곤 가구 수의 2배이다. 이는 최저 생계비가 중위 소득 50%보다 더 높음을 의미한다. 따라서 2010년에 을국에서 중위 소득 대비 최저 생계비의 비율은 50% 이상이다.

⑤ 오답 : 2010년 갑국의 B/A는 1.50이므로 상대적 빈곤 가구 수가 절대적 빈곤 가구 수보다 많다. 따라서 2010년 갑국은 상대적 빈곤 가구의 비율이 절대적 빈곤 가구의 비율보다 높다.

09 절대적 빈곤과 상대적 빈곤

자료 해설 최소한의 생활을 유지하기 위한 소득에 미치지 못하는 상태로 정의되는 것은 절대적 빈곤이므로 A는 절대적 빈곤, B는 상대적 빈곤이다.

선택지 분석

ㄱ. 오답 : 소득 수준이 높은 국가에서도 절대적 빈곤선에 미치지 못하는 절대적 빈곤이 나타날 수 있다.

ㄴ. 정답 : 상대적 빈곤은 다른 사람들보다 소득이 상대적으로 적은 상태로, 사회의 소득 분포를 고려하여 파악한다.

ㄷ. 정답 : 최저 생계비와 중위 소득의 50%라는 객관화된 기준을 가지고 각각 절대적 빈곤과 상대적 빈곤을 파악한다.

ㄹ. 오답 : 절대적 빈곤과 상대적 빈곤 모두 실제 소득 규모로 판단되므로 '실제 소득 규모와 상관없이 개인이 체감하는 빈곤 상태를 의미합니까?'에 A와 B는 모두 '아니요'라고 답한다.

10 절대적 빈곤과 상대적 빈곤

자료 해설 전체 가구 빈곤율은 도시 가구 빈곤율과 농촌 가구 빈곤율의 평균이므로 농촌 가구의 빈곤율을 구하면 다음과 같다.

구분	2010년	2011년
절대적 빈곤율	10.5%	12%
상대적 빈곤율	12%	15%

또한, 가구 소득이 최저 생계비 이상이면서 중위 소득의 50% 미만인 가구는 상대적 빈곤 가구이지만 절대적 빈곤 가구에는 해당되지 않는 가구이다.

㉠ 정답 : 절대적 빈곤 가구는 최저 생계비 미만의 가구를 의미하므로 이들 소득의 합이 전체 가구의 소득에서 차지하는 비율은 7.5%가 되지 않는다.

㉡ 정답 : 2011년 농촌에서 절대적 빈곤 가구의 비율은 12%, 상대적 빈곤 가구의 비율은 15%이므로 절대적 빈곤 가구는 모두 상대적 빈곤 가구에 속한다.

ㄷ. 오답 : 도시와 농촌 모두에서 상대적 빈곤율이 높아졌으므로 소득 불평등이 강화되는 경향이 나타났다.

ㄹ. 오답 : 도시에서 가구 소득이 최저 생계비 이상이면서 중위 소득의 50% 미만인 가구는 상대적 빈곤 가구이지만 절대적 빈곤 가구에는 속하지 않는 가구이다. 도시의 '상대적 빈곤율 - 절대적 빈곤율'은 2010년 4.5%, 2011년 5%이다. 도시의 절대적 빈곤율은 2010년 4.5%, 2011년 4.0%이므로 2010년과 2011년 모두 절대적 빈곤율의 2배를 넘지 않는다.

11 절대적 빈곤과 상대적 빈곤

자료 해설

표는 갑의 절대적 빈곤 가구 비율과 상대적 빈곤 가구 비율의 변화를 나타낸 것이다. 2010년에 최저 생계비는 중위 소득의 50% 미만 → 절대적 빈곤선보다 상대적 빈곤선이 더 높다.
이었으며, 2000년에서 2010년 사이에 최저 생계비는 지속적으로 증가하였다. (단, A, B는 각각 절대적 빈곤 가구와 상대적 빈곤 가구 중 하나이며, 갑국에서 모든 가구의 구성원 수는 동일하다.)

→ A는 상대적 빈곤 가구, B는 절대적 빈곤 가구이다. (단위 : %)

구분	2000년	2005년	2010년
A	5	7	10
B	9	7	5

선택지 분석

❶ 정답 : 2000년에 상대적 빈곤 가구 비율은 5%이고, 절대적 빈곤 가구 비율은 9%이다. 따라서 2000년에 모든 상대적 빈곤 가구는 절대적 빈곤 가구에 포함된다.

㉡ 정답 : 2010년에 소득이 중위 소득의 50% 미만인 상대적 빈곤 가구 비율은 10%이다. 모든 가구의 소득이 같다면 특정 수의 가구가 전체 가구에서 차지하는 비율과 그 특정 가구들의 소득 점유율이 같다. 그런데 상대적 빈곤 가구의 가구별 소득은 모두 중위 소득의 50%보다 낮으므로 상대적 빈곤 가구의 소득 총합이 전체 가구 소득에서 차지하는 비율은 상대적 빈곤 가구 수가 전체 가구 수에서 차지하는 비율보다 높을 수 없다.

㉢ 정답 : 2000년 절대적 빈곤 가구의 비율(9%)이 상대적 빈곤 가구 비율(5%)보다 크므로 2000년 최저 생계비가 중위 소득의 50%보다 큼을 알 수 있다. 그런데 2005년에는 절대적 빈곤 가구의 비율과 상대적 빈곤 가구의 비율이 7%로 같기 때문에 최저 생계비와 중위 소득의 50%가 같아진다. 중위 소득의 50%의 증가율과 중위 소득의 증가율은 증가 속도가 같으므로 중위 소득 증가율이 최저 생계비 증가율보다 크다.

ㄹ. 오답 : 2005년 상대적 빈곤선(중위 소득의 50%)과 절대적 빈곤선(최저 생계비)이 일치한다. 그러나 2010년에 상대적 빈곤 가구 비율은 절대적 빈곤 가구 비율의 2배이지만 빈곤선이 2배인지는 알 수 없다.

12 빈곤 문제

자료 해설 A 지역의 빈곤 가구 수와 비빈곤 가구 수가 같다면 각 연도의 전체 가구 월평균 소득은 빈곤 가구와 비빈곤 가구 월평균 소득의 평균값이 되지만, 주어진 조건에서 빈곤 가수 수보다 비빈곤 가구 수가 많다고 했으므로 각 연도의 전체 가구 월평균 소득은 빈곤 가구와 비빈곤 가구 월평균 소득의 평균값보다 더 많다.

선택지 분석

① 정답 : 2015년 빈곤 가구의 월평균 소득은 100만 원이고, 비빈곤 가구의 월평균 소득은 500만 원이다. 빈곤 가수 수보다 비빈곤 가구 수가 많기 때문에 전체 가구 월평균 소득은 300만 원보다 많다. 따라서 2015년 전체 가구 월평균 소득은 빈곤 가구 월평균 소득의 3배보다 많다.

② 오답 : 빈곤 가구 수보다 비빈곤 가구 수가 많으므로 2016년 전체 가구 월평균 소득은 320만 원 이상이다.

③ 오답 : 2015년 대비 2016년 월평균 소득 증가율은 빈곤 가구가 10%{(110-100/100)×100}이고, 비빈곤 가구가 6%{(530-500/500)×100}이므로 빈곤 가구가 더 크다.

④ 오답 : 2015년 대비 2017년의 월평균 소득 증가액은 빈곤 가구가 20만 원(120-100)이고, 비빈곤 가구가 50만 원(550-500)이므로 비빈곤 가구가 더 크다.

⑤ 오답 : 빈곤 가구와 비빈곤 가구 간 월평균 소득 격차는 2016년에 420만 원(530-110), 2017년에 430만 원(550-120)이므로 2017년이 더 크다.

13 절대적 빈곤과 상대적 빈곤

자료 해설

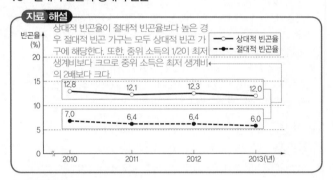

상대적 빈곤율이 절대적 빈곤율보다 높은 경우 절대적 빈곤 가구는 모두 상대적 빈곤 가구에 해당한다. 또한, 중위 소득의 1/2이 최저 생계비보다 크므로 중위 소득은 최저 생계비의 2배보다 크다.

선택지 분석

① 오답 : 2010년에 상대적 빈곤율이 절대적 빈곤율보다 높으므로 절대적 빈곤 가구는 모두 상대적 빈곤 가구이지만 반대의 경우는 성립하지 않는다.

② 오답 : 갑국 모든 가구의 구성원은 동일하다고 했으므로 2011년 상대적 빈곤 가구의 비율은 12.1%, 절대적 빈곤 가구의 비율은 6.4로, 상대적 빈곤 가구의 인구보다 2배 이상 많지는 않다.

③ 오답 : 2011년과 2012년의 총 가구 수가 제시되지 않았으므로 상대적 빈곤 가구 수와 절대적 빈곤 가구 수를 알 수 없다.

④ 오답 : 상대적 빈곤율이 절대적 빈곤율보다 높으므로 2013년 중위 소득은 같은 해 최저 생계비의 2배가 넘는다.

❺ 정답 : 모든 연도에서 상대적 빈곤율이 절대적 빈곤율보다 높으므로 중위 소득 대비 최저 생계비 비율은 50% 미만이다.

14 절대적 빈곤과 상대적 빈곤

자료 해설

조사 당시 중위 소득은 500만 원이며, 조사한 빈곤 가구의 가구원 수는 모두 동일하다.

〈맞춤형 급여 지원 기준〉

기준(중위 소득 기준)	지원 급여
140만 원 (28%) 이하	교육, 주거, 의료, 생계
140만 원 (28%) 초과 ~ (40%) 이하 200만 원	교육, 주거, 의료
200만 원 (40%) 초과 ~ (43%) 이하 215만 원	교육, 주거
215만 원 (43%) 초과 ~ (50%) 이하 250만 원	교육

〈빈곤 가구 중 맞춤형 급여를 지원받는 비율〉

(단위 : %)

빈곤 가구 \ 급여	생계	의료	주거	교육
절대적 빈곤 가구	70	100	100	100
상대적 빈곤 가구	56	80	86	100

↖ 절대적 빈곤 가구의 비율이 상대적 빈곤 가구의 비율보다 높다.

* 절대적 빈곤 가구 : 월 소득이 최저 생계비 미만인 가구
** 상대적 빈곤 가구 : 월 소득이 중위 소득의 50% 미만인 가구
*** 중위 소득 : 전체 가구를 소득 순으로 나열했을 때 한가운데 위치한 가구의 소득

선택지 분석

ㄱ. 오답 : 〈빈곤 가구 중 맞춤형 급여를 지원받는 비율〉을 보면 교육 급여를 제외한 생계, 의료, 주거 급여를 지원받는 비율이 절대적 빈곤 가구가 상대적 빈곤 가구보다 높다. 상대적 빈곤 가구가 절대적 빈곤 가구보다 많기 때문에 급여를 지원받는 가구가 차지하는 비율이 낮게 나타난다.

ㄴ. 오답 : 상대적 빈곤 가구가 절대적 빈곤 가구보다 많으므로 상대적 빈곤선(중위 소득의 50%)이 절대적 빈곤선(최저 생계비)보다 높음을 알 수 있다. 따라서 조사 시점의 최저 생계비는 월 소득 250만 원 미만이다.

ㄷ. 정답 : 상대적 빈곤 가구 중 교육 급여는 100%, 주거 급여는 86%, 의료 급여는 80%, 생계 급여는 56%가 지원받고 있으므로 네 가지 급여 모두를 받는 비율은 56%이다.

ㄹ. 정답 : 월 소득이 최저 생계비 미만인 가구(절대적 빈곤 가구) 중에서 70%만 생계 급여를 받고 있다. 따라서 나머지 30% 가구의 월 소득은 140만 원(중위 소득의 28%)을 초과함을 알 수 있다.

15 빈곤 인구 비율

자료 해설 제시된 표에서 2014년과 2015년 모두 빈곤율은 나타나 있지 않지만 같다고 전제하고, 2014년에 비해 2015년의 A국 전체 인구가 증가하였다는 것에서 빈곤 인구도 늘어났음을 유추할 수 있다. 그러나 연령대별 비율을 보고 그 연령대에 해당하는 빈곤 인구 수를 연도별로 비교할 수는 없다.

선택지 분석

① 오답 : 빈곤율 수치는 주어지지 않았으나 2014년과 2015년의 빈곤율이 같고 2014년에 비해 2015년의 A국 전체 인구는 증가하였으므로 갑의 분석은 타당하다.

② 오답 : 제시된 자료는 그 해의 전체 빈곤 인구 중 해당 연령대 빈곤 인구의 비율을 나타내고 있어 50대 인구 중 빈곤 인구의 비율을 알 수 없으므로 을의 분석은 타당하지 않다.

③ 오답 : 병의 분석은 타당하지 않으나, 50대 빈곤 인구는 2014년보다 2015년에 더 많음을 알 수 있다.

④ 오답 : 전체 빈곤 인구 중 50대 이상 빈곤 인구의 비율은 2014년에 50%, 2015년에 62%이므로 정의 분석은 타당하다.

⑤ 정답 : 전체 빈곤 인구가 증가하면 동일한 수의 빈곤 인구가 2014년에 비해 2015년에서 차지하는 비율이 작아지므로 무의 분석은 타당하지 않다.

킬러 예상 문제

본문 130~131쪽

01 ④ 02 ② 03 ① 04 ② 05 ④ 06 ① 07 ⑤ 08 ④

01 사회적 소수자

자료 해설 제시문은 사회적 소수자의 성립 요건과 사회적 소수자에

대한 차별 개선 방안을 제시하고 있다.

선택지 분석

ㄱ. 오답 : 역차별 정책은 사회적 소수자가 아닌 일반인에게 불이익을 주게 되어 논란이 되는 정책을 의미한다.

ㄴ. 정답 : 신입 사원 공채는 능력을 기준으로 선발해야 하는데, 능력이 뛰어남에도 장애인이라는 이유로 탈락시키는 것은 사회적 소수자에 대한 차별에 해당한다.

ㄷ. 오답 : 학교 교육과 대중 매체 등을 통해 양성평등 문화를 확산시키는 것은 사회적·제도적 차원의 개선 방안에 해당한다.

ㄹ. 정답 : 차별 금지법 제정, 장애인 의무 고용제 시행 등은 사회적·제도적 차원의 개선 방안에 해당한다.

02 사회적 소수자 판단의 상대성

자료 해설 첫 번째 사례에서는 A 국에서 지식인으로 인정받은 갑이 B 국에서는 사회적 소수자인 외국인 근로자로서 차별과 사회적 불이익을 받고 있다. 두 번째 사례에서는 C 지역 다수 민족 출신인 을이 D 지역에서 사회적 소수자로서 차별과 불이익을 경험하고 있다. 두 사례에서 공통적으로 사회적 소수자는 사회에 따라 달라질 수 있음을 보여 준다.

선택지 분석

ㄱ. 정답 : 두 사례에서 공통적으로 본래 살던 국가나 지역에서는 사회적 소수자가 아니었지만 다른 지역에서는 사회적 소수자가 되었으므로 사회적 소수자가 되는 기준은 상대적임을 알 수 있다.

ㄴ. 오답 : 사회적 소수자에 대한 차별이 주류 집단의 정체성을 약화시킨다는 내용은 제시된 사례와 관련이 없다.

ㄷ. 정답 : 갑은 B국에서 외국인 근로자, 을은 D 지역에서 소수 민족이므로 주류 집단과 다른 특성을 나타내어 사회적 소수자가 된 경우이다.

ㄹ. 오답 : 제시된 두 사례는 모두 귀속적 요인에 의한 차별에 해당하므로 성취 지위의 영향력이 귀속 지위의 영향력보다 강하다고 할 수 없다.

03 가부장제에 따른 성 불평등 현상

자료 해설 제시문은 가부장제가 사회 전체적으로 여성을 차별·배제하는 사회적 제도로 기능하고 있으며, 이로 인해 여성은 남성 가장에 의존하는 수동적 존재로 취급된다고 설명하고 있다. 이는 성 불평등 현상에 대한 갈등론적 관점이다.

선택지 분석

ㄱ. 정답 : 가부장제로 인해 남성은 외부의 직장에서 돈을 벌고, 여성은 가사를 돌보는 역할을 강요받았다.

ㄴ. 정답 : 가부장제는 가정 내에서 뿐만 아니라 직장에서도 업무 분담이나 승진 기회에서 남성에 비해 여성을 차별하고 배제하는 원인이 되었다.

ㄷ. 오답 : 사회가 용인하는 남성성과 여성성을 학습하면서 서로 다른 역할을 효율적으로 수행한다는 것은 기능론적 관점이다.

ㄹ. 오답 : 남성과 여성이 가정과 사회에서 상호 보완적 역할을 담당한다고 보는 것은 기능론적 관점이다.

04 성 불평등 현상

자료 해설 유리 천장은 여성이 직장에서 고위직으로 승진하려는 경우 남성에 비해 어려움을 겪게 되는 다양한 장벽을 말한다. 유리 천장 지수가 높을수록 유리 천장이라는 장벽이 낮음을 의미한다.

선택지 분석

ㄱ. 정답 : 유리 천장은 여성이 직장에서 고위직으로 승진하려고 하는 경우에

부딪히게 되는 보이지 않는 장벽을 의미하므로 남성 중심적 조직 문화가 원인이 될 수 있다.

ㄴ. 오답 : 단순히 여성과 남성의 평균 임금을 갖게 하는 것만으로 유리 천장 현상을 해결할 수 없다.

ㄷ. 정답 : 평등한 근무 환경을 만들고 승진에 있어 성별을 이유로 한 차별을 없애는 것이 유리 천장을 없애는 해결 방안이 될 수 있다.

ㄹ. 오답 : 2016년 유리 천장 지수가 아이슬란드는 82.6, 스웨덴은 79.00이므로 아이슬란드의 지수가 더 높다. 제시문에서 수치가 클수록 장벽이 낮음을 의미한다고 하였으므로 유리 천장의 장벽은 아이슬란드가 더 낮다.

05 절대적 빈곤과 상대적 빈곤의 이해

자료 해설

A와 B는 모두 인간의 기본적인 욕구를 충족하는 데 필요한 자원이나 소득의 결핍이 지속되는 상태를 의미한다. 다만 A에 따르면 사
→ 중위 소득의 일정 비율을 기준으로 하는 상대적 빈곤이다.
회의 전반적인 소득 수준과 대비하여 낮은 소득 수준의 계층이 빈곤층으로 정의된다. 이에 비해 B에 따르면 인간의 기본적인 욕구
→ 최저 생계비를 기준으로 하는 절대적 빈곤이다.
충족을 위한 자원이 심각하게 박탈된 상태에 있는 경우이다.
따라서 A는 상대적 빈곤, B는 절대적 빈곤이다.

선택지 분석

① 오답 : 절대적 빈곤은 최저 생계비, 상대적 빈곤은 중위 소득의 일정 비율을 기준으로 하므로 둘 다 객관적 기준에 따라 파악된다.

② 오답 : 상대적 빈곤의 기준도 모든 사회에서 동일하지는 않다.

③ 오답 : 절대적 빈곤과 상대적 빈곤 모두 사회 구성원들에게 상대적 박탈감을 유발할 수 있다.

④ 정답 : 일반적으로 선진국에서는 절대적 빈곤보다 상대적 빈곤을 더 큰 문제로 여긴다.

⑤ 오답 : 후진국에서도 상대적 빈곤에 의한 문제가 나타날 수 있다.

06 빈곤율과 빈곤선 변화 분석

자료 해설

절대적 빈곤율과 상대적 빈곤율이 동일하므로 절대적 빈곤선과 상대적 빈곤선이 같다.

〈A 국의 빈곤율 변화〉
(단위 : %)

구분	2000년	2005년	2010년	2015년
절대적 빈곤율	8.5	5.4	9.0	12.1
상대적 빈곤율	12.1	10.8	9.0	10.5

절대적 빈곤율이 상대적 빈곤율보다 낮으므로 절대적 빈곤선이 상대적 빈곤선보다 낮다.
모든 가구의 구성원 수가 동일하므로 절대적 빈곤율이 상대적 빈곤율보다 높은 경우 절대적 빈곤 인구가 상대적 빈곤 인구보다 많음을 의미한다.

선택지 분석

ㄱ. 정답 : 갑국의 모든 가구 구성원 수가 동일하고 2005년에 상대적 빈곤율이 절대적 빈곤율의 2배이므로 상대적 빈곤 인구가 절대적 빈곤 인구의 2배임을 알 수 있다.

ㄴ. 정답 : 2010년의 절대적 빈곤율과 상대적 빈곤율이 동일하므로 최저 생계비와 중위 소득의 50%가 동일하다. 중위 소득이 최저 생계비의 2배 수준이면 2010년과 같이 절대적 빈곤율과 상대적 빈곤율이 동일하다.

ㄷ. 오답 : 2015년에 절대적 빈곤율이 상대적 빈곤율보다 높으므로 절대적 빈곤선인 최저 생계비가 상대적 빈곤선인 중위 소득의 50%보다 높다. 하지만 최저 생계비가 중위 소득보다 높은지 여부는 알 수 없다.

ㄹ. 오답 : 2010년보다 2015년에 절대적 빈곤율과 상대적 빈곤율이 높다. 하지만 전체 가구 수를 알 수 없으므로 2010년보다 2015년에 절대적 빈곤 가

구와 상대적 빈곤 가구의 수가 많은지 여부를 알 수 없다.

07 절대적 빈곤과 상대적 빈곤의 비교

자료 해설 최소한의 생활을 유지하는 데 필요한 자원이나 소득이 부족한 상태인 A는 절대적 빈곤, B는 상대적 빈곤에 해당한다. (가)에는 상대적 빈곤에 대해 '예'라는 답변이 나올 수 있는 질문이 들어가야 한다.

선택지 분석

ㄱ. 오답 : 중위 소득의 50%는 상대적 빈곤선이다. 우리나라는 절대적 빈곤선으로 최저 생계비를 기준으로 삼고 있다.

ㄴ. 오답 : 상대적 빈곤이 아니라 절대적 빈곤이 산업화 과정에서 감소하는 경향이 있다.

ㄷ. 정답 : 절대적 빈곤은 선진국보다는 주로 저개발국에서 두드러지게 나타난다.

ㄹ. 정답 : 빈부 격차가 큰 사회에서 문제가 되는 빈곤 유형은 상대적 빈곤이므로 (가)에 적절한 질문이다.

08 도시와 농촌의 빈곤율 변화 분석

자료 해설
→ 도시와 전체의 빈곤율 격차는 2.1, 농촌과 전체의 빈곤율 격차는 2.00이므로 농촌 인구가 도시 인구보다 많고 따라서 농촌의 빈곤 인구도 도시의 빈곤 인구보다 많다. (단위 : %)

구분	2012년	2013년	2014년	2015년	2016년
전체	19.4	19.0	18.9	19.0	19.5
도시	17.3	17.0	16.8	16.9	17.3
농촌	21.4	21.0	20.8	21.1	21.6

도시와 전체의 빈곤율 격차가 농촌과 전체의 빈곤율 격차와 같으나 농촌의 빈곤율이 높으므로 농촌의 빈곤 인구가 도시의 빈곤 인구보다 더 많다.
→ 갑국의 전체 인구가 지속적으로 증가하고 있음에도 전체 빈곤율이 2014년 이후로 계속 높아지고 있으므로 빈곤 인구 증가율이 전체 인구 증가율보다 높다.

선택지 분석

ㄱ. 오답 : 2012년 도시와 전체의 빈곤율 격차는 2.1, 농촌과 전체의 빈곤율 격차는 2.00이므로 농촌 인구가 도시 인구보다 많다.

ㄴ. 정답 : 갑국의 전체 인구는 지속적으로 증가하였는데 2014년 이후 전체 빈곤율이 계속 증가하고 있으므로 2014년 이후 빈곤 인구는 지속적으로 증가하였다고 판단할 수 있다.

ㄷ. 오답 : 2012년과 2016년의 도시 빈곤율은 17.3%로 동일하다. 하지만 인구가 지속적으로 증가하였다고 하였으므로 도시 빈곤 인구가 동일하다고 할 수 없다.

ㄹ. 정답 : 제시된 모든 연도에서 도시 빈곤율과 전체 빈곤율의 격차보다 농촌 빈곤율과 전체 빈곤율의 격차가 작거나 같은 경우 농촌의 빈곤율이 높으므로 농촌 빈곤 인구가 도시 빈곤 인구보다 항상 많았다고 할 수 있다.

정답 및 해설

12 강 사회 복지와 복지 제도

기출 선지 변형 O X

본문 132~133쪽

01 ① × ② ○ ③ × ④ × ⑤ ×
02 ① × ② × ③ × ④ × ⑤ × ⑥ × ⑦ ○
03 ① ○ ② × ③ ④ ○ ⑤ ○ ⑥ × ⑦ ×
04 ① × ② × ③ ○ ④ × ⑤ × ⑥ ×

01 ① 수혜 대상자에 대한 자립과 자활 보장을 목적으로 하는 특징은 사회 보험과 공공 부조에 모두 나타날 수 있다.
② 사회 보험과 공공 부조 모두 정부 재정이 투입되므로 소득 재분배 효과가 나타난다.
③ 수혜 정도와 상관 없이 능력에 따라 비용을 부담하는 특징은 사회 보험에만 나타난다.
④ 공공 부조는 사후 처방적인 성격이 강하고, 사회 서비스는 상황에 따라 사전 예방과 사후 처방의 성격이 모두 나타날 수 있다.
⑤ 상호 부조의 성격이 강한 것은 사회 보험의 특징이다.

02 ① (나)와 (다)는 모두 사회 보험으로 상호 부조의 원리가 적용된다.
② 공공 부조는 사후 처방적 성격을 지니고, 사회 보험은 사전 예방적 성격을 가진다.
③ 사회 보험과 공공 부조 모두 수혜 정도에 따라서 비용을 부담하지 않는다.
④ 강제 가입 원칙이 적용되는 제도는 사회 보험이다. 전체 노인 수급자 중에서 사회 보험을 받는 남성의 비율은 최소 48.5%에서 최대 59.5%이고, 여성의 비율은 최소 14.5%에서 최대 38.5%이다. 따라서 전체 노인 수급자 중에서 남성이 여성의 2배 이상이 된다고 보기 어렵다.
⑤ 국가와 지방 자치 단체가 비용을 전액 부담하는 제도는 공공 부조이며, 공공 부조 수급자는 비율은 남성 노인이 여성 노인보다 높지만 남성 노인 전체와 여성 노인 전체 수를 알 수 없으므로 비율만으로 그 수를 비교할 수 없다.
⑥ (가)~(다) 모두 소득 재분배 효과가 있기 때문에 남성 노인 인구 중에서 수급자 비율과 여성 노인 인구 중에서 수급자 비율은 모두 10% 미만이라고 보기 어렵다.
⑦ 수혜자 비용 부담 원칙이 적용되지 않는 제도는 공공 부조이다. 따라서 여성 노인 인구 중에서 수급자 비율은 7.0%이고, 남성 노인 인구 중에서 수급자 비율은 4.6%이다.

03 ① 2014년에 공공 부조에 해당하는 제도의 수혜는 65세 이상 인구 중 60%이므로 절반 이상이다.
② 2014년에 소득 재분배 효과가 가장 큰 제도, 즉 공공 부조의 수혜자는 60%이고 비금전적 지원이 원칙인 제도, 즉 사회 서비스의 수혜자는 12%이다. 따라서 1.5배가 아니라 5배이다.
③ 수혜 정도와 무관하게 능력에 따른 비용 부담이 원칙인 제도는 사회 보험이다. 2015년 남자 수혜자의 비율은 55%, 여자 수혜자의 비율은 45%이므로 남자 수혜자 수가 더 많다.

④ 2015년 A 지역의 65세 이상 인구 증가율은 −5%이므로 9,500명이다. 2015년 상호 부조의 원리에 기반을 둔 제도, 즉 사회 보험의 여자 수혜자는 9,500명×40%×45%이다. 최저 생활 보장을 목적으로 하는 제도, 즉 공공 부조의 남자 수혜자는 9,500명×60%×30%이다. 40%×45%와 60%×30%가 18%로 같으므로 그 수는 동일하다.
⑤ 강제 가입이 원칙인 제도는 사회 보험이다. 2014년 사회 보험의 여자 수혜자는 1,680명(=10,000명×40%×42%)이고, 2015년 사회 보험의 여자 수혜자는 1,710명(=9,500명×40%×45%)이다.
⑥ 능력별 비용 부담 원칙이 적용되는 제도는 사회 보험이며, 2014년에 65세 이상 인구 중 사회 보험 수혜자는 4,000명이고 2015년에는 3,800명이므로 200명 감소하였다.
⑦ 민간 단체에 의해 이루어지기도 하며, 사후 처방과 사전 예방적 성격을 동시에 가지는 제도는 사회 서비스이다. 2014년과 2015년에 65세 이상 인구의 사회 서비스 수혜자 비율은 12%로 같지만 2015년의 65세 이상 인구가 2014년보다 적기 때문에 사회 서비스 수혜자 수도 감소하였다.

04 ① (가)와 (나)는 모두 전체 국민을 대상으로 하지 않기 때문에 보편적 복지보다 선별적 복지의 성격이 강하다.
② (나)에서 교육 급여를 받을 수 있는 기준은 중위 소득 50% 이하이므로 기준 월 소득 인정액은 1,500달러 이하이다.
③ (나)에서 월 소득 인정액이 1,000달러인 가구는 교육, 주거, 의료 급여를 받을 수 있다.
④ 상대적 생활 수준을 반영한 것은 중위 소득을 적용한 (나)이다.
⑤ 생산적 복지란 효율성과 복지를 동시에 달성하고자 하는 사회 보장 정책이다. 이를 위해서는 수혜 가구의 근로 의욕을 높이기 위한 정부 지원금 지급 방식이 있어야 하는데, (가)와 (나)에는 이런 지급 방식을 찾을 수 없다.
⑥ 월 소득 인정액이 900달러인 가구는 중위 소득 30%에 해당하는 가구이다. 따라서 (가)에서는 모든 급여를 받을 수 있고, (나)에서는 교육, 주거, 의료 급여를 받을 수 있다.

실전 기출 문제

본문 134~137쪽

01 ② 02 ⑤ 03 ⑤ 04 ③ 05 ④ 06 ③ 07 ② 08 ③
09 ④ 10 ③ 11 ① 12 ② 13 ③ 14 ③ 15 ④

01 사회 보장 제도의 특징 비교

자료 해설 우리나라 사회 보장 제도에는 사회 보험, 공공 부조, 사회 서비스가 있다. A는 강제 가입을 원칙으로 하는 사회 보험이다. B는 생활이 어려운 노인에게 제공하는 공공 부조이다. C는 금전이 아닌 서비스를 제공하는 사회 서비스이다.

선택지 분석

① 오답: 사회 보험은 가입자의 비용 부담 능력에 따라 보험료를 산출한다.
❷ 정답: 공공 부조는 사후 처방적 성격이 강하고, 사회 보험은 사전 예방적 성격이 강하다.

098 정답 및 해설

③ 오답 : 사회 보험은 강제 가입을 원칙으로 한다.

④ 오답 : 사회 보험과 공공 부조는 모두 소득 재분배 효과가 있다.

⑤ 오답 : 사회 보험은 공공 부조보다 혜택을 받는 대상자의 범위가 넓다.

사전 예방적 성격과 사후 처방적 성격

• 사회 보험은 국민 누구나 미래에 소득이 감소하거나 소득을 완전히 상실할 위험에 처할 가능성이 있음을 전제로 미래의 사회적 위험에 미리 대비하고자 한다는 점에서 사전 예방적 성격이 강하다.

• 공공 부조는 빈곤 등과 같은 사회적 위험에 이미 처해 있는 국민의 구제를 주요 목적으로 한다는 점에서 사후 처방적 성격이 강하다.

02 사회 보장 제도의 특징 비교

자료 해설 비금전적 지원을 원칙으로 하는 A는 사회 서비스이다. B와 C는 각각 사회 보험과 공공 부조 중 하나이다. (가)에는 사회 서비스의 특징이 아니며, 사회 보험 또는 공공 부조 하나에만 해당하는 특징이 들어가야 한다.

선택지 분석

① 오답 : 사전 예방적 성격이 강한 사회 보장 제도는 사회 보험이다.

② 오답 : 사회 보험이 공공 부조보다 대상자의 범위가 넓으므로 B가 공공 부조, C는 사회 보험이다. 소득 재분배 효과는 공공 부조가 가장 크다.

③ 오답 : C가 사회 보험이면 (가)에는 공공 부조의 특징을 묻는 질문이 들어가야 한다. 강제 가입을 원칙으로 하는 것은 사회 보험이다.

④ 오답 : (가)가 '국가와 지방 자치 단체가 비용을 모두 부담하는가?'라면, B는 공공 부조이다. 사회 보험과 사회 서비스 모두 전 국민을 대상으로 하므로 대상자는 중복될 수 있다.

❺ 정답 : (가)가 '상호 부조의 원리를 기반으로 하는가?'라면, C는 공공 부조이다. 공공 부조는 생활 유지 능력이 없거나 생활이 어려운 사람을 대상으로 한다.

03 사회 보장 제도의 특징 비교

자료 해설 (가)는 국민 기초 생활 보장 제도로 공공 부조에 해당하고, (나)는 국민 연금 제도로 사회 보험에 해당한다. 또한, (다)는 노인 장기 요양 보험 제도로 사회 보험에 해당한다.

선택지 분석

① 오답 : (나)와 (다)는 모두 사회 보험으로 상호 부조의 원리가 적용된다.

② 오답 : 공공 부조는 사후 처방적 성격을 지니고, 사회 보험은 사전 예방적 성격을 가진다.

③ 오답 : 강제 가입 원칙이 적용되는 제도는 사회 보험이다. 전체 노인 수급자 중에서 사회 보험을 받는 남성의 비율은 최소 48.5%(54.0−5.5)에서 최대 59.5%(54.0+5.5)이고, 여성의 비율은 최소 14.5%(26.5−12.0)에서 최대 38.5%(26.5+12.0)이다. 따라서 전체 노인 수급자 중에서 남성이 여성의 2배 이상이 된다고 보기 어렵다.

④ 오답 : (가)~(다) 모두 소득 재분배 효과가 있기 때문에 남성 노인 인구 중에서 수급자 비율과 여성 노인 인구 중에서 수급자 비율은 모두 10% 미만이라고 보기 어렵다.

❺ 정답 : 수혜자 비용 부담 원칙이 적용되지 않는 제도는 공공 부조이다. 따라서 여성 노인 인구 중에서 수급자 비율은 7.0%이고, 남성 노인 인구 중에서 수급자 비율은 4.6%이다.

04 사회 보장 제도의 특징 비교

자료 해설 A는 강제 가입과 금전적 지원을 원칙으로 하지 않으므로

사회 서비스이다. B는 강제 가입을 원칙으로 하지 않고 금전적 지원을 원칙으로 하므로 공공 부조이다. C는 강제 가입과 금전적 지원을 원칙으로 하므로 사회 보험이다.

선택지 분석

① 오답 : 빈곤층의 최저 생활 보장을 목적으로 하는 것은 공공 부조의 특징이다.

② 오답 : 상호 부조의 성격이 강하게 나타나는 것은 사회 보험이다.

❸ 정답 : 공공 부조는 경제적 취약 계층만을 대상으로 하므로 수혜 대상자의 범위가 좁다. 반면 소득 재분배 효과는 크다.

④ 오답 : 사회 서비스는 사전 예방과 사후 처방의 효과 둘 다 나타나며, 사회 보험은 사전 예방의 성격이 강하다.

⑤ 오답 : 사회 서비스는 국가, 지방 자치 단체, 능력이 되는 수혜자가 비용을 분담하고 공공 부조는 국가, 지방 자치 단체가 비용을 전액 부담한다.

05 사회 보장 제도의 특징 비교

자료 해설

(가) 노령, 장애, 사망으로 인한 소득 상실을 보전하기 위해 연금 급여를 지급하는 제도로서, 이를 실행하는 데 드는 비용은 고용주, 가입자 등이 부담한다. → 국민 연금 제도이며 사회 보험에 속한다.

(나) 노인에게 안정적인 소득 기반을 제공하여 생활 안정을 돕기 위한 제도로서, 65세 이상 노인 중 소득 인정액이 기준 금액 이하인 사람에게 연금 급여를 지급한다. → 기초 연금 제도이며 공공 부조이다.

(다) 생활이 어려운 국민의 최저 생활을 보장하고 자활을 지원하기 위한 제도로서, 국가나 지방 자치 단체가 수급권자로 선정된 사람에게 생계 급여 등을 지급한다. → 국민 기초 생활 보장 제도로 공공 부조이다.

〈○○시 지역별 총인구 대비 수급자 비율〉 (단위 : %)

지역 \ 제도	(가)	(나)	(다)
A 지역	6.7	5.5	1.9
B 지역	6.7	7.6	1.6
전체	6.7	6.9	1.7

5.5%와 7.6%의 평균값은 6.55%이고 전체 비율인 6.9%는 6.55%보다 크므로, A 지역보다 B 지역의 인구수가 더 많음을 알 수 있다.

선택지 분석

① 오답 : 의무 가입 원칙이 적용되는 것은 (가) 국민 연금이며, A 지역의 국민 연금 수급자 비율은 6.7%이다.

② 오답 : 사후 처방적 성격이 강한 제도는 공공 부조이다. B 지역의 공공 부조 수급자 비율은 9.2%(7.6+1.6)이다.

③ 오답 : 수혜자 부담의 원칙이 적용되지 않는 제도는 (나) 기초 연금과 (다) 국민 기초 생활 보장 제도이다. B 지역이 A 지역보다 기초 연금 수급자 비율이 더 높을 뿐만 아니라 인구수도 더 많으므로 수급자 수도 B 지역이 A 지역보다 더 많다.

❹ 정답 : 가입자 간 상호 부조의 원칙이 적용되는 것은 사회 보험이다. A 지역과 B 지역의 (가) 국민 연금 수급자 비율은 6.7%로 같다. 그러나 A 지역보다 B 지역의 인구수가 더 많으므로 국민 연금 수급자 수는 B 지역이 A 지역보다 많다.

⑤ 오답 : A 지역보다 B 지역 인구수가 더 많지만 기초 연금 수급자 비율이 A

지역보다 B 지역에서 더 높게 나타났음을 근거로 65세 이상 노인 인구의
비율은 B 지역이 A 지역보다 높다고 단정할 수 없다.

06 사회 보험과 공공 부조

자료 해설 A는 노인 장기 요양 보험 제도로 사회 보험에 속하며, B
는 기초 연금 제도로 공공 부조에 속한다.

선택지 분석

① 오답 : 일반적으로 사회 보험은 전 국민을 대상으로 하지만, 공공 부조는 빈
곤층을 대상으로 한다.
② 오답 : 국가나 지방 자치 단체가 비용을 전액 부담하는 것은 공공 부조이다.
사회 보험은 수혜자도 비용을 부담한다.
❸ 정답 : 공공 부조가 사회 보험에 비해 소득 재분배 효과가 크다.
④ 오답 : 사전 예방적 성격이 강한 것은 사회 보험이다.
⑤ 오답 : 수혜자 부담의 원칙은 사회 보험만 적용된다.

올쏘 만점 노트 우리나라에서 시행하는 사회 보장 제도

사회 보험	국민 건강 보험, 국민 연금, 고용 보험, 산업 재해 보상 보험, 노인 장기 요양 보험 등
공공 부조	국민 기초 생활 보장 제도, 의료 급여 제도, 기초 연금 제도, 장애인 연금 제도 등
사회 서비스	산모 · 신생아 건강 관리 지원 사업, 가사 · 간병 방문 지원 사업, 발달 장애인 부모 심리 상담 지원 사업, 여성 장애인 교육 지원 등

07 사회 보장 제도의 특징 비교

자료 해설 우리나라 사회 보장 제도에는 사회 보험, 공공 부조, 사회
서비스가 있다. 사회 보험과 공공 부조는 금전적 지원을 원칙으로 한다
는 공통점이 있다.

선택지 분석

① 오답 : A가 공공 부조이면, (가)에는 '금전적 지원을 원칙으로 하는가?'가 들
어갈 수 없다. 공공 부조는 물론 사회 보험 또한 금전적 지원을 원칙으로
하기 때문이다.
❷ 정답 : A가 사회 보험이면, (가)에는 '강제 가입을 원칙으로 하는가?'가 들어
갈 수 있다. 공공 부조, 사회 서비스와 달리 사회 보험은 강제 가입을 원칙
으로 하기 때문이다.
③ 오답 : A가 사회 서비스이면, (가)에 '상호 부조의 성격이 강한가?'는 들어갈
수 없다. 상호 부조의 성격이 강한 것은 사회 보험이기 때문이다.
④ 오답 : 소득 재분배 효과가 가장 큰 제도는 공공 부조이다. 따라서 (가)가 '소
득 재분배 효과가 가장 큰 제도인가?'이면, B와 C는 각각 사회 보험과 사회
서비스 중 하나이다. 기초 연금은 공공 부조이고 고용 보험은 사회 보험에
해당한다.
⑤ 오답 : 상담, 재활, 사회 복지 시설 이용 등에 대한 지원은 사회 서비스의 특
징이다. 따라서 (가)가 '상담, 재활, 사회 복지 시설 이용 등의 지원을 기본으
로 하는가?'이면, B와 C는 각각 사회 보험과 공공 부조 중 하나이다. 기초
연금 수급자가 국민 건강 보험 대상자가 될 수 있다는 점에서, 사회 보험과
공공 부조 대상자는 상호 배타적이지 않다.

08 사회 보험과 공공 부조

자료 해설 금전적 지원을 원칙으로 하면서 수혜자 부담을 원칙으로
하는 A는 사회 보험이고, 수혜자 부담을 원칙으로 하지 않는 B는 공공
부조이다.

선택지 분석

① 오답 : 사회 보험의 경우 수혜 정도와 무관하게 소득 수준 등 능력에 따라
복지 비용을 부담한다.
② 오답 : 사회 보험은 미래의 불안에 대처하기 위해 미리 준비하는 것이고 공
공 부조는 생활 무능력으로 인해 최저 생활이 보장되지 않는 사람들을 대
상으로 시행된다는 점에서, 공공 부조가 사회 보험에 비해 사후 처방의 성
격이 강하다.
❸ 정답 : 사회 보험은 강제 가입을 원칙으로 한다.
④ 오답 : 공공 부조가 사회 보험에 비해 소득 재분배 효과가 더 크지만, 두 제
도 모두 소득 재분배 효과가 있다.
⑤ 오답 : 상호 부조의 성격이 강한 것은 사회 보험이다.

09 근로 장려금 지급 체계

자료 해설

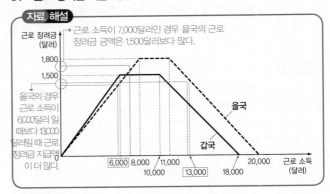

선택지 분석

㉠ 정답 : 그래프를 보면 근로 소득 6,000달러일 때보다 근로 소득 13,000달러
일 때 근로 장려금 지급액이 더 높게 나타난다.
ㄴ. 오답 : 근로 소득이 7,000달러일 때 갑국의 근로 장려금은 1,500달러이지
만, 을국은 1,500달러가 넘는다.
㉢ 정답 : 근로 장려금은 근로와 복지를 연계시킨다는 점에서 생산적 복지를
지향한다.
㉣ 정답 : 근로 소득에 따라 장려금의 지급 액수가 달라지므로 갑국과 을국 모
두에서 소득 재분배 효과가 발생한다.

10 사회 보장 제도의 특징 비교

자료 해설

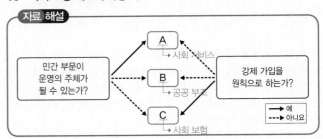

선택지 분석

① 오답 : 사회 서비스와 사회 보험의 대상자는 중복될 수 있다.
② 오답 : 공공 부조는 국가가 비용을 전액 부담하므로 수혜자 부담 원칙이 적
용되지 않는다.
❸ 정답 : 사회 보험은 공공 부조와 달리 상호 부조의 원리가 적용된다.
④ 오답 : 공공 부조는 사후 처방적, 사회 보험은 사전 예방적 성격이 강하다.
⑤ 오답 : 소득 재분배 효과는 사회 서비스, 공공 부조, 사회 보험 모두 있지만
그 중에서도 공공 부조가 가장 크다.

11 사회 보험과 공공 부조

자료 해설 A는 국민들의 질병, 부상에 대한 보험 급여를 실시하는 사회 보험이다. B는 소득 인정액이 일정 수준 이하인 가구의 최저 생활을 보장하기 위해 일정한 절차를 거쳐 급여를 실시하는 공공 부조에 해당한다.

선택지 분석

- ㄱ. 정답 : 사회 보험과 공공 부조는 모두 소득 재분배 효과가 있다. 다만 일반적으로 소득 재분배 효과는 공공 부조가 사회 보험에 비해 크다.
- ㄴ. 정답 : 사회 보험은 의무 가입 방식, 공공 부조는 국가나 지방 자치 단체가 대상자를 기준에 따라 선정하는 방식을 활용한다.
- ㄷ. 오답 : 사회 보험은 소득 정도에 따라 비용을 부담하고, 공공 부조는 대상자가 비용을 부담하지 않는다.
- ㄹ. 오답 : 공공 부조는 수혜 대상자 선정 과정에서 소득이 고려된다.

12 사회 보험과 공공 부조

자료 해설 (가)는 고용 보험으로, 사회 보험에 속한다. (나)는 기초 연금으로, 공공 부조에 해당한다.

선택지 분석

- ① 오답 : 사후 처방적 성격이 강한 것은 공공 부조이다.
- ❷ 정답 : 상호 부조의 원칙이 적용되는 것은 사회 보험이다.
- ③ 오답 : 사회 보험이 공공 부조에 비해 소득 재분배 기능이 약하다.
- ④ 오답 : 대상자의 강제 가입 원칙이 적용되는 것은 사회 보험이다.
- ⑤ 오답 : 사회 보험은 공공 부조와 달리 수혜자 부담의 원칙이 적용된다.

13 사회 복지 제도의 변화

자료 해설 조건에서 최저 생계비는 중위 소득 40%와 동일하다고 하였고 최저 생계비가 1,200달러이므로 중위 소득은 3,000달러임을 알 수 있다. 따라서 중위 소득의 50%는 1,500달러, 43%는 1,290달러, 40%는 1,200달러, 28%는 840달러이다.

선택지 분석

- ① 오답 : (가)와 (나)는 모두 전체 국민을 대상으로 하지 않기 때문에 보편적 복지보다 선별적 복지의 성격이 강하다.
- ② 오답 : (나)에서 교육 급여를 받을 수 있는 기준은 중위 소득 50% 이하이므로 기준 월 소득 인정액은 1,500달러 이하이다.
- ❸ 정답 : (나)에서 월 소득 인정액이 1,000달러인 가구는 교육, 주거, 의료 급여를 받을 수 있다.
- ④ 오답 : 상대적 생활 수준을 반영한 것은 중위 소득을 적용한 (나)이다. 중위 소득의 50%를 상대적 빈곤선으로 정하고 있기 때문이다.
- ⑤ 오답 : 월 소득 인정액이 900달러인 가구는 중위 소득 30%에 해당하는 가구이다. 따라서 (가)에서는 모든 급여를 받을 수 있고, (나)에서는 교육, 주거, 의료 급여를 받을 수 있다.

올쏘 만점 노트	보편적 복지와 선별적 복지
보편적 복지	국민 누구나 질병, 실직, 고령으로 인한 노동 기회 상실 등 미래의 사회적 위험으로부터 자유롭지 않기 때문에 사회 보험은 모든 국민을 대상으로 한다. 따라서 사회 보험은 원칙적으로 보편적 복지 이념을 바탕으로 한다.
선별적 복지	공공 부조는 생활 유지 능력이 없거나 생활이 어려운 국민을 대상으로 한다는 점에서 선별적 복지 이념을 바탕으로 한다. 선별적 복지 이념은 특정 복지 혜택이 필요한 국민만을 일정한 기준에 따라 선정하여 복지 혜택을 제공한다.

14 사회 보장 지원 현황 분석

자료 해설

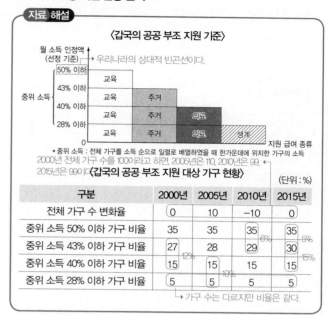

〈갑국의 공공 부조 지원 기준〉

*중위 소득 : 전체 가구를 소득 순으로 일렬로 배열하였을 때 한가운데에 위치한 가구의 소득
2000년 전체 가구 수를 1000 이라고 하면, 2005년은 110, 2010년은 99, 2015년은 990 이다.

〈갑국의 공공 부조 지원 대상 가구 현황〉
(단위 : %)

구분	2000년	2005년	2010년	2015년
전체 가구 수 변화율	0	10	-10	0
중위 소득 50% 이하 가구 비율	35	35	35	35
중위 소득 43% 이하 가구 비율	27	28	29	30
중위 소득 40% 이하 가구 비율	15	15	15	15
중위 소득 28% 이하 가구 비율	5	5	5	5

→ 가구 수는 다르지만 비율은 같다.

선택지 분석

- ㄱ. 오답 : 교육 급여 한 가지만 지원받는 가구는 가구 소득이 중위 소득 43% 초과 50% 이하인 가구이다. 2010년에는 6%, 2015년에는 5%의 가구가 교육 급여 한 가지만 지원받았다.
- ㄴ. 정답 : 교육, 주거 두 가지만 지원받는 가구는 가구 소득이 중위 소득 40% 초과 43% 이하인 가구로, 2000년에는 12%이고 2015년에는 15%이다. 따라서 교육, 주거 두 가지만 지원받는 가구의 수는 2000년에는 12%×100, 2015년에는 15%×990이므로, 2000년이 2015년보다 적다.
- ㄷ. 오답 : 전체 가구 중 교육, 주거, 의료, 생계 급여 모두를 지원받는 가구 비율은 모든 연도에서 5%이다.
- ㄹ. 정답 : 2005년 교육, 주거, 의료 급여 세 가지만 지원받는 가구의 비율은 10%이고, 2015년 교육, 주거, 의료, 생계 급여 모두를 지원받는 가구의 비율은 5%이다. 2005년이 2015년의 가구 수보다 많으므로, 2005년 교육, 주거, 의료 급여 세 가지만 지원받는 가구의 수는 2015년 교육, 주거, 의료, 생계 급여 모두를 지원받는 가구 수의 2배 이상이다.

15 사회 보장 제도의 이해

자료 해설 우리나라 ○○ 지역의 모든 가구를 총소득에 따라 5등분하고, 각 분위별 총소득 구성 비율을 정리한 자료이다. 사회 보험 급여는 사회 보험에 해당하고 기초 생활 보장 급여는 공공 부조에 해당한다.

선택지 분석

- ① 오답 : 소득 재분배 효과는 사회 보험 급여와 기초 생활 보장 급여 모두에서 나타난다. 모든 분위에서 소득 재분배 효과가 있는 사회 보장 제도에 의한 급여가 존재한다.
- ② 오답 : 강제 가입을 원칙으로 하는 제도는 사회 보험이다. 2분위보다 1분위의 사회 보험 급여의 비율이 낮다.
- ③ 오답 : 수혜 대상자 선정 과정에서 소득이 고려되는 제도는 기초 생활 보장 제도이다. 1분위와 2분위를 합한 가구는 전체 가구의 40%이지만, 1분위와 2분위를 합한 인구가 전체의 40%인지는 알 수 없다. 모든 가구의 구성원 수가 동일하다고 볼 수 없기 때문이다.
- ❹ 정답 : 사후 처방적 성격이 강한 사회 보장 제도는 기초 생활 보장 제도이다. 1분위에서 기초 생활 보장 급여의 비율이 38%로 가장 높다.

⑤ 오답 : 수혜자 부담 원칙이 적용되지 않는 사회 보장 제도는 기초 생활 보장 제도이다. 따라서 2분위를 1분위로 고쳐야 옳은 진술이 된다.

킬러 예상 문제

본문 138~139쪽

01 ④ **02** ④ **03** ④ **04** ② **05** ④ **06** ③ **07** ③ **08** ④

01 사회 보험과 공공 부조

자료 해설

(가) A는 3년 간 자동차 회사를 다니던 중 자동차 조립 과정에서 다쳐 병원에 입원한 후에 산업 재해 보상 급여를 신청하여 지급받았다. → 산업 재해를 당한 근로자에게 보상을 해 주는 산업 재해 보상 보험은 사회 보험에 해당한다.

(나) 70세인 B는 소득 인정액이 일정 기준액 이하로 판명되어 매월 일정 금액을 정부로부터 받고 있다. → 노후 보장과 복지 향상을 위해 일정 소득 이하의 65세 이상 노인에게 일정 금액을 지급하는 기초 연금은 공공 부조에 해당한다.

선택지 분석

① 오답 : 사회 보험은 가입 대상자의 제외 여부를 판단하기 위해 소득을 고려하지만 일단 가입자는 소득에 상관없이 수혜를 받을 수 있다. 따라서 수혜자 선정 과정에서 소득이 고려되는 것은 아니다.

② 오답 : 공공 부조는 수혜 대상자를 선별하여 급부를 제공하므로 선별적 복지에 해당한다.

③ 오답 : 사회 보험은 가입 대상자의 능력에 따라 보험료가 부과된다.

❹ 정답 : 특정 기준에 부합하는 국민을 대상으로 하는 공공 부조는 사회 보험보다 수혜 대상자의 범위가 좁고, 조세로 마련된 재원을 활용해 금전적으로 지원하기 때문에 소득 재분배 효과는 크다.

⑤ 오답 : 사회 보험은 수혜자 부담 원칙이 적용되지만 공공 부조는 국가나 지방 자치 단체가 비용을 전액 부담하므로 수혜자 부담 원칙이 적용되지 않는다.

02 사회 보험과 공공 부조

자료 해설

→ 사회 보험 A	→ 공공 부조 B
가입자, 사용자, 국가로부터 보험료를 받고, 이를 재원으로 사회적 위험에 노출되어 소득이 중단되거나 상실될 경우 급여를 제공하는 제도	생활이 어려운 사람에게 필요한 급여를 실시하여 이들의 최저 생활을 보장하고 자활을 돕는 것을 목적으로 하는 제도

질문	갑	을	병	정	무
A는 B와 달리 보편적 복지에 해당하는가? → 사회 보험은 공공 부조와 달리 보편적 복지에 해당한다.	○	○	○	○	×
B는 A와 달리 수혜 대상자 선정 과정에서 소득이 고려되는가? → 공공 부조는 수혜자 선정 과정에서 소득이 고려된다.	○	○	×	○	○
A와 B는 모두 소득 재분배 효과가 있는가? → 사회 보험과 공공 부조 모두 소득 재분배 효과가 있다.	×	×	○	○	○
A와 B는 모두 대상자의 강제 가입을 원칙으로 하는가? → 사회 보험만 강제 가입을 원칙으로 한다.	×	○	×	×	○

선택지 분석

① 오답 : 갑은 세 번째 질문에 '○'로 답해야 한다.

② 오답 : 을은 세 번째 질문에 '○', 네 번째 질문에 '×'로 답해야 한다.

③ 오답 : 병은 두 번째 질문에 '○'로 답해야 한다.

❹ 정답 : 정은 모두 맞는 답을 하였다.

⑤ 오답 : 무는 첫 번째 질문에 '○', 네 번째 질문에 '×'로 답해야 한다.

03 사회 보험과 공공 부조

자료 해설 그림은 사회 보험과 공공 부조의 공통점과 차이점을 벤다이어그램으로 나타내고 있다. (가)는 사회 보험만의 특징, (나)는 사회 보험과 공공 부조의 공통적인 특징, (다)는 공공 부조만의 특징에 해당한다.

선택지 분석

ㄱ. 오답 : 사회 보험의 보험료는 수혜자의 수혜 정도가 아니라 가입자의 경제적 능력에 따라 산출된다.

ㄴ. 정답 : 사회 보험과 공공 부조 모두 소득 재분배 효과가 나타난다.

ㄷ. 오답 : 상호 부조의 성격은 사회 보험만의 특징이다.

ㄹ. 정답 : 사후 처방적 성격은 공공 부조만의 특징이다. 사회 보험은 사전 예방적 성격을 특징으로 한다.

04 우리나라의 사회 보장 제도

자료 해설 (가)는 사회 보험, (나)는 공공 부조, (다)는 사회 서비스에 해당한다.

선택지 분석

① 오답 : 사회 보험의 보험료는 수혜자의 수혜 정도가 아니라 가입자의 경제적 능력에 따라 산출된다.

❷ 정답 : 공공 부조는 고소득자에게 누진적인 세금을 부과하고 저소득층에게 급여를 지급하여 소득 재분배 효과를 가져오므로 실질적 평등에 기여한다.

③ 오답 : 상호 부조의 효과는 사회 보험의 특징이다.

④ 오답 : 제도 운영에 민간 참여가 나타나는 것은 공공 부조가 아니라 사회 서비스이다.

⑤ 오답 : 대상자 선정 과정에서 부정적 낙인이 생길 수 있는 것은 공공 부조이다.

올쏘 만점 노트 사회 보장 제도의 유형

구분	수혜 대상	특징
사회 보험	생활 능력이 있는 국민	• 강제 가입이 원칙 • 상호 부조와 사전 예방의 성격
공공 부조	생활 능력이 없는 국민	• 전액 정부 부담으로 최저 생활 보장 • 소득 재분배 효과가 큼 • 사후 처방적 성격
사회 서비스	보호가 필요한 사회적 약자	• 취약 계층의 생활 지원 • 재활, 직업 소개, 시설 제공 등

05 사회 서비스

자료 해설 A 제도는 가사·간병 서비스로 사회 서비스에 해당한다. 사회 서비스는 보호가 필요한 소외 계층을 대상으로 재활, 직업 소개, 시설 제공 등의 서비스를 한다.

선택지 분석

ㄱ. 오답 : 사회 서비스는 비금전적 지원을 원칙으로 한다.

ㄴ. 정답 : 사회 서비스는 제도 운영에 국가나 공공 단체 외에 민간 참여가 가능하다.

ㄷ. 오답 : 원칙적으로 모든 국민을 대상으로 하는 사회 보장 제도는 사회 보험이며, 사회 서비스는 서비스가 필요한 국민을 대상으로 한다.

ㄹ 정답 : 사회 서비스에는 상담, 재활, 사회 복지 시설 이용, 가사 간병 도우미 제도 등이 포함된다.

06 맞춤형 급여

자료 해설

→ 월 소득 인정액이 최저 생계비 이하인 경우 모든 급여를 제공하는 포괄적 급여에 해당한다.

(가)

선정 기준	지원 급여 종류
월 소득 인정액이 최저 생계비 이하	생계, 의료 주거, 교육 급여 등 7가지 급여

교육 급여를 받기 위한 최고 기준 ← 은 월 소득 인정액이 중위 소득의 50%이고, 이는 문제에서 주어진 조건에 따라 최저 생계비와 동일하다.

(나)

→ 월 소득 인정액이 중위 소득의 일정 비율 이하인 경우 단계별로 급여를 늘리는 맞춤형 급여에 해당한다.

선정 기준		급여 종류
월 소득 인정액 (중위 소득 기준)	43% 초과 ~ 50% 이하	교육
	40% 초과 ~ 43% 이하	교육, 주거
	28% 초과 ~ 40% 이하	교육, 주거, 의료
	28% 이하	교육, 주거, 의료, 생계

→ 맞춤형 급여에서 모든 급여를 받기 위한 기준이다.

선택지 분석

① 오답 : (가)는 최저 생계비 이하라는 기준에 적합한 가구에 급여를 제공하는 제도이므로 선별적 복지에 해당한다.

② 오답 : 최저 생계비와 중위 소득의 50%가 일치하므로 최저 생계비가 100만 원이라면 중위 소득의 50%도 100만 원이다. 그런데 (나)에서 교육 급여를 받기 위한 월 소득 인정액의 기준은 중위 소득의 50%이하이므로 월 소득 인정액이 120만 원인 경우 교육 급여를 받을 수 없다.

❸ 정답 : 최저 생계비가 100만 원인 경우 80만 원은 중위 소득의 40%에 해당한다. 월 소득 인정액이 80만 원인 경우 (나)에서 교육, 주거, 의료 급여를 받을 수 있다.

④ 오답 : 상대적 생활 수준을 반영한 기준은 중위 소득의 50%를 빈곤선으로 정한 상대적 빈곤인데, (가)는 절대적 빈곤의 기준인 최저 생계비를 기준으로 하고 있으므로 적절하지 않다.

⑤ 오답 : 최저 생계비가 100만 원인 경우 60만 원은 중위 소득의 30%에 해당한다. 월 소득 인정액이 60만 원이라면 (가)에서는 생계 급여를 받을 수 있지만, (나)에서는 교육, 주거, 의료 급여는 받을 수 있으나 생계 급여는 받을 수 없다.

07 사회 보장 제도의 특징

자료 해설 비금전적 지원을 원칙으로 하는 것은 사회 서비스이므로 C는 사회 서비스에 해당하고, A, B는 사회 보험 , 공공 부조 중 하나이다. (가)에는 사회 보험이나 공공 부조 중 하나에만 '예'라는 답변이 가능한 질문이 들어가야 한다.

선택지 분석

① 오답 : 수혜 대상자의 자립과 자활 보장을 목적으로 하는 사회 보장 제도는 공공 부조이다.

② 오답 : 소득 재분배 효과는 사회 보험, 공공 부조의 공통된 특징이므로 (가) 에는 "소득 재분배 효과가 있는가?"가 들어갈 수 없다.

❸ 정답 : 사회 보험은 사전 예방적 성격이 강하고, 공공 부조는 사후 처방적 성격이 강하므로 '사전 예방적 성격이 강하다.'는 특징으로 사회 보험과 공공 부조를 구별할 수 있다.

④ 오답 : '수혜 정도와 상관없이 능력에 따라 비용을 부담한다.'는 특징은 사회 보험에만 해당한다.

⑤ 오답 : '국가와 지방 자치 단체가 비용을 전액 부담하는 것을 원칙으로 한

다.'는 특징은 공공 부조에만 해당하므로, 이 특징으로 사회 보험과 공공 부조를 구별할 수 있다.

08 사회 보장 제도의 특징

자료 해설 비금전적 지원을 원칙으로 하는 것은 사회 서비스이므로 A는 사회 서비스, 상호 부조의 원리를 기반으로 하는 것은 사회 보험이 므로 B는 사회 보험, C는 공공 부조이다.

선택지 분석

ㄱ. 오답 : 사회 서비스는 국가나 지방 자치 단체뿐만 아니라 민간에 의해서도 제공될 수 있다.

ㄴ 정답 : 사회 보험은 원칙적으로 모든 국민을 대상으로 한다.

ㄷ. 오답 : 국민 건강 보험, 국민 연금 등은 사회 보험의 사례이다. 공공 부조의 대표적인 사례로 국민 기초 생활 보장 제도를 들 수 있다.

ㄹ 정답 : 소득 재분배 효과는 사회 보험보다 공공 부조가 크다.

V 현대의 사회 변동

13 ⓐ 사회 변동과 사회 운동

기출 선지 변형 O X

본문 140~141쪽

01 ① O ② X ③ X ④ O ⑤ X ⑥ X ⑦ O
02 ① X ② O ③ O ④ X ⑤ X ⑥ X ⑦ O ⑧ X
03 ① X ② O ③ O ④ X ⑤ O ⑥ X ⑦ O
04 ① O ② X ③ X ④ O ⑤ O ⑥ O ⑦ X

01 ① 사회 변동을 사회 발전과 동일시하는 것은 진화론의 입장이다.
② 사회 변동을 대립과 갈등이라는 속성으로만 파악하는 것은 갈등론적 관점이다.
③ 진화론의 입장에서 사회 변동은 발전과 진보를 의미하므로 사회 변동을 부정적으로 바라보지 않는다.
④ 순환론에서는 인류 사회를 발생과 성장의 과정을 거쳐 결국 몰락의 과정을 겪는 운명론적 관점으로 설명하고 있다.
⑤ 진화론에서는 단순한 유기체가 복잡한 유기체로 진화한다는 생물학적 진화론을 사회 변동에 적용하여 설명하고 있다.
⑥ 사회 구조적인 측면에서 접근하는 진화론과 순환론은 모두 사회 변동을 거시적 관점에서 이해하고 있다.
⑦ 진화론은 사회 변동이 항상 발전을 의미한다고 보는데 반해, 순환론은 사회가 퇴보되거나 멸망할 수 있다고 본다.

02 ① 진화론은 사회 변동의 유형이 동일하다고 본다.
② 진화론은 사회 변동에 의해 사회가 더 복잡하게 분화된다고 본다.
③ 진화론에서는 사회 변동의 방향성이 단일하게 나타나는 반면, 순환론은 일정한 양상이 반복되어 나타난다.
④ 진화론에서 서구 사회가 진보된 사회임을 전제한다.
⑤ 순환론은 중·단기적 변동을 예측하기 어렵기 때문에 과거의 사회 변동을 설명하는 데 적합하다.
⑥ 순환론은 사회가 쇠퇴, 붕괴할 수 있기 때문에 한 사회가 연속성을 가지며 발전하는 현상을 설명하는 데 한계가 있다.
⑦ (가)에 들어갈 내용은 순환론과 구별되는 진화론만의 특징이 들어가야 하므로 '사회 변동이 곧 발전이나 진보를 의미한다고 본다.'는 적절하다.
⑧ (가)에 들어갈 내용은 순환론과 구별되는 진화론만의 특징이 들어가야 한다. '사회 변동을 질서와 안정을 추구하는 것으로 파악한다.'는 기능론적 관점에 해당한다.

03 ① 순환론에서 사회 변동은 일정한 양상을 반복하며 진행된다고 본다.
② 진화론에서 사회 변동은 단순한 상태에서 복잡하고 분화된 상태로의 변동을 의미한다.
③ 진화론은 단일한 방향성을 가지고 있기 때문에 순환론보다 미래를 예측하기에 적합하다.
④ 사회 변동에 대한 단일한 방향성을 전제로 하고 있는 것은 진화론이다.

⑤ 순환론에서는 사회가 쇠퇴·소멸되기도 하므로 변동이 항상 발전을 의미하지는 않는다고 본다.
⑥ 순환론은 사회가 변동할 때 발전할 수 있기 때문에 성장 과정이 나타남을 부정하지 않는다.
⑦ 진화론과 순환론 모두 사회가 일정한 양상을 가지고 변동한다고 본다. 다만, 진화론은 진보·발전이라는 단일한 방향성을 가지고 있는 반면, 순환론은 생성·성장·쇠퇴·소멸이라는 일정한 양상이 반복적으로 진행된다는 부분에 차이가 있다.

04 ① 순환론은 생성·성장·쇠퇴·소멸 과정을 거치기 때문에 사회 변동의 방향을 예측하여 대응하기 어렵다는 비판을 받는다.
② 진화론은 서구 사회가 진보된 사회임을 전제로 하기 때문에 제국주의의 지배를 정당화하는 수단으로 악용될 수 있다.
③ 진화론은 서구 중심적 사고라는 비판을 받을 수 있다.
④ 순환론은 진화론에 비해 지난 역사 속에서 반복된 사회 변동을 설명하기에 유용하다.
⑤ 진화론에서 사회 변동은 발전과 진보를 의미하기 때문에 현대 사회가 전통 사회보다 우월하다고 본다.
⑥ 진화론에서 사회 변동은 항상 발전을 의미하기 때문에 사회 변동 과정에서 나타나는 사회의 멸망을 설명하기 어렵다.
⑦ 순환론과 달리 진화론은 서구 사회가 밟아 왔던 변동의 과정이 최선의 것이라고 본다.

실전 기출 문제

본문 142~143쪽

01 ⑤ **02** ③ **03** ③ **04** ④ **05** ③ **06** ② **07** ⑤ **08** ①

01 순환론의 특징

자료 해설 두 사람은 사회 변동의 방향을 바라보는 관점 A에 대한 이야기를 나누고 있다. 사회 변동의 방향을 보는 관점에는 진화론과 순환론이 있는데, 사회가 항상 발전하지 않고 시간에 따라 흥망성쇠를 반복한다는 것을 통해 관점 A는 순환론임을 유추할 수 있다.

선택지 분석
① 오답 : 사회 변동을 사회 발전과 동일시하는 것은 진화론의 입장이다.
② 오답 : 진화론과 순환론 모두 사회 변동을 거시적 관점에서 이해한다.
③ 오답 : 사회 변동을 생물 유기체의 진화 과정에 비유하는 것은 진화론에 해당한다.
④ 오답 : 진화론은 지나친 서구 중심적 사고라는 비판과 함께 서구의 제국주의 역사를 정당화하는 수단으로 활용될 우려가 있다.
❺ 정답 : 순환론은 지난 역사 속에서 흥망성쇠를 반복하는 사회 변동을 설명하기에 유용하다.

02 사회 변동 이론

자료 해설 (가)는 인류의 문명이 단순한 것에서 분화된 것으로, 미신적인 것에 합리적인 것으로, 낡은 것에서 새로운 것으로 발전한다고 보고 있으므로 진화론이다. (나)는 인류 문명이 흥망성쇠의 과정을 거친다고 설명하고 있으므로 순환론이다.

선택지 분석

ㄱ. 오답 : 순환론은 사회 변동은 동일한 과정을 주기적으로 반복한다고 본다.

ⓛ 정답 : 순환론은 생성·성장·쇠퇴·소멸의 과정을 거치므로 사회가 항상 진보하는 것은 아니라고 본다.

ⓔ 정답 : 진화론은 개발도상국의 서구식 근대화 과정을 설명하기에 적합하다.

ㄹ. 오답 : 순환론은 진보론에 비해 사회의 변동 방향을 예측하여 대응하기가 어렵다.

03 사회 변동 이론

자료 해설 갑은 인류의 문명의 성장 과정을 미디어의 발달과 관련지어 점차 발전되어 왔음에 초점을 두고 설명하고 있다. 즉, 인류 문명이 농경 사회, 산업 사회, 정보 사회와 같이 일정한 단계를 거쳐 진보·발전하였다는 관점이므로 진화론에 해당한다. 을은 인류 문명의 변동 과정을 유목민과 정착민 간의 갈등이 주기적으로 반복되었다고 설명하고 있으므로 순환론에 해당한다.

선택지 분석

ㄱ. 오답 : 진화론에서 사회 변동은 발전과 진보를 의미하므로 사회 변동을 낙관적으로 바라보고 있다.

ⓛ 정답 : 순환론은 사회 변동이 일정한 양상을 반복하며 진행된다고 본다.

ⓔ 정답 : 진화론은 사회가 단순한 상태에서 복잡하고 분화된 상태로 변동한다고 본다.

ㄹ. 오답 : 진화론은 서구 사회가 진보된 사회임을 전제로 하기 때문에 서구 국가들의 제국주의 역사를 정당화시킬 우려가 있다.

올쏘 만점 노트   사회 변동의 방향에 대한 관점

구분	진화론	순환론
기본 입장	일정한 방향(단선적)으로 진보 또는 발전함	생성, 성장, 쇠퇴, 소멸의 과정을 반복함
유용성	근대화론 등 사회의 발전 양상을 설명하는 데 유용함	장기적이고 발전과 퇴보가 반복되는 사회 변동을 설명하고 해석하는 데 유용함
한계	• 사회 변동이 항상 발전을 의미하지 않으며 퇴보하거나 멸망할 수도 있음 • 서구 국가들의 제국주의 역사를 정당화하는 수단으로 악용될 우려가 있음	• 현 사회의 위치 파악이 어려워 앞으로의 변동 방향을 예측하여 대응하기에 부적합함 • 단기적 사회 변동의 과정을 설명하기 어려움 • 운명론적 세계관으로 인간의 주체성, 자율성 등 과소 평가

04 진화론과 순환론

자료 해설

[서술형 문항] 사회 변동의 방향을 바라보는 관점 (가), (나)를 비교하여 설명하시오.

구분	순환론 (가)	진화론 (나)
→ 순환론의 특징		
사회는 퇴보하기도 합니까?	예	아니요
근대화론의 기반이 되는 관점입니까?	아니요	예
→ 진화론의 특징		

선택지 분석

① 오답 : (가)는 순환론으로 문명이 생성·성장·쇠퇴 소멸의 과정을 반복한다고 본다.

② 오답 : 순환론은 운명론적 관점이라는 비판을 받는다.

③ 오답 : 진화론에서 사회 변동은 발전과 진보를 의미하므로 긍정적으로 인식한다.

④ 정답 : 진화론은 서구를 중심으로 한 단선적인 발전 경로를 강조한다. 다양한 경로의 사회 발전 양상을 설명하지 못한다는 한계를 가지고 있다.

⑤ 오답 : 진화론은 서구 중심의 사고를 반영하고 있다.

05 사회 변동 이론

자료 해설 (가)는 단순한 사회가 복잡하고 분화된 사회로 진보·발전한다고 보는 진화론이고, (나)는 사회의 문명이 생성·성장·쇠퇴·소멸의 과정을 주기적으로 반복한다고 보는 순환론이다.

선택지 분석

① 오답 : 사회가 주기적으로 동일한 과정을 통해 변동한다고 보는 것은 순환론이다.

② 오답 : 진화론은 서구의 제국주의 역사를 정당화하는 수단으로 악용될 수 있다는 비판을 받는다.

ⓔ 정답 : 진화론은 순환론과 달리 모든 사회가 일정한 방향(서구 선진국)으로 발전한다고 본다.

④ 오답 : 선진국과 후진국 간의 불평등한 힘의 관계에 주목하는 것은 종속 이론이다.

⑤ 오답 : 진화론은 서구 사회가 밟아 왔던 변동의 과정이 최선이라고 보지만 순환론은 그렇게 바라보지 않는다.

올쏘 만점 노트   종속 이론

개발도상국의 경제 발전이 각 국가의 경제 발전의 경로나 정책에 의한 것이 아니라 중심과 주변(수도와 위성)으로 구성된 세계 자본주의의 구조에 의해 규정된다는 것이다. 중심은 주변을 착취하여 발전하고 주변에는 '저개발의 발전'이 일어나 중심과 주변의 격차는 더욱 벌어지며 일단 주변이 된 국가는 개발이 불가능하고 정치적으로는 억압적인 체제가 된다고 주장한다.

06 진화론과 순환론의 공통점과 차이점

자료 해설

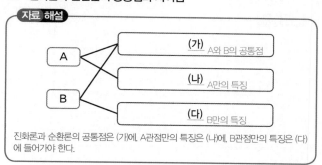

진화론과 순환론의 공통점은 (가)에, A관점만의 특징은 (나)에, B관점만의 특징은 (다)에 들어가야 한다.

선택지 분석

① 오답 : (가)에는 진화론과 순환론의 공통점이 들어가야 하는데, 제국주의를 정당화하는 근거로 사용되는 것은 진화론에만 해당되는 특징이다.

❷ 정답 : 근대화론의 이론적 근거가 되는 것은 진화론이므로 A는 진화론, B는 순환론이다. 따라서 (다)에는 순환론의 특징인 '미래 사회의 변동 방향에 대한 예측에 한계가 있다.'라는 진술이 들어갈 수 있다.

③ 오답 : 사회 변동을 긍정적으로 보는 것은 진화론이므로 A는 순환론, B는 진화론이다. 따라서 (나)에는 순환론의 특징이 들어가야 한다. 사회 변동을 단선적인 진보의 과정으로 설명하는 것은 진화론이다.

④ 오답 : A가 진화론이라면, (다)에는 순환론만의 특징이 들어가야 한다. 하지만 '사회 변동이 항상 발전을 의미하지는 않는다는 점을 간과한다.'는 진화

론의 한계이다.

⑤ 오답 : B가 순환론이라면, (나)에는 진화론만의 특징이 들어가야 한다. 하지만 '과거의 사회 변동만을 설명한다는 비판을 받는다.'는 순환론의 한계이다.

07 사회 변동 이론

자료 해설 사회 변동을 바라보는 관점에는 진화론과 순환론이 있는데 주어진 표를 바탕으로 (가), (나), (다)의 질문에 대하여 각각 '예'와 '아니요'로 응답한 경우를 잘 따져보아야 한다. A관점에서는 (가)의 질문에 대해 '아니요', (나)의 질문에 대해 '예'라고 답변을 해야 옳은 것이고, B관점에서는 (가)의 질문에 대해 '예', (나)의 질문에 대해 '아니요'로 답변을 해야 옳은 것이다. 또한 (다)의 질문에 A, B 모두 '예'라고 응답했으므로 (다)에는 A와 B의 공통점이 들어가야 한다.

선택지 분석

① 오답 : A가 진화론이면, '서구 중심적 사고라고 비판을 받는가?'라는 (가)의 질문에 대해 '예'라고 답변을 해야 하므로 옳지 않다.

② 오답 : B가 순환론이면 '사회 변동을 사회 발전으로 인식하는가?'라는 (다)의 질문에 대해 '예'라고 답변을 해야 하므로 옳지 않다. 사회 변동을 사회 발전으로 인식하는 것은 진화론이다.

③ 오답 : (나)의 질문이 '사회 변동은 주기적으로 동일한 과정을 반복하는가?'이면, 순환론은 A이다.

④ 오답 : (다)의 질문 '사회 변동은 일정한 방향을 가지고 있는가?'에 대해 '예'라고 답변을 할 수 있는 것은 진화론뿐이다. A, B가 모두 '예'라고 응답을 하려면 '사회 변동은 일정한 양상을 가지고 있는가?'라는 질문이 적절하다.

⑤ 정답 : (가)의 물음이 '제국주의를 정당화하는 근거로 사용되었는가?'이면, 진화론은 '예'라고 응답하고 순환론은 '아니요'라고 응답해야 하므로 A는 순환론, B는 진화론이다. 또한, (나)의 물음이 '사회 변동 과정에서 문명이 퇴보할 수 있는가?'이면, 순환론은 '예'라고 응답하고 진화론은 '아니요'라고 응답해야 하므로 A는 순환론, B는 진화론이다. 따라서 (가), (나)의 질문으로 적절하다.

08 진화론과 순환론

자료 해설

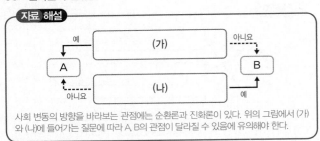

사회 변동의 방향을 바라보는 관점에는 순환론과 진화론이 있다. 위의 그림에서 (가)와 (나)에 들어가는 질문에 따라 A, B의 관점이 달라질 수 있음에 유의해야 한다.

선택지 분석

❶ 정답 : 사회 변동을 진보와 발전으로 보는 것은 진화론이다. A가 진화론이면, (가)에는 '사회 변동은 일정한 방향을 가지고 있는가?'가 적절하다.

② 오답 : 서구 중심적 사회를 전제하는 것은 진화론이다. B가 진화론이면, (나)에는 진화론과 관련된 질문이 들어가야 한다. 사회 변동 과정에서 문명이 퇴보할 수 있다고 보는 것은 순환론이다.

③ 오답 : 근대화론의 기반이 되는 관점은 진화론이다. 따라서 A는 진화론이고 B는 순환론이다. 서구 사회가 비서구 사회보다 도덕적으로 열등할 수 있다는 점을 간과했다는 비판을 받는 것은 진화론이다.

④ 오답 : 과거의 반복되는 역사를 해석하는 데 유용한 것은 순환론이다. 따라서 B는 순환론이고, A는 진화론이다. 미래 사회의 변화에 대한 역동적 대응이 곤란하다는 비판을 받는 것은 순환론이다.

⑤ 오답 : (가)의 질문에서 사회 변동을 곧 발전으로 인식하는 것은 진화론이므로 A는 진화론이다. 한편 (나)에서 제국주의를 정당화하는 근거로 사용되는 것은 진화론이므로 B도 진화론이다.

킬러 예상 문제
본문 144~145쪽

01 ① 02 ⑤ 03 ⑤ 04 ④ 05 ⑤ 06 ⑤ 07 ③ 08 ②

01 사회 변동의 요인

자료 해설 사회 변동의 주요 요인으로는 기술 발달, 가치관의 변화, 인구 구조의 변동, 새로운 문화 요소의 전파, 집단 갈등, 정부 정책의 변화, 자연 환경적 요인 등 여러 가지가 있다. (가)는 물질적 요소인 기술 발달로 인한 사회 변동의 사례이다. (나)는 가치관의 변화로 인한 구체적인 사회 변동 사례가 들어가야 하며, (다)와 (라)는 제시된 사회 변동의 주요 요인과 그 개별 사례를 연결하여 이해해야 한다.

선택지 분석

❶ 정답 : (가)는 컴퓨터, 스마트폰 발명 등 기술 발달로 인한 사회 변동 사례로 기술 발달에 의해 사회 변동이 이루어진다는 기술 결정론적 입장에 해당한다.

❷ 정답 : 프로테스탄티즘 정신으로 인한 자본주의 발전은 인간의 정신생활과 같은 가치관의 변화로 인한 사회 변동의 사례이다.

ㄷ. 오답 : '의학 기술의 발달에 따른 노인 인구의 증가'의 사례는 인구 구조의 변동에 따른 것이 아니라 기술 발달에 의한 사회 변동의 사례이다.

ㄹ. 오답 : (나)는 비물질문화인 가치관의 변화로 인한 사회 변동의 사례이나, (가)는 물질문화인 기술 발달에 의한 사회 변동 사례이다.

올쏘 만점 노트 사회 변동의 요인과 사례

사회 변동 요인	사례
기술 발달	의학 기술의 발달로 평균 수명이 늘어 인구 구조를 변동시킴
가치관, 이념 등 정신적 요인의 변화	계몽 사상 및 천부 인권 사상의 확산이 시민 혁명을 통한 봉건 사회의 붕괴를 초래함
인구 구조의 변동	외국인 노동자와 결혼 이주민의 국내 유입 증가로 다문화 사회로 변화함
집단 갈등	인종 차별에 대한 흑인들의 저항으로 흑인들의 인권 신장에 기여함
정부 정책의 변화	정부의 무상 급식 정책이 보편적인 복지 수요에 대한 전국적인 확대로 이어지고 있음
새로운 문화 요소의 등장(전파)	나침반이 유럽에 전파되어 신항로 개척과 식민지 건설에 큰 역할을 함
자연 환경적 요인	한반도 내 지진 발생의 증가로 인해 내진 설계 관련 법 제정 등 각종 안전 규제 조치들이 실시되고 있음

02 사회 변동의 요인

자료 해설 사회 변동의 주요 요인으로는 기술 발달, 가치관의 변화, 인구 구조의 변동, 새로운 문화 요소의 전파, 집단 갈등, 정부 정책의 변화, 자연 환경적 요인 등 여러 가지가 있다. (가)는 비물질문화인 천부 인권 사상의 영향에 따른 가치관의 변화로 인한 사회 변동의 사례이다. (나)는 비물질문화인 자유주의 사상의 영향에 따른 가치관의 변화로 인한 사회 변동 사례이다. (다)는 사회 운동의 영향에 따른 사회 변동 사례이다.

① 오답 : (가)는 가치관의 변화로 인한 사회 변동의 사례이다.

② 오답 : (나)는 가치관의 변화에 따른 사회 변동의 사례인 반면, 인공 지능 발명에 따른 사회 변동은 기술 발달로 인한 사회 변동의 사례이다.

③ 오답 : (가)는 가치관의 변화, (다)는 사회 운동의 영향에 따른 사회 변동 사례이다. (가)에는 다양한 사회 변동 요인이 작용했다는 내용은 없다.

④ 오답 : (나), (다) 모두 어느 한 변동 요인으로 인한 다른 분야의 사회 변동이 나타난 사례이다.

❺ 정답 : (가)는 천부 인권 사상, (나)는 자유주의 이념의 영향에 따른 가치관의 변화, 즉 (가), (나) 모두 비물질문화가 사회 변동의 요인으로 작용하였다.

03 사회 변동에 대한 기능론과 갈등론

자료 해설 정보화라는 사회 변동에 대해 갑은 사회 구성원들 간의 갈등이 필연적이며 그 대립과 갈등을 사회 변동의 원동력으로 보고 있으므로 갈등론적 입장이다. 이에 반해 을은 사회 변동을 사회 구조의 일시적인 불균형으로 보고 있으므로 기능론적 입장이다.

선택지 분석

ㄱ. 오답 : 사회 변동을 병리적 현상으로 보는 것은 기능론이다. 갈등론은 사회 변동을 사회 모순의 해결 과정에서 나타나는 현상으로 이해한다.

ㄴ. 오답 : 을의 관점은 기능론으로 전쟁, 혁명 등 급진적 사회 변동을 설명하기에 곤란한 반면, 점진적 사회 변동을 설명하기에는 용이하다.

ㄷ. 정답 : 기능론은 사회 변동의 과정에서 나타나는 문제를 일시적인 현상으로 보고 원래의 상태로 돌아오는 것이 바람직하다고 보는 보수적 성향이라는 평가를 받는다.

ㄹ. 정답 : 갈등론과 기능론 모두 사회 구조적 측면에서 사회 변동을 바라보는 거시적 관점에 해당한다.

올쏘 만점 노트 | 사회 변동에 대한 구조적 관점

구분	기능론	갈등론
기본 입장	사회 변동은 일시적인 불균형을 극복하고 균형 상태를 찾아가는 과정임	사회 구조에 내재된 갈등이 사회 변동의 원인이라고 봄
유용성	점진적 사회 변동을 설명하기 용이함	급격한 사회 변동을 설명하기 용이함
한계	혁명과 같은 급진적 사회 변동을 설명하기 곤란함	사회 통합이나 사회 구성 요소 간 상호 의존성 등을 설명하기 곤란함

04 사회 변동의 방향을 보는 관점

자료 해설

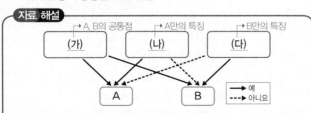

사회 변동의 방향을 바라보는 관점에는 진화론과 순환론이 있다. 제시된 그림을 보면 (가)에는 진화론과 순환론의 공통점에 해당하는 질문이 들어가야 하고, (나)에는 A만에 해당하는 질문, (다)에는 B에만 해당하는 질문이 들어가야 한다. 따라서 A, B가 각각 어느 관점에 해당하는지는 주어진 질문에 따라 달라지므로 이에 유의하여 문제를 해결해야 한다.

선택지 분석

㉠ 정답 : 진화론과 순환론 모두 사회 변동은 일정한 양상(흐름)을 가지고 있다고 보기 때문에 (가)에 들어갈 질문으로 적절하다. 단, 사회 변동에 일정한 방향을 가지고 있다고 보는 것은 진화론이라는 점에 주의해야 한다.

㉡ 정답 : A가 진화론이면 B는 순환론이다. 사회는 항상 진보·발전한다고 보는 관점이 진화론이므로 '사회 변동을 긍정적으로 바라보는가?'는 (나)에 들어갈 수 있다.

ㄷ. 오답 : B가 순환론이면 A는 진화론이다. 서구 중심적 사고라고 비판을 받으면서 제국주의를 정당화하는 수단으로 활용된 것은 진화론이므로 (다)에 들어갈 수 없다.

㉣ 정답 : 모든 사회가 이전보다 복잡하고 분화되는 양상으로 변동한다고 보는 것은 진화론이므로 A는 순환론, B는 진화론이다. 순환론은 사회 변동의 방향을 예측하기 어려워 미래의 사회 변동에 대한 역동적인 대응이 곤란하다는 비판을 받는다.

05 사회 변동의 방향을 바라보는 관점

자료 해설

→ 진화론의 특징 구분	진화론 A	순환론 B
사회 변동에 일정한 방향이 있다고 보는가?	예	아니요
(가) → (가)의 질문에 따라 ㉠, ㉡의	㉠	㉡
(나) 응답이 달라진다.	아니요	예

→ 순환론에만 해당하는 질문이 들어가야 한다.

선택지 분석

ㄱ. 오답 : 진화론과 순환론은 모두 거시적 관점에서 사회 변동을 이해한다.

ㄴ. 오답 : 순환론은 사회 구조 자체의 변화를 논의하지 못하고 역사적 과정에서 각국의 생성과 쇠퇴를 설명하는 데 그친다는 비판을 받는다.

㉢ 정답 : 진화론은 서구 중심적 사고라는 비판을 받는다. A는 진화론, B는 순환론이므로 ㉠은 '예', ㉡은 '아니요'로 응답해야 한다.

㉣ 정답 : 순환론은 사회가 언젠가는 쇠퇴, 소멸된다고 보기 때문에 숙명(운명)론적 관점으로 사회 변동을 바라본다.

06 사회 변동에 대한 관점

자료 해설 사회 변동에 대한 관점은 진화론, 순환론, 기능론, 갈등론이 있다. 사회 변동에 대한 구조적 관점인 A, B는 기능론 또는 갈등론이다. 따라서 C, D는 진화론 또는 순환론이다. (가)와 (나)의 질문에 따라 A~D가 달라짐으로 이에 유의하여 문제를 해결해야 한다.

선택지 분석

ㄱ. 오답 : 사회 구성 요소 간의 상호 의존성과 통합을 강조하는 것은 기능론이다. 따라서 A는 기능론, B는 갈등론이다.

ㄴ. 오답 : 순환론은 단기적인 사회 변동을 설명하기에 곤란하다.

㉢ 정답 : 사회 변동을 일시적인 불균형을 극복하는 과정으로 보는 것은 기능론이다. 따라서 A는 기능론, B는 갈등론이며, 갈등론은 급진적인 사회 변동을 설명하기에 용이하다.

㉣ 정답 : 다양한 경로의 사회 발전 양상을 설명하기에 용이한 것은 순환론이다. 따라서 C는 순환론, D는 진화론이며, 순환론은 사회 변동에 작용하는 인간의 주체성, 자율성을 과소 평가한다는 비판을 받는다.

07 사회 운동과 사회 변동

자료 해설 사회 운동은 사회 변동을 끌어내기 위한 지속적이고 집합적인 대중들의 노력을 의미하는 것으로 비정부 기구(NGO)의 활동, 즉 인권·환경 보호·반핵·소비자 운동뿐만 아니라 식민지 독립 운동, 민

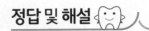

주화 운동, 노동 운동 등 다양한 형태가 있다.

선택지 분석

① 오답 : 지하철 선로에 빠진 승객을 구조하는 군중들의 행동은 일시적이고 우발적인 행동으로 뚜렷한 목표를 가지고 비교적 지속적·조직적으로 수행하는 사회 운동이라 볼 수 없다.

② 오답 : 사회 운동에는 환경, 인권, 구호 등을 위해 자발적으로 결성된 단체, 즉 비정부 기구(NGO)의 활동도 포함된다. 대표적인 비정부 기구의 국제 활동으로 인권 보호를 위해 활동하는 '국제엠네스티' 등을 들 수 있다.

❸ 정답 : 사회 운동은 일반적으로 뚜렷한 이념과 목표, 그 목표를 달성하기 위한 구체적인 활동 방법, 체계적인 조직 등을 가지고 대중이 조직적·집단적으로 벌이는 운동을 말한다.

④ 오답 : 사회 운동은 대부분 기존 질서의 변화를 추구하지만, 기존의 사회 질서 유지를 목적으로 한 사회 운동도 포함된다. 예를 들어 조선 시대 성리학 질서를 유지하기 위한 위정 척사 운동을 들 수 있다.

⑤ 오답 : 사회 운동이 사회 변동으로 이어지기 위해서는 정치 엘리트들의 역량보다 사회 구성원들의 지지가 더 중요하다. 따라서 사회 구성원들에게 지지를 호소하고 받아들여질 때 사회 제도로 반영되고 사회 변동으로 이어지게 된다.

08 현대 한국의 사회 운동

자료 해설 현대 한국의 사회 운동에 대해서 서술하고 있다. 사회 운동의 특징과 유형, 그리고 변화 과정을 잘 정리해 둘 필요가 있다.

선택지 분석

❶ 정답 : 사회 운동은 일반적으로 뚜렷한 목표와 이념, 구체적인 활동 방법, 체계적인 조직 등을 갖고 대중들이 조직적·집단적으로 벌이는 활동이다.

ㄴ. 오답 : 4·19 혁명은 기존의 질서를 고수하고자 벌였던 복고적 사회 운동이 아니라 사회 변화를 추구했던 사회 운동이다.

ㄷ. 오답 : 시민 단체는 공동의 이해관계나 관심사를 기반으로 하지만 본질 의지가 아닌 선택 의지에 의해 인위적으로 형성된 이익 사회이다.

❷ 정답 : 과거에는 노동 운동 중심의 사회 운동이었지만 오늘날에는 인권·환경 보호·소수자 보호·소비자 운동 등으로 그 형태가 다양해졌다.

14 ③ 현대 사회의 변화와 대응, 지속 가능한 사회

기출 선지 변형 O X
본문 146~147쪽

01 ① × ② ○ ③ × ④ ○ ⑤ ○ ⑥ × ⑦ × ⑧ ○
02 ① × ② × ③ ○ ④ ○ ⑤ × ⑥ ×
03 ① × ② × ③ ○ ④ × ⑤ ○ ⑥ ○ ⑦ ×
04 ① × ② ○ ③ × ④ ○ ⑤ ○ ⑥ ×

01 ① 구성원 간의 익명성은 정보 사회가 산업 사회보다 높다.

② 핵가족의 비중은 산업 사회가 농업 사회보다 높다.

③ 사회의 다원화 정도는 정보 사회 〉 산업 사회 〉 농업 사회 순이다.

④ 산업 사회는 정보 사회에 비해 정보의 생산자와 소비자 간 구분이 뚜렷하다.

⑤ 농업 사회는 정보 사회에 비해 정보 확산의 시공간적 제약이 크다.

⑥ (가)에 '사회 변동의 속도'가 들어가면, 0에서 멀어질수록 사회 변동의 속도가 빠르게 나타나야 한다. 정보 사회 〉 산업 사회 〉 농업 사회 순으로 나열되므로 그래프와 일치하지 않는다.

⑦ (나)에 '가정과 일터의 결합 정도'가 들어가면, 0에서 멀어질수록 결합 정도가 높게 나타나야 한다. 농업 사회 〉 정보 사회 〉 산업 사회 순으로 나열되므로 그래프와 일치하지 않는다.

⑧ (나)에 '쌍방향 미디어의 비중'이 들어가면, 0에서 멀어질수록 비중이 높게 나타나야 한다. 정보 사회 〉 산업 사회 〉 농업 사회 순으로 나열되므로 적절하다.

02 ① 제시된 자료를 통해서 도시 인구와 농촌 인구를 알 수 없다.

② 농촌의 경우는 정보 격차 경험자 중 대졸 이상인 사람보다 고졸인 사람의 수가 적다. 한편, 도시의 경우는 정보 격차 중 대졸 이상인 사람과 고졸인 사람의 수는 같다.

③ 농촌의 중졸 이하 학력의 정보 격차 경험자의 비율은 도시의 대졸 이상 학력의 정보 격차 경험자의 비율보다 2배 높지만 정보 격차 경험자 수는 도시가 농촌의 2배이므로 그 수는 50으로 같다.

④ 갑국의 성별 정보 격차 경험자 수를 살펴보면, 농촌 남성이 40명일 때 도시 남성은 60명이 되므로 총 100명이고, 농촌 여성이 60명일 때 도시 여성은 140이 되므로 총 200명이 된다. 따라서 갑국의 정보 격차 경험자 수는 여성이 남성의 2배가 된다.

⑤ 제시된 자료를 통해서는 농촌과 도시의 정보 격차 경험자 중에서 중졸 이하 학력의 여성이 차지하는 비율은 알 수 없다.

⑥ 농촌과 도시의 중졸 이하 학력의 정보 격차 경험자 비율은 서로 50%로 같지만, 정보 격차 경험자 수는 도시가 농촌의 2배이므로 농촌이 50명이라면 도시는 100명이 된다.

03 ① 1980년에 노년 부양비가 가장 큰 국가는 A국($16/68 \times 100$)이고, 2015년에는 C국($38/53 \times 100$)이다.

② A국의 유소년 부양비는 1980년에는 $16/68 \times 100$이고, 2015년에는 $16/58 \times 100$이므로 동일하지 않다.

③ 2015년에 '0~14세 인구 대비 65세 이상 인구'의 비율은 A국은 $26/16 \times 100$, B국은 $15/20 \times 100$, C국은 $38/9 \times 100$이다. 따라서 이

비율이 가장 높은 국가는 C국이다.

④ 1980년 대비 2015년에 A국의 유소년 부양비는 증가(16/68×100 → 16/58×100)하였으나 B국은 감소(29/65×100 → 20/65×100)하였다.

⑤ 1980년 대비 2015년의 노년 부양비는 A국(16/68×100 → 26/58×100), B국(6/65×100 → 15/65×100), C국(11/73×100 → 38/53×100) 모두 증가하였다.

⑥ C국은 1980년 대비 2015년에 상대적으로 유소년의 인구 비중(16% → 9%)이 작아지고, 노년 인구의 비중(11% → 38%)이 커졌다.

⑦ 제시된 그래프는 인구 비율의 변화 추이를 나타내고 있으므로 A~C 국 각각의 인구수를 파악할 수 없다. 따라서 B국은 유소년 비율이 9%로 가장 크게 감소하였으나 총인구수를 알 수 없으므로 세 국가 중 인구수가 가장 많이 줄었다고 단정할 수 없다.

04 ① 다문화 가구에 포함되는 가구의 형태에 대해 알 수 없기 때문에 정확하게 파악할 수 없다. 예를 들어 외국인과의 혼인뿐만 아니라 외국인 가구가 우리나라로 이민·귀화한 경우도 포함되어야 하고, 외국인과 혼인한 가구의 이혼 및 사별 등과 같은 사항도 고려해야 한다.

② 2010년에 외국인과의 혼인 건수는 3만 건(326,000×0.105=34,240.5건)을 넘는다.

③ 한국 남성과 외국 여성의 혼인 건수는 2005년에는 30,801.4건(314,300×0.098)이고 2015년에는 14,837.2건(302,800×0.049)이므로 2배가 넘는다.

④ 제시된 모든 연도에서 '한국 남성+외국 여성'의 비율이 '한국 여성 + 외국 남성'의 비율보다 크기 때문에 '남성이 외국인인 혼인 건수'보다 '여성이 외국인 혼인 건수'가 더 많다.

⑤ 2010년에 비해 2015년에는 외국인과의 혼인 건수가 줄어들었다.

⑥ '전체 혼인 건수'와 '외국인과의 혼인이 전체 혼인에서 차지하는 비중(%)'을 알면 실제 혼인 건수를 파악할 수 있다. 외국인과의 혼인 건수는 지속적으로 감소 추세(42,430.5건 → 34,240.5건 → 21,196건)에 있다. 따라서 다문화 가정이 증가할 것이라고 단정할 수 없다.

실전 **기출 문제**

본문 148~149쪽

01 ① **02** ① **03** ④ **04** ④ **05** ① **06** ① **07** ④ **08** ③

---

01 정보 사회의 문제점

자료 해설 제시문에서 필자는 컴퓨터 프로그램 명령어는 객관적이고 가치 중립적이지만 이를 이용한 IT 기업은 검색 결과의 순위, 온라인 뉴스의 배열 순서 등에서도 기업의 이데올로기가 반영된다고 주장하고 있다. 이는 객관적으로 보이는 정보가 실제로는 편향적일 수 있다는 것이다. 따라서 정보 수용자는 수많은 정보를 객관적으로 바라볼 수 있는 정보 취사선택 및 비판 능력을 함양해야 한다.

선택지 분석

❶ 정답: 객관적으로 보이는 정보가 실제로는 편향적일 수 있기 때문에 정보의 취사선택 및 비판적 판단 능력이 요구된다.

② 오답: 제시문은 지적 재산권 및 사생활 보호와는 관련 없는 내용이다.

③ 오답: 제시문은 정보 격차에 대한 내용이 아니다.

④ 오답: 제시문은 유해 정보에 대한 내용이 아니다.

⑤ 오답: 제시문은 정보 기기의 중독과 관련 없는 내용이다.

---

02 조건에 따른 각 사회의 특징 비교하기

자료 해설 주어진 표는 각 사회를 구분하는 특징에 따라 A~C 사회가 달라질 수 있다. (가), (나)에 해당하는 비교 기준과 각 사회의 특징을 비교하여 문제를 해결해야 한다.

선택지 분석

❶ 정답: 가정과 일터의 분리 정도는 산업 사회>정보 사회>농업 사회 순으로 나타나기 때문에 A는 산업 사회, B는 농업 사회, C는 정보 사회가 된다. 따라서 A는 C보다 관료제 조직의 비중이 높다.

② 오답: 구성원의 비대면 접촉 정도는 정보 사회>산업 사회>농업 사회 순으로 나타나기 때문에 A는 정보 사회, B는 농업 사회, C는 산업 사회가 된다. 따라서 C는 B보다 확대 가족의 비중이 낮다.

③ 오답: 구성원 간의 익명성 정도는 정보 사회>산업 사회>농업 사회 순으로 나타나기 때문에 A는 산업 사회, B는 정보 사회, C는 농업 사회가 된다. 따라서 A는 B보다 전자 상거래의 비중이 낮다.

④ 오답: (가)가 '사회 변동의 속도'라면 정보 사회>산업 사회>농업 사회 순으로 나타나기 때문에 A는 정보 사회, B는 농업 사회, C는 산업 사회가 된다. 그리고 (나)가 '사회의 다원화 정도'라면 정보 사회>산업 사회>농업 사회 순으로 나타나기 때문에 A는 산업 사회, B는 정보 사회, C는 농업 사회가 된다. (가)와 (나)의 특징에 각 사회가 부합되지 않기 때문에 적절하지 않다.

⑤ 오답: (나)가 '직업의 동질성 정도'라면 농업 사회>산업 사회>정보 사회 순으로 나타나기 때문에 A는 산업 사회, B는 농업 사회, C는 정보 사회가 된다. 그리고 (가)가 '의사 결정의 분권화 정도'라면 정보 사회>산업 사회>농업 사회 순으로 나타나기 때문에 A는 정보 사회, B는 농업 사회, C는 산업 사회가 된다. (가)와 (나)의 특징에 각 사회가 부합되지 않기 때문에 적절하지 않다.

---

03 농업 사회, 산업 사회, 정보 사회의 특징

자료 해설 '사회 조직의 관료제화 정도'는 산업 사회>정보 사회>농업 사회 순으로 나타난다. 따라서 주어진 그래프에서 A는 산업 사회, B는 정보 사회, C는 농업 사회이다.

선택지 분석

㉠ – (나): '가정과 일터의 결합 정도'는 농업 사회>정보 사회>산업 사회 순으로 나타난다. 세 그래프 중에서 C>B>A 순으로 나타나는 (나)의 그래프가 ㉠에 해당된다.

㉡ – (다): '구성원 간의 비대면 접촉 정도'는 정보 사회>산업 사회>농업 사회 순으로 나타난다. 세 그래프 중에서 B>A>C 순으로 나타나는 (다)의 그래프가 ㉡에 해당된다.

㉢ – (가): '직업의 동질성 정도'는 농업 사회>산업 사회>정보 사회 순으로 나타난다. 세 그래프 중에서 C>A>B 순으로 나타나는 (가)의 그래프가 ㉢에 해당된다.

정답 및 해설 😁

04 농업 사회, 산업 사회, 정보 사회의 특징

자료 해설 직업의 동질성이 가장 높은 사회는 농업 사회이므로 A는 농업 사회이고 B와 C는 각각 산업 사회와 정보 사회 중 하나이다. (가)의 물음에 따라 B와 C가 정해지기 때문에 보기의 내용을 파악하여 문제를 해결해야 한다.

선택지 분석

ㄱ. 오답 : 전자 상거래의 비중은 산업 사회보다 정보 사회가 더 높으므로 B는 정보 사회이고 C는 산업 사회이다. 따라서 기술의 발전 속도는 B>C>A로 나타난다.

ㄴ. 정답 : 면대면 접촉의 비중은 정보 사회보다 산업 사회가 더 높으므로 B는 산업 사회이고 C는 정보 사회이다. 따라서 일터와 가정의 분리 정도는 B>C>A로 나타난다.

ㄷ. 오답 : 소품종 대량 생산 방식은 정보 사회보다 산업 사회가 더 보편적이므로 B는 산업 사회이고 C는 정보 사회이다. 따라서 구성원 간 익명성의 정도는 C>B>A로 나타난다.

ㄹ. 정답 : 조직 내 의사 결정 권한의 분산 정도는 산업 사회보다 정보 사회가 더 높으므로 B는 정보 사회이고 C는 산업 사회이다. 따라서 사회적 관계 형성의 공간적 제약 정도는 A>C>B로 나타난다.

05 농업 사회, 산업 사회, 정보 사회의 특징

자료 해설

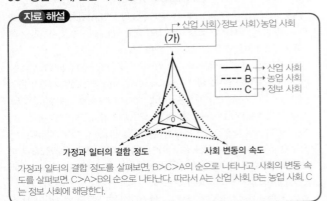

가정과 일터의 결합 정도를 살펴보면, B>C>A의 순으로 나타나고, 사회의 변동 속도를 살펴보면, C>A>B의 순으로 나타난다. 따라서 A는 산업 사회, B는 농업 사회, C는 정보 사회에 해당한다.

선택지 분석

① 정답 : 구성원 간의 익명성은 정보 사회>산업 사회>농업 사회 순이므로 산업 사회는 농업 사회보다 구성원 간 익명성 정도가 높다.

② 오답 : 산업 사회는 소품종 대량 생산의 비중이 크고, 정보 사회는 다품종 소량 생산의 비중이 크다.

③ 오답 : 지식과 정보가 부가 가치 창출의 원천인 정보 사회에서는 농업 사회보다 지식 산업을 통한 부가 가치 창출이 유리하다.

④ 오답 : 농업 사회는 대부분 1차 산업에 종사하고 있으므로 정보 사회보다 직업의 동질성이 강하다.

⑤ 오답 : (가)에는 A>C>B의 순으로 나타나는 특징이 들어가야 한다. '비대면 접촉의 정도'는 정보 사회>산업 사회>농업 사회 순으로 나타나기 때문에 적절하지 않다.

06 농업 사회, 산업 사회, 정보 사회의 특징

자료 해설 A는 1차 산업을 기반으로 구성원 간의 전인격적 관계가 지배적인 농업 사회이고, B는 정보와 지식이 부의 원천이며 디지털 기술을 기반으로 하는 정보 사회이다. C는 기술을 기반으로 하는 소품종 대량 생산의 산업 사회이다.

선택지 분석

ㄱ. 정답 : 사회적 관계를 맺는 공간적 제약은 농업 사회>산업 사회>정보 사회 순이다. 따라서 농업 사회가 정보 사회보다 크다.

ㄴ. 정답 : 비대면 접촉에 의한 상호 작용 정도는 정보 사회>산업 사회>농업 사회 순이다. 따라서 산업 사회가 농업 사회보다 크다.

ㄷ. 오답 : 정보의 생산자와 소비자 간 경계는 산업 사회가 정보 사회보다 분명하다.

ㄹ. 오답 : 가정과 일터의 분리 정도는 산업 사회>정보 사회>농업 사회 순이다. 따라서 산업 사회가 정보 사회보다 크다.

07 저출산 문제

자료 해설 제시문의 필자는 청년 취업난, 가족의 자녀 양육비 및 교육비 부담 등과 같은 경제적 요인으로 인해 저출산 문제가 발생했다고 보고 있다. 이에 경기 회복을 통한 가계 소득의 증가를 해결 방안으로 제시하였다.

선택지 분석

ㄱ. 제시문에는 저출산 문제를 갈등론적 관점에서 바라본 내용이 없다.

ㄴ. 정답 : 필자는 저출산 문제가 청년 취업난, 가족의 자녀 양육비 및 교육비 부담 등 경제적 요인에 의해 발생했다고 본다.

ㄷ. 오답 : 필자는 저출산 문제에 대해 경기 부양 정책을 통한 가계 소득의 증가를 해결 방안으로 제시하고 있다.

ㄹ. 정답 : 필자는 사회 문제인 저출산 문제를 경기 부양 정책과 같은 경제 정책을 통해 해결하고자 한다. 이는 사회 제도 간 유기적 관련성을 전제로 저출산 문제의 영향을 예측하고 있는 것이다.

올쏘 만점 노트 저출산과 고령화 문제

의미	출산율은 점차 낮아지고 노인 인구 비율은 높아지는 현상
문제점	노동력 부족, 국가 경쟁력 저하, 사회 복지 비용의 과대 지출 등
저출산 대책	보육 시설 확충, 출산비 지원, 육아 휴직 확대 및 자녀 교육비 지원 등
고령화 대책	• 평생 교육, 재취업 기회 확대, 정년 연장 등을 통해 노인들의 경제적 기반을 마련 • 노인 복지 정책이나 노인 편의 시설과 실버 산업 확대 등을 통한 삶의 질 향상

08 다문화 사회를 바라보는 다양한 관점

자료 해설 갑은 문화의 다양성을 강조하는 입장으로 이민족들의 문화를 존중하고 있고 있는 반면, 을은 동화주의적 관점에서 이민족들에게 자신의 문화를 버리고 우리의 전통문화를 받아들이도록 강요하고 있다.

선택지 분석

ㄱ. 오답 : 문화 발전을 위해 우리 문화를 세계에 전파해야 한다고 주장하는 내용은 없다.

ㄴ. 정답 : 을은 이민족에게 우리의 전통문화를 받아들이도록 강요하고 있으므로 우리 사회로 이주해 온 이민족과 문화를 우리 문화에 동화시키자는 입장이다.

ㄷ. 정답 : 갑은 문화의 다양성과 이민족의 문화를 존중하므로 이민족과의 문화적 공존을 중시하고 있다.

ㄹ. 오답 : 갑, 을 모두 전통 문화의 계승과 보존이 필요하다고 본다.

킬러 예상 문제

본문 150~151쪽

01 ② **02** ① **03** ⑤ **04** ① **05** ③ **06** ④ **07** ③ **08** ⑤

01 세계화

자료 해설 제시문은 세계화의 의미와 양상 및 대응 방안에 대해 서술하고 있다. 세계화란 삶의 공간이 국경을 넘어 전 지구로 확대되는 과정을 의미하며 정치적으로는 민주주의 확산 및 전 지구적 문제의 확산으로 인한 국제기구의 역할 증대를, 경제적으로는 자본주의와 시장 경제의 확산, 다국적 기업의 활동 증가, 자유 무역 협정(FTA)의 체결 확산을, 사회적으로는 비정부 기구(NGO) 및 다양한 행위 주체의 등장과 문화 전파 등을 통한 문화적 교류 확대 등의 양상을 보이고 있다. 하지만 세계화로 인한 문화의 획일화, 국가 간 빈부 격차 심화, 개별 국가의 자율성 침해 등과 같은 문제에 대한 적절한 대응이 필요하다.

선택지 분석
- **ㄱ** 정답 : 세계화의 요인으로 정보 통신 및 기술의 발달, 다국적 기업의 활동과 자유로운 자본의 이동 등을 들 수 있다.
- ㄴ. 오답 : 세계화로 인해 국가 간 경쟁의 심화 속에서 다국적 기업들의 활동이 증가하고 있다.
- ㄷ. 오답 : 세계화로 인해 국제적 인구 이동, 매체를 통한 문화 전파 등으로 문화적 교류가 확산되면서 다양한 문화 체험과 공유 기회가 증가하고 있다.
- **ㄹ** 정답 : 세계화로 인한 전 지구적 문제의 증가와 문화적 교류가 확대되면서 타 문화에 대한 문화 상대주의적 태도와 지구촌 문제 해결에 적극적으로 협력하는 세계 시민 의식 함양이 필요하다.

02 농업 사회, 산업 사회, 정보 사회

자료 해설 제시된 첫 번째 자료에서 구성원의 익명성 정도는 정보 사회>산업 사회>농업 사회 순으로 나타난다. 따라서 A는 농업 사회, B는 산업 사회, C는 정보 사회에 해당한다.

선택지 분석
- **ㄱ** 정답 : 산업 사회는 정보 사회보다 1인 가구의 비중이 높다.
- **ㄴ** 정답 : 직업의 동질성 정도는 농업 사회>산업 사회>정보 사회 순이므로 정보 사회는 산업 사회에 비해 직업의 동질성 정도가 낮다.
- ㄷ. 오답 : 비대면 접촉의 비중은 정보 사회>산업 사회>농업 사회 순이다.
- ㄹ. 오답 : 일터와 가정의 결합 정도는 농업 사회>정보 사회>산업 사회 순이므로 (가)에 적합하지 않다. 관료제 조직의 비중은 산업 사회>정보 사회>농업 사회 순이므로 (나)에 적합한 분류 기준이다.

올쏘 만점 노트 농업 사회(A), 산업 사회(B), 정보 사회(C) 비교

비교 기준	비교 결과
사회 변동 속도, 비대면 접촉의 비중, 사회의 다원화 정도, 구성원 간 익명성 정도, 개인 정보 유출 가능성, 서비스업의 비중(3차 산업의 비중)	C>B>A
가정과 일터의 결합 정도	A>C>B
관료제의 비중(업무 방식의 표준화 정도)	B>C>A

03 정보 사회와 산업 사회

자료 해설 (가), (나)에 따라 산업 사회 또는 정보 사회가 달라지는 개방형 문항이므로 이에 유의하여 각 사회의 특징을 잘 연결하여 문제를 해결해야 한다.

선택지 분석
- ① 오답 : 사회 변동의 속도는 정보 사회가 산업 사회보다 빠르다.
- ② 오답 : 확대 가족의 비중은 산업 사회가 정보 사회보다 높다.
- ③ 오답 : 개인 정보 유출 가능성 정도는 정보 사회가 산업 사회보다 높으므로 A는 정보 사회, B는 산업 사회이다. 정보 사회는 쌍방향 의사소통이 보편화되면서 산업 사회보다 정보의 생산자와 소비자 간 구분이 약하다.
- ④ 오답 : 양방향 의사소통 정도는 정보 사회가 산업 사회보다 높으므로 A는 산업 사회, B는 정보 사회이다. 정보 사회는 산업 사회보다 면대면 접촉의 비중이 낮다.
- **⑤** 정답 : 다품종 소량 생산의 비중은 정보 사회가 산업 사회보다 높으므로 A는 정보 사회, B는 산업 사회이다. 사회 조직의 관료화 정도는 산업 사회가 정보 사회보다 높으므로 (가), (나)의 분류 기준에 따른 A, B의 사회가 동일하다.

04 인구 문제

자료 해설 자료에 나타난 갑국~병국의 연령대별 인구 구성비를 토대로 노년 부양비, 유소년 부양비, 노령화 지수 개념을 활용하여 인구 문제를 분석하는 문제이다.

선택지 분석
- **ㄱ** 정답 : 1995년에 노령화 지수는 갑국(15/15×100), 을국(14/30×100), 병국(8/16×100)이고, 2015년에 노령화 지수는 갑국(20/15×100), 을국(24/20×100), 병국(28/10×100)이므로 노령화 지수가 가장 큰 국가는 1995년에 갑국, 2015년에 병국이다.
- **ㄴ** 정답 : 1995년 대비 2015년의 노년 부양비는 갑국(15/70×100 → 20/65×100), 을국(14/56×100 → 24/56×100), 병국(8/76×100 → 28/62×100) 모두 증가하였다.
- ㄷ. 오답 : 2015년의 전체 인구가 1995년보다 증가할 수 있으므로 15~64세 인구 또한 증가할 수 있기 때문에 제시된 자료에서 인구 구성비의 감소를 인구 규모의 감소로 판단할 수 없다. 비율의 감소가 인구 규모의 감소를 의미하지 않는다는 것을 유의해야 한다.
- ㄹ. 오답 : 1995년 대비 2015년에 갑국의 유소년 부양비(15/70×100 → 15/65×100)는 증가하였고, 을국(30/56×100 → 20/56×100)과 병국(16/76×100 → 10/62×100)의 유소년 부양비는 감소하였다.

05 저출산·고령화 문제

자료 해설 자료에 나타난 갑국의 합계 출산율, 유소년 부양비, 노년 부양비 지표와 개념을 활용하여 인구 문제를 분석 및 추론하는 문제이다. 우선 합계 출산율이 점점 감소하고 있으므로 저출산 문제 해결을 위한 다양한 정책이 필요함을 알 수 있다. 또한 유소년 부양비와 노년 부양비의 분모인 15~64세 인구가 변동이 없기에 유소년 부양비와 노년 부양비의 개념을 활용하여 0~14세 인구와 65세 이상 인구의 변화 양상을 추론할 수 있다. 15~64세 인구를 100명이라 가정할 경우 제시된 연도의 연령대별 인구수를 정리하면 다음과 같다.

구분	2005년	2015년	2025년
0~14세	30명	20명	10명
15~64세	100명	100명	100명
65세 이상	10명	12명	20명
합계	140명	132명	130명

ㄱ. 오답 : 합계 출산율이 감소하고 있으므로 저출산 문제를 해결하기 위해 일과 가정을 모두 중시할 수 있는 일·가정 양립을 위한 지원이 강화될 것이다.

ㄴ. 정답 : 2005년의 유소년 부양비를 보면 0∼14세 인구 30명을 부양하는 데 15∼64세 인구가 100명이 필요함을 알 수 있다.

ㄷ. 정답 : 0∼14세 인구 1명당 65세 이상 인구는 2015년(12/20), 2025년(20/10)이므로 2025년이 2015년보다 많다는 것을 알 수 있다.

ㄹ. 오답 : 전체 인구 중 65세 이상 인구가 차지하는 비율은 2005년(10/140×100), 2025년(20/130×100)으로 2025년이 2005년보다 2배 이상 크다.

06 다문화 정책

자료 해설 다문화 정책에는 동화주의와 다문화주의가 있다. 동화주의는 이주민들의 문화가 주류 문화에 동화되어야 한다는 입장으로 문화적 동질성을 유지시키는 것을 목표로 하며 기존 문화와 가치에 다양한 문화권에서 온 이주민들을 흡수시키는 일명 용광로(Melting Pot) 정책이라 부른다. 반면 다문화주의는 이주민과 주류 문화가 서로 공존하고 존중받으며 함께 발전해야 한다는 입장으로 다양성 인정을 통한 발전과 사회 통합을 목표로 일명 샐러드 볼(Salad Bowl) 정책이라 부른다. 따라서 (가)는 다문화주의이고, (나)는 동화주의이다.

ㄱ. 정답 : 다문화주의는 이주민을 우리 사회의 주체, 동화주의는 이주민을 통합의 객체로 인식한다.

ㄴ. 정답 : 자국민을 대상으로 이주민 문화 체험 학습 프로그램을 진행하는 것은 다문화주의 정책에 해당한다.

ㄷ. 정답 : 다문화주의는 동화주의보다 문화적 다양성 확보에 유리하다.

ㄹ. 오답 : 이주민의 문화를 인정하는 다문화주의는 동화주의보다 문화 상대주의적 태도에 긍정적이다.

07 전 지구적 문제와 지속 가능한 발전

자료 해설 자원의 무절제한 사용, 공업화와 인구 증가로 인한 자원 소비의 증가와 그 폐기물 발생량의 증가, 무분별한 자원의 남용으로 인한 환경 파괴 초래 등으로 인해 식량과 에너지 자원 부족 문제, 지구 온난화, 열대 우림의 파괴와 같은 환경 문제 등 전 지구적 수준의 문제가 심각해지고 있다. 이를 해결하기 위해서는 인간 중심적인 사고에서 벗어나 환경 친화적인 상품 생산 등 지속 가능한 개발과 국제 사회의 유기적인 협력 체계 구축 등이 필요하다. 또한 영토 분쟁, 자원 분쟁 등 국제 분쟁이 심각해지고 있는 만큼 분쟁 당사자들의 상호 존중과 이해 및 협력을 통한 분쟁 해결이 필요하다.

ㄱ. 오답 : 전 지구적 차원의 문제로 식량 및 에너지 자원 부족 문제뿐만 아니라 전쟁 및 테러 문제도 들어갈 수 있다.

ㄴ. 정답 : 사막화 현상의 원인에는 삼림의 남벌과 농경지와 목축지의 과잉 개발 등이 있다.

ㄷ. 정답 : 지구 온난화는 특정 국가와 집단의 노력으로 해결될 수 있는 것이 아니라 전 지구적 수준의 문제로 국제 사회의 유기적인 협력 체계 구축이 필요하다.

ㄹ. 오답 : 지속 가능한 발전은 인간과 자연을 이분법적으로 구분하는 사고 방식에서 벗어나 인간과 자연의 공존과 조화를 추구한다.

08 지속 가능한 발전

자료 해설 A는 1987년 세계 환경 개발 위원회(WCED)에서 처음 사용된 개념으로 미래 세대의 필요를 충족시킬 능력을 손상시키지 않으면서 현재 세대의 필요를 충족시키는 발전 방식, 즉 지속 가능한 발전을 의미한다. 이는 환경 보호와 경제 발전의 조화를 추구하면서 동시에 사회의 발전과 통합을 강조하고 있다.

ㄱ. 오답 : 지속 가능한 발전은 미래 세대의 필요뿐만 아니라 현재 세대의 필요를 충족시키는 발전 방식이다.

ㄴ. 오답 : 지속 가능한 발전은 자국의 이익 추구보다는 전 지구적 차원의 협력을 강조한다.

ㄷ. 정답 : 지속 가능한 발전 방식은 환경 보호와 경제 성장의 조화와 함께 사회적 형평성까지 고려한다.

ㄹ. 정답 : 재활용할 수 있는 제품을 설계하는 것도 지속 가능한 발전을 위한 노력에 해당한다.

all about society 올쏘

올쏘

고등 사회·문화